主编◇陈文新

本卷主编◇鲁小俊

中国文学编年史

清前中期卷

（上）

总　序

　　纪传体、编年体是中国传统史书的两种主要体裁，而编年体的写作远较纪传体薄弱。《四库全书总目》卷四七史部编年类小序已明确指出这一事实："司马迁改编年为纪传，荀悦又改纪传为编年。刘知幾深通史法，而《史通》分叙六家，统归二体，则编年、纪传均正史也。其不列为正史者，以班、马旧裁，历朝继作。编年一体，则或有或无，不能使时代相续。故姑置焉，无他义也。"① 与古代历史著作的这种体裁格局相似，在 20 世纪的中国文学史写作中，也是纪传体一枝独秀，不仅在数量上已多到难以屈指，各大专院校所用的教材也通常是纪传体，这类著作的核心部分是作家传记（包括作家的创作经历和创作成就）。编年类的著作，则虽有陆侃如、傅璇琮、曹道衡、刘跃进等学者做了卓有成效的工作，但就总体而言，仍有大量空白，尤其是宋、元、明、清、现、当代部分，历时一千余年，文献浩繁，而相关成果甚少。这样一种状况，自然是不能令人满意的。这套十八卷的《中国文学编年史》的编纂出版，即旨在一定程度地改变这种状况。

　　文学史是在一定的空间和时间中展开的。纪传体的空间意识和时间意识以若干个焦点（作家）为坐标，对文学史流程的把握注重大体判断。其优势在于，常能略其玄黄而取其隽逸，对时代风会的描述言简意赅，达到以少许胜多许的境界。若干重要的文学史术语如"建安风骨"、"盛唐气象"、"大历诗风"等，就是这种学术智慧的凝

---

　　① 永瑢等撰：《四库全书总目》，第 418 页，北京，中华书局，1965。

结。但是，由于风会之说仅能言其大概，"个别"和"例外"（即使是非常重要的"个别"和"例外"）往往被忽略，不免留下遗憾。一些跨时代的作家，如李煜、刘基、张岱等人，在文学史中的时代归属与其代表作的实际创作年代也常有不吻合的情形。例如，李煜被视为南唐作家，而他最好的词写在宋初；刘基被视为明代作家，而他最好的诗、文写在元末；张岱被视为明代作家，而其代表作多写于清初。比上述情形更具普遍性的，还有下述事实：我们讲罗贯中的《三国志通俗演义》，往往以毛宗岗修订本为例；我们讲施耐庵的《水浒传》，往往以百回繁本为例；我们讲兰陵笑笑生的《金瓶梅》，往往以崇祯本为例。这就出现了两方面的问题：第一，我们讲的并不是作家的原著；第二，我们忽略了读者的接受情形。这类涉及风会与例外、作家时代归属与作品实际创作、传播与接受两方面的问题，以纪传体来解决，由于受到体例的限制，往往力不从心，采用编年体，解决起来就方便多了：不难依次排列，以展开具体而丰富多彩的历史流程。

与纪传体相比，编年史在展现文学历程的复杂性、多元性方面获得了极大的自由，但在时代风会的描述和大局的判断上，则远不如纪传体来得明快和简洁。作为尝试，我们在体例的设计、史料的确认和选择方面采用了若干与一般编年史不同的做法，以期在充分发挥编年史长处的同时，又能尽量弥补其短处。我们的尝试主要在三个方面：其一，关于时间段的设计。编年史通常以年为基本单位，年下辖月，月下辖日。这种向下的时间序列，可以有效发挥编年史的长处。我们在采用这一时间序列的同时，另外设计了一个向上的时间序列，即：以年为基本单位，年上设阶段，阶段上设时代。这种向上的时间序列，旨在克服一般编年史的不足。具体做法是：阶段与章相对应，时代与卷相对应，分别设立引言和绪论，以重点揭示文学发展的阶段性特征和时代特征（现当代文学因时间周期较短，拟省略阶段，不设引言）。其二，历史人物的活动包括"言"和"行"两个方面，"行"（人物活动、生平）往往得到足够重视，"言"则通常被忽略。而我们认为，在文学史进程中，"言"的重要性可以与"行"相提并论，特殊情况下，其重要性甚至超过"行"。比如，我们考察初唐的文学，不读陈子昂的诗论，对初唐的文学史进程就不可能有真正的了解；我们考察嘉靖年间的文学，不读唐宋派、后七子的文论，对这一时期的文学景观就不可能有准确的把握。鉴于这一事实，若干作品序跋、友朋信函等，由于透露了重要的文学流变信息，我们也酌情收入。其三，较之政治、经济、军事史料，思想文化活动是我们更加关注的对象。中国文学进程是在中国历史的背景下展开的，与政治、经济、军事、思想文化等均有显著联系，而与思想文化的联系往往更为内在，更具有全局性。考虑到这一点，我们有意加强了下述三方面材料的收录：重要文化政策；对知识阶层有显著影响的文化生活（如结社、讲学、重大文化工程的进展、相关艺术活动等）；思想文化经典的撰写、出版和评论。这样处理，目的是用编年的方式将中国文学进程及与之密切相关的中国思想文化变迁一并展现在读者面前。

《中国文学编年史》是一个基础性的重大学术工程，文献的广泛调查和准确使用是做好编纂工作的首要前提。《四库全书》、《续修四库全书》、《四库存目丛书》、《四库禁毁书丛刊》、《丛书集成》、《笔记小说大观》等是我们经常使用的典籍，近人和今人整理出版的别集、总集，大量年谱（如徐朔方《晚明曲家年谱》），以及文、史、哲方面的编年史，均在参考范围之内，限于体例，未能一一注明，谨此一并致谢。在使用上述文献的过程中，我们采取的是一种如履薄冰、如临深渊的谨慎态度。这是因为，相当一部分典籍是由我们第一次标点，这一工作的难度是不言而喻的。即使是前人已经整理的典籍，我们也并不直接采用，而是根据自己的理解再整理一次。这样做当然增加了工作量，但确有许多好处，若干错误就是在这一过程中得到纠正的，有些错误的纠正涉及基本事实的澄清。比如，张大复《皇明昆山人物传》卷八记梁辰鱼晚年情形，有云："（梁氏）当除夕遇大雪，既寝不寐。忽令侍者遍邀诸年少，载酒放歌，绕城一匝而后就睡。曰：'天为我辈雨玉，可令俗人蹴踏之耶？'时年已七十矣。亡何，中恶，语不甚了。有老奴李用者，颇省其说，尚有注记。得岁七十有三。"一位学者将"中恶，语不甚了"标点为"中恶语，不甚了"，并就此推论说："梁辰鱼七十岁时遭遇暧昧不明的事件。""《皇明昆山人物传》的上述记载本意是为贤者讳，事实上倒很可能为统治者隐盖了迫害异己文人的一件罪行。"这就不免弄错了事实。"中恶"即突然患急病，正所谓"老健春寒秋后热"，老年人得急病是常见的情形。而"中恶语"的表述，明显不符合古人的语言习惯。再如，陈田《明诗纪事》将正德时期的傅汝舟与明末的傅汝舟混为一人，将两人的生平搅在一起，其按语云："丁戊山人诗初矜独造，晚遁荒诞，择其入格者录之，亦是幽弦孤调。山人享大年，具异才，谈佛谈仙，亦作北里中艳语。初与郑少谷游，晚乃与茅止生、卓去病、张文寺、文太青倡和，支离怪

3

诞，无所不有。少谷集中无是也。论者乃专谓山人刻意学少谷，何哉?"《明诗纪事》近三百万言，卓有建树，是研究明诗的必备案头书。但关于傅汝舟，陈田的确弄错了。郑善夫（1485—1523）号少谷，以学杜著称，学郑少谷的是正德年间的傅汝舟；文翔凤号太青，万历三十八年（1610）进士，与文太青等唱和的是明末的傅汝舟。两个傅汝舟之间相距约百年，陈田想当然地将二者合为一人，说他"享大年"，又说他前期学郑少谷，后期学竟陵派，曲意弥缝，令人哑然失笑。其他种种，如部分文学家辞典对作家生卒年的误注，若干点校本的断句错误等，我们都在力所能及的范围内做了纠正。提到这些情况，不是想证明我们的水平有多高，而意在告诉读者：我们的工作态度是认真的，有志于为读者提供一部值得信赖的编年史著述。

《中国文学编年史》的编纂得到了北京大学、武汉大学、南京大学、中国人民大学、中国社会科学院、中国艺术研究院、中华书局、陕西师范大学、西北师范大学、华中师范大学、山东师范大学、山东曲阜师范大学、中南民族大学、中南财经政法大学等单位专家和领导，尤其是武汉大学领导的支持；湖南省新闻出版局、湖南出版投资控股集团及湖南人民出版社鼎力支持编年史的编纂出版，所有这些，我们将永远铭记在心。

陈文新

2006 年 7 月 23 日于武汉大学

凡　例

一、《中国文学编年史》以编年形式演述中国文学发展历程，凡十八卷：第一卷周秦、第二卷汉魏、第三卷两晋南北朝、第四卷隋唐五代（上）、第五卷隋唐五代（中）、第六卷隋唐五代（下）、第七卷宋辽金（上）、第八卷宋辽金（中）、第九卷宋辽金（下）、第十卷元代、第十一卷明前期、第十二卷明中期、第十三卷明末清初、第十四卷清前中期（上）、第十五卷清前中期（下）、第十六卷晚清、第十七卷现代、第十八卷当代。

二、编年史各卷据文学发展的不同阶段划分为若干章（如无必要，或不分章）。章的标目方式是："××章　××年至××年，共××年"。关于某一阶段文学的总体评论放在该章的首年之前，如明前期卷"第一章　洪武元年至建文四年，共35年"，在章目下，"洪武元年"之前，单列明前期卷"引言"一目。关于某一时代文学的综合论述，放在卷首。如元代卷，在第一章前，单列元代文学"绪论"。

三、编年史各卷所收录内容的构架大体统一，重点包括七个方面：1. 重要文化政策；2. 对文学发展有显著影响的文化生活（如结社、讲学、重大文化工程的进展、相关艺术活动等）；3. 作家交往（唱和、社团活动等）；4. 作家生平事迹；5. 重要作品的创作、出版和评论；6. 争鸣（团体之间、个人之间在重要问题上的论辩等）；7. 其他。

四、叙事以纲带目，即在征引相关文献之前有一句或数句概述。如，先总叙一句"俞宪编《盛明百家诗》成书"，再征引相关序跋、著录、评议。前者为纲，后者为目，纲、目配合，旨在完整地呈现文学史事实。少量见于常用工具书的重要史实，或不必展开的文学史事实，则列纲而略目，以省篇幅。

五、公历纪年年初与中国传统纪年年末不属同一年份，如公元1899年元月1日至12月31日对应于光绪二十四年戊戌十一月二十七日至光绪二十五年己亥十一月二十九日，而不对应于光绪二十五年己亥正月初一至十二月三十日。我们采用变通的处理方法，以公历纪年，而以农历纪月，比如，凡光绪二十五年己亥正月至十二月之内的内容均置于公元1899年下。作家生卒年，仍据公历标注，其他以此类推。现、当代文学部分，纪年、纪月均据公历。

六、同一年内之文学史实，按月份先后顺序排列。月份不详而仅知季度的，春季置于三月之后，夏季置于六月之后，其他以此类推。季度、月份均不详者，另设"本年"目统之。

七、一部分重要文学史实，年月不详而仅知大体时段者，在年号之末另设"××年间"目统之，如嘉靖四十五年之后另设"嘉靖年间"一目。

八、引用序跋，一般采用"作者＋篇名"的方式，如"臧懋循《唐诗所序》"。引用序跋之外的诗文等作品，一般采用"集名＋卷次＋篇名"的方式，如"《有学集》卷三一《隐湖毛君墓志铭》"，采用"作者＋篇名"的方式，如"钱谦益《隐湖毛君墓志铭》"。无篇名者则省略，如"《艺苑卮言》卷三"。某作者集中所收为他人别集所作的序跋，亦采用这一方式，如"《太函集》卷二二《弇州山人四部稿序》"。引用正史，一般采用"正史名＋本传或××传"的方式，"如《明史》本传"或"《明史》李攀龙传"，不标卷次。引用《四库全书总目提要》，或用全称，或简称"四库提要"，只标明卷次。如"四库提要卷一五三"。引用地方志，标明纂修年代，如"光绪《乌程县志》卷三一"。据类书转引时，注明原出处，如"《太平广记》卷二〇《阴隐客》（出《博异志》）"。引用报刊，注明年月日或卷次。

九、作者小传一般置于生年。有些作家，虽生年在上一卷，但在上一卷无文学活动，其小传酌情移入本卷首次出现时。如杨士奇，元亡时才4岁，其小传置于明前期卷，出生时只交代："杨士奇（1365—1444）生"，不列小传。现、当代作者，因传记资料常见，相关作家小传酌情收录。

十、对于某一作家的总体评论和重要著录一般置于卒年。某作者卒年在下一卷，但在下一卷无重要文学活动，主要评论材料酌情置于本卷。如易顺鼎（1858—1920），其评论材料集中于晚清卷，不入现代卷。

十一、作家代表作一般不录原文，但收录重要评论材料，并酌情说明相关选本收录情形。

十二、需要补充交待而占用篇幅较大的文学史事实，设少量"附录"。对若干需要辨证的史实，设按语加以说明。以提供文献线索为主，不详加征引。

目　录

第二章　乾隆元年丙辰至乾隆三十六年辛卯（1736—1771）共 36 年

第五章　道光元年辛巳至道光十九年己亥（1821—1839）共 19 年

绪　论

汪喜孙《焦里堂与阮督部论儒林传书》：《儒林》、《文苑》两传既分，则各隶者，不宜讹杂。盖经生非不娴辞赋，文士亦或有经训，是必权其重轻，如量而授。窃谓黄梨洲、毛大可、全谢山，诗文富矣，而学实冠乎文。朱竹垞、姜西溟、汪钝翁，非不说经，而文究优于学。王寅旭、梅定九、陈泗源之推步，顾亭林之音学，王交河之律吕，胡沧晓、惠定宇之《易》，万充宗、顾复初之《春秋》，胡胐明之《禹贡》，阎百诗之《尚书》，张稷若之《仪礼》，邵二云之《尔雅》，王白田之服膺朱子，万季野之论定《明史》，方望溪、齐息园、周书昌、陆耳山之校辑诸书，江慎修、戴东原、钱溉亭之声音、训诂、名物、象数，皆与《儒林》为近。推之马宛斯、沈果堂、陈亦韩、应嗣寅、孔㧑轩、朱笥河、金蘂斋、武虚谷、王西庄、江艮庭、任幼植、张皋文、汪容甫，皆《儒林》之选也。魏叔子、尤西堂、施愚山、田古欢、周栎园、吴梅村、陈其年、吴园次、汪蛟门、冯山公、杭堇浦，皆《文苑》之雄也。（《汪氏学行记》卷三）

昭梿《啸亭续录》卷二《考据之难》：本朝诸儒皆擅考据之学，如毛西河、顾炎武、朱竹垞诸公，实能洞彻经史，考订鸿博。其后任翼圣、江永、惠栋等，亦能祖述渊源，为后学津梁，不愧其名。至袁简斋太史、赵瓯北观察，诗文秀雅苍劲，为一代大家，至于考据皆非所长。

林昌彝《射鹰楼诗话》卷一四：近代经学昌明，精于汉《易》者，胡胐明渭、惠松崖栋、江郑堂藩、张皋文惠言、曾勉士钊也。精于宋《易》者，胡晓村煦、徐易甫子陵也。能辨二十九篇《今文尚书》者，阎百诗若璩、宋半塘鉴、段若膺玉裁也。精于《诗毛传郑笺》者，臧玉林琳、陈见桃长源、戴东原震也。精于《春秋》三《传》者，万充宗斯大、惠半农士奇、洪君直亮吉、汪容甫中、焦理堂循也。精于三《礼》者，张蒿庵尔岐、盛百二龙里、万季野斯同、江慎修永、沈冠文彤、程瑶田易畴、蔡敬斋德晋、金蕊中榜、凌仲子廷堪、褚搢升寅亮、任子田大椿、许周生宗彦、林钝村一桂、万虞臣世美、谢甸男震、陈恭甫寿祺先生也。精于《尔雅》者，余古农萧客、郝兰皋懿行也。精于训诂之学者，王怀祖念孙、子伯申引之、桂未谷馥、阮芸台元、江秋史德量、刘端临台拱、王菉友筠、何子贞师绍基也。精于律吕之义者，钱学渊塘也。精于天文历算者，梅定九文鼎、陈泗源厚耀、李成裕惇、李尚之锐、孔㧑轩广森、李申耆兆洛也。精于舆地之学者，顾景范祖禹、胡朏明渭、黄子鸿仪也。精于史学者，全绍衣祖望、邵二云晋涵、钱竹汀大昕也。精于校雠者，顾千里广圻、金璞园曰追、卢抱经文弨、孙渊如星衍也。而兰浦折衷众说，解经精确，极为持平，淹中棘下，诚当世之所稀也。

福格《听雨丛谈》卷四《科目》：本朝初年，用人不次，故八旗科目，时举时停，深恐习染虚浮，不崇实学，虽翰林学士，不必尽由科目陛阶。而其时人材蔚然，实有伟器，即汉籍中高士奇、朱彝尊辈，亦何愧于八比之士。且文物之盛，盛于制科，制科之盛，盛于数布衣、例监而已。乾嘉以来，士风渐以科目相尚，翰林史职亦不能更以他途进身。斯所以八股之学益专，博涉之志益替。甚至科目出身之官，虽有懵然不解时务，不达典章，亦必群相见谅，曰"读书人固应恕之"，与古人通经致用、读书明理之论，大相背矣。……旧制：第一场书艺二篇，经艺一篇，如未通经者，作书义三篇；第二场论一篇；第三场策一道。顺治十一二年乡会试，改为第一场书义三篇，经义二篇；第二场论一篇，判五条；第三场策三道。顺治十四五年乡会试，又改第一场书义三篇，经义四篇；第二场论表各一篇，判五条；第三场策五道。康熙二年，停止八比书艺经艺，改乡会试为两场，头场策五道；二场四书论一篇，经论一篇，表一道，判五条。八年，仍复旧制。乾隆二十二年，易表以时，而去论判，且移经文于二场。二十三年，复于第一场增性理论一篇。四十七年，始改今制，头场四书八比文三篇，五言八韵诗一首，题目皆由钦定；二场五经八比文五篇；三场策五道。愚按，五策果能条对切实，亦可征其学问。所惜主司去取，皆以第一场四书文为鹄，他艺概置之不论。策论将原题所问，窜为所答，改软字为也字而已。盖中式后进呈者，惟四书首艺。闱墨之刊刻者，亦只首艺。其余文字，皆束置如弃，虽有磨勘，亦属具文。合场士子万人，纵有一二条对策问，主司辄恐征引出于臆造，惮于考定；又恐断章取义，全文或涉忌讳，转致弃之不录。是以士子相戒，悉以空文敷衍而已。

李慈铭《越缦堂读书记·鲒埼亭外集》：予尝谓国朝人著作，若全氏《鲒埼亭集》、钱氏《潜研堂集》，皆兼苞百家，令人探索不尽。次则朱氏《曝书亭集》、杭氏《道古堂集》，亦儒林之巨观，正不得以鸿词之学少之。

李祖陶《国朝文录自序》：康熙朝圣祖当阳，贤臣交赞，天下平定，人心安和，一时元老巨公如张京江、陈午亭、李厚庵、汤潜庵诸先生，以其正学发为昌言，俊伟光明，非明代杨东里、李西涯所能及。其他馆阁之秀如汪钝翁、施愚山、朱竹垞、姜西溟，又分道扬镳，直接归唐之统，彬彬乎如唐之元和、宋之庆历。王阮亭、宋牧仲以诗名，文亦不俗。毛西河虽不合格，而气盛言宜。邵子湘叙事特佳，黎媿曾议论最盛，其余如郑静庵、金会公辈，佳者尚多。故读康熙一朝之文，如张乐洞庭之野，八音竞奏，六律均调，山水争鸣，鱼龙并啸，虽有坐部、立部之伎，亦瑟缩无以容身，洋洋乎盛世元音矣。雍正以后及乾隆之初，累洽重熙，人才辈出。方望溪之俊洁，李穆堂之沈雄，蔡闻之之严正，陈星斋之高秀，卓乎尚已。而全谢山以淹贯之才，表扬忠烈，碑版璀璨，与元遗山争长；蓝鹿洲以经济为文，确乎可见诸行事，亦近代所未有者也。高安朱文端、兴县孙文定，不以文名而文皆醇茂，盖人品高者文自胜焉。中叶以后，学术多歧，文体亦因之猥杂，博古者以征实见长，意尽言中，有书卷而无情绪；师心者以标新自别，音在弦外，有神致而无体裁。盖谈经既菲薄程、朱，论文亦藐视唐、宋。朱梅崖摹仿古人，弊如明之王、李。而任意放言如袁子才者，尤不足道。然而二三老辈，好学深思，如黄静山、彭乐斋、刘海峰、姚姬传、赵鹿泉、彭允恭、鲁絜非、蒋心余、李厚冈者，尚在在不乏。淹博如钱竹汀詹事、纪晓岚尚书，行文仍清气盘旋，恪守古法，不愧一代之宗工焉。嘉庆朝骈体盛行，古文予不多见。所见者惟陶荬江先生，文存不多而迥绝流辈。谢芗泉、陈惕园、刘寄庵、王铁夫诸集，亦不失古文正轨。而恽子居于簿书鞅掌中高自期许，严加绳削，弥为难能而可贵焉。（《国朝文录》卷首）

汤寿潜《国朝文汇序》：国朝文以康雍乾嘉之际为极盛。其时朴学竞出，文章多元本经术，虽敻异其趣，要归于有则，无前明标榜依附之习。（《国朝文汇》卷首）

黄人《国朝文汇序》：继世列圣，懋学右文，两举词科而骏雄游毂，宏开四库而文献朝宗。贤王硕辅，又致设醴之敬，企吐哺之风，从而提倡。虎观无其备，兔园无其盛，龙门无其广。文运日昌，士气日奋，相率湔雪牢愁，服膺古训，息邪距诐。张天水道学之军，析义正名；干炎刘经生之蛊，而撼词幽正。穷理则吐尘羹，订古则谢饾饤。即词人墨客，亦蓬直麻中，赤缘朱近。类能贾余勇，尚立言，咸有根柢，绝异稗贩。盖几于凤麟为畜，鸡犬皆仙，集周、秦、汉、魏、唐、宋、元、明之大成，合性理、训诂、考据、词章而同化。故康雍之文醇而肆，乾嘉之文博而精，与古为新，无美不具，盖如日星之中得春夏之气者焉。（《国朝文汇》卷首）

王文濡《国朝文汇序》：我朝文教寖宏，魁硕辈出。学风所煽，上轶前古。义理考据，分道扬镳。间及文界，派别以滋。变迁之史，可得而言：顺、康之世，遗老闻人，伟略豹隐，著述文身。辞之至者，自成一子，次亦能以纵横胜、修洁胜。乾嘉之际，汉、宋各帜，义理之文，竣于守法，桐城派是也；考据之文，密于征实，毗陵派是也。（《国朝文汇》卷首）

沈粹芬《国朝文汇序》：（先祖）尝谓文至国朝而极盛，作者辈出，类能遗貌取神，去疵存粹。有周、秦之神智而不诡僻，有东、西京之博雅而不穿凿，有魏、晋、六朝之新隽而不纤薄，有唐之闳肆而不繁缛，有两宋之纯正而不尘腐。（《国朝文汇》卷首）

林昌彝《射鹰楼诗话》卷七：余尝选本朝十二家文钞，筠河与焉。十二家者，顾亭林炎武也，朱竹垞彝尊也，全谢山祖望也，龚海峰景瀚也，段茂堂玉裁也，汪容甫中也，阮芸台元也，陈恭甫先生寿祺也，龚定盦自珍也，李申耆兆洛也，温伊初训也，及筠河而十二也。国初侯、魏、汪、姜及方望溪、姚姬传暨吾乡朱梅岩［崖］，皆不与焉，以诸家文有袭取气也。

廖炳奎《忠雅堂古文跋》：古文一道，至我朝为极盛。康熙年间首推方灵皋先生，前乎方氏者有侯朝宗、魏冰叔、朱竹垞、汪苕文、姜西溟、邵青门，后乎方氏者有刘海峰、全谢山、袁随园、鲁九皋、朱梅崖、彭尺木、姚姬传、恽子居、刘孟涂。窃尝论之，文气之奇莫如魏叔子，文气之正莫如方灵皋，参奇正之间莫如恽子居。此外恃考据以矜博者有之矣，侈雕绘以夸工者有之矣。若行以劲气，出以深情，而又雅正有

法，不能不为先生首屈一指。（《忠雅堂文集》卷末）

徐宗亮《南山集后序》：桐城古文之学，自望溪、海峰、惜抱三先生相继兴起，区区一邑间，斯文之绪，若流水续于大川，莫之或息，抑云盛矣。望溪以义胜，海峰以才胜，惜抱以韵胜，其后先名古文者盖亦多有，而不能不规三家之域。（《戴名世集》附录）

林昌彝《射鹰楼诗话》卷一二：本朝工骈体文者凡十一家：胡稚威天游也，洪稚存亮吉也，孙渊如星衍也，孔撝轩广森也，阮文达元也，张介侯树也，张皋文惠言也，陈恭甫先生寿祺也，汤茗孙储璠也，吴山尊鼐也，方彦闻履籛也。诸家骈体文，古懋奇奥，沈博绝丽，大有复古之功，可接黄石斋先生。若陈宜年之陈旧，袁简斋之粗豪，吴园茨、章岂绩、曾冰谷、吴穀人、杨荔裳、彭甘亭之未具大力，皆不足以行远者也。

徐珂《清稗类钞·文学类·骈体文家之正宗》：古人之文，本不分骈散。东汉以后，骈文之体格始成，博大昌明，至唐而极。自宋至明，日趋卑靡。国初诸家渐次复古，史学如顾炎武，经学如毛奇龄，皆能为骈俪文。吴江吴兆骞以复社主盟，更善斯体。吴伟业称兆骞与华亭彭古晋、宜兴陈维崧为"江左三凤凰"。然维崧文导源庾信，才力富健，更在兆骞、古晋之上。又江都吴绮、钱塘章藻功亦与维崧齐名，而绮才稍弱，藻功欲以新巧胜二家，又遁为别调，故亦逊维崧一筹。惟钱塘吴农祥、益都冯溥，以为与维崧相并。其后继起者，山阴胡天游为最。天游以博综之才，出以渊茂，横绝海内，袁枚师事之。而所造不同，独其才气足以耸动一时，故上自公卿，下至市井负贩皆重之。所惜俗调伪体，汰除未尽，不免为后人訾议耳。昭文邵齐焘规模魏、晋，风骨高骞，于绮藻丰缛之中，存简质清刚之制，一时风气为之大变。如王太岳之简洁苍老，刘星炜之清转华妙，吴锡麒之委婉澄洁，洪亮吉之寓奇气于淳朴，荸新意于古音，孙星衍之风骨遒上，思至理合，孔广森之力追初唐，藻采映丽，曾燠之味隽声永，别具会心，是皆遵循轨范，敷畅厥旨，堪为一代骈文之正宗。故全椒吴鼐尝合袁、邵、刘、孔、吴、曾、孙、洪为骈文八大家。鼐之骈文，盖亦以沈博绝丽称者。八家之外，仪征有阮元，阳湖有刘嗣绾、董基诚、董祐诚，临川有乐钧，镇洋有彭兆荪，金匮有杨芳灿、杨揆，仁和有查初揆，桐城有刘开，上元有梅曾亮，大兴有方履籛，其文皆闳中肆外，典丽肃穆，足以并驾齐驱。武进李兆洛志在通骈散之界，一心复古，所选最精。其自制文，亦多上法东京，力争崔、蔡，文境尤高。而泗州之傅桐，长沙之周寿昌，秀水之赵铭，湘潭之王闿运，会稽之李慈铭，则皆其后起者也。长沙王先谦因又合孟涂、伯言、二董、彦闻、味琴、荇农、桐孙、壬秋、悫伯为十大家，以继前八家。十家之文，大率皆气清体洁，宗尚不出两汉、六朝、初唐。而悫伯尤词旨渊雅，体格纯净，直欲近掩洪、孙，远跨徐、庾。悫伯后，孙同康之精雅，皮锡瑞之疏岊，王先谦之简洁，亦不愧为一朝之后劲。盖自乾嘉以还，骈文体格始正，作者亦始极其盛，若阳湖刘可毅之研《都》炼《京》，熟精《选》理，亦能树一帜于诸人之后矣。

《清史稿》胡天游传：俪体文自三唐而下，日趋颓靡。清初陈维崧、毛奇龄稍振起之，至天游奥衍入古，遂臻极盛。而邵齐焘、孔广森、洪亮吉辈继起，才力所至，皆足名家。后数十年而有镇洋彭兆荪，以选声炼色胜，名重一时。

方苞《进四书文选表》：我朝人文蔚起，守洪、永以来之准绳，而加以变化；探正、嘉作者之义蕴，而挹其精华；取隆、万之灵巧，启、祯之恢奇，而去其轻浮险谲。兼收众美，各名一家。（《方苞集集外文》卷二）

徐珂《清稗类钞·文学类·制义至本朝而极盛》：制义始于宋而昌于明，自洪、永以逮天、崇，三百年中，体凡数变，至本朝而极盛。开国之初，屏除天、崇险诡之习，而出以深雄博大。如熊伯龙、刘克猷，其最著于时者也。康熙后，益轨于正。韩文懿公菼为之宗，桐城二方以古文为时文，允称极则。外若金坛王氏、宜兴储氏，并堪骖靳焉。雍乾间之墨艺，则尚排偶，而魄力雄厚，颇难猝辨。择其醇者，即独出冠时。若夫嘉庆，则当路诸臣，研覃典籍，士子竞援僻简以希弋获矣。

徐珂《清稗类钞·文学类·制艺之兴废》：顺治开科，沿明旧制，首场《四书》艺三篇，经艺四篇。次场论一篇，表一道，判五条，试《五经》者并作诏诰。后场策五道。时龚鼎孳方为给事中，请用诗，去策，改用奏疏。不许。定勘试卷例，首严弊幸，次简瑕疵，前场以明理会心不愧先儒者为合式，后场以出入经史条对详明者为合式，于是得隽之卷，谓之中式。康熙癸卯，停止八股文，减试一场。首场以策，二场以论、表、判。寻以礼部侍郎黄玑疏言不用经书为文，则人将置圣贤之学于不讲，恐非朝廷设科取士之深意，请复旧制。许之。乾隆癸酉，高宗命方苞选录《四书》文以为程式。丙子，移经文于第二场，会试作表一道，乡试并论去之。寻易表以五言八韵唐律，又于首场增作性理论。（论题初专用《孝经》，后兼以性理、《太极图说》、《正蒙》命题，而统名之曰"性理论"）屡颁谕旨，厘正文体，以清真雅正为宗。至壬寅而移八韵唐律于第一场，移性理于后场。癸丑，裁性理，而于次场以《五经》并试。其制行之百数十年，固未易也。降至光绪戊戌，德宗诏废八股文、八韵诗。旋复之。辛丑，改定首场论五篇，二场策五篇，三场经义三篇。乙巳，下诏停科举，而八股文遂废。……应试之文，功令所关，精益求精，作者林立，二百数十年来，不胜枚举。其文体最正者，顺治时，熊伯龙、刘克猷雄浑雅健，开风气之先。康熙时，韩菼精洁古雅，上结主知，天下奉为举业正规。桐城方舟，字百川，苞之兄也，亦以文名。菼见其所著，叹曰："此于三百年作者外，自成一家者也。"后人以其昆季之文，与淳安方楘如文合刊，谓之《三方合稿》。钱塘陈兆崙年十二，为制艺即工，楘如等见之，大加赏异，后果为文章宗匠。桐乡俞长城论古有识，《四书》文独辟町畦，所著《可仪堂稿》，句法短峭，削尽肤辞。尝选古今制艺百二十家，始宋王荆公，讫国初诸老，每家各有小序，尤为大观。至若尤侗、王广心之作，薰香摘艳，文有赋心，当时称为"尤王体"者，则稍杂矣。大抵制艺正宗，不外清奇浓淡。淡极则变浓，浓极则变淡，过清则思奇，过奇则思清。消长乘除，亦如汉、宋两学之互相起伏，要以驳而不醇为戒。盖醇则天下治，驳则天下乱，世运文运，息息相通。观于国初与晚近之制艺，益信而有征。自停科举，兴学校，改良教育，搜辑教材，于是有教科书及教授书之发现。吾国之文字，又焕然一新，是亦今人所谓进化也。

钱泳《履园谭诗·总论》：诗之为道，如草木之花，逢时而开，全是天工，并非人力。……迨本朝而枝条再荣，群花竞放；开到高、仁两朝，其花尤盛，实能发泄陶、谢、鲍、庾、王、孟、韦、柳、李、杜、韩、白诸家之英华而自出机杼者，然而亦断无有竟作陶、谢、鲍、庾、王、孟、韦、柳、李、杜、韩、白诸家之集读者。

恽敬《坚白石斋诗集序》：本朝顺治中诗赡而宕，康熙则适而远，雍正则浏而整，夫积千数百年之变，而本朝诸名家复变焉。于是自乾隆以来，凡能于诗者，不得不自辟町畦，各尊坛坫。是故秦权汉尺以为质古，山经水注以为博雅，牺轩竭陀以为诡逸，街弹春相以为真率，博徒淫舍以为纵丽，然后推为不蹈袭，不规摹，是故言诗于今日难矣哉。（《大云山房文稿二集》卷三）

刘承幹《心向往斋集序》：国初称诗者，南有竹垞，北有渔洋，并清裁雅尚，标举宙合。其时若施愚山之真挚，查初白之和雅，吴野人之朴老，吴汉槎之沈雄，并赓唱迭和，一洗前明王、李之叫嚣，钟、谭之纤仄，铮然为一代元音。自是以降，日流浮靡。雍乾而后，袁随园负纵横之才，遭时隆平，诗学中衰，遂以率易浮薄之词簧鼓无识。刀笔之伦，巾帼之秀，偶得一章一句，率为扬诩，侈焉以大雅归之，而诗学扫地尽矣。沿及道咸，潘四农先生崛兴于江淮之间，缘本六义，力矫随园末失，而上追乎孔子兴观群怨、事父事君之旨，诗学中兴，始轨于正。孔宥函先生则从四农先生游，而传其诗者也。其说诗以杜为权舆，以陶为归宿。为之羽翼者，益阳则汤海秋鹏，道州则何子贞绍基，汉阳则叶润臣名澧，山阳则鲁通甫一同，并奉潘氏为圭臬，而于先生若笙磬之同音，椒兰之共臭，海内称诗者翕然宗之。（《心向往斋集》卷首）

吴翌凤《瘦鹤山人诗钞序》：予闻之说诗者曰：诗贵善变。……我朝娄东鼓吹长庆为一变，新城宗法盛唐为二变，自后日趋于宋为三变，吴兴以唐体提倡后学为四变。（《国朝文汇》乙集卷三五）

范来宗《徐西湾先生诗集序》：本朝诗教之盛，驾宋、元、明而上。国初南施北宋，前王后赵，扬镳分帜，异曲同工。雍正、乾隆初，吾乡归愚沈宗伯论诗，斤斤于唐宋界限，独以唐音提唱后学。厥后老成凋谢，有才者思出奇制胜，一变为吞刀吐火，再变为艳色淫声。浮薄之徒，竞相称效，而雅音渺矣。及其焰少熄，又流为率意浅弱，卒无有能法三唐者。（《国朝文汇》乙集卷四三）

杨锺羲《雪桥诗话》卷七：乾隆以来，多以宋四六体施诸歌咏，生硬槎枒，竞相仿效《卷阿》、《矢音》之作，尤喜揣摩圣制，助字成语，杂厕于律句间，名家如坤一、正三，亦皆不免。至择石斋《乐游园》句云："宁、申、岐、薛亭台里，车马衣裳士女风。"一字一顿，尤为古法所无。其他喜用俳语、凡近语者，更无论矣。

厉志《白华山人诗说》卷二：毗陵恽子居先生云："乾嘉诸文士，讳言一个'法'字，因怕死于法，乃竟至于无法，此又过也。"

吴庆坻《蕉廊脞录》卷三《杭州诸诗社》：吾杭自明季张右民与龙门诸子创登楼社，而西湖八社、西泠十子继之。其后有孤山五老会，则汪然明、李太虚、冯云将、张卿子、顾林调也；北门四子，则陆莘思、王仲昭、陆升黉、王丹麓也；鹭山盟十六子，则徐元文、毛驰黄诸人也；南屏吟社，则杭、厉诸人也；湖南诗社，会者凡二十人，兹为最盛。嘉道间，屠琴坞、应叔雅、马秋药、陈树堂、张仲雅诸人有潜园吟社，而汪氏东轩吟社创于海宁吴子律，小米舍人继之，前后百集。舍人刊社诗为《清尊集》。戴简恪寓杭州天后宫，有秋鸿馆诗社，亦骎骎焉。潜园、东轩皆有图。《东轩吟社图》，费晓楼画，今尚存；汪氏《潜园图》，则不可得见。咸同以后，雅集无闻。光绪戊寅，族伯父筠轩先生创铁华吟社，首尾九年。先生殁，而湖山啸咏风流阒寂矣。

舒位《乾嘉诗坛点将录》：诗坛都头领三员：托塔天王沈归愚德潜、及时雨袁简斋枚、玉麒麟毕秋帆沅。掌管诗坛头领二员：智多星钱箨石载、入云龙王兰泉昶。参赞诗坛头领一员：神机军师法梧门式善。掌管诗坛钱粮头领一员：小旋风阮芸台元。马军总头领三员：大刀蒋心余士铨、豹子头胡稚威天游、霹雳火赵瓯北翼。马军正头领十四员：双枪将邵梦余飘、双鞭萧子山抡、没羽箭舒铁云位、小李广陈云伯文述、金枪手彭甘亭兆荪、扑天雕杨蓉裳芳灿、病尉迟孙子潇原湘、青面兽张船山问陶、美髯公姚春木椿、插翅虎查梅史揆、九纹龙严丽生学淦、急先锋周箹云为汉、没遮拦许周生宗彦、井木犴翁霁堂照。步军先锋正头领二员：花和尚洪稚存亮吉、行者黄仲则景仁。步军冲锋挑战正头领一员：黑旋风王仲瞿昙。步军冲锋挑战副头领一员：浪子郭频伽麐。水军总头领一员：混江龙姚姬传鼐。相士头领一员：紫髯伯翁覃溪方纲。探信接宾四酒店头领四员：摸着天卢雅雨见曾、石将军李味庄廷敬、云里金刚曾宾谷燠、旱地忽律程鱼门晋芳。管理文报头领一员：神行太保戴金溪敦元（一作全谢山祖望）。水军副头领五员：立地太岁刘芙初嗣绾、短命二郎乐莲裳钧（一作杨六士梦符）、活阎罗吴兰雪嵩梁、船火儿吕叔讷星垣、浪里白条钱竹初维乔。马军护卫二员：小温侯高东井文照、赛仁贵陈梅岑熙。步军护卫二员：毛头星袁湘湄棠（一作李墨庄鼎元）、独火星袁笛生鸿（一作李凫塘骥元）。水军护卫二员：翻江蜃钱谢盦枚、出水蛟钱叔美杜。管理军政头领一员：铁面孔目王铁夫芑孙。马军骠骑旧头领十员：百胜将孙补山士毅（一作李鹤峰因培）、天目将赵璞函文哲（一作张少华熙纯）、圣水将顾晴沙光旭（一作钱竹汀大昕）、神火将孙渊如星衍（一作吴竹屿泰来）、镇三山吴毅人锡麒、丑郡马梦文子麟、火眼狻猊张瘦铜埙（一作史赤崖善长）、铁笛仙赵味辛怀玉、摩云金翅伊墨卿秉绶、赤发鬼查榕巢礼（一作刘松岚大观）。专治诸病头领一员：神医薛一瓢雪。芒砀山旧头领三员：混世魔王杭菫浦世骏、八臂哪吒齐次风召南、飞天大圣郑炳也虎文（一作王西庄鸣盛）。登云山旧头领二员：出林龙吴竹桥蔚光（一作祝宣臣维诰）、独角龙吴巢松慈鹤（一作祝芷塘德麟）。宋家庄旧头领一员：铁扇子袁香亭树。桃花山旧头领二员：打虎将朱青湖彭、小霸王项门金墉。枯树山旧头领一员：丧门神宋茗香大樽（一作陈东浦奉兹）。清风山旧头领三员：锦毛虎盛青嵝锦（一作徐尚之书受）、矮脚虎王芥子太岳（一作王秋塍复）、白面郎君方子云正澍。少华山旧头领二员：跳涧虎陈古渔、白花蛇何南园士颙。后寨头领三员：一丈青王介人文潞、母大虫陈筼樵声和、母夜叉沈芷生清瑞。飞书走檄头领二员：圣手书生吴澹川文溥、玉臂匠陈曼生鸿寿。行刑刽子头领二员：铁臂膊钱南园沣（一作谢芗泉振定）、一枝花尤二娱维熊（一作脊燕亭绳武）。步军协理头领二十六员：病关索王梦楼文治（一作邵二云晋涵）、拼命三郎毛海客大瀛（一作徐朗斋鏐庆）、锦豹子杨荔裳揆（一作杨笠湖潮观）、金钱豹子石琢堂韫玉（一作顾立方敏恒）、轰天雷侯夷门嘉璠（一作谢蕴山启昆）、神算子蒋藕船知让（一作潘榕皋奕隽）、铁叫子陶篁村元藻（一作秦小岘瀛）、玉幡竿汪剑潭端光（一作铁梅庵保）、两头蛇徐龙友燨（一作周迂村準）、双尾蝎李客山果（一作张粲夫锦芳）、小尉迟陈桂堂廷庆（一作孙莲水韶）、病大虫赵艮甫函（一作蒋立厓业晋）、金眼彪屠琴坞倬（一作范瘦生起凤）、鬼脸儿薛香闻起凤（一作杨篑山之灏）、催命判官沙斗初维杓（一作黎简民简）、中箭虎宗芥帆圣垣（一作崔幔亭龙见）、花项虎严道甫长明（一作英梦堂廉）、没面目金寿门农（一作张浦山庚）、青眼虎李载园符清（一作郑枫人沄）、笑面虎詹石琴应甲（一作吴白华省钦）、通臂猿毕子筼华珍（一作王载扬藻）、操刀鬼汪小海淮（一作屈悔翁复）、菜园子童二树钰（一作金棕亭兆燕）、小遮拦许青士乃济（一作沈云椒初）、活阎婆林远峰镐、险道神郑板桥燮。隐姓埋名头领四员：金毛犬、白日鼠、九尾龟、鼓上蚤。额外头领附录：黄面佛彭尺木绍升。〔按，部分诗人原有小传或赞，此从略〕

钱泳《履园谭诗·总论》：诗人之出，总要名公卿提倡，不提倡则不出也。如王文简之与朱检讨，国初之提倡也；沈文悫之与袁太史，乾隆中叶之提倡也；曾中丞之与阮宫保，又近时之提倡也。然亦如园花之开，江月之明。何也？中丞官两淮运使，刻《邗上题襟集》，东南之士，群然向风，惟恐不及；迨总制盐政时，又是一番境界矣。宫保为浙江学政，刻《两浙辀轩录》，东南之士，亦群然向风，惟恐不及；迨总制粤东时，又是一番境界矣。故知琼花吐艳，惟烂漫于芳春；璧月含晖，只团栾于三五。其义一也。

平步青《霞外捃屑》卷八上《陈黄》：国朝诗家林立，施、宋、王、朱、赵、查诸公，两大而未能独步，迄今犹聚讼焉。李西沤宫赞《邲邳诗稿》卷二有二百年来诗人无出黄仲则之右者，顷得陈元孝诗读之，因题卷末一绝云："诗家要与古为新，胎息深时气味醇。后有两当前独漉，中间参立更何人。"味先生句，似国朝只此二家，无参之者。潇雪大不平之。予谓元孝同时与屈翁山、梁药亭称岭南三大家，而后人少之，欲以黎二樵易梁。仲则同时与张船山齐名，几如宋之坡、谷。而或以船山诗天才胜而人功浅，不及两当之深诣。北江谓船山剑气七分，珠光三分；仲则珠光七分，剑气三分。然则西沤以陈、黄为两大，岂一人之私言乎？

韩国金正喜《阮堂诗话》：诗道之渔洋、竹垞，门径不误。渔洋纯以天行，如天衣无缝，如华严楼阁，一指弹开，难以摸捉。竹垞人力精到，攀缘梯接，虽泰山顶上，可进一步。须以竹垞为主，参之以渔洋色香声味，圆全无亏缺。至如牧斋，魄力特大，然终不免天魔外道，其最不可看；专从渔洋、竹垞下手为妙。下此又有查初白，是两家后门径最不误者也。由是三家进以元遗山、虞道园，溯洄于东坡、山谷，为入杜准则，可谓功成愿满、见佛无怍矣。外此旁通诸家，左右逢源，在其心力眼力。并到处如镜镜相照，印印相合，不为魔境所误也。覃集果难读，经艺、文章、金石、书画打成一团，非浅人所得易解。然细心读过，线路脉络，灿然具见。特世人不以用心，外舐没味，不知谏果之回甘，蔗境之转佳耳。以鄙见闻，乾隆以来，诸名家项背相连，未有如钱择石与覃溪者。蒋铅山可得相埒。而如袁随园辈，不足比拟矣，况其下此者乎？

徐世昌《晚晴簃诗汇》卷八一：择石论诗，取径西江，去其粗豪，而出之以奥折，用意必深微，用笔必拗折，用字必古艳，力追险涩，绝去笔墨畦径。金桧门总宪名辈较先，论诗与相合，而万循初孝廉光泰、王毅原刑部又曾、祝豫堂典籍维诰、汪康古吏部孟铜、丰玉孝廉仲钤相与酬唱，皆力求深造，不堕恒轨，一时遂有"秀水派"之目。继其后者，择石子百泉编修世锡、豫堂子明甫孝廉喆、毅原子秋塍大令复，各能尊其家学。

袁枚《随园诗话》卷四：陆陆堂、诸襄七、汪韩门三太史，经学渊深，而诗多涩闷，所谓学人之诗，读之令人不欢。……近代深经学而能诗者，其郑玑尺、惠红豆、陈见复三先生乎？

林昌彝《射鹰楼诗话》卷七：世谓说经之士多不能诗，以考据之学与词章相妨。余谓不然。近代经学极盛，而奄有经学词章之长者，国初则顾亭林炎武也，朱竹垞彝尊也，毛西河大可也；继之者朱竹君筠也，邵二云晋涵也，孙渊如星衍也，洪稚存亮吉也，阮芸台元也，罗台山有高也，王白田懋竑也，桂未谷馥也，焦里堂循也，叶润臣名沣也，魏默深源也，何子贞师绍基也；吾乡则龚海峰景瀚也，林畅园茂春也，谢甸男震也，陈恭甫寿祺先生也。诸君经术湛深，其于诗，或追踪汉、魏，或抗衡唐、宋，谁谓说经之士，必不以诗见乎？

朱庭珍《筱园诗话》卷二：本朝汉学最盛，皆经术湛深，考据淹博，宗康成而不满程、朱，诗文则非所长也。兼能诗者，顾宁人、毛西河、朱竹垞、阮芸台诸公而已。惟竹垞诗、古文皆成一家言，兼精填词；诗尤雄视一代，品在渔洋、荔裳、愚山之上，洵通才也。西河诗文皆次乘。宁人诗甚高老，但不脱七子面目气习，其用典使事，最精确切当，以读书多，故能擅长。芸台先生诗长于古体，近体殊弱，五古似韦、柳，七古似苏、陆，佳作颇有可传，亦清才也。此外如阎百诗、惠定宇、钱竹汀、杭大宗、顾栋高、朱竹君、陈见复、戴东原，则经学考据之业自足千秋，诗均不工矣。

朱庭珍《筱园诗话》卷二：本朝古文家，惟竹垞精于诗，次则邵子湘、刘海峰两君，虽未足成家，然尚有才气工候。潘次耕诗，足算一家数，而文未成。汪钝翁诗，格卑才弱，远次于文。姚姬传诗，亦不及文远甚。侯朝宗虽有诗集，浅滑空率，殊无足观；古文以才笔胜人，一代罕俦，叔子、尧峰、青门均不如也。宁都三魏，诗皆拙劣。灵皋方氏，则终身不能作矣。愚山文非专门，亦颇清雅，此又诗人之兼工文者也。若理学诸公中，诗文可观者，则汤文正公一人而已。

朱庭珍《筱园诗话》卷二：顾屿沙、翁朗夫、刘芙初等，皆浅近狭小，不足言家数。

袁枚《随园诗话》卷三：辽东三老者，戴亨，字遂堂；陈景元，字石闾；马大钲，字雷溪。三人皆布衣不仕，诗宗汉、魏，字学二王，不与人世交接，来往者李铁君一人而已。……明七子论诗，蔽于古而不知今，有拘墟皮傅之见。辽东三老，亦复似之。铁君作《尚史》，专搜三代以上事，而竟不知本朝有马骕之《绎史》，亦囿于闻见之一端。然近今士人，先攻时文，通籍后始学为诗，大概从宋、元入手，俗所称"半路上出家"是也。源流不清，又不若三家之力争上乘矣。

朱庭珍《筱园诗话》卷二：本朝满洲诗人，如梦文子麟、法梧门式善，皆清矫不凡。又辽东三老，今惟李铁君集传于世，其诗笔峭拔，骨力高瘦，亦近代诗人之杰者。又如吴汉槎之《秋笳集》，高者近高、岑及初唐四子，次亦七子派中之不空滑者，亦一小作家也。若徐芝仙塞外诸诗，境奇语奇，才力横绝，在昭代诗人中，另出一头地。其边塞诗，可谓独擅之技，实未易才。稚存、兰泉、荔裳诸君，出塞篇什，并多佳章，然均不能及芝仙之奇横矣。

朱庭珍《筱园诗话》卷二：吴中布衣黄子云，泰州布衣吴嘉纪，昆山布衣徐兰，长洲布衣张锡祚，四人均负诗名，其诗卓然可传，各成家数，可谓我朝四大布衣。黄

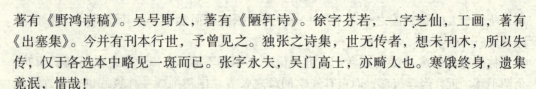

著有《野鸿诗稿》。吴号野人，著有《陋轩诗》。徐字芬若，一字芝仙，工画，著有《出塞集》。今并有刊本行世，予曾见之。独张之诗集，世无传者，想未刊木，所以失传，仅于各选本中略见一斑而已。张字永夫，吴门高士，亦畸人也。寒饿终身，遗集竟泯，惜哉！

林昌彝《射鹰楼诗话》卷七：粤东岭南三家以后，其诗之卓然大家者，顺德黎二樵简也，钦州冯鱼山敏昌也，嘉应宋芷湾湘也，李秋田光昭也，番禺张南山维屏也，嘉应温伊初训也。二樵以幽峭胜，鱼山以雄浩胜，芷湾以豪迈胜，秋田以雄奇胜，南山以清丽胜，伊初以浑朴胜。

林昌彝《射鹰楼诗话》卷七：近代江右诗家，蒋藏园士铨、吴兰雪嵩梁而外，则为艾至堂畅及陈少香先生偕灿、汤茗孙舍人储璠。藏园古体高于近体，兰雪近体高于古体，然兰雪《庐山》五七古，则如入桃源，境界独辟。至堂诗多超悟，茗孙诗多俊逸。陈少香先生初学剑南，次学东坡，近刻《焚余集》及《春雨楼诗》，则老而益壮矣。

沈廷芳《恒仁墓志铭》：国朝宗潢，人文迈往代，自红兰贝子岳端首倡风雅，问亭将军博尔都、紫幢居士文昭、晓亭侍郎塞尔赫后先迭起，远追汉河间东平之盛。（《月山诗集》附录）

昭梿《啸亭杂录》卷二《宗室诗人》：国家厚待天潢，岁费数百万，凡宗室婚丧，皆有营恤，故涵养得宜。自王公至闲散宗室，文人代出，红兰主人、博问亭将军、塞晓亭侍郎等，皆见于王渔洋、沈确士诸著作。其后继起者，紫幢居士文昭为饶余亲王曾孙，著有《紫幢诗钞》。宗室敦成为英亲王五世孙，与弟敦敏齐名一时，诗宗晚唐，颇多逸趣。瞿仙将军永忠为恂勤郡王嫡孙，诗体秀逸，书法遒劲，颇有晋人风味。……樗仙将军书诚，郑献王六世孙，性慷慨，不欲婴世俗情，年四十即托疾去官，自比钱若水之流。……先叔嵩山将军讳永惪，诗宗盛唐，字摹荣禄。晚年独居一室，人迹罕至，诗篇不复检阅，故多遗佚。近日科目复盛，凡温饱之家，莫不延师接友，则文学固宜其骎骎然盛也。

《江苏诗征》卷一九引《盟鸥淑笔谈》：本朝布衣诗，如彭爱琴之秀拔，吴野人之直朴，蒋前民之真挚，邢孟贞之淡永，潘南村之清析，冷秋江之悲壮，周青士之闲逸，徐东痴之幽奥，沈方舟之警炼，李客山之高老，盛青嵝［嵝］之坚栗，张永夫之澄洁，於亦川之雄骏，鲍步江之超秀，吴澹川之新隽，朱二亭之超淡，潘兰如之清雄，石远梅之高浑，张竹轩之淳古，能各具其唐人之一体，洵韦布之雄也。

易顺鼎《清代闺阁诗人征略序》：诗家至于有清，遂臻极轨。琼闺之彦，绣阁之姝，人握隋珠，家藏和璧。其最著者，若培远堂之母教，不愧儒宗；蕴真轩之诗才，足称女杰。沈云英、毕韬文之勇略，真兼孝女奇才；纪阿男、黄皆令之生平，俨然宿儒遗老。徐昭华共推都讲，卜篆生亦作塾师。诵《桃溪雪》杂剧，不返惊才绝艳之魂；读《桂林霜》传奇，犹陨大节纯忠之涕。若陈南楼、蒋季锡、潘素心、汪懋芳，不愧名卿之母；若王采薇、席佩兰、金礼嬴，何惭名士之妻。若王照圆之经学，曹贞秀之法书，吴蘋香、庄盘珠之工词，恽冰如、马江香之善画，丁白商白，皆负才名；梁端汪端，尤多著述。《西青记》之孤芳自赏，凭吊绪山；《借红亭》之晚节能完，绝怜羽步。以及桐乡之孔，京江之鲍，海宁之杨，钱塘之袁，叠萼重跗，连珠合璧。又若抱月楼之赵，问月楼之王，听月楼之汪与黄，纤云楼之廖，望云楼之吴，倚云楼之江与朱，飞霞阁之董，含烟阁之堵，垂露斋之郑，映雪堂之柴，紫霞轩之卢，绿雪楼之陶，吟红阁之夏，集翠园之顾，环碧轩之沈，延绿阁之黄，俯沧楼之卓，枕涛庄之查，湘筠馆之孙，沅兰阁之汪，只鸳词之任，十燕巢之王，若金纤纤、童观观、杨珊珊、沈关关：此皆恐扫眉才子之不如，称不栉进士而无忝者也。若斯之类，更仆难终。（《清代闺阁诗人征略》卷首）

袁枚《随园诗话》卷三：本朝诗家，序事学古乐府《孔雀东南飞》而绝妙者，如陈元孝之《王将军歌》、许衡紫之《伍节女歌》、马墨麟之《戴烈妇歌》、胡稚威之《孝女李三行》，皆古藻淋漓。

林昌彝《射鹰楼诗话》卷七：凡脍炙人口之诗，高青丘有《拜岳忠武王墓》诗，而闽县萨檀河先生《过岳王墓》诗胜之；周栎园有《仙霞岭》诗，而闽县陈恭甫先生《过仙霞岭》诗胜之；王阮亭有《秋柳》诗，而侯官谢甸男先生《和阮亭秋柳韵》胜之，此前贤所以畏后生也。

黄培芳《香石诗话》卷二：近贤七古，余最喜黄仲则、冯鱼山、蒋心余。数公外，兰雪亦推杰出。

林昌彝《射鹰楼诗话》卷一一：绝句二十八字耳，贵在神味渊永，情韵不匮。国初翁山、渔洋而后，惟厉樊榭及吴兰雪二家为胜。

林昌彝《射鹰楼诗话》卷五：诗之存亡，关一代之运会，不关于诗话之作与不作也。近代竹垞、西河、愚山、渔洋、秋谷、确士、瓯北、简斋、雨村、四农，皆有诗话。竹垞之婞雅，四农之精确，则诗话必不可不作，是有诗话而古诗存。确士之专取风格，简斋之一味滥收，则诗话不必作可也。简斋诗话尤滋学者之惑，为诗话之蠹。

朱庭珍《筱园诗话》卷一：沈归愚先生《说诗晬语》，赵秋谷《声调谱》、《续谱》，王阮亭《古诗平仄定体》，翁覃溪《小石帆亭著录》，及洪稚存《北江诗话》，赵云松《云松诗话》，此本朝人诗话之佳者。……又国初朱竹垞《静志居诗话》及《阮亭诗话》，并所著各种说部中诗话若干条，近有荟萃而合刻之者，亦可助词坛玉屑也。

陈廷焯《白雨斋词话》卷八：诗衰于宋，词衰于元。然自乾嘉以还，追踪正始者，时复有人。是衰者可以复振，亡者犹有存焉者也。

陈廷焯《白雨斋词话》卷四：词盛于宋，亡于明。国初诸老，具复古之才，惜于木原所在，未能穷究。乾嘉以还，日就衰靡，安所底止。二张出而溯其源流，辨别真伪，至蒿庵而规模大定，而词赖以存矣。

蔡嵩云《柯亭词论·清词三期》：清词派别，可分三期。浙西派与阳羡派同时。浙西派倡自朱竹垞，曹升六、徐电发等继之，崇尚姜、张，以雅正为归。阳羡派倡自陈迦陵，吴蘭次、万红友等继之，效法苏、辛，惟才气是尚，此第一期也。常州派倡自张皋文，董晋卿、周介存等继之，振北宋名家之绪，以立意为本，以叶律为末，此第二期也。第三期词派，创自王半塘，叶遐菴戏呼为桂派，予亦姑以桂派名之。和之者有郑叔问、况蕙风、朱彊村等，本张皋文意内言外之旨，参以凌次仲、戈顺卿审音持律之说，而益发挥光大之。此派最晚出，以立意为体，故词格颇高。以守律为用，故词法颇严。今世词学正宗，惟有此派。余皆少所树立，不能成派。其下者，野狐禅耳。故王、朱、郑、况诸家，词之家数虽不同，而词派则同。

张德瀛《词征》卷六《清初三变》：汪蛟门谓宋词有三派，欧、晏正其始，秦、黄、周、柳、姜、史之徒极其盛，东坡、稼轩放乎其言之矣。愚谓本朝词亦有三变，国初朱、陈角立，有曹实庵、成容若、顾梁汾、梁棠村、李秋锦诸人以羽翼之，尽祛有明积弊，此一变也。樊榭崛起，约情敛体，世称大宗，此二变也。茗柯开山采铜，创常州一派，又得恽子居、李申耆诸人以衍其绪，此三变也。

谢章铤《赌棋山庄词话续编》卷三《陈聂恒栩园词弃稿》：昔陈大樽以温、李为宗，自吴梅村以逮王阮亭，翕然从之，当其时无人不晚唐。至朱竹垞以姜、史为的，自李武曾以逮厉樊榭，群然和之，当其时亦无人不南宋。迨其后，樊榭之说盛行，又得大力者负之以趋，宗风大畅，诸派尽微，而东坡词诗、稼轩词论，肮脏激扬之调，尤为世所诟病。

胡薇元《岁寒居词话·清词人》：清初词人，如天骏公、梁玉立、龚孝升、曹洁躬、陈其年、朱竹垞、严荪友诸家，词采精善，美不胜收。中间先征君稚威、吴榖人、洪北江、钱晓征，均称后劲。嘉道以来，则以龚定盦、恽子居、张皋文辈为足继雅音也。

陈廷焯《白雨斋词话》卷八：词有表里俱佳、文质适中者，温飞卿、秦少游、周美成、黄公度、姜白石、史梅溪、吴梦窗、陈西麓、王碧山、张玉田、庄中白是也，词中之上乘也。有质过于文者，韦端己、冯正中、张子野、苏东坡、贺方回、辛稼轩、张皋文是也，亦词中之上乘也。有文过于质者，李后主、牛松卿、晏元献、欧阳永叔、晏小山、柳耆卿、陈子高、高竹屋、周草窗、汪叔耕、李易安、张仲举、曹珂雪、陈其年、朱竹垞、厉太鸿、过湘云、史位存、赵璞函、蒋鹿潭是也，词中之次乘也。有有文无质者，刘改之、施浪仙、杨升庵、彭羡门、尤西堂、王渔洋、丁飞涛、毛会侯、吴蘭次、徐电发、严藕渔、毛西河、董苍水、钱保馚、汪晋贤、董文友、王小山、王香雪、吴竹屿、吴榖人诸人是也，词中之下乘也。有质亡而并无文者，则马浩澜、周冰持、蒋心余、杨荔裳、郭频伽、袁兰村辈是也，并不得谓之词也。论词者本此类推，高下自见。

谭献《复堂词话》：嘉庆时，孙月坡选《七家词》，为厉樊榭、林蠡槎、吴枚庵、吴榖人、郭频伽、汪小竹、周稚圭，去取精审。予欲广之，为前七家，则辕文、葆馚、羡门、渔洋、梁汾、容若、遹声，又附舒章、去矜，其年为十家。后七家，则皋文、保绪、定盦、莲生、海秋、鹿潭、剑人，又附翰风、梅伯、少鹤为十家。词自南宋之季，几成绝响。元之张仲举，稍存比兴。明则卧子直接唐人，为天才。近代诸家，类能桃南宋而规北宋。若孙氏与予所举二十余人，皆乐府中高境，三百年所未有也。（《复堂日记》壬申）

杨锺羲《雪桥诗话》卷六：尝言娄水百余年，词学鹿樵生，体综北宋，未极幽妍。至小山、汉舒、今培、同怀、素威、颍山乃能上继浙西六子，同时作者武林则樊榭、授衣，广陵则渔川、橙里，阳羡则澹成及位存兄弟，檇李则南芗、春桥、榖原，吴中则企晋、湘云、策时、升之，共二十余家，各擅其工，即南宋未有其盛也。一时以为快论。后来填词家自皋文、保绪出而陈义较高，顺卿、杏舲出而斠律益细，自足突过前贤。至于缠绵婉丽、风美动人处，亦初未有以相胜耳。

徐珂《近词丛话·词学名家之类聚》：康乾之际，言词者几莫不以朱、陈为范围。惟朱才多，不免于碎；陈气盛，不免于率，故其末派有俳巧奋末之病。钱塘厉鹗、吴县过春山，近朱者也。兴化郑燮、铅山蒋士铨，近陈者也。太仓王时翔、王策诸人，独轶出朱、陈两家之外，以晏、欧为宗。时翔字抱翼，其词凄婉动人。策字汉舒，意味深长，亦自名家。至宜兴史承谦、荆溪任曾贻，自出杼轴，独抒性灵，于宋人吸其神髓，不沾沾袭其面貌。一语之工，令人寻味无穷，而又不失体裁之正则，亦词家之作手也。……乾嘉之际，作词者约分浙西、常州二派。浙西派始于厉鹗，常州派始于武进张惠言。鹗词宗彝尊，而数用新事，世多未见，故重其富。后生效之，每以掜摭为工，后遂浸淫而及于大江南北。然抄撮堆砌，音节顿挫之妙未免荡然。惠言乃起而振之，与其弟琦选唐、宋词四十四家百六十首为《词选》一书。阐意内言外之旨，推文微事著之原，比傅景物，张皇幽渺，约千编为一简，蠡万里于径寸，诚为乐府之揭橥，词林之津逮。故所撰作，亦触类修畅，悉臻正轨。其友人恽敬、钱寄重、丁履恒、陆继辂、左辅、李兆洛、黄景仁、郑善长辈，亦皆不愧一时作家。其学于惠言而有得者，则歙县金应珹、金式玉也。其以惠言之甥而传其学者，则武进董士锡也。荆溪周济，友于士锡，尝谓词非寄托不入，专寄托不出。其所立论，实足推明张氏之说而广大之。所著《味隽斋词》及《止斋词》，堪与惠言之《茗柯词》把臂入林。盖自济而后，常州词派之基础益以巩固。潘德舆虽著论非之，莫能相掩也。

陈廷焯《白雨斋词话》卷四：其年、竹垞才力雄矣，而意境未厚。位存、湘云韵味长矣，而气魄不大。

陈廷焯《白雨斋词话》卷六：朱、陈、厉三家，可谓极词之变态；以云《骚》、《雅》，概未之闻。……陈以雄阔胜，可药纤小之病；朱以隽逸胜，可药拙滞之病；厉以幽峭胜，可药陈俗之病。不可谓之正声，不得不谓之作手。……迦陵雄劲之气，竹垞清隽之思，樊榭幽艳之笔，得其一节，亦足自豪。若兼有众长，加以沈郁，本诸忠厚，便是词中圣境。

陈廷焯《词坛丛话·清词以朱陈为冠》：词至国朝，直追两宋，而等而上之。作者如林，要以竹垞、其年为冠。朱、陈外，首推太鸿。譬之唐诗，朱、陈犹李、杜，太鸿犹昌黎。作者虽多，无出三家之石。

陈廷焯《词坛丛话·三家度越前代》：读诸家词后，读竹垞词，令人神观飞越。读竹垞词后，读其年词，令人拔剑悲歌。读其年词后，读樊榭词，令人神闲意远，时作濠濮上想。国朝有此三绝，所以度越前代与。

陈廷焯《词坛丛话·词手先后而生》：其年、竹垞，千古仅见，会于一时。十余年而生一太鸿。又十余年而生一位存。又数十年而生一璞函。一代词手，先后而生，天若有意于其间也。

谭献《复堂词话》：南宋词敝，琐屑饾饤，朱、厉二家，学之者流为寒乞。枚庵高朗，频伽清疏，浙派为之一变。而郭词则疏俊少年尤喜之。予初事倚声，颇以频伽名隽，乐于风咏；继而微窥柔厚之旨，乃觉频伽之薄。又以词尚深涩，而频伽滑矣。后

来辨之。（《箧中词》）

蒋敦复《芬陀利室词话》卷一《冯柳东词》：浙派词，竹垞开其端，樊榭振其绪，频伽畅其风，皆奉石帚、玉田为圭臬，不肯进入北宋人一步，况唐人乎。

李佳《左庵词话》卷上《八旗词家》：八旗词家，向推纳兰容若《饮水》、《侧帽》二词，清微淡远。嗣嘉道间，子久方伯承龄著有《冰蚕词》，一时许为作家。然音调雅谐，犹嫌意少。咸同间有姚秋士比部斌桐，亦工填词，遗有《还初堂集》，清丽芊绵，似出子久方伯之右。近则郑叔问中翰文焯，刻有《瘦碧词》，才名著闻江南，此外罕闻有专集。

丁绍仪《听秋声馆词话》卷一七《清僧道词》：本朝诗僧甚夥，词僧则少，羽士词尤罕觏。

徐珂《清稗类钞·著述类·小说之盛行》：好小说家言者，首推纪文达公昀，诙谐善谈，今所传《滦阳消夏录》、《续录桐阴杂记》、《如是我闻》、《姑妄听之》是也。袁枚尝作《子不语》，然不及其雅饬。蒲松龄之《聊斋志异》，尤为卓绝，其叙事简古，人比之司马迁《史记》。余如金人瑞之《西城风俗记》，汤传楹之《闲余笔话》，余怀之《板桥杂记》，吴翊凤之《秋灯丛录》，均能巧言切状，如印之印泥，不加雕削而曲写毫芥。至章回小记，自达海以满字谙译《三国演义》以教旗人，而忠毅公额勒登保直视同古兵法，破川楚教匪，为一朝名将，此亦可见小说之有裨实用矣。若吕抚之《二十四史通俗衍义》，蔡昇之《东周列国志》，胡为而之《东汉演义》，褚人获之改正《隋唐演义》，虽较之《三国演义》文质殊体，雅俗异态，而贞百虑于一致，驱万途于同归，亦能使纷烦众理无倒置之乖，淆杂群言无棼丝之乱，譬如菁菲，节取焉可也。言情之作，则莫如曹寅之《红楼梦》；讥世之书，则莫如吴敬梓之《儒林外史》。曹以婉转缠绵胜，思理为妙，神与物游，有将军欲以巧胜人，盘马弯弓故不发之致；吴以精刻廉悍胜，穷形尽相，惟妙惟肖，有箭在弦上不得不发之势，所谓各造其极也。至善评小说者，则推金人瑞，笔端有刺，舌底澜翻，亦爽快，亦敏妙，钟惺、李卓吾之徒望尘莫及矣。文章游戏，缪艮所作，近代则之，厥风大畅，东方谲谏，淳于滑稽，其于世道人心盖亦有功不少矣。

张次溪《清代燕都梨园史料自序》：戏剧一道，有清一代为最盛。盖清室来自漠野，目所睹者皆杀伐之事，耳所闻者皆杀伐之声，一聆夫和平雅唱、咏叹淫佚之音，宜乎耽之、悦之。上以此导，下以此应。于是江南各地梨园子弟相率入都。（《清代燕都梨园史料》卷首）

徐珂《清稗类钞·戏曲类·戏曲之变迁》：国初最尚昆剧，嘉庆时犹然。后乃盛行弋腔，即俗呼高腔一曰高调者。其于昆曲，仍其词句，变其音节耳。京师内城尤尚之，谓之得胜歌。相传国初出征凯旋，军士于马上歌之以代凯歌，故于《请清兵》等剧尤喜演之。道光末，忽盛行皮黄腔，其声较之弋腔为高而急，词语鄙俚，无复昆、弋之雅。初唱者，名正宫调，声尚高亢。同治时，又变为二六板，则繁音促节矣。光绪初，忽尚秦腔，其声至急而繁，有如悲泣，闻者生哀，然有戏癖者皆好之，竟难以口舌争也。昆、弋诸腔，已无演者，即偶演，亦听者寥寥矣。

第一章

康熙四十年辛巳至雍正十三年乙卯（1701—1735）共35年

·引 言·

昭梿《啸亭杂录》卷一《崇理学》：仁皇夙好程、朱，深谈性理，所著《几暇余编》，其穷理尽性处，虽夙儒耆学，莫能窥测。所任李文贞光地、汤文正斌等皆理学耆儒。尝出《理学真伪论》以试词林，又刊定《性理大全》、《朱子全书》等书，特命朱子配祠十哲之列。故当时宋学昌明，世多醇儒耆学，风俗醇厚，非后所能及也。

昭梿《啸亭杂录》卷一〇《本朝理学大臣》：本朝崇尚正道，康熙、雍正间，理学大臣颇不乏人。如李安溪之方大，熊孝感之严厉，赵恭毅公之耿直，张文清公之自洁，朱文端公之吏治，田文端公之清廉，杨文定公之事君不苟，孙文定公之名冠当时，李巨来、傅白峰之刚于事上，高文定公、何文惠公之宽于待下，鄂西林之勋业伟然，刘诸城之忠贞素著，以及邵中丞基、胡侍郎煦之儒雅，蔡闻之太傅、傅龙翰敏之笃学，甘庄恪汝来之廉，顾河帅琮之刚，陈海宁、史溧阳之端方，陈桂林、尹文端之政绩，完颜伟、张师载二河帅之治河，杨勤恪公锡绂之理学，皆扬名于一时，谁谓理学果无益于国也。

《四库提要》卷一九〇：我国家定鼎之初，人心返朴，已尽变前朝纤仄之体。故顺治以来，浑浑噩噩，皆开国元音。康熙六十一年中，太和翔洽，经术昌明，士大夫文采风流，交相照映。作者大都沈博绝丽，驰骤古今。雍正十三年中，累洽重熙，和声鸣盛。作者率春容大雅，沨沨乎治世之音。我皇上御极之初，肇举词科，人文蔚起。治经者多以考证之功研求古义，擒文者亦多以根底之学抒发鸿裁。佩实衔华，迄今尚蒸蒸日上。

赵慎畛《榆巢杂识》卷下《江南负文名者》：康熙时，江南负文名，操时文选政者，宜兴储同人欣最有法度，桐城戴田有名世颇尚清奇，长洲汪武曹份、吴县吴荆山士玉同时竞爽，皆取裁于何屺瞻焯。何素精于考据，严于文律，自作尚不逮焉。

王应奎《柳南续笔》卷三《方何之弊》：方望溪为文，间有创论，然过于痛快，便近李贽声口。何义门看书，洵属具眼，然过于细密，便近时文批评。两先生在今日，固承学所当师法者也，而其弊却亦不可不知。

王应奎《柳南续笔》卷二《时文选家》：本朝时文选家，惟天盖楼本子风行海内，远而且久。尝以发卖坊间，其价一兑至四千两（见《钱圆沙集》），可云不胫而走焉。

然而浙中汲古之士如黄梨州、万季野辈，颇薄其所为，目为"纸尾之学"云。

徐珂《清稗类钞·文学类·朱竹垞毛西河之诗文》：经师之善诗文者，每以国初朱竹垞、毛西河为言。其实西河非竹垞可比。竹垞文有骨力，卓尔大雅，西河惟善于驰骋耳。竹垞诗渊雅坚厚，取材典则，西河已伤猥杂，气亦未醇。昔韩昌黎以《孟子》为大醇，《荀子》乃大醇而小疵。邱菽园主政炜菱于竹垞、西河，亦如是云。

赵执信《谈龙录》：本朝诗人，山左为盛。先清止公与莱阳宋观察荔裳琬同时；继之者新城王考功西樵士禄及其弟司寇，而安丘曹礼部升六贞吉，诸城李翰林渔村澄中，曲阜颜吏部修来光敏，德州谢刑部方山重辉、田侍郎、冯舍人后先并起。然各有所就，了无扶同依傍，故诗家以为难。秀水朱翰林竹垞彝尊、南海陈处士元孝恭尹、蒲州吴征君天章雯及洪昉思皆云然。

纪昀《镂冰诗钞序》：畿辅诗人，惟任丘庞雪厓先生名最著……雪厓以后，北士之续其响者，惟景州李露园、曹丽天，任丘边随园、李廉衣，献县戈芥舟，寥寥数人，惜其遗集皆在存亡间，不甚著也。（《纪晓岚文集》第一册卷九）

厉鹗《懒园诗钞序》：往时吾杭言诗者，必推西泠十子。十子之诗，皆能自为唐诗者也。承其学者，吴丈志上、徐丈紫山师张先生秦亭，蒋丈静山、雪樵、陈丈懒园师毛先生稚黄，沈丈方舟独师岭南五子，而说亦与十子合。诸君之诗，声应节赴，宫商欣合，故流派同而交谊亦日以笃。（《樊榭山房文集》卷三）

金埴《不下带编》卷五：皇家文藻，自昔推唐。然以较本朝，则唐万不及一。自圣祖仁皇帝与今天子继列祖右文之治，御制天章，超绝隆古。且前后大修典籍，以弘万世文教。以是天族之彦，矫矫拔俗者，不胜缕指。如埴所□，前有红兰主人（又号玉池生）、拙斋主人，近则紫幢主人（又号茶翁）、潜室主人（即辅国公），咸擅文藻于皇家。始知天族多奇，玉林皆宝，为天下士林千秋斗山之仰，而独恨草莽小子，未获一窥其藩篱也。

朱庭珍《筱园诗话》卷二：阮翁极赏吴天章诗，称为仙才。洪昉思、汤西崖皆及门高弟子也。然天章《莲洋集》才力单弱，昉思篇幅尤狭。二人诗造诣浅薄，均乏生气。短章近体，时复斐然；全集索然，阅半卷即令人倦而思睡。西崖词旨雅驯，清整而欠雄厚，亦无足动人者。山东德州冯大木，诗笔爽俊，阮翁以大木、秋谷诗合选，号《二妙集》。秋谷以此成名，故后人多议其攻阮亭为过也。大木惜早世，未及深造。时德州田山姜侍郎，河间庞工部垲，于阮亭虽不服从，亦不敢攻击，另树一帜，若附庸然。田有才情而杂，庞有意趣而小，皆未成家。宋牧仲才力亦弱，当时名望，与阮翁并称，因其宏奖人才，故争相推崇，实非阮翁敌手，亦附庸之小国耳。王西樵为阮亭长兄，故阮翁尊之，然去阮翁甚远，不过清雅而已。徐东痴、张历友皆尔日山左诗家，然徐诗故求峭削，转入鼠穴，不如历友笔气俊逸，较有才力也。然后来高密李氏宗主客图，其派颇行于齐、鲁间，卑隘浅弱，视诸人又古民之三疾矣。

全祖望《莺脰山房诗集序》：国朝诸老诗伯，阮亭以风调神韵擅场于北，竹垞以才藻魄力独步于南，同岑异苔，屹然双峙。而愚所心醉者，莫如宛陵施侍讲之诗。宛陵至性深情，化才藻于何有，而孤行一往，无风调之可寻，所谓酸咸之外，别有领会。说者以莱阳宋观察同称，非其伦也。在昔都官手笔，实使欧、苏诸巨子低头下拜，岂地气所钟，世有之欤？迩来澥内之言诗者，不为齐风，即为浙调，兼两专车，如相契约；而宛陵一唱三叹之音，庋阁已久。予虽大声言之，而世人莫之听也。中吴王君梅沜，独深以予言为然。（《鲒埼亭集》卷三二）

陈仅《竹林答问》：问，本朝六家高下若何？答，本朝六家，王、朱、施、宋、查、赵，查已不及四家，若秋谷，诚邾、莒，不知何以得此盛名？然鄙意当以愚山为第一耳。

林昌彝《射鹰楼诗话》卷二一：《国朝六家诗》以查初白、赵秋谷配朱、王、施、宋，甚为不伦，吾无取焉。

杨际昌《国朝诗话》卷一：秀水朱检讨竹垞彝尊与王阮亭齐名，世称南朱北王。王专擅风神，朱兼骋才藻，以云作家，皆非妄有名也。

梁章钜《退庵随笔·学诗二》：国朝诗以王渔洋、朱竹垞并称，自系公论，百余年来，未之有改也。而赵瓯北《十家诗话》独遗之。盖瓯北诗离神韵稍远，与渔洋之宗旨本不相谋，而其学又不如竹垞之该博，故以吴梅村、查初白代之，有意为此轩轾。其实吴、查亦只可称名家，非可以凌轹王、朱也。自赵秋谷有"朱贪多、王爱好"之说，后人多资为口实。苏斋师尝言："汝自腹俭耳，朱何尝贪多？汝自不要好耳，王何尝爱好？"实为棒喝。窃谓今之学诗者，正当以爱好学王，以贪多学朱，则方将讲求声律，博综故实之不暇，则此两言转可为学诗者之阶梯，又何所容其排击哉？至近又有抹杀王、朱，而以蒋心余为我朝诗人冠冕者，狂生一偏之见，逞其雌黄，付之不辨可矣。

黄培芳《香石诗话》卷一：王、朱七律气体原佳，但初年皆有空调，若徒赏其清词丽句，非知诗也。

赵执信《谈龙录》：或问于余曰："阮翁其大家乎？"曰："然。""孰匹之？"余曰："其朱竹垞乎！王才美于朱，而学足以济之；朱学博于王，而才足以举之，是真敌国矣。他人高自位置，强颜耳。"曰："然则两先生殆无可议乎？"余曰："朱贪多，王爱好。"

林昌彝《射鹰楼诗话》卷一七：或问："竹垞诗视阮亭如何？赵秋谷《谈龙录》谓朱爱多，王爱好，是否？"余曰："朱、王二家于诗用力极深，似未可厚非，朱以雄秀胜，王以神韵胜，皆大家也。第王诗不及朱诗之雄。"光泽何金门茂才长诏尝论之，诗云："新城秀水旧齐驱，供奉声名稍不如。若但论诗休序爵，雄才似胜老尚书。"此论极好。

袁枚《随园诗话》卷二：本朝古文之有方望溪，犹诗之有阮亭：俱为一代正宗，而才力自薄。近人尊之者，诗文必弱；诋之者，诗文必粗。所谓佞佛者愚，辟佛者迂。

黄培芳《香石诗话》卷二：子才论阮亭诗，谓"一代正宗才力薄"。因思子才之诗，所谓才力不薄，只是夸多斗巧，笔舌澜翻，按之不免轻剽脆滑，此真是薄也。阮亭正宗固不待论，其失往往在套而不在薄。耳食者不察，从而和之，以为定论，何哉？

陈仅《竹林答问》：问，阮亭诗，随园讥其"一代正宗才力薄"，然否？答，此论却甚当。读新城七古便知。予尝谓韩、苏之门人才最盛，本朝惟新城可以鼎立。二公磨蝎身宫，而新城一生通显，声名福泽，独厚于一人。要其诗境所以不及二公者，亦在此。

林昌彝《射鹰楼诗话》卷七：袁简斋论诗云："一代正宗才力薄，望溪文集阮亭诗。"此诗一出，少年才俊多以为然，余谓简斋之论，似是而实非者。简斋论诗及文，于体已杂；简斋为文，喜纵横驰骤。方文周规折矩，格近纯正，故简斋以为薄，其实好为纵横者，亦不得谓之厚，厚者厚其气，非厚其词也。望溪文之不足者，在气之不厚，非在词之不厚，此论非简斋所能梦见也。阮亭诗用力最深，诸体多入汉、魏、唐、宋、金、元人之室，七绝情韵深婉，在刘宾客、李庶子之间，其丰神之蕴藉，神味之渊永，不得谓之薄，所病者微多妆饰耳。若谓阮亭诗不喜纵横驰骤者谓之薄，阮亭岂不能纵横驰骤乎？简斋之论，阮亭有所不受。

王应奎《柳南续笔》卷四《新城诗格》：诗贵锻炼致精，亦不妨疏密相间，若字字求工，则反伤真气矣。诗贵含蓄蕴藉，亦不妨豪荡感激，若句句求澹，则不见性情矣。诗贵意存忠厚，亦不妨辞寓刺讥，若语语混沦，则全无作用矣。新城于此，或不能尽合，后世必有从而议之者。然秀骨天成，风神绝世，自是间代清律，非柴烟粪火边物也。近有谓敬业堂诗，颇擅出蓝之美，吾不敢以为然。

梁章钜《退庵随笔·学诗二》：自王渔洋倡神韵之说，于唐人盛推王、孟、韦、柳诸家，今之学者翕然从之，其实不过喜其易于成篇，便于不学耳。

朱庭珍《筱园诗话》卷一：近人主王、孟、韦、柳一派，以神韵为宗者，谓诗不贵用典，又以不着议论为高，此皆一偏之曲见也。名手制胜，正在使事与议论耳。

洪亮吉《北江诗话》卷二：诗文之可传者有五：一曰性，二曰情，三曰气，四曰趣，五曰格。……至诗文讲格律，已入下乘。……本朝邵子湘、方望溪之文，王文简之诗，亦不免有此病。则拘于格律之失也。

《清史列传》梁佩兰传：（佩兰）与南海程可则，顺德陈恭尹，番禺王邦畿、方殿元暨殿元长子还、次子朝，同以诗鸣粤中，人称为岭南七子。

杨锺羲《雪桥诗话余集》卷三：赵蒙泉大令俞、孙松坪读学致弥、张西友文学铭、王宾臣明经度、李秋森文学圣芝、侯凤阿太学大年、张汉瞻征君云章、王服尹吉士晦有练川八子之目。

陈廷焯《词坛丛话·清初诸家》：国初诸老之词，论不胜论。而最著者，除吴、王、朱、陈之外，莫如棠邨。秋岳、南溪、珂雪、藐香、华峰、饮水、羡门、秋水、符曾、分虎、晋贤、覃九、蘅圃、松坪、西堂、莘野、紫纶、奕山诸家，分道扬镳，各树一帜。而饮水、羡门、符曾、分虎，尤为杰出。

谢章铤《赌棋山庄词话》卷八《国初三毛》：国初三毛，稚黄、西河、鹤舫际可。稚黄、西河较胜，西河论词多确凿。即稚黄谈艺亦复不苟。议者徒訾其填词名解之附会穿凿，遂尽没其真耳。鹤舫与吾闽林西仲善，文亦相似，均非上乘正法眼也。

吴衡照《莲子居词话》卷三《浙派三家》：吾浙词派三家，羡门有才子气，于北宋中最近小山、少游、耆卿诸公，格韵独绝。竹垞有名士气，渊雅深稳，字句密致。自明季左道言词，先生标举准绳，起衰振声，厥功良伟。樊榭有幽人气，惟冷故峭，由生得新。当其沈思独往，逸兴遄飞，自成情理之高，无预搜讨之末。全谢山为樊榭作墓碣，谓深于言情，故其擅场尤在词。谢山初不攻倚声之业，然斯言独得樊榭之概。

郭麐《灵芬馆词话》卷一《凌廷堪论词》：近见凌仲子论词云："词以南宋为极，能继之者竹垞。至厉樊榭则更极其工，后来居上。"……至谓樊榭胜竹垞，鄙意大不谓然。樊榭《论词绝句》云："偶然燕语人无语，心折小长芦钓师。"愚谓竹垞小令固佳，即长调纡徐宕往中，有藻华艳耀之奇，斯为极至。即小令中佳者，亦未必惟此语为可心折也。大抵樊榭之词，专学姜、张，竹垞则兼收众体也。

厉鹗《张今涪红螺词序》：檇李，今词乡也。自朱竹垞太史导其源，李秋锦、魏水村诸公和之；而柘上二沈，同姓著称，南浔以秀澹胜，融谷以婉绵胜。于时一篇始出，四方传唱，敏若风雨，虽茶檐酒帜、井眉椒壁间，伟男髫女，皆能道其名字。（《樊榭山房文集》卷四）

李斗《扬州画舫录》卷五：两淮盐务例蓄花、雅两部，以备大戏。雅部即昆山腔；花部为京腔、秦腔、弋阳腔、梆子腔、罗罗腔、二簧调，统谓之乱弹。昆腔之胜，始于商人徐尚志征苏州名优为老徐班。而黄元德、张大安、汪启源、程谦德各有班。洪充实为大洪班，江广达为德音班，复征花部为春台班。自是德音为内江班，春台为外江班。今内江班归洪箴远，外江班隶于罗荣泰。此皆谓之内班，所以备演大戏也。

公元 1701 年（康熙四十年　辛巳）

正月

十八日，孔尚任等作收灯诗。据《孔尚任诗文集》卷四《长留集·辛巳新春十八日同陈健夫、李圣俞、陈射文作收灯诗》。

孔尚任于海波巷寓所邀李塨、万斯同、陈易等宴饮。冯辰《李恕谷先生年谱》卷三："赴东塘筵，同陈心简、万季野、吴敬庵、曹正子、陈健夫、邢伟人分韵赋诗。先生诗寓意讽东塘罢官宜归。"

戴名世复往浙江。有《辛巳浙行日纪》，见《戴名世集》卷一一。又，其集中浙中山水诸记，悉以是年作。据戴钧衡《南山先生年谱》。

门人尤云鹗为戴名世刊《南山集》。跋署"辛巳人日，受业尤云鹗识"。戴钧衡《南山先生年谱》："是年，门人尤云鹗为刻先生古文，凡百有十余篇，名曰《南山集》。是时先生已买宅里中之南山，将归隐矣。曰'南山'，著其志也。"尤云鹗跋云："吾师忧庵先生所为制义数百篇，既已流传于世，人人皆知诵法矣。而其所为古文较之制义更工且富，于是四方学者购求先生之古文踵相接也，而先生坚匿不肯出。云鹗固请先生刊行于世，先生曰：'古文之为道较之制义难且数倍，吾遭困厄，奔走于衣食，其于工力未能深入阃奥，安能必其传世而行远？且古人文字必屡加改易而后有定本，今吾所为文随笔直写，未经锻炼，箧中所存皆草稿而已。吾方欲买山深隐，细加择别更定，而后敢出以问世。其或后来学业有进，文或加工，则向时所为且将举而弃之，而何刊行之为？'盖先生下笔妙天下，而犹虚怀不自信如此。云鹗无以塞四方学者之意，乃检平日所藏钞本百余篇，在先生集中仅五之一，为刊而布之，余俟后有定本再镂诸版。昔人称文章之逸气，三代以后，司马子长得之，后惟欧阳永叔得之。余谓历南宋至元、明迄今日，惟先生得之。先生留心先朝文献，十余年来，网罗散轶，次第略备，将欲成一家之言，与《史记》、《五代史》相颉颃。而先生平居文字，其风神澹荡，直接龙门、庐陵，先生虽虚怀不自信，而南丰瓣香，四方学者之所宗仰，其必在是集也夫。"（《戴名世集》附录）［按，戴名世狱中供词云此跋为戴氏自作］

二月

长洲张士俊在查山营修六浮阁成，四方名士来会。据朱彝尊《曝书亭集》卷六六《六浮阁记》，卷二〇《二月朔查山探梅集六浮阁分韵得罩字》、《初二夜月联句》等。初二夜联句者有高不骞、顾嗣协、徐釚、朱彝尊、顾绍敏、徐葆光、朱甫田、徐昂发、顾嗣立、张士俊、郑鈜、蒋深、张士琦等。

顾嗣立探梅西山，放棹西湖，多与朱彝尊唱和。再游山阴。三月归草堂。据《闾邱先生自订年谱》。

王士禛撰《浯溪考》二卷。据王士禛自编、惠栋注补《渔洋山人自撰年谱》卷下。

费密定《外集杂存》八卷毕。据费冕《费燕峰先生年谱》卷四。

三月

朱彝尊、毛奇龄游西湖。据杨谦《朱竹垞先生年谱》。〔按，此事杨谦《年谱》系据《西河诗话》卷八，以此知《西河诗话》当成书于毛奇龄晚年。四库提要卷一九七：《诗话》八卷，"国朝毛奇龄撰。……是编多记其所自作及同时诸人倡和，亦间及唐诗。奇龄以考据为长，诗文直以才锋用事，而于诗尤浅。其尊唐抑宋，未为不合。而所论宋诗，皆未见宋人得失，漫肆讥弹。即所论唐诗，亦未造唐代藩篱，而妄相标榜。如诋李白、诋李商隐、诋柳宗元、诋苏轼，皆务为高论，实茫然不得要领。第八卷中记姜仲子、姚季方谓奇龄貌似苏轼像，又记乩仙以奇龄为轼后身，而奇龄皆以为辱。反复诋轼数百言，并有'莫将今日扶乩画，又认他人着展图'句，已为诞妄。至谓轼不能实见理学之是非，于先圣授受之间有所取正，尤属大言。百载以来，日久论定，有以理学宗传屈指于奇龄者乎"。又，王士禛《渔洋诗话》卷下："萧山毛奇龄大可，不喜苏诗。一日复于座中訾謷之。汪蛟门懋麟起曰：'竹外桃花三两枝，春江水暖鸭先知云云，如此诗，亦可道不佳耶？'毛怫然曰：'鹅也先知，怎只说鸭？'"〕

安致远卒，年七十四。据阙名《安静子先生年谱》（谢巍《中国历代人物年谱考录》著录）。四库提要卷一八一：《安静子集》十三卷，"国朝安致远撰。致远字静子，一名如磐，字拙石，寿光人。贡生。自顺治乙酉至康熙甲子，十五举不售，卒偃蹇以没。是集凡为文集九卷，曰《玉碰集》四卷，《纪城文稿》四卷，《蠡音》一卷。诗集四卷，曰《柳村杂咏》二卷，《岳江草》、《倦游草》各一卷，总名之曰《纪城诗草》。而《岳江草》独标'卷六'字，似非完本。词集一卷，曰《吴江旅啸》。自序谓诗喜摩诘，文慕庐陵，爱其从容闲雅，不事钩棘，故能不染明末纤诡之习。而精神魄力，亦未能凌跨诸家"。《晚晴簃诗汇》卷三七录其诗三首。

春

查慎行嘱禹之鼎为作《初白庵图》。取苏轼"身行万里半天下，僧卧一庵初白头"诗意。据陈敬璋《查他山先生年谱》。

吴雯访旧天津，晤赵执信。复与王士禛相见于京师。赵执信《因园集》卷六《涓流集·天津喜晤老友吴天章兼赠其所主张君》："莲洋诗格如莲花，引我亭亭出泥滓。"
王士禛《居易录》卷三："三月初九日，天章自天津来，赠所刻《寒山子诗》。诗家每
称其'鹦鹉花间弄，琵琶月下弹。长歌三月响，短舞万人看'，谓有唐调。其诗有工
语，有率语，有庄语，有谐语。至云'不烦郑氏笺，岂待毛公解'，又似儒生语。大抵
佛语、菩萨语也。"

**立夏前一日，毛奇龄、洪昇、吴陈琰、吴焯等二十三人集杭州城东药园送春，分
韵赋诗。** 据吴焯《药园诗稿》卷下《药园送春，同毛西河太史、谢东山、朱赞皇、郭
河九、洪昉思、姚立方、王鲁斋、苏月槎、沈瑶岑、朱方来、顾揩玉、周层岩、王履
方、柴陞升、钱景舒、张兰佩、胡逸蘅、云浦、晓苍、家兄宝崖、快亭、弟皖轮分赋》
（章培恒《洪昇年谱》引）。厉鹗《东城杂记》卷上《药园送春句》："康熙中，萧山毛
西河太史奇龄与吾杭诸名士，于立夏前一日集此作送春诗。时囊笔数十人，多有佳句。
末坐钱景舒昶年最少，独集唐二首。其一、三、四用王建、杜甫句：'每度暗来还暗
去，暂时相赏莫相违。'其二、五、六用翁绶、白居易句：'百年莫惜千回醉，一岁惟
残半日春。'太史极赏叹之，录入《西河诗话》。"

高孝本有《秦游集》。 小序云："辛巳春，至西安，往返匆匆，诗亦甚少，姑存
之。"（《固哉叟诗钞》总目）

四月

王士禛《居易录》成书。 自跋云："右《居易录》三十四卷，予康熙己巳冬杪重
入都门，随所闻见而杂记之。岁有纪录，合前所著《池北偶谈》二十六卷，通六十卷。
辛巳四月，三十四卷既成，而予随上疏请告，讵非数之前定耶？"四库提要卷一二三：
《居易录》三十四卷，"是书乃其康熙己巳官左副都御史以后，至辛巳官刑部尚书以前，
十三年中所记。前有自序，称取顾况'长安米贵，居大不易'之意。末又以居易俟命
为说。其义两歧，莫知何取也。中多论诗之语，标举名俊，自其所长。其记所见诸古
书，考据源流，论断得失，亦最为详悉。其它辨证之处，可取者尤多。惟三卷以后，
忽记时事；九卷以后，兼及差遣迁除，全以日历起居注体编年纪月，参错于杂说之中。
其法虽本于庞元英《文昌杂录》，究为有乖义例。又喜自录其平反之狱辞、伉直之廷
议，以表所长。夫邮侯《家传》乃自子孙，魏公《遗事》亦由僚属。自为之而自书之，
自书之而自誉之，即言言实录，抑亦浅矣。是则所见之狭也"。李慈铭《越缦堂读书
记·居易录》："阮亭藏书颇夥，一时往还皆博雅胜流，故见闻既广，议论皆有本末。
其于集部致力最深，四库提要多取之，惟于经学太浅。又其时目录之学未盛，往往有
失之眉睫可笑者，如云尝于慈仁寺阅市见孔安国《尚书大传》、朱子《三礼经传通解》，
吴任臣家有《唐会典》、《开元因革礼》之类是也。"

五月

初三日，曹寅作《东皋草堂记》。 署"康熙四十年五月初三日记于萱瑞堂之西轩"。
见《栋亭集·栋亭文钞》。

王士禛归里迁葬，十月返京师。据王士禛自编、惠栋注补《渔洋山人自撰年谱》卷下。四库提要卷一九四：《载书图诗》一卷，"国朝王士禛编。康熙辛巳，士禛官刑部尚书时，乞假旋里，改窆其亲，载书数车以归。其门人扬州禹之鼎绘为是图。一时多为题咏，士禛汇以成编。图后首载奏疏二篇，次序二篇，次题图诗八十六首，皆其门人所作，而附其侄启座《送还京》诗一首。次赠行二十四首，皆朝臣之作，而附侍讲尤侗《寄怀诗》一首。次《赐沐起程》一篇，而附朱彝尊《池北书库记》一篇，则以载书及之也"。

欧阳梦麟、朱云祚序应是《纵钓居文集》。欧阳序署"康熙四十年岁次辛巳仲夏月下浣之吉，同邑欧阳梦麟石臣氏撰"。又，朱序署"康熙辛巳夏五，临汝朱云祚天申氏撰"。（《纵钓居文集》卷首）四库提要卷一八三：《纵钓居文集》八卷，"国朝应是撰。是有《读孝经》，已著录。是编皆所著杂文。集中多载论策。盖康熙丁未改八比为论策时所拟作。其文多摹拟苏氏父子，辨论澜翻，而未免过求骏快，遂剽而不留。其它序、记、传、志诸篇，则欲拟其乡人王安石，而边幅亦微狭焉"。

曹乾斋为颜元刊《存学编》。据李塨撰、王源订《颜习斋先生年谱》。《清史列传》颜元传："《存学编》四卷，大旨谓圣贤立教，所以别于异端者，以异端之学，空谈心性，而圣贤之学，则事事征诸实用。自儒者失其本原，以心性为宗，一切视为末务，其学遂于异端近。"

刘璋自序《斩鬼传》。署"辛巳仲夏，烟霞散人题于清溪草堂"。是书初稿约作于康熙二十七年，先以钞本流传。至本年仲夏定稿。

六月

十九日，吴敬梓（1701—1754）生。敬梓字敏轩，号文木，全椒人。世望族，科第仕宦多显者，然敬梓仅以诸生终。三十三岁移家南京，在此写成《儒林外史》。卒于扬州。所著又有《文木山房集》四卷、《诗说》不分卷。事迹见程晋芳《文木先生传》（《勉行堂文集》卷六）、胡适《吴敬梓年谱》。[生日据朱彭寿《清代人物大事纪年》]

潘耒游嵩山。有《游中岳记》，见《国朝文汇》甲集卷二九。

夏

朱彝尊、吴陈琰、金埴等有西湖之集。据金埴《不下带编》卷三。

伍涵芬谒毛际可于白门，出《说诗乐趣》相示，并嘱为序。据《说诗乐趣》卷首毛际可序。四库提要卷一九七：《说诗乐趣》二十卷附《偶咏草续集》一卷，"国朝伍涵芬撰。涵芬有《读书乐趣》，已著录。此书皆采撷前人诗话，《偶咏草续集》则所自作。以所撰《读书乐趣》末有《偶咏草》，故此曰续集也。其书庞杂无绪，去取失伦。卷端所列引用书目，乖舛不一而足，则其于诗可知矣。涵芬《偶咏草》中有'侨居白下三山市，乱卖柴溪伍氏书'句，盖贫士刊鬻以自给，原不为著述计也"。是书本年华日堂刊行。

徐庆自序《信征录》。署"康熙辛巳夏，乌石山人徐庆滨溪"。（《信征录》卷首）

四库提要卷一四四：《信征录》一卷，"国朝徐庆撰。庆字宾溪，自署曰乌山人，不知何地之乌山也。是编杂记果报，语多荒诞。夫福善祸淫，天有显道，即明神胏蚤，亦当在杳冥之间。至于人鬼对言，幽明相接，指陈狱牒，判决是非，如虞山孙振先窃银因果记之类，何其怪而不经也。命曰'信征'，岂其然乎？"

七月

二十七日，赵信（1701—?）生。信字辰垣，号意林，昱弟，仁和人。国学生。家有池馆之胜，喜购书。连江陈氏世善堂书散出，皆归之。著有《秀砚斋吟稿》。事迹见《清史列传》赵昱传附、《清史稿》厉鹗传附。〔按，生日据朱彭寿《清代人物大事纪年》〕

八月

吕熊欲作《女仙外史》，向刘廷玑述其大旨。《女仙外史》卷首《江西廉使刘廷玑在园品题二十则》："岁辛巳，余之任江西学使。八月望后，维舟龙游，而逸田叟从玉山来请见。杯酒道故，因问叟向者何为，叟对以将作《女仙外史》。余叩其大旨，曰：'尝读《明史》，至逊国靖难之际，不禁泫然流涕。故夫忠臣义士与孝子烈媛，湮灭无闻者，思所以表彰之；其奸邪叛逆者，思所以黜罚之。以自释其胸怀之哽噎。'余闻之矍然，曰：'良有同心。叟书竣日，当为付诸梓。'"又，吕熊《登滕王阁》诗约作于本年或稍后。杨际昌《国朝诗话》卷一："吕文兆熊为刘在园所器，在园廉察江右，吕《登滕王阁》诗，一时传诵，气格殊健。诗云：'洪都尚有滕王阁，偶此登临秋色开。风月不随帝子去，江山如待老夫来。酒当红叶黄花劝，诗是残霞孤鹜催。大手文章天亦忌，龙门千载有余哀。'王勃龙门人，结盖借以自况。"

田兰芳卒，年七十四。据郑廉《田君兰芳传》（《碑传集》卷一三九）。《国朝文汇》甲集卷四八录其《割股辨》等文十四篇。《晚晴簃诗汇》卷三八录其诗二首。《贩书偶记》卷一四："《逸德轩文集》三卷、《文稿》四卷、《闰一稿》一卷、《遗稿》三卷、《偶次》一卷、《诗集》三卷、《丁卯至壬申诗》无卷数、《遗诗》二卷，睢州田兰芳撰。康熙间刊。"

九月

初二日，金德瑛（1701—1762）生。德瑛字汝白、慕斋，号桧门，仁和人。乾隆元年状元，授翰林院修撰。官至左都御史。著有《桧门诗存》四卷，辑有《西江风雅》十二卷。事迹见蒋士铨《左都御史桧门金公行状》（《忠雅堂文集》卷七）、《清史列传》本传、《清史稿》本传。

初七日，费密卒，年七十七。据费冕《费燕峰先生年谱》卷四。四库提要卷一八一：《燕峰文钞》一卷，"国朝费密撰。密字此度，成都人。遭张献忠之乱，弃家为道士，流寓吴江以终。王士祯诗所谓'成都跛道士，万里下峨岷'者是也。士祯盛称其诗，而其文不甚著。今观是集，不涉王、李之摹拟，亦不涉袁、钟之纤仄。奇矫自喜，颇有可观。然往往好持异论。如《春秋论》谓春秋为三桓而作，则举一废百。《明堂配上帝论》兼斥郑康成、王肃之说，而以上帝为上世之帝，则经典从无此称。《鲁用天子礼乐辨》兼斥程子及杨慎所引《吕览》之说，而谓周公有王者之功，宜用王者之礼乐，成王之赐，未足为非。鲁人用之于群庙，乃为僭上。不知惟名与器不可假人。有王者之功，宜用王者之礼乐，然则有王者之功亦可用王者之名号乎？是率天下而乱也"。杨际昌《国朝诗话》卷二："蜀人费此度密'大江流汉水，孤艇接残春'一联，渔洋极赏者也，心慕有年。近睹其他作，大约五字多工。《古琴》绝句：'古琴久不理，尘积断痕斑。为君弹一曲，明月满江山。'逸致翩翩。"《晚晴簃诗汇》卷三三录其诗八首。

王熙以病告归。据韩菼《予告光禄大夫少傅兼太子太傅保和殿大学士兼礼部尚书加六级谥文靖王公行状》（《有怀堂文稿》卷一九）。

秋

潘耒本年春至本年秋之诗为《豫游草》。见《遂初堂诗集》卷一四。

卓尔堪《遗民诗》初编当已基本完成，开始付刻。据潘承玉《清初诗坛：卓尔堪与〈遗民诗〉研究》（中华书局 2004 年）第二章。

十月

初一日，杨锡绂（1701—1769）生。锡绂字方来，号兰畹，清江人。雍正五年进士。官至兵部尚书、漕运总督。著有《四书讲义》、《太和堂诗古文》、《太和堂时艺》等。事迹见裘曰修《太子太保兵部尚书漕运总督杨勤悫公墓志铭》（《裘文达公文集》卷六）、鲁仕骥《太子太保光禄大夫兵部尚书都察院右都御史总督漕运杨勤悫公锡绂神道碑》、彭启丰《漕运总督谥勤悫杨公传》（《碑传集》卷七二）、《清史列传》本传、《清史稿》本传。

初九日，张笃庆自湖北抵里门。张笃庆《厚斋自著年谱》："余寄迹郢门。春日遍游胜地，谒显陵，望松林山。夏秋间多病。九月十二日北还，十月初九日抵里门。"

二十一日，方舟卒，年三十七。据方苞《兄百川墓志铭》（《方苞集》卷一七）。郑燮《潍县署中与舍弟第五书》："愚谓本朝文章，当以方百川制艺为第一，侯朝宗古文次之，其他歌诗辞赋，扯东补西，拖张拽李，皆拾古人之唾余，不能贯串，以无真气故也。百川时文精粹湛深，抽心苗，发奥旨，绘物态，状人情，千回百折而卒造乎浅近。朝宗古文标新领异，指画目前，绝不受古人羁绁，然语不遒，气不深，终让百川一席。忆予幼时，行匣中惟徐天池《四声猿》、方百川制艺二种，读之数十年，未能得力，亦不撒手，相与终焉而已。"（《郑板桥全集·板桥集》）马其昶《方百川刘古塘二先生传》："（百川）与其弟望溪先生友爱甚，望溪师事之。其所学者皆以古人为期，而顾不喜为时文。望溪每远游归，出所为古文辞及诂经之言相质，先生亦不喜，曰：'古之为言者，道充于中，而不可以已也，而今自觉不能已乎？'徒友刊其课试时文曰《自知集》者行于世，韩文懿公见之叹曰：'二百年无此矣。'先生以诸生终，而所为时文，自其同时以逮没后二百余年，天下学子皆诵习之。"（《广清碑传集》卷六）《国朝文汇》甲集卷五〇录其《广师说》文一篇。

二十四日，**商盘**（1701—1767）生。盘字苍羽（一作苍雨），号宝意，会稽人。雍正八年进士。历官翰林院编修、梧州太守、庆远知府、元江知府。著有《质园诗集》三十二卷、《质园尺牍》二卷、《画声》二卷，传奇《妙高台》和《唐昌观》（均佚）。事迹见蒋士铨《宝意先生传》（《忠雅堂文集》卷三）、《清史列传》本传。

金德嘉自序《堀埭集》。署"康熙辛巳阳月"。见《居业斋诗钞》卷首。

十一月

十九日，**翁叔元**卒，年六十九。据韩菼《经筵讲官刑部尚书翁公叔元神道碑》（《碑传集》卷二一）。《国朝诗别裁集》卷一〇录其《病中杂述》等诗四首。《晚晴簃诗汇》卷五五录其诗四首。《国朝文汇》甲集卷二七录其《救灾议》、《论宋免役之法》文两篇。

董讷卒，年六十三。据朱彭寿《清代人物大事纪年》、邓之诚《清诗纪事初编》卷六。四库提要卷一八三：《柳村诗集》十二卷，"国朝董讷撰。讷有《督漕疏草》，已著录。其诗皆讷自删定。因有别墅在平原城南二里，名曰柳村，遂以名集。《平原县志》称康熙四十一年圣祖南巡，驻跸柳村之南楼，询讷诗集，其子思凝缮写恭呈御览。殆即此本欤？"是书康熙五十年刊行。据《贩书偶记续编》附录。《晚晴簃诗汇》卷三六录其诗二首。

十二月

十一日，**彭启丰**（1702—1784）生。启丰字翰文，号芝庭，长洲人。雍正五年状元，授翰林院修撰。官至兵部尚书。致仕后主讲苏州紫阳书院。著有《芝庭先生集》十八卷。事迹见彭绍升《皇清光禄大夫经筵讲官兵部尚书致仕先考彭府君事状》（《二林居集》卷一八）、袁枚《经筵讲官兵部尚书彭公神道碑》（《小仓山房续文集》卷二五）、王芑孙《清故光禄大夫经筵讲官兵部尚书致仕彭公神道碑铭》（《惕甫未定稿》卷一〇）、《清史列传》本传、《清史稿》本传。[按，生日据江庆柏《清代人物生卒年表》]

冬

蒲松龄有《辛巳冬，闻历友自湖北归，怀以二律》二首。见《聊斋诗集》卷三。张笃庆在湖北时，亦有七律二首赠蒲松龄。据路大荒《蒲松龄年谱》。

本年

禁淫词小说。延煦等编《台规》卷二五："康熙四十年题准，凡鸣锣击鼓，聚众烧香，男女混杂等弊，并扶鸾书符，招摇煽缘之辈，及淫词小说等书，俱责令五城司坊

官，永行严禁。"（王利器《元明清三代禁毁小说戏曲史料》第一编）

汪由敦就试不售，遂改今名，时年十岁。由敦（1692—1758）初名良金，字师茗，号谨堂、松泉居士，休宁人。雍正二年三月举顺天乡试，八月成进士，改庶吉士。散馆授编修。官至吏部尚书。谥文端。著有《松泉集》四十六卷。事迹见钱维城《加赠太子太师吏部尚书谥文端汪由敦传》（《茶山文钞》卷一一）、钱陈群《诰封光禄大夫太子太傅吏部尚书赠太子太师谥文端汪公墓志铭》（《香树斋文集》卷二五）、《清史列传》本传、《清史稿》本传。

江永补婺源学弟子员，时年二十一岁。据汪世重、江锦波《江慎修先生年谱》。

自去年至今年，查嗣琛游天津，居查为仁家。查为仁《莲坡诗话》："家伯查浦老人游迹遍天下。览眺留题，往往脍炙人口。而《燕京杂咏》百四十首，尤腾誉都下。康熙庚辰、辛巳间，来游天津，居吾家于斯堂，前后几及两载。时与赵秋谷执信、姜西溟宸英、昝元彦茹芝、朱字绿书、刘大山岩擘笺飞斝，殆无虚日。"〔按，姜宸英已于前年卒，此恐误记〕

金埴前以丧偶离杭州，至是重来。据章培恒《洪昇年谱》。金埴《巾箱说》："往予杭州寄亭，去昉思居咫尺。每风动春朝，月明秋夜，未尝不彼此相过，偕步于东园。游鱼水曲，欲去还留。啼鸟花间，将行且伫。昉思辄向予诵'明朝未必春风在，更为梨花立少时'之句，且曰：'吾侪可弗及时行乐耶！'迨甲申春杪，昉思别予游云间、白门，两月而讣至。所诵二句，竟成其谶。至今追思，为之叹惋。"

朱书至白门，与方苞相见。据方苞《朱字绿文稿序》（《方苞集集外文》卷四）。

裘琏馆当湖刘亦文署。据裘姚崇《慈溪裘蔗村太史年谱》。

朱彝尊以"梧桐夜雨词凄绝，薏苡明珠谤偶然"诗酬洪昇。据《曝书亭集》卷二○《酬洪昇》。

邵廷采主黄冈姚江书院。据朱筼《邵念鲁先生墓表》（《笥河文集》卷一一）。

陶尔穗任葭州知州。据《四库全书·陕西通志》卷二三。

尤侗盛赞沈德潜《北固怀古》诸诗。《沈归愚自订年谱》："馆尤鸣佩家。太史西堂先生鸣佩世父也，见予《北固怀古》、《金陵咏古》及《景阳钟歌》等篇，谓令嗣沧湄、宫赞曰：'此生他日诗名不在而辈下。'予闻之，窃自恧也。"

查慎行《偷存集》为本年正月至四月诗，《斒经集》为本年五月至明年九月诗。见《敬业堂诗集》卷二八。

赵吉士作《辛巳匦岁杂感诗》一卷。是编凡六百余律。据卷首屠粹忠序。

朱彝尊《经义考》三百卷成书。据朱彭寿《清代人物大事纪年》。

东轩主人自序《述异记》。据《中国古代小说总目》文言卷。四库提要卷一四四：《述异记》三卷，"旧本题东轩主人撰，不著名氏。所记皆顺治末年康熙初年之事，多陈神怪，亦间及奇器。观其述《江村杂记》一条，其人尚在高士奇后也"。

查慎行《阴阳判》传奇约本年作。据郭英德《明清传奇史》第三编第十五章。庄一拂《古典戏曲存目汇考》卷一一：《阴阳判》，"《今乐考证》著录。康熙间刊本。《曲考》、《曲海目》、《曲录》并见著录。署他山老人。凡二卷二十八出。演胶城朱孝子为父复仇事，所谱系事实"。

苏州刊行明周顺昌《烬余集》，彭定求因作《书五人传记后》文，追记颜佩韦等五人死义事。据彭定求《南昀老人自订年谱》。

汪文柏《古香楼吟稿》三卷、《词稿》一卷、《柯庭文薮》无卷数、《西山纪游诗》一卷刊行。又，《摛藻堂诗稿》一卷、《续稿》五卷康熙丙子刊行，《柯庭余习》十二卷乾隆辛酉刊行。据《贩书偶记》卷一四。

王钺《世德堂集》四卷刊行。四库提要卷一八二：《世德堂集》四卷，"国朝王钺撰。钺有《粤游日记》，已著录。是集文二卷，诗二卷。其文多通畅详赡，不为诘屈聱牙。诗学宋人而不流于纤靡，一丘一壑，亦自成结构。在国初作者之中，则未能金鼓抗行也"。是书康熙五十三年刊行。据《贩书偶记续编》附录。

王九龄《尊香堂诗稿》八卷刊行。据《贩书偶记》卷一四。

郭元钎《一鹤庵诗》五卷刊行。据《贩书偶记》卷一四。

书坊取明杨慎所著《历代史略十段锦》改名《二十一史弹词》刊行，常熟孙德威为作注释。据张慧剑《明清江苏文人年表》。

刘元燮（1701—1768）生。元燮字孟调，号理斋、梅垞，湘潭人。雍正八年进士。官至山西道御史，缘事降广西布政司经历。著有《寒香草堂集》四卷。事迹见陈兆崙《奉政大夫山西道监察御史翰林院编修湘潭刘君墓志铭》（《紫竹山房文集》卷一八）。

徐述夔（1701—1762 或 1763）生。述夔字赓雅，号五色石主人，东台人。举人。著有《一柱楼诗》。一说《五色石》八卷、《八洞天》八卷亦系其所作。乾隆四十三年《一柱楼诗》案为乾隆间著名文字狱。事迹见《四库全书·皇朝通志》卷五三、民国《泰县志稿》（《广清碑传集》卷八）、江苏古籍出版社中国话本大系《五色石》等两种前言。

吴城（1701—1772）生。城字敦复，号瓯亭（一作鸥亭），钱塘人，焯子。监生。乾隆十六年高宗南巡，与厉鹗同撰《迎銮新曲》以呈。著有《鸥亭小稿》。事迹见汪沆《吴太学家传》（《槐塘文稿》卷三）。

傅为诋（1701—1770）生。为詝字嘉言，号谨斋、岩溪，建水人。雍正四年举人，十一年进士。历官翰林院检讨、贵州道监察御史、光禄寺少卿、大理寺卿、副都御史。著有《密藏斋诗文钞》。事迹见蔡新《副都御史傅公为詝墓表》（《碑传集》卷三三）。

马曰璐（1701—1761）生。曰璐字佩兮，号南斋、半查，祁门人。与兄曰琯以盐业居扬州，占籍江都。国子监生，候选知州。乾隆元年举博学鸿词科，未赴试。著有《南斋集》六卷、词二卷。马氏兄弟之玲珑山馆，为四方名士宴集之所。一时风雅，于斯为盛。事迹见《清史列传》马曰琯传附。

储麟趾（1701—1783）生。麟趾字履醇、梅夫，号钊复，人称梅夫先生，宜兴人。乾隆四年进士，改庶吉士，授编修。历官贵州道监察御史、太仆寺卿、宗人府府丞。引疾归，家居十余年。著有《双树轩诗初稿》十二卷。事迹见陆继辂《宗人府丞储公麟趾别传》（《碑传集》卷五七）、《清史稿》本传。

彭肇洙（1701—1771 后）生。肇洙字仲尹，丹棱人，彭端淑弟。雍正元年举人，十一年进士。历官刑部主事、员外郎、河南道监察御史。著有《抚松亭诗集》。事迹见《清史列传》彭端淑传附。[生年据李朝正、徐敦忠《彭端淑诗文注》附录《年谱》]

张衡卒，年七十四。据邓之诚《清诗纪事初编》卷五。《稧亭诗选》二卷康熙五十年刊行，又名《听云阁集》。据《贩书偶记》卷一四。

钱曾卒，年七十三。据张慧剑《明清江苏文人年表》。《国朝诗别裁集》卷八："遵王注牧斋诗集，固博闻士也。诗流易有余，不求警策，得牧斋一体。"录其《蝶》等诗三首。《国朝文汇》甲集卷一六录其《述古堂藏书目序》文一篇。

黄与坚卒，年八十二。据张慧剑《明清江苏文人年表》。《国朝诗别裁集》卷六："钱牧斋序忍庵诗，谓长安、金陵《杂感》诸篇，顿挫钩锁，缠绵恻怆，在韩致尧、元裕之之间。"录其《辰龙关》等五首诗。《国朝先正事略》卷三八："时王渔洋工诗而疏于文，汪苕文工文而疏于诗，阎百诗、毛西河工考证而诗文皆次乘。独先生兼有诸公之胜，所为文雅洁渊懿，根柢盘深。其题跋诸作，实跨刘敞、黄伯思、楼钥之上。诗牢笼万有，与渔洋并峙为南北二大宗。"《清史列传》本传："其文醇雅而不冶，简质而不繁，谨严而不夸；诗风情骨格在韩偓、元好问之间。吴伟业选娄东十子诗，以与坚为冠。"《晚晴簃诗汇》卷四二录其诗七首。《国朝文汇》甲集卷一六录其《春秋始末论》等文十一篇。

邱象随卒，年七十一。据丁步坤《邱季贞先生年谱》（谢巍《中国历代人物年谱考录》著录）。《国朝诗别裁集》卷一二录其《怀张虞山琼州》、《赠程穆倩》诗二首。《晚晴簃诗汇》卷四一："季贞与兄曙戒大理象升，并有才名，时号二邱。渔洋赏其《处州山中》诗'西风黄叶无人径，破庙山神对古松'之句，谓穰穰人市者不知世有此境。"录其诗五首。

朱素臣尚在世。据沈德潜《归愚诗钞》卷一〇《凌氏如松堂文宴观剧》注。

公元1702年（康熙四十一年 壬午）

正月

严绳孙卒，年八十。据朱彝尊《承德郎日讲官起居注右春坊右中允兼翰林院编修严君墓志铭》（《曝书亭集》卷七六）。《墓志铭》云："君为文无定格，不屑蹈袭前人，适如其意而止。诗篇冲融恬易，鲜矫激之言。慢词、小令雅而不艳。所著《秋水集》杂文七卷诗八卷词二卷，尝属予序之。少工书法，入晋唐人之室。兼善绘事，山水、人物、花木、虫鱼靡不曲肖。尤精画凤，翔舞竦峙，五光射目，观者叹息，以为古画手所无。"秦松龄《严中允传》："为文宗先秦、两汉，尤近范蔚宗。诗冲融澹易，闲雅深秀，如其为人。所著《秋水集》共若干卷。弱岁能径尺大字，晚于细楷尤工，间作小画。寸缣片纸辄为时珍赏，而君绝不乐以自名。"（《国朝文录续编·苍岘山人文录》卷一）冯金伯《词苑萃编》卷八《秋水小词精妙》引张渔川云："国初词家，小长芦而外，断推秋水，小词精妙，一时作者未易几也。樊榭《论词绝句》曰：'闲情何碍写云蓝，淡处翻浓我未谙。独有藕渔工小令，不教贺老占江南。'斯言当矣。"丁绍仪《听秋声馆词话》卷二《严绳孙词》："凤擅三绝称，诗词尤鲜洁。"谓《中秋御街行》（算来不似潇潇雨）、《菩萨蛮》（君恩自古如流水）"二词似有所讽，顾选家均遗之"。"又有《答顾梁汾见怀》七绝云：'曈曈晓日凤城开，才是仙郎下直回。绛蜡未消封韶罢，满身清露落宫槐。'颇有唐人风韵。"陈廷焯《白雨斋词话》卷三："樊榭论词云：'独有藕渔工小令，不教贺老占江南。'余观荪友词，色泽有余，措词亦闲雅，虽不能接武方回，固出电发之右。"又谓《双调望江南》"情词双绝，似此真有贺老意趣"。《词坛丛话·南北并峙》："藕渔小令之妙，独绝一时，与渔洋南北并峙可也。"《国朝诗别裁集》卷一一录其《发维扬》等诗四首。《晚晴簃诗汇》卷四二录其诗九首。《国朝文汇》甲集卷三二录其《六国论》等文六篇。《秋水集》十卷约康熙间雨青草堂刊行。据《贩书偶记》卷一四。

二月

初二日，吴颖芳（1702—1781）生。颖芳字西林，号临江乡人，仁和人。赴童子试时为隶所呵辱，自是不复应试，一意读书。著有《吹豳录》五十卷、《说文理董》四十卷、《金石文释》六卷、《临江乡人诗》四卷。事迹见王昶《吴西林先生小传》（《春融堂集》卷六五）、《清史列传》厉鹗传附。

十九日，顾嗣立出门，由松江之武林。三月渡江，游山阴、富阳、桐庐等地。水行八百里至福州，寓光禄坊一月。啖荔枝，宿鼓山。五月北归，沿路游武夷山诸胜。六月一日返草堂。有《啖荔集》二卷，朱彝尊序云："其材也博，其志也专。如弦在桐，拊之而益永；如金在冶，约之而弥坚。"据顾嗣立《闾邱先生自订年谱》、《寒厅诗话》。

张英予告南归，子廷玉随行侍奉。三月抵里。据张廷玉《澄怀主人自订年谱》卷一。

三月

田雯致仕归里。据《蒙斋年谱》其子补记。王士禛《香祖笔记》卷九："田纶霞雯少司徒为诗文好新异。康熙壬午谢病归，浃岁卧疴，医立方以进，辄嫌其俗，易他名始服之。如以枸杞为天精，人参为地精，木香为东华童子之类，其癖好新奇如此。"

蒲松龄病初愈，赴济南，有《途中遥见山村红绿如画》诗。见《聊斋诗集》卷四。

戴名世自浙归，避尘事，读书长干。据伍涵芬《偶咏草续集·壬午暑月……》诗戴名世识语。

春

查慎行《苏诗补注》五十卷成书。自康熙癸丑至本年，历三十年始成是书。据陈敬璋《查他山先生年谱》。是书四库全书收录。全祖望《翰林院编修初白查先生墓表》："先生所注苏文忠公诗五十二卷，搜罗甚富，施、王二家不足述也。"（《鲒埼亭集外编》卷七）

四月

初八日，万斯同卒，年六十五。据黄百家《万季野先生斯同墓志铭》（《碑传集》卷一三一）。钱大昕《万先生斯同传》："乾隆初大学士张公廷玉等奉诏刊定《明史》，以王公鸿绪《史稿》为本而增损之。王氏稿大半出先生手也。"（《潜研堂文集》卷三八）。全祖望《万贞文先生传》："自先生之卒，蕺山、证人之绪，不可复振；而吾乡五百余年攻媿、厚斋文献之传，亦复中绝，是则可为太息者矣。"（《鲒埼亭集》卷二八）《国朝文汇》甲前集卷一〇录其《嫂叔无服说》、《师服议》文两篇。《晚晴簃诗汇》卷四〇录其诗三首。

吕履恒序吕谦恒《青要集》。署"峕壬午孟夏，兄履恒元素甫题于离石之捡心堂"。（《青要集》卷首）四库提要卷一八四：《青要集》十二卷，"国朝吕谦恒撰。谦恒字天益，河南新安人。康熙己丑进士。官至光禄寺卿。谦恒尝读书青要山，因以名集。其诗纯作宋格，疏爽有余，而亦颇伤朴直。如《洗象行》之类，皆病于太质"。

五月

金德嘉自序《渔唱集》。署"康熙壬午午月，钓童山迤东二舍许隐者题"。见《居业斋诗钞》卷首。

闰六月

立秋日，钮琇自序《觚剩》续编。见续编卷首。［按，《觚剩》八卷、《续编》四卷本年临野堂刊行。据《贩书偶记续编》附录。正编八卷成于康熙三十九年］四库提要卷一四四：《觚剩》八卷《续编》四卷，"国朝钮琇撰。琇字玉樵，吴江人。康熙壬子拔贡生，历官至陕西知府。是编成于康熙庚辰。皆记明末国初杂事，随所至之地录其见闻，凡《吴觚》三卷、《燕觚》、《豫觚》、《秦觚》各一卷，《粤觚》二卷。续编成于康熙（甲）［壬］午，分类排纂，为《言觚》、《事觚》、《人觚》、《物觚》四卷，体例与初编略殊。各有琇自序。琇本好为俪偶之词，故叙述是编，幽艳凄动，有唐人小说之遗。然往往点缀敷衍以成佳话，不能尽核其实也。"《国朝诗别裁集》卷二〇："玉樵博雅多闻，著《觚剩》一书，能举见闻异词者折衷之，可以补正史之阙。"

夏

戴名世、方苞、伍涵芬等在南京聚会。据伍涵芬《偶咏草续集·壬午暑月，肄业长干，时偕戴田有、方灵皋、徐子璇、行甫、伯成、汪鸣韶纳凉一枝阁，为咏绝句二首，志一时会聚之乐》（《说诗乐趣》附录）。

赵执信至常熟参加翁叔元葬礼。《因园集》卷七《葑溪集·夜抵常熟宿揽秀东轩感怀》附注："庚辰，省故座主翁大司寇，留止两月，秋暮辞归，遂为永诀。壬午夏暂至，不宿此轩。"

王廷谟序洪昇《长生殿》。据章培恒《洪昇年谱》。

八月

十五日，金甡（1702—1782）**生**。甡字雨叔，号海住，仁和人。雍正元年举人，乾隆七年状元。官至礼部侍郎。致仕后掌教书院。著有《静帝斋诗集》二十四卷。事迹见朱珪《上书房行走礼部左侍郎加二级金公墓志铭》（《知足斋文集》卷四）、袁枚《礼部侍郎海住金公传》（《小仓山房续文集》卷三四）、《清史稿》谢墉传附。

十八日，姚范（1702—1771）**生**。范字已铜、南青（一作南菁），号薑坞，桐城人。雍正十三年拔贡生。乾隆元年举人。七年成进士，改庶吉士，散馆授编修。历官三礼馆纂修、文献通考馆纂修。十五年告归，教授南北二十有一年。著有《援鹑堂诗集》七卷、《文集》六卷、《笔记》四十卷。事迹见包世臣《清故翰林院编修崇祀乡贤姚君墓碑》（《艺舟双楫》论文四）、金天翮《姚范传》、马其昶《姚编修叶庶子传》（《广清碑传集》卷八）、李兆洛《桐城姚氏薑坞惜抱两先生传》（《养一斋文集》卷一五）、《清史列传》姚鼐传附。〔按，李兆洛谓其生卒年为1697—1766年，此从包世臣〕

十九日，沈廷芳（1702—1772）**生**。廷芳字畹叔，号椒园，仁和人。由监生举博学鸿词，授编修，迁御史。历官山东登莱青道、河南按察使、山东按察使。致仕后历主鳌峰、端溪、乐仪、敬敷诸书院。著有《十三经注疏正字》八十一卷、《隐拙斋集》五十卷《续集》五卷。事迹见汪中《浙江杭州府仁和县忠清里沈廷芳年七十一状》（《述学别录》）、《清史列传》沈元沧传附、《清史稿》诸锦传附。〔按，汪中《行状》谓其生于康熙五十年（1711）八月，卒于乾隆三十七年（1772）二月，又谓其卒年七十一。其间矛盾，疑汪记生年有误。此从朱彭寿《清代人物大事纪年》〕

十九日，蒲松龄自济南归，十月初七日抵家。据《聊斋诗集》卷四《梦王如水》诗序、《十月初七日途中日暮》。又，蒲松龄在济南朱绀席中曾晤张贞，有《朱主政席中得晤张杞园先生，依依援止，不觉日暮，归途方歌》诗，又题张杞园《远游图》。见《聊斋诗集》卷四。

秋

乡试。是科各省考官有徐元梦、孙致弥、高其倬、车鼎晋等。据法式善《清秘述闻》卷三。所取举人有邱嘉穗（四库提要卷三七）、黄任（《清史列传》郑方坤传附）、王恕（沈大成《太原王楼山先生传略》）、芮复传（朱筠《浙江提刑按察使司副使分巡温处道芮君墓碣铭》）、王式丹（《国朝诗别裁集》卷一九）、涂天相（《晚晴簃诗汇》卷五六）等。张笃庆中副榜贡生，时年六十一岁。据张笃庆《厚斋自著年谱》。沈德潜报罢。据《沈归愚自订年谱》。

郑廉跋刘青霞《慎独轩文集》。署"康熙壬午秋日，雪园郑廉介夫书于大梁旅次"。又，陈诜序署"康熙四十六年岁次丁亥元旦后二日，海昌年家弟陈诜实斋甫题于黔阳之阳明书院"（《慎独轩文集》卷首）。四库提要卷一八五：《慎独轩文集》八卷，"国朝刘青霞撰。青霞字啸林，襄城人。雍正中诸生。是集皆散体杂文。前有王心敬所作小传，称其酷爱司马迁、班固书，未尝释手。今集中有《小传》二卷、《史论》一卷，盖亦留心史学者也"。〔按，四库提要谓刘青霞为雍正中诸生，误。青霞卒于康熙五十

六年]

十月

初十日，岳莲访王士禛。王士禛自编、惠栋注补《渔洋山人自撰年谱》卷下："十月初十日，山人试笔云：'再雪。竟夜积素，满庭晚菊尚敷腴可玩。晨起忍寒坐信古堂，对雪看菊。忽梁溪琴僧岳莲见过，弹《平沙落雁》、《汉宫秋》二曲。古音萧寥，忘其身在长安官是秋曹之长也。作二诗纪事。'"（诗载《蚕尾续集》）

十九日，秦蕙田（1702—1764）生。蕙田字树峰，一字树澧，号味经，金匮人，松龄孙。乾隆元年进士。官至工部、刑部尚书。著有《五礼通考》二百六十二卷、《味经窝类稿》二十八卷。事迹见钱大昕《文恭公墓志铭》（《潜研堂文集》卷四二）、《清史列传》本传、《清史稿》本传。

圣祖召见查慎行，命入直南书房。据《敬业堂诗集》卷二九《赴召纪恩诗并序》。陈敬璋《查他山先生年谱》："二十八日，召试南书房，与长洲韩元少葵同试《唯仁人为能爱人能恶人》制艺一篇，再试《士先器识而后文艺》论一首，遂奉旨：'查慎行、汪灏，着同查昇每日进南书房办事。'"

十二月

初四日，王钺卒，年八十一。据王士禛《敕封文林郎翰林院编修前西宁县行取知县任庵王公墓志铭》（《广清碑传集》卷四）、《诸城县志·王钺传》（《碑传集》卷九四）。所著《粤游日记》一卷、《星余笔记》一卷、《读书蕞残》三卷、《朱子语类纂》十三卷、《暑窗臆说》二卷、《世德堂集》四卷等，四库提要著录。《国朝文汇》甲集卷一五录其《六经论》一篇。《晚晴簃诗汇》卷三一录其诗二首。

嘉定张大受得王武所绘《折枝红豆图》。与朱彝尊、高不骞、徐昂发等以此题联句，述沈周、唐寅等往事，兼忆亡友惠周惕。据朱彝尊《曝书亭集》卷二〇《联句题王处士画〈折枝红豆图〉并序》。

冬

戴名世自江宁归居南山。据《戴名世集》卷一〇《砚庄记》。《南山集》方苞序云："壬午之冬，吾友褐夫卜宅于桐之南山而归隐焉，从游之士刻其所为古文适成，因名曰《南山集》。其文多未归时所作，而以兹所居名焉，著其志也。余自有知识，所见闻当世之士，学成而并于古人者，无有也；其才之可扳以进于古者，仅得数人，而莫先于褐夫。始相见京师，语余曰：'吾非役役于是而求以有得于时也。吾胸中有书数百卷，其出也自忖将有异于人人，非屏居深山，足衣食，使身无所累而一其志于斯，未能诱而出之也。'其后各奔走四方，历岁逾时，相见必是以为忧，余亦代为忧。而自辛未迄今十余年，而莫遂其所求。吾闻古之著书者必以穷愁，然其所谓穷愁者，或嘉遁不出，仕宦而中跌，名尊身泰，一无所累其心，故得从容著书，以自适也。自科举之法行，年二十而不得与于诸生之列，则里正得而役之，乡里之吏鞭笞行焉。又非贵游素封之家，则所以养父母畜妻子者，常取足于佣书授经。窭若拘囚，终身而不息，尚何暇学古人之学而冀其成耶？故士穷愁则必不能著书，其事若与古异，而以理推之，则固无足怪也。褐夫少以时文发名于远近，凡所作，贾人随购而刊之，故天下皆称褐夫之时文，而不知此非褐夫之文也。其载笔墨以游四方，喜述旧闻，记山水之胜，而以传志序说请者，亦时时应焉，故世复称其古文，是集所载是也，而亦非褐夫之文也。褐夫之文，盖至今藏其胸中而未得一出焉。夫立言者不朽之末也，而其道尤难。书传所记，立功名，守节义，与夫成忠孝而死者，代数十百人，而卓然自成一家之言，自周秦以来，可指数也。岂非其事独希，故造物者或靳其才，或艰其遇，而使皆不得以有成耶？褐夫之年长矣，其胸中之书，继自今而不出，则时不赡矣。必待身之一无所累而为之，则果有其时耶？故余序是集而为褐夫忧者倍切焉。因发其所以，使览者知褐夫之志，而褐夫亦时自警以亟成其所志也。"（《戴名世集》附录）［按，方苞文集无此序。李塨《甲午如京纪事》："灵皋曰：'田有文不谨，予责之，后遂背予，梓《南山集》。予序亦渠作，不知也。'"（《恕谷后集》卷三）苏惇元《方望溪先生年谱》："其序文实非先生作也。"孟醒仁《桐城派三祖年谱》考辨此文实为方苞所作］

孔尚任赴德州访田雯不遇。有《德水访田纶霞先生不遇》诗，见《孔尚任诗文集》卷四《长留集》。年底，返里。王源作《送孔东塘户部归石门山序》（《居业堂文集》卷一六）。

本年

罗天尺应府试。罗天尺《五山志林序》："余年十七，应府试五羊，日竟十三艺。"（《五山志林》卷首）

叶燮裹三月粮游会稽、五泄，穷其胜，得疾归。时年七十六岁。据沈德潜《叶先生传》（《归愚文钞》卷一六）。

尤珍、嘉定张大受等赞赏沈德潜诗作，沈益思致力于诗。《沈归愚自订年谱》："沧湄先生每以诗索和，见予《吴江道中》诗有'湖宽云作岸，邑小市侵桥'句，曰：'何减刘文房！'见《和亦园书兴》诗有'半壁夕阳山雨歇，一池新涨水禽来'句，曰：'何减许丁卯！'张匠门先生见予《拟古乐府》一册，曰：'古调不弹，此伯牙琴弦也！'予恐负诸贤叹赏，益思致力于诗。"

仝轨以诗寄王士禛，为士禛所赏。王士禛《香祖笔记》卷三："中州才士，近有襄城李来章礼山、刘青藜太乙。刘歌诗、李古文，皆有可传。刘庚辰公车至京师，杯酒间为余言，郏县仝轨车同诗文皆擅绝。壬午，仝寄余长句，浏漓顿挫，与刘勍敌也。因语巡抚少司马徐公青来潮、门人张侍御蓬若瑗，聘主大梁书院。"

朱彝尊为洪昇传奇题诗。《曝书亭集》卷二〇《题洪上舍传奇》："十日黄梅雨未消，破窗残烛影芭蕉。还君曲谱难终读，莫付尊前沈阿翘。"所题传奇，未详何作。

朱彝尊客苏州，与嘉定张大受等同观剧。据《曝书亭集》卷二〇《观剧四首》。

王士禛在京遥寄《古懽录》与蒲松龄，蒲作诗致谢。题为《谢阮亭先生遥赐古懽录，用黄太史题放鹇图韵》，见《聊斋诗集》卷四。

何焯以李光地之荐，入直南书房。据沈彤《翰林院编修赠侍读学士义门何先生行状》（《果堂集》卷一一）。

魏麐征任邵武知府。据《四库全书·福建通志》卷二七。

陶自悦任泽州知州。据《四库全书·山西通志》卷八二。

王原授工科给事中。据王昶《王原传》（《碑传集》卷五五）。

李锴父卒，时西事方起议绝漠屯极边，锴自请兴屯黑河，逾年归。锴（1686—1755）字眉山、铁君，号豸青，汉军正黄旗籍，铁岭人。家世贵盛。母卒，再使南河，赐七品冠带。尽以先世产业属二昆，移家潞河，潜心经史凡六七年。尝游盘山，乐其土风，筑室鹿峰下，耽于吟咏，罕入城市。乾隆元年，举博学鸿词报罢；十五年保举经学，以老病辞。著有《尚史》一〇七卷、《睫巢集》六卷《后集》一卷。事迹见陈景元《李眉山先生传》、陈梓《李眉山生圹志》（《碑传集补》卷四五）、方苞《二山人传》（《方苞集》卷八）、《清史列传》本传、《清史稿》本传。

顾嗣立《元百家诗》二集告成。是书初集成于康熙三十三年三月，二集始编于康熙三十九年冬。复刻《大小雅堂集》五卷，起己卯，讫壬午春。魏坤为之序。据《闾邱先生自订年谱》。

查慎行《赴召集》为本年十月至明年五月诗。见《敬业堂诗集》卷二九。

孔尚任自康熙丙寅至本年诗为《岸堂集》，是其在辇下之所作。据孔传铎《安怀堂文集·东塘岸堂石门诗全集序》（《孔尚任诗文集·后记》）。

朱彝尊作《城南杂咏》、辑《明诗综》、纂《石柱补记》。杨谦《朱竹垞先生年谱》："作《城南杂咏》，有放鹤洲蟹舍、塔火湾菱汊诸题。辑《明诗综》，开雕于吴门白莲泾之慧庆寺。先生辑明诗有年矣，初名《明诗观》，以八卦分编，至是定名曰《综》，以《静志居诗话》附焉。纂《石柱补记》一卷，吴兴郑元庆笺释刊行。"

蒲松龄有《读三国志》等诗。见《聊斋诗集》卷四。又有《拟上念士习宜端，御制训诫士子文颁行天下，群臣谢表》、《拟上万几之暇，临摹法书，特赐大学士以下九卿、翰、詹、科、道诸臣御书一幅，群臣谢表》、《拟上允科臣奏请，赐宋儒邵雍子孙世袭博士，永崇儒术，群臣谢表》等文，见《聊斋文集》卷一二。

吕熊在南昌撰《女仙外史》。《女仙外史》卷首《江西廉使刘廷玑在园品题二十则》："壬午，叟至洪都，余为适馆授餐，俾得殚精于此书。"

吴士玉《吹剑集》一卷刊行。据《贩书偶记》卷一四。

劳之辨《静观堂诗集》三十卷刊行。另有二十六卷本。据《贩书偶记》卷一四。

蒋廷锡《青桐轩诗集》六卷、《坡山集》一卷、《秋风集》一卷、《片云集》一卷、《西小爽气集》三卷刊行。蒋又有《牡丹百咏》一卷，嘉庆庚午刊行，同治甲戌重刊。据《贩书偶记》卷一四。

周彝《华鄂堂诗稿》十一卷刊行。据《贩书偶记》卷一四。四库提要卷一八四：《华鄂堂集》二卷，"国朝周彝撰。彝字策铭，娄县人。康熙丁丑进士。官翰林院编修。其诗喜作长篇。如《送张长史》、《君山玩雪》、《游江心寺》诸作，皆洒洒千言，才锋横溢。然律以和平之义，往往有乖。后附《研山十咏》，别为一卷，盖刊成之后又续入者也"。

张大复《紫琼瑶》传奇二卷刊行。据张慧剑《明清江苏文人年表》。大复又名彝宣，字星期（或作心其、星其），号寒山子，吴县人，约顺治间在世。所作传奇有《读书声》、《金刚凤》、《双福寿》、《钓鱼船》、《紫琼瑶》、《快活三》、《吉祥兆》、《如是观》、《海潮音》、《醉菩提》等，见《古本戏曲丛刊》三集。另有《三祝杯》、《大节烈》、《小春秋》、《竹叶舟》、《金凤钗》、《娘子军》、《智串旗》、《新亭泪》等已佚。据庄一拂《古典戏曲存目汇考》卷一一。

祝洤（1702—1759）生。洤初名游龙，字贻孙，号人斋，海宁人。乾隆元年举人。著有《淑艾录》十四卷、《下学编》十四卷，另有文二卷、诗二卷。事迹见钱馥《祝人斋先生小传》（《国朝文汇》乙集卷四一）、《清史列传》张履祥传附、《清史稿》张履祥传附。

乔亿（1702—1788）生。亿字慕韩，号剑溪，宝应人，莱孙，崇修子。诸生。应试不第，遂弃举业，专力于诗。客游山西，主猗氏书院、郇阳书院。著有《小独秀斋诗》等，后人辑为《乔剑溪遗集》。事迹见张慧剑《明清江苏文人年表》。

冒春荣（1702—1760）生。春荣字寒山、葚原，号花源渔长、柴湾樵客，如皋人。家贫腹富，名通身隐。著有《葚原诗说》四卷。事迹见江大键《冒葚原传》（《葚原诗说》附录）。

杨度汪（1702—1757）生。度汪字勖斋，号若千，无锡人。拔贡生。乾隆元年应试博学鸿词科，授庶吉士，改德兴知县。著有《云豆楼集》二卷。事迹见李调元《淡墨录》卷一一、张慧剑《明清江苏文人年表》。

王抃卒，年七十五。[按，叶德均《戏曲小说丛考》、来新夏《近三百年人物年谱知见录》、张慧剑《明清江苏文人年表》皆定王抃卒于 1692 年，年六十五。胡忌、刘致中《昆剧发展史》、陆萼庭《王抃戏曲活动考略》辨其非，并据《王巢松年谱》定王抃卒于本年。参见邓长风《明清戏曲家考略三编·二十九位清代戏曲家的生平材料》]《晚晴簃诗汇》卷三八录其诗二首。

沈岸登卒，年六十四。据严迪昌《清词史》第二编第二章。四库提要卷一八四：《黑蝶斋诗钞》四卷，"国朝沈岸登撰。岸登字覃九，号惰耕村叟，平湖人。是集乃康熙壬午岸登殁后其从子黼熊所编，共诗四百四十余首。其诗瘦削无俗韵，而边幅微狭，亦缘于是。"朱彝尊《黑蝶斋诗余序》："词莫善于姜夔。宗之者，张辑、卢祖皋、史达祖、吴文英、蒋捷、王沂孙、张炎、周密、陈允平、张翥、杨基，皆具夔之一体。基之后，得其门者寡矣，其惟吾友沈覃九乎？覃九鲜交游，故无先达之誉。又所作词不多，人或见其一二，辄忽之。然其《黑蝶斋词》一卷，可谓学姜氏而得其神明者矣。"（《曝书亭集》卷四○）《晚晴簃诗汇》卷三九录其诗二首。

蒋景祁卒，年五十四。据王兆鹏《词学史料学》第六章第三节。[按，张慧剑《明清江苏文人年表》谓其生于顺治三年（1646），卒年未详。江庆柏《清代人物生卒年表》谓其生卒年为 1644—1697 年]《国朝诗别裁集》卷二一录其《伏波庙》诗一首。《晚晴簃诗汇》卷四六亦录此诗一首。

公元 1703 年（康熙四十二年 癸未）

正月

十一日，齐召南（1703—1768）**生。**召南字次风，号息园，天台人。乾隆元年举博学鸿词科，授检讨。尝与修《经史考证》、《大清一统志》诸书。官至礼部侍郎，乾隆十四年以疾乞归。历主蕺山书院、敷文书院讲席。著有《宝纶堂诗文钞》。事迹见秦瀛《墓表》、《一统志》本传（《宝纶堂诗文钞》卷首）、袁枚《原任礼部侍郎齐公墓志铭》（《小仓山房续文集》卷二五）、《清史列传》本传、《清史稿》本传。[生日据朱彭寿《清代人物大事纪年》]

二十七日，王熙卒，年七十六。据韩菼《予告光禄大夫少傅兼太子太傅保和殿大学士兼礼部尚书加六级谥文靖王公行状》（《有怀堂文稿》卷一九）。《王文靖公集》二十四卷、《年谱》一卷、《行状》、《碑传》一卷康熙四十六年刊行。据《贩书偶记续编》附录。四库提要卷一八一：《王文靖公集》二十四卷、《附录》一卷，"国朝王熙撰。熙字子（撰）[雍]，一字胥庭，宛平人。顺治丁亥进士。官至大学士。谥文靖。是编为其子克昌所编。凡奏疏二卷、颂赋一卷、诗六卷、文十五卷，以自作年谱及行状、志铭、碑传附录于末。前有其门人张玉书、吴震方二序。又有朱彝尊序。核其词意，皆熙在时所作。而标题亦称其谥，或刊版者追改也"。《国朝诗别裁集》卷二录其《春日扈从南海子观大蒐》诗一首。《国朝文汇》甲集卷五录其《晋谢安论》等文五篇。

二月

会试。考官：内阁大学士熊赐履、吏部尚书陈廷敬、吏部侍郎吴涵、礼部侍郎许汝霖。题"大学之道"一节，"子曰禹吾"一句，"原泉混混"一节。据法式善《清秘述闻》卷三。顾嗣立（《闾邱先生自订年谱》）、方苞（苏惇元《方望溪先生年谱》）报罢。

三月

张潮序褚人获《坚瓠余集》。署"康熙癸未上巳日，新安张潮题"。序云："稼轩褚先生抱巢许之高风，居唐虞之盛世，耕云钓月，睥睨天地之间；漱石枕流，放浪形骸之外。网罗轶事，既耳换而目移；欣赏奇文，亦日新而月盛。向传《坚瓠》大选，又成余集新编，癸、甲、辛、壬而后，另有炉椎，续、补、广、秘之余，别成世界。""先生则尽扫旧闻，专收新著。辑近代之公卿将相，允为斯世楷模；载熙朝之政治文章，堪作国人矜式。稽其姓氏，半属吾侪群纪之交；考厥里居，无非此日舟车可至。虽在鄙人之小草，亦荷高士之不遗。蝇附骥以能驰，药处囊而易售，此生多幸，其乐只且。嗟乎，屋梁徒仰，穷愁尚有其人；空谷自香，绸佩遄需异日。采遗珠于沧海，知余外尚有其余；琢剩玉于昆山，冀序后或仍作序。"（《坚瓠余集》卷首）[按，孙致弥《坚瓠集总序》作于康熙乙亥，李炳《坚瓠首集序》撰年不详，彭榕《坚瓠二集序》作于康熙辛未，毛宗岗《坚瓠三集序》、毛际可《坚瓠四集序》、顾贞观《坚瓠五集序》、徐柯《坚瓠六集序》、徐琛《坚瓠七集序》、佚名《坚瓠八集序》、褚篆《坚瓠九集序》撰年不详，孙致弥《坚瓠十集序》同总序，孙致弥《坚瓠续集序》、朱陵《坚瓠广集序》撰年不详，洪昇《坚瓠补集序》作于康熙己卯（据《洪昇年谱》），尤侗《坚瓠秘集序》作于康熙庚辰。又，《坚瓠集》共十五集六十六卷，成书时间约从康熙三十年起，至本年止]

许廷录自识《蓬壶院》杂剧。是剧凡四折，演杨贵妃与唐明皇于蓬壶院永久团圆事。另有本年冯武序、康熙己丑许廷录自识、雍正丙午徐淑序。据《古本戏曲剧目提要》。

春

圣祖南巡。吴震方以所辑《朱子论定文钞》进呈，蒙恩复职，且御书白居易诗以赐。据四库提要卷一八三。胡渭献《平成颂》及《禹贡锥指》，圣祖赐"耆年笃学"四字。据钱大昕《胡先生渭传》（《潜研堂文集》卷三八）。裘琏献迎銮赋。据裘姚崇《慈溪裘蔗村太史年谱》。潘耒复原官。据沈彤《征仕郎翰林院检讨潘先生行状》（《果堂集》卷一一）。唐孙华迎跸于吴门，或劝其复出，孙华谢绝之。据顾陈垿《唐先生孙华传》（《碑传集》卷五九）。

方苞与李塨定交。苏惇元《方望溪先生年谱》："春，至京师，再试礼部，不第。交蠡县李刚主塨，聚王昆绳寓，与刚主论格物。"

王之绩自序《铁立文起》。署"康熙癸未春日书"（《铁立文起》卷首）。《铁立文起前编》十二卷、《后编》十卷首一卷本年刊行。据《贩书偶记续编》附录。四库提要卷一九七：《铁立文起》二十二卷，"国朝王之绩撰。之绩字懋功，宣城人。是书皆论作文之法。铁立，其斋名也。卷首曰《文体统论》。前编十二卷，自序至七，凡九十三种。后编十卷，自王言至论判，凡四十八种。大略采之《文章辨体》、《文体明辨》二书，而以己意参补之。然持议多偏，不能窥见要领。甚至以屠隆《溟海波恬赋》为胜于木华、郭璞，尤倒置矣"。

四月

初六日，圣祖御太和殿，传胪。赐一甲王式丹、赵晋、钱名世进士及第，二甲查慎行、何焯、蒋廷锡、吴廷桢、陈世倌、汪份、涂天相、万经、朱书、宋至、章藻功、刘岩等进士出身，三甲张廷标等同进士出身。据《历科进士题名录》、《清通鉴》。[按，何焯本年赐举人，试礼部下第，复赐进士。据沈彤《翰林院编修赠侍读学士义门何先生行状》（《果堂集》卷一一）]

张廷玉散馆授翰林院检讨。据张廷玉《澄怀主人自订年谱》卷一。

李光地迁吏部尚书，管理直隶巡抚事。据李清植等《文贞公年谱》卷下。

裘琏至信阳，著《中台稿》。据裘姚崇《慈溪裘蔗村太史年谱》。

五月

初二日，**郭琇罢归**。六月二十四日抵里。时年六十六岁。据郭廷翼《华野郭公年谱》。

赵晋序熊赐履《澡修堂集》。署"岂康熙岁次癸未仲夏穀旦，受业赵晋百拜具稿"（《澡修堂集》卷首）。四库提要卷一八二：《澡修堂集》十六卷，"国朝熊赐履撰。赐履既刻《经义斋集》，又裒辑辛未起复及癸未，致仕十三年中所作，以成是编。而书札独多。所题匾额、对联，咸附载末卷。'澡修堂'亦圣祖仁皇帝御题之名，故以名续集焉"。

六月

查慎行奉旨编辑《历代咏物诗》。据陈敬璋《查他山先生年谱》。

宋荦编《江左十五子诗选》成书。据朱彭寿《清代人物大事纪年》。四库提要卷一九四：《江左十五子诗选》十五卷，"是编乃荦为苏州巡抚时，甄拔境内能文之士王式丹等十五人，各选诗一卷刻之。考自古类举数人，共为标目，四八之所载，其来久矣。然文士则无是名也。文士之有是名，实胚胎于建安之七子。历代沿波，至明代而前后七子、广续五子之类，或分垒交攻，或置棋不定，而泛滥斯极。往往以声气之标榜，酿为朋党之倾轧，覆辙可历历数也。荦与王士禛并以文章宿老领袖诗坛，士禛既以同时之人为《十子诗选》，荦亦以所拔之士编为此集。虽奖成后进，原不失为君子之用心，究未免前明诗社之习也。夫诸人诗傥不佳，裒刻何益？其诗果佳，则人人各足以自传，又何必藉此品题乎？"法式善《陶庐杂录》卷三："十五子者，王式丹方谷、吴廷桢山抡、宫鸿历友鹿、徐昂发大临、钱名世亮工、张大受日容、杨抡青村、吴士玉荆山、顾嗣立侠君、李必恒百药、蒋廷锡扬孙、缪沅湘芷、王图炳麟照、徐永宣学人、郭元釪于宫。人各一卷也。商丘宋牧仲荦手订。书成于康熙四十二年。"

高士奇卒，年五十九。据朱彭寿《清代人物大事纪年》。〔按，吴荣光《中国古代名人生卒·历史大事年谱》、张惟骧编《疑年录汇编》卷一〇谓其卒于康熙四十三年（1704），年六十。邓之诚《清诗纪事初编》卷七谓其卒于康熙四十一年（1702），年六十〕所著《春秋地名考略》十四卷、《左传纪事本末》五十三卷、《松亭行纪》二卷、《扈从西巡日录》一卷、《金鳌退食笔记》二卷、《江村销夏录》三卷，所编《编珠补遗》二卷、《续编珠》二卷、《续三体唐诗》八卷等，四库全书收录。《塞北小钞》一卷、《北墅抱瓮录》一卷、《天禄识余》二卷、《唐诗掞藻》八卷等，四库存目著录。又，《清吟堂集》九卷等十数种，康熙三十七年至三十九年朗润堂刊行。据《贩书偶记》卷一四。杨际昌《国朝诗话》卷二："高太史澹人士奇荷圣庙深眷，入直扈从最久，升平盛事，诗所不尽者，载诸笔记，使寒素见之，怳亲禁近也。"《国朝诗别裁集》卷一三："宫詹长于应制，故还山后诗亦以应制体行之。卷中采录，特近于疏散者。"录其《题卢征君嵩山草堂图》等诗三首。《晚晴簃诗汇》卷四七录其诗七首。《国朝文汇》甲集卷二四录其《严藕渔宫允直庐诗序》、《江村草堂图诗序》文两篇。吴衡照《莲子居词话》卷二《高江村说部之误》："高江村说部多不可为典要。杭堇浦先生《天禄识余》跋云：不观《左传》注，妄谓经皇为冢前之阙。不观《汉书》注，妄引

《后汉纪》以证太上皇之名。不观《水经》、《文选》两注，妄诧金虎冰井以实三台……先生此跋，针疏砭陋，切中江村之病。"

七月

初七日，蒲松龄有《霪雨之后，继以大旱，七夕得家书作》。见《聊斋诗集》卷四。

裘琏至遂平。著《古房稿》，亦名《道亭草》。据裘姚崇《慈溪裘蔗村太史年谱》。

八月

王顼龄《画舫斋诗》五集十卷编年起康熙甲戌秋讫本月。是书本年刊行。据《贩书偶记续编》卷一四。

裘琏成《济廉集》。据裘姚崇《慈溪裘蔗村太史年谱》。

九月

黄叔琳晋国子监司业。据顾镇《黄侍郎公年谱》。

张廷枢序唐甄《潜书》。署"康熙四十二年癸未季秋，江南督学使者韩城张廷枢序"。序云："唐君之书，分为上、下篇。其论心性，则尊崇孟子而及陆子静、王阳明。夫先立乎其大与致良知，皆孟子之学。其言政治，则以反朴崇俭，棉桑树牧富民为先，视兰陵之果于大言，穿蠹圣人之道者大异。至于比物类情，或空语无事实，或俚谈近事，皆供驱遣，率有得于漆园寓言。其文驰骋反复，如列子御风，翩然骞举；又如淮阴将兵，多多益善。本其自得于心者，畅所欲言，无艰难劳苦之态，而与道大适。殆必传于后无疑，而不忧其覆瓿且弃于路也。"又，潘耒《唐铸万潜书序》："余未深交先生。先生没后，其婿王生出《潜书》一编，属余为序。读而叹曰：此非今人之文也！今人惟无立言之本，故专求工于枝叶；此则直披胸怀，不假绳削，而气充词达，高下咸宜。论学术则尊孟宗王，贵心得，贱口耳，痛排俗学之陋；论治道则崇俭尚朴，损势抑威，省大吏，汰冗官，欲君民相亲如一家，乃可为治；皆人所不及见、不敢言者，先生独灼见而昌言之。资之深，故信之笃；蓄之厚，故发之果。其文高处，闳肆如庄周，峭劲如韩非，条达如贾谊。汉后无子，间有访作，萎苶不逮。斯编远追古人，貌离而神合，不名《潜书》，直名《唐子》可矣。"（《潜书》卷首）四库提要卷一二五：《潜书》四卷，"宋李觏先有《潜书》，今见《盱江集》中。甄此书偶同其名，凡分上下二篇，而上篇、下篇又各析为二，凡九十七目。大略仿《论衡》之体，自心性、治术以至处世淑身之理，无不具列。甄与魏禧友善，故其文格颇相类。然所载多据当时见闻，及友朋酬对之语。其《尊孟》篇颇诋伊川，《法王》、《虚受》、《知行》三篇又力崇良知之学，皆未为醇粹"。[按，四库提要本卷又著录《衡书》三卷，谓"国朝唐大陶撰"。《衡书》乃《潜书》之初刻，唐大陶乃唐甄之原名] 李慈铭《越缦堂日记》第四十三册："其书分上下篇，为四卷。上篇子目五十，下篇子目四十七。大率愤时嫉俗，多寓经济于议论。而文无根柢，伤于剽锐，亦间为涩体，而弥不工。其论亦或迂谬不可行。如谓天子亦可效庶人夫妇居家之法，缝纫庖厨，数妾足以供之；洒扫粪除，数婢足以供之；入则农夫，出则天子；内则茅屋数椽，外则锦壤万里；益显天子之尊，而奄人宫女之患永绝。此足笑倒千人矣！然则有快利可喜，且可以考见当日事势者。"（《潜书》附录）

秋

叶燮卒，年七十七。 据沈德潜《叶先生传》（《归愚文钞》卷一六）。《沈归愚自订年谱》："秋，横山先生卒。先是先生以所制诗古文并及门数人诗致书于王渔洋司寇，至是渔洋答书，极道先生诗文'特立成家，绝无依傍'。诸及门中，以予与张子岳未、永夫'不止得皮得骨，直已得髓'。又谓河汾之门，讵以将相为重。滔滔千言，惜先生不及见矣。"《国朝诗别裁集》卷一〇："先生论诗，一曰生，一曰新，一曰深，凡一切庸熟陈旧浮浅语须扫而空之。今观其集中诸作，意必钩元，语必独造，宁不谐俗，不肯随俗，戛戛于诸名家中，能拔戟自成一队者。""先生初寓吴时，吴中称诗者多宗范、陆，究所猎者，范、陆之皮毛，几于千手雷同矣。先生著《原诗》内外篇四卷，力破其非，吴人始多訾警之。先生没，后人转多从其言者。王新城司寇致书，谓其'独立起衰'，应非漫许。"录其《采柳谣》等诗二十一首。《晚晴簃诗汇》卷三六："其诗不屑随俗作甜熟语，宁拙毋巧，渔洋、归愚皆盛推之。绝句尤多弦外之音。"录其诗十二首。《国朝文汇》甲集卷二五录其《正统论》等文十一篇。

十一月

裘琏病怔忡，还信阳。 据裘姚崇《慈溪裘蔗村太史年谱》。

韩菼自编《有怀堂诗文稿》成。 自序署"康熙四十有二季冬十有一月乙卯小至日，长洲韩菼自识于京邸之有怀堂"（《有怀堂诗文稿》卷首）。四库提要卷一八三：《有怀堂诗文稿》二十八卷，"国朝韩菼撰。菼字元少，号慕庐，长洲人。康熙癸丑进士第一。官至礼部尚书。乾隆三十年赐谥文懿。是集为菼所自编。凡诗六卷，分《踦踽》、《归愚》、《病坊》、《击迷》四集。文二十二卷。菼以制艺著名，其古文亦法度严谨。凡安章宅句，皆刻意研削。然其不能脱然于畦封，亦即在此。诗则又其余事矣"。[按，《清史列传》本传、《清史稿》本传均谓乾隆十七年赐谥文懿]

十二月

十六日，卢震卒，年七十六。 据江庆柏《清代人物生卒年表》。《说安堂集》八卷康熙间刊行，卷首有康熙五十四年管橏、王掞等序。《晚晴簃诗汇》卷三二录其诗六首。

洪昇序曹寅《太平乐事》杂剧。 署"癸未腊月钱唐后学洪昇拜记"。序云："柳山先生出使江左，铃阁多暇，含风咀雅，酌古准今，撰《太平乐事》杂剧以纪京华上元。

凡渔樵耕牧、嬉游士女、货郎村伎、花担秧歌，皆摩肩接踵，外及远方部落，雕题黑齿，卉服长彤休兜离，罔不罗列院本。其传神写景，文思焕然；诙谐笑语，奕奕生动；比之吴昌龄村姑演说，尤错落有古致。而序次风华，即《紫钗》元夕数折，无以过之。至于日本灯词，谱入蛮语，怪怪奇奇，古所未有。即以之绍乐府余音，良不虚矣。吾知此剧之传，百世以下犹可想见其盛，而况身际昌期者乎！"（章培恒《洪昇年谱》）庄一拂《古典戏曲存目汇考》卷八：《太平乐事》，"《今乐考证》著录。康熙间刊本。杂剧一卷，署柳山居士，南京图书馆藏。其他戏曲书簿未见著录。剧凡九种，一《灯赋》，二《货郎担》，三《卖痴呆》，四《太平有象》，五《山水清音》，六《风花雪月》，七《日本灯词》，八《龙袖民骄》，九《丰登大庆》。以纪京华上元，罔不罗列。"又，曹寅另有《北红拂记》杂剧及《表忠记》、《后琵琶》传奇，撰年未详。刘廷玑《在园杂志》卷三《前后琵琶》："商丘宋公记任丘边长白为米脂令时，幕府檄掘闯贼李自成祖父坟，墓中有枯骨血润、白毛、黄毛、白蛇之异，与吾闻于边别驾者不同。长白自叙其事曰《虎口余生》，而曹银台子清寅演为填词五十余出，悉载明季北京之变及鼎革颠末，极其详备，一以壮本朝兵威之强盛，一以感明末文武之忠义，一以暴闯贼行事之酷虐，一以恨从伪诸臣之卑污。游戏处皆示劝惩。以长白为始终，仍名曰《虎口余生》，构词排场，清奇佳丽，亦大手笔也。复撰《后琵琶》一种，用证前《琵琶》之不经。故题词云：'琵琶不是那琵琶'，以便观者着眼。大意以蔡文姬之配偶为离合，备写中郎应征而出，惊伤董死，并文姬被掳，作《胡笳十八拍》，及曹孟德追念中郎，义敦友道，命曹彰以兵临塞外，胁赎而归。旁入铜爵大宴，祢衡击鼓。仍以文姬原配团圆。皆真实典故，驾出《中郎女》之上。乃用外扮孟德，不涂粉墨，说者以银台同姓，故为遮饰。"［按，《虎口余生》又名《表忠记》。另有署名"遗民外史"之《虎口余生》，非曹寅所作］

冬

圣祖西巡，李颙以所著《四书反身录》、《二曲集》奏进。上特赐御书"操志高洁"以奖之。据《清史稿》本传。

刘廷玑自江西学使任离职。《女仙外史》卷首《江西廉使刘廷玑在园品题二十则》："癸未冬，余里公事，削职北返，旅于清江浦。"

汪士鋐扈驾西安，闻父卒，奔丧至岷州。居年余，扶榇南归。遂奉旨在扬州校勘《全唐诗》。据沈彤《右春坊右中允汪先生行状》（《果堂集》卷一一）。

本年

王源以李塨介，从颜元学。据李塨《王子传》（《恕谷后集》卷六）。

因王源之劝，李塨尽弃此前学欧、曾之作。始有志于秦、汉之作，而益求导其源于六经。据四库提要卷一八四王灏《恕谷后集跋》。

孙凤仪招伶人于吴山演《长生殿》，恰遇洪昇。洪昇赠以诗，孙凤仪有《和赠洪昉思原韵十首》。据章培恒《洪昇年谱》。

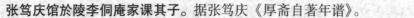

张笃庆馆於陵李侗庵家课其子。据张笃庆《厚斋自著年谱》。

陈廷敬授大学士兼吏部尚书。据杨锺羲《雪桥诗话》卷二引《午亭山人年谱》。

陈瑸授刑部主事。据吴兰修《追授礼部尚书署闽浙总督福建巡抚清端陈公瑸传》（《碑传集》卷六八）。

孙元衡选台湾府同知。据《大清一统志》卷三三五。

张榕端《河上草》乃康熙庚辰至本年所作诗。四库提要卷一八三：《河上草》二卷，"国朝张榕端撰。康熙庚辰，榕端以内阁学士预治河之役。至癸未，始召还。此编皆其四年之中在工次所作。前有宋荦序，称其泥涂桦橇，槿石沈薪，卒以塞决。乃殊不见其有歌咏勤苦之劳，而往往道其达天适性之乐。今观其诗，虽酝酿不深，而和平恬静，荦言盖不诬云"。

顾嗣立拟定《吴下旧闻》一书。据《闾邱先生自订年谱》。

高孝本有《大鄣集》。小序云："绩溪两载，事事巧炊，日在愁城。今合都门所作为一编。"（《固哉叟诗钞》总目）

查慎行《随辇集》为五月杪至十二月诗。见《敬业堂诗集》卷三〇。集中《连日恩赐鲜鱼恭纪》诗尾联云："笠檐蓑袂平生梦，臣本烟波一钓徒。"以此有圣祖呼查慎行"烟波钓徒查翰林"之佳话。本年查慎行又著有《陪猎笔记》三卷。据陈敬璋《查他山先生年谱》。

刘中柱《又来馆诗集》六卷编年起康熙戊寅至本年。据《贩书偶记》卷一四。

蒲松龄有《袁太君苦节诗》、《题玉斧立雪诗思图》等诗。见《聊斋诗集》卷四。又有《祭蜚虫文》，未署撰年，约本年作。见《聊斋文集》卷九。

吴震方序吴陈琬《旷园杂志》。据《中国古代小说总目》文言卷。四库提要卷一四四：《旷园杂志》二卷，"国朝吴陈琬撰。陈琬有《春秋三传同异考》，已著录。是书皆记见闻杂事，而涉神怪者十之七八。惟所记杨维垣伪题枢字，弃城夜遁，为劫盗所杀，非死于国事，及葬明庄烈帝始末，二事足备考证耳"。

洪昇为吕熊批《女仙外史》在本年前后。《女仙外史》第一、四、二十八、三十一、三十九、五十八等回皆有洪昇批语。第五十八回批语有云："将以公子、松娘别作传奇，为千秋佳话。"

洪昇《四婵娟》杂剧成书。惠润题词云："钱唐洪子昉思示余以《四婵娟》剧，余反复其意而悲之。夫于古今千百婵娟中独举此四人，岂不以四人之所遇胜千百欤？幸而免于沦落轲轲欤？然而天壤之内，复有王郎以及桑榆狙狯之恨。所谓《四婵娟》者，其二已如此，悲夫！怅两美之难合，或虽合而不终。昉思用意，较田水月生为益微而怆矣。天将忌之，则如勿生。既生之又忌之，奚说耶？余安得呼造物者而问诸？江上同学弟惠润序。"（《中国古典戏曲序跋汇编》卷八）庄一拂《古典戏曲存目汇考》卷八：《四婵娟》，"《曲录》著录。《清人杂剧二集》本。用徐渭《四声猿》体例，见《传奇汇考》。以《咏雪》、《簪花》、《斗茗》、《画竹》，合称《四婵娟》"，"以上四折目次，为《谢道韫咏絮擅诗才》、《卫茂漪簪花传笔阵》、《李易安斗茗话幽情》、《管仲姬画竹留清韵》"。

蒋钺、翁介眉编《清诗初集》十二卷，马道畊编《二集》分编无卷数，常州马氏刊行。据《贩书偶记续编》卷一九。

张潮编《虞初新志》（二十卷本）尚在刊刻中，其刻竣成书至早当在明年。据邓长风《明清戏曲家考略续编·〈虞初新志〉的版刻与张潮的生平》。

洪昇《长生殿》下卷付刻。本年王丹麓与张潮书云："《长生殿》下卷，虽已动刻，还未知何日成书？"（转引自郭英德《明清传奇史》第三编第十六章）［按，《长生殿》上卷约刻成于康熙三十九年。下卷刻成于洪昇去世后，王士禛《蚕尾集》卷七《挽洪昉思》诗注："昉思工词曲，所制《长生殿》传奇初刻成。"］

宋弼（1703—1768）生。弼字仲良、蒙泉，德州人。乾隆三年举人。十年成进士，选庶吉士，授编修。官至甘肃提刑按察使司按察使。著有《蒙泉学诗草》八卷、《思永堂文稿》四卷，辑有《山左明诗钞》三十五卷，并补辑王士禛《五代诗话》十二卷。事迹见钱大昕《甘肃提刑按察使司按察使宋公神道碑》（《潜研堂文集》卷四一）。

许朝（1703—?）生。据江庆柏《清代人物生卒年表》。朝字光庭，号红桥，常熟人。乾隆四年进士。著有《红桥古文集》十六卷、《诗集》四十三卷、《红桥杂缀》五卷。事迹见袁枚《随园诗话》卷一三、张慧剑《明清江苏文人年表》。

李本宣（1703—1782 后）生。本宣字蓬门，江都人。著有《玉剑缘》传奇。事迹见张慧剑《明清江苏文人年表》。

程穆衡（1703—1793）生。穆衡字惟淳，号迤亭，镇洋人。乾隆二年进士。官山西榆社知县。辑有《鸟吟集》三十六卷、《（娄东）耆旧传》九卷，著有《投绂堂集》等。事迹见张慧剑《明清江苏文人年表》。

徐嘉炎卒，年七十三。据《疑年录汇编》卷九。《抱经斋集》二十卷附《焚余草》一卷，康熙三十八年刊行，四库提要卷一八三著录。《国朝诗别裁集》卷一二录其《丁巳新秋宴集李客部园亭送李南枝分符之武林》诗一首。《晚晴簃诗汇》卷四一录其诗四首。

陶季卒，年八十八。据张慧剑《明清江苏文人年表》。［按，江庆柏《清代人物生卒年表》谓其生卒年为 1616—1701 年。］刘宝楠《陶澂传》："刑部尚书王士禛曰：'予尝删定其客滇南、闽中诸诗，多似高、岑、龙标，今日一作手也。'翰林院侍读乔莱曰：'澂诗矩矱初盛唐人，苍老中天然遒媚。'""初，澂与同里朱克生、陈钰唱酬讨论，鼎峙艺林；既涉历南北，与新城涂西、蕲州顾景星、海宁陆嘉淑诸人游；晚年归里，乔莱为买田宅，澂与乔出尘、李藻先、钰弟铣等唱和诗篇以老，年八十六卒。"（《碑传集补》卷三六）杨际昌《国朝诗话》卷二："宝应陶昭万澂《樵风径》绝句：'若耶渡边秋思多，南风北风吹白波。行人来往不知处，日暮山深闻棹歌。'风景宛然。其集气骨清苍，卓然名家，当少陵《新安吏》、《新婚别》诸乐府，记崇祯间事，陆士衡所谓'方言哀而已叹'，绝非妄作。平生绝干求，以砚田给妻子。己未举荐鸿博，坚辞，以布衣终。"《国朝诗别裁集》卷七："陶处士诗，英伟沈挚，感时伤乱之作，以诗为史，直欲上溯杜陵。"录其《当垒老别》等诗十一首。《晚晴簃诗汇》卷一六录其诗八首。

沈皞日卒，年六十七。据严迪昌《清词史》第二编第二章。冯金伯《词苑萃编》卷八《沈融谷词》引龚蘅圃云："吾友沈子融谷，精于词久矣。况之古人，殆类王中

仙、张叔夏。叔夏尝谓：'中仙词极娴雅，有白石意趣。'仇山村亦云：'叔夏词律吕协
洽，当与白石老仙相鼓吹。'是二家之词，非深于情者，未必能好。即好之而不善学，
亦未必能似。今融谷情之所至，发为声音，莫不缠绵谐婉，诵之可以忘倦。虽其博综
乐府，兼括众长，固不尽出于二家。然体格各有所近，不位置融谷于二家之间不可
也。"

韩纯玉卒，年七十九。 据《疑年录汇编》卷九。《国朝诗别裁集》卷七录其《题
李营丘风雪运粮图》等诗三首。沈雄《古今词话·词评》下卷《韩纯玉凤晨堂词》：
"徐朣庵曰：子蓬为吴兴人文之望，间赋小词，必措语鲜绽，谋篇清圆，不为透露，亦
非沉刻，填词上乘也。"

金侃卒。 据吴荣光《中国古代名人生卒·历史大事年谱》。四库提要卷一四四：
《雷谱》一卷，"国朝金侃撰。侃字亦陶，吴县人。其书杂录雷之典故与雷之果报。虽
意主戒恶，而所摭皆小说家言"。

公元1704年（康熙四十三年　甲申）

正月

下浣，蒲松龄《日用俗字》成书。 自序署"康熙甲申岁正月下浣，柳泉氏志"
（《蒲松龄集》）。

王九龄擢礼部右侍郎兼翰林院学士。 据许汝霖《总宪王薛澂墓志铭》（《德星堂文
集》卷四）。

彭鹏卒，年六十八。 据朱彭寿《清代人物大事纪年》。《古愚心言初集》八卷康熙
间刊行。据《贩书偶记续编》附录。四库提要卷一八二：《古愚心言》八卷，"国朝彭
鹏撰。鹏字奋斯，莆田人。顺治庚子举人。康熙甲寅，耿精忠叛，逼胁受职。凡九拒
伪命，卒得不污。贼平后，授三河县知县。后官至广东巡抚。其平生以气节著，故集
中多誓神之文。其它奏疏、案牍亦皆辞气侃侃，无所挠屈。官三河时，与妻子书，皆
以清苦刻厉相勉，足以见其为人。其它诗文则率臆而成，字句皆不入格矣。鹏行谊本
末具载国史，至今妇女孺子人人能道其名，固不必以文章传也"。

二月

十五日，唐甄卒，年七十五。 据王闻远《西蜀唐圃亭先生行略》（《潜书》附录）。
《国朝文汇》甲集卷一三录其《海氏庙记》、《徐华国传》文二篇。

二十三日，田雯卒，年七十。 据其弟需所撰行状、门人倪璠所撰墓志铭等（田雯
自编《蒙斋年谱》附录）。周彝《通奉大夫户部左侍郎田公雯神道碑铭》："公著作等
身，归田之后手自芟汰，仅存今行世者《山薑分体诗选》十五卷、《古欢堂文集》二十
二卷、《黔书》上下二卷、《长河志籍考》十卷，皆一生经济所寄，非徒以文墨驰骋为
能事者。顾宏丽淹博，横空恢奇，一时读之，未易窥其涯涘。"（《碑传集》卷一九）
四库提要卷一七三：《古欢堂集》三十六卷附《黔书》二卷《长河志籍考》十卷，"是
集凡文二十二卷、诗十四卷。当康熙中年，王士禛负海内重名，文士无不依附门墙，

求假借其余论。惟雯与任丘庞垲不相辨难，亦不相结纳。垲《丛碧山房集》格律谨严，而才地稍弱。雯则天姿高迈，记诵亦博。负其纵横排奡之气，欲以奇丽驾士禛上。故诗文皆组织繁富，锻炼刻苦，不肯规规作常语。赵执信作《谈龙录》，常议其诗中无人。然偏师驰突，终能自成一队，谈艺者弗能废也。附载《黔书》二卷，其为贵州巡抚时作。又《长河志籍考》十卷，德州古广川地，《隋书》避炀帝讳，改长河也。王士禛《居易录》尝称《黔书》篇不一格，有似《考工记》者，似《公》、《榖》、《檀弓》者，似《越绝书》者，如观偃师化人之戏。然与《长河志籍考》实皆祖郭宪《洞冥记》、王嘉《拾遗记》之体，是亦好奇之一证，存备文章之别格云尔”。《国朝诗别裁集》卷六：“山姜诗才力既高，取材复富，欲兼唐、宋而擅之，山左诗家中另开一径，然缘此不无少杂。兹择其极纯粹者采之，山姜有知，恐亦以为后生不妄也。”录其《病愈早起成诗》等九首诗。林昌彝《射鹰楼诗话》卷二一：“德州田山姜侍郎雯（康熙三年进士）著有《古欢堂集》。侍郎天姿高迈，记诵赅博，诗亦跌荡排奡。”“侍郎诗名句如‘雨过庭翠滋，一鸟发清籁’，‘万顷藕花风，收之襟带间’，‘驿路秦川雨，春风蜀道花’，‘青山遮马首，红叶压行装’，‘门人争送酒，小吏解吟诗’，‘醉仍留客坐，老畏送春归’，‘病深思入道，交久渐知人’，‘平野千村连广武，长堤一线束黄河’，‘亭边小沼春泉响，衣上新泥燕子来’：皆有唐人风味。”杨锺羲《雪桥诗话》卷二：“秦小岘《过德州》诗：‘当代风流说侍郎，搔爬骚雅记渔洋。衔泥零落红襟燕，谁认临溪旧草堂。’谓纶霞鬲津草堂也。田文博丽，訾謷八家。尝选汉魏六朝文，曰：‘自茅《选》一出，耳濡目染，以故荃蕙不馨。’诗与渔洋标格不同，学博才赡，不肯规规作常语。”录其《枣树》、《夏日杂诗》。《晚晴簃诗汇》卷三五录其诗三十首。《国朝文汇》甲集卷二〇录其《水西乌蒙马说》等文六篇。

朱彝尊、冯念祖、胡期真、沈翼游洞庭。杨谦《朱竹垞先生年谱》：“徐七来请游洞庭，先生偕冯念祖、胡期真、沈翼坐赤马船渡太湖，抵西山，宿消夏湾，纵游石公林屋诸胜，题名包山寺中。”

裘琏抱病，自信阳归，著《豫归稿》。据裘姚崇《慈溪裘蔗村太史年谱》。

三月

吴焯招顾嗣立、张远、洪昇、王丹林、吴陈琰、项溶、顾之斑等集青萝书屋。据顾嗣立《闾丘诗集》卷二〇《吴赤凫招饮青萝书屋，同张超然、洪昉思、王赤抒、吴宝厓、项霜田、汪无已、家擂玉诸君即席分韵，得十二文》。

纪炅访王企埥。《四家诗钞·桂山堂诗钞》卷首王企埥序：“忆甲申三月，余初入西台，征君年已八旬，策蹇过余于京邸，出所著《桂山堂诗集》相示，曰：‘此老夫一生心血也，敢以累汝。’”

本月及以后数月，张云翼、曹寅分别邀请洪昇至松江、江宁，演出《长生殿》。金埴《不下带编》卷一：“甲申春杪，昉思应云间提帅张侯云翼之聘，依依别予去。侯延为上客，开长筵，盛集文宾将士，观昉思所谱《长生殿》戏剧以为娱。时织部曹公子清寅闻而艳之，亦即迎致白门，南北名流悉预，为大胜会。公置剧本于昉思席，又自

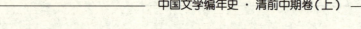

置一本于席，每优人扮演一折，公与昉思雠对其本，以合节奏，凡三昼夜才毕。两公并极尽其兴赏之豪，互相引重，致厚币赆其行，长安传为盛事。"又见金埴《巾箱说》。

张英《文端集》成书。四库提要卷一七三：《文端集》四十六卷，"此乃其诗文全集。凡《存诚堂应制诗》四卷、《存诚堂诗集》二十五卷、《笃素堂诗集》七卷、《笃素堂文集》十卷。英遭际昌辰，仰蒙圣祖仁皇帝擢侍讲幄，入直禁廷。簪笔雍容，极儒臣之荣遇。矢音赓唱，篇什最多。其间鼓吹升平，黼黻廊庙，无不典雅和平。至于言情赋景之作，又多清微淡远，抒写性灵。台阁、山林二体，古难兼擅，英乃兼而有之。其散体诸文称心而出，不事粉饰。虽未能直追古人，而原本经术，词旨温厚，亦无忝于作者焉"。

颜元思生存一日，当为生民办事一日，因自抄《存人编》。据李塨撰、王源订《颜习斋先生年谱》。《清史列传》本传："《存人编》四卷，大旨戒愚民奉佛及儒者谈禅。"

陈元龙庚辰年至本月诗为《环召集五》。见《爱日堂诗》卷一一。

春

查慎行入直内廷。奉旨分辑《佩文韵府》。据陈敬璋《查他山先生年谱》。

王源与康乃心定交，为序《莘野集》。序云："洽阳康孟谋孝廉诗用意深厚，得《风》、《骚》之遗。结体雅健高华，灏灏然，御空灵之气，争雄千古。方诸近代，其西涯、北地之流欤！""癸未，予入关中，故人张采舒为予言孟谋。越岁春，订交夏阳，得尽读其所著《莘野集》。孟谋为人朴雅，工文辞，仰然有以自下。家贫，砥砺廉隅，不苟为去就。其学笃实无欺；其诗于忠臣、孝子、高节、烈行，往往低回呜咽，三致意焉。"（《居业堂文集》卷一四）

吴震方裒集二十余年来所作诗为《晚树楼诗稿》五卷。据卷首吴涵序。四库提要卷一八三：《晚树楼诗稿》四卷，"是编乃其诗稿，始于康熙己未初馆选时，终于甲申游滁州时所作。初，震方以御史罢归。康熙癸未，恭逢圣祖仁皇帝南巡，以所辑《朱子论定文钞》进呈，蒙恩复职，且御书白居易诗以赐。因摘诗中'晚树'二字以名其楼，并以名集云"。

五月

初六日，张云锦（1704—?）生。据江庆柏《清代人物生卒年表》。云锦字龙威，号铁珊、艺舫，平湖人。监生。乾隆元年应博学鸿词科，放归。著有《兰玉堂集》、《红兰阁词》。事迹见李调元《淡墨录》卷一一。

初八日，周篆始修《蜀汉书》。时年六十三岁，在京口。是书八十卷，成于康熙四十五年六月。据周濂、周勉《草亭先生年谱》。

二十七日，吴雯卒，年六十一。据翁方纲《莲洋吴征君年谱》。四库提要卷一七三：《莲洋诗钞》十卷，"国朝吴雯撰。雯字天章，本辽阳人。顺治六年，其父允升任蒲州学政，卒于官。雯兄弟孤弱，不能归，遂寄籍于蒲州。康熙己未荐举博学鸿词，不中选。其卒也，刑部尚书王士禛为志墓，称初见其诗，有'泉绕汉祠外，雪明秦树根。浓云湿西岭，春泥沾条桑。至今尧峰上，犹见尧时日'诸句，吟讽不绝于口。所作《居易录》中，又亟称雯《西城别墅》诸篇。赵执信《怀旧》诗序亦称雯拙于时艺，困踬场屋。体貌粗丑，衣冠垢敝，或经岁不盥浴，人咸笑之。然诗才特超妙。其诗一刻于吴中，再刻于都下，三刻于津门。后士禛为删定，存千余首，亦见《墓志》中。因雯没之后，未及刊行，故《怀旧》诗序曰：莲洋卒后，阮翁为作《墓志》，且删定其集，迄今将二十年，未行于世。意其时阮翁耄而多忘，未几遂亡，未及归诸吴氏也。池北书库散失殆尽，《莲洋集》从可知矣云云。然其集实已归吴氏。乾隆辛未，汾阳刘组曾裒其全稿刻之，又以士禛所评者别刊一小册并行。越十三年甲申，蒲州府同知山东孙谔始从雯侄敦厚得士禛所定原本，简汰重刊。详载士禛之评，并以刘本所遗者补刻于后，以所见墨迹补之。其士禛所删而刘本误刻者，咸为汰去，凡得古诗二卷、近体五卷、补遗一卷、诗余一卷、文一卷，冠以墓志，而附以同时唱和题咏之作，即此本也。雯天才雄骏，其诗有其乡人元好问之遗风。惟熟于梵典，好拉杂堆砌释氏故实，是其所短。刘本无所别择，故颇伤冗滥。此本沿新城之派，又以神韵婉约为宗，一切激昂沉着之作，多见屏斥。反似邻于清弱，亦不足尽其所长。然终较刘本为简洁，故置彼录此。惟雯诗本足自传，不籍士禛之评为轻重。而刊此本者牵于俗见，务引士禛以重雯。所载士禛评语，繁碎特甚。如《题汪如轮看剑图》诗下附记云：原本评语'奇作'二字似阮亭先生笔迹，'胸有造化'四字非阮亭先生笔迹，刻本并作一处，误。又如《城曲眺望》诗下附记原本题下有墨笔评刘长卿之诗也，不知何人评，阮亭先生改作似刘长卿云云。此亦何关宏旨，而字句异同乃如是。其考证今悉删除，以廓清耳目焉"。四库提要卷一八三：《别本莲洋集》二十卷，"国朝吴雯撰。雯《莲洋集》已著录。案王士禛作雯《墓志》，称其诗一刻于吴，再刻于都下，三刻于津门，今皆未见。赵执信《怀旧诗序》称雯以遗稿付王士禛，雯殁后将二十年，其集未出，疑士禛耄而忘之。又称池北藏书散失殆尽，是集可知。则雯之原稿似乎散佚。近时乃叠出三本：一为临汾刘组曾所刻，一为山东孙羕所刻，一即此本，为浮山张体乾所刻。刘本称得自士禛门人黄叔琳家，孙本及此本并称得自雯侄秉厚家，皆以士禛评点相夸。孙本并考核评语之同异，此本更较量圈点之真伪。考第七卷中《留别车全》诗，载士禛评曰：'车全果领解中州，此亦谶也，惜天章不及见耳。'为雯没后之语，则士禛所定，或归诸吴氏，亦未可知也。然士禛诸说部中，所品题奖借者，几于指不胜屈。今其集率久覆酱瓿，无人重其姓名，而雯诗独数刻而未已。是知雯诗足以自传，不以士禛始重也。刻雯集者反若借士禛以传雯，然则使雯不及识士禛，即谓雯诗不工乎？三本之中，刘本详备于孙本，此本又详备于刘本。要之诗之工拙，不系篇帙之多少。今缮孙本入秘阁，而此本则存其目焉"。王士禛《渔洋诗话》卷上："蒲阪吴雯天章，初至京师，未知名。余亟赏其诗，谓为仙才。"赵执信《谈龙录》："千顷之陂，不可清浊。天姿国色，粗服乱头亦好。皆非有意为之也。储水者期于江湖，而必使之潆洄澄澈，是终为溪沼耳。自矜容色，而故毁其衣妆，有厌弃之者矣。免于此二者，其惟吴天章乎？"沈德潜《国朝诗别裁集》卷一四："征君诗清挺生新，赵秋谷宫赞谓'千顷之陂，不可清浊。天姿国色，粗服乱头亦佳'，恰称其诗之分量。""征君诗名因新城尚书揄扬而重。然新城之诗牢笼众有，镕铸群言，而征君不使才，不逞博，不尚声华，不求娟好，固各行其是者。而新城赏之，不啻口出，意所合者在神理意味，而不在轨辙之同途者耶？"录其《遥题王咸中石坞山房》等诗十九首。延君寿《老生常谈》："吴莲洋原有粗服乱头之妙，特才气不能雄肆耳。歌行非无大篇，如《海上赠秋谷》诗，起首笔力超拔，中间屡用'噫吁兮'字，反受其累。《宋中吟》、《蔡州道上》、《祖龙行》等篇，可称合作。其小品却有可观，不仅'当门九曲昆仑水，千点桃花尺半鱼'也。《乡宁山城即景》云：'山云启新霁，林屋含清晖。风吹两黄蝶，时绕山楼飞。老农向烟且驱犊，溪女背人犹浣衣。'又：'云来松际阴，泉到竹根散。'宛然如出柳州手，胜于'泉绕汉祠外，雪明秦树根'等句。作者五古当以此意求之，方能无失。五律一体，实在本朝诸人之上。"林昌彝《射鹰楼诗话》卷二一："蒲州吴天章诸生雯，著有《莲洋集》。集中短篇诗出入《骚》、《雅》，句如'潮来全楚白，云上半江阴'，则入盛唐之室。他如'千点桃花'，'空林黄叶'诸句，久已脍炙人口。"《晚晴簃诗汇》卷四六录其诗二十首。

顾嗣立有四十生日《自述诗》三首。云："爱客常储千日酒，读书曾破万黄金。"缪沅极击赏，以为秀野先生实录。据顾嗣立《闾邱先生自订年谱》、《寒厅诗话》。

蒲松龄归自郡，见流民载道，问之，皆淄人也，乃作诗纪之。见《聊斋诗集》卷四。

杨雍建卒，年七十四。据朱彝尊《光禄大夫兵部左侍郎杨公神道碑铭》（《曝书亭集》卷七一）、朱彭寿《清代人物大事纪年》。《国朝文汇》甲集卷一二录其《沈寄庐烟波六十编序》等文五篇。《晚晴簃诗汇》卷二七录其诗一首。

六月

初一日，洪昇卒，年六十。据章培恒《洪昇年谱》。金埴《不下带编》卷一："迨返棹过乌戍，昉思遽醉而失足，为汨罗之投。士林竞为诗文以哀挽之。渔洋山人云：'昉思遭天伦之变，怫郁坎壈缠其身，终从三闾于汨罗，仅以词曲传耳，悲夫！'埴制昉思哀词，其序一联云：'陆海潘江，落文星于水府；风魂雪魄，赴曲宴于晶宫。'西河、竹垞二太史极推可之。"为诗文哀悼者，王士禛、金埴、徐逢吉、吴陈琰、戴熙、景星杓、王著、郑景会等。赵执信《谈龙录》："昉思在阮翁门，每有异同。其诗引绳削墨，不失尺寸，惜才力窘弱，对其篇幅，都无生气。故常不满人，亦不满于人。"《因园集》卷一二《怀旧集》洪昇小传："（昉思）殊有学识，其诗引绳切墨，不顺时趋，虽及阮翁之门，而意见多不合，朝贵亦轻之，鲜与往还。才力本弱，篇幅窘狭，斤斤自喜而已。见余诗，大惊服，遂求为友。久之，以填词显，颇依傍前人，其音律谐适，利于歌喉。最后为《长生殿》传奇，甚有名，余实助成之。不时唱演，观者如云。"沈德潜等《国朝诗别裁集》卷一五："昉思名满京洛，因演所著《长生殿》传奇至于斥革受辱。又遭家难，坎壈终身。五十余，堕水而没。天之厄之，为已极矣。而其诗疏澹成家。渔洋及门中，在吴天章下，余子之上，应以可传许之。"录其《石门》等诗十二首。袁枚《随园诗话》卷一："钱塘洪昉思昇，相国黄文僖公机之女孙婿也。人但知其《长生》曲本与《牡丹亭》并传，而不知其诗才在汤若士之上。""性落拓不羁。晚年渡江，老仆坠水。先生醉矣，提灯救之，遂与俱死。《送高江村宫詹入都》五排一百韵，沉郁顿挫，逼真少陵。先生为王贞女作《金镮曲》云：'……朝来笑倚镜台立，代系金镮云鬓边。'其事、其诗，俱足千古。篇终结句，余韵悠然。"《晚晴簃诗汇》卷三八录其诗九首。

初八日，阎若璩卒，年六十九。据张穆《阎潜丘先生年谱》。钱大昕《阎先生若璩传》："世宗遣使经纪其丧，亲制挽诗四章，复为文以祭之，有云：'读书等身，一字无假，孔思周情，旨深言大。'金谓非先生不能当也。平生长于考证，遇有疑义，反复穷究，必得其解乃已。"（《潜研堂文集》卷三八）赵执信《潜丘先生墓志并铭》："先生非今之人，盖古之学者也。其于书无所不读，又皆精晰而默识之。其笃嗜，若当盛暑者之慕清凉也；其细，若织纴者之于丝缕纤缟也；其区别，若老农之辨黍稷菽粟也；其用力，虽壮夫骏马日驰数百里，不足以喻其勤；其持论，虽法吏引囚决狱，具两造，当五刑，不足以喻其严也。于诸经注疏皆能成诵，史学综核贯穿。"（《国朝文录续编·饴山文录》卷一）《谈龙录》："百诗考据精核，前无古人。好为诗，自谓不工，然能知其指归。"江藩《国朝汉学师承记》卷一："天性多否少可，词科五十人中，独许吴志伊之博览，徐胜力之强记而已。如李天生，谓其杜撰故事；汪钝翁，谓其私造典礼。所服膺者三人，曰钱受之、黄太冲、顾宁人。然论受之，则曰：'此老《春秋》不足作准。'论太冲，则曰：'太冲之徒粗。'《待访录》，指其缪讹不一而足。《指摘日知录》一卷，见《潜丘札记》中。"段玉裁《戴东原先生年谱》附录："先生言：'阎百诗能考核而不能做文章，顾亭林文章较盛。'""先生言：'阎百诗善读书，百诗读一句书，能识其正面、背面。'"平步青《霞外捃屑》卷八下《潜邱诗》："《听松庐诗话》'"簟纹如水晓惊秋，推枕寻钗搭臂韝。郎困宿醒犹未起，一帘微雨看梳头。"此阎潜邱绝句也，风调绝类晚唐人。'吴石华跋石洲《潜邱年谱》云：'诗非先生所长。《山西通志》称其尤嗜吟诗，类张籍、王建古乐府，石洲谓此皮傅之论，未足为先生荣；然尝赋绝句云云，亦非寻常学究所及。'庸按：《潜邱札记》卷六《陇右倡和集·移寓杂兴赠陈子寿五十首》，其二十一即此诗。自注：'末句乃子寿湖州艳体诗也，余爱而足之。'则此诗本偶然拈咏。况自义山'贪读道书慵未起，水晶帘下看梳头'来耶？"《国朝文汇》甲集卷二八录其《守令策》文一篇。《晚晴簃诗汇》卷四六录其诗四首。

尤侗卒，年八十七。据朱彝尊《翰林院侍讲尤先生墓志铭》（《曝书亭集》卷七六）。《墓志铭》云："先生著述甚富。所撰《西堂杂俎》，观者胥悦，奉为兔园册。晚辑《艮斋杂记》，学者服其雅驯。《全集》五十四卷、《余集》七十卷、《鹤栖堂稿》十卷，俱镂板行于世。"王士禛《渔洋诗话》卷下："尤悔庵侗在史馆，作《明史乐府》，虽傺李西涯，而往往驾出其上。又常作《外国竹枝》百首。"沈德潜等《国朝诗别裁集》卷一一："先生所著《西堂杂俎》传入禁中，章皇帝称为真才子。后入翰林时，圣祖称为老名士。位虽不尊，天下羡其荣遇，比于李青莲云。""西堂少岁时，专尚才情，诗近温、李。归田以后，仿白乐天，流于太易。虽街谈巷议入韵语中，远近或以游戏视之，比于王凤洲之评唐伯虎，不知四十至六十时诗，开阖动荡，轩昂顿挫，实从盛唐诸公中出也。咏《明史乐府》一卷，尤为神来之作。今选中所收，皆铮铮有声者，使艺苑人见之，共识西堂面目。"录其《胡蓝狱》等诗二十五首。朱庭珍《筱园诗话》

卷二："尤西堂先生工填曲，其《明史新乐府》百首，自成一家，足夺铁崖、西涯之席，卓然可传。诗恃聪明，意欲以才情见长，究非专门正轨。中年后，流入浅近，颇伤俚俗，且多游戏率意之作，不足取也。"《晚晴簃诗汇》卷四五录其诗二十首。《国朝文汇》甲集卷二八录其《沧浪志序》等文五篇。冯金伯《词苑萃编》卷八《悔庵词》引曹顾庵云："悔庵词流丽圆转，如细管临风，新莺啼树。至其感慨恢谐，流传酒楼邮壁，又天然工妙，直兼苏、辛、秦、柳诸家所长。"陈廷焯《白雨斋词话》卷三："西堂词曲，擅名一时，然皆不见佳。力量既薄，意境亦浅；专恃一二聪明语，以为新奇独得之秘，不值有识者一笑。""西堂小令最不佳，除《浣溪沙·清明悼亡》两阕及《菩萨蛮·病中有感》第二阕外，合者寥寥；长调稍可，壮语工于绮语也。""西堂《菩萨蛮·丁巳九月病中有感》八章，源出温、韦，身世兴衰之感，略见于此，而词意不免浅显。如'负负欲何言，饥来难叩门'等句，全失忠厚之旨。若暗含情事，而出以幽窈之思、浑雅之笔，便是飞卿复作。""西堂亦好为艳词，多聪明纤巧语，殊乖大雅。'不敢骂檀郎，喃喃咒杜康'、'笑掷竹夫人，无端一面瞋'之类，皆足令人喷饭。""西堂好作聪明语，害人最深。小有才者，一索而得，终身陷入苦海矣。"卷六："尤展成云：'近日词家，爱写闺襜，易流狎昵，蹈扬湖海，动涉叫嚣，二者交病。'西堂此论可谓深中词人之弊；顾自言之而自蹈之，何耶？"《西堂全集》有康熙间刊本、民国上海文瑞楼石印本。据《中国丛书综录》。

七月

徐基自识《十峰集》。署"康熙四十三年甲申岁七夕，徐基自识于恬拙斋"（《十峰集》卷首）。四库提要卷一八四：《十峰集》五卷，"国朝徐基撰。基字宗颀，华亭人。由贡生官训导。是集自诗、赋、文及填词皆集前、后《赤壁赋》中字，错综尽变，极有巧思。若其中《游小赤壁赋》、《春日游小赤壁赋》及《道德篇》诸作，皆洋洋数千言，而伸之缩之，不出四百余字之外。虽才人狡狯，不足以语大雅。而专门之技，别开奥突，亦词苑中之奇作，亘古所未有者也。末卷仿梁简文《苏蕙兰古擘鉴图》及宋庠《寄范仲淹》诸回文，皆有思致。卷首有康熙丙戌陈元龙序。序集《圣教序》中字，亦如自己出。以弁此集，可云劲敌。然元龙特偶一为之，尚无不可。基则弊一生之精神，成此一集，可谓宋人之楮叶矣。"《晚晴簃诗汇》卷六二录徐基诗一首。

八月

裘琏至剡溪，著《剡溪吟》。九月归。据裘姚崇《慈溪裘蔗村太史年谱》。

赵执信客津门，作《海沤小谱》一卷。自云："余放斥既久，不自检饬，浪游南北，多预花酒之筵，颇能谐笑。或杂缀诗词，间为时人传诵，而实无所接遇，知交辈咸以介静之目归之。甲申岁客津门，自春徂秋，狎游既数，矫激非情，如海客之于沤鸟，不自觉其相亲近也。长日无事，戏为记录，以志吾过，且诒好事者。""此谱成于中秋后，余行有期矣。"袁枚《随园诗话补遗》卷三："赵秋谷有《海沤小谱》，半载天津妓名。《赠仙姬》八首最佳。"按，此类诗后为秋谷所删，不存于集。

韩菼卒，年六十八。据朱彝尊《礼部尚书兼掌翰林院学士长洲韩公墓碑》（《曝书亭集》卷七一）。《墓碑》云："公所著《有怀堂文集》二十二卷《诗稿》六卷。其举子业以古文为今文，奇而有法。其初未遇，乡之先达或大怪之。徐尚书阅其闱卷，击节叹赏，登于牓。及取上第，传诵朝野，十室之邑，三家之村，经生塾师，无不奉为圭臬。然公之不朽，终当以古文辞、《孝经衍义》传也。"方苞《礼部尚书韩公墓表》："公文学官绩，宜列于史氏。其孝义质行，乡人子弟皆有述焉，故不具载。独著其进退大节，与余之所私得于公者。公三试，自乡举外，皆第一。博极群书，而与人居，久之，皆忘其为名贵人，乍接之，不知其蓄学问也。公夙好余文，得余笔札，必命诸子宝藏之。"（《方苞集集外文》卷七）郑燮《仪真县江村茶社寄舍弟》："先朝董思白，我朝韩慕庐，皆以鲜秀之笔，作为制艺，取重当时。思翁犹是庆、历规模，慕庐则一扫从前，横斜疏放，愈不整齐，愈觉妍妙。二公并以大宗伯归老于家，享江山儿女之乐。"（《郑板桥全集·板桥集》）王应奎《柳南随笔》卷二："韩宗伯制义，本朝推为大家，操觚之士，至今家置一编，而古文之工，则知者绝少。所著《有怀堂集》，筋力于《南》、《北》二史，疏疏落落，若不经意，而每篇必有一二会心语，爽人心目，其品格当在尧峰之右。"沈德潜等《国朝诗别裁集》卷一〇："公于经义有起衰之功，奉敕撰述及一切碑版之文，足以润色鸿业，左右史乘，数韵语者，不及公也，而德人之言自足风雅，读者勿第求之词句之间。"录其《赠江南巡抚汤潜庵先生》等诗十六首。李调元《淡墨录》卷三《韩菼制义》："制科之文，至韩菼而翕然一变浮滑之习。"杨锺羲《雪桥诗话》卷三："韩慕庐宗伯康熙四十三年卒于官，乾隆十七年补谥文懿。诗尚唐音，颇以文掩。""王白田谓其时文如梁之徐、庾，唐之温、李。遐方传诵，九重亦为之嘉叹，行卷之尊，无如此者。"《晚晴簃诗汇》卷三七录其诗八首。《国朝文汇》甲集卷二六录其《清和论》等文十篇。

九月

初二日，颜元卒，年七十。据李塨撰、王源订《颜习斋先生年谱》。王源《颜习斋先生传》："宋儒自谓能明能行，而道其所道，愈失其真。先生起而辨正之，躬行以实之，古今剥复之根不在是欤？"（《居业堂文集》卷四）方苞《李刚主墓志铭》："习斋之学，其本在忍嗜欲，苦筋力，以勤家而养亲，而以其余习六艺，讲世务，以备天下国家之用，以是为孔子之学，而自别于程、朱，其徒皆笃信之。"（《方苞集》卷一〇）戴望《处士颜先生元》："先生初由陆、王、程、朱而入，返求之《六经》、孔、孟，得所指归，足正后儒之失。而陋者目不睹先生之书，即訾謷之，以为是背程、朱，不可从也。"刘师培《颜李二先生传》："习斋生于明末，崛起幽冀，耻托空言。于道德则尚力行，于学术则崇实用，而分科讲习，立法尤精。虽其依经立说，间失经义之真，然道艺并崇，则固岐周之典则也。"（《颜元年谱》附录）《清史列传》本传："元之学，大抵亦出姚江，而加以刻苦，介然自成一家。以明季诸儒崇尚心学，无补于时，驯至大乱，士腐而靡，兵专而弱，故其学主于励实行，济实用。"《晚晴簃诗汇》卷一一录其诗三首。

二十七日，顾嗣立自序《寒厅诗话》二卷。据顾嗣立《闾邱先生自订年谱》。〔按，是书《昭代丛书》本和《清诗话》本均为一卷。自序署"康熙甲申九月，闾邱主人顾嗣立题于秀野园"〕

王士禛自刑部罢官，十月归里。据王士禛自编、惠栋注补《渔洋山人自撰年谱》卷下。

钮琇卒。据朱彭寿《清代人物大事纪年》。《临野堂诗集》十三卷、《诗余》二卷、《文集》十卷、《粤游日记》一卷、《尺牍》四卷，康熙二十九年至三十二年刊行。据《贩书偶记》卷一四。四库提要卷一八三著录《临野堂文集》十卷。《国朝诗别裁集》卷二〇："诗亦变风之遗。"录其《修塘谣》等诗五首。《清史列传》黄仪传附："其文幽艳凄动，有唐人小说之遗。诗少作惊才绝艳，方驾齐梁；中岁则婉丽悲激，长于讽喻。如和杜《秋雨叹》、《泣柳词》，皆有关理乱，足备诗史。"《晚晴簃诗汇》卷三九："诗坚致沈秀，雅近西昆。"录其诗三首。《国朝文汇》甲集卷二六录其《黄圭庵诗文集序》等文三篇。

秋

戴名世在姑苏，刊行《自订时文全集》。据戴钧衡《南山先生年谱》。自序云："余自入太学，居京师及游四方，与诸君子讨论文事，多能辅余所不逮。宗伯韩公折行辈与余交，而深惜余之不遇。同县方百川、灵皋、刘北固，长洲汪武曹，无锡刘言洁，江浦刘大山，德州孙子未，同郡朱字绿，此数人者，好余文特甚。灵皋年少于余，而经术湛深，每有所得，必以告余，余往往多推类而得之。言洁好言波澜意度，而武曹精于法律，余之文多折衷于此三人者而后存，今集中所载者是也。余自年二十以来，于时文一事耗精敝神，虽颇为世所称许，而曾无得于己，亦无用于世。回首曩昔之志，辗转未遂，必有高人逸士相与窃笑于穷岩断壑之中者矣。始余之为文，放纵奔逸，不能自制；已而收视反听，务为淡泊闲远之言、缥缈之音；久而自谓于义理之精微、人情之变态，犹未能以深入而曲尽也，则又务为发挥旁通之文。盖余之文，自年二十至今凡三变，其大略如此。"（《戴名世集》卷四）

吕熊《女仙外史》已成。《女仙外史》卷首《江西廉使刘廷玑在园品题二十则》："甲申秋，叟自南来见余曰：'《外史》已成。'以稿本见示。余读一过，曰：'叟之书自贬为小说，意在贤愚共赏乎？然余意尚须男女并观，中有淫亵语，曷不改诸？'叟以为然，不日改正。所憾余既落籍，不能有践前言。乃品题二十行于简端，以为此书之先声而归之。"刘廷玑品题最末一条云："《外史》前十四回，是为赛儿女子作传。据《纪事本末》所述数语为题，撰出大文章，虽虚亦实。至靖难师起，与永乐登基，屠灭忠臣，皆系实事，别出新裁。迨建行阙、取中原、访故主、迎复辟，旧老遗臣，先后来归，八十回全是空中楼阁。然作书之大旨却在于此，所以谓之《外史》。外史者，言诞而理真，书奇而旨正者也。"又卷首吕熊自序未署年月，姑系于此。《古稀逸田叟吕熊文兆自叙》云："高皇崩于三十一年，乃称至三十五年，下接永乐元年，若谓并无此建文一帝者。吁！不亦异乎！谷应泰先生云：'顾使一龙不出，众蛇皆摈。'信然！夫建文帝君临四载，仁风洋溢。失位之日，深山童叟，莫不涕下。熊生于数百年之后，读其书，考其事，不禁心酸发指，故为之作《外史》，大书帝之行在并建文年号至二十六年，下接洪熙元年而止。谓之曰万世之公论也可，一人之私论也亦无不可。"刘廷玑《在园杂志》卷二《吕文兆》："先生所衍《女仙外史》百回，亦荒唐怪诞，而平生之学问心事，皆寄托于此。"

十月

十二日，汪沆（1704—1784）生。沆字西颢（一作西灏）、师李，号槐堂（一作槐塘），钱塘人。诸生。少从厉鹗受诗。试鸿博报罢，其后大学士史贻直将以经学荐，以母老辞。著有《槐塘诗稿》十六卷《文稿》四卷。事迹见邵晋涵《征士汪先生家传》（《南江文钞》卷九）、《清史列传》杭世骏传附、《清史稿》厉鹗传附。[按，生日据朱彭寿《清代人物大事纪年》]

十一月

二十二日，张宗楠（1704—1765）生。宗楠字汝栋，号含广，海盐人。监生。尝为王士禛纂集《带经堂诗话》。事迹见朱彭寿《清代人物大事纪年》。

二十二日，邵长蘅卒，年六十八。据宋荦《青门山人墓志铭》（《西陂类稿》卷三一）。《墓志铭》云："今新城王阮亭先生雅知山人，称其文为荆川后一人。长洲汪钝翁先生以为，山人人品似陆鲁望，文章似柳子厚。知言哉！"陈玉璂《青门山人传》："山人所著书已成帙者，有《篦稿》、《旅稿》廿二卷。中丞公序之，谓当与前明潜溪、震川诸大家相骖骠。吾邑令王侯元炬亦称山人诗古文辞必传世。""薪黄顾景星亦振奇士，读其文叹曰：'五百年无此作者矣！'"（《邵子湘全集》卷首）四库提要卷一八三：《青门篦稿》十六卷附《邵氏家录》一卷《青门旅稿》六卷《青门剩稿》八卷，"国朝邵长蘅撰。长蘅一名衡，字子湘，武进人。是集乃其兄子璚等编次。康熙戊午以前为《青门篦稿》，诗六卷，文十卷。己未讫辛未为《旅稿》，诗二卷，文四卷。壬申后为《剩稿》，诗三卷，文五卷。其《邵氏家录》则以康节祠堂碑记之类汇为一编者也"。《国朝诗别裁集》卷一五："山人古文与侯朝宗、魏叔子称鼎足。诗浏漓顿挫，力追唐人。尝选有明何信阳、李北地、王弇州、李沧溟四家之诗，矫钱牧斋持论偏驳，而以程孟阳诗为纤佻，识者趣之。晚岁入宋商丘中丞幕府，乃变苏、黄、范、陆之派，亦宋诗中矫矫者。然视从前如二手矣。兹所存者，皆《青门篦稿》、《旅稿》中作，《剩稿》中只略采云。"录其《经彭蠡湖口望庐山》等诗二十二首。洪亮吉《北江诗话》卷二："余颇不喜吾乡邵山人长蘅诗，以其作意矜情，描头画角，而又无真性情与气也。晚年，入宋商丘荦幕，则复学步邯郸，益不足观。其散体文，亦惟有古人面目，苦无独到处。"卷五："吾乡邵山人长蘅，初所作诗，既描摹盛唐，苦无独到；及一入宋商丘幕府，则又一步一趋，不能守其故我矣。人或以其名重，尚艳而称之。吾以为其品既不及前修，则其诗亦更容论定也。"韩国李圭景《诗家点灯·青门诗入妙品》："邵长蘅子湘《青门集》，诗多入妙。如《子夜歌》：'与欢作乡里，两小各呼名。欢大性情变，不许侬呼名。''持绣近窗户，欢来就侬嬉。翻荃动针线，颠倒乱侬丝。''郎从何处来，侬自不曾怒。牵郎就侬怀，请言不来故。'《喜归草堂即事》：'一屋笑声满，团圞慰眼前。儿顽作虎跳，女大看蚕眠。邻舍携骰酒，亲朋枉素笺。倦迂吾意惬，即事总欣然。'《题吴孟举黄叶村庄图》：'童乌已传玄草，樵青解收钓筒。我欲放舟湖里，清秋雁白鸦红。'清楚可咏，沁入诗脾。"李祖陶《国朝文录·邵青门文稿录引》："青门先生，武进布衣，以古文雄于时。宋牧仲中丞以与侯朝宗、魏叔子并称，谓英爽飙发不如朝宗，而根柢胜之；明切善议论不如叔子，而春容胜之。王阮亭尚书则称其生荆川之乡，学荆川之学。为文远取法唐宋大家，而时闯马、班二史之藩。博学未知视荆川何如，其于文章洮汰锻炼则已至矣。二公之言皆得其实。盖文家才性所近，各有专长，而于前人之失皆能矫之，类如斯也。""子湘特叙事佳耳。然酝酿尚未深，谿径尚未化，其视荆川叙广右战功、传周襄敏公尚远，乃自矜其洮汰锻炼以为豪，得无窥其藩尚未入其室耶？今特取其议论之文之确有心得、传志之作之实有关系者，于《簏稿》、《旅稿》、《剩稿》中各得文一卷，庶几子湘之面目见，而子湘之品位亦定矣。"《晚晴簃诗汇》卷三三录其诗十首。《国朝文汇》甲集卷一三录其《褚遂良论》等文二十四篇。

二十四日，李柟卒，年五十八。据朱彭寿《清代人物大事纪年》、邓之诚《清诗纪事初编》卷四。《贩书偶记》卷一四："《药圃诗》七卷，兴化李柟撰。康熙四十九年晴好雨奇之阁刊。《燕台诗》三卷，《渔阳纪游》一卷，《上元祈年诗》一卷，《扈跸吟》一卷，《幼学集》一卷，凡五种。"又，《贩书偶记续编》卷一四著录为十三卷，多《甘雨集》一卷，《恩假集》四卷，《渔阳纪游》一卷，《补遗》一卷。

朱彝尊游江宁。杨谦《朱竹坨先生年谱》："初七日从镇江至江宁，初九日入朝阳门，寓承恩寺。"

查慎行授编修。据陈敬璋《查他山先生年谱》。

黄叔琳晋翰林院侍讲。据顾镇《黄侍郎公年谱》。

冬

翁照与沈德潜定交。据《沈归愚自订年谱》。

顾嗣立有《梧语轩集》三卷。起壬午秋，讫本年冬。据《闾邱先生自订年谱》。

江日昇《台湾外记》（又名《台湾外志》、《赐国姓郑成功全传》）成书。自序署"时康熙四十三年岁次甲申冬至后三日，九闽珠浦东旭氏江日昇谨识于云阳之寄轩"。陈祈永序云："余司铎南诏，于康熙四十八年己丑春，获交珠浦江子东旭，盖循循然重厚博物君子也。嗣出其所辑《台湾外志》凡十卷，而嘱叙于予。予读其书，起明季拥众，纪我朝归顺，垂六十年。其间岛屿之阻绝、城垒之沿革、镇弁营将忠义背逆，以至朝廷之征讨招徕、沿海之战征区划，靡不广罗穷搜，瞭如指掌间。洵志乘之大观，班、马之伦比也。"署"三山弟岷源陈祈永拜题。"［按，求无不获斋刊本陈序署康熙甲申冬］彭一楷序云："江子为瓯闽士，性嗜古文词，不拘章句学。幼从其先人游宦岭表，悉郑氏行事，因编次其所见闻，备他日史官采取，其用心良苦。而因事直书，不置褒贬，积岁月以成，江子原无庸心于其间也。按郑芝龙投诚后，其子成功据台湾海岛，故明王孙相依为命者，垂数十年。至癸亥归顺，又有宁靖王从容就义，至五姬偕从之死。江子独断以成功台湾之踞，是以宁靖王而踞也。其卓识宏深，且其间忠臣义士、孝子慈孙，与夫闺阁之节烈，罔不光如日月。即当日公侯将帅出入其门，不啻数十辈。而郑氏遂应五代诸侯之谶，可谓奇男子。江子今为之表彰，不致海外荒服年久湮没，人皆谓大有功于郑氏，而讵知其有功于忠孝节义者为更多乎哉！故读是编者，可以教孝，可以教忠，可以教义，即闺阃闻之，亦莫不油然生其节烈之心。有功名教，良匪浅鲜。异日以之登大廷，备史氏之阙文，江子与是书不朽矣。余不敏，谨为数语，以弁其端。汉阳同学彭一楷拜手题。"又有郑应发、余世谦、吴存忠等序，皆未署年月。（《台湾外记》卷首）

本年

山东灾荒，谷贵民饥。 蒲松龄有《正月二十喜雨》、《流民》、《饿人》、《离乱》、《旱甚》、《六月初八日夜雨》、《闻淄东无雨》、《忧荒》、《纪灾》、《虫后仅余荞菽，而久旱又将枯矣。时雨忽零，奈数里外未之沾及。闻毕公漪对客雪涕，感而作此》、《诸灾并作，秋稼已空，十月犹旱，麦田未耕。月来雨频降，吾乡独不及沾。延息待苏，不免憾造物之偏也》等诗，见《聊斋诗集》卷四。又有《康熙四十三年记灾前篇》、《秋灾记略后篇》等文，见《聊斋文集》卷二。又，张笃庆《厚斋自著年谱》："是岁凶荒异常，实有生以来所未见。而且瘟疫盛行，家家不免。"又，纪本年灾况者，又有成永健《老妇行》、《米珠行》、顾彩《悲哉行》、李蟠《流民叹》等。据张慧剑《明清江苏文人年表》。

李振裕转礼部尚书。 据许汝霖《吉水李宗伯墓志铭》（《德星堂文集》卷四）。

宋永清任凤山县知县。 据《四库全书·福建通志》卷二七。

严虞惇归里门。 据杨绳武《皇清诰授中宪大夫太仆寺少卿严思庵先生墓表》（《严太仆先生集》附录）。

彭端淑始入萃龙山紫云寺读书，时年六岁。 端淑（1699—1779）字仪一，号乐斋，丹棱人。雍正十一年进士。历官吏部主事、郎中、广东肇罗道。归主锦江书院讲席。著有《白鹤堂诗文稿》、《雪夜诗谈》，辑有《八家诗选》。事迹见《清史列传》本传，李朝正、徐敦忠《彭端淑诗文注》附录《年谱》。

章大来设教于清溪、白门之间，与方苞、朱师晦等相切劘为古学。 据《后甲集》卷首署"丁酉春王，侄孙锺谨叙"之序。

王心敬赴湖北，途经襄城，与刘青霞兄弟诸人结盟。 据王心敬《襄城啸林刘子别传》（《慎独轩文集》卷首）。

卢见曾补博士弟子员，时年十五岁。 见曾（1690—1768）字抱孙，号澹园、雅雨山人，德州人，道悦子。康熙五十年举于乡，六十年成进士。雍正三年出为四川洪雅知县。后历官安徽蒙城知县、六安知州、亳州知州、庐州知府、凤阳知府、江南江宁知府。乾隆初官两淮盐运使，四年革职，五年戍边。后召还，以直隶州知州用。历永平知府、长芦盐运使，复官两淮盐运使。二十三年以事下狱死。著有《雅雨堂诗集》二卷《文集》四卷、《出塞集》一卷，辑有《国朝山左诗钞》六十卷。事迹见卢文弨《故两淮都转盐运使雅雨卢公墓志铭》（《碑传集补》卷一七）、《清史列传》本传。

王士禛《蚕尾续集》成书。王士禛自编、惠栋注补《渔洋山人自撰年谱》卷下："集乙亥迄甲申，官少农以至大司寇京邸之作为《蚕尾续集》。中间丙子使蜀诗不与焉。钱塘吴宝崖陈琰为之序。"四库提要卷一八二："其《续集》二卷，皆乙亥迄甲申之诗，惟无丙子一年诗，以是年奉使祭告，别为《雍益集》也。"

郑元庆《湖录》（《湖州府志》）成。是书起康熙丁丑迄本年，八年而始定。后六易其稿，生平精力，殚于是书。据盛百二《郑先生传》（《柚堂文存》卷四）。

彭定求乙亥至本年诗为《南畇诗稿》十卷。据彭定求《南畇续稿序》（《南畇文稿》卷一）。

查慎行《直庐集》为本年正月至明年五月诗。见《敬业堂诗集》卷三一。

张榕端《兰樵归田稿》乃其本年致仕归里以后所作。四库提要卷一八三：《兰樵归田稿》一卷，"国朝张榕端撰。皆康熙甲申以后致仕归里之作。其诗直抒胸臆，多入香山一派。盖老境优游，颓然自放，不复以文字为意矣"。

冷士嵋刻所著《江泠阁集》三十卷成，以书板存焦山。据张慧剑《明清江苏文人年表》。四库提要卷一八二：《江泠阁诗集》十四卷，"国朝冷士嵋撰。士嵋字又湄，丹徒人。居傍大江，其读书之阁曰'江泠'，故以名集。其诗刻意学杜，多为激壮之音。晚年节饔飧之费，自梓是集。凡古今体诗十二卷，首载《琴操》古乐府一卷，末附诗余一卷"。《江泠阁文集》四卷《续集》二卷，"国朝冷士嵋撰。其文词意条达，颇为博辨，而亦失之好尽。朱子所谓少先辈淳实气象者也。其《与张炼庵论春王正月书》及《答或人》一书，均为平生得意之笔。然其说似辨而不确。所引秦以亥为岁首，汉因之，而史书始建国曰元年冬十月。后世之文既不可以证经，即所引《伊训·元祀十有二月》亦不知其为《古文尚书》。盖明知周正之必不可移，而又必欲申夏时之说。于是谓书春以敬天，春为夏之春。书王正月以尊王，月为周之月。仍胡安国之绪论而已矣"。

朱彝尊《明诗综》一百卷刻成。据杨谦《朱竹垞先生年谱》。四库提要卷一九〇：《明诗综》一百卷，"明之诗派，始终三变……大抵二百七十年中，主盟者递相盛衰，偏袒者互相左右。诸家选本亦遂皆坚持畛域，各尊所闻。至钱谦益《列朝诗集》出，以记丑言伪之才，济以党同伐异之见，逞其恩怨，颠倒是非，黑白混淆，无复公论。彝尊因众情之弗协，乃编纂此书，以纠其谬。每人皆略叙始末，不横牵他事，巧肆讥弹。里贯之下，各备载诸家评论，而以所作《静志居诗话》分附于后。虽隆、万以后，所收未免稍繁，然世远者篇章易佚，时近者部帙多存，当亦随所见闻，不尽出于标榜。其所评品，亦颇持平。于旧人私憎私爱之谈，往往多所匡正。六七十年以来，谦益之书久已澌灭无遗，而彝尊此编独为诗家所传诵，亦人心彝秉之公，有不知其然而然者矣"。法式善《陶庐杂录》卷三："（《明诗综》）议者谓隆、万以后收取太多，诚此书之一病。然遗闻佚事，颇足以资考证焉。"

汪森编《粤西诗载》二十五卷刊行。据《贩书偶记续编》附录。

钱良择编《唐音审体》二十卷刊行。据《贩书偶记》卷一九。

杜诏、杜庭珠同编《中晚唐诗叩弹集》十二卷、《续集》三卷采山亭刊行。是书四库提要卷一九四著录。袁枚《随园诗话补遗》卷一："杜紫纶先生选《唐人叩弹集》，专尚中、晚。学者从兹入手，可免粗硬槎丫之病。而宗法少陵、山谷者，意颇轻之。"

唐之凤《天香阁文集》八卷、《诗集》十卷、《词集》六卷附《碎玉合编》二卷刊行。四库提要卷一八五：《天香阁诗集》十卷，"国朝唐之凤撰。之凤字武曾，乌程人。其诗多愁苦之音。拟古诸作，亦颇具体，然未能变化。末附《碎玉合编》二卷，一题唐云桢子霖著，一题唐德远深源著，盖之凤兄弟行也"。

储雄文《浮青水榭诗》四卷刊行。据《贩书偶记续编》卷一四。

何焯撰、徐锺华等评《何屺瞻稿》无卷数刊行，即四书文。据《贩书偶记续编》卷一八。

裘君弘《西江诗话》十二卷妙贯堂刊行。据《贩书偶记》卷二〇。

陈黄中（1704—1762）生。黄中字和叔，晚号东庄谷叟，吴县人，景云子。诸生。乾隆元年应博学鸿词科不第。顷之，诏求骨鲠之士，陈世倌欲荐之，谢不应。再赴京兆不第，乃幕游南北。尝病《宋史》芜杂，别撰纪传表百七十卷。又著《国朝谥法考》、《阁部督抚年表》等。事迹见彭绍升《陈和叔传》（《二林居集》卷二三）、沈廷芳《陈征士墓志铭》（《隐拙斋集》卷四八）、《清史列传》何焯传附、《清史稿》何焯传附。

张熷（1704—1750）生。熷字曦亮，号南漪，仁和人。乾隆九年副榜贡生。殁后全祖望为厘定《读史举正》四卷。事迹见全祖望《张南漪墓志铭》（《鲒埼亭集》卷二〇）。[其生卒年，《疑年录汇编》卷一一作 1705—1750 年，此据朱彭寿《清代人物大事纪年》]

彭遵泗（1704—1764 前）生。遵泗字磬泉，丹棱人，端淑、肇洙弟。雍正十三年解元，乾隆二年进士。历官礼部主事、甘肃凉州府同知、湖北黄州府同知。著有《蜀碧》。卒后王昶为定《求志堂集》四卷。事迹见《清史列传》彭端淑传附。[生年据李朝正、徐敦忠《彭端淑诗文注》附录《年谱》]

岳端卒，年三十五。据邓之诚《清诗纪事初编》卷六。《国朝诗别裁集》卷二〇："红兰主人礼贤下士，邹、枚之列时来座下。尝选郊、岛诗以示不弃寒瘦之意，其志趣可知矣。"录其《春郊晚眺次韵》、《题闺秀朱柔则寄外沈用济画卷》诗二首。袁枚《随园诗话》卷六："诗情愈痴愈妙。红兰主人《归途赠朱赞皇》云：'大漠归来至半途，闻君先我入京都。此宵我有逢君梦，梦里逢君见我无？'"法式善《梧门诗话》卷七："诗效'昆体'，亦时近昌谷。"昭梿《啸亭杂录》卷六《红兰主人》："主人喜为西昆体，尝延朱襄、沈方舟等为上宾。方舟妻某，迟方舟久不归，作《杭州图》以寄之，当时传为佳话。主人尝选孟郊、贾岛诗为《寒瘦集》以行世。以宗藩贵胄之尊，而慕尚二子之诗，亦可谓高旷矣。"杨锺羲《雪桥诗话》卷三："其《春郊晚眺》诗有'西岭生云将作雨，东风无力不飞花'之句，问亭将军见而赏之，时称东风居士。诗四种，一《红兰集》，一《蓼汀集》，一《出塞诗》，一《无题诗》，与其客吴江顾卓、无锡朱襄校订，凡五卷，大题曰《玉池生稿》。《飒飒》云：'飒飒西风旅雁过，佳期岁

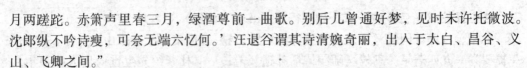

月两蹉跎。赤箫声里春三月，绿酒尊前一曲歌。别后几曾通好梦，见时未许托微波。沈郎纵不吟诗瘦，可奈无端六忆何。'汪退谷谓其诗清婉奇丽，出入于太白、昌谷、义山、飞卿之间。"

吴震方卒，年六十一。据朱彭寿《清代人物大事纪年》。［按，江庆柏《清代人物大事纪年》谓其生于1651年，卒年未详］所著《读书正音》四卷、《岭南杂记》二卷、《晚树楼诗稿》四卷，所编《朱子论定文钞》二十卷等，四库提要著录。

田需卒，年六十五。据江庆柏《清代人物生卒年表》。《晚晴簃诗汇》卷四七录其诗二首。

公元1705年（康熙四十四年　乙酉）

正月

初四日，范光阳卒，年七十六。据郑梁《范笔山先生墓志铭》（《寒村诗文选·息尚编》卷四）。四库提要卷一八三：《双云堂文稿》六卷《诗稿》六卷，"国朝范光阳撰。光阳字国雯，号北山，鄞县人。康熙戊辰进士。改庶吉士。官至福建延平府知府。是集为其晚年所手定。没后其孙从律等以《充安堂近稿》附入刊行。其曰双云堂者，以其先墓有红云、白云二山，故名所居，以示不忘其祖之义云"。是书康熙四十六年刊行。据《双云堂集》卷首郑风序。

初五日，全祖望（1705—1755）生。祖望字绍衣，号谢山、双韭，鄞县人。乾隆元年荐举博学鸿词，以是春先成进士，不再与试。选庶吉士。散馆，归班以知县用，遂不复出。主蕺山、端溪书院讲席，为士林仰重。著有《鲒埼亭集》三十八卷、《外编》五十卷。事迹见董沛等《全祖望传》、严可均《全绍衣传》、钱林《全祖望传》等（《全祖望集汇校集注》附录）、董秉纯《全谢山先生年谱》、《清史列传》本传、《清史稿》本传。

二十四日，蒲松龄《农桑经》成书。自序署"康熙四十四年岁在乙酉正月念四日，柳泉氏志"（《蒲松龄集》）。

三月

三十日，梁佩兰卒，年七十七。据方正玉《哀词》（《六莹堂集》附录）。四库提要卷一八三：《药亭诗集》二卷，"国朝梁佩兰撰。佩兰字药亭，番禺人。康熙戊辰进士。改庶吉士。是编乃休宁汪观所选，皆近体诗。卷首有朱文小印，曰古体嗣出。则不但非其全集，即选本亦尚未刻竣矣"。［按，梁佩兰为南海人，非番禺人］《国朝诗别裁集》卷一六："岭南三家，翁山以五言律擅场，元孝以七言律擅场，而七言古体独推药亭。集中如《养马行》、《日本刀歌》诸作，光怪陆离中，律令极细，措辞极妥，真可作万人敌也。间亦多英雄欺人及过于恢张处，而《木瓜上人打鼓歌》为欺人之尤者。阅者勿因其名高，一概追逐，斯善学药亭者矣。近体略存，志其大概。"录其《养马行》等诗八首。林昌彝《射鹰楼诗话》卷一四："岭南三家，梁药亭佩兰不及陈、屈二家，然观其《六莹堂诗》，亦不无佳句可采。如'江声喧日夜，秋色上衣巾'，'乱藤穿细竹，高树出疏花'，'石屏横水立，野菊对山开'，'浮云森碣石，白日荡幽州'，'孤雁声何切，闲云去不知'，'白鸟盘空过，青芜隔影微'，'幽径通孤寺，梅花隔一林'，'野烧残山外，寒星远水中'，'衣冠生乱贼，草莽起孤臣'。"朱庭珍《筱园诗话》卷二："岭南三君，药亭七古，翁山五律，元孝七律，当代夸为三绝。梁药亭七古，虽气势雄放，而简练未足，除《养马行》、《日本刀歌》诸名作外，往往失于奔放，堕入空滑一路；如《木瓜上人打鼓歌》，则叫嚣粗率，近恶道矣。五律矜炼，犹欠高浑。五古、七律，更多平衍，又其次也。"《清史列传》本传："其诗从汉魏入，不借径三唐。新城王士禛、秀水朱彝尊、吴江潘耒尤推重之。"《晚晴簃诗汇》卷四九："诗如长江大河，一泻千里，极环奇苍莽之胜。与王说作友善，集中酬唱甚多。说作子蒲衣编岭南三大家诗，以药亭为首。"录其诗十三首。《国朝文汇》甲集卷三六录其《荀彧论》文一篇。孙殿起《贩书偶记》卷一四："《六莹堂集》九卷《二集》八卷，南海梁佩兰撰。康熙乙酉至戊子刊。"

圣祖命据胡震亨《唐音统签》等书增修为《全唐诗》，派曹寅于扬州设局编纂。时参与编校者有彭定求、杨中讷、潘从律、汪士鋐、徐树本、车鼎晋、查嗣瑮、俞梅等。据《御制全唐诗序》及曹寅等《进书表》（《全唐诗》卷首）。又，卓尔堪亦参与校勘。据潘承玉《清初诗坛：卓尔堪与〈遗民诗〉研究》第二章。

蒲松龄赴济南，有《三月赴郡途中作》。见《聊斋诗集》卷四。

金德嘉自序《粹裘集》。署"康熙乙酉穀雨"。见《居业斋诗钞》卷首。

春

圣祖南巡。舟泊济宁，孔尚任前往迎驾。尚任返家后《归家夜坐》诗云："古槐门巷冷于秋，人看归来季子裘。对雨昏灯三鼓话，无柴湿灶一床愁。耕耘未足供亲膳，姓字偏劳记御舟。尽道君王能造命，冯唐白头未封侯。"（《孔尚任诗文集》卷四《长留集》）又，杜诏迎銮献诗，上命供职内廷。据四库提要卷一八四。徐倬进所编《全唐诗录》，特由侍读擢礼部侍郎。据四库提要卷一九〇。[按，四库提要谓此事在康熙丙戌，误]裘琏献赋。据裘姚崇《慈溪裘蔗村太史年谱》。高不骞献诗得用。据张慧剑《明清江苏文人年表》。

四月

十四日，圣祖在苏州召试文人学士。顾嗣立《闾邱先生自订年谱》："春三月，上南巡江浙。四月十二日驻跸苏州，十四日集举贡监诸生与山林川泽之士于学宫，亲定诗题而试之。先二日，巡抚商丘宋公以《江左十五子诗》进呈行宫，特疏荐举张大受、宫鸿历、吴士玉、郭元钎及嗣立五人，至是亦同御试。上命掌院学士纳兰揆公叙同相国京江张公玉书、泽州陈公廷敬第其甲乙，一等中选者十五人，嗣立与焉。……命巡抚每人给路费六十两，俱齐集阙下，内廷供职。"杨绳武《杜云川先生墓志铭》："时同被试者二百人，钦取五十人，先生名与焉。"（《国朝文汇》甲集卷四七）

十五日，李颙卒，年七十九。据吴怀清《二曲先生年谱》。全祖望《二曲先生窆石文》："当是时，北方则孙先生夏峰，南方则黄先生梨洲，西方则先生，时论以为三大儒。然夏峰自明时已与杨、左诸公称石交，其后高阳相国折节致敬，易代而后，声名益大。梨洲为忠端之子，证人书院之高弟，其后从亡海上，故尝自言平生无责沈之恨，过泗之惭。盖其资格皆素高。先生起自孤根，上接关学六百年之统，寒饿清苦之中，守道愈严，而耿光四出，无所凭藉，拔地倚天，尤为莫及。"（《鲒埼亭集》卷一二）《国朝文汇》甲前集卷二录其《与当事论出处书》等文四篇。《晚晴簃诗汇》卷一二录其诗一首。《李二曲先生全集》有同治五年陇右牛树梅刊本、光绪三年石阳彭家麟刊本。据《中国丛书综录》。

王士禛、钟辕、朱緗同游漪园及大明湖诸胜。据王士禛自编、惠栋注补《渔洋山人自撰年谱》卷下。

陈元龙以亲老告归，至康熙四十九年春在家所作诗为《南陔集》三卷。见《爱日堂诗》卷一二、一三、一四。

李必恒尚在世。据宋荦《西陂类稿》卷三七《奏疏六·荐士折（四十四年四月十二日上）》。必恒字北岳、百药，高邮人。《国朝诗别裁集》卷二一："宋漫堂中丞选江左十五子诗，厥后十五人中，殿撰一人，位大宗伯者一人，大学士者一人，余任宫詹、入翰林者指不胜屈，而李丈以诸生终，且耳聋多病，年止中寿，何其厄也！然诗格之高，才力之大，可久者应让此人。事久论定，所得果孰多孰少耶？惜未见全稿，只从选本中录出，不无遗憾云。"录其《咏史》等诗二十二首。袁枚《随园诗话》卷一二："十五子中，宰相、尚书不一而足，惟李百药一人以诸生终。而诗尤超绝。"郭麐《灵芬馆诗话》卷八："李北岳先生诗，在江左十五子中，称为后劲。近见所刻《樗庵诗选》），皆古雅精洁，于漫堂门下故自铮铮者。《题春水放船图》绝句最工。"《晚晴簃诗汇》卷六四录其诗四首。

闰四月

十二日，吴琠卒，年六十九。据张玉典《文端吴夫子祠堂记》（《思诚堂集》附录）。四库提要卷一八二：《思诚堂集》二卷，"国朝吴琠撰。琠号铜川，沁州人。顺治己亥进士。官至大学士。谥文端。此集诗仅五十三首，余皆奏疏、杂文并督抚楚中时牌示。旧无刊本。乾隆己丑，其乡人赵熟典始裒而刻之"。《国朝文汇》甲集卷一五录其《杜公署黎归治序》、《黄静庵政余辑略序》文两篇。

五月

初九日，夏敬渠（1705—1787）生。敬渠字懋修，一字二铭，江阴人，邑庠生。乾隆间举博学鸿词不第。平生游幕，足迹几遍宇内。著有《纲目举正》、《经史余论》、《浣玉轩集》、《唐诗臆解》、《野叟曝言》。事迹见西岷山樵《野叟曝言序》、赵景深《野叟曝言作者夏二铭年谱》。

黄鈇作《四友堂里言自记》。云："此余十九岁之春，所坏笔坏墨，废日废事，不畏嗤，不畏骂，不畏糊壁，不畏覆瓿，而妄意为之也。呜乎！胸无众字，目无半珠，而欲搜索枯肠以极庸极恶之里谭，侈然思附于曲子相公之林也，不亦悲乎！然则近之童蒙有于［与］余同病者，其即可以返已，存是稿者所以志悔也。康熙乙酉夏五月，山阴黄鋮漫书于上谷旅次，距构时三十二年。"（《中国古典戏曲序跋汇编》补遗）是剧成于康熙十三年春，凡十二折，演王贞、钱素蟾姻缘事。

六月

初十日，戴永植（1705—1767）**生。** 永植字于庭，号农南，归安人。雍正十年举人。乾隆元年应博学鸿词科报罢，旋充咸安宫教习。丁母忧归。服阕，选陕西西凤知县，以讹误削职。后起为湖南龙阳知县。历署宝庆府理猺同知、武冈州知州事。晚就绍兴府余姚县教谕，卒于任。著有《汀风阁集》十卷。事迹见戴熙《家农南公行状》（《碑传集补》卷二一）。［按，生日据朱彭寿《清代人物大事纪年》］

汪森编《粤西丛载》三十卷成书。 据卷首自序。四库提要卷一九〇：《粤西诗载》二十五卷《粤西文载》七十五卷附《粤西丛载》三十卷，"国朝汪森编。森字晋贤，桐乡人，休宁籍。官桂林府通判。森在粤西，以舆志缺略殊甚，考据难资，因取历代诗文有关斯地者，详搜博采，记录成帙。归田后复借朱彝尊家藏书，荟萃订补，共成《诗载》二十四卷，附词一卷。《文载》七十五卷。又以轶闻琐语可载于诗文者，更辑为《丛载》三十卷。其中如录谢朓诗误为晋人……颇有舛误。其志、传二门，多采黄佐、苏濬之《通志》，亦殊挂漏。然其体例明整，所录碑版题咏，多采诸金石遗刻。如宋何麟、曾元、曹师孔、鲁师道、石天岳诸作，皆志乘所未备。其《文载》中所分山川、城郭、官署、学校、书院、宫室、桥梁、祠庙、军功、平蛮诸子目，皆取其有关政体者。故于形势扼塞，控置得失，兴废利弊诸大端，纪录尤详。以视全蜀《艺文志》，虽博赡不及，而体要殆为胜之。至《丛载》所分二十目，虽颇近冗碎，而遗文轶事，多裨见闻，亦足以资考证。固未可以近于说部废之焉"。《粤西丛载》三十卷本年梅雪堂刊行。据《贩书偶记续编》附录。

七月

初七日，廖燕卒，年六十二。 据赵贞信《廖柴舟先生年谱》（《廖燕全集》附录）。王源《廖处士墓志铭》："（其文）卓荦奇伟，矫矫绝依傍。议论发前人所未发，序事宗龙门。诗新警雄逸，字字性灵。而其人品、学术、性情、神态、磊落浩然之气，毕露于行间。""近日作者，惟宁都魏叔子先生言经济即可见诸用，言道德即其所能行，而章法一准乎古。处士议论，虽间有高明之过，然实可继魏先生以不朽。乃处士语人曰：'叔子先生后，惟王昆绳一人。昆绳之文，汪洋无涯，变幻百出，直欲驾唐宋元明而上。'噫，予何敢当处士之过誉哉！顾以予之落拓，见弃于时，而万里外有知己如此，及亲至其乡，见其子，而其人又死，悲夫！"（《居业堂文集》卷一七）。黄节《廖燕传》："其为文鉴于有明七子之弊，则欲推而极之至于太古、三代，浑浑然，噩噩然，而为质奥奇峭淹博之体，而不规规于韩、欧。谓昌黎文见道未彻，《原性》、《原道》诸篇肤浅已甚。其论直破数千年儒者之大惑，则其所造实开岭南数千年文学之风。"（《广

47

清碑传集》卷五）李慈铭《越缦堂读书记·二十七松堂文集》："柴舟名燕，国初曲江布衣。集凡十六卷，其文颇疏隽，欲以幽冷取胜，自负甚高。前题宁都魏和公阅，文后多系评语，盖山野声气之士，而议论偏谲，读书无本，不脱明季江湖之习。其为《金圣叹传》，极口推服，称为先生（言圣叹本名采，字若采，鼎革后更名人瑞，字圣叹），则宗尚可知矣。"《国朝文汇》甲集卷五四录其《游碧落洞记》等文四篇。《国朝诗别裁集》卷二五录其《饮酒》诗一首。《晚晴簃诗汇》卷三四录其诗二首。

黄叔琳升侍读。据顾镇《黄侍郎公年谱》。

吴陈琰自序《凤池集》。署"康熙四十四年乙酉七月中元日，钱塘吴陈琰宝崖氏谨序"（《凤池集》卷首）。四库提要卷一九四：《凤池集》无卷数，"沈玉亮、吴陈琬同编。玉亮字瑶岑，武康人。陈琰有《春秋三传同异考》，已著录。是编刻于康熙乙酉。裒国朝应制之诗，分体编辑，无所诠择。末附杂剧一折，则自古所无之创例也"。[按，吴陈琬，一作吴陈炎、吴陈琰]

八月

十四日，杨仲兴（1705—?）**生。**仲兴字直庭，号讱庵，嘉应人。雍正八年进士。历官福建清流知县、江西兴安知县、湖北按察使、刑部郎中。著有《四余文集》、《四余偶录》。事迹见《清史列传》林蒲封传附。[按，生日据朱彭寿《清代人物大事纪年》]《国朝文汇》甲集卷五九录其《三清岩记》、《重建五曲书院碑记》文两篇。

秋

乡试。是科各省考官有廖腾煃、赵晋、周起渭、年羹尧等。据法式善《清秘述闻》卷三。所取举人有仝轨（《清秘述闻》卷三）、刘青芝（《四库全书·河南通志》卷四六）、方粹如（《四库全书·浙江通志》卷一四四）、汪越（《四库全书·江南通志》卷一三三）、倪璠（四库提要卷一四八）、秦道然（黄永年《敕授儒林郎礼科给事中例赠资政大夫礼部右侍郎秦公墓志铭》）、王澍（王步青《吏部员外郎族侄虚舟墓志铭》）、王梅（刘贽《三立祠传》）、戴名世（戴钧衡《南山先生年谱》）、温睿临（《碑传集补》卷四五）、查嗣庭（陈敬璋《查他山先生年谱》）、顾陈垿（沈起元《行人司行人顾君墓志铭》）、段巘生（郑方坤《段先生巘生小传》）等。沈元沧（沈廷芳《诰赠通议大夫山东按察使前文昌县知县显考东隅府君行状》）、阿克敦（《德荫堂集》卷首年谱）中副榜。沈德潜（《沈归愚自订年谱》）、张笃庆（《厚斋自著年谱》）报罢。

汪越乡试中式。越字师退，南陵人。食贫励节，守令咸折节致敬。不妄干谒。所著《读史记十表》，四库全书收录。另有《绿影草堂集》。事迹见《清史列传》赵青藜传附、《清史稿》徐文靖传附。

倪璠乡试中式。璠字鲁玉，钱塘人。官内阁中书舍人。事迹见《清史列传》本传。著有《神州古史考》一卷、《方舆通俗文》一卷，四库提要卷七七著录；《庾子山集注》十六卷，四库提要卷一四八著录。

朱彝尊访曹寅。杨谦《朱竹垞先生年谱》："秋，至三城访曹通政寅。曹视龃政兼校书局，先生过访，属辑《两淮盐荚书》。"

十月

十五日，朱耷卒，年八十。据黄苗子《八大山人年表》（谢巍《中国历代人物年谱考录》著录）。

金德嘉自序《松窗集》。署"康熙乙酉冬初，豫斋潜夫自记"（《居业斋诗钞》卷首）。

十一月

李光地拜文渊阁大学士。选刻《名文前选》、《程墨前选》、《易义前选》成。据李清植等《文贞公年谱》卷下。

十二月

二十九日，魏坤卒，年六十。据朱彭寿《清代人物大事纪年》。《国朝诗别裁集》卷一八："禹平系忠节公后人，少负才名，交满宇内，而遇合独艰。诗体研摩宋人，各从所好也。所录五章，皆才情发越之作。"录其《寄居虫》等诗五首。

冬

严虞惇起补国子监监丞。据杨绳武《皇清诰授中宪大夫太仆寺少卿严思庵先生墓表》（《严太仆先生集》附录。

顾嗣协补京卫武学教授。据顾嗣立《闾邱先生自订年谱》。

顾嗣立始著《给札闲钞》。据顾嗣立《闾邱先生自订年谱》。

高孝本有《葛园集》。小序云："罢官后如释重负。自癸未夏至己酉冬，寓葛氏园中，颇有山水友朋之乐。诗最多，删者过半。"（《固哉叟诗钞》总目）

本年

李梦箕始成岁贡生。梦箕字季豹、赤豹，连城人。年十五而孤。精进学业，崇向朱子，以孝友著称。著有《四书训蒙》、《稳卧轩诗文集》。事迹见蔡世远《李季豹传》（《二希堂文集》卷六）、《清史列传》张鹏翼传附、《清史稿》本传。

顾图河以编修充日讲起居注官。据《词林典故》卷七。

王原遭革职。据王昶《王原传》（《碑传集》卷五五）。

赵执信南游。经高邮、扬州、镇江，抵苏州。游虎丘、石湖、沧浪亭、狮子林及常熟虞山等。因寄居苏州葑溪，故诗集名《葑溪集》，见《因园集》卷七。冬归里，始家居，凡十四年。其间过扬州一次，在康熙四十八九年间。

查慎行《考牧集》为本年五月杪至明年四月诗。见《敬业堂诗集》卷三二。

程廷祚作《古松赋》，日未移晷得数千余言，时年十五岁。据程晋芳《绵庄先生墓志铭》（《勉行堂文集》卷六）。廷祚（1691—1767）初名默，字启生，号绵庄，上元人。诸生。乾隆间应试博学鸿词和经学，皆报罢。著有《易通》六卷、《大易择言》三十卷、《尚书通议》三十卷、《青溪诗说》三十卷、《春秋识小录》三卷、《礼说》二卷、《鲁说》二卷、《莲花岛》传奇（佚）。事迹见程晋芳《绵庄先生墓志铭》、袁枚《征士程绵庄先生墓志铭》（《小仓山房文集》卷四）、《清史列传》李塨传附、《清史稿》颜元传附。

蒲松龄有《拟上以山左饥荒，截漕赈济，全蠲四十三、四两年钱粮，仍亲巡地方，省民疾苦，群臣谢表》等文。见《聊斋文集》卷一二。

朱彝尊于苏州见文天祥之遗砚玉带生，作《玉带生歌并序》。见《曝书亭集》卷二一。赵翼《瓯北诗话》卷一〇《查初白诗》："（竹垞）诗初学盛唐，格律坚劲，不可动摇；中年以后，恃其博奥，尽弃格律，欲自成一家，如《玉带生歌》诸篇，固足推到一世，其他则颓唐自恣，不加修饰，究非风雅正宗。"朱庭珍《筱园诗话》卷二："《玉带生歌》，兴酣落笔，纵横跌荡，雄奇盖世，信为长篇绝调。"

戴名世始采朱子语录纂《四书大全》。据戴钧衡《南山先生年谱》。

宫鸿历自定《恕堂诗》七卷。据张慧剑《明清江苏文人年表》。

徐钪复次所作为《南州草堂续集》四卷。据张慧剑《明清江苏文人年表》。

王士禛《香祖笔记》刊行。四库提要卷一二三：《香祖笔记》十二卷，"皆康熙癸未、甲申二年所记，至乙酉而排纂成书。其曰'香祖'者，王象晋《群芳谱》曰：'江南以兰为香祖。'士禛盖取其祖之语，以名滋兰之室，因以名书也。是书体例与《居易录》同，亦多可采"。李慈铭《越缦堂读书记·香祖笔记》："王阮亭《香祖笔记》成于康熙癸未、甲申两年官刑部尚书时。所记自论诗外，可观者鲜。惟论陈子昂为唐室罪人一条，最为有识。其浅谬者，不特《四库提要》所驳强解特健药名义一条也。"

黄百家《黄竹农家慰饥草》一卷刊行，又名《学箕四稿》。据《贩书偶记续编》卷一四。

孙致弥编《词鹄初编》十五卷刊行，附宋张炎《乐府指迷》一卷。据《贩书偶记续编》卷二〇。

钟令嘉（女，1705—1774）生。令嘉字守箴，晚号甘荼老人，蒋士铨母。著有《柴车倦游集》二卷。事迹见《清代闺阁诗人征略》卷三。

范镐鼎卒，年八十。据邓之诚《清诗纪事初编》卷六。［按，范镐鼎，一作范鄗鼎］四库提要卷一八三：《五经堂文集》五卷《语录》一卷，"国朝范鄗鼎撰。鄗鼎有《理学备考》，已著录。是集皆各体杂文，本名《草草草》。卷首有鄗鼎自序，文格酷摹《尚书》。虽本之夏侯元《昆弟诰》，然未免太近游戏。末附《语录》一卷，乃其子翔搜辑诸刻书中鄗鼎评识之语，汇成一帙，因并梓之。实非鄗鼎自作，亦非门人所记也"。又，范弘嗣编《晋国垂棘》一卷、范鄗鼎编《续垂棘编》六卷《续垂棘编二集》十卷，康熙壬子至丙辰五经堂刊行；鄗鼎编《三晋诗选》十四卷《晋诗二集》十六卷，康熙戊午至壬戌五经堂刊行。据《贩书偶记续编》卷一九。

董大伦卒，年四十。据张慧剑《明清江苏文人年表》。［按，邓之诚《清诗纪事初

编》卷四谓其卒于康熙四十年（1701），年三十六］

宋实颖卒，年八十五。据吴荣光《中国古代名人生卒·历史大事年谱》。《国朝诗别裁集》卷六："既庭先生早得盛名，入都时，四方人士无不欲望见颜色，既为慎交社宗主，提唱后学，士林重之。尝作《黜朱梁纪年图》，学者服其议论之正。"录其《八月十八日观潮》一首。

释大汕约本年卒，年七十以上。据邓之诚《清诗纪事初编》卷三。大汕字石濂，嘉兴人，广东长寿寺僧。所著《海外纪事》六卷，四库提要著录。另有《离六堂集》十二卷、《离六堂二集》三卷、《潮行近草》三卷。《国朝诗别裁集》卷三二录其《访梅谷和尚不值宿南涧寺有怀》等诗三首。

公元 1706 年（康熙四十五年　丙戌）

正月

上元日，蒲松龄与亲友登黉山。有《上元与族兄亮、侄淳及儿孙筬、笏、筠辈登黉山》，见《聊斋诗集》卷四。

二月

初三日，赵吉士卒，年七十九。据朱彝尊《朝议大夫户科给事中降补国子监学正赵君墓志铭》（《曝书亭集》卷七七）。所著《续表忠记》八卷、《寄园寄所寄》十二卷、《万青阁全集》八卷、《林卧遥集》三卷等，四库提要著录。《国朝文汇》甲集卷九录其《守险分治永靖交山议》等文四篇。丁绍仪《听秋声馆词话》卷一〇《赵吉士词》："所著《万青阁词》，多侧艳体。"录其《登晋阳城楼·点绛唇》、《临洺关·偷声木兰花》、《甲寅元夕·浪淘沙》、《吴宫怀古·虞美人》、《冬夜宿北顶僧舍·相思引》等。

十五日，孔尚任与顾彩分韵赋诗。据《孔尚任诗文集》卷四《长留集·丙戌中春日偕弟侄饮洙园同顾天石分韵》。

十五日，蒲松龄自序《药祟书》。署"康熙四十五年二月十五日"（《蒲松龄集》）。《药祟书》今不传。据路大荒《蒲松龄年谱》。

会试。考官：吏部侍郎李录予、工部侍郎彭会淇。题"子曰不知命"全章，"唯天下至参矣"，"设为庠序"一节。据法式善《清秘述闻》卷三。

许廷录自序《两钟情》传奇。署"丙戌春仲，适斋自序"（《中国古典戏曲序跋汇编》卷一二）。是剧凡二卷三十出，演申纯、王娇娘事。

三月

初一日，符之恒（1706—1738）生。之恒字圣几，号南竹，仁和人。诸生。少从厉鹗游，与王曾祥、汪沆、张燼、杭世骏为"松里五子"。体素羸弱，为塞两老人望，力疾赴省闱试，竟以此不起。著有《秋声馆吟稿》。事迹见杭世骏《符南竹传》（《道古堂文集》卷三四）、王曾祥《符南竹权厝志铭》（《静便斋集》卷九）。

初三日，顾绍敏、朱彝尊等集王氏归田园。顾绍敏《修禊六章》小序："丙戌上巳，集王氏归田园，因仿《兰亭》四言，集右军叙字。同集者，秀水朱检讨竹垞先生、商丘宋公子微峰、昆山徐参议自强、主人兰圃父子。"（《国朝诗别裁集》卷二六）

[按，顾绍敏字嗣宗，江南长洲人。廪生。著有《陶斋诗钞》。《国朝诗别裁集》卷二六："嗣宗屡试南北闱，终于不遇，晚而著书自娱，亦足悲其志矣。诗自中唐以下，两宋、金源、元、明无不含咀采撷，汇而成家。平昔论诗，以情韵为上，风骨次之。故稿中诗品，亦恰如其议论。"录其《修禊六章》等诗十九首]

二十三日，圣祖御太和殿，传胪。赐一甲王云锦、吕葆中、贾国维进士及第，二甲俞兆晟、吴士玉、乔崇烈、沈翼机、嵇曾筠、宫鸿历、查嗣庭、郑任钥等进士出身，三甲余祖训（即余甸）、刘青藜、彭维新、李锺峨、方粲如、王思训、王苹、陈厚耀、王玮、段巘生等同进士出身。据《历科进士题名录》、《清通鉴》。

春

方苞与李塨再论格物不合。会试中式，以母病未与殿试。苏惇元《方望溪先生年谱》："春，至京师。遇李刚主于八里庄，再论格物不合。应礼部试，成进士第四名。总裁为大兴李公山公讳録予、溧阳彭公竹如讳会淇，房考为江都顾公书宣讳图河。届殿试，朝论翕然，推为第一人。而先生闻母疾，遽归，李文贞公驰使留之不得。过扬州，有盐商吴某求定明岁教其子，以百金为贽。及抵江南，总督、藩、臬公延先生主讲义学。先生乃返吴贽。吴曰：'非先生辞我，势不能也。贽者，见也。已见何返？'先生不可，三往返，卒还之。"

顾嗣立入试礼闱，又不第。因就拣选注册编纂之暇，与林佶、刘青藜、成文昭、蒋仁锡、吴陈琬、刘辉祖、李崶瑞、缪沅、郭元钎、庄楷、嘉定张大受、顾嗣协等为文酒之会，饮如长鲸，酒酣耳热，狂歌间作，见者谓为风流人豪。据顾嗣立《闾邱先生自订年谱》。

李天根等集惜字会，搜得断简残编。如是者数年。是为天根后来撰《爝火录》之原始资料。李天根《爝火录·引用书目》小序："忆自丙戌之春，同人集惜字会，以素纸刷印虫鱼草木花板，装订成本，请同人向街市村落，与妇人女子换夹针线破书。至岁终，检阅一过，凡学堂书及坊间印行者，付之一炬；间有稗官野史，弹词小说，因果谤揭，目所未经见者，无论钞本椠本，断简残编，有头无尾，古事今事，取文理通晓者录存之。如是者数年，共成千五百余种。又于书坊败纸中，搜得计六奇氏《南北略》草稿，亦残缺失次，涂乙勾补，字迹漫灭，卒难句读，取他书印证，以意会通，叙次成帙，而缺《南略》一卷至六卷。丁卯季秋……予因翻《明史》、《横云山人集》、《明纪纲目》，起自甲申，止于壬寅，编次成卷；复抽绎前所录群书，并向诸友人借抄秘本附丽之，凡七阅月而告竣。"

四月

戴名世会试被黜，遂自京师客吴门，操房书之选。据戴钧衡《南山先生年谱》、戴名世《丙戌南还日纪》(《戴名世集》卷一一)。

　　王士禛入住夫于草堂。王士禛自编、惠栋注补《渔洋山人自撰年谱》卷下："四月，往于兹山别业，憩夫于草堂。山有古夫于亭，取义于此，即陈仲子所居抑泉口也。是年得诗九十一篇，为《古夫于亭稿》。""山人既归里第，闭户著书，不以一字通朝贵。门无杂宾，惟与张萧亭实居、历友笃庆诸君，茗饮焚香，往来倡和，积成卷轴。明年五月，大名成周卜文昭较刊于京师之慈仁寺。"又，《古夫于亭杂录》当亦作于此际。四库提要卷一二三：《古夫于亭杂录》六卷，"士禛以康熙甲申罢刑部尚书里居，乙酉续成《香祖笔记》之后，复采掇闻见，以成此书。自序谓无凡例、无次第，故曰杂。以所居鱼子山有古夫于亭，因以为名。其中如据《西京杂记》钩弋夫人事以驳正史，则误采伪书。据《贵耳集》以王安石为秦王廷美后身，则轻信小说。……以张为为南唐人，以俞文豹为元人，亦失于考核。然如谓岳珂《桯史》之名出于李德裕，辨刘表碑非蔡邕作，辨帖黄今古不同……皆引据精核。品题诸诗，亦皆惬当。而记董文骥论拟李白孟浩然诗，记汪琬论新异字句，不讳所短，若预知其诗派流弊而防之者，可谓至公之论，异乎沾沾自护者矣"。

　　李光地充国史馆、典训馆、方略馆、一统志馆总裁。据李清植等《文贞公年谱》卷下。

五月

　　汪绎卒，年三十六。据朱彭寿《清代人物大事纪年》。《国朝诗别裁集》卷一八："诗切磋于邵陵。然邵陵真而近俚，殿撰则骨秀天成，禀诸性生，友朋莫易。"录其《新草》等诗十二首。《晚晴簃诗汇》卷五五录其诗九首。

　　李光地承修《朱子全书》。李清植等《文贞公年谱》卷下："始，都御史吴公涵承修是书，甫数月而吴公卒。值公入辅，因以命公。"又，订《榕村诗选》。《年谱》卷下："首摘体与《三百篇》相近者为古体诗一帙，继以自汉迄宋诸家之作。更欲选历代赋自屈子迄东坡为一帙以殿后，寄商那之意，竟未暇也。又以历代文编多有关于学术、经济者将欲精选一集，已命门人陈汝楫摘出四汉文目，亦未及竟绪。"

六月

　　郑梁取八年中所作诗文裒为《半人集》，以示一生绝笔，时年七十岁。据郑勋《诰授中宪大夫先寒村公年谱》。

夏

　　蒲松龄客济南。有《夏客稷门，僦居湖楼》诗，见《聊斋诗集》卷四。

　　孔尚任赴正定访知府刘中柱。刘大宴群僚，演出《桃花扇》。秋，返里。孔尚任《桃花扇传奇本末》："岁丙戌，予驱车恒山，过旧寅长刘雨峰，为郡太守。时群僚高谯，留予居宾座，观演《桃花扇》，凡两日，缠绵尽致。僚友知出予手也，争以杯酒为寿。予意有未惬者，呼其部头，即席指点焉。"（《中国古典戏曲序跋汇编》卷一二）[按，刘中柱此后事迹未详。《晚晴簃诗汇》卷三八录其诗四首]

八月

十二日，孙景烈（1706—1782）**生。** 景烈字孟扬、竞若，号酉峰，武功人。乾隆四年进士，改庶吉士，散馆授检讨。以言事忤旨放归，主讲关中、兰山书院。著有《四书讲义》、《关中书院课解》、《兰山书院课解》、《酉麓山房存稿》、《兹树堂存稿》、《可园草》、《邸封闻见录》等。事迹见张洲《征仕郎翰林院检讨孙先生景烈行状》（《碑传集》卷四八）、江藩《国朝宋学渊源记》卷上、《清史列传》本传、《清史稿》白奂彩传附。

九月

十五日，周篆卒，年六十五。 据周濂、周勉《草亭先生年谱》。蒋衡《草堂先生传》："学穷经史百子，凡兵农、礼乐、经纶、时务，以至天文、地舆、财赋、河渠、盐铁、选举，其见诸诗若文者莫不炳然有所发明。诗蹑盛唐，文追两汉，发皇昭越，自成一家，绝非规模李、杜，趋步马、班，而范晔、陈寿、王维、高适之伦，自瞠乎后矣。"（《年谱》卷首）仇兆鳌《草亭先生百六集序》："草亭既没，有子来叔不忍没其先人之志，出其书并诗文若干卷，向余问序，谋为之梓。余读而慨然曰：草亭之法韩、杜固矣，顾其平居论说，又尝先《风》、《雅》而后杜，先《左》、《史》而后韩，是草亭又舍韩、杜而《左》、《史》、《风》、《雅》是法也。要之挟有用之才，未尝一见诸行事，则不得不殚其志，穷其力，成一家之言以传后世。而所传者，又能出我之长，以争古人之长；审古人之法，以立我之法。何《风》、《雅》、《左》、《史》之难言，韩、杜之弗若，王、孟、欧、苏之足述哉！此草亭所为诗若文之道也，所谓诗若文之道而得其正者也。"（《国朝文汇》甲集卷三四）《国朝文汇》甲前集卷二〇录其《赵盾论》等文五篇。

驱逐秧歌妇女。 据孙丹书《定例成案合钞》卷二五《犯奸》（王利器《元明清三代禁毁小说戏曲史料》第一编）。

秋

顾嗣立有《秋查集》二卷。 据顾嗣立《闾邱先生自订年谱》。

十月

初一日，《全唐诗》九百卷在扬州刻成。 据曹寅等《进书表》（《全唐诗》卷首）。

十一月

初三日，曹庭枢（1706—1741）生。庭枢初名廷枢，字古谦，号六芝、谦斋，嘉善人。雍正元年副贡，乾隆元年应博学鸿词科报罢。著有《谦斋诗稿》二卷《补遗》一卷。事迹见四库提要卷一八五、《国朝诗别裁集》卷二七。

十二月

十二日，顾嗣立送兄顾嗣协赴广东新会县知县任。据顾嗣立《闾邱先生自订年谱》。

十六日，张凤孙（1707—1783）生。凤孙字少仪，青浦人。雍正十年、乾隆九年两中副榜。乾隆元年应博学鸿词科、十六年保举经学，皆报罢。历官贵州贵定知县、云南粮储道、刑部郎中。著有《宝田诗钞》。事迹见张慧剑《明清江苏文人年表》。〔按，生日据朱彭寿《清代人物大事纪年》〕

二十四日，申甫（1707—1778）生。甫字及甫，号笏山，江都人。乾隆元年应博学鸿词科不第。六年顺天乡试中式。由中书舍人官至都察院左都御史。著有《笏山诗集》十卷。事迹见王昶《都察院左副都御史申君墓志铭》（《春融堂集》卷五六）。〔按，生日据朱彭寿《清代人物大事纪年》〕

冬

储欣卒，年七十六。据《在陆草堂文集》卷首储掌文识语、储大文《在陆先生传》。四库提要卷一八四：《在陆草堂集》六卷，"国朝储欣撰。欣有《春秋指掌》，已著录。欣以制艺名于时。而古文亦谨洁明畅，有唐、宋家法，大致于苏轼为近。所作《蜀山东坡书院记》，宗旨可概见也。其中如《周公太公论》、《挞伯禽辨》、《挟天子辨》，皆少近迂。《与龄辨》则先儒久言之，亦不免为屋下之屋。其《正统辨》不取帝蜀之说，亦不免失之好辨也"。是书雍正元年淑慎堂刊行。据《贩书偶记续编》附录。《国朝文汇》甲集卷三七录其《挟天子辨》等文七篇。

本年

顾嗣立、陈鹏年、嘉定张大受等在四朝诗馆供职，时相唱和。顾嗣立《闾邱先生自订年谱》："夏五月，湘潭陈北溟鹏年自江宁太守落职，奉命至四朝诗馆，相得欢甚，与张孝廉日容尤为相契。而总裁吴颖山昺、陈芝泉、陈锺庭璋诸先生皆以余凤负诗名，每事虚心下问，其发凡、起例、分门、别类、编纂之事，悉以相委。余亦晨入暮归，摊书满案，丹黄甲乙，寒暑不暇。与同事诸公才长者进之，不及者容之。故皆谅余朴诚，同心并力，交好无间。每逢花晨月夕，各出杖头，宴集怡园，赋诗饮酒，率以为常。是时商丘中丞内擢太宰来都，辄邀故旧数人寓斋雅集，或携壶挈榼至龙泉、圣安、崇效诸寺、樵沙道院、风氏园古松下，分韵赋诗。文酒之会，友朋之聚，未有盛于此时者也。"

储掌文补博士弟子员，旋晋廪膳。据储樵等《先府君云溪公行状》（《云溪文集》附录）。

顾图河提督湖广通省学院。据《四库全书·湖广通志》卷二九。

高其倬授右中允，寻转左。据《钦定八旗通志》卷一九二。

严虞惇转大理寺寺副。据杨绳武《皇清诰授中宪大夫太仆寺少卿严思庵先生墓表》（《严太仆先生集》附录）。

李光坡入都，与其兄光地讲贯。《清史稿》本传："光坡家居不仁，康熙四十五年，入都，与其兄光地讲贯。著《性论》三篇，辨论理气先后动静，以订近儒之差。及归，光地贻以诗曰：'后生茂起须家法，我老栖迟望子传。'其惓惓于光坡如此。光地尝论东吴顾炎武与光坡皆数十年用心经学，精勤不辍，卓然可以传于后云。"

沈德潜馆尤珍家。《沈归愚自订年谱》："馆沧湄先生家，课徒暇讲求声律。予诗成，先生必指瑕赏瑜；先生诗成，亦邀予评定。一字未安辄〔辄〕改，前辈中无此虚怀也。"

张笃庆应郎廷槐之聘客新城。张笃庆《厚斋自著年谱》："是年应新城郎梅溪大令聘，为其诸子授经。上元前入斋。二十日余初度，渔洋先生见招雅集。""自乙酉后绝意进取，弃去帖括业，唯游心诗文歌辞。自渔洋先生甲申归田后，余尚未得趋晤。兹岁之行，大抵意在琅邪故也。自后岁时佳节，每见招宴游，游必有诗，倍极唱酬赠答之乐。故是岁诗文数倍于往年，以其际遇佳人地胜也。"王士禛《渔洋诗话》卷下："（笃庆）丙戌客新城，与余倡和不下数十首。"又，郎廷槐以学诗所疑质于王士禛、张笃庆及张实居，成《师友诗传录》一卷。《师友诗传录》一卷（郎廷槐编）《续录》一卷（刘大勤编），四库全书收录。

临清汪灏任河南巡抚。据《四库全书·河南通志》卷三五。

王汝骧任新津县知县。据《四库全书·四川通志》卷三一。

朱樟捧檄入蜀，由吴越涉江淮，历梁宋，逾秦凤，迄于剑南，纪行之诗为《叱驭集》。据石为崧《题辞》（《观树堂诗集·叱驭集》卷首）。

熊赐履以年老辞官还金陵，时年七十二岁。据孔继涵《经筵讲官太子太保东阁大学士兼吏部尚书熊文端公年谱》（《杂体文稿》卷七）。

裘琏春客蛟川。夏游赤城，冬归。据裘姚崇《慈溪裘蔗村太史年谱》。

陈兆崙从舅氏沈烺受学，时年七岁。兆崙（1700—1771）字星斋，号句山，钱塘人。雍正八年进士。历官福建鳌峰书院山长、内阁中书、检讨、左中允、侍讲学士、顺天府尹、太常寺卿、太仆寺卿。著有《紫竹山房诗文集》三十二卷。事迹见陈玉绳《陈句山先生年谱》、《清史列传》本传、《清史稿》齐召南传附。

陆凤池归曹一士，凤池时年二十七岁。据曹一士《先继室陆氏事略》（《四焉斋文集》卷八）。

《御定佩文斋咏物诗选》成书。是书凡四百八十六卷。据四库提要卷一九〇。

《御定历代赋汇》成书。据四库提要卷一九〇。法式善《陶庐杂录》卷一："《赋汇》一百四十卷、《外集》二十卷、《逸句》二卷、《补遗》二十二卷。康熙四十五年御定。上起周秦，下迄明季。正集三十类，三千四十二篇。外集八类，四百二十三篇。

逸句一百一十七篇。补遗三百六十九篇，附逸句五十篇。自此书出，《赋苑》、《赋格》，均不足言矣。"

查慎行《甘雨集》为五月至九月诗、《西阡集》为十月至十二月诗。见《敬业堂诗集》卷三三、三四。

张琳《秋叶轩诗》成书。四库提要卷一八四：《秋叶轩诗》四卷，"国朝张琳撰。琳字佩嘉，一字玉田，钱塘人。是集乃康熙丙戌其友赵炎所选定。集中近体多于古体，而七言律诗一种又多于诸体。大抵圆熟流利，篇篇如一。盖其瓣香惟在《剑南》一集耳"。

朱缃为《聊斋志异》题七绝三首。署"丙戌橡村居士题于济上"（《铸雪斋钞本聊斋志异》卷首）。

曹寅在扬州刻所辑《楝亭十二种》。据张慧剑《明清江苏文人年表》。

宋永清撰、张锡三评点《溪翁诗草》无卷数刊行。又有康熙庚寅刊本，无张锡三评点。据《贩书偶记》卷一四。

孔传铎《申椒集》二卷刊行。据《贩书偶记》卷一四。

孔传鋕《补闲集》二卷、《清涛词》二卷刊行。据《贩书偶记》卷一四、卷二〇。

郎廷槐《江湖夜雨集》四卷（王士禛批点）萝筵斋刊行。据《贩书偶记续编》卷一四。法式善《八旗诗话》四九："郎廷槐字梅溪，汉军人。官山东新城知县。有《江湖夜雨集》。改官新城，适值渔洋解组，时过从池北书库，凡有撰著，渔洋亲为丹铅。目染耳濡，臻精诣。《诗问》十九则，官新城时所辑。诗论精切，言近旨远，渔洋一生得力，具见于兹，可谓该而当矣。是集亦经渔洋点定，俗调曼声，淘汰殆尽。朱竹垞亦谓其善学渔洋，盖所取者神明，于离处见其合也。"

程镳《蟾宫操》传奇刊行。程镳《蟾宫操传奇纪梦》云："丙戌游粤西，遂梓于白州官署，令十二红演扮云。瀛鹤偶识。"（《中国古典戏曲序跋汇编》卷一二）是剧作于康熙三十九年，凡三十二出，演荀鹤、宓瑶华事。

佚名《珊瑚帔》传奇今所存缀玉轩钞本系据本年钞本过录。是剧未见著录，凡二卷二十六出，演夏时少康身世。据《古本戏曲剧目提要》。

江昱（1706—1775）生。昱字宾谷，号松泉，江都人。诸生。尤精于《书》，袁枚目为"经痴"。著有《尚书私学》四卷、《韵岐》四卷、《潇湘听雨录》八卷、《松泉诗集》六卷（以上四种四库提要著录）。事迹见蒋士铨《江松泉传》（《忠雅堂文集》卷四）、江藩《国朝汉学师承记》卷七、《清史列传》本传。

王又曾（1706—1762）生。又曾字受铭，号谷原，秀水人。乾隆十六年召试举人，授内阁中书。十九年成进士，授刑部主事。乞告归，漂泊江湖间，大吏争相延揽。著有《丁辛老屋集》。事迹见《清史列传》郑虎文传附、《清史稿》本传。

牛运震（1706—1758）生。运震字阶平，号空山，滋阳人。雍正十一年进士。乾隆元年试博学鸿词不遇。寻授甘肃秦安知县，在任八年。兼摄徽县，又摄两当县，后调平番。为忌者劾罢。贫不能归，留主皋兰书院。著有《空山堂全集》。事迹见孙星衍《清故赐进士出身荐举博学宏词平番县知县牛君墓表》（《岱南阁集》卷二）、《清史列传》本传、《清史稿》本传。

吴爔文（1706—1769）生。爔文字璞存，号朴庭，山阴人。诸生。八应乡试而不售。先后游商盘、朱一蜚、严遂成诸人幕。著有《朴庭诗稿》十卷。事迹见蒋士铨《朴庭先生传》（《忠雅堂文集》卷三）。

陈皋（1706—1774）生。皋字江皋，号对鸥，钱塘人。贡生。先后馆天津查氏水西庄、扬州马氏玉山堂。在扬州与兄章有"陈氏二难"之目。著有《吾尽吾意斋诗文集》。事迹见汪沆《陈皋家传》（《中华大典·明清文学分典》）。

梁善长（1706—?）生。据江庆柏《清代人物生卒年表》。善长字崇一，号鉴塘，顺德人。乾隆四年进士。历官陕西白水、蒲城知县，福建建宁府同知。著有《鉴塘诗钞》，辑有《广东诗粹》。事迹见《国朝诗人征略》初编卷三一。《晚晴簃诗汇》卷七五录其诗二首。

仝轨卒，年五十九。据《中国文学家大辞典》清代卷。《真志堂诗集》五卷乾隆十一年尊经阁刊行。据《贩书偶记》卷一五。《晚晴簃诗汇》卷五六录其诗十八首。

吴暻卒，年四十五。据张慧剑《明清江苏文人年表》。[按，邓之诚《清诗纪事初编》卷三谓其卒年四十六]《晚晴簃诗汇》卷四九："沈归愚曰：西斋为梅村令嗣，工于诗笔。近体清稳，尤称雅音。"录其诗七首。

顾图河卒，年五十二。据查慎行《闻同年顾书宣前辈湖广讣音，怆怀今昔，成五十韵》（《敬业堂诗集》卷三三）、刘青藜《顾翰林公传》（《碑传集补》卷八）。刘青藜《传》云："公自幼嗜学，浸润醲郁，大放厥辞，硬语盘空，妥帖排奡，直摩昌黎之垒；而骈体精丽，又兼鲍、庾之长。"郑方坤《雄雉斋诗钞小传》："太史读书等身，尤娴群雅，丽句清词。少作已籍甚人口，既尽举而焚之，乃独以恢奇奥衍、盘礴不羁之词与当代名流相追逐。史蕉饮黄门尝谓：'顾子胸中有万卷书，此即目未见汉、魏、唐、宋来诗一字，但略知体制、声病，以意为之，亦当妙绝时人。盖非于诗中得诗，而于经史百家之言得诗也。'其倾写之诚如此。二公同里闬，以诗学相切劘，一时有二妙之目。然黄门细腻，而太史较雄肆。"（《碑传集补》卷八）《国朝诗别裁集》卷一七："太史韵语都从性灵流出，无一言依傍。鄙意深喜，但所得诗只二卷，未见全帙。"录其《摄生》等诗六首。

褚人获尚在世。据《坚瓠秘集》卷三《圣殿螟蚣》所记为本年事。又，据何龄修《五库斋清史丛稿·褚人获的生平和著作》（学苑出版社2004年），褚人获生于崇祯八年（1635），则其享寿在七十二岁以上。

公元1707年（康熙四十六年　丁亥）

二月

初三日，**朱缃卒**，年三十八。据王士禛《候补主事子青朱君墓志铭》（《广清碑传集》卷六）。四库提要卷一八四：《橡村集》四卷，"国朝朱缃撰。缃字子青，号橡村，历城人。候补主事。尝学诗于王士禛，所作具有法程。而早年夭逝，故骨格未成。是集分四种：曰《风香集》，曰《吴船书屋集》，曰《观稼楼诗》，曰《云根清壑集》。自《吴船书屋》以下，皆士禛之所评定也"。《晚晴簃诗汇》卷三八录其诗三首。又，朱绹、朱绛、朱纲兄弟有合集《棣华书屋近刻》。四库提要卷一八四：《棣华书屋近刻》四卷，"国朝历城朱绹、朱绛、朱纲兄弟三人之合集也。绹有《橡村集》，纲有《苍雪山房稿》，皆已著录。绛字子桓。由贡生官至广东布政使。此集凡绹《岭南草》一卷、《端江集》一卷，乃其省亲粤东时作；绛《岭南草》一卷，盖与绹同行所作；纲《济南草》一卷，中有《闻二兄自粤北归》诗，盖与绹、绛《岭南》诗同时所作，故合刊云"。

朱泽沄游蒙山。据《国朝文汇》甲集卷五五《游蒙山记》。

春

圣祖南巡。黄之隽集唐诗九十首，欲献未果。据黄之隽《冬录》（《唐堂集》附录）。又，楼俨献《织具图》诗词，钦擢第一。据《国朝诗人征略》初编卷二三引《金华诗录》。

裘琏过郑梁家，为序《寒村集》，作《大椿堂记》。三月客西泠。据裘姚崇《慈溪裘蔗村太史年谱》。

徐釚谋刊沈璟《古今词谱》。朱彝尊借归雠勘，作书后议其疵误。据《曝书亭集》卷四三《书沈氏古今词谱后》。

四月

李光地校刻《韩文考异》。据李清植等《文贞公年谱》卷下。

五月

十八日，陈道（1707—1760）**生**。道字绍洙，号凝斋，新城人。乾隆十三年进士。归班选知县，例赠中宪大夫，以亲老不仕。著有《凝斋遗集》八卷。事迹见鲁仕骥《陈先生道行状》（《碑传集》卷一四〇）、恽敬《赠光禄大夫陈公神道碑铭》（《大云山房文稿二集》卷四）、《清史列传》黄永年传附。

金德嘉卒，年七十八。据《居业斋诗钞》卷末其子启汾识语、邓之诚《清诗纪事初编》卷八。《居业斋诗钞》二十二卷《文稿》十六卷康熙五十八年刊行。据《贩书偶记续编》卷一四。李祖陶《国朝文录·居业堂文录引》："大略直抒胸臆，磊落明明，一片深心托于豪素，凡所谈吐，皆与人心世道相关。而格意高简，有余不尽，不务穷笔，力之所至，以自骋其才。故闳肆赡博虽逊国初诸家，要之矩矱先民，有典有则，渟涵兴象，不滥不支，固非近世涨墨虚锋以为豪，及一切掊摭丛碎以为富者之可比也。"《清史列传》本传："所为文磊磊落落，直抒胸臆。时同郡顾景星、张仁熙、刘醇骥为文往往追摹秦、汉，宗尚王、李，譬归有光为秀才婉媚。德嘉独不为高论，力主韩、欧，存先民矩矱。诗力追三唐而出之浑脱，陈维崧亟称之。"《国朝诗别裁集》卷一三录其《得张师石书却寄》诗一首。《晚晴簃诗汇》卷四八录其诗八首。《国朝文汇》甲集卷三三录其《夏忠靖公遗集序》等文八篇。

六月

二十二日，康乃心卒，年六十五。据康纬《莘野先生年谱》。嘉定张大受《康太乙先生墓表碑》："生平所为文章无不慷慨远怀，读之兴起。而《题秦庄襄王墓》诗尤为新城尚书王渔洋先生所惊叹。"（《年谱》附录）杨际昌《国朝诗话》卷二："'国庙衣冠此内藏，野花岁岁上陵香。邯郸鼓瑟应如旧，赢得佳儿毕六王。'康孟谋乃心《题庄襄王墓》诗也，盛为新城所称，有'关中三李，不如一康'之目。三李，天生太史，其一也。康、李轩轾，恐难遽定。此诗固瓣香新城者，宜为欣赏。"沈德潜等《国朝诗别裁集》卷二二："王新城尚书登慈恩寺塔，见康孟谋《题庄襄王墓》诗于壁云……大加称赏。入都为众卿道之，一时名满辇下。此新城欲扬其名，诗恐未副实也。兹特取送人作令一律，而前辈爱才之意，仍表而出之。"录其《送李虞臣任宝昌令》诗一首。《国朝文汇》甲集卷四〇录其《路东山遗诗序》等文七篇。

夏

汪士铉赴京。升右春坊右中允兼翰林院编修，充日讲官起居注。未几，转左。据沈彤《右春坊右中允汪先生行状》（《果堂集》卷一一）。

八月

熊赐履《闲道堂集》九卷成书。据朱彭寿《清代人物大事纪年》。

九月

十五日，曹寅作《题玉峰相国感蝗赋后》。署"丁亥九月十五仪真县西轩敬读拜手题"。见《楝亭集·楝亭文钞》。

既望，王源序梁份《怀葛堂文集》。署"丁亥九月既望，北平同学弟王源撰"。序云："予自幼受知魏先生，先生序余文，尝期以邓仲华、周公瑾。乃今四十余年，而余与质人俱落拓京师，穷且老依人。故老凋丧已尽，行辈存者无二三。怅怅然白头相对，俛仰一无可为。世情变益荒奇，非复人所料。时时握手，悲歡泣下。为文章呼抢天地，或痛饮酒，慷慨笑骂古今相娱乐。而质人之文，益复沈郁炫烂，如千金之璞，川谷潴衍。因出其生平之文使予序。予窃以质人阅历深矣：燕、赵、秦、晋、吴、楚、齐、魏之墟，西尽武威、张掖，南极滇、黔，迹之所及者广矣；山川形势、近代兴亡成败、荒遐轶事，得诸见闻者多矣；天地之气之不可知者，亦既穷其变，极其致。故其为文，莫不足以砥頹靡、昭轨物而维世运，斯文之绪之不坠，其在是欤？"（《怀葛堂文集》卷首）《怀葛堂集》无卷数本年本宅刊行。据《贩书偶记续编》附录。四库提要卷一八二：《怀葛堂文集》十五卷，"国朝梁份撰。份字质人，南丰人。尝学于宁都魏禧，得其文律。是集前十四卷为杂文，末一卷为诗十二首，《漫游杂录》十一条"。

秋

朱彝尊、查嗣瑮、蔡望、方世举、唐绍祖等集扬州平山堂，彝尊以诗送诸人入都。据《曝书亭集》卷二二《雨集平山送查编修嗣瑮、蔡舍人望、方上舍世举、唐明府绍祖入都二十韵》。

裘琏至当湖，上书高巽亭。据裘姚崇《慈溪裘蔗村太史年谱》。

孔尚任赴平阳府。应知府刘棨之邀修《平阳府志》，明年仲春修成。在平阳期间，与吴青霞、刘岩遇等时相唱和。据《除夕平阳署馆同吴青霞、刘岩遇、弟佃野分韵》、《二月朔日同吴青霞、刘岩遇游龙子祠分韵》、《平阳署中同吴青霞、刘岩遇、弟佃野夜集即景和苏诗二月三日点灯会客韵四首》、《平阳春夜官署西堂同刘岩遇、吴青霞、高大立、钱蔗山限韵》等诗，见《孔尚任诗文集》卷四《长留集》。又作有《清音亭记》、《山依亭记》等，见《孔尚任诗文集》卷六。

十月

李来章序释成鹜诗。署"时康熙丁亥冬十月朔日，中州礼山李来章撰"（《咸陟堂诗集》卷首）。

十一月

英廉（1707—1783）生。英廉姓冯氏，字计六，号梦堂，汉军镶黄旗人。雍正十年举人。自笔帖式授内务府主事，累迁至直隶总督、东阁大学士。谥文肃。著有《梦堂诗稿》。事迹见钱载《梦堂诗老传》（《箨石斋文集》卷一二）、《国朝耆献类征初编》卷二四、《清史稿》本传。

十二月

二十一日，查昇卒，年五十八。据沈廷芳《通奉大夫日讲官起居注詹事府少詹事兼翰林院侍讲学士加三级查公行状》（《隐拙斋集》卷四九）。方苞《詹事府少詹事兼翰林院侍讲学士查公墓表》："声山以诗、词、书法、四六名，然古之人弗重也，故为《揭时论》。"（《方苞集》卷一二）《国朝诗别裁集》卷一七："宫詹书法得董文敏之神，入直南书房时圣祖屡称赏之。"录其《访吴采山不值》等诗四首。《晚晴簃诗汇》卷四九录其诗二首。

王九龄擢都察院左都御史。据许汝霖《总宪王薛澂墓志铭》（《德星堂文集》卷四）。

陆奎勋丙戌三月至本月诗为《洛如诗钞》。小序云："甲子、乙丑间，先叔阁学公里居，与李辰三、孙啸天辈著有《当湖唱和集》。荏苒二十年，湖中风雅顿觉寂寥。偕伯机侄为洛如诗会，凡二载，汇录成帙，正之竹垞太史，选刊《诗钞》六卷，风行一时。拙集仍存此名，所以志宾朋觞咏之乐，平生不可多得也。"（《陆堂诗集》卷七）

冬

戴名世《四书朱子大全》告成。据戴钧衡《南山先生年谱》。

本年

沈德潜、徐蒙、陈睿思、张锡祚等结城南诗社。《沈归愚自订年谱》："予与张子岳未、徐子龙友、陈子匡九睿思、张子永夫锡祚结城南诗社。每课五题：古体五言七言各一，律体五言七言各一，绝句一，或五言或七言。面成一诗，余俱补成。一月一举，社中序齿批阅。匡九尝谓己诗如南粤赵佗，独霸一方，不奉朝请；龙友诗如孙策用兵，几同项羽，但恐中道摧折；永夫诗如残雪在岭，孤鹤唳空；岳未诗如金碧楼台，无问贤愚，咸思登眺；谓予诗如文叔用兵，遇小敌怯，遇大敌勇。闻其谈谐，一座笑乐。"

［按，张锡祚字永夫，吴县人。布衣。卒年五十二。事迹见庞树柏《张永夫先生传》（《碑传集补》卷三七）。《传》云："所为诗自题曰《锄茅集》。横山先生曰：不独锄蹊间之茅，可以锄天下之茅矣。"《国朝诗别裁集》卷二五："永夫野居南园，后迁木渎之下沙，三旬九食，经年卧病，居半以药石为饔飧也。诗初以生新为宗，能盘硬语，后一归平澹，在韦左司、柳柳州之间。年五十余，穷饿以卒。葬灵岩山麓，碣曰'诗人张永夫墓'。好事者每携酒酹之。"录其《编篱》等诗十五首。《晚晴簃诗汇》卷八六录其诗四首］

宜兴复举荆南社。储樵等《先府君云溪公行状》："是岁，吾邑复举荆南社，与吴阊金沙相应和。社中多耆英老宿，先祖梅隐公实执牛耳。而为之甲者，虞庠阆宾张先生、孝廉绍濂周先生、太史谷川吴先生，所称荆南三子者。是府君时以少年驰骋其中，声望雅与之并。"（《云溪文集》附录）

戴名世春夏仍客吴门，秋客江都，又客淮上，又客南陵。据戴钧衡《南山先生年谱》。

金农客苏州，读书何焯家。据张慧剑《明清江苏文人年表》。

徐兰归里展墓。王应奎《柳南随笔》卷一："芬若自少流落都下，数十年中仅一归展墓。""其归而展墓也，在康熙四十六年。""未几仍入都，嗣后不复归里。"

王士禛居里中，拒领赈粮。据王士禛自编、惠栋注补《渔洋山人自撰年谱》卷下。

刘青霞食廪饩，时年已四十八岁。据刘青莲《从兄啸林事略》（《慎独轩文集》卷首）。

高其倬迁侍讲。据《钦定八旗通志》卷一九二。

邱嘉穗任归善知县。据《四库全书·广东通志》卷二九。

《御定题画诗》成书。是书凡一百二十卷，集中所录，凡诗八千九百六十二首，分为三十门。据四库提要卷一九〇。

《御定历代诗余》成书。四库提要卷一九九：《御定历代诗余》一百二十卷，"康熙四十六年圣祖仁皇帝御定。所录词自唐至明凡一千五百四十调，九千余首，厘为一百卷。又《词人姓氏》十卷，《词话》十卷"。

《佩文斋广群芳谱》成书。王士禛自编、惠栋注补《渔洋山人自撰年谱》卷下：

"先祖方伯赠尚书公著《群芳谱》，刻于虞山毛氏汲古阁，流传已久。康熙四十四年，奉旨开馆广续，命编修臣汪灏等四人为纂修官。至四十六年告成，凡一百卷，赐名《佩文斋广群芳谱》。"

顾嗣立有《双井书屋集》三卷。［按，嗣立于去年八月初一日移寓双井书屋］据顾嗣立《闾邱先生自订年谱》。

查慎行《迎銮集》为本年诗。见《敬业堂诗集》卷三四。

彭定求乙酉至本年诗为《南畇续稿》五卷。据彭定求《南畇续稿序》（《南畇文稿》卷一）。

冷士嵋续定所作诗为《绪风吟》。据张慧剑《明清江苏文人年表》。

蒲松龄《夏雪》、《化男》记本年事。此二篇为《聊斋志异》中最晚之作品，蒲松龄时年六十八岁。又，《抄书成，适家送故袍至，作此寄诸儿》："满院风霜日影寒，朝来薄饮意阑珊。衣烦爱惜身为用，书到集成梦始安。生苦文章为障孽，老于橘柚识甘酸。儿童应念贫中福，坐对蓬窗受亦难。"（《聊斋诗集续录》）［按，此诗路大荒编《聊斋诗集》列入《续录》，以难系年；殷孟伦、袁世硕《聊斋诗词选》则以为作于本年］

顾彩撰、孔传铎、传鋕同选《往深斋诗集》八卷刊行。据《贩书偶记》卷一四。

汪森《小方壶存稿》十八卷刊行。汪森又有《裘杼楼诗稿》六卷，康熙间刊行。据《贩书偶记》卷一四。

张潮刻所编《奚囊寸锦》，时年五十八岁。此后事迹未详。据张慧剑《明清江苏文人年表》。一说张潮卒于康熙四十八年（1709）。见李梦生《中国禁毁小说百话·虞初新志》。

徐德音（女）《绿净轩诗钞》五卷刊行。据《贩书偶记》卷一八。

汪师韩（1707—1780）生。师韩字抒怀，号韩门，又号上湖，钱塘人。雍正十一年进士，改庶吉士，散馆授编修。后官湖南学政。晚年主讲保定莲池书院。著有《上湖纪岁诗编》四卷、《上湖诗纪续编》一卷、《上湖分类文编》十卷、《上湖文编补钞》二卷、《诗学纂闻》一卷。事迹见自编《上湖纪岁诗编》、《杭州府志·汪师韩传》（《碑传集补》卷八）、《清史列传》本传。

蔡新（1707—1799）生。新字次明，号葛山、辑斋（一作缉斋），漳浦人，世远族子。乾隆元年进士，选庶吉士，授编修。官至文华殿大学士兼吏部尚书。谥文恭。著有《辑斋文集》八卷附录二卷、《诗稿》八卷首一卷。事迹见《清史列传》本传、《清史稿》本传。

范泰恒（1707—1775）生。泰恒字无厓，河内人。乾隆十年进士，改庶吉士。外补崇义县知县。著有《燕川集》。事迹见四库提要卷一八五。

史承谦（1707—1756）生。承谦字位存，号兰浦，荆溪人。诸生。著有《小眠斋词》四卷。事迹见《小眠斋词》万之蘅序、储国钧序、史承豫序。

任曾贻（1707—？）生。据严迪昌《清词史》第三编第二章。曾贻字淡存（一作淡岑），荆溪人。诸生。著有《矜秋阁词》。冯金伯《词苑萃编》卷八《任淡岑词》引储长源云："任淡岑曾贻词，删削靡曼，独抒性灵，于宋人不沾沾袭其面貌，而能吸其神髓。一语之工，令人寻味无穷。"

李海观（1707—1790）生。海观字孔堂，号绿园，别署碧圃老人。祖居新安，迁于宝丰。乾隆元年恩科举人，三与会试不第。舟车海内宦游几二十年。乾隆三十七年任贵州印江知县，次年告归。子蘧官御史，迎养京邸。卒年八十四。著有《绿园文集》不分卷（佚）、《绿园诗钞》四卷（存有残本）、《拾捃录》十二卷（佚）、《家训谆言》一卷、《歧路灯》一百八回（此回数据栾星考）。事迹见栾星编《歧路灯研究资料》。

陈珮（女，1707—1728）生。珮字怀玉，天长人，江昱室。著有《闺房集》一卷。事迹见江昱《亡妻陈君墓碣》（《闺房集》附录）。

朱书卒，年五十四。据蔡心寰《朱书年谱》（《朱书集》附录）。[按，《疑年录汇编》卷一〇谓其本年卒，年五十一，误]《杜溪文稿》四卷附《白柴古文稿》一卷乾隆元年梨云阁刊行，《朱子绿古文钞》三卷嘉庆间刊行，《杜溪先生文集》十二卷道光间重刊，《杜溪集》七卷《游历记存》一卷光绪癸巳重刊。据《贩书偶记》卷一四。方苞《朱字绿墓表》："字绿强记，文章雄健，尤熟于有明遗事，抵掌论述，不遗名地。"《朱字绿文稿序》："字绿自订其时文百三十篇，属序于余。因念与字绿为交之始末，而历其进学之难易；而又以叹夫治道术者，苟毋怠而止，皆可以造其极，而世之不能尽其才者，众也。"（《方苞集集外文》卷四）王源《朱字绿诗序》："（其诗）得昌黎之骨，而烹炼之工，直追颜、谢。至序事之妙，尤卓然迥出流辈上。""其古文取法眉山，峥嵘有气势。"（《居业堂文集》卷一四）《国朝文汇》甲集卷四二录其《答王昆绳书》等文两篇。

邵陵卒，年六十五。据邓之诚《清诗纪事初编》卷一。《国朝诗别裁集》卷二五："青门诗以流易为工，不出眼前景、口头语，自能奕奕动人。然一时宗其说者，每流入打油钉铰一派，去风雅远矣。所存一章，殊有生趣。"录其《江天寺》诗一首。《晚晴簃诗汇》卷六三录其诗三首。

公元 1708 年（康熙四十七年　戊子）

二月

十五日，蒲松龄赴济南。时值雨后，道路泥滑，乃作《钝蹇行》。见《聊斋诗集》卷四。

陈见智序孔贞瑄《聊园诗略》十三卷。署"康熙戊子仲春□□同学里人陈见智力庵题"（《聊园诗略》卷首）。是书本年刊行，题孔贞瑄著，王士禛、田雯鉴定，孔尚任订，陈见智评选。

朱彝尊自编《曝书亭集》八十卷成书。潘耒序署"康熙戊子仲春，吴江潘耒序"（《曝书亭集》卷首）。

戴名世《四书朱子大全》刊行。序见《戴名世集》卷三。

三月

汪晋征编定《双溪草堂诗集》。自撰《题辞》署"康熙四十七年季春，汪晋征涵斋书"（《双溪草堂诗集》卷首）。四库提要卷一八三：《双溪草堂诗集》一卷附《游西山诗》一卷，"国朝王晋征撰。晋征字涵斋，休宁人。康熙己未进士。官至户部侍郎。是集为晋征所自定，以编年为次，始于康熙癸丑，终于戊子"。［按，王晋征，进士题名碑作汪晋征］

孔尚任《桃花扇》传奇初次刊行。孔尚任为刻本撰写《小识》、《本末》诸文。《小识》云："传奇者，传其事之奇焉者也，事不奇则不传。《桃花扇》何奇乎？妓女之扇也，荡子之题也，游客之画也，皆事之鄙焉者也；为悦己容，甘辱面以誓志，亦事之细焉者也；宜其相谴，借血点而染花，亦事之轻焉者也；私物表情，密痕寄信，又事之猥亵而不足道者也。桃花扇何奇乎？其不奇而奇者，扇面之桃花也；桃花者，美人之血痕也；血痕者，守贞待字，碎首淋漓不肯辱于权奸者也；权奸者，魏阉之余孽也；余孽者，进声色，罗货利，结党复仇，隳三百年之帝基者也。帝基不存，权奸安在？惟美人之血痕，扇面之桃花，啧啧在口，历历在目，此则事之不奇而奇，不必传而可传者也。人面耶？桃花耶？虽历千百春，艳红相映，问种桃之道士，且不知归何处矣。康熙戊子三月，云亭山人漫书。"《本末》云："《桃花扇》钞本久而漫灭，几不可识。津门佟蔗村者，诗人也。与粤东屈翁山善。翁山之遗孤，育于其家，佟为谋婚产，无异己子，世多义之。薄游东鲁，过予舍，索钞本读之，才数行，击节叫绝。倾囊橐五十金，付之梓人。计其竣工也，尚难于百里之半，灾梨真非易事也。云亭山人漫述。"（《中国古典戏曲序跋汇编》卷一二）

顾彩《南桃花扇》当作于此前。孔尚任《桃花扇传奇本末》："顾子天石，读予《桃花扇》，引而申之，改为《南桃花扇》。令生旦当场团圆，以快观者之目。其词华精警，追步临川。虽补予之不逮，未免形予伧父，予敢不避席乎？"（《中国古典戏曲序跋汇编》卷一二）庄一拂《古典戏曲存目汇考》卷一一：《南桃花扇》，"《曲录》著录。《曲录》据《传奇汇考》著录……《见山楼丛话》云：曲阜孔尚任作《桃花扇》传奇，无锡顾彩又作《南桃花扇》，所衍亦侯朝宗事。尚任以张薇出家白云庵，为侯、李说法，二人醒悟修行，分往南、北二山结局。此改朝宗挈姬北归，白头偕老云。《曲海总目提要》亦有此本，谓剧中诸人姓名履历俱真，关目事迹，则颇多纽合添饰"。

纪炅卒，年八十四。据《四家诗钞·桂山堂诗钞》卷首、陈仪《纪征君传》卷七《怡园六老雅会即事》小序。

闰三月

二十五日，窦克勤卒，年五十六。据汤右曾《征仕郎翰林院检讨静庵窦公墓志铭》（《碑传集》卷四六）、方苞《翰林院检讨窦君墓表》（《方苞集》卷一三）。《窦静庵先生遗书》康熙间朱阳窦氏刊行。据《中国丛书综录》。《晚晴簃诗汇》卷四九录其诗二首。

春

查慎行以康熙四十五年九月乞假归葬，今春始入都。据陈敬璋《查他山先生年谱》。朱彝尊为之送行。杨谦《朱竹垞先生年谱》："春，送查编修慎行入都。先生送至杉青牐，值风雨交作，诵'无将故人酒，不敌石尤风'二语送别。"

沈德潜游邓尉、铜井、西碛诸山，至渔洋山乃归。据《沈归愚自订年谱》、《游渔洋山记》（《归愚文钞》卷九）。

裘琏入天童。三月游奉川。据裘姚崇《慈溪裘蔗村太史年谱》。

史申义自定庚辰以后诗为《过江集》四卷。卷首陈廷敬序署"康熙四十又七年如月辛巳泽州友人陈廷敬书"。宋荦序署"康熙戊子初夏西陂宋荦识"。汪士鋐序未署撰年。储在文序署"康熙戊子闰三月后学宜兴储在文谨序"。四库提要卷一八三：《过江集》四卷，"国朝史申义撰。申义字叔时，号蕉饮，江都人。康熙戊辰进士。选庶吉士，散馆改给事中。时新城王士禛方以诗名海内，尝称申义及汤右曾足传其衣钵，见集中自注。圣祖仁皇帝尝以后进诗人询泽州陈廷敬，廷敬以申义及周起渭对，见廷敬序中。其官翰林时有《芜城集》，典试云南时有《使滇集》。此则官给事中时前后数年作也"。

四月

二十三日，曹秀先（1708—1784）**生。**秀先字芝田、冰持、恒所，号地山，新建人。雍正十年举人，官内阁中书。乾隆元年成进士，改庶吉士，授编修。官至礼部尚书、上书房总师傅。谥文恪。著有《移晴堂四六》二卷等。事迹见彭元瑞《光禄大夫太子太傅礼部尚书曹文恪公墓志铭》（《恩余堂辑稿》卷二）、《清史列传》本传、《清史稿》本传。

黄叔琳补侍讲。据顾镇《黄侍郎公年谱》。

五月

重五前二日，王士禛作《杏村诗总评》。见谢重辉《杏村诗集》卷首。《总评》云："杏村近诗，去肤存骨，去枝叶，存老干。如长松怪石，颠倒绝壑，冰雪之所凝沍，飞瀑之所穿漏。讵复知名园百卉，争妍竞媚于春风骀荡中耶？寥寥千古，真赏甚希。存之箧中，以待后世。有元次山、杜清碧其人者，相赏于弦指之外而已。"四库提要卷一八二：《杏村诗集》七卷，"国朝谢重辉撰。重辉字千仞，号方山，德州人。大学士升之子。以荫授中书舍人，官至刑部郎中。王士禛尝选刻十子诗，重辉其一也"。《国朝诗别裁集》卷一三录其诗七首。《晚晴簃诗汇》卷六二录其诗十五首。

十三日，顾嗣立始举消夏诗会。与会者王式丹、杨中讷、查慎行、查嗣瑮、孙勷、刘岩、宫鸿历、刘灏、陈鹏年、周起渭、李峋瑞、林佶、嘉定张大受、郭元釪、蒋仁锡、缪沅等。顾嗣立《闾邱先生自订年谱》："每人轮值，周而复始，行之五六年。京华风韵，赖以不坠，实自余始也。"

王鸿绪由工部尚书转户部尚书。据张伯行《皇清诰授光禄大夫经筵讲官户部尚书加七级王公墓志铭》（《正谊堂续集》卷七）。

六月

张伯行自序所编《濂洛风雅》。署"康熙戊子夏季，仪封后学张伯行题于榕城正谊堂"（《濂洛风雅》卷首）。四库提要卷一九四：《濂洛风雅》九卷，"国朝张伯行编。伯行有《道统录》，已著录。是编辑周子、二程子、邵子、张子、游酢、尹焞、杨时、罗仲素、李侗、朱子、张栻、真德秀、许衡、薛瑄、胡居仁、罗洪先十七家之诗。乃其官福建巡抚时所刊。案金履祥先有《濂洛风雅》，伯行是书仍其旧名，而一字不及履祥，不可解也"。

夏

裘琏客姚江。据裘姚崇《慈溪裘蔗村太史年谱》。

潘耒壬午春至本年夏之诗为《卧游草》。见《遂初堂诗集》卷一五。

七月

十六日，吴农祥卒，年七十七。据方粲如《吴征君传》（《集虚斋学古文》卷一二）。袁枚《随园诗话》卷一六："古人诗集之多，以香山、放翁为最。本朝则未有多如吾乡吴庆伯先生者。所著古今体诗一百三十四卷，他文称是，现藏吴氏瓶花庵。""惜其集浩如烟海，不能细阅。欲梓而存之，非二千金不可。著述太多，转自累也。"胡玉缙《四库未收书目提要续编》卷四：《梧园诗文集》不分卷，"钱塘吴农祥撰。农祥字庆百，号星叟，一号大涤山樵。诸生，康熙己未荐试博学弘儒，不售，戊子卒，年七十七。是集为钱塘丁氏所藏稿本，凡二十九册"。"今就所存者验之，其文大抵才辨宏博，好驰骋而不屑征实，故全祖望《鲒埼亭集·张煌言神道碑铭》讥其所作公传，诞妄不足取信。且中多应酬之作，亦殊自秽其文体，诗词少含蓄婉约之致。然农祥博极群书，撷其菁英，实亦毛奇龄、吴任臣之流亚。丁氏尝欲选而刊之，惜未成书也。"《清史列传》本传："为文条贯五经，尤精于《易》。与萧山毛奇龄友善，然质疑辨难，不肯苟同。骈体文、诗赋、小词俱工。益都冯溥评骘诸人，古文称农祥、汪琬，骈文称农祥、陈维崧，诗赋称农祥、毛奇龄，小词推陈维崧、彭孙遹，又以农祥为首。其见重如此。"《晚晴簃诗汇》卷四六录其诗五首。《国朝文汇》甲集卷三六录其《一经堂文集序》文一篇。

朱彝尊倡始为粥以食饿者。杨谦《朱竹垞先生年谱》："七月中，先生倡始为粥以食饿者。时连年水旱，米谷腾贵，饥民塞路。先生偕朱别驾芷闾谦、先祖司训公讳汝霖字璨文暨里中之好义者，每日轮施，远近就食者日数千人。"

八月

李峏瑞选授直隶保定府唐县知县。据顾嗣立《闾邱先生自订年谱》。峏瑞著有《后圃编年稿》十六卷《续稿》十四卷《题像诗》一卷《词稿》二卷，康熙己巳至乾隆己未刊行。据《贩书偶记》卷一四。《国朝诗别裁集》卷二五："著有《焚余稿》。王渔

洋称苍存诗文从衡有奇气，江、淮间才士。今读其集，工丽之作居多。"录其《寒日登宝积山与客谈宋南渡事怀古有作》等诗三首。

九月

初七日，蒋元益（1708—1788）生。元益字希元、汉卿，号时庵，长洲人。乾隆十年进士，改庶吉士，散馆授编修。官至兵部右侍郎。著有《志雅斋诗钞》。事迹见蒋元益《时庵自撰年谱》。

初八日，钱载（1708—1793）生。载字坤一，号箨石（一作籜石）、瓠尊，晚号万松居士，秀水人。雍正十年副榜贡生。乾隆元年应博学鸿词试，十六年应经学试，均报罢。十七年成进士，选庶吉士，授编修。官至礼部左侍郎。四十八年辞官家居，逾十年卒。著有《箨石斋诗集》五十卷、《文集》二十六卷。事迹见朱休度《礼部侍郎秀水钱公载传》、吴文溥《故礼部侍郎钱公传》（《碑传集》卷三六）、《清史列传》本传、《清史稿》金德瑛传附。〔按，生日据朱彭寿《清代人物大事纪年》〕

十七日，张英卒，年七十二。据张廷玉《澄怀主人自订年谱》卷一。杨际昌《国朝诗话》卷一："桐城张相公英七言律句，如'好水好山春草路，轻烟轻雨杏花时'，'开户最宜春夜月，到门无限夕阳山'，'方塘断岸经春雨，野水平桥复旧痕'，'空山去郭十余里，老树成阴三两株'，'繁英满座风飘入，碧草当阶雨剪齐'，'古寺晚钟春水外，远村低树夕阳边'，'趁晴小葺看花屋，辟地先编护菜篱'，秀骨天成，清新拔俗。"沈德潜等《国朝诗别裁集》卷九："本朝应制诗共推文端，入词馆者奉为枕中秘，而风格性灵不系此也。特取高旷数篇，以著公之风概。"录其《拟古田家诗》等七首。陆蓥《问花楼诗话》卷三："国朝语贤相，首称桐城张文端公。公告归怡情山水，所为田家诗，淳古质厚，王、孟不及。"《晚晴簃诗汇》卷三六录其诗九首。《国朝文汇》甲集卷二〇录其《读李文饶近倖论》等文三篇。

二十九日，潘耒卒，年六十三。据沈彤《征仕郎翰林院检讨潘先生行状》（《果堂集》卷一一）。《行状》云："所为诗若文，多扶树风节，裨于治道，卓然有立。"又，《检讨潘先生耒传》："为文甚多，往往裨治体、风教与乡邑之利病。盖耒尝师事同郡顾炎武、徐枋，实禀承其教。其史学则自少得诸兄柽章，赋学则耒所自得也。"（《果堂集》卷一〇）四库提要卷一八三：《遂初堂诗集》十五卷、《文集》二十卷、《别集》四卷，"诗分少游、梦游、近游、江岭游、海岱游、台荡游、闽游、黄庐游、楚粤游、豫游、卧游诸草，分年编次。文则各以体分。惟为二氏作者入之别集，用杨杰《无为集》例也。耒性好游名山，足迹甚广。其诗不事雕饰，直抒所见。古文蹊径较平，稍逊于魏禧诸人。而气体浑厚，空所依傍，则又耒所独得也。耒家吴江之烂溪，少受业于顾炎武，颇得其传，故诗文皆有原本。特其议论之文，往往反复求快，太伤于尽，未免失之好辩焉"。《国朝诗别裁集》卷一二："稼堂先生笃于师门，少师徐俟斋、顾亭林两先生，俟斋没，周恤及其孤孙，务俾得所。刻亭林《日知录》及诗文集，又以未及刻《肇域志》为憾。盖此书关天下利病，卷帙繁富，非大有力不能刻也。此谊犹近古人。""诗笔直达所见，浩气空行，韵语可作古文读。而登临怀古诸作，尤为光焰腾上，一时名流，几罕与俪者。"录其《卦山》等诗二十六首。袁枚《随园诗话》卷一五："潘稼堂不如黄厝堂，以一木而一灵也。"杨锺羲《雪桥诗话续集》卷二："潘次耕游山诗，如《碧云寺》、《香山》、《卦山》、《清凉谷》、《元阳洞石公》诸作，宏深奥衍，如读柳柳州永、柳诸记。"《清史稿》本传："当时词科以史才称者，朱彝尊、汪琬、吴任臣及耒为最著。"《国朝文汇》甲集卷二九录其《日知录序》等文十六篇。《晚晴簃诗汇》卷四二录其诗十五首。

废皇太子胤礽。蒋良骐《东华录》卷二〇："九月，上驻跸布尔哈苏台，召诸大臣文武官集行宫前，命皇太子胤礽跪，上垂涕谕其不法祖德，不遵诲谕，每肆恶虐众，暴戾淫乱。谕毕，痛哭扑地，旋谕将胤礽拘执幽禁，并亲撰告祭天地太庙社稷文，废斥之，幽禁咸安宫。"

陈鹏年起为苏州府知府。据顾嗣立《闾邱先生自订年谱》。

秋

乡试。是科各省考官有潘宗洛、吴廷桢、年羹尧、吕履恒等。据法式善《清秘述闻》卷四。所取举人有惠士奇（《清秘述闻》卷四）、李绂（《清秘述闻》卷四）、谢济世（《清秘述闻》卷四）、方式济（方苞《弟屋源墓志铭》）、陶贞一（王峻《陶退庵墓志铭》）、阿克敦（《德荫堂集》卷首年谱）、王懋竑（钱大昕《王先生懋竑传》）、吴麟（法式善《八旗诗话》六三）、张照（乾隆《娄县志》卷二六）等。王戬中副榜。据《突星阁诗钞》卷首《先祖征君王公孟毂大人行略》。沈德潜报罢。据《沈归愚自订年谱》。

裘琏就试西泠。序释亦谙等人诗。八月十日，张珩序裘琏诗。试毕过当湖。榜后过海昌。十月归。据裘姚崇《慈溪裘蔗村太史年谱》。

十二月

黄叔琳提督山东学政。据顾镇《黄侍郎公年谱》。

朱彝尊序《洛如诗钞》。署"康熙戊子橘涂月，小长芦朱彝尊序"（《洛如诗钞》卷首）。四库提要卷一九四：《洛如诗钞》六卷，"朱彝尊选录，陆奎勋编次。……此集皆康熙丁亥平湖人社集之作。据奎勋诗集，载洛如之唱起丙戌三月，至丁亥而中间。诗什则奎勋集中编次，颇有前后不同，未详其故。其以洛如名者，洛如，花名，干如竹，实似荚，郡有文士则生也"。是书本年陆氏尊道堂刊行。

顾八代卒，年六十九。据江庆柏《清代人物生卒年表》。《钦定八旗通志》卷一二〇著录《顾文端公诗节钞》一卷，谓"其诗多咏平定吴逆时滇南用兵之事，颇足以资考证云"。法式善《八旗诗话》三四："其全集不可见，传世有《顾文端公诗钞》，乃方灵皋校订，多从军滇、粤之作，颇伤直致。然而明顺逆之义，决成败之机，正如颜鲁公书，一笔一锋，忠义之心，时时流露，令读者改容。"《晚晴簃诗汇》卷三八录其诗三首。

本年

邵廷采入京师。宋至、万经欲招之《一统志》馆，廷采辞之，遂归。据朱筠《邵念鲁先生墓表》（《笥河文集》卷一一）。

王沛恂任海城知县。据《钦定盛京通志》卷四一。

张韬任休宁知县。据《四库全书·江南通志》卷一〇九。[按，张韬此前任天全招讨司经历，《续四声猿》杂剧"必作于他离开天全，沿三峡飞流而下之时"。据邓长风《明清戏曲家考略·十四位清代浙江戏曲家生平考略》]

汪士铉以丁继母忧去官，遂不复补。据沈彤《右春坊右中允汪先生行状》（《果堂集》卷一一）。

王时翔此后诗风又一变。《小山诗文全稿》卷首王虑识语云："先生诗凡屡变。少年最近青莲，间杂以长吉；转溯源于汉魏，穷澜于杜、韩、苏；戊子以后抄诸经义疏，为本源之学，诗不多作，渐归于平澹，大旨以《唐贤三昧集》为宗。"

曹学诗作《黄山赋》，传至京师，声动朝列，时年十二岁。学诗（1697—1773）字以南，号震亭（一作震亨），歙县人。雍正七年举于乡。乾隆初荐举博学鸿词，以名实难副辞。屡试礼部不第，十三年始成进士。出为湖北崇阳县令。在任三年，奔母丧归，不复出，居乡凡二十二年。著有《香雪诗钞》四十卷（香雪一作香屑）、《文钞》四十卷。事迹见郑虎文《曹学诗传》（《碑传集》卷一〇五）。

陈元龙《格致镜原》一百卷作于去年及本年。四库提要卷一三六：《格致镜原》一百卷，"国朝陈元龙撰。元龙字广陵，海宁人。康熙乙丑进士。历官文渊阁大学士。谥文简。是编乃其类事之书"。"其书为康熙戊子、丁亥间，元龙归养时所作。后官广西巡抚乃刊行之于粤中云。"

王士禛作《蚕尾后集》。王士禛自编、惠栋注补《渔洋山人自撰年谱》卷下："是年山人次一岁之作，为《蚕尾后集》。"四库提要卷一八二："《后集》二卷，则戊子归田后所作，五七言绝句居十之九。自序谓时方删定洪迈《万首绝句》，因效为之然。是年士禛七十五岁矣，殆亦精力渐减，不耐为长篇巨制也。"

王士禛编《唐人万首绝句选》成书。王士禛自编、惠栋注补《渔洋山人自撰年谱》卷下："宋洪文敏公迈集唐绝句万首，经进孝宗御览。山人少习是书，惜其蹐驳。久欲为刊定而未暇也。是岁乃克成之。"四库提要卷一九〇：《唐人万首绝句选》七卷，"其书成于康熙戊子，距士禛之没仅三年，最为晚出。又当田居闲暇之时，得以从容校理，故较他选为精审。然其序谓以当唐乐府，则不尽然。乐府主声不主词，其采诗入乐，亦不专取绝句。士禛此书实选词而非选声，无庸务为高论也"。

查慎行《还朝集》为正月至五月诗、《道院集》为五月至十二月诗。见《敬业堂诗集》卷三五、三六。

宋荦校刊《御批通鉴纲目》五十九卷、《通鉴纲目前编》一卷、《外纪》一卷、《举要》三卷、《通鉴纲目续编》二十七卷。据四库提要卷八八。

朱彝尊《两淮盐荚书》成书。据杨谦《朱竹垞先生年谱》。

沈德潜自定此十年中所著为《一一斋集》。据张慧剑《明清江苏文人年表》。

蒲松龄在济南，有《历下吟》诗。其序云："薄游稷门，适值试士。少见多怪，因志所感，索和同人。"另有《王司寇阮亭先生寄示近刻，挑灯吟诵，至夜梦见之》、《王玉斧赐〈蚕尾集〉，久许不与。偶因渔洋惠近诗，夜梦索之，戏柬一绝》等诗，见《聊斋诗集》卷四。

杨宾以昔年在宁古塔所得资料编为《柳边纪略》五卷，又自定《晞髪堂文集》四卷、《诗集》二卷，又辑《铁函斋书跋》。据张慧剑《明清江苏文人年表》。

张笃庆作《田园杂兴》等。张笃庆《厚斋自著年谱》："是岁有《田园杂兴》二十首，及和高季迪先生《郊墅杂诗》十六首，并吊古怀人诸篇。而《咏古》新乐府一编尤为同人所赏，北平蒋静山先生为之校正评骘，惜尚未能授梓以就正有道耳。"

张笃庆为《聊斋志异》题七律三首，署"戊子昆仑外史张笃庆题"（《铸雪斋钞本聊斋志异》卷首）。

陈奕禧与吕熊遇于淮南，为吕熊序《女仙外史》。《女仙外史》卷首《江西南安郡守陈奕禧香泉序言》："余友逸田叟吕熊，字文兆。文章经济，精奥卓拔，当今奇士也。其生平著述，如《诗经六义辨》、《明史断》、《续广舆志》，发明三唐六义，并诗古文诸稿，几数百卷，而未知更有《女仙外史》。戊子，余补南安守，遇叟于淮南，延之修辑郡乘。舟行闲暇，叟始以《外史》见示请序。余览毕，不禁喟然叹曰：'有是哉！何叟之默契余心也？'……后世之论者，因其成败，亦莫不依违于其间，似乎以建文等之亡国之君，而永乐为中兴之主。道衍、三杨之辈可以为佐命元勋，而方、景、铁诸公不得为成仁取义也与？此余所素郁于中，不能断而亦不敢断者。故曰叟之《外史》有默契余心者。俟修郡乘之后，当为叟梓行，问诸天下后世。"

张贞《渠亭山人半部稿》四卷康熙三十二年至本年刊行。《渠亭文稿》、《或语集》、《潜州集》、《娱老集》各一卷。据《贩书偶记》卷一四。

顾永年《梅东草堂诗》九卷澡雪轩刊行。据《贩书偶记》卷一四。

章性良《种学堂詹詹吟稿》四卷刊行。据《清诗纪事初编》卷四。

鲍倚云（1708—1778）生。倚云字薇省，号苏亭，歙县人。高宗南巡召试，以病未就。年四十教授于乡，其徒多发科成名，金榜为尤著者。著有《寿藤斋诗集》三十五卷。事迹见姚鼐《鲍君墓志铭》（《惜抱轩文集》卷一三）、《清史列传》檀萃传附。

鲍皋（1708—1766）生。皋字步江，号海门，丹阳人。善诗赋。日客淮、扬间，时天下殷富，邗上诸大贾富逾王侯，皆延其为上客。著有《海门集》三十卷《外集》十卷。事迹见刘大櫆《海门鲍君墓志铭》（《海峰先生文》卷八）、昭梿《啸亭杂录》卷九《鲍海门》、《清史列传》本传。

蒋重光（1708—1768）生。重光字子宣，号芋斋，长洲人。岁贡生。编有《昭代词选》三十八卷。事迹见彭启丰《赠奉直大夫蒋君墓志铭》（《芝庭先生集》卷一六）。

周宣猷（1708—1768）生。宣猷字辰远，号雪舫，长沙人。雍正十年举于乡，明年成进士。选授浙江桐庐知县，调海盐，寻迁分司嘉松盐运判官。罢官后就馆维扬，后历游吴、越、燕、赵，南抵黔阳。晚年杜门不出，课其群从及诸子弟以今古文之学。卒年六十一。著有《雪舫诗钞》八卷等。事迹见陈兆崙《分司嘉松转运周君雪舫传》《紫竹山房文集》卷一三、《清史列传》本传。

周天度（1708—?）生。据江庆柏《清代人物生卒年表》。天度字让谷、西陬，号心罗，钱塘人。乾隆十七年进士。官至许州知州。著有《十诵斋集》。事迹见《湖海诗传》卷一四、《晚晴簃诗汇》卷八一。

毛际可卒，年七十六。据吕履恒《毛鹤舫先生志铭》（《治古堂文集》卷四）。《安序堂文钞》三十卷、《黔游日记》一卷康熙二十八年本衙刊行，据《贩书偶记》卷一四；《松皋文集》十卷康熙十五年刊行，据《续编》卷一四；《浣雪词钞》二卷（李天馥、王士禛同评）约康熙间本衙刊行，据《续编》卷二〇；《安序堂文钞》二十卷康熙二十八年本衙刊行，据《续编》附录；《会侯文钞》二十卷（方粲如重辑）康熙五十八年刊行，据四库提要卷一八二。《国朝文汇》甲集卷一四录其《赵奢论》等文八篇。冯金伯《词苑萃编》卷八《毛会侯映竹轩诗余》引方渭仁云："毛会侯文尚遒逸，力洗近世肤伪之习，宜其不专以绮靡为尚也。而顾好为小词，其所著《映竹轩诗余》，有《冬夜集穉黄宅听歌调清平乐》云：'霜寒如许，烛焰红偏露。预借春光来作主，听得春莺双语。新词幽恨无涯，声声颤落梅花。我欲徘徊起舞，漫教泪湿琵琶。'柔情漫调，有不可概论者。"《毛会侯词审音协律》引沈昭予云："毛会侯博洽研贯，其所为词俱审音协律，不愧大晟乐府之遗。"陈廷焯《白雨斋词话》卷三："毛会侯《浣雪词》，刻翠裁红，务求新颖，丁飞涛之流亚也。总不免染《花间》、《草堂》陋习。"

徐釚卒，年七十三。据《疑年录汇编》卷九。《南州草堂集》三十卷首一卷、《枫江渔父图题词》一卷、《青门集》一卷、《续集》四卷、《菊庄词甲集》一卷、《二集》一卷，康熙间菊庄刊行。据《贩书偶记》卷一四。《国朝诗别裁集》卷一二："虹亭先生为龚端毅赏识。端毅临没，谓梁真定曰：'负才如徐君，可使之不成名耶？'于此见前辈之爱才，而虹亭之见重于端毅，实有使之心折者也。生平填词极工。晚岁成《本事诗》，远地购求，比于洛阳纸贵。"录其《送方尔止还金陵》等诗五首。杨锺羲《雪桥诗话》卷二："徐电发居吴江之垂虹亭，因以自号。西河题枫江渔父小像有云：'甫里先生何处是？家近垂虹亭子。'少受业于宋既庭、计甫草。善书，尤工画。李武曾题其墨松云：'虹亭笔墨无不好，以诗掩画谁能知？'渔洋题其画蟹云：'仄行与外骨，并入《考工记》。何如纨扇上，善写招潮势。草泥拥郭索，两钳亦何利。便欲左手持，未劳门下议。'其自述云：'新诗学放翁，谁人画团扇？'以上舍中鸿博，入史馆。所著俞、戚、刘、马诸大将传，缜密有法。晚岁成《本事诗》。竹垞题其《丰草亭诗》云：'不应尚恋闲钗钏，枣木流传《本事诗》。'盖讽其好事也。"《晚晴簃诗汇》卷四二录其诗十五首。《国朝文汇》甲集卷三二录其《傅浣岚文集序》等文七篇。冯金伯《词苑萃编》卷八《菊庄词一卷》引徐野君云："自吾家玉台一序后，几令琉璃研匣，翡翠笔床，为千古词人挥洒不尽。兹披《菊庄词》一卷，更觉翰墨流香。乃知草堂之草，岁岁吹青，花间之花，年年逞艳。后来者居上，何必沾沾南唐、北宋耶。"《菊庄词有南唐遗韵》引宋牧仲云："菊庄《忆秦娥》、《菩萨蛮》诸阕，犹有南唐遗韵。"《菊庄词渐近自然》引尤悔庵云："词之佳者，正以本色渐近自然，不在缕金错采为工也。读电发诸作，故得此意。至'一片残阳在客衣'，直是神到语，虽秦七复生，亦当绝倒。"《菊庄词似坡公》引尤悔庵云："'百顷黄芦，千条浊浪，人在柁楼吹笛。'神似坡公。或问何似，曰：'解衣欹枕绿杨桥，杜宇数声春晓。'"《菊庄词有离合之妙》引曹掌公云："词贵离合，不粘本题，方得神情绵邈。菊庄《踏莎行》赋愁云：'脉脉红楼，萋萋绿野，一江春水茫茫泻。'不言愁而愁自至，非离合之妙乎。"《菊庄词得词理三昧》引宋楚鸿云："弇州谓美成能作情语，不能作景语。菊庄'春衫泪，明月楼前，碧桃花下'等句，真能言情于景中者也。可谓得词理三昧。"谢章铤《赌棋山庄词话》卷二《徐釚词》："徐电发釚菊庄，词名重一时，卷首题赠诸家，重叹增歔，不能竟其誉。然辗转应拍，绵丽宜人，求其回味余香，辄觉不足。"陈廷焯《白雨斋词话》卷三："徐电发词，当时盛负重名，至于流传海外，可谓荣矣。其规模北宋，却有似处。惟气格不高，只堪作晏、欧流亚，至周、秦深处，尚未梦见。"

刘青藜卒，年四十六。据邓之诚《清诗纪事初编》卷八。[按，张惟骧编《疑年录汇编》卷一〇、朱彭寿《清代人物大事纪年》谓其卒于明年，年四十六。]《高阳山人文集》十二卷、《诗集》二十卷、《补遗》一卷，康熙四十九年传经堂刊行。据《贩书偶记》卷一四。《国朝诗别裁集》卷二二："太史既通籍，弥刻苦自励，乞假后补官旋卒，故发言为诗，多食莽肠苦之意。"录其《赠车同》等诗七首。《晚晴簃诗汇》卷五七录其诗三首。《国朝文汇》甲集卷四三录其《读平原君传》等文六篇。

李绳远卒，年七十六。据《疑年录汇编》卷九。所著《姓氏谱》六卷、《李氏类纂》五十卷、《寻壑外言》五卷，所编《澄远堂三世诗存》八卷（乃绳远合刻其曾祖应征、祖士标、父寅之诗），四库提要著录。《寻壑外言》有康熙间刊本、乾隆间金德舆校刊本。据《贩书偶记续编》附录。《晚晴簃诗汇》卷四〇录其诗七首。《国朝文汇》甲集卷六录其《补黄村农生圹志》文一篇。

王泽弘卒，年八十三。据《鹤岭山人诗集》卷首王材振《附注》、邓之诚《清诗纪事初编》卷八。四库提要卷一八二：《鹤岭山人诗集》十六卷，"国朝王泽弘撰。泽弘字涓来，黄冈人。顺治乙未进士。官至礼部尚书。是集乃其子材振所编。前三卷皆题己刻诗若干首，盖皆泽弘旧作，尝为魏宪录入《石仓诗选》者。四卷以下用编年体，自丁巳迄庚辰题某年诗若干首，附注曰未刻稿，则材振所裒辑也。前有魏宪原序，又附其祖《用子传》一篇，及泽弘《请复九江关》一疏。泽弘喜与诸名士游，王士禛、姜宸英、洪昇等皆尝点定其诗。所作类皆和平安雅，不失台阁气象。而骨体未坚，酝酿未厚，尚不能凌轹一时。"《国朝诗别裁集》卷四："昊庐辞官后，移家金陵，既老，矻矻风雅，远近奉为总持者也。缘稿本未镂，渐次散失，故所收止此。"录其《感怀》等五首诗。《晚晴簃诗汇》卷二七录其诗二首。

博尔都卒，年六十。据邓之诚《清诗纪事初编》卷六。《国朝诗别裁集》卷二〇录其《送友之粤东》、《雁》诗二首。杨锺羲《雪桥诗话》卷三："汪钝翁称其近体清新，歌行雄放。"录其《寄怀钝翁》等。《晚晴簃诗汇》卷一〇录其诗二十三首。

彭任卒，年八十五。据《草亭文集》卷首《行略》。四库提要卷一八二：《草亭文集》，"国朝彭任撰。任字逊仕，号中叔，宁都人。同邑魏禧尝集同志九人，讲学于易堂，任其一也。是集前有行略一篇，称所著有《草堂诗文集》二卷。此一卷其文集也。大致与魏禧同派，而质胜于文，词多于意，未能与禧抗行。其辨朱、陆异同，谓学者之病不在于辨之不晰，而在于行之不笃，持论颇平。至尊信丰坊伪诗传，则失考矣。"《国朝文汇》甲前集录其《历代文约序》等文三篇。《晚晴簃诗汇》卷一二录其诗二首。

庞垲卒，年六十九。据邓之诚《清诗纪事初编》卷五。纪昀《镂冰诗钞序》："雪厓诗平易近人，而法律谨严，情景融洽，故优柔蕴藉，往往一唱三叹，有余不尽，得风人言外之旨。譬以白、陆，白、陆未始非正声也。受而不辞，殆以是矣。"（《纪晓岚文集》第一册卷九）朱彝尊《丛碧山房诗序》："诵其诗，雅而醇，奇而不肆，合乎唐开元天宝之风格。北地之言诗者，未能或之先也。"（《曝书亭集》卷三七）四库提要卷一八三：《丛碧山房集》五十七卷附《诗义固说》二卷，"国朝庞垲撰。垲字霁公，号雪崖，任丘人。康熙己未召试博学鸿词，授翰林院检讨。降中书舍人，终于建宁府知府。是集凡文八卷、杂著三卷、《翰苑稿》十四卷、《舍人稿》六卷、《工部稿》十一卷、《户部稿》十卷、《建州稿》五卷，皆其所手自编定也。垲为诗主于平正冲澹，不求文饰。当王士禛名极盛时，能文之士，率奔走门墙，假借声誉，垲独落落不相亲附，故士禛亦不甚称之。惟记其《病足诗》'切防美人笑躄者，春来不过平原门'一绝而已。然垲早岁所作，颇得深婉清微之致。晚年菁华既竭，流于枯淡。其《舍人稿》不及《翰苑》，《工部稿》不及《舍人》，《户部稿》不及《工部》，至《建州稿》以后，颓唐益甚。田雯为作《户部稿序》，以白居易、陆游比之，垲意颇慍。然实箴规之言也。末附《诗义固说》二卷，论亦切实。惟推衍严羽之说，以禅谈诗，转至于支离曼衍，是其好高之过矣。"《清史稿》本传："垲嗜吟咏，与同里边汝元以诗学相劀切。其所作醇雅，以自然为宗。"《国朝诗别裁集》卷一一录其《喜闻大军收复川中》诗一首。《晚晴簃诗汇》卷四二录其诗十首。《国朝文汇》甲集卷三一录其《安静子济南诗序》等文四篇。

张祖年本年在世。据《四库全书·浙江通志》卷二三九。四库提要卷一二九：《道驿集》四卷，"国朝张祖年撰。祖年字申伯，汤溪人。是集其所自编，凡再易刊板乃定。卷一曰《正学阐微》，泛论四书性理诸书；卷二曰《正史阐微》，大致似胡寅《读史管见》；卷三曰《杂文提要》；卷四曰《杂著提要》，大抵多讲学之语。祖年自称张栻二十世孙，故力辨张浚杀曲端事，说《论语》、《孟子》皆主栻说，而于明英宗免圣贤后裔差役一事尤颂美不置云。"四库提要卷一八四：《笏峄楼集》五卷，"国朝张祖年撰。祖年有《道驿集》，已著录。《释疑孟》一卷，以司马光有《疑孟》一书而祖年逐条为之辨。《废言》四卷，则其所自著也。中多游戏之词，与《道驿集》之正色讲学者又殊。"

公元 1709 年（康熙四十八年　己丑）

正月

朱彝尊复为粥于古南禅院。杨谦《朱竹垞先生年谱》："正月，复为粥于古南禅院。时菽麦未熟，饥民转多。先生复偕诸公为粥于古南禅院，请太守臧公委官董其事，每日就食者几二万人，自二月初至三月中乃止。"

王鸿绪以原官解任归里。据张伯行《皇清诰授光禄大夫经筵讲官户部尚书加七级王公墓志铭》（《正谊堂续集》卷七）。

二月

会试。考官：内阁大学士李光地、吏部侍郎张廷枢。题"知者乐水"二节，"今夫天斯"一段，"孔子之谓"二节。据法式善《清秘述闻》卷四。

涂瑞（1709—1774）生。瑞字荣诏，号㓚庵，新城人。乾隆十二年举人。拣选知县。以不乐仕进，家居授徒终其身。著有《东里文集》、《经疑编》、《经济编》、《史论编》、《理学编》。事迹见鲁仕骥《乡贡进士候选知县涂先生瑞墓志铭》（《碑传集》卷一二九）。

三月

初九日，复立胤礽为皇太子。据蒋良骐《东华录》卷二一。

二十四日，圣祖御太和殿，传胪。赐一甲赵熊诏、戴名世、缪沅进士及第，二甲储在文、阿克敦、李绂、惠士奇、徐用锡、秦道然、方觐、蔡世远、唐绍祖、蒋锡震、方式济、吕谦恒等进士出身，三甲张照、张景崧、徐文驹、蒋仁锡、何世璂、王时宪、赵国麟、芮复传、陶成、黄越、嘉定张大受等同进士出身。据《历科进士题名录》、《清通鉴》。〔按，赵国麟系康熙四十五年丙戌科礼部中式，至是科乃与殿试。据《晚晴簃诗汇》卷五七〕

春

顾汧予告归里。据顾汧《凤池园诗集自序》（《凤池园集》卷首）。

李振裕致仕归。据许汝霖《吉水李宗伯墓志铭》（《德星堂文集》卷四）。

沈德潜游西湖，与周准定交。《沈归愚自订年谱》："春月，同谢立夫有辉、曾叶生介福、樾亭上人岑霁同之杭州，遍游西湖，以韬光飞来峰为最胜。寓灵隐寺，与周子允武永铨弟钦莱准定交，遂成诗友。钦莱旋改字迁村，情好尤密，垂五十年。"

顾嗣立《春树草堂集》四卷成书，乃丁亥冬至本年春诗。〔按，嗣立于康熙四十六年十一月初七日移寓春树草堂〕又，是春试礼闱报罢，三月出都，四月抵里。据顾嗣立《闾邱先生自订年谱》。

毛宗岗尚在世。据何龄修《五库斋清史丛稿·褚人获的生平和著作》。又，此文谓毛氏约生于崇祯五年（1632）。

四月

禁民会及方术巫人。据孙丹书编《定例成案合钞·续增礼部祭祀》（王利器《元明清三代禁毁小说戏曲史料》第一编）。

朱彝尊至维扬，留真州。六月归。杨谦《朱竹垞先生年谱》："四月，至维扬，留真州。交所辑《盐荚书》于曹通政，许为刊集。适李大理煦、李都运斯仝来会，都运寻以画舫送行。"

查慎行奉旨赴武英书局分纂《佩文韵府》。同事者，钱名世、休宁汪灏。据陈敬璋

《查他山先生年谱》。

蒲松龄阅《齐民要术》，并手录之。蒲松龄自志手稿："己丑初夏，偶阅《齐民要术》，见其树畜之法，甚有条理，乃手录成册，以补家政之缺。"（路大荒《蒲松龄年谱》）

六月

十四日，赵一清（1709—1764）生。一清字诚夫，号东潜，仁和人，昱子，信侄。国子监生。著有《水经注释》四十卷《刊误》十二卷、《三国志补注》六十五卷、《直隶河渠志》一百三十二卷（后经戴震删定为一百〇二卷）、《东潜文稿》二卷、《小山堂藏书目》二卷。事迹见《清史列传》赵昱传附、《清史稿》沈炳震传附。［生日据李宗侗《赵东潜先生年谱》（谢巍《中国历代人物年谱考录》著录）］

禁淫词小说。据《大清圣祖仁皇帝实录》卷二三八。

裘琏游豫章，有《豫游稿》。据裘姚崇《慈溪裘蔗村太史年谱》。

赵执信《谈龙录》成书。自序云："余幼在家塾，窃慕为诗，而无从得指授。弱冠入京师，闻先达名公绪论，心怦怦焉每有所不能惬。既而得常熟冯定远先生遗书，心爱慕之，学之，不复至于他人。新城王阮亭司寇，余妻党舅氏也，方以诗震动天下，天下士莫不趋风，余独不执弟子之礼。闻古诗别有律调，往请问，司寇靳焉。余宛转窃得之。司寇大惊异。更睹所为诗，遂厚相知赏，为之延誉。然余终不背冯氏。且以其学绳人，人多不堪，间亦与司寇有同异。既家居，久之，或构诸司寇，浸见疏薄。司寇名位日盛，其后进门下士、若族子侄，有借余为诪者，以京师日亡友之言为口实。余自惟三十年来，以疏直招尤，固也，不足与辩。然厚诬亡友，又虑流传过当，或致为师门之辱。私计半生知见，颇与师说相发明，向也匿情避谤，不敢出，今则可矣。乃为是录。以所藉口者冠之篇，且以名焉。康熙己丑夏六月，赵执信序。"（《谈龙录》卷首）四库提要卷一九六：《谈龙录》一卷，"国朝赵执信撰。执信为王士禛甥婿，初甚相得。后以求作《观海集序》不得，遂至相失。因士禛与门人论诗，谓'当作云中之龙，时露一鳞一爪'，遂著此书以排之。大旨谓诗之中当有人在。其谓士禛祭告南海《都门留别》诗'卢沟河上望，落日风尘昏。万里自兹始，孤怀谁与论'四句为类羁臣迁客之词。又述吴修龄语，谓士禛为清秀李于鳞，虽忿悁著书，持论不无过激。然神韵之说，不善学者往往易流于浮响。施闰章'华严楼阁'之喻，汪琬'西川锦匠'之戒，士禛亦尝自记之。则执信此书，亦未始非预防流弊之切论也。近时扬州刻此书，欲调停二家之说，遂举《录》中攻驳士禛之语，概为删汰。于执信著书之意，全相乖忤，殊失其真。今仍以原本著录，而附论其纰缪如右。"袁枚《随园诗话》卷五："相传所著《谈龙录》痛诋阮亭，余索观之，亦无甚抵牾。"李祖陶《国朝文录续编·饴山文录引》："铅山蒋心余有诗云：'《谈龙》语诚妙，气象当过之。及读《饴山集》，边幅窘可嗤。'则矫其弊者之仍各有其弊矣。"陈仅《竹林答问》："问：赵秋谷《谈龙录》，世谓其讥新城而作，似不然。（答：）录中亦极尊新城，至'王爱好，朱贪多'二语，实为二家定评，即爱王者，不能为之讳也。"陆鎣《问花楼诗话》卷三："赵秋谷《谭龙录》为渔洋作也。秋谷尝从问声调，秘不相示，论诗又多异同，适有讥斥渔洋诗者有'清秀李于鳞'之目，嫌隙遂成。余按《渔洋精华录》，五七言高调逸响，情景不匮，不得以《南海集》留别诸作为全龙累也。简斋诗云：'一代正宗才力薄，望溪文集阮亭诗。'稚存比之'唐临晋帖'。余友顾兼翁大令，老于诗者，亦云：'渔洋爱好，标格自新。'"

夏

孔尚任离家南游。经大梁，过睢州，往鄂西，又往武昌。在湖广巡抚陈诜府中度春节，节后北返。据《游大梁赠徐太守》、《过睢州》、《题黄鹤楼后白云楼》、《庚寅武昌开府元旦独坐》等诗，见《孔尚任诗文集》卷四《长留集》。

沈用济自京归浙，访费锡璜于邗江，同撰《汉诗说》十卷。据《汉诗说》卷首沈用济序。《汉诗说》十卷，四库提要卷一九四著录。

七月

十七日，李振裕卒，年六十八。据许汝霖《吉水李宗伯墓志铭》（《德星堂文集》卷四）。李祖陶《国朝文录续编·白石山房文录引》："其于文也，体舒神旺，本末灿然。第营垒尚不甚坚，篇末篇中或有可乙之处。然如序《谷村幹谱》、序《禹贡锥旨》等篇，有体有要，不蔓不支，要不失为当代一作手矣。"《国朝文汇》甲集卷二五录其《李勤襄公奏疏序》等文四篇。《国朝诗别裁集》卷九录其《祠阙里雅》诗一首。《晚晴簃诗汇》卷三六录其诗三首。

十八日，周準游石钟山。据其《游湖口石钟山记》（《国朝文汇》乙集卷九）。

朱彝尊发雕《曝书亭集》。杨谦《朱竹垞先生年谱》："每日删补校勘，忘其劳焉。未几，先生下世。至甲午六月竣工，查编修慎行复为之序。"四库提要卷一七三：《曝书亭集》八十卷《附录》一卷，"此集凡赋一卷、诗二十二卷，皆编年为次，始于顺治乙酉，迄于康熙己丑，凡六十五年之作。其纪年皆用《尔雅》'岁阳'、'岁阴'之名，从古例也。词七卷，曰《江湖载酒集》，曰《茶烟阁体物集》，曰《蕃锦集》。杂文五十卷，分二十六体。附录《叶儿乐府》一卷，则所作小令也。彝尊未入翰林时，尝编其行稿为《竹垞文类》。王士禛为作序，极称其永嘉诗中《南亭》、《西射堂》、《孤屿》、《瞿溪》诸篇。然是时仅规橅王、孟，未尽所长。至其中岁以还，则学问愈博，风骨愈壮。长篇险韵，出奇无穷。赵执信《谈龙录》论国朝之诗，以彝尊及王士禛为大家。谓王之才高，而学足以副之；朱之学博，而才足以运之。及论其失，则曰朱贪多、王爱好，亦公论也。惟暮年老笔纵横，天真烂漫，惟意所造，颇乏剪裁。然晚境颓唐，杜陵不免，亦不能苛论彝尊矣。至所作古文，率皆渊雅。良由茹涵既富，故根柢盘深。其题跋诸作，订讹辨异，本本原原，实跨黄伯思、楼钥之上。盖以诗而论，与王士禛分途各骛，未定孰先。以文而论，则《渔洋文略》固不免瞠乎后耳。惟原本有《风怀二百韵》诗及《静志居琴趣》长短句，皆流宕艳冶，不止陶潜之赋《闲情》。夫绮语难除，词人常态。然韩偓《香奁集》别有篇帙，不入《内翰集》中。良以文章各有体裁，编录亦各有义例。溷而一之，则自秽其书。今并刊除，庶不乖风雅之正焉。"吴骞《拜经楼诗话》卷三："竹垞赋《风怀诗》二百韵，为时传诵。晚年刻集，屡欲汰之，终未能割爱。诸草庐云：'古人称惜墨如金。竹垞之作《风怀》也，殆不然。'"洪亮吉《北江诗话》卷一："朱检讨彝尊《曝书亭集》，始学初唐，晚宗北宋，卒不能熔铸自成一家。"林昌彝《射鹰楼诗话》卷二〇："朱竹垞《风怀二百韵》，特游戏三昧耳，岂得以此贬贤。其不删《风怀》诗也，曰：'吾不愿为两庑特豚。'乃有慨于元、明祀典之滥，故有激而言也。昆山顾亭林《广师说》云：'文词古雅，宅心纯厚，吾不如竹垞。'盖推服至矣。吾谓国初诸老能兼经学词章之长者，竹垞一人而已，况人品之纯，非西河、钝翁辈之所能及也。"《贩书偶记》卷一四："《南车草》一卷，秀水朱彝尊撰。嘉庆戊寅海宁蒋氏重刊。内多《曝书亭集》未见之诗。"又，"《曝书亭集诗注》二十二卷《年谱》一卷，嘉兴杨谦撰。乾隆间木山阁刊。"又，"《曝书亭诗录笺注》十二卷，嘉兴江浩然撰。乾隆己卯精刊。"又，"《曝书亭集笺注》二十二卷，嘉善孙银槎撰。嘉庆五年三有堂刊。"又，"《风怀镜》四卷，山阴俞国琛纂。嘉庆丁丑本家刊，分'齐意心耦'四字，即《曝书亭·风怀诗》注也。"又，"《曝书亭集外稿》八卷，秀水朱彝尊撰，嘉兴冯登府、其五世孙朱墨林等辑。嘉庆丁丑潜采堂刊。道光二年刊。"

顾嗣立渡江游广陵，八月归。据顾嗣立《闾邱先生自订年谱》。

八月

朔日，方楘如序陈訏《时用集》。署"康熙四十八年岁在己丑八月之朔日，还淳受业门人方楘如百拜识"。（《时用集》卷首）《时用集》正编编年起己巳迄戊子。

九月

初八日，胡釴（1709—1771）生。釴字静庵、鼎臣，秦安人。雍正十三年拔贡生。例入监读书，以侍养辞归，入皋兰书院。乾隆间官高台学博。著有《静庵诗钞》。事迹见杨鸾《胡静庵墓志铭》（《国朝文汇》乙集卷一〇）、《清史列传》屈复传附。

望日，顾嗣立访朱彝尊于小长芦。十八日，过石门谒劳之辨。放舟抵武林，重游西湖诸胜而返。据顾嗣立《闾邱先生自订年谱》。

下浣，孔尚任序孔贞瑄《聊园文集》。序云："公方屏迹聊园，抚松叠石，莳花劚药，所谓高人有不急之务者，殆日无暇晷。予屡请缮眷，始倾诸箧中，零星断纸，皆为清理，且录且读，且以意评之曰：'诗不拘格，兴到格成；文不限体，情生体具。得韩之奥而不强，得柳之奇而不僻，得欧之畅而不肤，得苏之趣而不巧。'公每谓：'吾老矣！屏迹聊园，凡事聊且为之，不足传也。'予曰：'作人作事，用意者多伪，《左传》、《世说》，皆传其聊者也。'故序。康熙己丑菊月下浣侄尚任拜手撰。"（《孔尚任诗文集》卷六）

下浣，蒋陈锡序孙元衡《赤嵌集》。署"岁在屠维赤奋若季秋下浣，虞山友人雨亭蒋陈锡撰"。又，张实居序云："岁己丑使君来守东郡，"出是集命实校阅。"（《赤嵌集》

卷首）是书四卷，为乙酉至戊子年之作。四库提要卷一八四：《赤嵌集》四卷，"国朝孙元衡撰。元衡字湘南，桐城人。康熙中官至东昌府知府。是集皆其为台湾同知时所作。以地有赤嵌城，故以为名。多纪海外风土物产。颇逞才气，而未能尽轨于诗律。王士禛为之点定，谓其追踪建安，蹑迹长公。似乎太过也。"

朱彝尊得陈廷敬寄怀长律。 杨谦《朱竹垞先生年谱》："先生诵其'人直居人后，投林在鸟先'等句，谓可称诗史。"

毛奇龄序陈至言《菀青集》。 署"康熙己丑秋杪，年家眷同学弟毛奇龄题于城东之书留草堂"。[按，康熙间芝泉堂刻二十一卷本《菀青集》，卷首三篇序文皆为毛奇龄所作。前两篇序作于康熙丙辰和壬申]四库提要卷一八四：《菀青集》无卷数，"国朝陈至言撰。至言字山堂，一字青厓，萧山人。康熙丁丑进士。官翰林院编修。早年与同郡张远齐名，毛奇龄称其能守古人三义八法之意而不变。今观所作，以藻缋为主，音繁节壮，颇似《西河集》中语。宜奇龄之喜其类己也。"《国朝诗别裁集》卷二○录其《感怀》等诗七首。

秋

裴璜游沔鄂。 十月十四日入楚抚陈诜幕，著《黄鹄游稿》、《师楚集》等。十一月作《诫子书》。据裴姚崇《慈溪裴蔗村太史年谱》。

陶孚尹卒，年七十五。 据《欣然堂集》陶士铨跋、卷三《予生于崇祯之季……》。四库提要卷一八二：《欣然堂集》十卷，"国朝陶孚尹撰。孚尹字诞仙，江阴人。官桐城县训导。是集诗六卷，诗余附焉，文四卷。王士禛、尤侗为之序，皆深相推挹。实则无好无恶之作也。"是书康熙五十一年陶士铨刊行。《国朝诗别裁集》录其《早春闲兴》等诗四首。

十月

十三日，朱彝尊卒，年八十一。 据杨谦《朱竹垞先生年谱》。所著《经义考》三百卷、《曝书亭集》八十卷《附录》一卷，所编《明诗综》一百卷、《词综》三十四卷，四库全书收录。另有《韵粹》一百七卷、《竹垞文类》二十六卷、《洛如诗钞》六卷，四库提要著录。《清史稿》本传："当时王士禛工诗，汪琬工文，毛奇龄工考据，独彝尊兼有众长。"杨际昌《国朝诗话》卷一："朱竹垞最工绝句《竹枝》体，国朝无出其右。予所欣赏，间在其不甚着意者。"梁章钜《退庵随笔·学诗二》："朱竹垞诗，通集中格调未能一律。""钱箨石谓：'竹垞早年，尚沿西泠、云间之调，暮年则涉入《江湖小集》，惟中年《腾笑》诸篇，同渔洋正调，抑若在渔洋笼罩中者。'苏斋师则谓：'诗至竹垞，性情与学问合。'此论尤精。"林昌彝《射鹰楼诗话》卷七："五言长排，非才力雄大者不能作。""宋、元、明而后，惟本朝顾亭林、朱竹垞二家，可以直接少陵，他人不足多也。"卷一○："竹垞老人诸体诗，风格雄秀，追步盛唐，而法度亦缜密。其五言名句可合翁山、愚山二家为鼎足。"朱庭珍《筱园诗话》卷二："朱竹垞诗，书卷淹博，规格浑成，才力雄富，工候湛深，造诣实过阮亭，惟时有疏于法处。其精华多在未仕以前，通籍后近体每流入平易。歌行多长短句，意欲尽捐绳墨，自创一家。""其他往往贪多务博，散漫驰骤，无归宿处，有类游骑矣。五古得力《选》体，五律得力工部，七律在信阳、北地间，五排亦得力于杜。其使事精确处，分寸切合，具见用书本领，亦他人所罕及。与阮亭齐名，如老、韩同传，非鲁、卫也。"《国朝诗别裁集》卷一二录其《雁门关》等诗十八首。《晚晴簃诗汇》卷四四录其诗七十二首。《国朝文汇》甲集卷三〇录其《春秋论》等文二十七篇。郭麐《灵芬馆词话》卷一《朱彝尊词》："竹垞才既绝人，又能搜剔唐、宋人诗中之字冷隽艳异者，取以入词。至于镕铸自然，令人不觉，直是胸臆间语，尤为难也。同时诸公，皆非其偶。"吴衡照《莲子居词话》卷二《竹垞得力于乐笑翁》："竹垞自云：'倚新声，玉田差近。'其实玉田词疏，竹垞谨严。玉田词淡，竹垞精致。殊不相类。窃谓小长芦撮有南宋人之胜，而其圆转浏亮，应得力于乐笑翁耳。"钱裴仲《雨华盦词语·朱竹垞词不近玉田》："吾乡朱竹垞先生自题其词曰：'不师黄九，不师秦七，倚新声，玉田差近。'余窃以为未然。玉田词清高灵变，先生富于典籍，未免堆砌。咏物之作，尤觉故实多而旨趣少。咏物之题，不能不用故实。然须运化无迹，而以虚字呼唤之，方为妙手。"谢章铤《赌棋山庄词话》卷二《朱竹垞词》："国初词场诸老，蕴藉端推竹垞，即纸醉金迷，亦复令人意远。"陈廷焯《白雨斋词话》卷三："竹垞词，疏中有密，独出冠时，微少沈厚之意。其《自题词集》云：'不师秦七，不师黄九，倚新声玉田差近。'夫秦七、黄九，岂可并称？师玉田不师秦七，所以不能深厚。不知秦七，亦何能知玉田？彼所知者，玉田之表耳。师玉田而不师其沈郁，是买椟还珠也。""昔人谓梦窗之密，玉田之疏，必兼之乃工。就形骸而论，竹垞似能兼之矣。""竹垞《江湖载酒集》洒落有致，《茶烟阁体物集》组织甚工，《蕃锦集》运用成语，别具匠心，然皆无甚大过人处。惟《静志居琴趣》一卷，尽扫陈言，独出机杼。艳词有此，匪独晏、欧所不能，即李后主、牛松卿亦未尝梦见，真古今绝构也。惜托体未为大雅。""吾于竹垞，独取其艳体。盖论词于两宋之后，不容过刻，节取可也。"《词坛丛话·竹垞词源出白石》："朱竹垞词，艳而不浮，疏而不流，工丽芊绵中而笔墨飞舞。其源亦出自白石，而绝不相似。盖白石之妙，正如大江无风，波涛自涌。竹垞之妙，其咏物诸作，则杯水可以作波涛，一蒉可以成泰山。其感怀诸作，意之所到，笔即随之。笔之所到，信手拈来，都成异彩。是又泰山不辞土壤，河海不择细流也。与白石并峙千古，岂有愧哉。"又《竹垞兼吴张之妙》："昔人谓吴梦窗词，如七宝楼台，拆碎下来，不成片段。余谓张玉田词，如镜花水月，万籁空虚。兼两家之妙者，竹垞也。"

二十七日，曹锡淑（女，1709—1743）生。锡淑字采荇，上海人，一士女，陆秉笏室。著有《晚晴楼诗草》二卷。事迹见陆秉笏《行略》（《晚晴楼诗草》附录）。

熊赐履卒，年七十五。据彭绍升《故东阁大学士吏部尚书熊文端公事状》（《二林居集》卷一三）。[按，孔继涵《经筵讲官太子太保东阁大学士兼吏部尚书熊文端公年谱》（《杂体文稿》卷七）谓其卒于本年八月]所著《学统》五十六卷、《闲道录》三卷、《下学堂札记》三卷、《经义斋集》十八卷、《澡修堂集》十六卷，四库提要著录。《国朝文汇》甲集卷一四录其《荆南墨农全集序》等文三篇。《晚晴簃诗汇》卷二八录其诗六首。

十二月

朔日，王士禛自序《分甘余话》。署"己丑腊月朔，王士禛书"。(《分甘余话》卷首) 四库提要卷一二三：《分甘余话》四卷，"成于康熙己丑罢刑部尚书家居之时。曰'分甘'者，取王羲之与谢万书中语也。大抵随笔记录，琐事为多。盖年逾七十，借以消闲遣日，无复考证之功，故不能如《池北偶谈》、《居易录》之详核。中如……是亦随时摘录，不暇翻检之明验矣。其它传闻之语，偶然登载，亦多有未可尽凭者。然如繁台之当读蒲禾切，梅福为吴门市卒之非，苏州宣室之有二，此类皆有典据，不同摭拾，披沙拣金，尚往往见宝也。其中'沧浪诗话'一条，独举冯班《钝吟杂录》之说，反复诋排，不遗余力。则以士禛论诗宗严羽，而赵执信论诗宗冯班。核其年月，在《谈龙录》初出之时，攻班所以攻执信也。然执信讼言诋士禛，而士禛仅旁借其词，不相显斥，则所养胜执信多矣。"〔按，是书所记尚有康熙四十九年之事，则成书当在明年〕

二十六日，王九龄卒，年六十七。据许汝霖《总宪王薛澥墓志铭》(《德星堂文集》卷四)。四库提要卷一八三：《艾纳山房集》五卷，"国朝王九龄撰。九龄字子武，华亭人。广心之仲子也。康熙壬戌进士。官至监察御史。其诗欲挹何、李之流波，而才思富艳，加以纤秾。如《金陵杂感》云：'十里青楼原上草，六朝红粉路旁花。'殆纯以情韵胜矣。"〔按，王九龄官至左都御史，非监察御史〕《国朝诗别裁集》卷一三录其《窃禄》等诗三首。《晚晴簃诗汇》卷四七录其诗三首。

汪晋征卒，年七十一。据严虞惇《光禄大夫户部左侍郎加四级涵斋汪公墓志铭》(《严太仆先生集》卷九)、朱彭寿《清代人物大事纪年》。《晚晴簃诗汇》卷三六录其诗一首。

冬

黄叔琳视学山左，省王士禛于里第。黄乃士禛康熙辛未所取进士。据王士禛自编、惠栋注补《渔洋山人自撰年谱》卷下。

赵执信南游扬州，明年春返里。《因园集》卷九《浮家集·抵扬州》诗注："己丑至亦以暮冬。"

临清汪灏告病归里，未几卒。《四库全书·山东通志》卷二十八之四："丁亥秋，黄流暴涨，灏亲督河工，昼夜巡阅，以此积劳成疾。己丑冬，告病归里，未几卒。"四库提要卷一八三：《倚云阁诗集》一卷，"国朝汪灏撰。灏字文漪，一字天泉，临清人。康熙乙丑进士。官至贵州巡抚。是集为王士禛所定。凡评点悉仍士禛之旧。自题《蒋都宪家庆图》以下，则士禛所未见，故评点阙焉。灏诗一以士禛为法。集中有读《唐贤三昧集》二绝句，殆于铸金呼佛。然姿韵略同。而近体多凑泊语，不及士禛之天然也。同时别有汪灏，字紫沧，休宁人。康熙癸未进士。官翰林院编修。二人诗文，传写者往往相淆，惟以字为别识而已。"《国朝诗别裁集》卷一六录其《拜杨伯起墓》、《送谢方山郎中告归》诗二首。《晚晴簃诗汇》卷四八录其诗四首。

曹煜曾作《己丑冬病中感旧十首》。自注云："余赴秋闱凡十次矣。"（《道腴堂诗集》卷三）

本年

桑调元受业于劳史，时年十五岁。调元（1695—1771）字弢甫、伊佐，自号独往生、五岳诗人，钱塘人。雍正十一年，召试通知性理，钦赐进士，授工部主事，引疾归。历主九江濂溪书院、嘉兴鸳湖、滦源书院，弘扬师说。著有《桑弢甫集》八十四卷。事迹见《清史列传》劳史传附、《清史稿》劳史传附。

方苞与宗六上人游浮山。据《方苞集》卷一四《再至浮山记》。

冷士嵋客吴，与黄中坚定交。据黄中坚《蓄斋文集》卷首冷士嵋序。

孙勷督贵州学政。据宋弼《朝议大夫通政使司右参议莪山孙公遗事》（《鹤侣斋诗》附录）。

高其倬官山西学政。据《钦定八旗通志》卷一九二。

陈至言官河南学政。据《四库全书·河南通志》卷三五。

陈鹏年摄江苏布政使。旋入京为武英殿总裁。据郑任钥《河道总督恪勤陈公墓志铭》（《国朝文汇》甲集卷四三）。

鲍鉁官浙江长兴知县，时年二十岁。据全祖望《杭州海防草塘通判辛浦鲍君墓志铭》（《鲒埼亭集》卷一九）

朱泽沄此后益致力于朱子之学。刘师培《朱止泉传》："初从程畏斋读书，分年日程，即寻其次序，刻苦诵习。讲求经世之学，凡边防、水利、农田、社仓、学校诸法，考核精详。学历算于泰州陈厚耀，尽传其法。盖先生早年之学专务该博，于道学源流未得要领。继念朱子之学上绍孔、孟、程、周，后儒或议其殉外，因专心朱子《语类》、《文集》，潜思力究，至忘寝食。及读《中和旧说序》、《与湖南诸公》、《答张敬夫》诸书，始知朱子之学先从发处察识。自己丑以后，深透未发之旨，故涵养工夫日益加密。其先后次序，昭然可考。"（《广清碑传集》卷六）

《御定四朝诗》三百一十二卷成书。据四库提要卷一九〇。

王相编《尺牍嘤鸣集》十二卷成书。四库提要卷一九四："《尺牍嘤鸣集》十二卷，'国朝王相编。相字晋升，临川人。是书成于康熙己丑。采明末及国初简札分十二类，类中又分子目四十有三。大抵轻佻纤巧，沿陈继儒等之余习。'"

张笃庆偶得前丁丑会试录一册，念是科得人最盛，因作《丁丑纪盛诗》一卷。凡五古三十八首，又杂著七言歌行二十余首。据张笃庆《厚斋自著年谱》。

顾嗣立本年所作诗为《观海集》。据顾嗣立《闾邱先生自订年谱》。

查慎行《槐簃集上》为本年诗。见《敬业堂诗集》卷三七。

许廷录次所著散曲、杂文为《东野轩暇集》。据张慧剑《明清江苏文人年表》。又，本年自序《蓬壶院》杂剧。据庄一拂《古典戏曲存目汇考》卷八。

张贞自序《渠丘耳梦录》四集，称其书为仿《贵耳集》、《昨梦录》之作。据《中国古代小说总目》文言卷。

彭定求《南畇续稿》刊行。据彭定求《南畇老人自订年谱》。

曹寅《楝亭诗钞》六卷、《词钞》一卷刊行。《贩书偶记》卷一四："《楝亭诗钞》六卷、《词钞》一卷，千山曹寅撰。康熙己丑精刊，有王朝瓛序。据序称，楝亭诗集千首，自删存什之六，广陵诸同志以诗请益者，既手抄付梓矣。既而楝亭重加精采，又去三分之一，并诗余一卷，命小胥录置案头，聊共吟玩。真州吴尚中力请以归，别于东园开雕。此诗钞所以有两刻也。四库存目载诗五卷、词一卷。"又，四库提要卷一八三：《楝亭诗钞》五卷附《词钞》一卷，"国朝曹寅撰。寅有《居常饮馔录》，已著录。其诗一刻于扬州，计盈千首。再刻于仪征，则寅自汰其旧刻而吴尚中开雕于东园者。此本即仪征刻也。其诗出入于白居易、苏轼之间。"

钱琦（1709—1790）生。琦字相人、湘纯，号玙沙，晚号耕石老人，仁和人。乾隆二年进士，选庶吉士，授编修。官至福建布政使。著有《澄碧斋诗钞》十二卷、《别集》一卷。事迹见袁枚《福建布政使钱公墓志铭》（《小仓山房续文集》卷二六）。[按，生卒年据《钱玙沙自撰年谱》（谢巍《中国历代人物年谱考录》著录）]

张汝霖（1709—1769）生。字芸墅，宣城人。雍正十三年拔贡生。旋以人才保举，乾隆元年引见，命为知县，分发广东，任河源、香山、阳春知县。又为澳门海防同知。后以事去官。著有《澳门记略》、诗文集三十卷、政牍五十卷，与施念曾同辑《宛雅三编》。事迹见姚鼐《广州府澳门海防同知赠中宪大夫翰林院侍讲加一级张君墓志铭》（《惜抱轩文集》卷一三）。

帅家相（1709—?）生。据江庆柏《清代人物生卒年表》。家相字伯子，奉新人。乾隆二年进士。官至浔州府知府。著有《卓山诗集》十六卷。事迹见《卓山诗集》诸序跋。

董元度（1709—1786 后）生。元度字曲江，号寄庐，平原人。少以《春柳》诗得名，与王士禛《秋柳》诗竞响。乾隆十七年成进士，由庶吉士改官江西县令。仅一年，改东昌府教授。著有《旧雨堂诗集》。事迹见《梧门诗话》卷四、《晚晴簃诗汇》卷八一。[按，生年据江庆柏《清代人物生卒年表》]

蔡方炳卒，年八十四。据张慧剑《明清江苏文人年表》。《国朝文汇》甲前集卷二○录其《国计论》等文五篇。

陶自悦卒，年七十一。据张慧剑《明清江苏文人年表》。《亦乐堂诗》六卷乾隆二十八年仁本堂刊行。据《贩书偶记》卷一五。《晚晴簃诗汇》卷四九录其诗八首。

王撰卒，年八十七。据《历代人物年里碑传综表》。《晚晴簃诗汇》卷二七："异公画承家学，论者谓其峰峦树石，无不肖似烟客，可称具体。诗清婉。"录其诗三首。

姜实节卒，年六十三。据《疑年录汇编》卷一○。《国朝诗别裁集》卷二一："此贞毅先生仲子也。好古畏荣，布衣终老。诗工七言断句，每于若不用力处遇之。"录其《白头公鸟》等诗五首。《晚晴簃诗汇》卷四○录其诗六首。

陆淹卒，年五十余。据邓之诚《清诗纪事初编》卷三。《青缃堂诗》六卷明年刊行。据《贩书偶记》卷一四。《国朝诗别裁集》卷二九录其《秋怀》诗一首。

陈奕禧卒，年六十二。据《疑年录汇编》卷一○。《春霭堂集》十八卷本年秋吴门精刊，卷一至十二诗，卷十三至十八文，据《贩书偶记》卷一四；《春霭堂续集》二卷明年夏都门精刊，据《贩书偶记续编》卷一四。查为仁《莲坡诗话》："海宁陈香泉太

守奕禧书法名天下，诗格更高。《溧县阻风》云：'风传冷树飞霜叶，雁宿秋江老白蘋。'风味不让唐人。"《国朝诗别裁集》卷二五："石阡以字学鸣，诗亦清稳，王新城尚书尝称赏之。"录其《望中条山有怀吴天章玉溪隐居》诗一首。《晚晴簃诗汇》卷三八录其诗六首。《国朝文汇》甲集卷四一录其《周明府辚声玉峰草序》等文三篇。

孙致弥卒，年六十八。据朱彭寿《清代人物大事纪年》。四库提要卷一八三：《杕左堂诗集》六卷《词》四卷《续集》三卷，"国朝孙致弥撰。致弥字恺似，嘉定人。康熙中被荐，以太学生赐二品服出使朝鲜采诗。戊辰成进士，改庶吉士。官至翰林院侍读学士。殁后诗稿散佚。雍正中，张鹏翀、朱厚章得钞本于戴玑家，始选而刻之。《词》凡三种，曰《别花余事》，曰《梅泞》，曰《袝琴》，皆其门人楼俨所定。《续集》附《词》后，则未详何人编次也。致弥以书名，得董其昌之法。诗则以跌宕流逸为长，而率易亦所不免。"查为仁《莲坡诗话》："嘉定孙竹坪致弥髫岁即以诗名。掉鞅词场，致身禁近者四十年。其《题秦淮小榭》四绝最佳。"杨际昌《国朝诗话》卷一："嘉定孙公致弥《题秦淮小榭四绝句》，丰致宛转，极耐咀嚼。"沈德潜等《国朝诗别裁集》卷一七："松坪未第时尝为副使，采诗朝鲜等国，极韵事也。馆选后，与赵文饶同罹岸狱，几濒于危矣，卒以非辜得雪。后圣祖巡幸时，以献赋复官翰林，至学士。诗筋力于唐人，无绮靡习，当时推为作家。戊辰诸公并推重之。"录其《江行杂诗》等诗十一首。《晚晴簃诗汇》卷四九录其诗三首。《清史列传》张鹏翀传附："致弥诗，自言从刘随州、刘宾客入，然五七言古体绝似苏、陆。"冯金伯《词苑萃编》卷八引楼敬思云："孙松坪先生别花余事，绝似东山、东堂、小山、淮海。梅泞词，则旁及于青兕，而变化于乐笑。其清空骚雅，骎骎乎入宋人之室矣。"

公元1710年（康熙四十九年　庚寅）

正月

十九日，郭元釪等在京演《长生殿》。据查慎行《敬业堂诗集》卷三八《燕九日，郭于宫、范密居招诸子社集，演洪稗畦长生殿传奇，余不及赴，口占二绝句答之》。

范缵卒，年六十。据《四香楼诗钞》卷首陈元龙序。四库提要卷一八四：《四香楼集》四卷，"国朝范缵撰。缵字武公，娄县人。其诗源出晚唐，而参以南宋。如'蜂憎绿蚁晴偷蜜，燕觅青虫昼哺雏'、'一潭水聚三更月，四野山围小阁灯'、'三秋树老蝉声尽，八月江寒雁影迟'、'蝉声送过秋多少，鹤梦凭他夜短长'之类，皆绰有思致，而格调未高。陈元龙序称其长堪舆学，盖尝馆于元龙家。相传《格致镜原》即其所纂，亦博洽之士也。"四库提要卷二〇〇：《四香楼词钞》无卷数，"是集小令、中调、长调各自为编，而不分卷数。大抵宗法周、柳，犹得词家正声。而天然超妙不及前人，未免有雕镂之迹。至如《南歌子》第二首之类，虽脂粉绮罗，诗余本色，要亦稍近于亵也。"《晚晴簃诗汇》卷五一录其四首。

二月

十八日，顾嗣立出门。游浙江、江西、广东等地，十一月二十五日归秀野园。有

《罗浮集》六卷。据顾嗣立《闾邱先生自订年谱》。

裘琏自陈诖幕归。据裘姚崇《慈溪裘蔗村太史年谱》。

春

蒲松龄、张笃庆、李尧臣与乡饮酒礼。《聊斋诗集》卷四《张历友、李希梅为乡饮宾介，仆以老生，参与末座，归作口号》："忆昔狂歌共夕晨，相期矫首跃龙津。谁知一事无成就，共作白头会上人。"

高孝本有《晋游集》。小序云："丙戌秋至庚寅春，客河东。山邮野寺，到处疥壁，稿随手弃去，存者无几。"（《固哉叟诗钞》总目）

四月

陈鹏年序刘然辑评《国朝诗乘》。署"康熙庚寅余月望日，赐进士出身中宪大夫知江南苏州府事奉敕纂修方舆馆前江宁府知府加四级长沙陈鹏年书于金阊薇署之簌白堂"。（《国朝诗乘》卷首）《国朝诗乘》十二卷、《发凡》一卷玉穀堂本年刊行。据《贩书偶记续编》卷一九。

五月

十六日，邵大业（1710—1771）生。大业字在中，号厚庵，别号思余，大兴人，旧籍余姚。雍正十一年进士。历官黄陂知县、禹州知州、睢州知州、南苏州知府、开封知府、六安知州、徐州知府。后坐妖匪割辫事罢职，谪戍军台，数年卒。著有《谦受堂集》十五卷。事迹见郑虎文《江南徐州守邵君家传》、钱大昕《朝议大夫徐州府知府邵公墓志铭》（《谦受堂集》卷首）、《清史列传》本传、《清史稿》本传。[生日据朱彭寿《清代人物大事纪年》]

陈元龙擢补翰林院掌院学士，遂赴京就任。本月至明年九月诗为《重征集》。见《爱日堂诗》卷一五。

六月

厉鹗《游仙百咏》成书。自序署"康熙庚寅六月，樊榭山人自题"。（《樊榭山房集外诗》卷上）此后数年间，厉鹗又作《续游仙百咏》、《再续游仙百咏》。鹗（1692—1752）字太鸿，号樊榭、南湖花隐、西溪渔者，钱塘人。康熙五十九年举人。乾隆元年举鸿博报罢。著有《辽史拾遗》二十四卷、《东城杂记》二卷、《南宋院画录》八卷、《樊榭山房集》二十卷、《宋诗纪事》一百卷。事迹见朱文藻撰、缪荃孙重订《厉樊榭先生年谱》、郑方坤《厉君鹗小传》（《碑传集》卷一四一）、全祖望《厉樊榭墓碣铭》（《鲒埼亭集》卷二○）、《清史列传》本传、《清史稿》本传。

八月

望日，张谦宜自序《茧斋诗谈》八卷。见《茧斋诗谈》卷首。

宋荤序魏麐征《石屋诗钞》。署"康熙庚寅壮月西陂宋荤撰，时年七十有七"。（《石屋诗钞》卷首）四库提要卷一八三：《石屋诗钞》八卷《补钞》一卷，"国朝魏麐征撰。麐征字苍石，溧阳人。康熙丁未进士。官至邵武府知府。此集即在邵武所刊。第二卷为《西湖和苏诗》，第七卷为《和白香山乐府》，其瓣香所在，可以想见。第五卷为拟汉乐府，虽未至于苦学妃豨，而形骸之外，去之转远。盖唐乐府重在讽谕，其文章可以力追；汉乐府重在音律，其节奏不可以臆揣也。第三卷为《闽行日记诗》，第四卷为《闽中吟》，第六卷为《渔山诗》，皆以地记。第一卷与第八卷则总题曰《杂诗补钞》一卷，亦无标目。大抵诗才清拔，而根柢不深。如《晓行》诗'暗灯移附壁'句，自是束装真景。而刻画琐碎，已入武功末派矣。"是书本年玉石斋刊行。又，《国朝诗别裁集》卷九录魏麐征《短歌行和杜韵》等诗七首。

九月

张贞《杞田集》十四卷、《遗稿》一卷春岑阁刊行。即《半部》、《或语》、《潜州》、《娱老》四集类编。据《贩书偶记》卷一四。

秋

查嗣瑮、金埴同咏《六燕》诗。金埴《不下带编》卷二："殖于庚寅秋与太史同咏《六燕》诗于禾中，题曰《花朝邀燕》、曰《燕室落成》、曰《燕产新雏》、曰《秋社送燕》、曰《主人赠燕》、曰《燕酬主人》。和之者则曾公子梅厅安世、杜公子贻穀庭珠也。"

十月

蒲松龄贡于乡，时年七十一岁。蒲箬《清故显考岁进士候选儒学训导柳泉公行述》："岁己丑，我父食饩二十七年，例应预考，庚寅岁贡，冬十月，一仆一骑，别无伴侣，奔驰青州道中，六日归来，不至恚病。"（《蒲松龄集》附录）〔按，民国《淄川县志》卷五《续贡生》："（蒲松龄）辛卯岁贡。"（朱一玄编《聊斋志异资料汇编》）〕

顾汧自编《凤池园诗集》八卷成。据本月自序。是书明年刊行，卷首又有本年仲冬吴之振序、本年腊月劳之辨序、康熙戊午冬日徐文元旧序、康熙戊午阳月顾湄旧序、康熙辛卯五月王鸿绪序。王序云："先生于己丑春以司宗贵臣予告归里，辑三十年所作为《凤池园集》。其中台阁宏章，则丽以则也；宴游雅什，则新以俊也；怀古、赠行、纪事、赋物诸篇，则或澹以逸、彬以蔚也。真堪上埒王、孟，下掩钱、刘。"（《凤池园集》卷首）

十一月

严虞惇作《艳囮》二则。自跋署"庚寅仲冬燕邸思庵闲笔"。是书有《说库》本、《香艳丛书》本。

十二月

李绂访方苞。《方苞集》卷四《李穆堂文集序》："余与穆堂始相见，即相与议所处。康熙庚寅杪冬，穆堂以庶吉士觐省归里，道长干，停船过余。余时以老母衰病，不敢远行，而守土吏及族嫌皆谓：'误殿试期至再三，惧物议。'穆堂独正议以排之。余因谓穆堂：'子必大为世用，不及今肆力于学，则无其时矣。"

本年

吴江张尚瑗、陈沂震、吴楫复、陈锐、陈锷、计默等集传清堂，举行文会。据张慧剑《明清江苏文人年表》。

黄之隽入京馆陈元龙家。黄之隽《冬录》："年四十三始游京师，应文简公招也。""既至都，查查浦嗣瑮、周寒溪彝两太史首为延誉。"（《唐堂集》附录）

王心敬再赴湖北，返经襄城，访刘青霞兄弟诸人。据王心敬《襄城啸林刘子别传》（《慎独轩文集》卷首）。

任瑗弃举子业，讲学静坐，时年十八岁。瑗（1693—1774）字恕庵，号东涧，山阳人。乾隆元年，试博学鸿词报罢。著有《纂注朱子文类》一百卷、《六溪山房文稿》五卷、《六有轩存稿》二卷、《六有轩诗漫钞》二卷等。事迹见韩梦周《任先生瑗墓表》（《碑传集》卷一二九）、《清史列传》朱泽沄传附、《清史稿》刘原渌传附。

陈廷敬予告，称山人。以修书未毕，留京办事。据杨锺羲《雪桥诗话》卷二引《午亭山人年谱》。

蒲松龄自本年起家居。蒲箬《清故显考岁进士、候选儒学训导柳泉公行述》："迨撤帐归来，年七十矣。养老之田五十余亩，不孝辈别无供奉，唯均输国课，不使租吏登门，我父得栖迟偃仰，抱卷自适，时邀五老，斗酒相会，以叙生平、话间阔，差可自娱。凡族中桑枣鹅鸭之事，皆愿得一言以判曲直，而我父亦力为剖决，晓以大义，俾各帖然钦服以去。虽有村无赖刚愎不仁，亦不敢自执己见，以相诤谇，盖义无偏徇，则坦白自足以服众也。"（《蒲松龄集》附录）蒲松龄有《斗室》诗写家居心境，见《聊斋诗集》卷四。

张棠任桂林府知府。据《四库全书·广西通志》卷五七。

魏荔彤任漳州知府。据《四库全书·福建通志》卷二七。

仇兆鳌特擢吏部右侍郎，兼翰林院学士。据《重修浙江通志稿》本传（《广清碑传集》卷五）。

《御定渊鉴类函》四百五十卷成书。据四库提要卷一三六。

查慎行《槐簃集下》为正月至闰七月诗、《枣东集》为八月至明年十二月诗。见

《敬业堂诗集》卷三八、三九。

戴名世此后数年，著作不传。据戴钧衡《南山先生年谱》。

张笃庆作《阅绥寇纪略杂诗》七律一百五十五首，又《山居杂诗》二百首。据张笃庆《厚斋自著年谱》。

严虞惇作《思庵闲笔》。据张慧剑《明清江苏文人年表》。

顾嗣协编《冈州遗稿》六卷刊行。又，道光癸卯松溪精舍重刊，多言良钰《增补》一卷。据《贩书偶记》卷一九。法式善《陶庐杂录》卷三："《冈州遗稿》六卷，顾嗣协编集广东新会人之诗，自元罗蒙正以下五十九人。刻于康熙四十九年，嗣协弟嗣立为序之。中云：余向在四朝诗馆加意搜罗，独至冈州作者竟寥寥无闻焉。斯集信可宝也。版刻极佳。"

徐昂发选、**金国栋**辑《小南村集》芳润堂刊行。凡朱襄《漫兴诗稿》一卷、蒋梦兰《香山诗稿》一卷、金国栋《芳润堂诗稿》二卷、缪宗俨《桐村诗稿》一卷、秦应阳《草草亭诗稿》一卷、缪嗣寅《晓谷诗稿》一卷。据《中国丛书综录》。

王士禛刻《己丑庚寅近诗》一卷、《渔洋诗话》三卷。王士禛自编、惠栋注补《渔洋山人自撰年谱》卷下："是年刻《己丑庚寅近诗》一卷。山人乙酉年撰《诗话》六十条，戊子秋冬间又增一百六十条，共成三卷，是秋授门人黄侍读叔琳序而梓之。"王士禛自序《渔洋诗话》云："余生平所为诗话，杂见于《池北偶谈》、《居易录》、《皇华纪闻》、《陇蜀余闻》、《香祖笔记》、《夫于亭杂录》诸书者，不下数百条；而《五代诗话》，又别为一书。今南中所刻《昭代丛书》，有《渔洋诗话》一卷，乃摘取五言诗、七言诗凡例，非诗话也。康熙乙酉，余既遂归田，武林吴宝厓陈琰书来，云欲撰本朝诗话，征余所著。无暇刺取诸书，乃以余平生与兄弟友朋论诗，及一时谈谐之语可记忆者杂书之，得六十条。南邮行急，脱稿即以付之，不复审改。戊子秋冬间，又增一百六十余条。大儿启涑好收余诗文尺牍草稿，遂付装潢。余年来目昏不能书，此稿藏之家塾，留示子孙可耳，不足示他人也。"（《渔洋诗话》卷首）四库提要卷一九六：《渔洋诗话》三卷，"（士禛）论诗之语散见于所著《池北偶谈》诸书中，未有专帙。张潮辑《昭代丛书》，载《渔洋诗话》一卷，实所选古诗凡例，非士禛意也。是编乃康熙乙酉士禛归田后所作，应吴陈琬之求者。初止六十条，戊子又续一百六十余条，裒为一集，付其门人蒋景祁刻之。士禛论诗主于神韵，故所标举，多流连山水，点染风景之词，盖其宗旨如是也。其中多自誉之辞，未免露才扬己。又名为'诗话'，实兼说部之体。如记其弟士祜论焦竑字、徐潮论蟹价、汪琬跋其兄弟尺牍、冶源冯氏别业、天竺二僧诟谇、刘体仁倩人代画诸事，皆与诗渺不相关。虽宋人诗话往往如是，终为曼衍旁支，有乖体例。至如石溪桥壁书绝句，乃晚唐储嗣宗诗，点易数字。士禛不辨而盛称之，亦疏于考证。然其中清词佳句，采撷颇精，亦足资后学之触发，故于近人诗话之中，终为翘楚焉。"

段昕撰、**陈箴**辑《皆山堂诗草》十卷刊行。第十一卷至二十卷续出。据《贩书偶记》卷一四。陈箴又有《晚帘集》七卷，四库提要卷一八二著录："箴字于宝，龙溪人。由贡生官连城县教谕。是集文三卷，诗四卷。前三卷分体，后一卷则不分体，盖续刻也。其古文多杂偶句，不古不今。诗颇泽于古，而不能得其格律。盖刻意有为，而限于无师者也。"

徐骏《石帆轩诗集》十一卷刊行。据《贩书偶记》卷一四。

汪轫（1710—1767）生。轫字辇云，号鱼亭，武宁人。乾隆间优贡生。官吉水训导。著有《鱼亭诗钞》、《芙蓉城》杂剧（佚）。事迹见蒋士铨《汪鱼亭学博传》（《忠雅堂文集》卷四）、《清史列传》蒋士铨传附、《清史稿》蒋士铨传附。

史承豫（1710—1774）生。承豫字衎存，号蒙溪，宜兴人。诸生。与兄承谦并有才名。著有《苍雪斋诗文集》、《苍雪斋词》。事迹见张慧剑《明清江苏文人年表》。

杨潮观（1710—1788）生。潮观字宏度，号笠湖，无锡人。乾隆元年举人，历宰晋、豫、滇南三省，迁知四川简、邛二县，再调泸州。居官三十余年，有政声。年八十终。著有《吟凤阁杂剧》三十二种。事迹见袁枚《邛州知州杨君笠湖传》（《小仓山房续文集》卷三四）。

章性良卒，年八十三。据张慧剑《明清江苏文人年表》。

王源卒，年六十三。据李塨《王子传》（《恕谷后集》卷六）。管绳莱《王昆绳家传》："源以世家子弟，国变家毁，苍凉郁勃之气无所发泄，一寓之于文。今其文具在，多纪明人逸事，发扬蹈厉，往复不穷，当时号为古文家者，未足与比也。然非遭时之艰，困心衡虑，乌能成其所至若此哉？晚而归宗于理学，夫亦盛气既平，知非悔过之所为与？后世读其文者可以窥其志矣。"（《居业堂文集》卷首）赵培元《居业堂文集跋》："《居业堂集》二十卷，国朝王源著。源字昆绳，一字或庵，顺天大兴人。按方侍郎《四君子传》，源古文未刻者藏于家，既刻者世多有，则当时已有行本。今所据本为武进管绳莱所编集，道光辛卯始镌于金陵刘氏，梓工精良，鱼豕较稀。集首录篇题子目凡二百七十有三，而《南游诗序》及《毛孺人行状》则有目而无篇，《明月夜归图跋》则有篇而无目，盖编定后续有增损，而目录失检者也。源志趣高迈，喜谈兵，好品题人物，传忠孝节烈奇伟逸事。然《绥寇纪略书后》首次两篇，以洪承畴比方孙卢，既已儗非其伦，复盛推杨嗣昌将才，目群议为巧诋，是非失实，尤有乖于公论。他所叙述，亦间涉于偏倚，不能尽归一是。惟其才力雄闳，学有实用，虽瑜不掩瑕，要不失为文士之豪。集中各体文，多不可磨灭之作。今与王君文泉参订付梓，卷次文类，悉依旧式，酌存二百六十三篇。篇后旧载各家评语，其泛论文体，无关故实者，概削而不录。至源学行家世，具详洪氏识引方氏传文及绳莱所撰《家传》、《莹记》中，今仍编诸卷首，后之览者，庶得考见其生平焉。光绪十一年乙酉六月上旬，忻州赵培元谨识。"（《居业堂文集》卷末）徐珂《清稗类钞·文学类·王昆绳评订文章练要》："大兴王昆绳，世称或庵先生。晚年与李刚主师事颜习斋学礼，终日正衣冠，对仆隶，必肃恭。慕汉诸葛武侯、明王文成，而目程、朱为迂阔。常自负有经世学，雅事著作。其《评订文章练要》一书，时为颍州宁世簪、桐城戴名世所同阅，歙县程城参正之。盖以评文之法，评经书及史子集，虽不脱明人积习，然语中肯綮，津逮后学，厥功甚伟。书分六宗百家。六宗曰《左传》、曰《孟子》，曰《庄子》，曰《楚辞》，曰《战国策》，曰《史记》。百家之类三：公、穀、管、韩诸家一也，《汉书》以下诸史二也，汉、魏诸名家集三也，六朝而下不与焉。简练精要，以为规矩准绳，详而说之，以尽乎文之变。尝曰：'六经者，文之祖。六宗别子为祖，而各立门户以为宗。百家不能出六宗范围，六宗不能出六经范围。究之，惟以道为归而已。'城序其书曰：'每听先生论文，如淮阴侯登坛，萧、曹为之屏息。如吴札观周乐，见微而知清浊。如宣尼赞《易》，尽三极之道，高明广大而不外乎中庸。'其所评订文章，远胜鹿门、月峰诸家矣。"《国朝文汇》甲集卷三八录其《将论》等文三十篇。《晚晴簃诗汇》卷四八录其诗三首。

张韬卒于本年以后不久，约六十岁左右。据邓长风《明清戏曲家考略·十四位清代浙江戏曲家生平考略》。

公元1711年（康熙五十年　辛卯）

正月

二十一日，杨鸾（1711—1778）生。鸾字子安，号迁谷，别号可诗老人，潼关人。乾隆四年进士。历官四川犍为、湖南醴陵、长沙、邵阳知县。著有《邈云楼诗文集》。事迹见王梦祖《迁谷先生杨鸾墓志铭》（《碑传集》卷一〇六）、《清史列传》屈复传附。

二十六日，曹寅作《重葺鸡鸣寺浮图碑记》。署"康熙五十年正月二十六日，钦差江宁织造巡视两淮盐漕通政使司通政使曹寅谨记"。（《楝亭集·楝亭文钞》）

允禧（1711—1758）生。允禧号紫琼（崖）主人，宗室。雍正八年封固山贝子，寻晋多罗贝勒，十三年封多罗慎郡王，乾隆二十三年五月卒，谥曰靖。著有《花间堂诗钞》一卷、《紫琼岩诗钞》三卷、《续刻》一卷。事迹见《钦定八旗通志》卷一二〇、《国朝诗别裁集》卷三〇、《清史稿》本传。

二月

冷士嵋序黄中坚《蓄斋文集》。署"康熙辛卯二月朏，京江同学弟冷士嵋拜题于吴门寓斋。"（《蓄斋文集》卷首）是书十六卷，有本书楝华堂刻康熙五十三年增修本。又，《蓄斋二集》十卷，有乾隆三十年黄云惠等刻本。

三月

陈廷敬序宋荦《西陂类稿》。署"康熙五十年辛卯三月，泽州陈廷敬撰"。序云："其文闳深隽永，尤长于讽谕之言。"（《西陂类稿》卷首）四库提要卷一七三：《西陂类稿》三十九卷，"凡诗二十二卷、词一卷、杂文八卷、奏疏六卷。其诗之目曰《古竹圃稿》，曰《嘉禾堂稿》，曰《柳湖草》，曰《将母楼稿》，曰《古竹圃续稿》，曰《都官草》，曰《双江唱和集》，曰《回中集》，曰《西山倡和诗》，曰《续都官草》，《海上杂诗》，曰《漫堂草》，曰《漫堂倡和诗》，曰《啸雪集》，曰《庐山诗》，曰《述鹿轩诗》，曰《沧浪亭诗》，曰《迎銮集》，曰《红桥集》，曰《迎銮二集》，《清德堂诗》，曰《迎銮三集》，曰《藤阴倡和集》，曰《乐春阁诗》，曰《联句集》，凡二十有五。其初本各自为集，晚年致仕居西陂，乃手自订定，汇为兹帙。惟初刻

《绵津山人诗集》删除不载。盖以早年所作，格调稍殊，故别为一编，不欲使之相混也。荦虽以任子入官，不由科目，而淹通典籍，练习掌故。诗文亦为当代所推，名亚于新城王士禛。其官苏州巡抚时，长洲邵长蘅选士禛及荦诗为《王、宋二家集》，一时颇以献媚大吏为疑。赵执信尤持异论，并士禛而掎轧之。平心而论，荦诗大抵纵横奔放，刻意生新，其渊源出于苏轼。王士禛《池北偶谈》记其尝绘轼像，而己侍立其侧。后谒选果得黄州通判，为轼旧游地。又施元之《苏诗注》久无传本，荦在苏州，重价购得残帙，为校雠补缀，刊板以行。其宗法可以概见。故其诗虽不及士禛之超逸，而清刚隽上，亦拔轼自成一队。其序、记、奏议等作，亦皆疏畅条达，有眉山轨度。士禛寄荦诗有曰：'尚书北阙霜侵鬓，开府江南雪满头。当日朱颜两年少，王扬州与宋黄州。'言二人少为卑官，即已齐名，不自长蘅合刻始。所以释赵执信之议也。然则士禛亦未尝不引为同调矣。"

春

朱星渚序胡会恩《清芬堂存稿》。署"时康熙辛卯春日，桐乡后学朱星渚序"。（《清芬堂存稿》卷首）四库提要卷一八三：《清芬堂存稿》八卷，"国朝胡会恩撰。会恩字孟纶，德清人。康熙丙辰进士。官至刑部尚书。其馆阁诸诗，别编为《赓飏集》，今未见传本。是集所录，则由丙辰至庚寅三十五年所作也。诗有清腴之致，而风骨未遒。故于一时流辈之中，尚不能排突诸家，自成一队。"

张笃庆阅三辅黄图，因作《述古》律诗一百七十余首。据张笃庆《厚斋自著年谱》。［按，《年谱》所记至此，张笃庆时年七十岁］

吕熊《女仙外史》刊行。《女仙外史》卷末《广州太守叶旉南田跋语》："夫永乐既为天子矣，而有举刃相向者，不得不谓之曰反；以一女子而有佛母之名，不得不指之曰妖，史官亦不得不大书曰妖妇某反。第文皇靖难，师下江南，入金川，草诏登基之日，方孝孺、高（翾）［翔］、胡闰、铁铉、暴昭、练子宁诸大忠臣，莫不面斥之曰燕贼反。此反字有可证者。今赛儿兴兵，不于前之建文，后之洪熙，乃在永乐之世，而谓之曰反，此反字有可议者。何也？太祖授位于建文帝，帝固在也，故谓赛儿曰妖妇者止一人，而称之为仙姑为佛母者，举天下后世皆是。嗟乎，一人之笔，亦曷能胜众口耶！夫如是，则逸田叟之以女仙而奉建文正朔，称行在，建宫阙，设迎銮，访求故主复位，与褒忠臣烈媛，讨殛叛逆羽党，书年纪事，题曰外史，虽与正史相类，自有孚洽于人心者，垂诸宇宙而不朽。康熙岁次辛卯仲春望日。"吕熊《自跋》："熊也何人，敢附于作史之列！故但托诸空言以为外史。夫托诸空言，虽曰赏之，亦徒赏也；曰罚之，亦徒罚也。徒赏徒罚，游戏云尔。然其事则燕王靖难，建文逊国之事；其人则皆杀身夷族，成仁取义之人。是皆实有其事，实有其人，非空言也，曷云游戏哉？第以赏罚大权，畀诸赛儿一女子，奉建文之位号，忠贞者予以褒谥，奸叛者加以讨殛，是空言也，漫言之耳。夫如是，则褒之不足荣，罚之不足辱，爵不足以为功，诛不足以为诫，谓之游戏，不亦宜乎？虽然，善善恶恶之公，千载以前，千载以后，无或不同，其于世道人心，亦微有关系存焉者，是则此书之本也。至若杂以仙灵幻化之情，海市楼台之景，乃游戏之余波耳，不免取讥于君子。岁次辛卯人日，吕熊文兆自跋于后。"又卷首《江西学使杨颙念亭评论七则》未署年月，其七云："逊国、靖难之事，正史既定，三百余年莫敢翻其案者。《外史》毅然执笔断之，伟矣。"

四月

　　鹾使李峄山延陆奎勋课其子。奎勋自此寓邗上三岁，诸经皆有著述。据《陆堂文集》卷首陆奎勋自序、《觉非小稿》小序（《陆堂诗集》卷一〇）。
　　西峰樵人为孔传铄《软羊脂》传奇（三十四出）题词。署"辛卯初夏，西峰樵人题于半野堂"。传铄又有《软邮筒》三十出、《软锟铻》三十二出。以上三剧皆见《古本戏曲丛刊》五集。

五月

　　十一日，王士禛卒，年七十八。据王士禛自编、惠栋注补《渔洋山人自撰年谱》卷下。王掞《诰授资政大夫经筵讲官刑部尚书王公神道碑铭》："自来论诗者，或尚风格，或矜才调，或崇法律，而公则独标神韵。神韵得，而风格、才调数者悉举诸此矣。明自中叶以还，先后七子互相沿习，钟、谭、陈、李更相诋诃。本朝初，虞山、娄东数公驰驱先道，风气始开，犹未能尽复于古。至公出，而始断然别为一代之宗，天下之士一归于大雅。盖自明迄今，历二百年，未有逾于公者也。"（《王士禛年谱》附录）宋荦《资政大夫刑部尚书王公士禛暨配张宜人墓志铭》："公弱冠称诗，五十余年海内学者宗仰如泰山北斗。其为诗备诸体，不名一家，自汉、魏以下兼综而集其成，而大指以神韵为宗。文亦出入《史》、《汉》、八家，间及六朝。有《带经堂全集》三十余种行世。书法高秀似晋人，雅不欲以此自多。"（《西陂类稿》卷三一）王应奎《柳南续笔》卷三《阮亭诗序》："阮亭之诗，以淡远为宗，颇与右城襄阳左司为近，而某宗伯为之序，谓其诗：'文繁理富，衔华佩实。感时之作，恻怆于少陵；言情之什，缠绵于义山。'其说与阮亭颇不相似。余按：阮亭为季木从孙。而季木之诗，宗法王、李，阮亭入手，原不离此一派。林古度所谓'家学门风，渊源有自'也。顾王、李两家，乃宗伯所深疾者，恐以阮亭之美才，而堕入两家云雾，故以少陵、义山易之。序末所谓用古学相劝勉者，此也。若认'文繁理富，衔华佩实'等语以为赞赏阮亭，则失作者之微旨矣。"袁枚《随园诗话》卷二："阮亭先生，自是一代名家。惜誉之者，既过其实；而毁之者，亦损其真。须知先生才本清雅，气少排奡，为王、孟、韦、柳则有余，为李、杜、韩、苏则不足也。余学遗山，《论诗》一绝云：'清才未合长依傍，雅调如何可诋娸？我奉渔洋如貌执，不相菲薄不相师。'"卷三："阮亭主修饰，不主性情。观其到一处必有诗，诗中必用典，可以想见其喜怒哀乐之不真矣。"卷四："阮亭于气魄、性情，俱有所短：此其所以能取悦中人，而不能牢笼上智也。'"赵翼《瓯北诗话》卷一〇《查初白诗》："阮亭专以神韵为主，如《秦淮杂诗》……酝藉含蓄，实是千古绝调。然专以神韵胜，但可作绝句；而元微之所谓'铺陈终始，排比声韵，豪迈律切'者，往往见绌，终不足八面受敌为大家也。"洪亮吉《北江诗话》卷二："王新城尚书作《声调谱》，然尚书生平所作七言歌行，实受声调之累。唐、宋名家、大家，均不若此。"卷三："王文简诗，律体胜于古体，五、七言绝句又胜于五、七律。"延君寿《老生常谈》："渔洋作诗，不能同吴野人之吃苦，并不能如初白、秋谷之刻至，天才真气又不能上追东坡，所以不免后人雌黄。"林昌彝《射鹰楼诗话》卷七："人但知王阮亭之能诗，而不知古文词之纯正有体，高于时流，非汪钝翁、姜西溟、毛西河辈所能及，总为诗名太盛，故文为之掩耳。"陈衍《石遗室诗话》卷二三："渔洋自夸学王、孟、苏州，则非有真兴趣，而才思骨力亦不足以赴之。"李祖陶《国朝文录·带经堂文录引》："文则少逊于朱，故《渔洋文略》四库全书不著于录。然而笔情隽逸，议论风发泉流。读其序记诸篇，如闻魏晋人挥麈清谈，俊爽之章几于录不胜录，特沉着坚厚处逊昔贤耳。碑志多大人物，情事赅备，尚少熔铸之功。而写次下位布衣，一往情深，似尤入妙。传多风逸，不失史裁。宋牧仲序《蚕尾集》，谓碑阪序事之文最胜，殆不诬也。题跋讥诃古人，品瑜摘瑕，往辄破的。书后诸作亦可观。以视竹垞，虽不免瞠乎其后，而海岳高深之气象，诗书酝酿之精华，朝野推戴之风度，固可于其文具见之矣。"《国朝诗别裁集》卷四录其《定军山诸葛公墓下作》等四十七首诗。《晚晴簃诗汇》卷二九录其诗一百五首。《国朝文汇》甲集卷一一一录其《嘉定四先生集序》等文十篇。〔按，王氏词学活动早在康熙四年离开扬州通判任时告终，故此处不录相关词评〕

十七日，张玉书卒，年七十。 据丁传靖《张文贞公年谱》。四库提要卷一七三：《张文贞集》十二卷，"大抵皆春容典雅，渢渢乎盛世之音。其《拖诸山》、《狼居胥山》二碑叙述圣武神功，皆为详赡，足以昭示万世。其纪平定江南事，纪灭闯、献二贼事，纪三路进师下云南事，纪平水西事，及外国纪，皆端绪详明，得诸耳闻目见，足以彰开国之鸿烈。纪顺治间乐章及钱粮、户口三篇，皆足资掌故。而纪陕西殉难官事一篇，亦足与史传相参。他若《赐游玉泉山记》、《赐游化育沟后苑记》、《赐游喀喇河屯后苑记》、《赐游热河后苑记》，皆足发扬太平恺乐之象。其余碑志，亦多国初将相事迹，可备考核。惟募疏、祭文之属，收载太滥。盖其后人遇稿即录，不暇持择，转为全集之累。今悉删除，而惟录其赋、颂以下诸篇，厘为十二卷。庶不以榛楛勿剪为将来论者所病焉。"四库提要卷一八二：《张文贞外集》二卷，"凡序九篇、跋一篇、募疏一篇、祭文十七篇。盖当日删弃之余，而后人掇拾存之者也。"《国朝诗别裁集》卷六："文贞古今文俱以风度胜，诗品亦然，令读者如饮醇醪，自然心醉。"录其《谒项王庙》等诗八首。《晚晴簃诗汇》卷三一录其诗五首。李祖陶《国朝文录·张文贞公文录引》："文贞公以时文名，谈艺家所云京江风度固不废江河万古流者也。而古文亦称作手，在当时馆阁诸公间，当在陈泽州《午亭文稿》之下，张桐城《笃素堂文集》之上。盖高古雄秀不及《午亭》，而风调翩翩，《笃素》似不能及。至于碑版之文之多系国初将相，纪事等作之并为一朝典章，史法森严，详核不秽，则两文端皆瞠乎后矣。予于是叹国初文学之盛，为近古所无。而时文之家亦于古文不相妨碍，盖一时馆阁大老既有以上诸公，而在下位者又有尧峰、竹垞、湛园其人，至山林遗侠之老尤指不胜屈。且熊汉阳以时文名，张京江以时文名，李安溪以时文名，其古文皆足名家。降至方望溪、李穆堂、陈句山、赵鹿泉诸公，亦古文与时文兼擅。然则人第患无才及有才而不能尽耳，岂真如黄梨洲所讥明代人以余力学古，故不及哉?"《国朝文汇》甲集卷一七录其《马襄武公崇祀名宦颂》等文六篇。

张澜自识《巧十三传奇》。署"昔在康熙辛卯仲夏中浣，张呆书于凝馥斋"。又，张澜《巧十三传奇笔意》云："《一笑缘》偶笔，《二篝媒》腐笔，《三世因》铁笔，《四才子》俗笔，《五色旗》梦笔（以上一套）；《六国终》愤笔，《七宝钗》宦笔，《八洞天》幻笔，《九华山》悟笔，《十锭金》拙笔（以上二套）；《百岁坊》寓笔，《千里驹》旅笔，《万花台》秃笔（以上三套）。张呆自记。"（《中国古典戏曲序跋汇编》卷一二）

徐倬卒，年九十。据邓之诚《清诗纪事初编》卷七。[按，朱彭寿《清代人物大事纪年》谓其卒于明年，年九十；《疑年录汇编》卷九谓其卒于康熙五十二年，年九十]四库提要卷一八三：《蘋村类稿》三十卷《附录》二卷，"是集凡《修吉堂文稿》八卷，《应制集》二卷，《寓园小草》一卷，《燕台小草》一卷，《梧下杂钞》二卷，《蘋蓼闲集》二卷，《甲乙友钞》一卷，《汗漫集》二卷，《野航集》二卷，《鼓缶集》三卷，《黄发集》二卷，《词集》二卷，《耄余残瀋》二卷。附录其子元正遗稿二卷。一曰《清啸楼草》，皆未第以前作。一曰《鸾坡存草》，则自入词馆以后应制、纪恩、游宴、赠答之什也。元正字子贞，号静园。康熙乙丑进士，官至工部尚书。徐氏五世翰林，倬其第二世，元正其第三世云。"《国朝诗别裁集》卷一〇："蘋村归田已十余年矣，恭遇圣祖南巡，进呈《全唐诗录》百卷，特加卿贰。且年跻大耋，子列六卿，真盛世幸人也。诗亦如弹丸脱手，绝异郊、岛寒瘦之习。"录其《咏水碓》等诗十六首。《晚晴簃诗汇》卷三七录其诗六首。《国朝文汇》甲集卷二六录其《南村诗集序》等文五篇。

六月

初五日，陈迁鹤卒，年七十六。据陈万策《考庶子公行状》（《近道斋文集》卷五）。[按，《清史列传》本传、《疑年录汇编》卷九皆谓其卒于康熙五十三年，年七十六]《国朝文汇》甲集卷三四录其《储功篇》等文四篇。《晚晴簃诗汇》卷四八录其诗一首。

初六日，嵇璜（1711—1794）生。璜字尚佐、黼廷，晚号拙修，无锡人。雍正八年进士，改庶吉士，散馆授编修。官至吏部尚书、文渊阁大学士。谥文恭。著有《锡庆堂诗集》。事迹见袁枚《太子太师文渊阁大学士锡山嵇文恭公墓志铭》（《小仓山房续文集》卷三二）、《清史列传》本传、《清史稿》嵇曾筠传附。[生日据朱彭寿《清代人物大事纪年》]

十一日，陆凤池（女）卒，年三十二。据曹一士《先继室陆氏事略》（《四焉斋文集》卷八）。《梯仙阁余课》一卷明年刊行，又于乾隆庚午附刻于曹一士《四焉斋诗集》。据四库提要卷一八五。《晚晴簃诗汇》卷一八四录其诗二首。

邵廷采卒，年六十四。据朱筠《邵念鲁先生墓表》（《笥河文集》卷一一）。四库提要卷一八三：《思复堂集》十卷，"国朝邵廷采撰。廷采字念鲁，余姚人。康熙初诸生。尝从毛奇龄游。是集刊于康熙壬辰，以龚翔麟所撰墓志、邵思渊所撰墓表、万经所撰小传冠诸编首。"又，《思复堂文集》十卷附录一卷末一卷，有光绪十九年会稽徐氏铸学斋刊本。据《贩书偶记》卷一四。李慈铭《越缦堂读书记·思复堂集》："全谢山讥念鲁为学究，颇抉摘是集之谬误。念鲁腹笥俭隘，其学问诚不足望谢山津涯，而文章峻急，则非谢山所及。""念鲁私淑梨洲，自任传姚江之学，尤勤勤于残明文献，裒拾表彰，不遗余力。虽终身授徒乡塾，闻见有限，读书不多，其所记载，不能无误，要其服膺先贤，专心壹志，行步绳尺，文如其人，前辈典型，俨然可想。鲒埼以'固陋'二字概其一生，其亦过矣。"《国朝文汇》甲集卷五三录其《学校论》上、下两篇。

七月

望日，曹寅作《题铜官秋色图》。 署"康熙五十年七月望日题于真州使院"。（《栋亭集·栋亭文钞》）

十九日，顾嗣协卒，年四十九。 据顾嗣立《闾邱先生自订年谱》。《国朝诗别裁集》卷二一："迁客诗才不在令弟秀野太史下，未见稿本，不及多收。"录其《杂兴》等诗三首。

八月

王时宪自序《性影集》。 署"康熙辛卯秋八月，稷亭王时宪自叙"。（《性影集》卷首）四库提要卷一八四：《性影集》八卷，"国朝王时宪撰。时宪字若干，号稷亭，太仓人。康熙己丑进士。由宜兴教谕改翰林院庶吉士。是编凡八集，集各一卷：曰《水边林下稿》，曰《桐溪稿》，曰《无隐林稿》，曰《静寄轩稿》，曰《庄溇稿》，曰《荆溪稿》，曰《楚游稿》，曰《粤游稿》。其名性影者，盖取邵子'情为性影'之说也。集中近体颇饶风致，拟古诸作则随意抒写，不甚求工。"是书本年高玥刊行。

九月

江南乡试案发。 是科主考副都御史左必蕃，副主考编修赵晋。该案详情可参戴璐《石鼓斋杂录》。康熙五十二年结案。法式善《陶庐杂录》卷一："康熙五十二年正月，九卿议江南科场副考官赵晋，擅通关节，应斩立决。呈荐吴泌之知县王曰俞，亦应斩。夤缘中式之吴泌，及说事通贿之俞继祖，绞监候。呈荐程光奎试卷之知县方名，拟斩立决。其埋藏文字入场钞写之程光奎，拟绞候。倩人代笔中式之徐宗轼，夹带中式之席玕，拟扑责。正考官左必蕃革职。又议福建科场贿通关节之同考官吴肇中，拟斩立决。夤缘中式之王汤三，说事之林英，拟绞候。考官介孝瑹、刘俨，拟革职。"

秋

乡试。 是科各省考官有赵申乔、赵晋、万经、涂天相、严虞惇、宋至等。据法式善《清秘述闻》卷四。所取举人有查为仁（《清秘述闻》卷四）、帅我（四库提要卷一八四）、陈履中（蒋士铨《宁夏道雁桥陈公墓志铭（代）》）、卢见曾（卢文弨《故两淮都转盐运使雅雨卢公墓志铭》）、田榕（《四库全书·贵州通志》卷二七）、杜诏（杨绳武《杜云川先生墓志铭》）等。沈德潜（《沈归愚自订年谱》）、黄之隽（《冬录》）报罢。

裘琏客松江。遂还就试。顺之当湖，序吴焯诗。据裘姚崇《慈溪裘蔗村太史年谱》。

十月

初四日，曹寅赏闽乐。据《楝亭集·楝亭诗钞》卷七《辛卯孟冬四日，金氏甥携许镇帅家伶见过闽乐也。合坐塞默，胡卢而已。至双文烧香曲，闻有啰哩句，记董解元＜西厢＞曾有之，问之，良然，为之哄堂。老子不独解禽言，兼通蛇语矣。漫识一绝句》。

戴名世《南山集》案发，康熙五十二年结案。全祖望《江浙两大狱记》："本朝江、浙有两大狱：一为庄廷鑨史祸，一为戴名世《南山集》之祸。予备记其始末，盖为妄作者戒也。""桐城方孝标尝以科第起官至学士，后以族人方猷丁酉主江南试，与之有私，并去官遣戍。遇赦归，入滇，受吴逆伪翰林承旨。吴逆败，孝标先迎降，得免死。因著《钝斋文集》、《滇黔纪闻》，极多悖逆语。戴名世见而喜之，所著《南山集》多采录孝标所纪事，尤云鹗、方正玉为之捐赀刊行。云鹗、正玉及同官汪灏、朱书、刘岩、余生、王源皆有序，板则寄藏于方苞家。都谏赵申乔奏其事，九卿会鞫，拟戴名世大逆，法至寸磔，族皆弃市，未及冠笄者发边。朱书、王源已故，免议。尤云鹗、方正玉、汪灏、刘岩、余生、方苞以谤论罪绞。时方孝标已死，以戴名世之罪罪之，子登峄、云旅、孙世樵，并斩。方氏有服者皆坐死，且剖孝标尸。尚书韩菼、侍郎赵士麟、御史刘灏、淮扬道王英谟、庶吉士汪份等三十二人，并别议降谪。疏奏，圣祖恻然，凡议绞者改编戍。汪灏以曾效力书局，赦出狱。方苞编旗下。尤云鹗、方正玉免死，徙其家。方氏族属止谪黑龙江。韩菼以下，平日与戴名世论文牵连者俱免议。是案也，得恩旨全活者三百余人。康熙辛卯、壬辰间事也。"（《鲒埼亭集外编》卷二二）无名氏《记桐城方戴两家书案》："鄞人全氏祖望《江浙两大狱记》，既失之疏略，又失之无据，此等文不作可也。""此案虽发之戴氏，然非方氏先有《滇黔纪闻》之书为戴氏所见，则戴氏之书可以无作，故先从方氏之书说起。而方氏书案之前，已有顺治丁酉江南科场一案，因波及牵连，先书于首，以著方氏祖孙父子先后遭戍始末云。"（《戴名世集》附录）陈衍《石遗室诗话》卷一一："康熙间桐城戴名世《南山集》之狱，论者冤之。曾翻其全集中，并无可罪语。或曰以《孑遗录》命名得罪也。或曰即为南山之名，取义雄狐，刺内乱故也。然余尝为马通伯跋名世墨迹诗册，乃送其师张相国英予告归里者，五言古八章，所言亦太无顾忌矣。首章有云：'一朝远引去，谁得系鳞羽？万族纷皇皇，怅然缅宗主。飘然不回顾，竟还旧居处。'隐言其去之得计，不必枉己济物也。三章有云：'疏逖万里身，清切千门地。譬陟嵩华颠，跬步虞失坠。洪涛履忠信，浮云视名利。息机任其真，当轴奚所累。'明言不去危地必将得祸，弃不义之富贵，则履险如夷。四章有云：'不知恩宠专，岂恋台衡贵。正延东阁宾，忽入东门画。'言见机而作，不俟终日，恩宠虽专，鄙夷不屑，故方登台衡即求去也。五章有云：'苍发初未改，玉颜况无衰，紫维亦奚为。公去久克期，五年遂前请，放骋如脱羁。'明言致仕并不因衰老，直不屑而已，虽紫维何用哉。律以曾静、胡中藻诸狱，即此已足供锻炼矣。"《清史稿》戴名世传："先是门人尤云鹗刻名世所著《南山集》，集中有《与余生书》，称明季三王年号，又引及方孝标《滇黔纪闻》。当是时，文字禁网严，都御史赵申乔奏劾《南山集》语悖逆，遂逮下狱。孝标已前卒，而苞与之同宗，又序《南山集》，坐是方氏族人及凡挂名集中者皆获罪，系狱两载。九卿覆奏，名世、云鹗俱论死。亲族当连坐，圣祖矜全之。又以大学士李光地言，宥苞及其全宗。申乔有清节，惟兴此狱获世讥云。"

张廷玉充日讲起居注官。据张廷玉《澄怀主人自订年谱》卷一。

陈元龙出都赴粤西就任巡抚。至康熙五十六年在桂林所作诗为《宜人集》二卷。见《爱日堂诗》卷一六、一七。

黄之隽随陈元龙赴桂林。黄之隽《冬录》："在粤先后七年。中间癸巳、甲午两科应举，还江南。往来道途，必四阅月，公必遣使送迎，丰其资斧。厥后丁酉科，五十之年已至，浮云野鹤，场屋念灰矣。"（《唐堂集》附录）

《御定佩文韵府》一〇六卷成书。据卷首御制序。

十一月

十三日，冷士嵋卒，年八十五。据邓长风《明清戏曲家考略三编·十九位明清戏曲家的生平材料》引民国《丹徒县志摭余》卷八。《清史列传》周茂兰传附："（士嵋）古诗宗汉、魏，近体祖初、盛，晚年刻意学杜，多激壮之音。为文章数千言立就，博辨条达，自成一家。"《国朝诗别裁集》卷二一录其《寄刘令言》诗一首。《晚晴簃诗汇》卷一五录其诗三首。《国朝文汇》甲前集卷一三录其《宋论》等文七篇。《贩书偶记》卷一四："《江冷阁文集》四卷《文续集》二卷《诗集》十二卷首一卷《词》一卷《绪风吟》三卷，每卷分上下，京江冷士嵋撰。附《焚余稿》三卷，广陵宗元豫撰。康熙间刊。又名《宗冷合刻文稿》。"

方苞以《南山集》案牵连下狱。《方苞集》卷四《教忠祠祭田条目序》："康熙辛卯，余以《南山集序》牵连赴诏狱。"苏惇元《方望溪先生年谱》："冬十一月，以《南山集》牵连赴诏狱。是时，左都御史赵公申乔劾编修戴名世所著《南山集》语多狂悖，先生以集序列名，牵连被逮，下江宁县狱。旋解至京师，下刑部狱。其序文实非先生作也。"

十二月

蒲松龄作《岁暮》诗。云："七十有二岁，衰慵朋旧疏。苦闲拈秃笔，拨闷检农书。忽忽日已去，迢迢年复除。此身幸顽健，敢恨食无余。"又，《除夕》末句云："一

事无成身已老，欲持杯酒劝飞光。"（《聊斋诗集》卷五）

曹寅作《周易本义序》。署"康熙五十年岁在重光单阏嘉平月，书于淮南使院"。（《楝亭集·楝亭文钞》）

冬

方登峄以事谪辽左，子式济随行。《述本堂诗集·依园诗略》卷首黄叔琳序："辛卯冬，先生坐乡人累，谪迁东北塞外。"《述本堂诗集·陆塘初稿》卷首蔡世远序："壬辰、癸巳间，尊甫水部公以乡人累牵连谪辽左，先生侍养出关。"

王士禛《带经堂全集》九十二卷刊行。王士禛自编、惠栋注补《渔洋山人自撰年谱》附王启泭跋："会歙中程君圣跂哲、友声鸣昆仲以书来，征先君平生诗文，汇为全集，镂板以行。先君呼不肖辈曰：'余所著诗文，每欲删繁就简，合为一集付梓，未果。顷门人程氏昆仲之请，甚惬余怀。'因于病次置各集于枕旁，命不肖查检朗诵，详加去留，力疾编次。共九十二卷，颜曰'带经堂集'。至辛卯冬，始剞劂告竣。不意是书赍到之时，距先君之变已五阅月，竟不及见矣，悲夫！"

本年

张锡爵与张鹏翀等相酬唱。钱大昕《钝闲诗老张先生墓志铭》："弱冠与宗人南华宫詹、同夫孝廉及朱药庭征士相酬唱，抗志希古，不为俗学。间就正于族父朴村征士，所得益博而醇。"（《潜研堂文集》卷四八）

淮安上演明孙钟龄《醉乡记》传奇，许志进作纪事诗。据张慧剑《明清江苏文人年表》。

陈廷敬以丹徒相国病故，奉旨暂入阁办事，署衔仍加予告二字。据杨锺羲《雪桥诗话》卷二引《午亭山人年谱》。

查慎行在武英书局。冬，得风疾。据陈敬璋《查他山先生年谱》。

蒲松龄游青州。道中得杂咏七绝五首，又有《自青州归，过访李澹庵，值其旋里，饶舍流连，率作俚歌》等诗，见《聊斋诗集》卷五。

查为仁以主试者被讦，钩致下狱。越八年，始得释。据郑方坤《蔗塘诗钞小传》（《碑传集补》卷四五）。

仇兆鳌致仕归。据《重修浙江通志稿》本传（《广清碑传集》卷五）。

《御定全金诗》七十四卷成书。据四库提要卷一九〇。沈德潜等《国朝诗别裁集》卷二五："于宫亦江左十五子中之一，尝辑金源诗，无挂漏者，可补元遗山之缺略。"法式善《陶庐杂录》卷一："元好问撰《中州集》，其意盖在以诗存史。作者二百四十余人，得诗一千九百八十余首。厘为十一卷。每人系以小传。郭元釪重为补缀，较元原书，不啻倍之。康熙五十年恭呈御览，蒙定为《全金诗》七十四卷，冠以序文。"

方苞本年以后潜心《三礼》，因以贯彻诸经。据苏惇元《方望溪先生年谱》。

**蒲松龄作《喜立德采芹》诗，末句云："无似乃祖空白头，一经终老良足羞。"见《聊斋诗集》卷五。

徐倬编《双溪倡和诗》六卷刊行。据《贩书偶记》卷一九。

梁无技《南樵初集》十一卷、书一卷、诔文杂著一卷刊行。又，《南樵初集》十四卷、《二集》十一卷本年至康熙五十七年芸秀堂刊行。据《贩书偶记续编》卷一四。《晚晴簃诗汇》卷三九录其诗二首。

萧惟豫《但吟草》八卷、《恭纪诗》一卷刊行。据《贩书偶记续编》卷一四。《晚晴簃诗汇》卷二八："其诗不屑屑字句以求工，而意到笔随，出于自然，不烦绳削而自合。"录其诗四首。

董榕（1711—1760）生。榕字念青、渔山，号恒岩、定岩、谦山、繁露楼居士，丰润人，一作湖州人。拔贡生。历官河南济源知县、郑州知州、浙江金华知府、江西南昌知府、九江知府、吉南赣宁道。著有《庚洋集》、《庚溪集》、《诗意集》、《芝龛记》传奇。事迹见桑调元《观察虔南定岩董君墓志铭》（《弢甫集》卷一八）、乾隆《丰润县志》卷四、光绪《丰润县志》卷四（《方志著录元明清曲家传略》）。

孙洙（1711—1778）生。洙字临西，别号蘅塘退士、无闷居士、忍辱仙人等，金匮人。乾隆十一年授上元县教谕，十六年成进士。编有《排闷录》、《唐诗三百首》等。事迹见张慧剑《明清江苏文人年表》。

刘纶（1711—1773）生。纶字如叔、眘涵、宸翰，号绳庵、慎涵、慎翰，武进人。乾隆元年以廪生举博学鸿词，试第一，授编修。官至文渊阁大学士。谥文定。著有《绳庵内集》十六卷《外集》八卷。事迹见于敏中《文渊阁大学士谥文定刘公墓碑》（《国朝文汇》乙集卷七）、《清史列传》本传、《清史稿》本传。

尹嘉铨（1711—1781）生。嘉铨字子端，号亨山，博野人，会一子。雍正十三年举人。官至大理寺卿。以事部议革职，诏免，以原品休致。乾隆四十六年，以为父请谥并从祀文庙，被责谬妄，处以绞刑。著有《偶然吟》四卷。事迹见《清史列传》尹会一传附。[生卒年据《尹子端自编年谱》（谢巍《中国历代人物年谱考录》著录）]

张四科（约1710或1711—?）此际生。四科字喆士，号渔川，临潼人。贡生。官候补员外郎。侨寓维扬，与马曰琯昆季为邻，极一时酬唱之乐。著有《宝闲堂集》四卷、《响山词》四卷。事迹见《宝闲堂集》卷首张四科自识、《雪桥诗话》卷六、《晚晴簃诗汇》卷七八。

毛师柱卒，年七十八。据沈受宏《端峰先生传》（《白溇先生文集》卷二）。《传》云："世之言太仓诗人者，必曰毛君毛君云。"《国朝诗别裁集》卷一五录其《兵过》等诗七首。

顾汧卒，年六十六。据朱彭寿《清代人物大事纪年》。又，康熙壬辰孟秋徐潮《凤池园集序》："去岁凤池《全集》开雕行世，而先生遂殁。"（《凤池园集》卷首）［按，江庆柏《清代人物生卒年表》谓其生卒年为1646—1712年］

叶矫然卒，年九十八。据蒋寅《清诗话考》下编一。《晚晴簃诗汇》卷二六录其诗三首。

李栋卒，年九十六。据朱彭寿《清代人物大事纪年》。庄一拂《古典戏曲存目汇考》卷一二：《七子缘》，"此戏未见著录。《剧说》引《越巢小识》云：'栋翁《七子缘》传奇，亦名《诗缘记》，关白甚整，通部不用旦色，自是高手。'七子谓弘治时李梦阳、何景明、康海、王九思、徐祯卿、王廷相、边贡。其间串合以对山救空同为主，而杨文襄与张永谋诛刘瑾，亦与其中。按《今乐考证》著录《七才子》条下，注：即《七子圆》，'圆'或系'缘'字音讹。佚"；《犊鼻裈》，"《今乐考证》著录。《曲考》、《曲录》并见著录。当演相如、文君事，戏剧屡见。佚"。

张安弦约本年前后在世。据《中国文学家大辞典》清代卷。四库提要卷一八四：《青屿稿存》无卷数，"国朝张安弦撰。安弦字琴父，乌程人。其文以才气胜，而喜事涂泽。诗则音节疏放，亦未能磨砻圭角。"《国朝诗别裁集》卷二七录其《送燕》诗一首。

公元1712年（康熙五十一年　壬辰）

正月

初二日，张映辰（1712—1763）生。映辰字星指，号藻川，仁和人。雍正十一年进士，改庶吉士，散馆授编修。官至左副都御史。著有《露香书屋遗集》十卷。事迹见《晚晴簃诗汇》卷六八、朱彭寿《清代人物大事纪年》。

二月

会试。考官：左都御史赵申乔、内阁侍读学士徐元梦。题"事父母能"二句，"溥博渊泉"二节，"由尧舜至"三节。据法式善《清秘述闻》卷四。

三月

顾嗣立有《书馆续吟》一卷，收录辛卯正月至本月诗。据顾嗣立《闾邱先生自订年谱》。

四月

初五日，圣祖御太和殿，传胪。赐一甲王世琛、沈树本、徐葆光进士及第，二甲陶贞一、王图炳、鄂尔奇、林佶、杜诏、顾嗣立、王澍、王篛舆、程梦星等进士出身，三甲胡煦、吴翊、张谦宜、吴震生、谢济世等同进士出身。据《历科进士题名录》、《清通鉴》。[按，杜诏会试未第，特赐进士，改庶常。据杨锺羲《雪桥诗话》卷四]

十九日，陈廷敬卒，年七十五。据李光地《尚书说岩陈公墓志铭》（《四库全书·山西通志》卷二〇〇）、杨锺羲《雪桥诗话》卷二引《午亭山人年谱》。吴荣光《中国古代名人生卒·历史大事年谱》亦谓其卒于本年，又附《存疑及生卒年月无考》谓"一作卒于康熙四十九年庚寅"。四库提要卷一七三：《午亭文编》五十卷，"国朝陈廷敬撰。廷敬字子端，号说岩，泽州人。顺治戊戌进士，改庶吉士，授检讨。本名敬，以是科有两陈敬，因奉旨增'廷'字。官至大学士。谥文贞。尝著《尊闻堂集》八十卷，晚年手定为此编。其门人林佶缮写付雕。廷敬有午亭山村在阳城，因《水经注》载沁水径午壁亭而名，因以名集。凡诗二十卷、杂著四卷、经解四卷、奏疏序记及各体文共二十卷、《杜律诗话》二卷。廷敬论诗宗杜甫，不为流连光景之词，颇不与王士禛相合。而士禛甚奇其诗。所为古文，虽汪琬性好排诋，论文少所许可，亦甚重之。生平回翔馆阁，遭际昌期，出入禁闼几四十年。值文运昌隆之日，从容载笔，典司文章。虽不似王士禛笼罩群才，广于结纳，而文章宿老，人望所归，燕、许大手，海内无异词焉。亦可谓和声以鸣盛者矣。卷首有廷敬自序，谓于汪、王不苟雷同。然蹊径虽殊，而分途并骛，实能各自成家。其不肯步趋二人者，乃所以能方驾二人欤？此固非依门傍户、假借声誉者所知也。"卷一八二：《午亭集》五十五卷，"是集诗三十卷、古乐府及古今体赋一卷、经解十卷、杂著十四卷。盖刻在《文编》之前，犹未经删定之本也。"王士禛《渔洋诗话》卷中："陈说岩廷敬相国少与余论诗，独宗少陵。略记其一云：'晋国强天下，秦关限域中。兵车千乘合，血气万方同。紫塞连天险，黄河划地雄。虎狼休纵逸，父老愿从戎。"查为仁《莲坡诗话》："（廷敬）诗情超越，笔无纤尘。"杨际昌《国朝诗话》卷一："泽州陈相公廷敬《闻笛》诗云：'一片长安秋月明，谁吹玉笛夜多情？关山万古无消息，肠断风前入破声。'丰致洒然，绝不妆点台阁气象。"沈德潜等《国朝诗别裁集》卷五："泽州居馆阁，典文章，经画论思密勿之地几四十年，故其吐辞可上追燕、许。兹特取其典质朴茂者，著于卷中。"录其《平滇雅三篇》等十五首诗。延君寿《老生常谈》："午亭全是一团学力，抱真气而能独往独来者也。余谓其深造之能，直驾新城、竹垞而上之。世人见其用力过猛，使笔稍钝，看去觉得吃力，遂轻心掉之耳。五古咏汉事数首，绝不用推陈出新，旁见侧出，而用笔自然，锐不可当。太白'秦皇扫六合'等篇，正是此诗之源，识者辨之。""五律，学唐人不抉其髓，则失于熟；学宋人但袭其皮，则失于生。惟浓不染唐之蹊径，淡不落宋之窠臼，经营于意象之间，咀嚼于神味之外，午亭五律，刚到好处。""午亭七律兼学宋人。"李祖陶《国朝文录·午亭文编文录引》："若泽州陈午亭相国则登第于顺治之朝，作相于康熙之世，雍容馆阁，典司文章之柄，和其声以鸣盛者垂数十年。其时言诗者有山东王阮亭，言文者有江南汪尧峰，皆极九等人表之最。然阮亭诗胜而文未为大家，尧峰文雄而诗尚觉小样。若相国则自言诗不学阮亭派，而阮亭实大奇其诗；文努力追尧峰，而尧峰实嗟叹为异人者也。今观其诗，才调之胜固逊阮亭，而气格之高则阮亭实出其下；文惟碑志法度未及尧峰之谨严，若他文之磊砢雄奇，磅礴遒厚，郁而能畅，幽而愈光，则往往压尧峰而居其上。盖河、汾之浩荡，太行、王屋之嵯峨，郁积千年，前钟于人为遗山，后钟于人为相国。毕振姬方伯所云西北之文与江南之文为不类者也。然振姬文务为艰深，若樊宗师之不可句读；若相国则文从字顺，各适职矣。西北之文实奄有中原之胜，和声鸣盛，岂不信哉！"《晚晴簃诗汇》卷二八录其诗十三首。《国朝文汇》甲集卷一四录其《李善感谏封禅论》等文十一篇。

二十二日，李伍汉卒，年七十七岁。据饶汝楣《李剩叟先生墓志铭》（《壑云篇文集》卷首）。

张廷玉升授司经局洗马掌局事，兼翰林院修撰。据张廷玉《澄怀主人自订年谱》卷一。

黄叔琳迁通政使司右恭议，五月转左。据顾镇《黄侍郎公年谱》。

孔尚任赴莱州。应知府陈谦之邀修《莱州府志》。年底返里。据《莱郡九日二首》、

《东莱二首》等诗，见《孔尚任诗文集》卷四《长留集》。

毛奇龄序孙之騄《枝语》二卷。署"康熙壬辰首夏，西河弟毛奇龄敬题于书留草堂，时年九十"。（《枝语》卷首）是书四库提要卷一二九著录。

夏

顾嗣立《春树闲钞》二卷记康熙四十四年南巡至本年夏日八年间事。据《中国古代小说总目》文言卷。

裘琏作《万寿升平乐府》。裘姚崇《慈溪裘蔗村太史年谱》附录裘琏《恭纪圣恩录》："康熙五十一年壬辰，予年六十有九。夏日过当湖，访编修高公巽亭，下榻其家。闻明年万寿，特开恩科，琏将就试北闱，高公命琏作《万寿升平乐府》献至尊而祝寿焉。于是填辞一本，事托仙佛之踪，曲借梨园之口，分出十有二。其事皆实而不虚，其文皆称颂天子功德。登三咸五，无非颂祷称愿之辞。当场演者，梵天帝释、仙女神人以及珍禽异兽、瑶草琪花，幻而不诡，亦艳亦香。两月告竣，编修具折进呈睿览，琏名藉以上达。书进，天颜有喜，命近侍纪琏名于册。"

七月

二十三日，曹寅卒，年五十五。据周汝昌《红楼梦新证》第七章。上海古籍出版社《楝亭集·出版说明》："寅于康熙五十一年自编其诗为《楝亭诗钞》八卷，旋即付刻。集中诗收到该年初秋为止，距寅之死才数月；其为晚年定本无疑。"又，殁后门人袁辑《楝亭诗钞》删余诗及寅所作词、文，成《楝亭诗别集》四卷、《词钞》一卷、《词钞别集》一卷、《文钞》一卷，明年刊行。顾昌《楝亭诗别集序》："荔翁之诗，自弱冠至今，凡屡变，变而弥上，大约所趋既高，其自视益歉，乃所作既富，其决择益精，不自满溢，何其善也。乙酉秋仲，仪真使院稍暇，取前后诸作，录其惬心者为若干卷，计若干首，而欲尽弃其余。余曰：'嘻！是未可尽去也。……且公之诗，由风华而峭蒨，由峭蒨而精深，今则将归平淡矣。安知后此之所得何如？不更转生疑虑并所谓惬心者而亦去之已乎？昔人有言曰：只今予所舍，犹使世堪传。其公之谓与？'荔翁笑曰：'有是哉？毋谀我。'乃题为别集，而余为之叙。"郭振基《楝亭诗别集序》："《楝亭诗钞》者，吾师通政公所作也。《楝亭删诗》者，公手自刊落，不欲付梓，命小胥抄录，藏诸箧衍者也。公既殁，门下士相聚而谋谓：'此集虽公自视若歉，然犹当加于人数等，不可终使湮晦。'因共校刻附《诗钞》之后，名曰《别集》，所以存公之志也。""前刻《诗钞》八卷，今刻《别集》四卷附词二卷、杂文一卷。此外赠答之什，手书缣素，散佚颇多。又生平题跋最富，而尤长于尺牍，惜皆无存稿。俟网罗搜辑，他日另为续集耳。"王朝璨《楝亭词钞序》："公之词，以姜、史之雅丽，兼辛、苏之俊爽，逸情高格，妥帖排奡，其视迦陵、竹垞殆犹白石之于清真也。公又游戏涉笔为焰叚歌曲，皆工妙天成，夺金元之胜。公尝自言：'吾曲第一，词次之，诗又次之。'此谦语，实不尽然。"唐继祖《楝亭文钞序》："楝亭先生没，门人袁其删佚古近体及词若干首，刻为别集，而以杂记序箴铭之属附焉。先生少嗜风雅，暨年位转升，篇章益进，往往播在人口，而欲然未尝自以为足。至于古文词之作，尤所矜择。常笑近世周秦唐宋交讦互失，而其究归于无有。每欲以健笔力振其弊，顾以耽吟特甚，故为之不多。又性鄙献酬，一切介觞诔墓之词屏弃不屑，即有驾名引重借书他手者，殊非先生之所许，不敢以窜入也。今所存者裁十余篇，而精挺奥博，戛然有不可一世之意，以视剽句窃字以为周秦，游光掠影以为唐宋，其真赝霄壤必有能辨之者。"（《楝亭集》）法式善《八旗诗话》四四："朱竹垞谓其浏览全唐诗派，多师以为师。姜（辰）［宸］英谓其出入开、宝之间，尤以少陵为滥觞。"《国朝诗别裁集》卷二〇录其《岁暮远为客》、《读洪昉思稗畦行卷感赠一首兼寄赵秋谷宫赞》诗二首。《晚晴簃诗汇》卷五〇录其诗十六首。

八月

徐文驹编定《师经堂集》十八卷。自序署"康熙五十一年仲秋日，甬上丹崖居士徐文驹子文自序"。（《师经堂集》卷首）四库提要卷一八四：《师经堂集》十八卷，"国朝徐文驹撰。文驹字子文，鄞县人。康熙己丑进士。是集为文驹所自编。凡文十三卷，诗五卷。前有孙勷序，称其浚伊、洛之渊源，探韩、欧之骨髓，沈浸醲郁，积有年岁。自序亦主于自达其情。今观其集，滔滔而出，足以畅所欲言。然未能固而存之也。"

九月

复废皇太子胤礽。据蒋良骐《东华录》卷二二。

秋

查慎行、周起渭、宫鸿历、嘉定张大受、缪沅、顾嗣立、查嗣瑮、查嗣庭等集樵沙道院。据查慎行《敬业堂诗集》卷四〇《立秋后七日偕周桐野、宫恕堂、钱綗庵、张日容、缪湘芷、林鹿原、顾侠君、郭双村、家查浦、润木两弟再集樵沙道院，用白香山游开元观韵》。

裘琏在柘湖。冬归。据裘姚崇《慈溪裘蔗村太史年谱》。

黄中坚、王闻远序陈炳诗。见陈炳《阳山诗集》卷首。

顾泅《凤池园文集》八卷刊行。卷首有本年孟秋徐潮序、本年重九日杨大鹤序。徐序云："窃论先生之诗，大抵体宗魏、晋、初盛唐，而唐中晚以下绝无一语沾濡笔端。文则出入《史》、《汉》，一洗六朝铅华绮语，能以气骨自喜。"杨序云："长洲顾见南侍御读《礼》家居，以其尊甫芝岩先生《凤池园诗》既刻成集，遂荟萃先生手订文集，锓板行世。""今全编中对扬敷奏，则宣公忠定之恺挚也；论事析理，则治安天人之条贯也；体用讲语诸序说，则濂洛诸君子之嫡脉也；辨春正，赋经史，核班马，有论定千古之识，其博洽也如此；谥议经跋，蔼然见仁人孝子之思焉。要皆有不可解之谊结辖于君亲师友间，故能自断不惑，毅然于纲常名教之际。"（《凤池园集》卷首）

［按，《凤池园诗集》八卷去年刊行。顾泗卒后，其子楷仁为刊《文集》］《国朝文汇》甲集卷二七录其《新修永定河堤记》文一篇。

十月

蒲松龄在孙圣佐斋中赏菊。有《十月孙圣佐斋中赏菊》、《夜饮再赋》等诗，见《聊斋诗集》卷五。

二十九日，裘曰修（1712—1773）生。曰修字叔度，号漫士、诺皋，新建人。乾隆四年进士，改庶吉士，授编修。官至工部尚书。谥文达。著有《裘文达公文集》六卷、《诗集》十八卷、传奇《砭痴石》（佚）。事迹见戴震《光禄大夫工部尚书太子少傅裘文达公墓志铭（代）》（《戴震集》上编《文集》卷一二）、蒋士铨《太子太傅工部尚书裘文达公墓志铭（代）》（《忠雅堂文集》卷五）、《清史列传》本传、《清史稿》本传。

十一月

二十七日，淄川令谭襄赠向蒲松龄赠匾。蒲有《十一月二十七日大令赠扁》诗云："白首穷经志愿乖，惭烦大令为悬牌。老翁若复能昌后，应被儿孙易作柴。"见《聊斋诗集》卷五。

黄叔琳晋太常寺卿。据顾镇《黄侍郎公年谱》。

十二月

二十九日，徐坚（1713—1798）生。坚字孝先，号友竹，吴县人。贡生。著有《茧园诗》八卷、《茧园烟墨著录》二卷、《余冬琐录》一卷。事迹见汪启淑《徐友竹传》（《续印人传》卷四）、张维屏《国朝诗人征略》初编卷三三。［生日据江庆柏《清代人物生卒年表》］

本年

王掞拜文渊阁大学士兼礼部尚书。据钱大昕《文渊阁大学士兼礼部尚书王公传》（《潜研堂文集》卷三七）。

严虞惇此际升鸿胪寺少卿，转通政司右参议，迁太仆寺少卿。据杨绳武《皇清浩授中宪大夫太仆寺少卿严思庵先生墓表》（《严太仆先生集》附录）。

陈履中官中书，供奉玉局。据蒋士铨《宁夏道雁桥陈公墓志铭（代）》（《忠雅堂文集》卷六）。

宋至督学浙江。据《方苞集》卷一二《宋山言墓表》。

方苞在狱中作《礼记析疑》、《狱中杂记》。见《方苞集》卷四、《集外文》卷六。苏惇元《方望溪先生年谱》："方爰书上时，同系者皆惶惧，先生阅《礼经》自若。同系者厌之，投其书于地，曰：'命在须臾矣。'先生曰：'朝闻道，夕死可也。'金坛王若霖澍间日入狱视先生，解衣般礴，谘经诹史，旁若无人。同系者或讽曰：'君纵忘此地为圜土，身负死刑，奈旁观姗笑何？'著《丧礼或问》。其后刘古塘为之序，称其于先王制礼之意，有灼知曲尽而非传、注所能及者，拨人心昏蔽而起其善端，莫近于是书。初，先生居丧准《礼》，里中戚友有感而相仿效者。古塘刊是书示朋友生徒，而江介服行者又渐多也。"

戴名世在刑部狱中，修订《四书朱子大全》。 据戴钧衡《南山先生年谱》王树民订补。

郑燮从种园先生陆震学，与王国栋、顾于观同塾。 郑燮《七歌》诗云："种园先生是吾师，竹楼、桐峰文字奇。十载乡园共游憩，壮心磊落无不为。"（《郑板桥全集·板桥集》）［按，《七歌》作于三十岁时，则板桥二十岁从陆震学］

储掌文应广陵侍御吴篁村之聘，肄业于其家。 此后在仪真、扬州逾三十年。据储樵等《先府君云溪公行状》（《云溪文集》附录）。储掌文《自叙》："年二十六七始游扬，自后馆洪氏、方氏、程氏、乔氏，历数十寒暑。扬俗尚奢华，富贵家遇吉凶事，辄屏障连楹，其辞多假手于流寓之士有名者。亦问及余，余业抗颜皋比，义不得谢，因靦颜为之。文出，而讪笑者殊少，遂群目为能古文矣。已而习为之，随请随应，几自忘其才之劣、学之疏也。"（《云溪文集》卷首）

史申义《过江二集》四卷成书。 据张慧剑《明清江苏文人年表》。

高孝本有《津门集》。 小序云："庚寅、辛卯、壬辰，在天津刘观察署中。"（《固哉叟诗钞》总目）

查慎行《长告集》为本年诗。 见《敬业堂诗集》卷四〇。

刘廷玑《葛庄编年诗》起康熙丁巳讫本年。 四库提要卷一八四：《葛庄编年诗》无卷数，"国朝刘廷玑撰。《葛庄诗钞》止于官九江道时。是编又其官淮徐道时所作。分年排次，起康熙丁巳，止于壬辰。后复有补遗一卷。"

吴孟坚作《复社姓氏序略》，时年七十八岁。 其后事迹未详。据张慧剑《明清江苏文人年表》。

沈起元《桂轩诗草》二卷刊行。 据《贩书偶记》卷一五。

万光泰（1712—1750）生。 光泰字循初、柘坡，秀水人。乾隆元年举人。著有《柘坡居士集》。事迹见全祖望《万循初墓志铭》（《鲒埼亭集》卷二〇）、《清史列传》王元启传附、《清史稿》王又曾传附。

翟灏（1712—1788）生。 灏字大川、晴江，仁和人。乾隆十九年进士，官金华、衢州府学教授。著有《尔雅补郭》二卷、《四书考异》七十二卷、《无不宜斋未定稿》四卷。事迹见梁同书《翟晴江先生传》（《频罗庵遗集》卷九）、《清史列传》本传、《清史稿》孙志祖传附。［生年据蒋寅《清诗话考》上编二］

周榘（1712—1779）生。 榘字于平（一作子平）、幔亭，上元人。尝执教于清河书院，后馆于曲阜孔府。尤好金石文字。著有《幔亭诗钞》。事迹见袁枚《幔亭周君墓志铭》（《小仓山房文集》卷二六）、张慧剑《明清江苏文人年表》。

程景伊（1712—1780）生。 景伊字聘三，号莘田、云塘，武进人。乾隆四年进士，改庶吉士，授编修。官至文渊阁大学士。谥文恭。著有《云塘诗文集》二十七卷。事迹见《清史列传》本传、《清史稿》蔡新传附。

凌树屏（1712—?）生。据江庆柏《清代人物生卒年表》。树屏字保厘，乌程人。乾隆四年进士。官凤县知县，调咸阳，后改补嘉兴府教授。著有《瓠息斋前集》二十四卷。事迹见四库提要卷一八五。

尚廷枫（1712—?）生。据江庆柏《清代人物生卒年表》。廷枫字岳师，号茶洋，新建人，原籍陕西兴安。以父荫官户部主事。乾隆元年，应博学鸿词科报罢。与袁枚、万光泰有"三异人"之称。著有《贺莲集》。事迹见《国朝诗人征略》初编卷二七、《清史列传》万承苍传附。

张贞卒，年七十六。据张慧剑《明清江苏文人年表》。《国朝文汇》甲集卷二六录其《学文堂文集序》等文九篇。

史申义卒，年五十二。据邓之诚《清诗纪事初编》卷四。《清史列传》本传："与同里顾图河用诗学相切劘，时称'维扬二妙'。所为诗抽思深眘，结体清高，不失《风》、《骚》之旨。王士禛方以诗倡率海内，尝称史申义及汤右曾足传衣钵，时又称'王门二弟子'。圣祖尝以后进诗人询大学士陈廷敬，以申义及周起渭对，上赐御书绫幅以示嘉奖，翰苑又有'两诗人'之目。生平以士禛为师，以姜宸英、梁佩兰、吴雯、查慎行、何焯为友。"《贩书偶记》卷一四："《过江集》四卷、《过江二集》四卷附《遗稿》一卷、《芜城集》三卷、《使滇集》三卷，江都史申义撰。康熙壬辰至乾隆戊午刊。四库存目载《过江集》四卷。"又，《才冶楼诗》一卷康熙丙寅刊行。《国朝诗别裁集》卷一六录其《由富阳至龙游》等诗六首。《晚晴簃诗汇》卷四九录其诗五首。

杨无咎卒，年七十九。据《疑年录汇编》卷九。

卓尔堪可能尚在世，时年六十岁。据潘承玉《清初诗坛：卓尔堪与＜遗民诗＞研究》第二章。《国朝诗别裁集》卷八："子任系靖难忠臣讳敬之后，代传清白，壮岁南征闽逆，为右军前锋。又尝辑胜国逸民诗成集，文武并娴，远近争高其行。"录其《源口》诗一首。《淮海英灵集》甲集卷一："其诗多雄奇慷慨之音，李文襄以为两汉、三唐之作。著《近青堂诗集》四卷，其佳句如《宿紫阳宝乘寺》云：'古殿钟清山鬼拜，危楼月满夜乌啼。'《送人诗》云：'系马歌嫌三叠少，恋人心觉一官轻。'《方园诗》云：'远烟村路白，多树郡城青。'《忆弟》云：'岭高回塞雁，江远断春潮。'《送梁五桼》云：'鹭鸥思旧侣，貔虎拜书生。'《访石涛和尚》云：'共寻前代寺，遍倚夕阳楼。'《送人见月》云：'同看千里月，今夜二分明。'"《晚晴簃诗汇》卷五〇录其诗五首。

公元1713年（康熙五十二年　癸巳）

正月

三十日，劳史卒，年五十九。据桑调元《余山先生行状》（《弢甫集》卷二一）。

沈德潜之句容阅卷选诗。《沈归愚自订年谱》："元旦次日，同朱子恭季、陈子师洛之江阴，随学使之句容署阅卷选诗。"

二月

初十日，戴名世获刑，年六十一，友人杨千木收其尸。方苞《杨千木墓志铭》："有司以大逆当名世极刑，圣祖仁皇帝宽法改大辟，而众犹荡恐，刻日行刑，亲戚奴仆皆避匿。君曰：'孰谓上必使人觇视者，其然，固无伤。'独赁栈车，与名世同载，捧其首而棺敛焉。用是名动京师。"（《方苞集集外文》卷七）《书先君子家传后》："潜虚少时文清隽朗畅，中岁少廉悍，晚而告余曰：'吾今而知优柔平中，文之盛也，惟有道者几此，吾心慕焉而未能然。'世所见潜虚文多率尔应酬之作，其称意者每椟而藏之，曰：'吾岂求知于并世之人哉，度所言果不可弃，终无沉没也。'是篇其中岁所作，自谓称意椟而藏之者。潜虚死，无子，其家人言椟藏之文近尺许，淮阴某人持去，或曰尚存，或曰已失之矣。呜呼！是潜虚所自信为终不沉没者，其果然也邪？"（《方苞集集外文》卷四）戴钧衡《潜虚先生文集目录叙》："国朝作者间出，海内翕然推为正宗，莫如吾乡望溪方氏，而方氏生平极所叹服者则惟先生。先生与望溪生为同里，又自少志意相得，迄老不衰，其学力之浅深，文章之得失，知之深而信之笃者，莫如望溪，望溪推之，学者复何说也。顾望溪生为显官，身后著作在天下，而先生摧折困抑，垂老构祸以死，著作脱轶，莫为之收，而一二藏书家有其稿者，又秘弗敢出，四方学者徒耳先生之名，求读其书不可得。文章之遭际，幸不幸固如是耶！余读先生之文，见其境象如太空之浮云，变化无迹，又如飞仙御风，莫窥行止。私尝拟之古人，以为庄周之文，李白之诗，庶几相似。而其气之逸，韵之远，则直入司马子长之室而得其神。云鹗尤氏尝谓，子长文章之逸气，欧阳永叔后惟先生得之，非虚语也。余又观先生文中自叙及望溪先生所作序文，知先生生平每以子长自命，其胸中藏有数百卷书，滔滔欲出，向令克成，必有不同于班固、范蔚宗、陈寿诸人者，岂仅区区文字足见其得子长之神哉。惜乎有子长之才，不能成子长之志，仅此区区而犹厄抑使不得彰行于世，良可悲已！先生文集名不一，少时著有《困学集》、《芦中集》、《天问集》、《岩居川观集》，皆不复可见。今世所仅存者，惟门人尤云鹗刊本，所谓《南山集》是也。《南山集》载文止百十余篇，里中吴氏藏有写本，校尤本文多且半，余假而抄之。复于许君处见先生手稿，又尤本、吴本所未载者。吴本未加编次，尤本编次亦无义例，余乃共取编之。呜呼！以余所见三本异同如此，此外不可见者，其零散知几何也。道光辛丑十二月二十九日，宗后学钧衡谨识。"徐宗亮《南山集后序》："夫先生夙以班、马自命，有志明史，卒之以此得祸，然当时固有称其文得太史公逸气者。今观其放笔立书，不断断于行墨字句，而起伏抗坠不稍掾古之所云，盖具海峰之才，行望溪之义，至其自然之韵，得天者优，又非如惜抱之涵泳资深而出之者。吾窃以为读先生之文，不必于三家之中求其同，亦不必三家之外求其异。《传》曰：'君子以同而异。'其先生之文之谓乎？"王哲《重订南山集序》："戴田有先生所作古文，直追龙门，而气魄雄厚，有过之无不及也。当世望溪方氏、慕庐韩氏、武曹汪氏亟称之，以为深得古人之法乳，骎骎然登作者堂而哜其胾，不独子长、孟坚之专美于前也。一时盛行海内，而天下翕然，几致家有其书，可不谓盛欤！先生遭圣明为侍臣，极千载一时之遇，惜才不自敛抑，卒以此得祸，悲夫！"（《戴名世集》附录）《国朝文汇》甲集卷二二录其《弘光朝伪东宫伪后及党祸纪略》等文三十一篇。《晚晴簃诗汇》卷五七录其诗二首。

方苞出狱，至此在狱凡十五月。《方苞集》卷一八《两朝圣恩恭纪》："康熙癸巳年二月，臣苞出刑部，隶汉军。"

三月

二十一日，**严虞惇卒，年六十四。**据杨绳武《皇清诰授中宪大夫太仆寺少卿严思庵先生墓表》（《严太仆先生集》附录）。《墓表》云："先生制义既已风行海内，衣被后学，其古文词尤度越于俗，卓然名其家。昔昆山归震川先生为有明一代作者，而官止于太仆；今先生名位适与之相符，居相近，世相接，文章学问先后辉映，从学之士欲为先生刊《严太仆集》，继归太仆后，论者咸以为不愧云。"（《严太仆先生集》卷首）蒋廷锡序云："故太仆严先生，耽研道奥，综核儒先，于六籍多所发明，而尤长于《诗》。所著《读诗质疑》，凡六易稿始定。间牵勉应酬为古文词，深厚尔雅，远拟欧、曾，近亦与潜溪、安亭相上下。其为诗写所自得，不屑规模一家，而暗与古合。"《国朝诗别裁集》卷一八："太仆《六经》皆有述作，而《读诗质疑》二十卷尤有功于诗学。古今体诗略为寄兴，然亦不苟同于人。"录其《咸阳怀古》等诗三首。《晚晴簃诗汇》卷五四录其诗三首。《国朝文汇》甲集卷四〇录其《胡朏明禹贡锥指序》等文三篇。

方苞以白衣入直南书房。据《方苞集》卷一八《两朝圣恩恭纪》。

顾嗣立授儒林郎。据顾嗣立《闾邱先生自订年谱》。

春

立春日，孔贞瑄作《八十自寿》诗。见《聊园续集》。又，自撰《聊曳小传》亦本年作。见《聊园文集》。孔贞瑄此后事迹未详。四库提要卷一八二：《聊园全集》十五卷，"国朝孔贞瑄撰。贞瑄有《大成乐律》，已著录。贞瑄少游江淮，既而官泰安、济南，继乃远宰大姚，所历山水颇多，炎荒万里，猺俗苗境，多所记载，故轶闻逸事多散见于此集中。其文则奇逸之气往往不可控羁，而颓唐潦倒之处亦不一而足云。"〔按，是书凡《聊园诗略》十三卷、《续集》一卷、《文集》一卷〕

恩科乡试。是科各省考官有张鹏翮、吕履恒、严虞惇、阿克敦、俞兆晟、查嗣瑮、周彝等。据法式善《清秘述闻》卷四。所取举人有江日昇（《清秘述闻》卷四）、张廷璐（张廷玉《澄怀主人自订年谱》卷一）、李文炤（《四库全书·湖广通志》卷三六）、郭雍（四库提要卷一八四）、李宗渭（四库提要卷一八四）、傅米石（四库提要卷一八四）、纪迈宜（陈仪《闲云老人纪迈宜传》）等。沈德潜报罢后馆钱万荣家。据《沈归愚自订年谱》。裘琏亦被放，时七十岁，已历乡闱十六科矣。据裘姚崇《慈溪裘蔗村太史年谱》。

傅米石乡试中式。四库提要卷一八四：《练溪集》五卷，"国朝傅米石撰。米石字立元，巨野人。康熙癸巳举人。是集凡文二卷，诗二卷，杂记一卷。前有其门人李包序，后有其子尔德所作家传。其古文颇谨严有法度。如《琢磨偶记序》，误以碧云騢为白獭髓，引据或疏。《管蔡论》谓周公胜季友，殊为赘衍。《季札论》责以当为伯夷、泰伯之逃，亦为吹索。然其他率不失醇正。杂说持论亦平允。其曰：'读书之人屏伏田里，不敢为畸邪之行，不敢为诡激之论，不敢著非圣之书。谨身力行以为齐民先，是即所以报君父。'可谓有德之言。其误以钩辀为蝉之类，特小失耳。惟古诗以文笔为之，犹未乖大雅。近体则皆不入格，甚至以海若押入马韵，是兰若之若也。以刻镂读为平声，是属镂之镂也。吟咏非所擅长，而杂然编录，转为全集之累，是则其后人之过矣。"

四月

十一日，郑梁卒，年七十七。据郑勋《诰授中宪大夫先寒村公年谱》。四库提要卷一八三：《寒村集》三十六卷，"国朝郑梁撰。梁字禹梅，慈溪人。康熙戊辰进士。官至高州府知府。是编诗分十一集：一曰《见黄稿诗删》五卷，二曰《五丁诗稿》五卷，三曰《安庸集》一卷，四曰《玉堂集》一卷，五曰《归省偶录》一卷，六曰《还朝诗存》一卷，七曰《玉堂后集》一卷，八曰《宝善堂集》一卷，九曰《白云轩集》一卷，十曰《南行杂录》一卷，十一曰《高州诗集》二卷。文分四集：一曰《见黄稿》二卷，二曰《五丁集》二卷，三曰《安庸集》二卷，四曰《寒村杂录》二卷《补》一卷。又《半生亭集》一卷，《息尚编》四卷，则诗文合刻也。梁受学于黄宗羲，尝谓陈师道年三十一见黄鲁直，尽焚其稿而学焉。梁见宗羲时亦三十一，故诗文皆以《见黄稿》为冠。其文得之宗羲者为多，而根柢较宗羲少薄。诗则旁门别径，殆所谓有韵之语录。其《书定山诗钞》句云：'明朝诗学崔公甫，若语仙才拜定山。'可以得其宗旨之所在矣。"金埴《不下带编》卷一："寒村郑太史，为一时西清之冠。其称诗也，一空前论，戒拾人牙慧，谓须自我作古。有《寒村集》行世。"《晚晴簃诗汇》卷三〇录其诗十二首。《国朝文汇》甲集卷三六录其《黄忠端公集序》、《应总兵传》文两篇。

裘琏北上。五月至淮上。病回，著《回南稿》。至虞山，著《虞山稿》。至吴阊，著《吴阊稿》。上书仇兆鳌和王掞。据裘姚崇《慈溪裘蔗村太史年谱》。

张棠自桂林归里，编定其归途所作诗为《江上吟》。据《赋清草堂诗钞》卷首《原序》二。

五月

黄叔琳改奉天府府丞。据顾镇《黄侍郎公年谱》。

刘坊卒，年五十六。据丘复《刘鳌石先生年谱》。

闰五月

十四日，李化楠（1713—1769）生。化楠字廷节，号石亭、让斋、醒园，罗江人。乾隆六年举人。明年成进士，改庶吉士。散馆，授编修。历官余姚知县、平湖知县、顺天府北路同知。著有《万善堂集》（又名《李石亭诗集》十卷）、《李石亭文集》六卷、《醒园录》二卷。事迹见李调元《诰封奉政大夫同知顺天府北路事石亭府君行述》（《童山文集》卷一八）。

史夔卒，年五十三。据朱彭寿《清代人物大事纪年》。《国朝诗别裁集》卷一三："宫詹公诗当时不必有赫赫名，然迄今读之，意足韵流，无一闲句闲字，得唐贤之三昧者也。台阁而不涉应酬，山林而不入寒瘦，足觇诗品。"录其《长干曲》等诗十六首。《晚晴簃诗汇》卷四七录其诗四首。

六月

初八日，厉鹗自序近年所作游仙诗三百首。署"康熙癸巳季夏八日，钱塘厉鹗题于寄圃之半舫斋"（《樊榭山房集外诗》卷首）。

《御纂朱子全书》六十六卷刊行。是书由李光地主持校正。据四库提要卷九四。

七月

查慎行自翰林院乞休归里。据陈敬璋《查他山先生年谱》。

八月

恩科会试。考官：内阁大学士王掞、工部尚书王顼龄、兵部侍郎李先复、内阁学士沈涵。题"敬事而信"二句，"博厚所以"二节，"我善养吾 与道"。据法式善《清秘述闻》卷四。

方苞移直蒙养斋，编校乐、律、历、算诸书。与徐元梦承修乐律。据苏惇元《方望溪先生年谱》。

九月

初九日，张若霭（1713—1746）生。若霭字晴岚，桐城人，廷玉长子。雍正十一年进士，授编修，直南书房，充军机章京。乾隆间，屡迁至内阁学士。著有《晴岚诗存》八卷。事迹见张廷玉《冢子内阁学士兼礼部侍郎若霭行略》（《澄怀园文存》卷一五）、《清史列传》张廷玉传附、《清史稿》张廷玉传附。

十六日，宋荦卒，年八十。据汤右曾《光禄大夫太子少师吏部尚书宋公荦墓志铭》（《碑传集》卷六七）。所著《沧浪小志》二卷、《漫堂墨品》一卷、《怪石赞》一卷、《筠廊偶笔》二卷《二笔》二卷、《绵津山人诗集》十八卷附《枫香词》一卷《纬萧草堂诗》一卷、《漫堂说诗》一卷，所编《江左十五子诗选》十五卷等，四库存目著录；《西陂类稿》三十九卷，四库全书收录。杨际昌《国朝诗话》卷一："商丘宋公七言古诗，心摹手追于眉山，得其清放之气，各体亦秀，以台阁人成山林格者也。《即事六首》其一云：'两年宦况一囊诗，尽日都为啸咏时。欲向厅前了公事，二三老吏正围棋。'其三云：'东斋不复似官衙，竹径松扉兴自赊。最是园丁能解事，黄昏时节课浇花。'其五云：'雨过山光翠且重，一轮新月挂长松。吏人散尽家僮睡，坐听寒溪古寺钟.'此种风致,安得谓宦途中定是尘容俗状耶?"沈德潜等《国朝诗别裁集》卷一三:"商丘公官部曹时,列《十子诗选》中。抚吴时,有《渔洋绵津合刻》。又尝选江左十五子诗,以提唱后学,固风雅之总持也。所作诗,古体主奔放,近体主生新,意在规仿东坡,时宗之者,非苏不学矣。兹所录者,俱近唐贤诸作,公晚年订定,意或转在是与!"录其《苏门征君孙锺元先生》等诗十首。方苞《宋山言墓表》:"自长洲韩公以文学为海内宗,群士坛坫莫盛于吴中,而尚书开府江苏,尤体貌文士。方是时,吴中知名士汪份武曹、张大受日容、吴士玉荆山数辈皆家居,生徒各数十百人。天下士以文术自命者,过吴中必进谒尚书,而退从诸君子游。"(《方苞集》卷一二)丁绍仪《听秋声馆词话》卷五《宋荦词》:"所著诗词,虽不克方驾阮亭,亦不让荔裳廉访。"李祖陶《国朝文录·西陂文录引》:"所著《绵津山人诗集》,子湘采之与渔洋山人并行,号为《王宋二家诗选》。才虽少逊,格亦苍秀。近有以附庸风雅目之者,要不可谓非一家也。文不多作,作即质有其文,含吐从容,有典有则,不必高妙而自有远神,不必刻深而自无佻步,所谓有家数者非耶?中如品题侯、魏、汪三子及序阮亭、钝翁之文,皆万世公论;志子湘墓亦佳。"《晚晴簃诗汇》卷三二录其诗二十四首。《国朝文汇》甲集卷二三录其《与邵子昆学使论乡贤名宦从祀书》等文六篇。

朱湘鳞为蒲松龄画像。蒲自题云:"尔貌则寝,尔躯则修。行年七十有四,此两万五千余日所成何事,而忽已白头?奕世对尔子孙,亦孔之羞。康熙癸巳自题。""癸巳九月,筠嘱江南朱湘鳞为余肖此像,作世俗装,实非本意,恐为百世后所怪笑也。松龄又志。"(朱一玄编《聊斋志异资料汇编》)

十月

十六日,潘相(1713—1790)**生**。相字润章,号经峰,安乡人。乾隆二十八年进士。历官山东福山、曲阜知县,濮州、昆阳知州。著有《琉球入学见闻录》、《耆文书屋集》。事迹见《国朝文汇》乙集卷三六、朱彭寿《清代人物大事纪年》。

二十日,赵俞卒,年七十八。据张云章《文林郎知定陶县事赵蒙泉先生行状》(《朴村文集》卷二四)。四库提要卷一八三:《绀寒亭诗集》十卷、《文集》四卷,"国朝赵俞撰。俞号蒙泉,嘉定人。康熙戊辰进士。官定陶县知县。是集俞所自编。诗格极为遒上,但才锋太锐,少一唱三叹之致。文则纵笔而成,伤于平易,又不及其诗。"是书康熙间刊行。据《贩书偶记续编》附录。《国朝诗别裁集》卷一六:"定陶以他人累,牵引对狱吏者再,后虽昭雪,然亦濒于危矣。诗体灵敏之中,冲和自在,是为正声。"录其《古风》等诗十四首。《晚晴簃诗汇》卷四九录其诗三首。《国朝文汇》甲集卷三六录其《绀寒湄亭记》等文三篇。

十一月

十二日,圣祖御太和殿,传胪。赐一甲王敬铭、任兰枝、魏廷珍进士及第,二甲杨绳武、万承苍、徐骏、张梁等进士出身,三甲孙嘉淦、李茹旻、陈法、甘汝来、张汉、郑三才、巩建丰等同进士出身。据《历科进士题名录》、《清通鉴》。

巩建丰成进士。四库提要卷一八四：《朱围山人集》十二卷，"国朝巩建丰撰。建丰字子文，号渭川，又号介亭，伏羌人。康熙癸巳进士。官至翰林院侍读学士。是集诗文各六卷，又以补遗之文附于诗末。大抵平实简易，无擅胜之处，亦无蹉驳之处。"

黄叔琳晋右通政。据顾镇《黄侍郎公年谱》。

十二月

李光地承修《周易折中》。据李清植等《文贞公年谱》卷下。

冬

高孝本有《南州集》。小序云："癸巳冬，同刘观察至南昌。"（《固哉叟诗钞》总目）

本年

方贞观以负罪者累，诏隶归旗籍。据《国朝诗别裁集》卷二八。

宋至丁父忧。服阕，遂家居，日与亲故酾嬉泉石间至终老。据方苞《宋山言墓表》（《方苞集》卷一二）。

特召杨名时入京，侍直南书房。据方苞《礼部尚书赠太子太傅杨公墓志铭》（《方苞集》卷一〇）。

汪为熹官鄢陵知县。据《四库全书·河南通志》卷三七。

汪份散馆授编修。据方苞《汪武曹墓表》（《方苞集》卷一二）。

杜诏散馆改进士教习。据华希闵《杜吉士诏传》（《碑传集》卷四七）。

陈厚耀授翰林院编修。据江藩《国朝汉学师承记》卷七。

孙勷升右春坊右赞善兼翰林院检讨。据孙勷《莪山自叙笔记》（《鹤侣斋文稿》卷四）。

查嗣瑮由编修升侍讲。据陈敬璋《查他山先生年谱》。

汪森自户部江西司郎中告归，时年六十一岁。据储大文《户部郎中貤封监察御史汪君森墓志铭》（《碑传集》卷五九）。

高不骞参与注解《唐诗》毕，卸京职还。据张慧剑《明清江苏文人年表》。

《御选唐诗》成书。是书凡三十二卷附录三卷。据四库提要卷一九〇。

方苞《周官辨》成书。据苏惇元《方望溪先生年谱》。序见《方苞集集外文》卷四。

顾嗣立自辑《闾邱年谱》一卷。诗有《河西集》四卷，始壬辰四月，讫癸巳十月。又有《河西日记》。据顾嗣立《闾邱先生自订年谱》。

查慎行《待放集》为正月至六月诗、《计日集》为七月至十二月诗。见《敬业堂诗集》卷四一、四二。

蒲松龄有《求邑令支发贡金》、《老乐》、《七月初一落一齿》、《悼内》等诗。见

《聊斋诗集》卷五。

裘琏刻《寸知集》，有仇兆鳌序和自序。据裘姚崇《慈溪裘蔗村太史年谱》。

蓝涟《采饮集》十卷刊行。并无卷数，以原分叶数，似作十卷。据《贩书偶记》卷一四。

龙震《玉红草堂集》十六卷附《龙氏家谱》一卷，去年至今年刊行。据《贩书偶记》卷一四。《晚晴簃诗汇》卷五三录其诗一首。

王丹林《野航诗集》二卷刊行。据《贩书偶记》卷一四。丹林字赤抒，钱塘人。官中书舍人。《国朝诗别裁集》卷二一："诗品在牧之、飞卿间。羁留日下，诸巨公交口推重，方欲荐扬明廷，而中道摧折。诗之镌刻者亦少，艺林至今想望之。"录其《银塘曲》等诗六首。

陈梦雷《松鹤山房诗集》刊行。据《贩书偶记》卷一四。

宋至《庠㘬集》一卷刊行。据《贩书偶记续编》卷一四。

杨履基（1713—1775）生。履基初名开基，字履德，自号铁斋，金山人。乾隆间优贡生。应南巡召试，列二等。声名隐然动江左，而不得一官。著有《铁斋诗文集》、《铁斋偶笔》等。事迹见钱大昕《优贡生候选儒学训导杨君墓志铭》（《潜研堂文集》卷四六）、《清史列传》焦袁熹传附。

恒仁（1713—1747）生。恒仁字育万、月山，宗室。诗为沈德潜、沈廷芳所赏。著有《月山诗集》四卷。事迹见沈廷芳《墓志铭》（《月山诗集》附录）。

庄纶渭（1713—1774）生。纶渭字对樵，号苇塘，武进人。乾隆三年举人。七年成进士，充咸安宫教习。期满官浙江武康、定海知县，擢甘肃宁州知州。以事降级，官浙江上虞知县，复调定海。未几致仕归。著有《问羲轩诗钞》二卷《剩草》一卷。事迹见梁同书《皇清敕授文林郎例授奉直大夫历任浙江武康上虞定海县知县推升甘肃宁州知州苇塘庄先生行状》（《问羲轩诗钞》卷首）。

朱琰（1713—1780）生。琰字桐川，号笠亭，海盐人。乾隆三十一年进士。官皋平知县。尝主金华丽正书院。著有《笠亭诗集》二卷、《陶说》六卷，辑有《明人诗钞》十四卷《续集》十四卷。事迹见汪启淑《朱琰传》（《续印人传》卷五）、《国朝诗人征略》初编卷四〇。

宁楷（1713—1802）生。楷字端文，号栎山，江宁人。少贫甚，卖卜以养亲。以江宁令张嘉伦之荐，入钟山书院肄业。乾隆十九年明通榜。官泾县教谕，未几罢归。著有《修洁堂稿》。事迹见《晚晴簃诗汇》卷八四、张慧剑《明清江苏文人年表》。（蒋寅《金陵生小言》卷九谓其生卒年为1712—1801年，此据《明清江苏文人年表》。）

张曾（1713—1774）生。曾字祖武（一作祖伍、组五），自号石帆山人，丹徒人。布衣。著有《石帆诗钞》八卷。事迹见《清史列传》鲍皋传附。

廖景文（约1713或1714—1787后）约此际生。景文字觐扬、琴学，青浦人。乾隆十二年举人，十九年会试登明通榜，二十一年由教习选合肥知县，二十七年去官。著有《清绮集》八卷、《遗真记》。事迹见邓长风《明清戏曲家考略·廖景文和他的<清绮集>》、《十四位明清戏曲家生平著作拾补》。

　　毛奇龄卒，年九十一。门人蒋枢于康熙五十九年补辑《西河合集》时云："先生自康熙三十八年以后，越五年而东归草堂，又九年而卒。"［按，一说毛奇龄卒于康熙五十五年，年九十四，见《疑年录汇编》卷九］全祖望《萧山毛检讨别传》："若其文，则根柢六朝，而泛滥于明季华亭一派，遂亦高自夸诩，以为无上。虽说部、院本，拉杂兼收以示博。""西河之才要非流辈所易几，使其平心易气以立言，其足以附翼儒苑无疑也。乃以狡狯行其暴横，虽未尝无发明可采者，而败阙繁多，得罪圣教，惜夫！"（《鲒埼亭集外编》卷一二）四库提要卷一七三：《西河文集》一百七十九卷，"奇龄著述之富，甲于近代。没后其门人子侄编为《西河合集》，分经集、史集、文集、杂著四部，凡四百余卷。其史问，以奇龄有遗命，不付剞劂。语见《经问》第五卷景泰帝条下，余亦不尽行于世。此本为康熙庚子其门人蒋枢所编，但分经集、文集二部。""奇龄之文，纵横博辨，傲睨一世，与其经说相表里，不古不今，自成一格，不可以绳尺求之。然议论多所发明，亦不可废。其诗又次于文，不免伤于猥杂。而要亦我用我法，不屑随人步趋者，以余事观之可矣。"杨际昌《国朝诗话》卷二："毛西河说经长于辨驳，文体长于序事，虽以攻紫阳蒙诟，实一代才也。诗拟唐人，意在矫虞山推重宋、元之枉，议者目为唐皮。予按绚烂有余，但未归平淡耳。"沈德潜等《国朝诗别裁集》卷一一："西河湛深经学，著述等身，在国朝可称多文为富者。惟攻击朱子不遗余力，至镌书若干卷以示旗鼓，所以不得为醇儒。艺林惜之。""诗学规模唐人。时专尚宋体，故多起而议之者。然学唐而能自出新意，不同于规孟贲之目，画西施之貌者也。视采剥宋人皮毛者，高下可以道里计耶？"录其《打虎儿行》等诗十六首。阮元《毛西河检讨全集后序》："萧山毛检讨以鸿博儒臣著书四百余卷，后之儒者或议之。议之者，以检讨好辨善詈，且以所引证索诸本书，间有不合也。余谓善论人者，略其短而著其功，表其长而正其误，若苛论之，虽孟、荀无完书矣。有明三百年以时文相尚，其弊庸陋谫僿，至有不能举经史名目者。国朝经学盛兴，检讨首出于东林、蕺山空文讲学之余，以经学自任，大声疾呼，而一时之实学顿起。当是时，充宗起于浙东，胐明起于浙西，宁人、百诗起于江淮之间，检讨以博辨之才睥睨一切，论不相下而道实相成。迄今学者日益昌明，大江南北著书授徒之家数十，视检讨而精核者固多，谓非检讨开始之功则不可。""我朝开四库馆，凡检讨所著述皆分隶各门，盖重之也。"（《揅经室二集》卷七）谢章铤《赌棋山庄词话》卷四《毛西河词》："毛西河少年受知于陈卧子，故词诗皆承其派别，而词较胜于诗。卧子之论词也，探源兰畹，滥觞花间，自余率不措意。西河虽稍贬辛、蒋，而不废周、史。其词于小令、中调、长调之中，析隋唐题特立一卷，曰《原调》，虽《菩萨蛮》、《小重山》之古，而多为宋人取填者，亦不入焉，可以知其意趣之所在矣。"陈廷焯《白雨斋词话》卷三："西河经术湛深，而作诗却能谨守唐贤绳墨，词亦在五代、宋初之间。但造境未深，运思多巧。境不深尚可，思多巧则有伤大雅矣。"李慈铭《越缦堂读书记·西河合集》："西河纵横浩博，才气无双，而往往失于持择。其援引既广，又不检覆，故多不免舛误，于掌故尤疏。集为其门人及诸子所编，校勘不精，字句多谬，又多收酬应贡谀之作，盖西河本多世俗之见，而及门诸子复不知别择也。诸类中以尺牍、杂笺两卷为最佳，寥寥短章，意态百出，多有魏晋人隽永之致。且异闻创解，溢出不穷，实较胜于苏、黄，而亦时有江湖小说气。

碑记如《息县雷迹碑记》、《旌表徐节妇贞节里碑记》、《范督师志完祠记》、《观音阁种柳记》、《郡太守平贼碑记》、《严禁开燔郡南山碑记》，亦皆不愧名作。”“西河文笔警秀，而时堕小说家言，其碑志、记事之文往往景饰，不足尽信。”“其考古虽多疏，而隽辩不穷，才气横出，实能发人神智。至其津津自喜，刺刺骂人，多堕入小说家言，亦实令人生厌。”《晚晴簃诗汇》卷四四录其诗五十一首。《国朝文汇》甲集卷三一录其《快阁纪存序》等文十三篇。《清史稿》本传：“弟子李塨、陆邦烈、盛唐、王锡、章大来、邵廷采等，著录者甚众。”

周龙藻在世。《万寿盛典初集》卷一〇八有其本年所献颂。龙藻字汉荀，吴江人。《国朝诗别裁集》卷二六：“汉荀为忠毅公后，学使者试士，辄冠其曹，名著大江南北间。以岁贡士终，艺林惋惜之。诗稿甚夥，所镌惟乐府三卷。诸体俱未寓目，故所收亦止在三卷中。”录其《大墙上蒿行》等诗五首。《晚晴簃诗汇》卷五一录其诗十九首。《国朝文汇》甲集卷五八录其《太湖水利考》、《庞烈妇传》文两篇。

公元 1714 年（康熙五十三年　甲午）

正月

初九日，胡渭卒，年八十二。据钱大昕《胡先生渭传》（《潜研堂文集》卷三八）。《清史稿》本传：“渭经术湛深，学有根柢，故所论一轨于正。汉儒傅会之谈，宋儒变乱之论，扫而除焉。”《国朝文汇》甲集卷三〇录其《书扬州田赋后》文一篇。

下浣，裘琏北上入都。三月，暂寓辰山，著《辰山稿》六十三首。登彭山，作《金蛇记》等。望后发辰山，著《帝京吟》。据裘姚崇《慈溪裘蔗村太史年谱》。

刘廷玑编定《葛庄分体诗钞》。自识云：“去年冬，自志年表，记事略备，乃取曩之《编年》，改为《分体》。从中删其拘腐，剪其枝蔓，举凡快意一时，未敢信为妥帖者，稍为汰抹，且复间易字句，仅存十之六七焉。”署“康熙五十三年甲午孟春，辽海刘廷玑自识”。（《葛庄分体诗钞》卷首）陈履端《在园杂志跋》：“记先君子曾语履端曰：‘当今诗人接踵新城、商丘者，必以刘中翰在园为最。’”（《在园杂志》附录）袁枚《随园诗话》卷一四：“汉军刘观察廷玑，号葛庄，康熙间诗人。或嫌其诗过轻俏。然一片性灵，不可磨灭。《渔家》云：‘一家一个打鱼舟，结得姻盟水上浮。有女十三郎十五，朝朝相见只低头。’《偶成》云：‘闲花只好闲中看，一折归来便不鲜。’”杨锺羲《雪桥诗话》卷三：“刘玉衡《葛庄诗》出入于香山、剑南之间。《新昌县》云：‘民穷瓦屋少，县小石城坚。’《西山即景》云：‘野寺无名惟见佛，空山有路渐知村。’《武林喜晤张中丞敬止赋呈》云：‘欲抽身处何曾老，未罢官时已觉贫。’《秋怀》云：‘生来多病宜蔬食，老不禁凉换袷衣。’《雪后答张山人》云：‘疑是身居挂月村，卷帘残雪照芳尊。灞桥非负寻诗约，为有梅花不出门。’”《国朝诗别裁集》卷二七录其《折杨柳歌辞》等诗四首。《晚晴簃诗汇》卷五〇录其诗十一首。

郑虎文（1714—1784）**生。**虎文字炳也，号诚斋，秀水人。乾隆七年进士，改庶吉士，授编修。直武英殿，提督湖南、广东学政，官至左春坊左赞善。辞归后，主徽州紫阳书院十年，主杭州紫阳、崇文两书院五年。著有《吞松阁集》二十卷。事迹见据汪喜孙《郑先生虎文家传》（《尚友记》卷一）、《清史列传》本传。

三月

户部尚书王鸿绪进呈《明史列传》。据蔡冠洛《清代七百名人传》附录《清代大事年表》。

四月

禁小说淫词。《大清圣祖仁皇帝实录》卷二五八："康熙五十三年甲午夏四月乙亥，谕礼部，朕惟治天下，以人心风俗为本，欲正人心，厚风俗，必崇尚经学而严绝非圣之书，此不易之理也。近见坊间多卖小说淫词，荒唐俚鄙，殊非正理，不但诱惑愚民，即缙绅士子，未免游目而蛊心焉。所关于风俗者非细，应即通行严禁。其书作何销毁，市卖者作何问罪，著九卿詹事科道会议具奏。寻议，凡坊肆市卖一应小说淫词，在内交与八旗都统、都察院、顺天府，在外交与督抚，转行所属文武官弁，严查禁绝，将板与书一并尽行销毁。如仍行造作刻印者，系官革职，军民杖一百，流三千里；市卖者杖一百，徒三年。该管官不行查出者，初次罚俸六个月，二次罚俸一年，三次降一级调用。从之。"

五月

蒲松龄选录《观象玩占》三卷。据路大荒《蒲松龄年谱》。

夏

厉鹗与金农、汪次颜定交。据朱文藻撰、缪荃孙重订《厉樊榭先生年谱》。又，《樊榭山房诗集》收诗自本年始，开卷诗为《金寿门见示所藏唐景龙观钟铭拓本》。

王心敬赴姑苏，返经襄城，访刘青霞兄弟诸人。据王心敬《襄城啸林刘子别传》（《慎独轩文集》卷首）。

七月

十一日，王元启（1714—1786）生。元启字宋贤，号惺斋，嘉兴人。乾隆九年举人，十六年进士。知福建将乐县，三月而罢。前后历主福建延平、道南、金石、樵川、华阳，河南崇本，山东泺阳、嵩庵、重华，浙江鲲池等十书院。著有《祇平居士集》等。事迹见翁方纲《皇清例授文林郎赐进士出身福建将乐县知县惺斋王先生墓志铭》（《祇平居士集》卷首）、《清史列传》本传、《清史稿》本传。

八月

顾嗣立入值武英殿纂修《鸟兽虫鱼广义》。据顾嗣立《闾邱先生自订年谱》。

九月

初三日，劳之辨卒，年七十六。据杨瑄《都察院左副御史诰授中宪大夫劳公之辨墓志铭》（《碑传集》卷二〇）。杨锺羲《雪桥诗话》卷三："石门劳介岩有句云：'酒能供客醉，花不厌官贫。'康熙丙戌三月补右通政纪事诗云：'一官坎壈人皆有，七度银台世所稀。'戊子由金都御史晋副宪，十二月以密题皇储复位押出国门。"《国朝诗别裁集》卷九录其《眺玄武湖歌》一首。《晚晴簃诗汇》卷三五录其诗七首。

初九日，蒲松龄同孙圣华、圣文昆仲、齐河许圣瑞及儿孙登东山。又，十二日，孙圣佐招蒲松龄赏菊。蒲皆有诗纪之，见《聊斋诗集》卷五。

十六日，余甸序朱樟《问绢集》。署"甲午重九后七日，侯官弟余甸识"。序云："江油令君朱鹿田先生以公事至成都，而登临□咏，凭吊古人，积诗至二百数十首。取唐人'问绢锦官城'之句颜其端，余叙之。"（《观树堂诗集·问绢集》卷首）

秋

乡试。是科各省考官有郑任钥、徐昂发、沈涵、查嗣庭、彭维新、杨名时、沈翼机、陈世倌、汪份等。据法式善《清秘述闻》卷四。所取举人有裴琔（裴姚崇《慈溪裴蔗村太史年谱》）、纪迈宜（《晚晴簃诗汇》卷五九）、王步青（《己山先生文集》卷首王廷琬《家传》）、徐以升（《四库全书·浙江通志》卷一四四）、张符骧（沈默《张符骧传》）、汪景祺（《读书堂西征随笔》卷首）等。

纪迈宜乡试中式。迈宜字偲亭，文安人。官泰安知州。纪昀《俭重堂诗序》："今岁偲亭伯父复寄示《俭重堂集》十二卷。首曰《赠泞残稿》，皆少作，一往情深，有王伯舆之思焉。次曰《餐霞阁集》，家居食贫所作。次曰《岱麓山房稿》、《岱麓山房续稿》，官山东及解组后作。次曰《赤城集》，羁栖保定时所作也。至是遇益蹇，诗亦益进。次曰《蓬山集》，作于内丘。次曰《希阮斋集》，次曰《华游集》，作于内丘解组后。绝意人事，脱落町畦，意象所生，方圆随造矣。次曰《古博浪集》，次曰《昆阳集》，次曰《爱吾庐集》，皆就养河南之所作。老境恬愉，颓然天放，无复人间烟火语。然轩昂磊落之气，尚时时来也。""其诗上薄《风》、《骚》，下躏宋、元，无不一一闯其奥。而空肠得酒，芒角横生，嬉笑怒骂，皆成文章，于东坡居士为最近。"（《纪晓岚文集》第一册卷九）《晚晴簃诗汇》卷五九录其诗二十六首。

周起渭卒，年五十。据陈田《周渔潢先生年谱》。《桐野诗集》无卷数康熙五十五年刊行。据《贩书偶记》卷一四。郑方坤《周詹事起渭小传》："黔固鬼方旧壤，僻陋在夷，自庄蹻拓疆、唐蒙通道以来，未闻以文章振者。说者谓山□川涸，其地不灵，即间有一二轶材，亦仅穿穴时文，为应举求名计。其于声韵一道，白首纷如。采风至此，自邻无讥已矣。桐野一出，顾独以其诗鸣。时辇下人文极盛，若姜西溟、顾书宣、汤西厓诸君子，各以沈诗任笔，傲睨文坛。吮墨怀铅之徒，率不敢望其项背。桐野异军特起，乃拔戟自成一队。感物怀人，巡檐有作；欢场胜地，击钵为豪。吴纻郑缟之英，玉敦珠槃之彦，云龙追逐，莫决雌雄。江都史蕉饮赠句：'孰与夜郎争汉大，手携玉尺上金台.'若是乎倾倒之深也。"（《碑传集》卷四七）《国朝耆献类征初编》卷一二一引《国史馆本传》："尝作《万佛寺大钟歌》，一时推为杰作。其为诗，上自建安，下逮竟陵，无不研究，而尤肆力于苏轼、元好问、高启诸家云。"《清史稿》史申义传附："贵州自明始隶版图，清诗人以起渭为冠，而铜仁张元臣、平远潘淳亦并有诗名。"《国朝诗别裁集》卷一八录其《武陵为人写北窗高卧图》等诗四首。《晚晴簃诗汇》卷五四录其诗十六首。

十月

张云章编定诗文集付梓。《朴村文集》卷首自序署"甲午十月，嘉定朴村学人张云章汉瞻氏识"。《朴村诗集》卷首自序署"康熙五十三年十月朔日序，十一月望日书，嘉定张云章汉瞻氏"。《朴村文集》二十四卷《诗集》十三卷本年刊行。诗集卷一二《橘社唱和》别见。

十二月

孔尚任访刘廷玑于淮南，共选《长留集》，明年春告竣。据《孔尚任诗文集》卷六《长留集序》。

蒲松龄作《除夕》诗。云："三百余辰又一周，团圞笑语绕炉头。朝来不解缘何事，对酒无欢只欲愁。"见《聊斋诗集》卷五。

冬

高孝本有《幔亭集》。小序云："甲午冬，访甘泉于瓯宁，因为武夷之游。"（《固哉叟诗钞》总目）

本年

厉鹗自本年至康熙五十七年，馆于汪沆家。汪沆《樊榭山房文集序》："忆康熙甲午至戊戌，先生授经予家听雨楼，兄浦偕沆朝夕承提命。"（《樊榭山房文集》卷首）

查慎行居里中。参与娱老会、五老会、真率会，游吴门。《齿会集》为本年诗。据《敬业堂诗集》卷四三、陈敬璋《查他山先生年谱》。

杜诏以终养告归。其后放浪山水，诗益工且富。据杨绳武《杜云川先生墓志铭》（《国朝文汇》甲集卷四七）。

姚孔钢补博士弟子员。据姚孔鏴《三弟梁贡行实》（《华林庄诗集》卷首）。

江永补廪膳生，时年三十四岁。据汪世重、江锦波《江慎修先生年谱》。

吴敬梓随父霖起至赣榆县任所，时年十四岁。吴敬梓《赠真州僧宏明》诗云："十四从父宦，海上一千里。"（《文木山房集》卷三）[按，吴敬梓之父，一说为吴霖起，一说霖起乃嗣父，生父则为雯延]

许遇任长洲县知县。据《四库全书·江南通志》卷一○七。又，据江庆柏《清代人物生卒年表》，许遇本年卒。许遇字不弃，号月溪，许矛孙，许友子。康熙间官陈留、长洲知县。著有《紫藤花庵诗钞》，收入侯官许氏家集《笃叙堂诗集》，四库提要卷一九四著录。《晚晴簃诗汇》卷三二录其诗一首。

陈瑸擢偏沅巡抚。据吴兰修《追授礼部尚书署闽浙总督福建巡抚清端陈公瑸传》（《碑传集》卷六八）。

万经提督贵州学政。据《四库全书·贵州通志》卷一八。

孙勷升翰林院侍讲。据孙勷《莪山自叙笔记》（《鹤侣斋文稿》卷四）。

帅仍祖《嗜退山房稿》为其去年和今年所作诗文。四库提要卷一八四：《嗜退山房稿》五卷，"国朝帅仍祖撰。仍祖字宗道，号介亭山人，奉新人。是集乃仍祖自编其康熙癸巳、甲午二年所作，凡诗二卷，文三卷。"

蒲松龄有《过墓作》、《哀两稚孙》、《读史》、《午睡初就枕，忽荆人入，见余睡而笑。急张目，则梦也》等诗。见《聊斋诗集》卷五。

朱观评选《国朝诗正》八卷刊行。据法式善《陶庐杂录》卷三。[按，《贩书偶记续编》卷一九著录是书明年铁砚斋刊行]

于敏中（1714—1780）生。敏中字叔子、重棠，号耐圃，金坛人。乾隆二年状元，授翰林院修撰。官至文华殿大学士。尝充四库馆、国史馆、三通馆正总裁。谥文襄。著有《素余堂集》三十四卷。事迹见《清史列传》本传、《清史稿》本传。

贾田祖（1714—1777）生。田祖字稻孙，号礼畊，高邮人。廪膳生。与洪亮吉、李惇、王念孙友善。乾隆二十四年，试于泰州，病经宿而卒。著有《春秋左氏通解》、《稻孙诗集》。事迹见汪中《大清故高邮州学生贾君之铭》（《碑传集补》卷三九）、江藩《国朝汉学师承记》卷七、《清史稿》王念孙传附。

周煌（1714—1785）生。煌字景垣、海山，涪州人。乾隆二年进士，改庶吉士，散馆授编修。官至左都御史。谥文恭。著有《琉球志略》十五卷。事迹见彭元瑞《光禄大夫太子太傅兵部尚书海山周文恭公墓志铭》（《恩余堂辑稿》卷二）、《清史稿》本传。

黄达（1714—1772后）生。达字上之，华亭人。乾隆十七年进士，二十七年官淮安府教授。著有《一楼集》二十卷。事迹见张慧剑《明清江苏文人年表》。

吴进（1714—1793）生。进字揖堂（一作揖唐），号樾村，山阳人。著有《一咏轩诗草》二卷。事迹见张慧剑《明清江苏文人年表》。

查礼（1714—1783）生。礼又名学礼，字恂叔、鲁存，号俭堂、铁桥，宛平人，为仁弟。乾隆元年，试博学鸿词不遇。入赀授户部主事。官至四川布政使，寻擢湖南巡抚，未之任卒。著有《铜鼓书堂遗稿》三十二卷。事迹见《铜鼓书堂遗稿》查淳《后序》、吴省钦《诰授通议大夫兵部侍郎湖南巡抚都察院左副都御史查公神碑》（《白华后稿》卷二〇）、《四川通志·四川布政使查公礼传》（《碑传集》卷八五）、《清史稿》刘秉恬传附。[按，查礼生年，据吴省钦《神碑》及查淳《后序》"乾隆十三年""府君年三十有五"推算为本年，然《后序》谓其卒年六十八，则又当生于明年]

邹方锷（1714—?）生。据江庆柏《清代人物生卒年表》。方锷字豫章，号半谷、箬溪，金匮人。乾隆二十七年举人。著有《大雅堂初稿》八卷。事迹见《国朝耆献类征初编》卷四三四。《国朝文汇》乙集卷三三录其《五代论》等文九篇。

    张榕端卒，年七十六。据朱彭寿《清代人物大事纪年》。所著《海岱日记》一卷、《宝啬堂诗稿》四卷、《河上草》二卷、《兰樵归田稿》一卷等，四库提要著录。《国朝诗别裁集》卷一〇录其《登岱》诗一首。《晚晴簃诗汇》卷三七录其诗三首。

    喻成龙卒。据朱彭寿《清代人物大事纪年》。王士禛《渔洋诗话》卷下："喻武功总制成龙，金州人。余官刑部尚书时，喻为侍郎。余尝定其《塞上集》。前、后《出塞》诸篇，酷儗少陵。如'秋风入代郡，万籁声萧萧'、'昆仑十日雨，星海宜泛涨'、'丈夫既捐躯，岂能依骨肉'、'立马望黄河，天青塞云紫'，又'风雪洒边尘，天际暮云紫'、'山衔落照明，戈铤寒光里'，语多警绝。又《闻笛》云：'梦里悠扬横笛声，高天露下共凄清。愁来江汉人何处？望里关山月倍明。万里孤云随绝漠，十年羸马更长征。谁知一曲中宵怨？霜雪无端两鬓生！'"沈德潜等《国朝诗别裁集》卷二〇："尝有句云：'丈夫既捐躯，岂能依骨肉。'又云：'立马望黄河，天青塞云紫。'颇学少陵。"录其《闻笛》诗一首。法式善《八旗诗话》三八："诗刻意宗唐，不惟句法求肖，即谐声会意，亦无不似也。然老健中有纤（余）[徐]之态，只觉情余于文，拟之魏生，乃内蕴黄封，而非触鼻蜇舌之燕京琥珀也。"杨锺羲《雪桥诗话》卷三："诗学少陵，有《塞上集》。"录其《登万寿阁》、《闻笛》诗。《晚晴簃诗汇》卷五〇录其诗三首。

    龚士荐卒，年七十二。据张慧剑《明清江苏文人年表》。[按，邓之诚《清诗纪事初编》谓其本年卒，年七十一]赵侗敦编《复园诗钞》八卷（士荐撰）《晋之诗钞》三卷（士荐父策撰）康熙五十六年刊行。据《贩书偶记续编》卷一四。

    秦松龄卒，年七十八。据《疑年录汇编》卷九。《苍岘山人集》五卷《诗余》一卷康熙五十七年尊贤堂刊行。据《贩书偶记》卷一四。《国朝诗别裁集》卷四录其《金陵司马行》等十一首诗。《晚晴簃诗汇》卷四一录其诗十九首。李祖陶《国朝文录续编·苍岘山人文录引》："其古文存稿不多，而谈吐从容，举止高秀，读之如听清庙之瑟，朱弦疏越，一唱而三叹者。然亦可觇其有品。"《国朝文汇》甲集卷一一录其《周礼部遗集序》等文八篇。

    林佶卒，年八十八。据沈廷芳《来斋叟林佶像赞并序》（《隐拙斋集》卷四〇）、朱彭寿《清代人物大事纪年》。《国朝文汇》甲集卷四四录其《谒唐昭陵记》、《来斋金石考略自序》文二篇。

    顾贞观卒，年七十八。据朱彭寿《清代人物大事纪年》。《四库全书·江南通志》卷一六六："（贞观）应制诸作宏丽似唐音。长短句尤工，得秦、柳之意。"《国朝诗别裁集》卷一〇："梁汾临没时，自选诗一卷，授门人杜云川太史，云川付梓人以传，不满四十篇，皆味在酸咸外者。前辈嗜古淡不自足如此。"录其《雨止泸塘书舍抵暮无一人过桥上者》等诗七首。杨锺羲《雪桥诗话》卷二："顾梁汾为明吏部侍郎端文公曾孙。其《嫪城感旧》云：'帽檐欹侧看倾城，巷陌寻常小燕迎。记得疏狂旧踪迹，鸳鸯池上月微明。'《书婺州城外禅院第一层浮图》云：'古墙柳暗越江春，拂地千丝飏麹尘。惆怅远山青不尽，倚篷闲却画眉人。'诗笔韵倩，不独长短句出入南北两宋也。"《续集》卷三："顾梁汾《赠三山》云：'抱瓮城南生事微，吹箫旧伴市中稀。尊开楚体虚前席，带拂吴钩短后衣。老学鬓丝垂更减，闲愁髀肉坐来肥。莫嫌燕赵悲歌客，忘却青山已息机。'《雪月山行》云：'清光欲湿水田衣，犹自支筇历涧扉。双径夜随灯影入，众山寒逼磬声归。频来莫认泥鸿迹，已过偏惊野鸭飞。良久风幡俱不动，任飘残叶拥平矶。'诗才清隽，一时当推独步。"《晚晴簃诗汇》卷三七录其诗八首。又，所著《弹指词》二卷雍正二年刊行。据《贩书偶记》卷二〇。冯金伯《词苑萃编》卷八《弹指词出入两宋》引杜紫纶云："弹指词，极情之至，出入南北两宋，而奄有众长。"丁绍仪《听秋声馆词话》卷一六《顾贞观词》："其寄吴汉槎塞外'季子平安否'二词，久已传诵人口。孙文靖尔準独举'东风野火，烧出鸳鸯瓦'，谓为平生第一。余谓《弹指词》中，美不胜举。"录其《宿南馆陶·减字木兰花》、《汴梁怀古·满江红》、《梳妆台怀古·齐天乐》。谢章铤《赌棋山庄词话》卷七《顾梁汾词》："顾梁汾短调隽永，长调委宛尽致，得周、柳精处。迹其生平，与吴汉槎兆骞最称莫逆，秋笳之诗，弹指之词，固是骚坛二妙。"陈廷焯《白雨斋词话》卷三："顾华峰词全以情胜，是高人一着处。至其用笔，亦甚圆朗，然不悟沈郁之妙，终非上乘。"李佳《左庵词话》卷下《弹指词》："无锡顾梁汾《弹指词》，多清微淡远之作，尚有传本。"况周颐《蕙风词话》卷五《容若词与顾梁汾齐名》："容若与顾梁汾交谊甚深，词亦齐名，而梁汾稍不逮容若，论者曰失之肮。"

邱嘉穗尚在世，其后事迹未详。《东山草堂诗集》续编所收最晚诗为本年作。《晚晴簃诗汇》卷五九录其诗一首。《国朝文汇》甲集卷三六录其《广盐屯议》等文三篇。

公元 1715 年（康熙五十四年　乙未）

正月

二十二日，蒲松龄卒，年七十六。据张元《柳泉蒲先生墓表》（《蒲松龄集》附录）。《墓表》云："其生平之侘傺失志，濩落郁塞，俯仰时事，悲愤感慨，又有以激发其志气，故其文章颖发苕竖，诡恢魁垒，用能绝去町畦，自成一家。而蕴结未尽，则又搜抉奇怪，著有《志异》一书。虽事涉荒幻，而断制谨严，要归于警发薄俗而扶树道教，则犹是其所以为古文者而已，非漫作也。""学者目不见先生，而但读其文章，耳其闻望，意其人必雄谈博辩，风义激昂，不可一世之；及进而接乎其人，则恂恂然长者，听其言则讷讷如不出诸口，而窥其中则蕴藉深远，而皆可以取诸怀而被诸世。然而厄穷困顿，终老明经，独其文章意气，犹可以耀当时而垂后世。"蒲箬《清故显考岁进士、候选儒学训导柳泉公行述》："（我父）至五十余尚希进取，我母止之曰：'君勿复尔！倘命应通显，今已台阁矣。'自是我父灰心场屋，而甄匋一世之意，始托于著述焉。思所及，中人情之膏肓；笔所书，导物理之肯綮。至于蕴藉诙谐，一著纸而解人颐，犹其末也。一时名公巨卿，日以文事相烦，如代渔洋先生作征诗启，唐豹岩先生属作生志，与夫寿屏锦幛、叙跋疏表、婚启等文，凡四百篇。迄于今讽咏诗歌，可想见生平之磊落；而披览篇章，益以见意气激昂。如《志异》八卷，渔搜闻见，抒写襟怀，积数年而成，总以为学士大夫之针砭；而犹恨不如晨钟暮鼓，可参破村庸之迷，而大醒市媪之梦也。又演为通俗杂曲，使街衢里巷之中，见者歌，而闻者亦泣，其救世婆心，直将使男之雅者、俗者，女之悍者、妒者，尽举而匄于一编之中。呜呼，意良苦矣！"（《蒲松龄集》附录）王士禛《题聊斋文集后》："八家古文辞，日趋平易，于是沧溟、弇州辈起而变之以古奥；而操觚家论文正宗，谓不若震川之雅且正也。聊斋文不斤斤宗法震川，而古折奥峭，又非拟王、李而得之，卓乎成家，其可传于后无疑也。"朱缃《聊斋文集题辞》："今披读先生文，苍润特出，秀拔天半，而又不费支撑，天然夷旷，固已大奇；及细按之，则又精细透削，呈岚耸翠，非复人间有。然则华不注之形模，惟先生文似之；华不注之神骨，惟先生文得之。非但剽窃一二，徒依像貌为也。先生其许我为知言否？"王敬铸《蒲柳泉先生遗集序》："若吾淄蒲柳泉先生，怀才不遇，以明经终老，可谓穷矣。而所著《聊斋志异》一书，久已风行海内，几于家置一编。揆诸虞翻没世得一知己可以无憾之言，似应含笑地下。但先生著作甚富，闻其家藏遗稿，子孙秘不示人。后藏书之屋，坏于阴雨，先生手泽什损八九；后又洊遭兵燹，并所存者亦复荡为灰烬。嗣是邑中后学，于残编断简中，偶得片纸只字，辄什袭珍藏，以为吉光片语。前中丞李鉴堂先生抚东时，雅意搜罗，洰学友李席珍茂才，多方搜葺，共得若干首，厘为十二卷，装订成帙，将拟付梓，适以升任去未果。铸尝借观一过，但其中多系寻常庆吊及代友人酬应之作，暨往来书札，兼作诙谐谑语，然简洁隽永，的是作者本色，因随手录以副本，置诸荛箧。"署"宣统元年岁次己酉阳月上浣，后学王敬铸序"。孙乃瑶《蒲柳泉先生遗集跋》："《蒲柳泉先生遗集》一编，非先生手定也。先生没后，邑中后学撷拾零编断简，蒐荟成帙，递相传抄，所留遗以至于今也。""今此编所载，虽骈、散各体俱备，然类多酬应之作，非精心结撰文字。但才人之笔，偶尔点缀，自具翩翩逸致，亦好古之君子所不忍听其湮没者也。"署"宣统元年小阳月，邑后学孙乃瑶谨跋"。（《聊斋文集》卷首及附录）张鹏展《聊斋诗集序》："余初读淄川蒲柳泉先生《聊斋志异》，怳奇变幻，极众态之形容，托深心于豪素。迹其缠绵悱恻、俶诡环伟之情，皆抑郁无聊，所不能已于世道人心之故，而诗人之旨寓焉。壬申余征《续山左诗钞》，于其嗣孙庭橘获先生诗集五卷、诗余一卷。细玩终日，因境写情，体裁不一；每于苍劲刻峭中，时见浑朴，与《志异》笔墨蹊径略殊。然其幽思峭骨，耿耿不自释者，一往而深，不可遏抑，固所谓不容已于言者欤？夫以先生之才，老于诸生，磊落之气，寓之于诗，固其宜矣。当渔洋司寇、秋谷太史，互以声价相高时，乃守其门径，无所触亦无所附，卒成一家言。其志节之所尚，有可想见者。此又其性情专一，勃郁往复之致，所以不容掩也。"署"嘉庆癸酉岁如月上浣，山东督学使上林后学张鹏展书"。（《聊斋诗集》卷首）《晚晴簃诗汇》卷三八录其诗三首。《国朝文汇》甲集卷二一录其《募修龙王庙序》、《逸老园记》文两篇。

刘廷玑《在园杂志》刊行。 自序署"康熙乙未春初，辽海刘廷玑自识"（《在园杂志》卷首）。孔尚任序云："今游淮南，又读《在园杂志》，或纪官制，或载人物，或训雅释疑，或考古博物，即夷坚、诸皋、幻诞、诙谐之事，莫不游衍笔端；核而典，畅而韵，有似宋人《苏黄小品》，盖晋、唐之后，又一机轴也。曾南丰曰：'所谓良史者，有四长焉：其明足以周万事之理，其道足以适天下之用，其智足以通难知之意，其义足以发难显之情。'今观《杂志》，四长已备，孰谓小品不足以胪列金匮、石室，为操觚班、马所取材也？虽然，古之秉史笔者，其体严，其书直。若野史杂记，又多恩怨好恶之口。今在园所著，潇洒历落，于人无嫌，于世无忌。读之者，油然以适，跃然欲舞，且悉化其黠刻凌厉之气，不知何所本而能变史笔为写心怡情之具，以感人若是耶？予挑灯三复，乃知在园先生，今之贤大夫，而以诗名者。温柔敦厚，出于习性。退食之余，偶忆旧闻，或有新见，书以示子孙，拈与宾客浮白轩渠。其作史之笔，仍然作诗之笔也。古以太史采风，今以乐府演史，史与诗，盖二而一者也。康熙乙未初春，云亭山人孔尚任撰。"（《孔尚任诗文集》卷六）陈履端跋云："是书也，核事物之原流，贯天人之同异。称名迩，寄意远，可以发人忠孝之思，动人劝惩之志，令人随事谨饬，不敢放佚。取其绪余，亦足以资多识，助谈柄，岂如《虞初》、《诸皋》仅同丛言脞史，一二津逮及之也哉。""近日渔洋集中有《分甘余话》，西陂卷内有《筑廊偶笔》，俱脍炙人口。《在园杂志》洵足肩随二书，称鼎足焉。则齐驱王、宋者，又不独《葛庄诗》也。乙未立秋后三日，陈履端百拜敬跋于袁浦学舍。"（《在园杂志》附录）四库提要卷一二九：《在园杂志》四卷，"是编杂记见闻，亦间有考证。颇好誉己诗，似张表臣《珊瑚钩诗话》。四卷录乩仙诗至十五六页，亦太近《夷坚》诸志。所记边大绶伐李自成祖墓事甚详。然与大绶自序不甚合，疑传闻异词也。"

二月

会试。考官：工部尚书王顼龄、左都御史刘谦、内阁学士蔡升元、内阁学士王之枢。题"仁者先难"二句，"知斯三者"二节，"口之于味 我口"。据法式善《清秘述闻》卷四。

李光地承修《性理精义》。据李清植等《文贞公年谱》卷下。

王鸿绪奉命还朝，为纂修《诗经》总裁官。据张伯行《皇清诰授光禄大夫经筵讲官户部尚书加七级王公墓志铭》（《正谊堂续集》卷七）。

孔尚任、刘廷玑合选《长留集》十二卷成。孔序云："甲午腊月，薄游江南，舟维袁浦，遇先生为淮徐观察。河绩既底，退食多暇，将生平所作，汇为《葛庄诗》编年、分体二部，付梓已竣，予急欲读之，遂投刺造谒，一见欢然，全非生客，盖神交已久，较之面交为尤密也。款留三月，往来清署，瓶花茗椀之侧，雅歌薄醉之余，语默相对，形神不分，觉两人知己，自足千古，相须相遇岂偶然哉！既得《葛庄诗》，吟不去口，常展案头，拉客共读而指之曰：'此诗真，无一皮毛语；此诗新，无一窠臼调；此诗雅，无一粗鄙声；此诗清，无一钉饾字；此诗趣，无一板腐气。凡古今诗家，平熟无味之意，含糊不了之辞，一概洗除，令读者动心变志，啼笑无端，真如声之震耳，色之眩目，五味之沁舌，兴、观、群、怨，逐首感发而可为学诗准的者。'余适选《长留集》，遂以此冠其端焉。客曰：'温柔敦厚，诗人之旨也。诗虽主于感发，而尤贵乎涵蓄，盛唐以后，此境荡然。操觚者不可不更有以进之也。'余曰：'诗存乎人，患其人不文耳，文则未有不温柔者；患其人不质耳，质则未有不敦厚者。至于性灵日新，生意无穷，凡情触于景而无所不言者，感发之谓也；景缠于情而不能尽言者，涵蓄之谓也。非谓平熟含糊剿袭陈腐之语，不痒不痛，自欺欺人，而遽谓之涵蓄也。若持盛唐以薄近代，则人亦将持雅、颂以薄汉、魏。总之，一画以后，文明渐启，自然之运也；

虽有圣哲，不敢以一画之浑沦，而薄六经之详明，风雅变迁，亦若是尔。吾观在园之诗，句句有本，篇篇自运。不与古人较工拙，亦不求合于古人；不与今人争短长，亦不望知于今人。闭户读书，自作在园之诗，而在园之诗于是乎传矣。'康熙乙未仲春曲阜弟孔尚任撰于袁浦之云踪馆。"（《孔尚任诗文集》卷六）吴之振序云："甲午冬，始晤于淮上署斋，促膝三阅月，商榷风雅，欲尽搜近贤传稿，选为《长留集》，用存真诗；而先以所自著，易手选定。"（转引自《孔尚任诗文集》附录《孔尚任著作目录》）。

三月

初七日，郭琇卒，年七十八。据郭廷翼《华野郭公年谱》。《晚晴簃诗汇》卷三六录其诗二首。

十七日，朱仕琇（1715—1780）生。仕琇字斐瞻，号梅崖，建宁人。少从汪世麟学古文。雷鋐见其文，叹为醇古冲澹，近古大家，自是名大著。乾隆九年，举乡试第一。逾四年，成进士，选庶吉士。散馆，出知夏津县。在任七年，以河决，改福宁府学教授。归主鳌峰讲席者十一年。著有《梅崖文集》三十卷《外集》八卷。事迹见鲁仕骥《朱先生仕琇行状》（《碑传集》卷一一二）、朱筠《朱梅崖先生墓志铭》（《笥河文集》卷一二）、《清史列传》本传、《清史稿》本传。

李光地主持《周易折中》成书。据李清植等《文贞公年谱》卷下。

孔尚任作《建秋水亭记》。记刘廷玑出资在石门山筑亭供游观事，见《孔尚任诗文集》卷六。

春

查慎行游闽中，夏自闽中还西江。据陈敬璋《查他山先生年谱》。

方苞删定孙奇逢年谱，书成，序之。寻为作传。据苏惇元《方望溪先生年谱》。《孙征君年谱序》见《方苞集》卷四，《孙征君传》见卷八。

四月

初五日，圣祖御太和殿，传胪。赐一甲徐陶璋、缪曰藻、傅王露进士及第，二甲陈仪、王世睿等进士出身，三甲裴琎、胡虞继、李修行等同进士出身。据《历科进士题名录》、《清通鉴》。

王世睿成进士。四库提要卷一八四：《龙溪草堂集》十卷，"国朝王世睿撰。世睿字道存，章丘人。康熙乙未进士。官上海县知县。世睿初改庶吉士，及散馆，乃外补，故是集多馆课之作。至第九卷《金陵宦稿》中《八劝》、《八戒》诗，意求通俗，然太质胜于文矣。"

潘淳成进士。淳字符亮，平远人。官检讨。陈仪与同榜，一时咸推潘诗陈笔。著有《橡林诗集》。事迹见《清史稿》史申义传附。《晚晴簃诗汇》卷五九录其诗十首。

李修行成进士。修行字子乾，阳信人。著有《梦中缘》十五回。崇德堂刊本卷首署"光绪十一年秋月后学莲溪氏书于种蕉轩"之序云："是书之著，出自无棣子乾李先生手。先生以名进士出身，教授里中。晚年胸有积愤，乃怨随笔出，遂成是书。其拒恶剔奸，不免辞伤太烈，然藉奸慝以抒悲愤，有不极之此而不快者。故立作者不觉其激，而读者亦谓必如是而后心乃平尔。"

黄叔琳进左通政。据顾镇《黄侍郎公年谱》。

五月

张廷玉升右春坊右庶子兼翰林院侍读。据张廷玉《澄怀主人自订年谱》卷一。

六月

二十九日，冯景卒，年六十四。据杨倞《墓表》（《解春集文钞》卷首）。《解春文钞》十二卷、《补遗》二卷、《诗钞》三卷乾隆间抱经堂刊行。据《贩书偶记续编》卷一四。李慈铭《越缦堂读书记·解春集》："山公文疏隽可喜，而时不免小说家言。其力攻伪《古文尚书》，与并时阎氏相唱和，乃其生平最所致意之学。文集中第八卷、第九卷皆驳《古文》，论《疏证》，与百诗相往复之书，而总题曰《淮南子洪保》，以与百诗订交在淮南，而洪保者，大安也，盖犹晚明人著书之余习。他所考证，亦多确核可传。"《国朝文汇》甲前集卷二〇录其《秦论》等文十篇。《晚晴簃诗汇》卷六三录其诗五首。

张廷玉升翰林院侍讲学士。据张廷玉《澄怀主人自订年谱》卷一。

七月

李光地主持《性理精义》成书。据李清植等《文贞公年谱》卷下。

《钦定词谱》成书。据卷首《御制词谱序》。总纂官王奕清，储在文、杜诏、楼俨等分纂。法式善《陶庐杂录》卷一："《词谱》四十卷，康熙五十四年詹事王奕清奉敕撰。凡八百二十余调，二千三百余体，均以字数多寡为序。而删除《草堂诗余》小令、中调、长调之名，并删除第一体第二体之次。至于倚声平仄，句法异同，均有依据。"［按，《钦定曲谱》亦成于本年。是书凡十四卷，盖与《词谱》同时并作，相辅而行也。据四库提要卷一九九］

十月

十二日，王原祁卒，年七十四。据唐孙华《户部侍郎王公墓志铭》（《国朝文汇》甲集卷三六）。

十一月

以宋儒范仲淹从祀孔庙。据蒋良骐《东华录》卷二二。

冬

管枺自滇南师宗进京入觐。在京出其《汗漫集》、《青蛉稿》、《小游仙集》，嘱嘉定张大受、张云章为序。张大受序署"康熙乙未冬十一月长至日，同学匠门张大受书于椿树三条胡同之东轩"，张云章序署"乙未季冬，嘉定同学弟张云章叙"。（《据梧诗集》卷末、《万里小游仙集》卷首）又，《据梧诗集》十五卷本年刊行。据张慧剑《明清江苏文人年表》。四库提要卷一八四：《据梧诗集》十五卷，"国朝管枺撰。枺有《师宗州志》，已著录。是编凡《吹万集》二卷、《柏轩草》二卷、《修琴阁集》二卷、《鸥驯集》二卷、《天外集》二卷、《圃华集》二卷、《寓檗稿》三卷。邵长蘅序称其诗先学剑南，后学少陵。今观所作，大抵先入者为主也。"《贩书偶记续编》附录："《据梧诗集》十五卷附《小游仙集》一卷，清武进管枺撰。乾隆间精刊。最后有其孙基承跋。案跋称其余有《寓檗未刻稿》十一卷、《汗漫集》二卷、《青蛉稿》四卷、《堪隐集》四卷、《不准拟集》、《贵耳集》各一卷、《纵横集》二卷、《维摩集》三卷，尚无力付梓云云。"

本年

本年及明年，厉鹗、周京等时相唱和。厉鹗《无悔庵诗集序》："往时吾乡士友专攻举子业，例不作诗。乙未、丙申间，予辈数人为文字之会，暇即相与赋诗为乐。酒阑灯灺，逸韵横飞，必推周兄穆门为首唱。穆门诗主气格，以豪健为尚，淋漓排奡，往往一座尽倾。诗成，每击节自歌，渊渊乎声若出金石，予辈亦从而和之。少年气盛，曾不知老之将至也。"（《樊榭山房文集》卷三）

沈德潜馆方还家，因识费锡璜、杨宾、沈用济、杜诏等人。《沈归愚自订年谱》："馆广南籍方冀朔家。方系九谷先生讳殿元子，以诗学世其家。弟东华尤爱客，四方诗人来吴者每到方氏广歌堂。予因识蜀中费厚蕃、弟滋衡、广南梁孝穉、山阴杨可师、钱唐家方舟、无锡杜云川太史诸人。"

许廷鑅、沈起元同在江西学幕。据张慧剑《明清江苏文人年表》。

范梧与李凯定交。范梧《寒香亭序》："岁乙未，始与李子雪崖定交。雪崖齿少于予，帖括而外，兼业诗古文词，尤工声律，因相与上下其议论。其于五声七音八十一调，无不剖毫芒、穷窈眇，且间出所谱宫曲相示。于移宫换羽之际，予虽积数十年之精力，尚有未经深究者，因不禁慨然而兴，益信声音之道，为甚微而不容以卤莽袭也。"（《中国古典戏曲序跋汇编》卷一二）

何焯被控毁谤下狱，旋释出。全祖望《翰林院编修赠学士长洲何公墓碑铭》："方事之殷，校尉缚公马上驰送狱，家人皇怖。公入狱，眠食如故。及所司尽籍其邸中书籍以进，圣祖乙夜览之，曰：'是固读书种子也。'而其中曾无失职触望之语。又见其草稿有辞吴县令馈金札而异之，乃尽以其书还之，罪止，解官，仍参书局。公出狱，即趋局校书如故。"（《鲒埼亭集》卷一七）何焯所著《道古斋识小录》于被捕时为门人焚毁。据张慧剑《明清江苏文人年表》。

梅庚自泰顺令罢还宛陵，厉鹗送之。据《樊榭山房集》卷一《送梅耦长先生罢泰顺令还宛陵》。又，所著《漫兴集》一卷本年刊行。据《贩书偶记》卷一四。梅庚时年七十六岁，此后事迹未详。[其生年参陆勇强《清代安徽五诗人疑年考略》（《安徽史学》2003 年第 4 期）]《国朝诗别裁集》卷一三录其《同愚山少参维饶孝廉即席送位白归皖》、《落梅》诗二首。《晚晴簃诗汇》卷四七录其诗十一首。

许遂官清河县知县。据《四库全书·江南通志》卷一〇八。遂字扬云，番禺人，康熙丙子举人。为清河令，有政声。坐事去职。巡抚荐应鸿博，格于部议，未试归。事迹见《清史列传》车腾芳传附、《清史稿》何梦瑶传附。吴应逵《七先生传·许遂》："与同征长洲沈文慤最善。序其《真吾阁》前、后集，谓古诗规模汉京，近体不肯落大历、元和以下，取道既正，复以雄丽浩衍之学济之，卓然成一家之言云。"（《碑传集》卷一四〇）《国朝诗别裁集》卷一八录其《山月》诗一首。《晚晴簃诗汇》卷五四亦录此诗一首。

蔡世远自京师回闽，家居数载。评选历代古文，自汉至元约二百三十余篇。子弟及门私自抄诵，未敢问世。回京后，刊为《古文雅正》。据蔡世远自序（《古文雅正》卷首）。

张云章为吴历作《墨井道人传》。据陈垣《吴渔山先生年谱》卷下。《墨井道人传》见《朴村文集》卷二三。

沈德潜编《唐诗别裁集》。《沈归愚自订年谱》："是岁，予批选唐诗十卷，名《别裁》。"

顾嗣立有《殿西集》二卷，收诗始于癸巳十一月。又有《秋风棹歌》一卷。据顾嗣立《闾邱先生自订年谱》。

查慎行《步陈集》为正月至五月诗，《吾过集》为八月至明年四月诗。见《敬业堂诗集》卷四四、四五。

方苞作《与孙以宁书》。据《方苞集》附录《文目编年》。文见《方苞集》卷六，有云："古之晰于文律者，所载之事，必与其人之规模相称。"

王特选编《国朝诗隽》二卷、《补遗》一卷附《二十四诗品》一卷刊行。据《贩书偶记续编》卷一九。

高不骞《从天集》一卷刊行。据《贩书偶记续编》卷一四。

朱稻孙《六峰阁诗稿》四卷刊行。据《贩书偶记续编》卷一四。

一说曹雪芹生于本年。三月初七日江宁织造曹頫代母陈情折云"奴才之嫂马氏，因现怀妊孕已及七月"，或据此以马氏所怀遗腹子为雪芹，则雪芹生于本年。然《五庆堂重修曹氏宗谱》列曹頫生天佑，则马氏所生非雪芹。又，张宜泉《伤芹溪居士》自注"年未五旬而卒"，据雪芹卒年上推，正相符合。然张注与敦诚《挽曹雪芹》"四十年华"说相左。

临汾徐昆（1715—1801 后）生。昆字后山，号啸仙、柳崖子、柳崖居士。临汾人。自称蒲松龄"后身"。拔贡生。乾隆三十五年顺天举人，授山西泽州府阳城教谕。四十六年进士及第，授内阁中书。著有《柳崖诗钞》、《柳崖外编》、《雨花台传奇》、《碧天霞传奇》。事迹见乾隆《临汾县志》卷六、同治《阳城县志》卷七、民国《临汾县志》

卷三（《方志著录元明清曲家传略》）。[按，邓云乡《水流云在丛稿·眉园日课书后》谓其生于雍正七年（1729），嘉庆四年（1799）尚在世。此据邓长风《明清戏曲家考略三编·二十九位清代戏曲家的生平材料》]

贺双卿（女，1715—?）生。双卿字碧秋，丹阳人。生有夙慧，为农家妇，姑恶夫暴，劳瘁以死。著有《雪压轩诗词集》。事迹见史震林《西青散记》卷二、施淑仪《清代闺阁诗人征略》卷三。[按，《西青散记》未言双卿姓氏，《清代闺阁诗人征略》则谓其姓贺]

江皋卒，年八十一。据蓝千秋《磊斋江公传》（《蓝户部集》卷一四）。沈雄《古今词话·词评》下卷《江皋染香词》："沈雄曰：词如菊英兰畹，生色堪把，匪直如古人构唱，抒写厥里已也，要与矜虫斗鹤者异耳。吴榷曰：旨取温柔，词归蕴藉，所谓曙而闺帏，勿浸而巷曲，细而幽折，勿堕而庸套者是也。"

胡会恩卒，年六十五。据江庆柏《清代人物生卒年表》。《国朝诗别裁集》卷一〇："侍郎不以诗鸣，然含宫咀商，天然明丽，其品自贵。"录其《湖口行》等诗十二首。《晚晴簃诗汇》卷三七录其诗四首。

张鹏翼卒，年八十三。据朱彭寿《清代人物大事纪年》。雷鋐《张先生鹏翼传》："闽汀学者，当推先生为冠冕云。"（《碑传集》卷一二八）四库提要卷一八五：《芝坛集》二卷，"国朝张鹏翼撰。鹏翼有《芝坛史案》，已著录。其诗文皆以讲学为宗，体格多近于语录。"

李孚青卒，年五十二。王尚辰《道旁散人集跋》："乙未春，太史来肥省墓，旋返永城，未久下世，年五十二。《道旁散人集》五卷，甲申至乙未夏未刊稿也。"（《中华大典·明清文学分典》）所著《野香亭集》十三卷，四库提要卷一八三著录。《盘隐山樵诗》八卷，《贩书偶记》卷一四著录。法式善《梧门诗话》卷一："李丹壑孚青绝句最工。""渔洋尚书谓'能抉诗之髓，吴天章而外，孚青一人而已。'"《国朝诗别裁集》卷一三录其《雍丘晚行》等诗四首。《晚晴簃诗汇》卷四七录其诗一首。

吴廷桢卒，年六十三。据《古剑书屋文钞》卷末吴士端识语。四库提要卷一八四：《古剑书屋文钞》十卷，"国朝吴廷桢撰。廷桢字山抡，长洲人。康熙癸未进士。官至左春坊左谕德。是编凡诗八卷，末附补遗及诗余，又杂文二卷。乾隆丙子其孙士端刊于贵州。其名曰古剑书屋者，圣祖仁皇帝南巡，廷桢以举人召试，御书古剑篇以赐，因以为名，志荣遇也。"《晚晴簃诗汇》卷五六录其诗七首。

张实居卒，年八十三。据蒋寅《清诗话考》下编一。四库提要卷一八二：《萧亭诗选》六卷，"国朝张实居撰。王士禛所评选也。实居字宾公，号萧亭，邹平人。士禛序称其古今诗盈千首，乐府古选尤有神解，为择其最者三百余篇为此集云。"《国朝诗别裁集》卷一四录其《巫山高》等诗十三首。《晚晴簃诗汇》卷三八录其诗六首。

边汝元卒，年六十三。据赵景深、张增元编《方志著录元明清曲家传略》按语。乾隆《任丘县志》卷九："于诗自苏、李而下迄胜国作者，无不窥其阃奥，而一以浣花为宗。与庞公垲相切磋，交分在师友间，而其诗清苍雄健，实与之埒。又工今乐府，著杂剧三种，品格并似粲花斋。复精音律，以所著授工人按拍歌之，无一字戛喉吻。书法兼师苏、米。幼亦工画，后恶其仆仆狗人，遂不卒业。卒年六十三。"又，乾隆

《任丘县志》卷八著录其《桂岩草堂诗集》八卷《文集》二卷。《晚晴簃诗汇》卷六四录其诗一首。庄一拂《古典戏曲存目汇考》卷八著录其《傲妻儿》、《鞭督邮》杂剧。

公元1716年（康熙五十五年　丙申）

正月

初九日，李世杰（1716—1794）生。世杰字汉三、云岩，黔西人。乾隆九年入赀为常熟黄泗浦巡检。后迁金匮主簿，除泰州知州。历官镇江知府、湖北布政使、兵部尚书等。谥恭勤。著有《家山纪事诗》、《南征草》。事迹见管世铭《诰授荣禄大夫兵部尚书谥恭勤李公墓志铭》（《国朝文录续编·蕴山堂文录》卷一）、《清史稿》本传。

顾嗣立出游嘉兴、虞山、杭州、宜兴、金陵等地。五月归。有《西湖杂诗》十二首、《阳羡杂诗》十首、《长干集》一卷等。据顾嗣立《闾邱先生自订年谱》。

张荣编定诗文集。自序署“康熙五十五年丙申首春上元日，空明子自题于拳石山房”。（《空明子全集》卷首《空明子自序》）四库提要卷一八四：《空明子诗集》十卷又八卷《文集》六卷又二卷《杂录》一卷《诗余》一卷，“国朝张荣撰。荣字景桓，华亭人。自序谓生平共得古文杂作六百余首，诗三万余首，诗余一千五百余首，歌谣三百余首，康熙甲午检出，尽付祖龙。仅存三十分之一，即是编也。词意多放旷不羁。”

三月

初二日，袁枚（1716—1798）生。枚字子才，号简斋、存斋，钱塘人。乾隆元年，试博学鸿词科报罢。四年成进士，选庶吉士。改江南知县，历溧水、江浦、沭阳、江宁四县。十三年解组归，居江宁随园，主持风雅五十年。著有《袁枚全集》。事迹见姚鼐《袁随园君墓志铭》（《惜抱轩文集》卷一三）、孙星衍《故江宁县知县前翰林院庶吉士袁君枚传》（《碑传集》卷一〇七）、方濬师《随园先生年谱》、《清史列传》本传、《清史稿》本传。

闰三月

《康熙字典》四十二卷成书。是书始编于康熙四十九年。据卷首御制序、四库提要卷四一。

吕履恒、休宁汪灏序廖腾煃《慎修堂诗集》。吕序署“康熙丙申闰三月望日，年犹子洛阳吕履恒拜题”。汪序署“康熙岁在丙申后三月中澣，休宁受业汪灏紫沧拜书于殿西直庐”。（《慎修堂诗集》卷首）四库提要卷一八三：《慎修堂诗集》八卷，“国朝廖腾煃撰。腾煃字占五，号莲山，将乐人。康熙己酉举人。官至户部侍郎。其服官颇著清节，诗则尚未成家。”是书本年刊行。据《贩书偶记续编》附录。《晚晴簃诗汇》卷三六录廖腾煃诗二首。

四月

额伦特序王心敬《丰川全集》。见《丰川全集》卷首。四库提要卷一八五：《丰川全集》二十八卷，"国朝王心敬撰。心敬有《丰川易说》，已著录。此集乃所作语录及杂著，大抵讲学者居多。乃康熙丙申湖广总督额伦特所刊。额伦特即尝以隐逸荐心敬者也。"

六月

二十二日，刘岩卒，年六十一。据吴楫《刘大山先生年谱》。《国朝诗别裁集》卷一九："诗品发乎至情，不尚词华，世罕称述，予独珍重之。"录其《杂诗》等诗十一首。袁枚《随园诗话》卷二："大山名岩，江浦人。人但知其工作时文，而不知诗才清妙乃尔。"《国朝文汇》甲集卷四一录其《太学生伏阙上书论》等文十一篇。

九月

初九日，储大文等游梓潼墩。据《存砚楼文集》卷一二《游梓潼墩记》。

初十日，韩锡胙（1716—1776）生。锡胙字介屏、介圭，号湘岩，青田人。乾隆十二年举人，历官平阴、禹城知县、安庆知府、松太兵备道等。著有《滑疑集》十八卷、《渔村记》传奇、《砭真记》传奇、《南山法曲》杂剧。事迹见刘耀东《韩湘岩先生年谱》。

顾嗣立有《畅轩集》一卷，为本年六月至本月诗。据顾嗣立《闾邱先生自订年谱》。

十月

初一日，顾嗣立出游。经浙江、湖南至广西桂林，又至广东新会，明年夏归。得诗八卷，名《桂林集》。据顾嗣立《闾邱先生自订年谱》。

十二月

初五日，陶元藻（1717—1801）生。元藻字龙溪，号篁村，晚号凫亭，会稽人。诸生。著有《泊鸥山房集》三十八卷，辑有《全浙诗话》五十四卷。事迹见梁同书《凫亭陶君生圹志》（《频罗庵遗集》卷八）。

张廷玉擢内阁学士兼礼部侍郎。据张廷玉《澄怀主人自订年谱》卷一。

潘宗洛卒，年六十。据储大文《中丞潘公传》（《存砚楼文集》卷一三）。四库提要卷一八三：《潘中丞集》四卷，"国朝潘宗洛撰。宗洛字书原，号巢云，又号垠谷，宜兴人。康熙戊辰进士。官至湖南巡抚。诗文多台阁之作。奏疏、序记、家训等篇明白质直，视其文颇为胜之。卷末有储大文所作《传》，以为古文词上宗《史记》，诗由玉溪诣少陵。皆以千古第一人推之，则非其实也"。《国朝文汇》甲集卷三六录其《重刻学部通辨序》、《书迁庵外传》文两篇。

冬

方苞《春秋通论》成书。据苏惇元《方望溪先生年谱》。序见《方苞集》卷四。

释成鹫《纪梦编年》一卷成书，成鹫时年八十岁。据《纪梦编年》卷末跋。

本年

魏荔彤任常镇道。据《四库全书·江南通志》卷一〇六。

朱绛任广东分巡肇高廉罗道。据《四库全书·广东通志》卷二九。

金农病痁江上，取崔国辅"寂寥抱冬心"之语以自号。据《冬心先生集》卷首自序。

厉鹗序金农《景申集》。见《樊榭山房文集》卷三。

沈德潜刻《竹啸轩诗钞》和《归愚四书文》。据《沈归愚自订年谱》。

查慎行《夏课集》为五月至十二月诗。见《敬业堂诗集》卷四六。

扬州据徐渭《四声猿》本上演《祢衡骂曹》。据张慧剑《明清江苏文人年表》。

王歗《突星阁诗钞》诗起康熙三年讫本年。见《诗钞》卷一、一五。四库提要卷一八二：《突星阁诗钞》十五卷，"国朝王歗撰。歗字孟毅，汉阳人。新城王士禛最称其《池阳山行》长句，以为突过欧阳修《庐山高》。盖士禛于欧诗不喜《庐山高》，是以见有长句崛奇者，即谓能过之，其实未能也。是集前有士禛序云，出前后诗属予论序。而歗自跋云，排缵续集，合前集共十卷。其侄楠跋云，前五卷阮亭付梓，后九卷朱恺仲董养斋所镌，末一卷则许谦次诸人所刻。盖此本合前后诸刻汇辑成编也。"〔按，王歗当卒于本年至康熙五十七年之间，年七十五。据《突星阁诗钞》卷首《先祖征君王公孟毅大人行略》、卷末识语〕王士禛《渔洋诗话》卷下："其《池阳山行》长句，过欧公《庐山高》远甚。客中洲，与吴雯倡和，《风穴》、《白茅寺》诸篇，工力悉敌。楚才自胡君信承诺、顾赤方景星而外，仅见此人。"《国朝诗别裁集》卷二〇："王渔洋谓孟毅《池阳山行》长句，过欧公《庐山高》远甚，而其诗却平直，故不及录。"录其《秋日游白茅寺次少陵韵》、《读放翁集》诗二首。《晚晴簃诗汇》卷三八录其诗九首。

陈撰《陈玉几诗集》刊行。四库提要卷一八四：《陈玉几诗集》三卷，"国朝陈撰撰。撰字楞山，号玉几，鄞县人。以书画游江淮间，穷愁寡合，故其诗多凄断怨咽之音。是编刻于康熙丙申，盖其中年所作。首曰《绣铗集》一卷，次曰《玉几山房吟》一卷，次曰《玉几山房拟古诗》一卷，皆戞戞独造，如其为人。虽未及古，要能离俗。惟《拟古诗》中多载胜流评语，仍沿明末山人之习耳。"陈撰又有《玉几山房听雨录》一卷。胡玉缙《许庼经籍题跋》卷三："《玉几山房听雨录》一卷，鄞县陈撰著。撰字楞山，号玉几山人，乾隆丙辰举博学鸿词。是编所录皆南宋轶事。考沈嘉辙等《南宋杂事诗》，撰为题辞云'宋社既屋，南渡事迹俱湮，其杂见于志乘纪载者，悉零楮子屑，缺而未备。予本鄞人，侨居是地，屡欲搜讨，勒成一编，而遗文放失，秘籍莫窥。

131

无已而阅市借人，掌题舌舐，迄今数阅寒暑，尚未卒稿’云云。此江南图书馆所藏手稿本，当即所称‘掌题舌舐’者，惟大致为《杂事诗》注所包罗耳，姑存其目以备览焉。”

胡孝思、朱琬编《本朝名媛诗钞》六卷凌云阁刊行。据《贩书偶记》卷一九。

沈时栋编《古今词选》十二卷至山堂刊行。据《贩书偶记》卷二〇。

钱芳标《湘瑟词》四卷附《望庐集句》一卷刊行。据《贩书偶记》卷二〇。芳标初名鼎瑞，字宝汾、葆酚，华亭人。康熙五年举人。官内阁中书。《国朝诗别裁集》卷九："云间诗派，陈黄门后，以古淡整饬为宗，舍人绮丽而不佻，骀宕而有则，诗格又为一变矣。"录其《击鲜行》等诗三首。《晚晴簃诗汇》卷三五录其诗四首。

黄之隽《唐堂乐府》刊行。据郑振铎跋（《中国古典戏曲序跋汇编》卷八）。《唐堂乐府》包括杂剧《四才子》（《饮中仙》、《梦扬州》、《蓝桥驿》、《郁轮袍》）和传奇《忠孝福》。姚燮《今乐考证》著录四《国朝杂剧》："陈元龙云：石牧《四才子》剧，愤激牢骚，寓言于声音、酒色、神仙之域。太仓相国每宴会必奏之。"著录八《国朝院本》："陈元龙云：‘黄子石牧以子长遗法降格为乐府。余时署督两广，内兄宋观察澄溪适至，爱其所传王维、杜牧事，诵先芬以求新乐，意甚勤。盖祖孙三世，前后八十年，人积绪纷，颇难串括。黄子一日而构局，一月而脱稿，题曰《忠孝福》以该其世。付梨园演唱，一登场则欲歌欲泣，倾座客。澄溪携归吴闻，大合乐于虎丘，观者如堵墙，至压桥断堕水。或绣板为画幅，饰丹青以粥诸市。其倾动一时如此。’"

李集（1716—1794）生。集初名集凤，字绎初，号敬堂，晚号六忍老人。乾隆二十八年进士。官郧县知县，在郧十年，有治绩。卒年七十九。著有《愿学斋文钞》十四卷。事迹见丁子复《郧县知县李先生集墓志铭》（《碑传集》卷一〇四）。

林其茂（1716—1754）生。其茂字培根，侯官人。乾隆元年进士。官山阴县知县。著有《山阴集》一卷、《归田遗草》一卷。事迹见四库提要卷一八五。［按，生年据江庆柏《清代人物生卒年表》］

徐以泰（1716—?）生。据江庆柏《清代人物生卒年表》。以泰字陶尊，德清人。国子监生。官阳曲县知县。著有《绿杉野屋集》四卷。事迹见四库提要卷一八五。

罗元焕（约1716—约1786）约本年生。元焕字昭仑，号章山，为诸生三十余年。及者，以告病缺赀，连邑博士，遂弃去不复顾。旋入资为国子生。卒年七十一。著有《粤台征雅录》。事迹见《粤台征雅录》卷首陈仲鸿序及劳潼序。

吴翊卒，年六十。据江庆柏《清代人物生卒年表》。《国朝诗别裁集》卷二二："振西系梅村族孙。为诸生时，学使者试必第一。试牍传播，几于纸贵，未尝以诗鸣也。今搜览遗集，不必刻求胜人，而古今体安和妥适，才人、学人两者兼之，梅村之流风远矣。"录其《西山探梅》等诗五首。

公元1717年（康熙五十六年　丁酉）

正月

揆叙卒，年四十三。据朱彭寿《清代人物大事纪年》、邓之诚《清诗纪事初编》卷六。《益戒堂诗集》八卷、《后集》八卷、《文钞》二卷，康熙间谦牧堂精刊。据《贩书偶记》卷一四。《国朝诗别裁集》卷二〇录其《鹰坊歌》诗一首。《晚晴簃诗汇》卷五〇录其诗五首。法式善《八旗诗话》三六："查夏重《敬业堂集》脱体眉山，无不尽之言。揆叙恪守师传，波澜无二，虽叠韵长篇，时觉材力不逮，然语炼气充，所得亦足观矣。"杨锺羲《雪桥诗话》卷三："凯功为初白弟子。初白诗以透露为宗，肖物能工，用意必切，得宋人之长而无粗直之病。凯功此诗［俊按，指《归化城观打鬼》］波澜不二，其功力实过于乃兄。孙恺似序《益戒堂集》，谓其辞必达意，语必肖题，非虚誉也。""凯功《益戒堂自订诗集》起壬申，讫癸未。《后集》起甲申，讫乙未。子仁山、散骑永寿所编。"

二月

二十九日，吴之振卒，年七十八。据顾楷仁《吴之振墓志》（《中华大典·明清文学分典》）。四库提要卷一八三：《黄叶村庄诗集》十卷，"国朝吴之振撰。之振字孟举，石门人。以贡生授中书科中书。常选《宋诗钞》行世，故其诗流派亦颇近宋人。是编凡《初集》八卷、《后集》一卷、《续集》一卷。"杨际昌《国朝诗话》卷二："康熙间山林诗，石门吴孟举之振最有名，《黄叶村庄诗集》寝食宋人，五言古体《黄河夫》篇，直追少陵矣。近体工写景，七言绝句尤足自张一军。《课蚕词》十六首，描写风俗，应推绝唱。"沈德潜等《国朝诗别裁集》卷一五："宋代诗，前此无选本。孟举刻《宋诗钞》，共百数十家。己所成诗，亦俱近宋人。"录其《叠韵送叶星期岁暮还山》诗一首。杨锺羲《雪桥诗话三集》卷三："星期序《黄叶村庄诗》，谓其诗'新而不伤，奇而不颇。叙述类史迁之文，言情类宋玉之赋，五言似圣俞，出入于山谷，七律似子瞻，七绝似遗山。语必刻削，不知者谓为似宋，知者谓为不独似宋'。尤念修《题黄叶老人遗照》有'师是虞山友晚村'之句。郑寒村则谓其得之《姚江后集》。有《论诗偶成》十二首，可窥其得力之所在焉。"《晚晴簃诗汇》卷三九录其诗十八首。

高其倬迁侍读学士。据《钦定八旗通志》卷一九二。

张尚瑗序赖鲲升等编《友声集》。署"旹康熙丁酉岁仲春月，吴江张尚瑗撰"。（《友声集》卷首）《友声集》七卷，赖鲲升、赖凤升、赖纬邺编，本年赖氏霞绮园刊行。四库提要卷一九四：《友声集》七卷，"国朝赖鲲升编。鲲升字沧峤，会昌人。其父方勃偕弟方度于邑治之西辟霞绮园，与邑人沈开进、胡应相、曾鉴、欧有骏读书其中，一时多为题咏。后鲲升兄弟复读书园中，因辑投赠之作合为一编。凡序、记、书、传、赋二卷，诗五卷，盖仿《玉山草堂集》例也。"

《御纂性理精义》十二卷刊行。是书由李光地主持校正。据四库提要卷九四。

方式济卒，年四十二。据方苞《弟屋源墓志铭》（《方苞集集外文》卷七）。所著《陆塘初稿》一卷、《出关诗》一卷，收入桐城方氏三世家集《述本堂诗集》十八卷，四库提要卷一九四著录。《国朝诗别裁集》卷二二："中翰随考凫宗水部居塞上，服勤左右，以慰晨昏，著《五经一得》，书未成而卒。诗格清真，乐府尤矫然拔俗。漳浦蔡文勤谓其秀骨独异，清音自远，诚定评也。后以子问亭宫保贵，赠如其官。"录其《远行曲》等诗十二首。《晚晴簃诗汇》卷五七录其诗四首。

三月

初八日，顾成志（1717—1783）生。成志字心勿，号治斋，太仓人。诸生。家贫，晚卜居西塘。好吟诗，尝结西塘吟社。著有《治斋读诗蒙说》一卷、《课余偶笔》一卷。事迹见朱珪《顾治斋文学墓志铭》（《知足斋文集》卷四）。

厉鹗游法华山。据《樊榭山房集》卷一《三月十三日游法华山》。

释成鹫又作《丁酉年后纪梦续编》一卷。署"时丁酉三月示生日迹删老人再述"（《后纪梦续编》卷末）。

春

高孝本有《海岱集》。小序云："丙申夏，狷亭招往山左，九阅月遍历六郡。丁酉春还里，与狷亭、汉荀、湘南有海岱联吟。"（《固哉叟诗钞》总目）

六月

初三日，卢文弨（1717—1796）生。文弨字召弓，号抱经、矶鱼、檠斋，晚号弓父，余姚人，存心子。乾隆三年举人，十七年进士。历官编修、左中允、侍读学士、湖南学政。三十三年，以学政言事不当例，部议左迁。明年，乞养归。主讲书院二十余年。著有《抱经堂文集》三十四卷、《钟山札记》四卷、《龙城札记》三卷。事迹见臧庸《皇清故日讲官起居注前翰林院侍读学士卢先生行状》（《拜经堂文集》卷五）、段玉裁《翰林院侍读学士卢公墓志铭》（《抱经堂文集》卷首）、翁方纲《皇清诰授朝议大夫前日讲起居注官翰林院侍读学士抱经先生卢公墓志铭》（《复初斋文集》卷一四）、汪喜孙《卢学士文弨家传》（《尚友记》卷一）、江藩《国朝汉学师承记》卷六、《清史列传》本传、《清史稿》本传。

田同之、金埴论诗于王苹二十四泉草堂。金埴《不下带编》卷三："丁酉六月，（小山薑）偕予论诗于二十四泉草堂。其评秋史诗某句奇横，某句自然。谓作诗惟自然为难，能奇横犹易臻也。予心折之。"

揆叙序唐孙华《东江诗钞》。署"康熙癸酉季夏，受业纳兰揆叙序恺功谨撰"。又，王吉武序署"康熙丁酉秋，年家眷同学弟王吉武拜题"。（《东江诗钞》卷首）《东江诗钞》十二卷本年刊行。据《贩书偶记》卷一四。

夏

杨名时出为北直巡道。据方苞《礼部尚书赠太子太傅杨公墓志铭》（《方苞集》卷一〇）。

金埴客吴陈琰斋。金埴《不下带编》卷一："丁酉夏，宝崖款予署斋最久。"

裘琏修《钱塘县志》。十月告竣。秋至辰山。冬至鸳湖交溪。据裘姚崇《慈溪裘蔗村太史年谱》。

七月

金陵举文会。《沈归愚自订年谱》："七月，赴省试。时金陵文会，与会者储六雅、王耘渠、王罕皆、曹谔亭、束聚五、荆其章、蔡芳三、顾天山、顾嗣宗诸公，时艺、诗、古文各一场。后补送，犹有前代壬申文选之风也。"

八月

初三日，阿桂（1717—1797）生。阿桂字广廷，号云岩（一作云崖），本籍满洲正蓝旗人，以功改隶正白旗。乾隆三年举人。官至武英殿大学士。谥文成。事迹见那彦成等《阿文成公年谱》、《清史列传》本传、《清史稿》本传。

金埴访孔尚任，读《桃花扇》，题诗于后。金埴《巾箱说》："康熙丁酉八月，予自都门负先外王父兵部童公及外王母赠安人杨太君遗骨归葬。取道东鲁，因过阙里重晤东塘，为作送予负骨南旋序并诗。""予过岸堂（渔洋先生书额，东塘即以为号），索观《桃花扇》本，至'香君寄扇'一折，借血点作桃花，红雨著于便面，真千古新奇之事，所谓'全秉巧心，独抒妙手'，关、马能不下拜耶！予一读一击节，东塘亦自读自击节。当是时也，不觉秋爽侵人，坠叶响于庭阶矣。忆洪君昉思谱《长生殿》成，以本示余予，与余每醉辄歌之。今两家并盛行矣，因题二截句于《桃花扇》后云：'潭水深深柳乍垂，香君楼上好风吹。不知京兆当年笔，曾染桃花向画眉。''两家乐府盛康熙，进御均叨天子知。纵使元人多院本，勾栏争唱孔、洪词。'"

秋

乡试。是科各省考官有张伯行、秦道然、胡煦、吕谦恒、王时宪、李绂等。据法式善《清秘述闻》卷四。所取举人有顾成天（袁枚《随园诗话》卷八）、储掌文（储麟趾《云溪公传》）、张揆方（法式善《梧门诗话》卷一一）、潘其灿（《国朝诗别裁集》卷二三）等。沈元沧再中副榜。据沈廷芳《诰赠通议大夫山东按察使前文昌县知县显考东隅府君行状》。沈德潜（《沈归愚自订年谱》）、蓝千秋（《蓝户部集》卷四《丁酉杪秋落第归宜川途中即事》）报罢。

沈德潜、沈用济、方还、李果等举诗会。《国朝诗别裁集》卷二八："丁酉秋，同人集广歌堂，赋旧边诗。时家方舟、刘东郊、李客山、孙丕文及予诸人俱在，或成一二首，多者四五首。冀朔日才亭午，已成全诗，又皆按切时势，同人叹服。"

［按，方还字冀朔，号灵洲，番禺人。以诸生入成均，南北八试棘闱俱不售。卒年六十。著有《灵洲诗集》。事迹见沈德潜《方上舍传》（《归愚文钞》卷一七）。《国朝诗别裁集》卷二八："冀朔为九谷先生长子，所学一本庭训，移家于吴，倡诗教，喜宾客，四方诗人来吴者，每登方氏广歌堂，赋诗宴饮，称一时之盛。知广南屈、梁、陈三家外，别有方氏派衍云。"录其《旧边诗九首》等诗十一首。《晚晴簃诗汇》卷六四

录其诗三首〕

高孝本有《黄梅集》。小序云："丁酉秋，赴江抚白公之招。白公尚未莅任，于黄梅候之。至南昌一月，以病，即东归。稿曰《黄梅》，因在黄梅时已发归思也。"（《固哉叟诗钞》总目）

方苞作《四君子传》。见《方苞集》卷八。其序云："余弱冠从先兄北川求友，得邑子同寓金陵者曰刘古塘，于高淳得张彝叹；归试于皖，得古塘之兄北固，于宿松得朱字绿。辛未游京师，得（四）〔三〕人，曰宛平王昆绳、无锡刘言洁、青阳徐诒孙。其志趣之近者，则古塘、彝叹、言洁、诒孙也；术业之近者，则昆绳、字绿、北固也。"

十月

十三日，王翚卒，年八十六。据沈德潜《王耕烟墓志铭》（《归愚文钞》卷一七）。《墓志铭》云："当今之世，能继北苑、子久、石田而兴起者，则有耕烟王先生。"

顾嗣立游扬州、真州。得诗八十余首，名《芜城集》。据顾嗣立《闾邱先生自订年谱》。

查慎行赴粤东，应佟陶庵（法海）之招。明年四月由粤西归里。据陈敬璋《查他山先生年谱》。

沈德潜《唐诗别裁集》刻成，始编《古诗源》。《沈归愚自订年谱》："十月，唐诗选本树滋从广南刻成寄来，嘱予补序。是月，选《古诗源》起。"

十一月

二十四日，华浣芳（女）卒，年二十三。据张荣《空明子自叙年谱·续刊年谱》（《空明子文集》卷下）、《挹青轩小序》（《挹青轩稿》卷首）。明年冬，张荣为刊《挹青轩稿》。据《空明子自叙年谱·续刊年谱》。四库提要卷一八四：《挹青轩诗稿》一卷，"国朝华浣芳撰。浣芳，苏州女子，华亭张荣之妾也。年二十三而卒。荣刊其遗诗，自为作序。述其九岁时梦见唐太宗召有唐一代诸诗人教之作诗，其事甚怪。荣好为游戏之文，殆亦寓言耶？"

高其倬迁内阁学士。据《钦定八旗通志》卷一九二。

冬

张廷玉充经筵讲官。据张廷玉《澄怀主人自订年谱》卷一。

本年

陈鹏年出署霸昌道。旋召回武英殿。据郑任钥《河道总督恪勤陈公墓志铭》（《国朝文汇》甲集卷四三）。

李重华客北京，与姜任修、郭元釪等集嘉定张大受宅观剧。据张慧剑《明清江苏文人年表》。

查慎行《望岁集》为正月至九月诗，《粤游集上》为十月至十二月诗。见《敬业堂诗集》卷四六、四七。

章大来《后甲集》二卷成书。其侄孙锺序云："《后甲集者》者，家对山先生甲午以后馆躍雷三年之所作也。"署"丁酉春王，侄孙锺谨叙"。仇兆鳌序云："山阴章子太颠，西河高弟子也。予观其深造不已，手胝口沫，不肯苟以从事。其探讨六籍，能抉诸家之纰缪而不诡于理；其文章，能躏班、马、韩、欧之室；其为诗，标格闲远，不堕言诠，而间参之才调，以佐其趣；其所得，若与西河议论，有时出时入，要其涵而操之，靡不该洽，固俨然瓣香也。"署"康熙丁酉夏五月，甬上仇兆鳌沧柱题"。又有同学田易、金以成序。（《后甲集》卷首）《贩书偶记》卷一四："《后甲集》二卷，山阴章大来撰。康熙丁酉百可堂精刊。又名《躍雷馆日记》。"《国朝文汇》甲集卷五三录其《全越水利考》、《邵念鲁先生传后》文二篇。〔按，章大来约生于康熙丁巳（1677）年。据《后甲集》卷首署"丁酉春王，侄孙锺谨叙"之序有"先生年今四十余矣"推知〕

方苞《春秋直解》成书。据苏惇元《方望溪先生年谱》。序见《方苞集》卷四。

孔尚任康熙癸未至本年诗为《石门集》。是其归田及游览之所作，内缺癸巳年诗。据孔传铎《安怀堂文集·东塘岸堂石门诗全集序》（转引自《孔尚任诗文集·后记》）。

方苞《左忠毅公逸事》、《辕马说》等作于四十岁至本年五十岁间。据《方苞集》附录《文目编年》。

周廷谔辑《吴江诗粹》三十卷成书。据张慧剑《明清江苏文人年表》。

杨陆荣《三藩纪事本末》四卷成书。据四库提要卷四九。

徐永宣、庄令舆等编《毗陵六逸诗钞》二十四卷刊行。据张慧剑《明清江苏文人年表》。

王苹《二十四泉草堂诗》十二卷刊行。据《贩书偶记》卷一四。胡玉缙《许庼经籍题跋》卷四："《二十四泉草堂集》十二卷，历城王苹撰。苹字秋史，号蓼谷，康熙丙戌进士，官教授。其诗边幅稍狭，而不事涂泽，不屑雷同，颇具清远之致。考王士禛《香祖笔记》云：'太仓崔华字不雕，予门人也，有句云："丹枫江冷人初去，黄叶声多酒不辞。"予极爱之，呼为崔黄叶。历城族子苹有句云："乱泉声里才通屐，黄叶林间自著书。"予亦呼为王黄叶。'是集前有士禛（原作正）及田雯、高兆、张芳四序，为原刻本，士禛亦及苹诗此二句，谓'亟称之于巡抚张中丞，中丞因延见，讲布衣之好，于是秋史名字往往在人口'，是苹得科名虽迟，而得诗名尚早。集中《读南海集》第三首云：'可笑王黄叶，孤怀二十年。得名自公始，失路复谁怜。'《读池北偶谈》云：'才名零落王黄叶，孤负尚书三十年。'其感士禛甚至。《题渔洋诗话卷尾》第二首云：'老有心情似牧之，江湖载酒复何时。人间也自呼黄叶，却少崔华七字诗。'则即指崔黄叶事也。二十四泉草堂者，于钦《齐乘》列'望水泉'为二十四，明殷士儋以宰相工诗，筑川上精舍于此，至是为苹所得，《茸屋诗》所谓'百年竟落书生手，满郡犹呼阁老亭'，而田雯序所谓'秋史所以矜喜自负，气足以豪，而诗因之日工'者也。爰并著之。"

赖晋（1717—1772）生。晋字昼人。乾隆戊辰进士。历官安东知县、永宁牧等。著有古文四卷、诗十二卷。事迹见蒋士铨《知滨州赖君传》（《忠雅堂文集》卷四）。

王显绪（1717—1785）生。显绪字维彰，号之岩（一作芝岩）、闰轩，福山人。乾隆元年进士。官至安徽布政使。著有《莲城集》、《燕山小草》。事迹见《晚晴簃诗汇》卷七四。

戈涛（1717—1768）生。涛字芥舟，号莲园，献县人。初从戴亨问途，后受知于钱陈群。乾隆十六年进士。官至刑科掌印。与边连宝、李中简友善。著有《坳堂诗集》、《坳堂杂著》。事迹见李中简《芥舟先生小传》（《国朝文汇》乙集卷一八）、《清史列传》李中简传附。

汪之珩（1717—1766）生。之珩字楚白，号璞庄，如皋人。所构文园，为一时觞咏之所。辑有《东皋诗存》、《文园六子诗》。事迹见秦大士《汪璞庄小传》（《东皋诗存》附录）。

国梁（1717—?）生。据江庆柏《清代人物生卒年表》。国梁字隆吉、丹中，号笠民，满洲旗人。乾隆二年进士。官吏部主事、贵州粮驿道。著有《澄悦堂诗集》。法式善《八旗诗话》一五三："胎息少陵五、七古，尤得苏氏家风。"《晚晴簃诗汇》卷七四："笠民诗多咏其宦游所至山川风土，而于君亲兄弟朋友之际，尤恻怛动人。善写性情，间涉浅俗。其《五友集·文石诗》，则以诗为戏者也。"录其诗十二首。

顾森（1717—1799以后）生。森字廷培、锦柏，别号云庵，昆山（一作长洲）人。三入京华，后从事馆阁，议叙授涿鹿尉。以事削职，流落关中。著有《云庵遗稿》二卷、《回春梦》传奇。事迹见邓长风《明清戏曲家考略·九位明清江苏、上海戏曲家生平考略》。

王时宪典陕试，卒于西安，年六十三。据张慧剑《明清江苏文人年表》。《国朝诗别裁集》卷二二："萧山毛氏诗序极夸其拟《十九首》，拟陶，拟杜，拟元、白、苏、陆等作，然摹其体而未传其真也。愚所取者，转在自出新意之篇。"录其《寄赠麓台用杜戏题王宰画山水图歌韵》等诗三首。林昌彝《射鹰楼诗话》卷一二："太仓王若干太史时宪（康熙四十八年进士）著有《性影集》。其名句为时传诵者，如'青山两岸寻诗路，黄叶孤村卖酒家'，可谓诗中有画。"

仇兆鳌卒，年八十。据仇兆鳌《尚友堂年谱》其子附记。（谢巍《中国历代人物年谱考录》著录）［按，朱彭寿《清代人物大事纪年》谓其卒于明年四月，年八十］《重修浙江通志稿》本传："兆鳌少从黄宗羲游，论学以蕺山为宗。后官侍郎时，李光地、陈廷敬、张玉书皆在内阁，相与讲贯，益以理学自任。晚年好养生家言。"（《广清碑传集》卷五）《国朝文汇》甲集卷三四录其《草亭先生百六集序》、《赤嵌集序》文二篇。

沈寓卒，年七十九。据邓之诚《清诗纪事初编》卷一。《国朝文汇》甲集卷四九录其《逊国君臣论》等文五篇。

刘青霞卒，年五十八。据刘青莲《从兄啸林事略》（《慎独轩文集》卷首）。方鸿《文学刘青霞传》："所著《慎独轩文集》八卷、《史论》十二卷，皆卓然成家。其评骘人物，要必权时势，彻始终，揆心迹，度义理，至成败利钝，则置勿论。虽古昔令主名臣，不免责备贤者。然推勘详审，褒讥确凿，使逝者可作，亦当颡首折服，实有知人论世之识，匪徒逞其才辨而已。"（《慎独轩文集》卷首）《国朝文汇》甲集卷五八录其《程婴、杵臼论》等文八篇。

陈学泗卒，年七十八。 据江庆柏《清代人物生卒年表》。《国朝诗别裁集》卷二〇录其《望岳》等诗五首。

公元 1718 年（康熙五十七年　戊戌）

正月

十一日，孔尚任卒，年七十一。 据徐振贵《孔尚任评传》附录《孔尚任年表》。所著《人瑞录》一卷、《节序同风录》无卷数、《会心录》四卷、《湖海集》十三卷，四库存目著录。《国朝诗别裁集》卷一三录其《红桥》、《忆昔》诗二首。《晚晴簃诗汇》卷三九录其诗七首。《国朝文汇》甲集卷五三录其《平山堂雅集诗序》等文三篇。孔传铎《安怀堂文集·东塘岸堂石门诗全集序》："东塘先生称诗四十年，凡海内诸名家，靡不以先生为骚坛领袖，相与商榷风雅，而尤与海陵黄仙裳、吴门邓孝威、广陵宗定九称莫逆交。著有《湖海集》，乃其奉使淮扬所作，为之订定者，即黄、邓诸公也；售之枣梨者，其门人陈鹤山、马宾五也。自丙寅迄己巳，共分七卷。是集一出，固久已不（径）［胫］而风行于天下矣。又庚午至壬午共若干卷，曰《岸堂集》，是其在辇下之所作也。又癸未至丁酉共若干卷，曰《石门集》，是其归田及游览之所作也。内缺癸巳，未及付梓，讵至戊戌上元，而忽已谢世。从此风流歇绝，竟为广陵散矣，可胜浩叹！予每谓先生之诗，真如金科玉律，为当代所不数觏者；即片语单词，何莫非吾东塘先生一生心血为之，其何忍轻为弃置！故取其底稿，命奚全录，又搜箧筐内，得数十首，为补遗一卷。其《岸堂》、《石门》二集之中，有淮徐刘观察在园拔其尤者，梓为《长留集》，今用硃标出，其余珠玑尚多，置诸几案间，晨夕讽咏，奉为楷模。至于诗余，非先生所长，落落数阕，姑亦辑成一卷，以示先生游戏之所及耳。嗟呼！伯牙已逝，赏音者亡，所幸虽无老成，尚有典型，其东塘先生诗之谓乎？"（《孔尚任诗文集·后记》）

十五日，陈皋谟自序《一夕话》。 署"戊戌春正月望日咄咄夫题于半庵"。皋谟字献可，别号咄咄夫。《一夕话》有武林文治堂刻本、康熙五十七年增订新集本。《增订一夕话新集》题"咄咄夫原本、嗤嗤子增订"，收《笑倒》、《半庵笑政》等多种。据王利器辑录《历代笑话集》。

二十五日，吴历卒，年八十七。 据陈垣《吴渔山先生年谱》卷下。《年谱》："论曰：自利玛窦入国以来，士人从之者众矣，然士人出家为修士，则端自先生始。先生之先，虽有钟鸣仁、黄明沙之徒，然未闻其出于士族。惟先生自文恪公后，诗书世泽不绝。故耶稣会士档称之曰'读书修士'，又曰'精于中国文学'，此其所以为异欤？"《贩书偶记》卷一四："《墨井诗钞》二卷、《三巴集》一卷、《墨井题跋》一卷，虞山吴历撰，受业陆道淮编。无刻书朝代，约康熙己亥飞霞阁精刊。历兼工画，与王翚齐名。"又，"《墨井集》五卷，常熟吴历撰，李杕编。宣统元年铅字排印本。"《晚晴簃诗汇》卷三九录其诗十首。

二月

会试。考官：吏部尚书张鹏翮、户部尚书赵申乔、刑部侍郎李华之、工部侍郎王懿。题"君子无众"二段，"必得其位"四句，"昔者子贡 圣矣"。据法式善《清秘述闻》卷四。

三月

十七日，沈名荪作生日诗，以此知其时尚在世。据邓长风《明清戏曲家考略三编·十九位明清戏曲家的生平材料》)。

魏荔彤聘沈德潜往课子。《沈归愚自订年谱》："三月，江镇道柏乡魏公念庭讳荔彤来吴，见予诗文，聘往课子。"

陈元龙抵京入觐。旋随侍圣祖至热河避暑山庄。凡七阅月，所得之诗为《肆觐集》。见《爱日堂诗》卷一八。

春

吕履恒罢归。据方苞《光禄卿吕公墓志铭》（《方苞集》卷一〇）。

沈德潜、杜诏等游惠山。《沈归愚自订年谱》："予同东华樾亭上人之杜云川太史家。明日同游惠山。至石林精舍晤天钧道人，过贯华阁、忍草庵，寻碧山吟社遗址。各系以诗，亦韵事也。"

张荣《空明子续集》告成。据《空明子自叙年谱·续刊年谱》（《空明子文集》卷下）。

四月

初九日，圣祖御太和殿，传胪。赐一甲汪应铨、张廷璐、沈锡辂进士及第，二甲查祥、陈万策、庄亨阳、王懋竑、许均等进士出身，三甲杨椿、郑江等同进士出身。据《历科进士题名录》、《清通鉴》。

许均成进士。均号雪村，许遇子。著有《雪村集》、《玉琴书屋诗集》，收入侯官许氏家集《笃叙堂诗集》，四库提要卷一九四著录。

李塨选通州学正。八月到任，十一月以疾告归。据冯辰《李恕谷先生年谱》卷五。

方苞、张云章、王澍、方楘如等游丰台。据《方苞集》卷一四《游丰台记》。方苞本月又有潭柘之游。据《方苞集》卷一四《游潭柘记》。

查慎行《粤游集下》为正月至本月诗。见《敬业堂诗集》卷四八。查慎行诗正集编年至此。明年许汝霖序云："即论其诗，亦恢之以学问，深之以涵养，且历览宇内之名山巨川，以达其气，裕其神，而扩其耳目之闻见。即物写怀，皆其忠孝友爱、至性至情之所蕴蓄而流露，初非规规焉争能于声律字句间也。平生所作不下万首，今手自删定，起己未迄戊戌，凡四十八卷，取随驾山庄时御书赐额名曰《敬业堂集》。"署"康熙五十八年己亥秋七月朔，洛溪衰朽许汝霖序"。四库提要卷一七三：《敬业堂集》

五十卷，"是编哀其生平之诗，随所游历，各为一集。凡《慎旃集》三卷，《遄归集》、《西江集》共一卷，《谕淮集》一卷，《假馆集》二卷，《人海集》、《春帆集》、《独吟集》各一卷，《竿木集》、《题壁集》共一卷，《橘社集》、《劝酬集》、《溢城集》、《云雾窟集》各一卷、《客船集》、《并辔集》共一卷，《冗寄集》一卷，《白蘋集》、《秋鸣集》共一卷、《敝裘集》、《酒人集》共一卷，《游梁集》、《皖上集》、《中江集》各一卷，《得树楼集》、《近游集》共一卷，《宾云集》一卷，《炎天冰雪集》、《垂橐集》共一卷、《杖家集》、《过夏集》各一卷，《偷存集》、《繙经集》共一卷，《赴召集》、《随辇集》、《直庐集》、《考牧集》、《甘雨集》、《西阡集》、《迎銮集》、《还朝集》、《道院集》各一卷，《槐簏集》二卷，《枣东集》、《长告集》、《待放集》、《计日集》、《齿会集》、《步陈集》、《吾过集》各一卷，《夏课集》、《望岁集》共一卷，《粤游集》二卷，附载《余波词》二卷。自古喜立集名，以杨万里为最多。慎行此集，随笔立名，殆数倍之。其中有以二十四首为一集者，殊伤烦碎。然亦征其无时无地不以诗为事矣。集首载王士禛原序，称黄宗羲比其诗于陆游。士禛则谓奇创之才，慎行逊游；绵至之思，游逊慎行。又称其五七言古体有陈师道、元好问之风。今观慎行近体，实出剑南。但游善写景，慎行善抒情；游善隶事，慎行善运意。故长短互形，士禛所评良允。至于后山古体，悉出苦思，而不以变化为长。遗山古体，具有健气，而不以灵敏见巧。与慎行殊不相似。核其渊源，大抵得诸苏轼为多。观其积一生之力补注苏诗，其得力之处可见矣。明人喜称唐诗。自国朝康熙初年寖白渐深，往往厌而学宋。然粗直之病亦生焉。得宋人之长而不染其弊，数十年来，固当为慎行屈一指也。"

五月

二十八日，**李光地卒，年七十七。**据李清植等《文贞公年谱》卷下。李绂《榕村集序》："先生今之程朱也。顾道足于中，气盛而化神，情深而文明。偶为诗古文辞，亦遂蔚然奇秀，盎然深醇。"（《榕村集》卷首）四库提要卷一七三：《榕村集》四十卷，"是集为乾隆丙辰其孙清植所校刊，其门人李绂为序。惟诗下注自选字，则余皆清植排纂也。凡《观澜录》一卷、《经书笔记》、《读书笔录》共一卷、《春秋大义》、《春秋随笔》共一卷、《尚书句读》一卷、《周官笔记》一卷、《初夏录》二卷、《尊朱要旨》、《要旨续记》共一卷、《象数拾遗》、《景行摘篇》又《附记》共一卷、文二十五卷、诗五卷、赋一卷。所注诸书及语录刊本别行者不与焉。其不以诗文冠集而冠以札记者，光地所长在于理学、经术，文章非所究心。然即以文章而论，亦大抵宏深肃括，不雕琢而自工。盖有物之言，固与肇悦悦目者异矣。数十年来，屹然为儒林巨擘，实以学问胜，不以词华胜也。"韩国李德懋《清脾录·李榕村》："其诗朴而奇。"李祖陶《国朝文录·榕村全集文录引》："《榕村全集》，安溪李文贞公著。文贞之学，本之朱子而能心知其意，极推透以畅其旨，不阿附以盖其失。所著书甚具，《周易》尤为专门，承修之书亦冠绝一代。其见于文者，大半夫子之言性与天道，与所著之书相表里。首卷为《观澜录》，皆论学、论经、论性、论诸儒、论治之作，宛然《朱子全书》规模；次为《经书笔记》、《读书笔录》，曾经御览，其辨甚析，后数条阐发泰交谦受之旨，用意尤深；次为《春秋大义》、《春秋随笔》，尚不脱胡氏习气；次为《尚书句读》；次为《周官笔记》；次为《初夏录》，分为《诚明》、《大学》、《中庸》、《仁智》、《孟子》、《通书》、《太极》、《人物》、《人心》、《天地》、《性命》、《喜怒》等篇；次为《尊朱要旨》，析为理气、心性、气质、智仁勇、知行、立志、主敬等条，类皆阐奥抉疑，发前人之所未发；次为《象数拾遗》，予不能尽通其说；次为《景行摘记》，则生平所向往而诵习者也；第十四卷以下始为序、记、论、说、解、辨、杂著、讲义、颂、疏、札子、书、传、墓志、祭、赞、箴、铭等文，文格力取法昌黎而去其驳杂，气味近乎子厚而加以精醇。《四库全书提要》目为'闳深肃括'，实为尽之。盖儒家淳实之文异于才人之放浪，亦文士苦心之作异于讲学家之平板者也。今惟录其序记以下文之明切于事理者，得若干篇。其他穷性命、析理气、阐图书、原象数者率不录，非敢略也，以为此皆抉经之心，执圣之权，极理之要，当与宋五子书并读，而不当与唐宋八大家同观，故不敢遽出以饷人也。"《国朝文汇》甲集卷二四录其《五帝之世如夏说》等文九篇。《晚晴簃诗汇》卷三六录其诗三首。

厉鹗泛舟碧浪湖，作《梦芙蓉》词。据朱文藻撰、缪荃孙重订《厉樊榭先生年谱》。

六月

徐葆光充册封琉球副使。据《国朝诗别裁集》卷二三《康熙戊戌六月朔奉命册封琉球述怀三首》。

蒋锡震铨注直隶庆云知县。据储大文《蒋平川传》（《存砚楼文集》卷一三）。

沈德潜赴魏荔彤馆。在此结识余京。《沈归愚自订年谱》："六月，赴魏氏馆。学徒二人：士敏、壮征，一国学生，一诸生。馆课甚简，因肆力于诗古文。文成六十余篇，诗成百余首。暇日出游金、焦、北固，识诗人余京字文圻，时相倡酬。魏公见其诗，欲召见之，余曰：'往役义也，以诗为羔雁，非义也。'魏公益重之。"

夏

厉鹗同金农访长兴知县鲍鉁。留宿县斋，和鲍鉁《蘋州曲》十首。又同金农游若溪广惠寺，寺乃陈武帝故宅。据《樊榭山房集》卷一《同寿门访长兴鲍西冈明府留宿县斋即事》等诗。

高孝本有《桂林集》。小序云："汝周令阳朔，余与诗城同往。邑最卑湿，非老人所宜，仅住十日。寓桂林一月，酷暑中遍游诸山。余时已七十，不知有登陟之劳。"（《固哉叟诗钞》总目）

八月

初六日，王式丹卒，年七十四。据朱彭寿《清代人物大事纪年》。郑方坤《王修撰式丹小传》："殿撰诗排奡陡健，一洗吴音啴缓。盖以昌黎为的，而泛滥于庐陵、眉山、剑南、道园之间。"（《碑传集》卷四七）四库提要卷一八四：《楼村集》二十五卷，"国朝王式丹撰。式丹字方若，宝应人。康熙癸未进士第一。官翰林院修撰。是集乃雍正甲辰其子懋讷所刻，分年编次。凡《龙竿集》五卷、《罩苏集》七卷、《补过斋集》二卷、《忍冬斋集》七卷、《鸿柯集》一卷、《梅花书屋集》三卷。起壬申迄丙申，每年一卷。惟《龙竿集》之第五卷为其壬申以前诗。不以冠集而以殿集，以少作故也。"《国朝诗别裁集》卷一九录其《题徐昭法先生涧上草堂画兼贻西照头陀》等诗六首。《晚晴簃诗汇》卷五六录其诗五首。

十六日，沈德潜、魏亮工、冀涵泽、王冀宁、焦东园等游焦山。 据沈德潜《游焦山记》（《归愚文钞》卷九）。

九月

十三日，刘星炜（1718—1772）生。 星炜字映榆，号圃三，武进人。乾隆十三年进士，改庶吉士。散馆授编修。历官侍讲、广东学政、安徽学政、侍读学士、礼部侍郎、工部侍郎等。著有《思补堂文集》四卷。事迹见蒋士铨《资政大夫工部左侍郎圃三刘公暨夫人余氏赵氏合葬墓志铭》（《忠雅堂文集》卷五）、《清史列传》本传、《清史稿》谢墉传附。

裘琏至当湖吊高巽亭。 据裘姚崇《慈溪裘蔗村太史年谱》。

十月

初三日，陈瑸卒，年六十三。 据丁宗洛《海康陈清端公年谱》卷下。四库提要卷一八四：《清端集》八卷，"国朝陈瑸撰。瑸字文焕，一字眉川，海康人。康熙甲戌进士。官至福建巡抚。谥清端。是集凡文七卷，诗一卷，皆非当行。然瑸居官以廉介称，其节概足以自传，亦不必以文章传也。"是书乾隆三十年兼山堂刊行。《国朝文汇》甲集卷三九录其《重刻海忠介公备忘集序》、《送叶南田由枢部出守广州序》文两篇。《晚晴簃诗汇》卷五四录其诗四首。

二十四日，程晋芳（1718—1784）生。 晋芳字鱼门，号蕺园，江都人。乾隆二十七年应召试，授中书。三十六年成进士，授吏部主事。旋授吏部员外郎，与修《四库全书》，书成改编修。晚岁益穷，就毕沅谋归计，抵关中一月卒。著有《勉行堂文集》六卷、《诗集》二十四卷首一卷。事迹见翁方纲《皇清诰授奉政大夫翰林院编修加四级蕺园程先生墓志铭》（《复初斋文集》卷一四）、徐书受《翰林院编修程鱼门先生墓表》（《碑传集》卷五〇）、袁枚《翰林院编修程君鱼门墓志铭》（《小仓山房续文集》卷二六）、江藩《国朝汉学师承记》卷七、汪喜孙《程编修晋芳家传》（《尚友记》卷一）、《清史列传》袁枚传附、《清史稿》袁枚传附。

十一月

黄叔琳晋左佥都御史。 据顾镇《黄侍郎公年谱》。

金埴观演《节孝记》。金埴《不下带编》卷四："凡筵会张乐，人多乐观忠孝节义之剧。戊戌冬仲，家太守从祖紫庭公一风于兖署钱埴南旋，姑苏名部演《节孝记》，至于孝子见母，不惟座客指顾称叹有欲泣者，即两优童亦宛然一母一子，情事真切，不觉泪滴氍毹间。夫假悲而致真泣，所谓无情而有情者，彼文有至文，斯曲非至曲耶！两优年各十四五，询其泪落之故，则齐声对曰：'伎授于师，师立乐色（俗误作脚色，以乐脚同音也），各如其人，各欲其逼肖。逼肖则情真，情真则动人。且一经登场，己身即戏中人之身，戏中人之啼笑即己身之啼笑，而无所谓戏矣。此优所以泪落也。'家太守嘉其对，以缠头锦劳之。顾埴谓座客曰：'白傅诗："古人唱歌兼唱情。"岂真能唱情者，曲艺且然，况君子之大道乎？'埴有《一唱千金曲》数千言，感此而作也。"

冉觐祖卒，年八十二。据张伯行《冉蟫庵传》（《正谊堂续集》卷六）。《晚晴簃诗汇》卷四九录其诗三首。

十二月

十六日，邵齐焘（1719—1769）生。齐焘字荀慈，号叔宀，昭文人。乾隆七年进士，选庶吉士，以编修居词馆十年。年三十六，即罢归。主常州龙城书院，洪亮吉、黄景仁皆从受学。著有《玉芝堂文集》六卷《诗集》三卷。事迹见郑虎文《敕授儒林郎翰林院编修加一级邵公墓志铭》（《玉芝堂文集》卷首）、《清史列传》本传、《清史稿》本传。[按，生日据朱彭寿《清代人物大事纪年》]

除夕，金兆燕（1719—1791）生。兆燕字钟樾，号棕亭，全椒人。幼称神童，与张鹏翀齐名。乾隆间游卢见曾幕。三十一年成进士，官扬州教授，迁国子监博士，分校四库全书。后归扬州，馆于康山草堂。著有《棕亭古文钞》十卷、《骈体文钞》八卷、《诗钞》十八卷、《词钞》七卷。事迹见李斗《扬州画舫录》卷一〇、《清史列传》张鹏翀传附。[按，生日据朱彭寿《清代人物大事纪年》]

王鸿绪任省方盛典总裁官。据张伯行《皇清诰授光禄大夫经筵讲官户部尚书加七级王公墓志铭》（《正谊堂续集》卷七）。

本年

郑燮设塾于真州之江村。有《村塾示诸徒》诗，见《郑板桥全集·板桥集》。

李馥访潘天成于江宁，李时任江南臬司。据许重炎《溧阳潘孝子铁庐先生年谱》。

王澍教习庶吉士。据王步青《吏部员外郎族侄虚舟墓志铭》（《己山先生文集》卷八）。

李钟峨提督福建学政。据《四库全书·福建通志》卷二七。《雪鸿堂全集》即其在福建学政任上所刻。

芮复传官浙江钱塘知县。据朱筠《浙江提刑按察使司副使分巡温处道芮君墓碣铭》（《笥河文集》卷一二）。

王汝骧在鄂，主讲江汉书院，辑《明文治》。据张慧剑《明清江苏文人年表》。

因陈元龙入京，黄之隽自桂林归里。明年九月又应陈元龙之招入都。黄之隽《冬录》："次年戊戌岁，从西粤归，葺厝堂，以自号。欲息游，为乡人终老。读朱子书，思有所著述。会文简公入为工部尚书，仍见招，为援例入监。遂以明年九月至都。"（《厝堂集》附录）

徐用锡致仕归里。据徐用锡《圭美堂集》卷末徐铎识语。

全祖望补博士弟子，时年十四岁。据董秉纯《全谢山先生年谱》。

陈兆崙补博士弟子，时年十九岁。据陈玉绳《陈句山先生年谱》。

吴敬梓进学，时年十八岁。吴敬梓《减字木兰花·庚戌除夕客中》其四："落魄诸生十二年。"（《文木山房集》卷四）［按，吴敬梓进学年龄有十八岁、二十岁、二十三岁诸说］

汪份辑明汤显祖所作制义文为《明文必自集》。据张慧剑《明清江苏文人年表》。

顾嗣立本年诗名《学诗楼集》。又自订《闾邱诗集》六十卷。据顾嗣立《闾邱先生自订年谱》。四库提要卷一八四：《闾邱诗集》六十卷，"国朝顾嗣立撰。嗣立有《温飞卿诗注》，已著录。《江南通志·文苑传》称嗣立博学有才名，尤工诗。所居秀野草堂，尝集四方知名士觞咏无虚日。风流文雅，照映一时。曾撰《元诗选》四集，采摭略备。盖其性之所近，故诗亦往往似之。"

徐昂发《畏垒笔记》成书。四库提要卷一二六：《畏垒笔记》四卷，"国朝徐昂发撰。昂发字大临，长洲人。康熙庚辰进士。官翰林院编修。是书成于康熙戊戌。前有昂发题词，称自庚寅、己丑间始随笔札记，虽古人成说，有裨见闻、增长智识者，咸掇录焉，间参以意见云云。其书皆考证之文，大抵皆采掇旧闻，断以己意。中间如'匡鼎说诗'一条，知《西京杂记》之伪。而'杨王孙名贵'之类，又引《西京杂记》为凭。'孔丛子'一条，既灼知其书为依托，而'子思生无鬚眉'之类，又引以为证。盖爱博嗜奇，随文生义，未能本末赅贯。至于以泰山碧霞元君为周武王女太姬之神，陈敬仲奔齐，奉之以来；以西洋天主教为秦始皇所遣求仙之人，飘流海岛，奉之以去，尤属牵合臆断。核其所学，自不及国初顾炎武、朱彝尊等之淹通。然持择矜慎，叙述简洁，正舛订讹，颇资闻见。在近时说部之中，尤为秩然有条理者。究非明人杂录，转相稗贩，冗琐无绪者比也。"

蔡升元《使秦草》一卷刊行。据《贩书偶记续编》卷一四。

朱瑞图《封禅书》传奇秘奇楼刊行。瑞图号杏花使者、秘奇楼主，上虞人。是剧未见著录，又名《琴台》、《人生乐》、《富贵神仙》，演司马相如、卓文君事。据《古本戏曲剧目提要》。

黄图珌《梦钗缘》传奇排闷斋刊行，凡二卷三十一出。据庄一拂《古典戏曲存目汇考》卷一一。

储秘书（1718—1780）生。秘书字玉函，宜兴人。乾隆二十六年进士。官郧阳知府，以事罢职。著有《缄石斋集》、《花屿词》。事迹见《国朝诗人征略》初编卷三八。

甘运源（1718—1794）生。运源字道渊，号啸岩、十三山外史，襄平人。为刘大櫆弟子，大櫆甚赏识之。屡试不中，益放浪形骸，人多忌之。晚年始仕，官英德县象冈司巡检。著有《啸岩诗存》。事迹见铁保《甘道渊传》（《碑传集三编》卷二七）、昭梿《啸亭杂录》卷九《甘啸岩》。

朱云骏（1718—1781）生。云骏字逸湄，金匮人。乾隆二十一年举人。官隆昌知县。著有《画庄类稿》。事迹见《湖海诗传》卷二〇。

朱箟（1718—1797）生。箟字二亭，江都人。诸生。以家贫弃举子业，服贾以养母，自号市人。虽与屠沽杂处，不废读书吟咏。陈弘谋见其诗，称为奇才，欲招之来京师，箟以母老辞。四库馆开，有荐其入馆校雠古籍者，又力辞不就。四库开，有荐其入馆校雠古籍者，又力辞不就。著有《二亭诗钞》。事迹见江藩《朱处士墓表》（《碑传集补》卷四五）。

庄德芬（女，1718—1774）生。德芬字端人，武进人。进士董思耜之母。著有《晚翠轩集》。事迹见施淑仪《清代闺阁诗人征略》卷五、张慧剑《明清江苏文人年表》。

宫鸿历卒，年六十三。据沈默《宫友鹿传》（《碑传集补》卷八）、张慧剑《明清江苏文人年表》。郑方坤《恕堂诗钞小传》："前后两游吾闽，诗囊最富。中间剪刻山川，雕镂景物，实能为无诸故墟别开生面。"（《碑传集补》卷八）《国朝诗别裁集》卷二二录其《李木庵先生壁上观李松岚画松歌》、《长安午日》诗二首。《晚晴簃诗汇》卷五七录其诗五首。

万如洛卒，年五十。据邓之诚《清诗纪事初编》卷八。《爱吾庐遗诗》四卷乾隆十五年刊行。据《贩书偶记续编》卷一四。

顾彩卒，年六十九。据张慧剑《明清江苏文人年表》。《国朝诗别裁集》卷二六录其《梅花驿》诗一首。民国《续曲阜县志》卷五："诗得力于李、杜、昌黎。"（《方志著录元明清曲家传略》）

胡庆豫尚在世，时年七十岁。据《东坪集》卷八、陆奎勋《传》（《东坪集》卷首）。四库提要卷一八五：《东坪集》八卷，"国朝胡庆豫撰。庆豫字雠来，号东坪，平湖人。岁贡生。是集卷一曰《南浦吟》，客江右时所作。卷二曰《昭阳小稿》，客邘江时所作。卷三曰《北征集》，赴京道中及寓京师时所作。卷四、卷五曰《西征草》，入关中及流寓西蜀时所作。卷六、卷七、卷八曰《桐轩集》，则里居所作也。其诗以雅淡为宗，而未能超诣。"

公元 1719 年（康熙五十八年　己亥）

正月

初六日，沈涵卒，年六十九。据沈炳震《诰授通奉大夫内阁学士兼礼部侍郎沈公涵行状》（《碑传集》卷四〇）。《行状》云："其诗本性灵，不事雕绘，而格律整严，直登古人壶奥。文宗庐陵、震川，更酝酿于经史百氏，故语必根柢。相国昆山徐公、泽州陈文贞公相继为馆师，恒录公诗文为馆式，公望属焉。"

二月

沈德潜编完《古诗源》。据《沈归愚自订年谱》。
顾嗣立游西湖。旋渡江至淮阴，又至济宁、开封等地，游览嵩山、大明湖诸胜。

九月初六日归秀野园。得诗三卷，名《嵩岱集》，王苹为序。据顾嗣立《闾邱先生自订年谱》。

邓廷喆奉使安南。据《皇朝通典》卷九八。《晚晴簃诗汇》卷六一："（廷喆）康熙五十八年充册封安南正使，刻集携行，以充羔雁。想见当时皇华奉使，文采风流，为承平盛事也。"

三月

厉鹗同汪青渠、汪抱朴游惠山。据《樊榭山房集》卷二《同青渠、抱朴游惠山》。

四月

初九日，彭定求卒，年七十五。据王喆生《座主承德郎翰林院侍讲彭先生行状》（《素岩文稿》卷八）。四库提要卷一八三：《南畇文集》十二卷，"国朝彭定求撰。定求有《周忠介公遗事》，已著录。案定求之学出于汤斌，斌之学出于孙奇逢，奇逢之学出于鹿善继，善继之学则宗王守仁《传习录》。故自奇逢以下，皆根柢于姚江，而能参酌朱、陆之间，各择其善，不规规于门户之异同。定求是集，于文章之有关于学术者尤所留意。而持论亦兼采二家，无所偏倚云。"《国朝诗别裁集》卷一〇："先生遇忠义事，必表以砺人心风俗，故见于诗者，多觥觥岳岳之言。"录其《故阁部史公开幕维扬城溃殉难相传葬衣冠于梅花岭下过而哀之》等诗五首。《晚晴簃诗汇》卷三七录其诗三首。《国朝文汇》甲集卷二七录其《震川贞女论辨》等文七篇。《贩书偶记》卷一四："《南畇诗稿》十卷《诗续稿》十七卷《文稿》十二卷，长洲彭定求撰。康熙己丑至雍正丙午精刊。《诗稿》编年体，自乙亥讫甲申。《诗续稿》自乙酉集起至乙未集止。《文稿》十二卷，已见四库存目。定求著有《南畇遗书》。"

五月

十七日，德保（1719—1789）生。德保姓索绰络氏，字仲容、润亭，号定圃、庞村，满洲正白旗人。乾隆二年进士，改庶吉士，授检讨。官至吏部、礼部尚书。谥文庄。著有《乐贤堂诗文钞》。事迹见《清史列传》本传。［按，生日据朱彭寿《清代人物人事纪年》］

十九日，吕履恒卒，年七十。据田从典《坦庵吕公墓志铭》（《峣山集》卷四）。四库提要卷一八四：《梦月岩诗集》二十卷，"此集乃雍正乙巳其侄缵曾等校刊。诗以体分，末附诗余二十四首。前有凡例，称其诗或经岁一改，或一月数改。如《洛阳秋思》、《河上寓目》诗之颔联，嫌其调近七子，辄加窜易。《金陵杂感》之结句，嫌其涉于怒骂，亦复易之。又称《盛朝诗选》载其《秦中怀古》诗、《洛阳秋思》诗、《怀公毅》诗，字句皆有所窜乱，今悉从原本云云。或刊板时有所点定欤？"《冶古堂文集》五卷，"是集为履恒殁后，淳安方粲如及其门人石屏张汉所选定。凡一百九十二篇，每篇各有评语，如制义之式。"杨际昌《国朝诗话》卷二："新安吕元素履恒，忠节先生孙也。《梦月岩诗集》，气格声调似明七子，故非卑响，终未免规橅痕。中原诗人，自王孟津宗尚空同，多以盛唐自命。元素，孟津外孙，宜派别相承也。"沈德潜等《国朝诗别裁集》卷一七："少司农时，言诗者多欲尊宋祧唐，而作者意趣，不但不落唐以下，并蕲追六代以上而从之，可云特立独行者矣。今后人之诗，尚能笃信家学。"录其《斫榆谣》等诗十八首。《晚晴簃诗汇》卷五四录其诗二十首。《国朝文汇》甲集卷三九录其《青要山石坞记》等文七篇。

七月

二十二日，程瑞祊卒，年五十四。据邓长风《明清戏曲家考略续编·美国国会图书馆所藏清代珍本知见录》。《槐江诗钞》四卷乾隆二年刊行。据《贩书偶记》卷一五。

八月

初五日，陶窳卒，年六十三。据程廷祚《外舅楚江陶公行状》（《青溪文集续编》卷八）。《国朝诗别裁集》卷一五："陶氏世袭锦衣，至苦子刻苦如寒素，肆力于诗，誓不袭牙慧语，亦南粤铮铮士也。诗无镌本，被其戚窃为己作，恐久而混真，故特表而明之。"录其《古镜》等诗六首。《晚晴簃诗汇》卷三九录其诗四首。

九月

初九日，谢墉（1719—1795）生。墉字昆城（一作崑城），号金圃、东墅，嘉善人。乾隆十六年召试举人，授内阁中书。十七年成进士，改庶吉士，授编修。历官工部、礼部、吏部侍郎，两督江苏学政。著有《安雅堂文集》十二卷、《诗集》十卷。事迹见阮元《吏部左侍郎谢公墓志铭》（《揅经室二集》卷三）、《清史列传》本传、《清史稿》本传。〔按，生日据朱彭寿《清代人物大事纪年》〕

秋

查慎行应故人白近薇之招，入南昌书局，修《江西通志》。据陈敬璋《查他山先生年谱》。

十月

汪为熹自序《鄢署杂钞》。署"康熙五十八年己亥孟冬，紫山汪为熹若木撰"。（《鄢署杂钞》卷首）四库提要卷一四四：《鄢署杂钞》十四卷，"国朝汪为熹撰。为熹字若木，桐乡人。康熙末官鄢陵知县。欲修县志而未果，因撫其地之遗闻琐事缀为此书。自序称事涉鄢陵者十之六七，涉省郡别州县者十之三四。合以身之所历、目之所睹，得十四卷。大抵多采稗官说部一切神怪之言，盖本储地志之材。而翻阅既多，掇摭遂滥。又嗜奇爱博，不忍弃去，乃哀而成帙，别以'杂钞'为名。是特说部之流，非图经之体也。今存目于小说家中，庶从其类。至卷首冠以康熙五十二年覃恩勅命，莫喻其理。殆见唐宋文集有以告身冠集首者，故亦效之欤？不知彼乃后人所加，非所自编。又皆施于专集，非施于笔记之类也。"

十一月

初三日，曹锡宝（1719—1792）**生。**锡宝字鸿书，号剑亭，晚号容圃，上海人。乾隆六年举人，七年考取内阁中书，二十二年成进士，改庶吉士。丁忧、遘疾近十年。三十一年散馆，授刑部主事。官至陕西道监察御史。著有《古雪斋诗》八卷。事迹见《曹剑亭先生自撰年谱》、朱珪《掌陕西道监察御史特恩赠副都御史曹公墓志铭》（《知足斋文集》卷五）、《清史列传》钱沣传附、《清史稿》本传。

黄叔琳晋太常寺卿。据顾镇《黄侍郎公年谱》。

厉鹗自西溪泛舟之余杭，游洞霄宫。据《樊榭山房集》卷二《十一月一日自西溪泛舟之余杭》等诗。

十二月

初二日，冯浩（1720—1801）**生。**浩字养吾，号孟亭，桐乡人。乾隆十三年进士，改庶吉士，充国史馆纂修。旋升御史，以忧归，服阕赴补，中途疾作而归。家居四十年，主常州龙城、浙东西崇文、蕺山、鸳湖诸讲席。著有《玉溪生诗详注》三卷、《樊南文集详注》八卷、《孟亭居士文稿》五卷、《诗稿》四卷、《经进稿》一卷。事迹见《桐乡县志》本传（《碑传集补》卷一〇）。［按，生卒时间据朱彭寿《清代人物大事纪年》］

十三日，曹学闵（1720—1788）**生。**学闵字孝如，号慕堂，汾阳人。乾隆六年举人，十九年成进士，改庶吉士，授检讨。官至宗人府府丞。著有《紫云山房文钞》一卷、《诗钞》一卷。事迹见邵晋涵《宗人府丞曹公家传》（《南江文钞》卷九）、钱大昕《宗人府丞曹公神道碑》（《潜研堂文集》卷四一）、朱珪《宗人府府丞曹公墓志铭》（《知足斋文集》卷四）、《清史列传》本传。

本年

戚弢言补县学生。弢言（1699—1742）字魏亭，号研斋、渭艇，德清人。康熙五十九年举人，旋从父麟祥谪戍宁古塔。雍正八年成进士，官福建连江知县。父卒，弢言以哀毁过甚，亦卒。事迹见钱载《戚连江家传》（《箨石斋文集》卷一二）、章有大《书戚孝子事》（《碑传集》卷一〇一）、《清史稿》本传。

边连宝补博士弟子员。连宝（1700—1772）字赵珍，改肇畛，号随园，晚号茗禅居士，任丘人。边连宝补博士弟子员。连宝（1700—1772）字赵珍，改肇畛，号随园，晚号茗禅居士，任丘人。拔贡生。历乡试十三次，凡五荐而罢，遂绝意进取，益肆力于古学。与河间戈涛最友善。著有古体文、《随园诗》、《病余草》、《病余续草》、《绝笔草》各若干卷。事迹见蒋士铨《随园征士边君传》（《忠雅堂文集》卷四）、《清史列传》庞垲传附、《清史稿》庞垲传附。

商盘补庠生。与同学结西园吟社。据蒋士铨《宝意先生传》（《忠雅堂文集》卷三）。

裘琏春客象山，秋客西泠，冬客富春。据裘姚崇《慈溪裘蔗村太史年谱》。

陈元龙擢工部尚书。本年至壬寅年诗为《还朝集》二卷。见《爱日堂诗》卷一九、二〇。

杨名时迁贵州布政司。数月就命巡抚云南。据《方苞集》卷一〇《礼部尚书赠太子太傅杨公墓志铭》。

黄子云随徐葆光出使琉球。作《帆海行》、《麻力叹》、《那灞观海》诸诗纪行。与琉球诗人阮维新、阮赞等会于白金岩。据张慧剑《明清江苏文人年表》。《国朝诗别裁集》卷三〇："时徐澄斋太史奉命册封琉球，野鸿随行，故有《大洋》、《望海》诸篇。境奇，诗安得不奇？"

岳锺琪从征西藏。康熙六十年还，授左都督，擢四川提督。据袁枚《威信公岳大将军传》（《小仓山房文集》卷六）、《清史稿》本传。

许志进《谨斋诗稿》编年起康熙戊子讫本年。《贩书偶记》卷一四："《谨斋诗稿》二十卷，淮海许志进撰。康熙间资政堂精刊。《虚槎集》一卷，其余者编年诗，起戊子稿，止己亥稿，凡十九卷。"郭麐《灵芬馆诗话》续卷三："山阳许谨斋黄门志进风裁棱棱，曾劾两江制府噶礼贪纵不法，一时直声动朝野。其他封章造刼，卓卓不阿，卒以忤权贵意乞归。有《虚槎集》及戊子以后至己亥编年诗，匠门、侠君皆为之序，极为推重。黄门出渔洋门下，诗格亦略相似。五七古皆唐音，沈郁悲凉，磏卓兀奡，惟音节未能悉谐。近体浑成清逸，兼饶风趣。""黄门赋性简傲，动多违俗。诗中亦时露偃蹇槎枒之意，为里中所疾，至府邑志中不载其姓名，可一喟也。"

徐震客松江，以鸳湖烟水散人纂写《闺秀英才》四卷。据张慧剑《明清江苏文人年表》。

汪士铉刻所编《近光集》二十八卷。据张慧剑《明清江苏文人年表》。

王鸿绪刻所著《横云山人集》三十二卷。据周中孚《郑堂读书记》卷七〇。

龙震《玉红草堂后集散录》二卷刊行，即第十七、十八两卷。据《贩书偶记续编》卷一四。

李蕃、李锺壁、李锺峨等《雪鸿堂全集》二十四卷刊行。据《贩书偶记续编》卷一九。四库提要卷一八二著录李蕃《雪鸿堂文集》十八卷。又，四库提要卷一八四：《雪鸿堂文集》四卷，"国朝李锺壁撰。锺壁号鹿岚，通江人。检讨蕃之子也。康熙丙子举人。官平南县知县。考古来集部之名，往往相复，然无一家之中共一集名者。惟吕本中、吕祖谦俱称《东莱集》。然祖谦集加'太史'字以别之（见《文献通考》）。又洪岩虎及其子希文皆名《轩渠集》，然希文集加'续'字以别之，非竟相同。锺壁之父蕃有《雪鸿堂集》，已著录。而锺壁此集仍以'雪鸿堂'为名，父子竟无所别，亦未有之创例也。其诗皆信笔挥洒，于声律多未能谐。选韵诗九十一首，尤多累句。自序谓随手涂抹，长短得失，在所不计，谅矣！其文亦惟意所如。如《与陈敷相书》引原宪'贫也非病'之语，至以圣贤为戏，更轶乎规矩之外矣。"《雪鸿堂文集》二卷，"国朝李锺峨撰。锺峨号芝麓，通江人。康熙丙戌进士。官翰林院检讨。是集乃其督学福建时所编。凡赋颂一卷，诗一卷，多馆课及应酬之作。案锺峨父蕃有《雪鸿堂集》，其兄锺壁集袭用其名，锺峨又袭用其名，殊不可解。如以为家乘之总名，则又各为卷第，例亦难通也。"

曹士勋《翠羽词》一卷刊行。据《清词别集知见目录汇编》。

高景芳（女）《红雪轩稿》六卷刊行。据《贩书偶记》卷一八。袁枚《随园诗话》卷三："闺秀能文，终竟出于大家。张侯家高太夫人著《红雪轩稿》，七古排律至数十首，盛矣哉！其本朝之曹大家乎？""夫人名景芳，父琦，为浙闽总督。"录其《晨妆》、《示谦儿》诗。

杨际昌（1719—1804）生。际昌字鲁藩，号葭渔、蓬莱居士，山阴人。乾隆六年举人。明年会试不第，截取湖南县令，称疾不赴，以授徒行医终。著有《澹宁斋集》、《国朝诗话》。事迹见汤纪尚《越耆旧传》（《碑传集补》卷四七）。

章恺（1719—1770）生。恺字虞仲，号北亭，嘉善人。乾隆十年进士。官编修。著有《章北亭全集》八卷。事迹见《晚晴簃诗汇》卷七九。

顾奎光（1719—1764）生。奎光字星五，号双溪，无锡人。乾隆十年进士。官泸溪、桑植知县。著有《然疑录》、《春秋随笔》、《双溪诗集》，辑有《金诗选》四卷、《元诗选》七卷。事迹见《清史列传》本传、张慧剑《明清江苏文人年表》。

李百川（约1719—1771后）约本年生。百川，江南人，一说山西人。一生颠沛流离，风尘南北。著有《绿野仙踪》。事迹见《绿野仙踪》钞本（百回本）自序。

杨中讷卒，年七十一。据《疑年录汇编》卷一〇。《国朝诗别裁集》卷一七录其《高邮道中书事》诗一首。

黄中坚卒，年七十一。据江庆柏《清代人物生卒年表》。《国朝诗别裁集》卷二一："蓄斋以古文鸣，诗其余事，然即此二章已见其情至文生，不同钉饾。"录其《闻陆既藩枢归吊之》、《题马云逵像》诗二首。《国朝文汇》甲集卷五一录其《封建论》等文十篇。"

公元 1720 年（康熙五十九年　庚子）

正月

沈彤游太湖石公山、林屋洞、碧螺峰、缥缈峰、龙头山、消夏湾诸胜。据《果堂集》卷九《游包山记》。

二月

盛百二（1720—1785后）生。百二字秦川，号柚堂，秀水人。乾隆二十一年举人。官山东淄川知县。旋以忧去，不复出。晚居齐鲁间，主讲书院十数年。著有《柚堂文存》四卷、《皆山楼吟稿》四卷、《柚堂笔谈》四卷等十三种。事迹见梅花村人《柚堂居士著述序》（《柚堂文存》卷首）、《清史列传》范家相传附。

初六日，图鼐布（1720—1785）生。图鼐布姓佟氏，字裕轩，满洲镶红旗人。乾隆六年举人，初仕翰林院笔帖式。十三年成进士，改庶吉士，授检讨。官至侍讲学士。著有《枝巢诗草》四卷。事迹见朱珪《翰林院侍讲学士佟先生图鼐布墓志铭》（《碑传集》卷四八）。

春

查慎行游庐山。据陈敬璋《查他山先生年谱》。

顾嗣立序姚培谦《春帆集》。署"康熙庚子立夏前一日，长洲同学弟顾嗣立拜题"。（《松桂读书堂集》诗卷首）是书刻于本年。据四库提要卷一八五。

四月

王顼龄《世恩堂诗集》三十卷编年讫本月。见《世恩堂诗集》卷三〇。四库提要卷一八三：《世恩堂集》三十五卷，"国朝王顼龄撰。顼龄号瑁湖，华亭人。康熙丙辰进士。己未召试博学鸿词，授编修。官至大学士。谥文恭。是编凡诗集三十卷、经进集三卷、诗余二卷。顼龄值文治昌明之日，奏太平黼黻之音。故一时台阁文章，迥异乎郊寒岛瘦。即早年未达时作，亦无衰飒哀怨之意，足以见其襟抱矣。"是书康熙间刊行。据《贩书偶记续编》附录。

五月

因学徒将归柏乡应试，沈德潜辞去魏荔彤馆。归，旋馆于施伟士家。据《沈归愚自订年谱》。

张廷玉升授刑部左侍郎。据张廷玉《澄怀主人自订年谱》卷一。

八月

顾嗣立《元百家诗》三集告成。顾嗣立《闾邱先生自订年谱》："余自壬午，广搜博采，凡吴下藏书家靡有所遗。乙酉应诏入都，分编《四朝诗选》，因得尽窥内府秘本，抄存行箧。乙未假还，南溯潇湘，北登嵩岱，访求遗佚，哀益滋多。倦游归辙，合二十年所得，重加诠次，得一百六十余家。其所传诗未满数首者编入癸集，共计三千余人。欲悉付梓而力有未逮，因先以此质诸海内焉。"

许汝霖卒，年八十一。据朱彭寿《清代人物大事纪年》。四库提要卷一八三：《德星堂文集》八卷《续集》一卷《河工集》一卷《诗集》五卷，"国朝许汝霖撰。汝霖字时庵，海宁人。康熙壬戌进士。官至礼部尚书。是编文集目列十四卷，而十一卷以下有录有书，注曰以下嗣出。又目列卷九为《课士条约》，卷十为《河工集》。而书中九卷题曰《续集》，《河工集》则自为一帙，不入卷数。且书有刊刻未完之处，盖初刻未校之本，故体例不画一也。诗集五卷，而分为八编：曰《祥献集》，曰《应制集》，曰《冰衔集》，曰《使旋集》，曰《河干集》，曰《还朝集》，曰《归田集》，曰《酬应集》。汝霖才思富赡，集中诸体皆备。然如《河工集》内《批高阳水灾》详文云'仰速行确查，候抚部堂批示缴'之类，仅十二字，亦列之集中。则授梓之时，举其平生手迹，一字不遗，未免不能割爱耳。"《国朝诗别裁集》卷一三录其《赠汤宗伯潜庵先生》等诗三首。《晚晴簃诗汇》卷四七录其诗二首。《国朝文汇》甲集卷三三录其《周孝廉传》等文四篇。

九月

汪洁士自皖访吴铭道高田里居，遂同游横山。据吴铭道《横山游记》（《国朝文汇》甲集卷五七）。

顾嗣立拟编《唐诗述》、《宋诗删》、《金诗补》、《今诗定》四种。据顾嗣立《闾邱先生自订年谱》。

杨振纲序郭雍《集虚堂诗》。署"庚子秋九月望后，同学弟杨振纲书"。（《集虚堂小草》卷首）又，《集虚堂余草》卷首识语云："约园诗，特夫子全诗之半耳，而其半亦已经手订，稿俱存也。癸卯后欲为续刻者屡矣。越十余年至今，乃与四书文并梓，而即以所请杨一丈序弁焉。"署"乾隆己未秋，受业诸子仝识"。四库提要卷一八四：《约园诗钞》二卷，"国朝郭雍撰。雍字仲穆，一字书禅，福清人。约园其号也。康熙癸巳举人。是集各体诗共二百余首。雍自谓前后所作多属近体，于古体歌行间存一二，乐府则有待而未及。今观其诗，惟五言律诗颇有局度，余皆平平。诗不沿溯于古，而先求之偶俪之格，终不能探其本也。"

秋

乡试。是科各省考官有陈世倌、李绂、惠士奇、吕谦恒、蔡珽、彭维新、王世琛、嘉定张大受等。据法式善《清秘述闻》卷四。所取举人有晏斯盛（《清秘述闻》卷四）、谢道承（《清秘述闻》卷四）、许荩臣（《四库全书·福建通志》卷四一）、黄之隽（《冬录》）、华希闵（《四库全书·江南通志》卷一三三）、许廷镳（《四库全书·江南通志》卷一三三）、金虞（《四库全书·浙江通志》卷一四四）、严遂成（程晋芳《严海珊小传》）、车腾芳（《国朝诗人征略》初编卷二一）、胡浚（四库提要卷一八四）、戚发言（钱载《戚连江家传》）、万邦荣（《四库全书·河南通志》卷四六）、田同之（四库提要卷一二六）、王兆符（蒋衡《王兆符行状》）、马维翰（桑调元《马墨麟传》）、李重华（刘大櫆《翰林院编修李公墓志铭》）、史调（崔纪《墓志铭》）、厉鹗（《厉樊榭先生年谱》）、陆奎勋（郑方坤《陆太史奎勋小传》，至是已踏省门十三次）等。

许荩臣乡试中式。荩臣号秋泉，鼎子。著有《客游草》，收入侯官许氏家集《笃叙堂诗集》，四库提要卷一九四著录。

金虞乡试中式。虞字长孺，号小树，钱塘人。袁枚《随园诗话》卷六："吾乡金长孺先生以时文名，世不知其能诗也。有人为述其《禹庙》云：'授笈俨陪苍水使，奉香犹剩白头僧。'《晚步》云：'打头黄叶忽飘坠，知是隔林松鼠来。'"《晚晴簃诗汇》卷六〇录其诗三首。

全祖望初应乡试报罢，时年十六岁。董秉纯《全谢山先生年谱》："先生十六岁始应乡试。至行省，以古文谒查初白先生。初白谓万九沙先生曰：此刘原父之俦也。"

陈兆崙应乡试报罢，后入敷文书院肄业。陈玉绳《陈句山先生年谱》："乡闱报罢，益锐意于学，与同时名宿梁敩林启心暨弟芟林诗正、汪积山惟宪、倪稺畴国琏、金长孺虞、任处泉应烈、孙虚船灏、杭堇浦世骏、严季傅在昌诸先生相切劘。福清李鹿山先生馥来抚浙，首拔先生于诸生中，令入敷文书院肄业。同社诸公亦先后入院，后并掇科第，历台省，著声于时。"

仲是保从学于赵执信。据仲是保《翰村诗稿》卷末赵念跋。

十月

初二日，窦光鼐（1720—1795）生。光鼐字元调，号东皋，诸城人。乾隆七年进士，选庶吉士，散馆授编修。官至左都御史。著有《省吾斋集》二十卷、《东皋诗集》三卷。事迹见秦瀛《都察院左都御史窦公墓志铭》（《小岘山人文集》卷五）、《清史列传》本传、《清史稿》本传。

二十二日，赵申乔卒，年七十七。据赵熊诏《先考户部尚书谥恭毅松伍府君暨先妣龚夫人行述》（《赵裘萼公剩稿》卷二）。四库提要卷一八三：《赵恭毅剩稿》八卷附《裘萼剩稿》三卷，"是编首奏议，次序记，次案牍之文，终以杂著，其孙侗敩所编也。后附《裘萼剩稿》三卷，则申乔之子熊诏撰。熊诏，康熙己丑进士第一，官至翰林院侍读，'裘萼'其号也。"《国朝诗别裁集》卷九录其《庚辰仲冬内召感赋呈祖道诸君》一首，谓"恭毅生平清直，具见此诗"。李祖陶《国朝文录续编·赵忠毅公文录引》："集为其孙侗敩所编。前三卷为奏疏，次四卷为序记志述，五卷、六卷、七卷为详咨、示檄及批详，八卷为杂著。凡例称圣祖仁皇帝视民如伤，求治若渴，起先臣于浙藩，不一年而晋浙抚，不一年而调湖南，内擢总宪，旋任司农。凡有条奏，曲加容纳。连章参劾而不以为苛，坐名荐举而不以为党，一事再三执奏而不以为渎陈，一言梗议盈庭而不以为立异。是以民隐不致壅于上闻，吏治不难底于厘剔。惟圣祖能容人之所不能容，斯臣下敢言人之所不敢言也。又云平生不以笔墨假人，惟古贤遗迹则必广搜博采，大书特书。笔墨不多，皆足信今而传后。幕中不延一客，官书皆手自亲裁。上行之委婉，下行之侃切，持己之廉洁，察吏之精详，严厉峭直中亦复缠绵悱恻，片片赤心有流露于行间而不可磨灭者。杂文著不一体，体不数作，要皆纲常风化之所关，国计民生之所系。今取其集一一读之，所称皆实非子孙归美而诬其先祖者之可比矣。武进为古文渊薮，可匹安徽之桐城。然予顷读张文端、姚端恪公之文，辄觉刘海峰、姚姬传之仅为文士。今读赵忠毅公集，亦觉洪稚存、恽子居之仅为才人。何也？其文为布帛菽粟之文，坐而言可以起而行，积诸躬而后发诸外，故言立而功与德俱见也。临川傅平叔书司马温公诗后云：'读宋六家书久之，使才者喜于文；读韩忠献与司马文正文，则不敢复构一语。'今读公文，叹此言为确不可易。"《国朝文汇》甲集卷二四录其《重修邹忠公两世先茔碑记》等文五篇。《晚晴簃诗汇》卷三六录其诗四首。

李塨南游金陵，明年二月返。程廷祚屡过问学。据冯辰《李恕谷先生年谱》卷五、《清史稿》李塨传。

十一月

赵执信南游，结束十四年家居生活。据《因园集》卷九《浮家集·仲冬携家南发》。家居期间作品结集为《红叶山楼集》，见《因园集》卷八。此次携家南游自本月至雍正二年冬，凡四年，居苏州，尝至南京。有《浮家集》、《金鹅馆集》、《回帆集》，见《因园集》卷九、一〇、一一。又，门人仲是保先归江南。据仲是保《翰村诗稿》卷末赵念跋。

方苞《周官集注》成书。据苏惇元《方望溪先生年谱》。序见《方苞集》卷四。

黄越序刘璋《第九才子书斩鬼传》。署"时康熙庚子岁仲冬上浣，上元黄越际飞氏书于京邸之大椿堂"。序云："且夫传奇之作也，骚人韵士以锦绣之心，风雷之笔，涵天地于掌中，舒造化于指下，无者造之而使有，有者化之而使无。不惟不必有其事，亦竟不必有其人。所谓空中之楼阁，海外之三山，倏有倏无，令阅者惊风云之变态而已耳。安所规规于或有或无而始措笔而摛词耶？故《九才子书》钟可封则封之，鬼可斩则斩之，淬（舍）〔舌〕剑于笔端，吐辞锋于纸上。安良善，体天地之好生；除凶残，振朝庭之斧钺。总之自无而之有，亦且自有而之无，是固不谬于传奇而作也。"（《斩鬼传》附录）

十二月

查慎行《漫与集上》为康熙五十七年五月至本月诗。见《敬业堂诗续集》卷一。

汪棣（1720—1801）生。棣字韡怀，号对琴、碧溪，仪征人。诸生。屡试不第，入资为国子监博士。久之，补刑部员外郎。著有《对琴初稿》二卷、《持雅堂集》十二卷、《春华阁词》二卷，辑有《唐宋分体诗选》十卷。事迹见王昶《刑部员外郎汪君墓志铭》（《春融堂集》卷五六）。

冬

惠士奇督学广东。钱大昕《惠先生士奇传》："冬，复奉督学广东命。""毅然以经学倡，三年之后，通经者渐多，文体为之一变。"（《潜研堂文集》卷三八）又，惠栋随父士奇之广东，时年二十四岁。据钱大昕《惠先生栋传》（《潜研堂文集》卷三九）、陈黄中《惠定宇墓志铭》（《国朝文汇》乙集卷一三）。

本年

符之恒从厉鹗游，时年十五岁。过城东皋园，有"寒烟栖木末，活水啮城根"之句，为一时名彦所称叹。据王曾祥《符南竹权厝志铭》（《静便斋集》卷九）。

裘琏先后至菱湖、山阴、姚江、杭州、苕溪。据裘姚崇《慈溪裘蔗村太史年谱》。

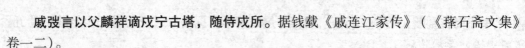

戚弨言以父麟祥谪戍宁古塔，随侍戍所。据钱载《戚连江家传》（《萚石斋文集》卷一二）。

张尚瑗主豫章书院讲席。据《四库全书·江西通志》卷二一。

徐昂发任江西学使。据法式善《清秘述闻》卷九。

高其倬授广西巡抚。据《钦定八旗通志》卷一九二。

王企靖任江西巡抚。据《四库全书·江西通志》卷四八。

孙勷升授大理寺少卿。旋以事降二级调用。据孙勷《莪山自叙笔记》（《鹤侣斋文稿》卷四）。

黄子云作《五君咏》，赠琉球青年诗人文汝衡等。又，本年徐葆光、黄子云自琉球还。据张慧剑《明清江苏文人年表》。四库提要卷七八：《中山传信录》六卷，"国朝徐葆光撰。葆光字澄斋，吴江人。康熙壬辰进士，官翰林院编修。康熙五十七年，册封琉球国世子尚贞为国王，以葆光为副使。归时奏上是书。绘图列说，纪述颇详。"

厉鹗入都，以诗见赏于汤右曾。杨锺羲《雪桥诗话》卷三："庚子，厉樊榭以计车北上，西厓视其诗，深赏之。置酒殷勤，因扫榻欲止而授之馆。樊榭为人孤僻，次晨遽束装不谢而归。士论两贤之。"

姚世钰初晤厉鹗。据姚世钰《石贞石遗诗序》（《孱守斋遗稿》卷三）。

周準初定所著为《迂村漫稿》五卷。据张慧剑《明清江苏文人年表》。

《江西通志》一百七十卷成书，查慎行又辑《庐山志》八卷、《鹅湖书院志》二卷。冬，归里。据陈敬璋《查他山先生年谱》。

顾嗣立作《宜静居集》一卷。据顾嗣立《闾邱先生自订年谱》。

顾嗣立编《元诗选》三集刊行。〔按，《元诗选》初集刊于康熙三十三年，二集刊于康熙四十一年。三集均不含癸集，癸集另行，即后成之《元诗选癸集》。是书四库全书收录〕四库提要卷一九〇："有元一代之诗，要以此本为巨观矣。嗣立称所见元人之集约四百余家。方今诏采遗书，海内秘藏，大都辐辏，中间如嗣立所未见者，固指不胜屈。而嗣立所见，今不著录者，亦往往而有。盖相距五六十年，隐者或显，而存者亦或偶佚。残膏剩馥，转赖是集以传，正未可以不备为嫌也。"

王誉昌《话山自选诗》四卷约本年刊行。据《贩书偶记续编》卷一四。

苏州千钟书屋刻素心主人所编《刘成美全集》弹词二十五卷。据张慧剑《明清江苏文人年表》。

刘墉（1720—1805）生。墉字崇如，号石庵、木庵、青原等，诸城人，统勋子。乾隆十六年进士，改庶吉士，散馆授编修。官至吏部尚书、体仁阁大学士。谥文清。著有《刘文清公遗集》十七卷、《刘文清公应制诗集》三卷。事迹见《清史列传》本传、《清史稿》刘统勋传附。〔按，生卒年据朱彭寿《清代人物大事纪年》〕

钱维城（1720—1772）生。维城字宗盘、幼安，号幼庵、稼轩、茶山，武进人。乾隆十年状元，授修撰。官至刑部侍郎。奉使苗疆，丁忧归，以毁卒。谥文敏。著有《钱文敏公全集》。事迹见钱维乔《先兄文敏公家传》（《竹初文钞》卷五）、王昶《刑部左侍郎赠尚书钱文敏公神道碑铭》（《春融堂集》卷五二）、《清史列传》本传、《清史稿》董邦达传附。

韦谦恒（1720—1796）生。谦恒字慎旃，号药轩、木翁，芜湖人。乾隆二十八年进士，授编修。官至贵州巡抚，降为鸿胪寺少卿。著有《传经堂诗钞》十二卷。事迹见《传经堂诗钞》卷首自序、《晚晴簃诗汇》卷九二。

王宸（1720—1797）生。宸字子凝（一作紫凝），号蓬心（一作蓬薪），太仓人。乾隆二十五年举人。官内阁中书、湖南永州知府。原祁诸孙，多以画世其家，惟宸最工。爱永州山水，自号潇湘子，有终焉之志。罢官后，贫不能归，毕沅为总督，遂往依之武昌。以诗画易酒，湖湘间尤重其画。著有《蓬心诗钞》、《绘林伐材》十卷。事迹见俞蛟《王蓬心传》（《梦厂杂著》卷七）、《清史稿》王时敏传附。

茹敦和（1720—1791）生。敦和字逊来，号三樵，会稽人。初嗣妇翁李为子，占籍广东。乾隆十九年成进士，归本宗，授直隶南乐知县。调大名，内迁大理寺评事，寻复出为湖北德安府同知，署宜昌知府，缘事降秩。筑镜湖别业，授徒谈经以终。著有《茹氏经学十二种》二十二卷、《竹香斋文录》一卷、《和茶烟阁体物词》一卷。事迹见沈元泰《茹敦和传》（《碑传集补》卷二二）、《清史列传》本传、《清史稿》汪辉祖传附。

周於礼（1720—1779）生。於礼字绥远、立崖，号亦园，嶍峨人。乾隆十六年进士，改庶吉士。散馆，授编修。官至大理寺少卿。著有《敦彝堂集》、《听雨楼诗草》。事迹见《国朝诗人征略》初编卷三二、《清史列传》师范传附。

孙士毅（1720—1796）生。士毅字智治理、致远，号补山，仁和人。乾隆二十六年进士。历官内阁中书、大理寺少卿、两广总督、吏部尚书、文渊阁大学士、礼部尚书、四川总督。谥文靖。著有《百一山房诗集》十二卷。事迹见袁枚《太子太保文渊阁大学士封一等公孙公神道碑》（《小仓山房续文集》卷三二）、查揆《太子太保文渊阁大学士孙文靖公神碑铭》（《筼谷文钞》卷一一）、苏去疾《文渊阁大学士孙文靖公墓志铭》（《国朝文汇》乙集卷三六）、《清史列传》本传、《清史稿》本传。

袁机（女，1720—1759）生。机字素文，仁和人，袁枚三妹。适如皋高氏，遇人不淑，年四十而卒。著有《素文女子遗稿》一卷，收入袁枚编《袁家三妹合稿》。事迹见袁枚《女弟素文传》（《小仓山房文集》卷七）。

王苹卒，年六十。据吴荣光《中国古代名人生卒·历史大事年谱》。[按，朱彭寿《清代人物大事纪年》谓其本年卒，年六十二] 沈廷芳《教授王先生传》："其诗本性灵，而慷慨悲歌，一往萧槭。继归于大雅，晚年更造平淡，实苞唐宋也。"（《隐拙斋集》卷四一）王士禛《渔洋诗话》卷下："（王苹）诗有别才。有句云：'乱泉声里才通屐，黄叶林间自著书。'又：'黄叶下时牛背晚，青山缺处酒人行。'寄余云：'得名自公始，失路复谁怜？'时人亦呼为王黄叶。"沈德潜等《国朝诗别裁集》卷二二："秋史所居近望水泉，元于钦所编七十二泉之第二十四也。少岁多否少可，人以狂士目之。王渔洋、田山薑二公赏其诗，并奇其人。渔洋许其不以贫贱终，后果如其言。"录其《南园》等诗四首。四库提要卷一八四：《蓼村集》四卷，"国朝王苹撰。苹字秋史，历城人。康熙丙戌进士。其诗为王士禛、田雯所称，而文不甚显。乾隆癸巳，桂林胡德琳得其本于历城周氏，为删订付梓。德琳为之序，称原本分甲、乙二集，自癸亥至庚子三十四年之作各自编年，惟辛丑以后之文无存。今仍其旧，编为四卷，乙居四之一。惟书记记传注干支于本目之下，使后人有所考焉。"林昌彝《射鹰楼诗话》卷一二："历城王秋史广文苹（康熙四十五年进士）著有《二十四泉草堂集》。秋史嗜古好奇，闭门苦吟，诗肮脏有奇气，尝以'黄叶下时牛背晚，青山缺处酒人行'得名者。"《晚晴簃诗汇》卷五七录其诗九首。《国朝文汇》甲集卷四三录其《张氏产芝记》等文三篇。

杨宾卒，年七十一。据周梦庄《杨大瓢年谱》（谢巍《中国历代人物年谱考录》著录）。《国朝诗别裁集》卷二〇："考安城为友人累，戍宁古塔，可师赴阙讼冤，得旨之柳条边迎亲，归作《柳边纪略》，塞外人称杨夫子。书法不染宋、元习气，诗体专主沉着，身后散如烟云矣。惟于其门人处得《塞外诗》一册，故所录皆辛苦愁惨之音。"录其《纳木窝稽》等诗五首。《晚晴簃诗汇》卷三八录其诗九首。

张笃庆卒，年七十九。据谢巍《中国历代人物年谱考录》。所著《班范肪截》四卷、《五代史肪截》四卷、《昆仑山房集》三卷，四库提要著录。王士禛《渔洋诗话》卷下："（笃庆）文章淹博华赡，千言可立就。诗尤以歌行擅场。如《邢太保赐剑行》、《赵千里海天落照图歌》等篇，不失空同、大复家法；郢中诸律诗，正德、嘉靖宫词，率多杰作。"沈德潜等《国朝诗别裁集》卷一四："历友学殖淹博，挥洒千言，同时诸前辈称为冠世之才，不虚也。试辄冠曹。时宫定山中丞为学使，以明经荐山左第一人，就京兆试不遇，归而处昆仑山，不复出矣。杜门著书，有《八代诗选》、《班范肪截》、《五代史肪截》、《两汉高士赞》等书，卓然可传，岂以名位之有无为轻重耶？诗古今体兼善，宋、元习气不能染其笔端。"录其《鹦鹉洲哀辞》等诗二十四首。四库提要卷一八三：《昆仑山房集》三卷，"其诗古文颇知名于时。此集乃有文而无诗，疑编次未竟之本也。笃庆才藻富有，洋洋洒洒，动辄千言，风发泉涌，不可节制。如集中所载《代王士禛作候补中书吴灿墓志铭》，今录入《蚕尾续集》者，已删削十之三四，则亦颇病其冗漫矣。其曰昆仑山房者，以所居室旁有小山，号昆仑，因以名集云。"《清史稿》王士禄传附："（笃庆）诗以盛唐为宗。"《晚晴簃诗汇》卷四八录其诗三首。《国朝文汇》甲集卷三四录其《为父生母不承重辨》文一篇。

公元 1721 年（康熙六十年　辛丑）

正月

元夕，厉鹗、金志章等集汪立名寓斋。据《樊榭山房集》卷九《庆清朝慢·辛丑长安元夕，同王雪子、金绘卣集汪西亭水部寓斋赋》。

二月

会试。考官：吏部尚书张鹏翮、户部尚书田从典、户部侍郎张伯行、副都御史李绂。题"据于德依"三句，"郊社之礼"四句，"自生民以"二句。据法式善《清秘述闻》卷四。

厉鹗报罢，旋南归，五月抵家。据朱文藻撰、缪荃孙重订《厉樊榭先生年谱》。

三月

王掞以陈请建储忤旨，率长子奕清伏阙待罪凡五日。诏奕清赴军前效力，而掞仍留内阁。据钱大昕《文渊阁大学士兼礼部尚书王公传》（《潜研堂文集》卷三七）。

王原自序所编《于野集》。署"康熙六十年春三月，七十六翁西亭王原拜撰"。又，顾嗣立序署"康熙辛丑春日，长洲顾嗣立书于秀野草堂"。（《于野集》卷首）四库提要卷一九四：《于野集》七卷，"国朝王原编。原号西亭，青浦人。康熙戊辰进士。官至给事中。是编刻于康熙庚子。乃其同郡朱霞等三十二人唱和之作，请原厘择而选定之。名曰'于野'者，取《易》'同人于野'义也。"法式善《陶庐杂录》卷三："《于野集》十卷，青浦王原选而序之。朱霞、姚廷谦、陆崑曾，陈嵎、董杏燧、张琳、徐是傚、姚翱、姚培之、朱奕、何默、胡映鑾、陆鈇、王集所作。刻于康熙六十年。"《贩书偶记续编》卷一九著录《于野集》六卷本年遂安堂刊行。

四月

初二日，圣祖御太和殿，传胪。赐一甲邓锺岳、吴文焕、程元章进士及第，二甲黄之隽、鲁曾煜、姚之骃、钱陈群、沈起元、蒋恭棐、留保、谢道承、王兆符、卢见曾、顾栋高、姜任修、梁机、储大文等进士出身，三甲王植、冯咏、储雄文、马维翰、张符骧、陆奎勋、黄秀、王恕、李开叶、戴亨、晏斯盛等同进士出身。据《历科进士题名录》、《清通鉴》。

台湾朱一贵起事，蓝鼎元随从兄南澳镇总兵廷珍进讨。据陈寿祺《蓝鼎元传》（《碑传集》卷一○○）。四库提要卷四九：《平台纪略》一卷附《东征集》六卷，"国朝蓝鼎元撰。鼎元字玉霖，号鹿洲，漳浦人。由贡生官至广州府知府。是编纪康熙辛丑平定台湾逆寇朱一贵始末。始于是年四月，迄于雍正元年四月，凡二年之事。"

宋和序程庭《若庵集》。署"康熙辛丑清和月，同里弟宋和顿首拜"。（《若庵集》卷首）四库提要卷一八四：《若庵集》五卷，"国朝程庭撰。庭字且硕，号若庵，歙县人。是集文一卷；次诗一卷；次诗余一卷；次《停骖随笔》一卷，康熙癸巳，庭至京祝厘，随日纪行所作，附以诗词；次《春帆纪程》一卷，则自扬州至歙，往返所作，亦有诗词附焉。"是书本年刊行。据《中国丛书综录》。

五月

初八日，李来章卒，年六十八。据朱彭寿《清代人物大事纪年》。《礼山园全集》有康熙中刊乾隆中印本。据《中国丛书综录》。《晚晴簃诗汇》卷三七录其诗一首。

六月

张廷玉升授礼部左侍郎管右侍郎事，兼翰林院学士。据张廷玉《澄怀主人自订年谱》卷一。

闰六月

程廷祚自淮阴往视洪泽湖。据其《游周桥记》（《国朝文汇》乙集卷七）。

夏

仲是保与赵执信复相见于葑溪寓舍。据仲是保《翰村诗稿》卷末赵念跋。

八月

十三日，沈德潜、徐夔、陈培脉、尤怡、周凖等会饮于顾嗣立草堂桂花下。据顾嗣立《闾邱先生自订年谱》。

十六日，赵熊诏卒，年五十九。据黄之隽《翰林院侍读赵公墓志铭（代）》（《㢈堂集》卷二六）。《国朝文汇》甲集卷四四录其《重刊夏忠靖集序》文一篇。《晚晴簃诗汇》卷五七录其诗六首。

三十日，张九钺（1721—1803）生。九钺字度西、枫林，号紫岘、陶园，湘潭人。乾隆二十七年举人。历官江西南丰、峡江、南昌、广东始兴、保昌、海阳知县。晚主昭潭书院讲席十余年。著有《紫岘山人全集》五十四卷、《六如亭》传奇。事迹见张家栻《陶园年谱》及卷首《湖南通志》本传、《湘潭县志》本传等、《清史列传》本传。

九月

十四日，汪孟鋗（1721—1770）生。孟鋗字康古，号厚石，秀水人。乾隆十五年举人，三十一年进士。官至吏部主事。著有《厚石斋诗文》、《杂著》凡若干卷。事迹见卢文弨《奉直大夫吏部文选司主事汪君墓志铭》（《抱经堂文集》卷三四）、钱载《诰授奉直大夫吏部文选司主事晋赠朝议大夫康古汪君墓志铭》（《萚石斋文集》卷二二）。

十七日，尤珍卒，年七十五。据沈德潜《宫赞尤先生墓志铭》（《归愚文钞》卷一七）。《国朝诗别裁集》卷一三："沧湄先生心平气和，每作一诗，字字求安，有讥弹之者，应时改定，近人中无此谦抑矣。少宗唐人，归田后改弦，尝有句云：'宗唐祧宋吾何敢，前有东坡后放翁。'晚岁自悔，仍归于唐，如出游者之反故乡也。所作《沧湄札记》中道作诗甘苦极详。"录其《遣兴》等诗八首。《晚晴簃诗汇》卷四七录其诗四首。

沈德潜游阳山。据《沈归愚自订年谱》。

秋

厉鹗游永康县，留房师张梁友署中。据《樊榭山房集》卷二《永康怀古四首》、《将返武林留别张梁友先生》等诗。

十一月

方苞闻李塨长子习仁夭，乃作书与之。《与李刚主书》见《方苞集》卷六。苏惇元《方望溪先生年谱》："初，先生与王昆绳论学，昆绳不信程、朱，尽发其失，且曰：'使百世以下，聪明杰魁之士沈溺于无用之学而不返，是即程、朱之罪也。'先生曰：'子毋视程、朱为气息奄奄人。观朱子《上孝宗书》，虽晚明杨、左之直节，无以过也；其备荒浙东，安抚荆湖，西汉赵、张之吏治，无以过也。而世不以此称者，以道德崇闳，称此转渺乎其小耳。'昆绳闻先生言，终其身口未尝非程、朱。其后先生出刑部狱，刚主来唁。先生以语昆绳者语之，刚主立起自责，取不满程、朱语载经说中已镌板者，削之过半。先生因举颜习斋《存治》、《存学》二编未惬心者告之，刚主随即为更定。至是先生复作此书与之。"《年谱》所述见《方苞集》卷一〇《李刚主墓志》。

十二月

赵执信去年年底抵苏州后，居斮溪旧日寓所。今年迁居陈氏西园。至本月迁居金鹅馆，直至雍正二年四月。据《因园集》卷一〇《金鹅馆集》。

王企埥自序所编《四家诗钞》。见各家诗钞卷首。四库提要卷一九四：《四家诗钞》二十八卷，"国朝王企埥编。企埥字苾远，雄县人。康熙乙丑进士。官至江西巡抚。四家者，清苑郭棻、钜鹿杨思圣、任丘庞垲、文安纪昀也。所录棻《学源堂集》凡六卷，思圣《（旦）[且]亭集》凡八卷，垲《丛碧山房集》凡六卷，昀《桂山堂集》凡八卷。每集各为之序。棻及垲、昀皆有集，已著于录。惟思圣集今未见，独见于此编耳。"[按，四库提要卷一八一著录杨思圣《且亭诗集》，惟纪昀《桂山堂集》未见于四库提要。此云"思圣集今未见"，当为"纪昀集今未见"]又，《中国丛书综录》著录王企埥编《五家诗钞》有本年序刊本。凡纪昀《桂山堂诗钞》八卷、郭棻《学源堂诗钞》六卷、郝浴《中山集诗钞》六卷、王炌济《茨庵集诗钞》六卷、杨思圣《且亭诗钞》八卷。

沈德潜刻时文稿成。据《沈归愚自订年谱》。

冬

厉鹗撰《南宋院画录》八卷。据朱文藻撰、缪荃孙重订《厉樊榭先生年谱》。

汪份提督云南学政，未之官卒，年六十七。据方苞《汪武曹墓表》（《方苞集》卷一二）。《墓表》云："君所订《四书大全》及唐宋八家古文、明以来时文行于世。晚岁辨《春秋》书爵非褒，书人非贬，为书三卷，义多儒先所未发。又为《河防考》十卷。"《国朝文汇》甲集卷四二录其《拟江南都御史行台题名记》文一篇。

本年

裘琏先后至武林、檇李、山阴、嵊县、海昌。在海昌著《下榻集》。据裘姚崇《慈溪裘蔗村太史年谱》。

边连宝饩于庠。据蒋士铨《随园征士边君传》（《忠雅堂文集》卷四）。

王澍考选户部给事中。据王步青《吏部员外郎族侄虚舟墓志铭》（《己山先生文集》卷八）。

沈元沧授文昌知县。据沈德潜《皇清敕授文林郎广东琼州府文昌县知县诰赠朝议大夫山东布政司参议分守登莱青道东隅兄墓志铭》（《归愚文钞》卷一八）。

方苞《周官析疑》成书。据苏惇元《方望溪先生年谱》。序见《方苞集》卷四。

潘天成纂录《默斋训言》，又撰《未发气象说》以示后学。据许重炎《溧阳潘孝子铁庐先生年谱》。

魏荔彤以所注《庄子》索沈德潜评。《沈归愚自订年谱》："魏念庭以所注《庄》嘱逐篇加评。如其命，报之又成《读庄子篇》。"

徐以升《南陔堂诗集》收诗起自本年。见《南陔堂诗集》卷一《学步集》。

姚廷瓒编《鹦湖花社诗》无卷数刊行，附陆奎勋《花龛诗》一卷。据《贩书偶记续编》卷一九。

杨陆荣《潭西诗集》二十一卷刊行。据《中国丛书综录》。

成永健《偶存集》八卷皈岩书屋刊行，又名《毅庵偶存诗稿》。据《贩书偶记续编》卷一四。

佚名《为善最乐》传奇今所存缀玉轩钞本系据本年钞本过录。是剧《曲海目》、《曲录》、《今乐考证》并见著录，凡二十九出，本事出《宋史·王曾传》，然剧情多系臆造。据《古本戏曲剧目提要》。

江春（1721—1789）生。春字颖长，号鹤亭，歙县人。祖徙居扬州，遂家焉。诸生。官奉宸苑卿，加布政使衔。尝于扬州城东筑康山草堂，一时风雅之盛，几与马氏小玲珑山馆相埒。著有《随月读书楼诗集》三卷。事迹见袁枚《诰封光禄大夫奉宸苑卿布政使江公墓志铭》（《小仓山房续文集》卷三二）。

江声（1721—1799）生。声本字鲸涛，更字叔沄，晚号艮庭，世称艮庭先生，吴县人。少与兄筠同学，不事帖括。年三十五，师事同郡通儒惠栋。嘉庆元年举孝廉方正。四年卒。著有《尚书集注音疏》十二卷等。事迹见孙星衍《江声传》（《平津馆阁文稿》卷下）、江藩《国朝汉学师承记》卷二、《清史稿》本传。

童钰（1721—1782）生。钰字二树，号璞岩、借庵，会稽人。应河南抚军阿思哈之聘修志乘，凡三十六县州，分疏总校，条清例严，人多称之。善画，尤长于梅。生平与袁枚未曾谋面，而极为倾倒。殁后袁枚为编其诗，得十二卷。事迹见袁枚《童二树先生墓志铭》（《小仓山房续文集》卷二六）、俞蛟《童二树传》（《梦厂杂著》卷七）。

汪宪（1721—1771）生。宪字千陂，号鱼亭，钱塘人。乾隆十年进士。历官刑部主事、员外郎。著有《易说存悔》二卷、《说文系传考异》四卷、《苔谱》六卷、《振绮堂稿》。事迹见钱陈群《诰赠朝议大夫原任刑部陕西司员外郎鱼亭汪君传略》（《香树斋文集续钞》卷四）、《清史列传》本传。

吴镇（1721—1797）生。镇初名昌，字信辰、士安，号松崖（一作松厓），别号松花道人，狄道人。少受业于牛运震。乾隆十五年举人。二十五年大挑二等，以教职用。

历官陕西耀州学正、山东陵县知县、湖南沅州知府，以事去官。后主兰山书院。著有《松花庵全集》十二卷。事迹见杨芳灿《诰授朝议大夫湖南沅州府知府吴松厓先生墓碑》（《芙蓉山馆文钞》卷七）、《清史列传》屈复传附。

吉梦熊（1721—1794）生。梦熊字毅扬，号渭崖、润之，丹阳人。乾隆十七年举人、进士，改庶吉士，十九年散馆授编修。官至通政使。著有《研经堂文集》三卷、《诗集》十三卷。事迹见《国朝耆献类征初编》卷九一。

蒋麟昌（1721—1742）生。麟昌字静存，阳湖人。乾隆四年进士。官翰林院编修。年仅二十二而殁。著有《菱溪诗草》一卷、《诗余》一卷。事迹见金鉴《书菱溪遗草后》（《菱溪遗草》卷末）。

於震（1721—1774）生。震字亦川，号秋水，丹阳人。布衣。编著有《亦川诗钞》、《太阿秋水集》、《江表英灵集》。事迹见张慧剑《明清江苏文人年表》。

李中简（1721—1795）生。中简字廉衣，号文园、子静，任丘人。乾隆十三年进士，改庶吉士，散馆授编修。历官云南、山东学政。著有《嘉树山房文集》六卷、《诗集》十七卷。事迹见《清史列传》本传。

程大中（1721—?）生。据江庆柏《清代人物生卒年表》。大中字拳时，号是庵，应城人。乾隆二十二年进士。历官四川清溪知县、湖北蕲州学正。著有《在山堂集》、《甲乙存稿》。事迹见《国朝诗人征略》初编卷三七、《清史列传》余庆长传附。《国朝文汇》乙集卷二八录其《宋太祖论》等文五篇。《晚晴簃诗汇》卷八八录其诗四首。

金顺（女，1721—1750）生。顺字德人，吴县人。中书汪曾裕室。夫亡，以节孝称。能诗，兼善写生。著有《传书楼诗稿》。事迹见《清代闺阁诗人征略》卷五。

梅文鼎卒，年八十九。据杭世骏《梅文鼎传》（《碑传集》卷一三二）。所著《历算全书》六十卷（后由其孙重订，名《历算丛书》六十二卷）、《大统历志》八卷《附录》一卷、《勿庵历算书记》一卷，四库全书收录。《绩学堂诗文钞》十卷乾隆二十三年刊行。四库提要卷一八四：《绩学堂文钞》六卷《诗钞》四卷，"其以'绩学'名堂者，初大学士李光地尝荐文鼎于朝，康熙己酉恭逢圣祖仁皇帝南巡，文鼎迎銮道左，蒙召对，御书'绩学参微'四字赐之，因以名堂，并以名集也。然文鼎测验推算诸法，皆足以自传于后。诗文特其余事，非所擅长。盖算术虽一艺，而非以毕生之精力专思研究，则莫造其微。虽超特绝世之姿，其势不能以旁及。张衡深通历算，妙契阴阳，至能作候风地动仪，而文章博丽，又能凌轹崔、蔡之间，千古一人而已。自洛下闳、鲜于妄人以下，淳风、一行亦未能以词采著也。斯亦物不两大之理矣。"袁枚《随园诗话》卷一："梅定九先生以算法、《易》理，受知圣祖。人但知其朴学，而不知诗故风雅。"《晚晴簃诗汇》卷三八录其诗八首。《国朝文汇》甲集卷五〇录其《书逊国传疑辨后》等文七篇。

公元 1722 年（康熙六十一年 壬寅）

正月

上元日，赵执信观演《长生殿》，作十绝句。诗见《因园集》卷一〇《金鹅馆集》。

二十四日，许昌国卒，年八十五。据许重炎《先大人愧庵先生年谱》（《薪樌集》后集）。四库提要卷一八五：《薪樌集》四卷，"国朝许昌国撰。昌国字仔赎，原字一清，荆溪人。岁贡生。是书首杂著，次论学，次论古，次课徒训儿，各为一卷，大抵皆语录之类。《后集》一卷，则附录也。末有其子重炎所作年谱。案其事状，盖亦笃行好修之士。故集中讲学之语，多能切实近理，特不以著作见长耳。"

二十六日，汤右曾卒，年六十七。据方苞《翰林院掌院学士兼礼部侍郎汤公墓志铭》（《方苞集集外文》卷七）、朱彭寿《清代人物大事纪年》。《怀清堂集》二十卷乾隆七年黄钟刊行，乾隆十五年精刊。据《贩书偶记续编》附录。四库提要卷一七三：《怀清堂集》二十卷，"是集刻于乾隆乙丑。论者称浙中诗派，前推竹垞，后推西厓，两家之间，莫有能越之者。今观二家之集，朱彝尊学问有余而才力又足以运掉，故能镕铸变化、惟意所如；右曾才足肩随，而根柢深厚则未免稍逊。齐驱并驾似未易言，然亦近人之卓然挺出者也。"全祖望《汤侍郎集序》："前吏部侍郎西厓汤公以诗名世者四十余年，其《怀清堂集》生前未及编次，身后门下士王君雪子收拾之，得二十卷。而汤氏后人陵替，遗书散佚，并是集亦为人所赚而有之。前浙抚吏部侍郎昆圃黄公罢官侨居吴中，闻之怅恑，为追理而得之，复以归诸汤氏，抄副本藏家，而命予弁首。""以国朝之诗宿言之，百年以来，海内之所共输心者莫如新城，若吾浙中之所共敛衽者莫如秀水，二家之外，无或先于侍郎者。此非一人之私言，天下之公言也。善乎昆圃前辈之言曰：'侍郎勋名操履，他年国史自有定论，吾辈可弗深求。但平情而言，欲谓非文苑之渠，词人之杰，谅不可得。则听其生平著述流落散漫，宁非后死之媿。"羊叔子自佳耳，亦何与人事。"此乃木强无情之言，不可训也。'时座客闻此言，皆共为欷歔于邑久之。"（《鲒埼亭集外编》卷二六）《国朝诗别裁集》卷一六："浙中诗派，前推竹垞，后推西厓。竹垞学博，每能变化；西厓才大，每能恢张，变化者较耐寻味也。后有作者，几莫越两家之外。"录其《相见坡》等诗十三首。《晚晴簃诗汇》卷四九录其诗十三首。《国朝文汇》甲集卷三六录其《重修苏文定公读书台记》、《国子监祭酒吴公墓志铭》文两篇。

二月

高其倬署云贵总督。十二月实授。据《钦定八旗通志》卷一九二。

顾嗣立为查慎行题《行乐图》绝句二首。据顾嗣立《间邱先生自订年谱》。

三月

十七日，陆师卒，年五十六。据朱彭寿《清代人物大事纪年》。《玉屏山樵吟》五卷、《验封矿洞记略》一卷乾隆八年刊行，又名《采碧山堂诗》。据《贩书偶记》卷一五。《国朝诗别裁集》卷一九："玉屏观察，人第知其长于制义，不知其历任政绩，不啻古循吏也。""诗其余事也。然观其自序云：'情取其真，不务绮丽；义归于正，专绝浮蛙。'可以见品格之尊矣。"录其《杂感》等诗九首。

沈德潜联北郭诗社。魏荔彤以所注《老子》索沈德潜评。据《沈归愚自订年谱》。

陈兆崙、梁启心、杭世骏、梁诗正、金甡等十八人结文社。陈玉绳《陈句山先生年谱》："三月，结文社于西湖藕花居。何鸣世姚瑞、吴子廉国锷、吴春郊景、任处泉应烈、孙介斯曾褆、钱苍益在培、汪履顺金城、汪介纯宏禧、梁菆林启心、杭董浦世骏、梁芗林诗正、王琬华瀛洲、金以宁文济、孙虚船灏、裘沧晓肇煦、金雨叔甡、陆宾之秩暨先生十八人，相序以齿，袤其文曰《质韦集》。"

春

裘琏至樵李，寻归。夏客当湖、乍浦。九月将入都祝上七旬万寿。十一月廿八日在杭闻上崩，乃还。据裘姚崇《慈溪裘蔗村太史年谱》。

四月

裘琏序倪继宗编《续姚江逸诗》。署"昔康熙壬寅仲昌月，翰林院庶吉士慈溪年家眷弟裘琏拜撰"。又，马豫序署"昔大清康熙六十一年岁次壬寅，两浙督学使者扶风马豫撰"。（《续姚江逸诗》卷首）四库提要卷一九四：《续姚江逸诗》十二卷，"国朝倪继宗编。继宗字复野，余姚人。初，黄宗羲作《姚江逸诗》，所录自齐迄明。此集续选国朝之诗，即以宗羲为首。所录凡七十五人，每人各为小传。采辑事实，颇为详备。然亦时有附会。"

五月

施世纶卒，年六十五。据《清史稿》本传。《南堂诗钞》十二卷附词赋一卷雍正间刊行。据《贩书偶记》卷一五。查为仁《莲坡诗话》："晋江施南堂世纶先生历官漕督，清名著天下。《南堂诗钞》二十卷，如璞玉辉春，蠙珠浴月，琅然可诵。尤工五言，有'爱山移舫对，隔水问花多'、'看云生砚户，听雨过经楼'、'孤城侵海角，铜柱出天涯'、'飞花县隙网，行雀上空阶'、'海气连吴越，秋声入鼓鼙'、'水气凉疑雨，松声泻似涛'等句，拟之姚少监、郑都官，当不愧也。"法式善《八旗诗话》七九："南堂生长晋江，与邓汉仪、黄云、高裔以文事相劘切。少年诸作，清迥拔俗。壮宦后，词高致远，其至者得辋川三昧。至政声懋著，妇稚亦皆知名，有编为俚谚，与包拯同称者。"《国朝诗人征略》初编卷二三引《听松庐诗话》："南堂《惜花》诗云：'惟有多情双燕子，朝来犹是惜香泥。'先生吏才强干，而诗情乃婉丽如此。"《晚晴簃诗汇》卷六九录其诗十首。

六月

初九日，何焯卒，年六十二。据沈彤《翰林院编修赠侍读学士义门何先生行状》（《果堂集》卷一一）、方楘如《翰林院编修赠侍读学士义门何先生墓志铭》（《集虚斋学古文》卷一〇）。沈彤《行状》云："先生蓄书数万卷，凡经传、子、史、诗文集、杂说、小学，多参稽互证以得指归，于其真伪、是非、密疏、隐显、工拙、源流皆各有题识，如别黑白。及刊本之讹阙同异，字体之正俗，亦分辨而补正之。其校定《两汉书》、《三国志》最有名。""先生才气豪迈，而心细虑周，每读书论古，辄思为用天下之具，故详审绝伦若此。"全祖望《翰林院编修赠学士长洲何公墓碑铭》："国初多稽古洽闻之士，至康熙中叶而衰，士之不欲以帖括自竟者，稍廓之为词章之学已耳。求其原原本本，确有所折衷而心得之者，未之有也。长洲何公，生于三吴声气之场，顾独笃志于学。其读书，茧丝牛毛，旁推而交通之，必审必核，凡所持论，考之先正，无一语无根据。吴下多书估，公从之访购宋、元旧椠及故家钞本，细雠正之，一卷或积数十过，丹黄稠叠，而后知近世之书，脱漏讹谬，读者沈迷于其中而终身未晓也。公少尝选定坊社时文以行世，是以薄海之内，五尺童子皆道之，而不知其为刘道原、洪野庐一辈。及其晚岁，益有见于儒者之大原，尝叹王厚斋虽魁宿，尚未洗尽词科习气为可惜，而深自欿然，以为特不贤者识小之徒，而公之所得自此益远，则世固未之能尽知也。""其所著惟《困学纪闻笺》行世，而书法尤为时所传云。"（《鲒埼亭集》卷一七）杨锺羲《雪桥诗话》卷三："归安姚蕙田世钰私淑义门，尝述义门之言，以为厚斋不脱词科习气。全谢山曰：'义门不脱纸尾之学习气。'见谢山所为蕙田圹志铭。"《国朝诗别裁集》卷一九录其《金陵怀古》诗一首。《晚晴簃诗汇》卷五五录其诗五首。《国朝文汇》甲集卷四二录其《郭鲲溟先生诗集序》等文三篇。《清史稿》本传："门人著录者四百人，吴江沈彤、吴县陈景云为尤著。"

方苞充武英殿修书总裁。《方苞集》卷一八《两朝圣恩恭纪》："壬寅夏，臣苞随跸热河。六月中旬，命回京充武英殿总裁。"

夏

章藻功作《注释思绮堂文集凡例》。署"康熙再壬寅中伏日，息庐主人岂绩氏自识"。（《思绮堂文集》卷首）《思绮堂文集》十卷，章藻功自注，本年刊行。卷首有许汝霖、傅作楫序。傅序云："因索所为注《思绮堂集》读之，中有祖母高太孺人传，有尊大人遗集后序，不知李令伯《陈情表》、欧阳永叔《泷冈阡表》，千载后何以使人低徊于邑而不能已，则知章子捉笔时，是血是墨，早已泪落盈把矣。他若赠友赋物诸篇，率皆至性流露，好语动人，非泛泛铺叙、夸工斗丽之比。世尝谓散行排偶，两体判不相类，甚或左排偶而右散文，似不谙个中三昧者。试观章子是集，措词雅，对仗工，而其开合顿宕，起伏照应，盘旋空际，一气折行，何尝不可作韩、欧大家读耶？"

陶煊、张灿编《诗的》六十卷刊行。《诗的》卷首吴寅《跋》云："洎辛丑秋，闻已订成帙，将付雕氏。壬寅夏刻六十卷，署曰《诗的》。"法式善《陶庐杂录》卷三："《诗的》六十卷，长沙陶煊辑，同里张灿参订之。刻于康熙六十年。前有陈鹏年、孙勍、杜诏、程梦星、王棠、先著、周仪、许炳、费锡璜九序。满洲一卷，盛京二卷，直隶二卷，江南十七卷，江西二卷，浙江八卷，福建二卷，湖广十卷附《石溪诗》（陶煊著）一卷、《石渔诗》（张灿著）一卷，山东二卷，河南二卷，山西一卷，陕西二卷，四川一卷，广东一卷，广西一卷，贵州一卷，云南一卷。凡例所云颜以'的'者，固以张射者之鹄，亦以挽既颓之波。语涉矜夸，虽未必然，然仿《三百篇》遗意，兹称鸿裁。"

七月

蒋锡震以与上官不合归里。据储大文《蒋平川传》（《存砚楼文集》卷一三）。又，锡震所著《青溪诗偶存》十卷编年起康熙己巳讫本年。四库提要卷一八四：《青溪诗偶存》十卷，"国朝蒋锡震撰。锡震字岂潜，宜兴人。康熙己丑进士。是集分二十二种：曰《辍耕草》、《北征集》、《渡河集》、《赘疣集》、《北游草》、《楚游草》、《还山草》、《汗漫吟》、《北行草》、《归耕草》、《章江草》、《还山草》、《后北游草》、《涉江草》、《洛游草》、《灌园草》、《游燕草》、《庐中吟》、《后章江草》、《还山吟》、《金台草》、《学制集》。自己巳至壬寅，凡三十四年之作皆以年编次。"

九月

重阳日，周龙藻序宋至《纬萧草堂诗》。署"康熙壬寅重阳日，吴江周龙藻撰"。序云："《纬萧》一集，游览之诗长于闲适，宴会之诗长于和平，怀人之诗长于沈挚，咏物之诗长于清新。其他次韵联句，不拘一体，而字字由性情中来。"（《纬萧草堂诗》卷首）四库提要卷一八四：《纬萧草堂诗》六卷，"国朝宋至撰。至字山言，商丘人。吏部尚书荦之子。康熙癸未进士。官翰林院编修。初刻有《纬萧堂诗》一卷，附荦集后。此其全集也。至承其家学，兼得新城王士禛之传，故其诗派亦介出于父师之间。但才与学均未及耳。集中孔雀联句，父子同为之，盖用苏轼与子过联句例也。"

十月

沈德潜之湖州。游岘山、道场山、何山、弁山诸胜。据《沈归愚自订年谱》。

郑任钥序游绍安《江南怀古》诗。署"康熙壬寅阳月既望，郑任钥京口舟次拜题"。（《涵有堂稿》卷首）《江南怀古》为游绍安辛丑、壬寅年客江南所作。

蔡升元卒，年七十一。据朱彭寿《清代人物大事纪年》。《晚晴簃诗汇》卷四七录其诗七首。

十一月

圣祖卒，年六十九，在位六十一年。世宗即位，以明年为雍正元年。据蒋良骐《东华录》卷二四。四库全书收录《圣祖仁皇帝御制文集》一百七十六卷。《晚晴簃诗汇》卷一录圣祖诗二十八首。

十二月

张廷玉升授礼部尚书，充《圣祖仁皇帝实录》副总裁。据张廷玉《澄怀主人自订

167

年谱》卷一。

黄叔琳晋内阁学士兼礼部侍郎,寻迁刑部右侍郎。据顾镇《黄侍郎公年谱》。

查慎行《漫与集下》为去年正月至本月诗。见《敬业堂诗续集》卷二。

本年

郑燮作《七歌》诗。有云:"郑生三十无一营。"(《郑板桥全集·板桥集》)

吴霖起自赣榆教谕卸任,吴敬梓随父归里。吴敬梓《移家赋》云:"先君于壬寅年去官,次年辞世。"(《文木山房集》卷一)

鲍楹任宜兴知县。据《四库全书·江南通志》卷一〇七。楹编有《青溪先正诗集》无卷数,四库提要卷一九四著录:"楹字觉庭,余杭人。康熙丙子举人。官知县。是编采淳安之诗,合为一编。以淳安古青溪地,故以为名。凡唐一人,宋六人,元五人,明十人,国朝二人。其《总目》所列宋之方一夔,元之方道坚、夏溥、洪震老、徐贯,国朝之徐士诎等七人,《总目补遗》又有宋方有开等六人,元汪云等二人,明余溥等七人,皆有录无书。非完本也。"

礼部给事中秦道然以事落职。据黄永年《敕授儒林郎礼科给事中例赠资政大夫礼部右侍郎秦公墓志铭》(《南庄类稿》卷八)。

吕熊以著《女仙外史》触当事忌,约于本年由南昌还居苏州。据张慧剑《明清江苏文人年表》。

《御定分类字锦》六十四卷成书。据四库提要卷一三六。

厉鹗辑《秋林琴雅》四卷,徐逢吉、陈撰、吴焯、符曾、赵信题词。见《樊榭山房集外词》卷首、卷末。

李克敬序颜怀礼《带月草堂诗集》。四库提要卷一八四:《带月草堂诗集》一卷,"国朝颜怀礼撰。怀礼字约亭,曲阜人。袭世职为五经博士。好学,喜为诗。早年夭逝,故骨格未成。此集为其弟怀绎所编。前有康熙后壬寅峄县李克敬序,亦称天假以年,俾尽其勤,何遽不如镂肝嘶髓者之所为也。"

吴震生《地行仙》传奇约本年作。是剧凡二卷四十六出,以李常在、孔岂然二仙人由汉至唐数百年间之游踪,贯穿四十余则故事。据《古本戏曲剧目提要》。庄一拂《古典戏曲存目汇考》卷一一:《地行仙》,"《今乐考证》著录。乾隆间刊本。《考证》于吴可亭名下著录,注:'一名《后昙花》,署曰《玉勾词客十三种》之一。'盖即《太平乐府十三种》之一,'可亭'乃'可堂'之误。刊本《地行仙》末页,署'重来倒好喜子编,武林田翠舍梓行'字样。又有康熙刊本,见《浙江图书馆善本书目》。"

沈德潜刻诗稿成,刻古文稿起。据《沈归愚自订年谱》。

徐震客苏州,刻所著《赛花铃》十六回。据张慧剑《明清江苏文人年表》。

查嗣瑮《查浦诗钞》十二卷其伯兄慎行刊行。据《贩书偶记》卷一四。

符曾《赏雨茆屋小稿》一卷刊行。据《贩书偶记》卷一四。

吴泰来(1722—1788)生。泰来字企晋,号竹屿,长洲人。乾隆二十五年进士,用内阁中书。乞病归,筑遂初园于木渎。藏书多宋、元善本。毕沅延主关中及大梁书院，与洪亮吉辈往还唱和。著有《昙香阁琴趣》等。事迹见《清史列传》曹仁虎传附、《清史稿》曹仁虎传附。

王太岳（1722—1785）生。太岳字基平，号芥子，定兴人。乾隆六年举人，明年成进士。官至云南布政使、国子监司业。著有《清虚山房集》、《芥子先生集》。事迹见王昶《国子监司业王公行状》（《春融堂集》卷六三）、《清史列传》邵齐焘传附、《清史稿》邵齐焘传附。

王鸣盛（1722—1798）生。鸣盛字凤喈，号礼堂、西庄、西沚，嘉定人。少肄业苏州紫阳书院。乾隆十二年乡试中式。会试不第，客游苏州。乾隆十九年成进士，授编修。官至内阁学士兼礼部侍郎。左迁光禄寺卿。寻丁内艰归，遂不复出。著有《十七史商榷》一百卷、《蛾术编》一百卷、《西庄始存稿》三十九卷。事迹见钱大昕《西沚先生墓志铭》（《潜研堂文集》卷四八）、江藩《国朝汉学师承记》卷三、《清史列传》本传、《清史稿》本传。

张九镡（1722—1792 后）生。九镡字吾溪、竹南，号蓉湖，湘潭人。初由贡生任郴州训导。乾隆二十四年举人，官内阁中书。四十三年成进士，改庶吉士，授编修，年六十矣。晚年以子世浣知曲沃县，遂往居。著有《笙雅堂文集》四卷《诗集》十四卷。事迹见《国朝诗人征略》二编卷三九、《清史列传》张九钺传附。［按，江庆柏《清代人物生卒年表》谓其生于康熙六十年，此据张家枝《陶园年谱》］

秦朝釪（1722—1795）生。朝釪字大樽，号岵斋，晚号《蓉湖居士》，金匮人。乾隆十三年进士。以部郎外放，官至楚雄府知府。后主江汉书院、豫章书院。著有《岵斋诗文稿》、《消寒诗话》。事迹见《国朝耆献类征初编》卷二三六。［江庆柏《清代人物生卒年表》谓其生卒年为 1721—1794 年，此据蒋寅《清诗话考》下编二］

李荣陛（1722—1800）生。荣陛字奠基，号厚冈，万载人。乾隆二十八年进士。官湖南永兴知县，丁忧归。起官云南，先后代理云州、恩乐知县，任呈贡、嵋峨知县。尝主大理书院。著有《厚冈文集》二十卷、《诗集》四卷。事迹见《清史列传》龚元玠传附。

过春山（约 1722—1775 间）约本年生。春山字葆中，号湘云，吴县人。诸生。著有《湘云遗稿》四卷。事迹见《国朝诗别裁集》卷三〇、《湖海诗传》卷一二、《国朝诗人征略》初编卷二五。

陈厚耀卒，年七十五。据《疑年录汇编》卷一〇。江藩《国朝汉学师承记》卷七："学问淹通，从梅征君鼎受历算，遂通中西之术。"《晚晴簃诗汇》卷五七录其诗一首。

沈受宏卒，年七十八。据张慧剑《明清江苏文人年表》。［按，沈受宏，一作沈受弘］四库提要卷一八三：《白漊文集》四卷，"国朝沈受宏撰。受宏字台臣，太仓人。所居地名洗白漊，故以名集。《江南通志》载受宏《白漊集》十卷，而此本止四卷。核其目录亦无阙佚，殆后人汰削之本耶？"《国朝诗别裁集》卷二〇："白漊先生孝友诚悫，在名场五十年，终老不遇，而中心坦如，所养可知也。诗学亲承梅村祭酒指授，故吐辞渊雅，无志微噍杀之音。"录其《赠吴事衍》等诗十五首。《国朝文汇》甲集卷四九录其《西伯阴行善论》等文三篇。

陈学洙卒，年八十三。据江庆柏《清代人物生卒年表》。《国朝诗别裁集》卷一六：

"左原先生与弟右原为孪生兄弟，形体性情、学问志节无不相同，不止如双丁二到已也。诗品雅洁，并追唐人，尤悔庵太史谓陈氏兄弟，昔称二雄，今日二难，复见陈氏，其言洵然。"录其《君子行》等诗十六首。

郭元釪卒。据张慧剑《明清江苏文人年表》。《国朝诗别裁集》卷二五录其《答邵子湘》诗一首。《晚晴簃诗汇》卷六三录其诗三首。

释成鹫卒，年八十六。据杨殿珣《中国历代年谱总录（增订本）》。《国朝诗别裁集》卷三二："成鹫字迹删，广东番禺人。著有《咸陟堂诗集》。上人姓方氏，本名诸生，九谷先生弟也。中年削发，不解其故。然既为僧，所著述皆古歌诗杂文，无语录偈颂等项，本朝僧人鲜出其右者。拟之于古，其惟俨、秘演之俦欤?"录其《祝发呈本师》等诗九首。

公元 1723 年（雍正元年　癸卯）

正月

初五日，陈鹏年卒，年六十一。据曹一士《光禄大夫总督河道兵部右侍郎兼都察院右副都御史谥恪勤陈公神道碑（代）》（《四焉斋文集》卷七）。张伯行《皇清诰授通议大夫总督河道兵部右侍郎谥恪勤陈公墓志铭》："生平嗜读书，颠困疾苦，未尝释手。百家诸子，靡不窥究。而于诗尤笃好。自言年四十后，天机所发，自然成韵。视沈约之拘于八声、五病者，异矣。书法师颜鲁公，而草书特妙。"（《正谊堂文集》卷一二）郑任钥《河道总督恪勤陈公墓志铭》："作诗顿挫排荡，得之杜甫为多。尤善行草书。"（《国朝文汇》甲集卷四三）宋和《陈恪勤公传》："鹏年虽练吏治，醇于学术，故清而惠，严而恕，刚而不武健也。又长于诗，工翰墨，以文为政教，可谓得乎天之全者矣。"（《国朝文汇》甲集卷五五）四库提要卷一八四：《陈恪勤集》三十九卷，"是集凡分十编：曰《耦耕集》者，以舍北耦耕堂而名也；《水东集》者，以其先人陇墓所在也；《蒿庐集》者，忧居前后所作也；《浮石集》、《胸山集》、《淮海集》者，皆宦游地也；《于山集》、《香山集》、《武夷集》者，皆往来游息处也。末附《喝月词》五卷，则诗余也。"又：《道荣堂文集》六卷，"此本为鹏年所自编，刻于《恪勤集》之前。其生平以清操受主知，诗文非所注意。集中亦皆应酬之作，更不见所长。"查为仁《莲坡诗话》："陈恪勤公鹏年文章事业为一代伟人，诗更洒落。有绝句云：'隔帘幽韵上焦桐，一曲湘灵奏未终。略记年时春雨夜，海南新试小薰笼。'清华秀赡，未尝不夺风雅之帜也。"《国朝诗别裁集》卷一七录其《述愤次李峐峒韵》等诗十首。《晚晴簃诗汇》卷四九录其诗十八首。《国朝文汇》甲集卷三七录其《文庙礼乐备考序》、《宋宗忠简公全集序》文两篇。

二十四日，陆燿（1723—1785）生。燿字朗夫、朗甫，号青来，吴江人。乾隆十七年举人。官至湖南巡抚。著有《切问斋集》十六卷。事迹见袁枚《湖南巡抚陆公神道碑》（《小仓山房续文集》卷三一）、冯浩《湖南巡抚陆君燿墓志铭》、张士元《书陆中丞遗事》（《碑传集》卷七三）、《清史列传》本传、《清史稿》本传。［按，生日据朱彭寿《清代人物大事纪年》］

朱轼、张廷玉、徐元梦、嵇曾筠入直南书房。据张廷玉《澄怀主人自订年谱》卷二。

史震林读书洮河之北。据史震林《西青散记》卷一。

春

恩科乡试。是科各省考官有朱轼、张廷玉、黄叔琳、邓钟岳、何世璂、任兰枝、吕谦恒、张廷璐、嵇曾筠、查嗣庭、程元章、王思训、鄂尔泰等。据法式善《清秘述闻》卷五。所取举人有王峻（《清秘述闻》卷五）、郑方城（刘绍攽《郑先生方城传》）、金甡（朱珪《上书房行走礼部左侍郎加二级金公墓志铭》）、金志章（四库提要一八五）、徐文靖（福格《听雨丛谈》卷四）、韩海（吴应逑《七先生传·韩海》）、雷鋐（彭启丰《通奉大夫都察院左副都御史加二级雷公墓志铭》）、彭肇洙（《四库全书·四川通志》卷三六）等。黄叔琳典试江南，得人尤盛。钱大昕《黄昆圃先生文集序》："雍正癸卯典江南乡试，得士百二十九人，儒林、文苑名臣多出其中。若潘敏惠思榘、胡恪靖宝瑔、陈司业祖范、任宗丞启运、张詹事鹏翀、徐检讨文靖，其尤著者。论者以为江左设科以来，罕有其匹。"（《潜研堂文集》卷二六）曹庭枢中副榜贡生。据四库提要卷一八五。

黄叔琳调吏部右侍郎。据顾镇《黄侍郎公年谱》。

沈彤授经南阳太守何公官廨，因得游丰山。据《果堂集》卷九《游丰山记》。

四月

沈德潜乡试毕，游金陵。据《沈归愚自订年谱》。

云水道人序烟霞散人《巧联珠》十五回。署"癸卯槐夏西湖云水道人题"。序云："烟霞散人博涉史传，偶于披览之余，撷逸搜奇，敷以青藻，命曰《巧联珠》。其事不出乎闺房儿女，而世路险巇，人事艰楚，大略备此。予取而读之，跃然曰：'此非所谓发乎情，止乎礼义者与？'亟授之梓。不知者以为涂讴巷歌，知者以为跻之风雅勿愧也。"（《斩鬼传》附录）或谓云水道人、烟霞散人实为一人，即刘璋。

五月

初三日，杜诏、沈树本、沈德潜、徐夔、朱奕恂、张晼、陆苍培、方还、方朝、王藻、汪沈琇等集虎丘澹香楼。杨锺羲《雪桥诗话续集》卷四："杜云川告养归里，为诗坛盟主。雍正癸卯五月三日，集虎丘澹香楼，而吴兴沈艊翁适至，于是长洲沈确士、彭翰文、程筠轩、徐龙友、朱恭季、丁垣升、张荪九、韩祖艺、程南溟、陆学起、陆云仲、陆峨鸿、何子未、王越南、夏葭湄、金次山、金象岩、胡昆麓；番禺方冥朔、方东华；常熟汪西京；吴江李酬芸、王载扬；归安沈葆之；慈溪沈景韩、沈左泉；钱塘张继青；无锡华子山、邵移山、华纪常、魏甸才、吴商霖、杜石渠、顾游园；开士松泉，一时并集，各赋五言近体二首。而无锡马碧沧不及赴，因约友访云川于虎丘，亦赋二律。其明年，金次山校订付梓，曰《澹香新咏》。"

钦命乡、会试仍以《孝经》命题。据《清史稿》卷一〇八《选举志三》。

郭雍卒。据郑方坤《约园诗钞小传》（《国朝名家诗钞小传》卷四）。《晚晴簃诗汇》卷五九录其诗二首。

六月

二十九日，邓梦琴（1723—1809）生。梦琴字虞挥，号簀山、槑亭，浮梁人。乾隆十七年进士。历官綦江知县、江津知县、商州知州、汉中知府等。著有《槑亭文稿》十六卷、《诗稿》八卷。事迹见恽敬《汉中府知府护汉兴道邓公墓志铭》（《大云山房文稿二集》卷四）、董诏《邓先生梦琴墓志铭》（《碑传集》卷一〇八）、《清史列传》本传。

黄叔琳进吏部左侍郎。据顾镇《黄侍郎公年谱》。

王鸿绪进呈《明史稿》三一〇卷。据张伯行《皇清诰授光禄大夫经筵讲官户部尚书加七级王公墓志铭》（《正谊堂续集》卷七）。

鲍鉁杜门追忆平生游历，随笔记载，题曰《雪泥鸿爪录》，凡四卷。据杨锺羲《雪桥诗话续集》卷四。是书雍正十三年刊行。据《中国丛书综录》。

七月

十一日，林明伦（1723—1757）生。明伦字穆庵，广东始兴人。乾隆十二年举人，十三年进士。改翰林院庶吉士，十七年散馆授编修。十九年授衢州太守，二十一年以事去官。著有诗集一卷、文集二卷、《学庸通解》二卷、《读书迩言》一卷。事迹见朱筠《衢州府知府穆庵林君行状》（《笥河文集》卷九）、朱珪《衢州府知府林君墓志铭》（《知足斋文集》卷三）、《清史列传》本传。

二十五日，张廷玉充纂修《明史》总裁官。据张廷玉《澄怀主人自订年谱》卷二。

姚培谦批选唐宋八家文成。据姚培谦《周甲录》。

《聊斋志异》济南朱氏殿春亭钞本成。此本系据原稿本抄录，已佚。乾隆十六年铸雪斋钞本据此本过录，存有殿春亭主人识语、南邨题跋。殿春亭主人识云："余家旧有蒲聊斋先生《志异》钞本，亦不知其何从得。后为人借去传看，竟失所在。每一念及，辄作数日恶；然亦付之阿閦佛国而已。一日，偶语张仲明世兄。仲明与蒲俱淄人，亲串朋好，稳相浃，遂许为乞原本借钞，当不吝。岁壬寅冬，仲明自淄携稿来，累累巨册，视向所失去数当倍。披之耳目益扩。乃出资觅佣书者亟录之，前后凡十阅月更一岁首，始告竣。中间雠校编次，晷穷暑继，挥汗握冰，不少释。此情虽痴，不大劳顿耶！书成记此，聊存颠末，并识向来苦辛。倘好事家有欲攫吾米袖石而不得者，可无怪我书悭矣。雍正癸卯秋七月望后二日，殿春亭主人识。"南邨跋云："余读《聊斋志异》竟，不禁推案而起，浩然而叹曰：'嗟乎！文人之不可穷有如是乎！'聊斋少负艳才，牢落名场无所遇，胸填气结，不得已为是书。今观其寓意之言，十固八九，何其悲以深也！向使聊斋早脱构去，奋笔石渠、天禄间，为一代史局大作手，岂暇作此郁郁语，托街谈巷议，以自写其胸中磊块诙奇哉！文士失职而志不平，毋亦当事者之责

也。后有读者，苟具心眼，当与予同慨矣。雍正癸卯秋七月，南邨题跋。"（《铸雪斋钞本聊斋志异》附录）

八月

十五日，王鸿绪卒，年七十九。据张伯行《皇清诰授光禄大夫经筵讲官户部尚书加七级王公墓志铭》（《正谊堂续集》卷七）。《国朝诗别裁集》卷一〇录其《归来》等诗七首，谓"不及见全稿，所录皆未贵显时作"。《晚晴簃诗汇》卷三七录其诗九首。《贩书偶记》卷一四："《横云山人集》二十七卷附《飏言集》五卷，云间王鸿绪撰。康熙间精刊。"

十八日，门人王兆符为方苞叙次文集。署"雍正癸卯秋八月望后三日，门人王兆符撰"。（《方苞集》附录）

张廷玉兼管翰林院掌院学士事。据张廷玉《澄怀主人自订年谱》卷二。

九月

初七日，张廷玉特授户部尚书。据张廷玉《澄怀主人自订年谱》卷二。

二十八日，梁同书（1723—1815）生。同书字元颖，晚号山舟，钱塘人，诗正子。乾隆十七年会试未第，特赐与殿试。成进士，改庶吉士，散馆授编修。官侍讲。所著多散佚，子玉绳为辑《频罗庵遗集》十六卷。事迹见许宗彦《学士梁公家传》（《鉴止水斋集》卷一七）、《清史列传》本传、《清史稿》本传。

黄之隽提督福建学政，明年正月到任。据黄之隽《冬录》（《𪑛堂集》附录）。

秋

恩科会试。考官：吏部尚书朱轼、礼部尚书张廷玉。题"道之以德"一节，"斋庄中正"二句，"若禹皋陶"一句。据法式善《清秘述闻》卷五。

陈祖范礼部中式，以足蹇未与殿试，遂归。据陈祖范《自序》（《司业文集》卷四）。

王懋竑授编修。钱大昕《王先生懋竑传》："雍正元年秋，以荐被召引见，特授翰林院编修，在上书房行走。时同直者，满洲福公敏、徐公元梦、高安朱公轼、漳浦蔡公世远，皆负一时重望，而先生尤邃于经术。"（《潜研堂文集》卷三八）。

九容楼主人松云氏《英云梦传》八卷十六则已成。聚锦堂刊本卷首弁言："癸卯之秋，予自函谷东归，逗留石梁之铜山，与松云晨夕连床，论今酌古，浑忘客途寂寞。一日，捡渠案头，见有抄录一帙，题曰《英云梦传》，随坐阅之。阅未半，不禁目眩心惊，拍案叫绝。"末署"岁在昭阳单阏良月，同里扫花头陀剩斋氏拜题"。又有嘉庆十年金阊书业堂刊本、道光元年绿荫堂重刊本。据《中国古代小说总目》白话卷。

十月

二十一日，梁国治（1723—1787）生。国治字阶平，号瑶峰、丰山，会稽人。乾隆十三年状元，授修撰。官至东阁大学士、户部尚书。谥文定。著有《敬思堂集》。事迹见其自订、子承纶等补订《皇清诰授光禄大夫太子少傅晋赠太子太保经筵讲官南书房供奉军机大臣东阁大学士兼户部尚书赐谥文定显考丰山府君自订年谱》、朱珪《太子少傅经筵讲官东阁大学士兼户部尚书赠太子太保谥文定梁公墓志铭》（《知足斋文集》卷四）、《清史列传》本传、《清史稿》本传。

张廷玉充《四朝国史》总裁官。据张廷玉《澄怀主人自订年谱》卷二。

十一月

初一日，世宗御太和殿，传胪。赐一甲于振、戴瀚、杨炳进士及第，二甲潘果、帅念祖、尹继祖、游绍安、徐以升等进士出身，三甲周琬（即魏周琬）、范咸、纪遂宜、叶涟（即钦涟）、陈弘谋（即陈宏谋）、郑方坤、柯煜、蒋汾功、王步青、戴有禧（即严有禧）、王又朴等同进士出身。据《历科进士题名录》、《清通鉴》。［按，柯煜康熙辛丑科已登第，以磨勘黜落。至此复成进士。据《国朝诗人征略》初编卷二四引《词科掌录》］

魏周琬成进士。周琬字旭棠，兴化人。《中国丛书综录》："《充射堂集》，（清）魏周琬撰。清康熙中刊本。《充射堂诗集》四卷、《二集》一卷、《三集》二卷、《四集》一卷、《五集》一卷，《充射堂文钞》一卷，《充射堂大易余论》一卷，《充射堂春秋余论》一卷。"《晚晴簃诗汇》卷五三录其诗七首。

二十日，唐孙华卒，年九十。据王时翔《吾师唐吏部东江先生事略》（《小山文稿》卷五）。《国朝诗别裁集》卷一六："东江勤于学殖，不重绂冕。归田后，与二三老友登临宴饮，有香山洛下之风，至九十余乃辞世。生平故天爵自尊者也。论诗谓诗必有为作，每与史事相表里，故其诗不趋高超，专崇质实，皆其言有物者。咏《门神诗》偶然戏笔，而外间传诵，和者纷纷，毋乃探骊龙而专取鳞爪耶！"录其《述古》等诗十首。《晚晴簃诗汇》卷四九录其诗二首。《国朝文汇》甲集卷三六录其《陆先生父子传》等文四篇。

十二月

初四日，王兆符卒，年四十三。据蒋衡《王兆符行状》（《碑传集》卷一四〇）。

二十四日，戴震（1724—1777）生。震字东原，号慎修，休宁人。乾隆二十七年，举乡试。三十八年，充四库全书馆纂修官。四十年，特赐同进士出身，改庶吉士。四十二年，卒于官。著作总名《戴氏遗书》，凡《孟子字义疏证》三卷等三十余种。事迹见洪榜《戴先生行状》（《碑传集》卷五〇）、王昶《戴东原先生墓志铭》（《春融堂集》卷五五）、钱大昕《戴先生震传》（《潜研堂文集》卷三九）、余廷灿《存吾文稿·戴东原事略》、凌廷堪《戴东原先生事略状》（《校礼堂文集》卷三五）、段玉裁《戴东原先生年谱》、江藩《国朝汉学师承记》卷五、《清史列传》本传、《清史稿》本传。

陆奎勋散馆授检讨，旋入明史馆修书。据《藜余草》小序（《陆堂诗集》卷一五）。

赵执信为六子婚事赴南京，明年元宵节返苏州。据《因园集》卷一一《回帆集·将之江宁与南村联舟暮发（暮冬十二日）》、《晓过惠山口号示儿庆（此行将为之婚)》、《上元前夕却归寓舍》等。

厉鹗同沈嘉辙、杭世骏集赵昱二林吟屋，分咏岁除节物。又同沈嘉辙、吴耕民游艮山，读元大德土神庙碑。诗见《樊榭山房集》卷三。

本年

商盘拔贡。蒋士铨《宝意先生传》："雍正元年设特科，公年才二十有三。山左何公世璂视学浙江，拔公贡成均。"（《忠雅堂文集》卷三）〔按，商盘《质园诗集》卷首何世璂序云："雍正甲辰春，余选拔两浙诸生贡于太学，商子苍雨年最少。"〕

应是举孝廉方正，时年八十六岁，以老病辞。据纪大奎《宜黄应升传略》附（《双桂堂稿续编》卷一〇）。

陈祖范于所居东皋草堂与王材任、汪沈琇、王应奎、侯铨、张鹏翀、张揆方等集会。据张慧剑《明清江苏文人年表》。

方苞赦归原籍。苏惇元《方望溪先生年谱》："以世宗嗣位，覃恩赦归原籍。见本传。先是《滇游纪闻》案，先生近支族人皆隶汉军，至是肆赦。上曰：'朕以方苞故，赦其合族，苞功德不细。'先生闻命，惊怖感泣，涕泗交颐。"

方贞观奉旨由旗籍复归江南。据《国朝诗别裁集》卷二八。

方苞与朱轼定交。据《方苞集集外文》卷六《叙交》。

徐兰在年羹尧青海军中，作《蒙古象棋》等八歌。据张慧剑《明清江苏文人年表》。

徐昂发为世宗所恶，削职发军前效力。据张慧剑《明清江苏文人年表》。

顾成天赴京会试，作《燕京赋》一卷并自注。据四库提要卷一八五。

顾于观赴山东常建极幕。郑燮作《贺新郎·送顾万峰之山东常使君幕》赠之。见《郑板桥全集·板桥集》。

全祖望登天一阁借书，时年十九岁。董秉纯《全谢山先生年谱》："先生尝再登天一阁借书，当始于是时。又，杨诚斋《易传》抄之天赐园谢氏，《草庐春秋纂言》抄之云在楼陈氏，皆在是年，皆通志堂未刻之本，世所希有者。"

方世举尝以方孝标书案牵连，远戍塞外。至本年放归田里。据萧穆《方息翁先生传》（《碑传集补》卷四五）。

裘琏三月至杭，秋馆阊门竹影庵。据裘姚崇《慈溪裘蔗村太史年谱》。

黄慎至扬州。《扬州八怪诗文集·蛟湖诗钞》卷首马荣祖序："宁化黄山人慎，以绘事擅场。雍正元年来扬，持缣素造门者无虚日。"

查嗣庭由编修升学士兼礼部侍郎。据陈敬璋《查他山先生年谱》。

蓝鼎元以选拔入京师，分修《一统志》。据《清史稿》本传。

顾陈垿出使山东、浙江，还督通州仓。据《清史稿》本传。

唐英授内务府员外郎。据郭葆昌《唐俊公先生陶务纪年表》。

孙勷补授通政使司右参议。据宋弼《朝议大夫通政使司右参议莪山孙公遗事》（《鹤侣斋诗》附录）。

王澍官吏部员外郎。据王步青《吏部员外郎族侄虚舟墓志铭》（《己山先生文集》卷八）。

王沛恂官兵部主事。据李绂《匡山文集序》（《匡山集》卷首）。

惠士奇留任广东学政。钱大昕《惠先生士奇传》："世宗御极，复命留任三年。粤士皆凫踊雀跃，争弃兔园册，专事经籍。而通经者愈多，其为文章郁郁莘莘，比于江浙矣。""在任迁右春坊右中允，超擢侍讲学士，转侍读学士。"（《潜研堂文集》卷三八）

朱绛任广东提刑按察司按察使。据《四库全书·广东通志》卷二九。

芮复传擢温州知府。据朱筠《浙江提刑按察使司副使分巡温处道芮君墓碣铭》（《笥河文集》卷一二）。

刘璋官深泽知县。王植《深泽尹二刘合传》："刘璋，山右阳曲人也。中康熙丙子举人，历二十有八年，始授深泽令，年耳顺矣。"（《崇德堂稿》卷四）

陈梦雷此际复缘事谪戍。陈寿祺《陈编修梦雷传》："雍正初，复缘事谪戍。卒于戍所，子孙遂家辽阳。"（《碑传集》卷四四）

孙景烈入县学为诸生，时年十八岁。据张洲《征仕郎翰林院检讨孙先生景烈行状》（《碑传集》卷四八）。

吴敬梓父霖起卒，家族财产纠纷事发。敬梓时年二十三岁。吴敬梓《移家赋》："兄弟参商，宗族诟谇。"（《文木山房集》卷一）

查慎行本年至雍正四年十月诗为《余生集》。据陈敬璋《查他山先生年谱》。

厉鹗等辑《南宋杂事诗》。据张慧剑《明清江苏文人年表》。四库提要卷一九〇：《南宋杂事诗》七卷，"国朝沈嘉辙、吴焯、陈芝光、符曾、赵昱、厉鹗、赵信等同撰。鹗有《辽史拾遗》，已著录。嘉辙字栾城，焯字尺凫，曾字幼鲁，皆钱塘人。芝光字蔚九，昱字功千，信字意林，皆仁和人。七人之中，惟曾以荐举，官至户部郎中；鹗以康熙庚子举于乡，余皆终于诸生。是书以其乡为南宋故都，故捃摭轶闻，每人各为诗百首，而以所引典故注于每首之下。意主纪事，不在修词，故警句颇多，而牵缀填砌之处亦复不少。然采据浩博，所引书几及千种。一字一句，悉有根柢。萃说部之菁华，采词家之腴润。一代故实，巨细兼该，颇为有资于考证。盖不徒以文章论矣。"法式善《梧门诗话》卷一〇："近人《南宋杂事诗》征引甚博，议者病其似作论，不似歌诗。"

蔡世远应召入京，与同仁修订在闽家居时所选古文。后刊为《古文雅正》。自序云："雍正元年，蒙恩特召入京，与同志李君立侯、张君季长参论考订，又是正之高安朱可亭先生。迨季长作令长洲，取以授梓。"（《古文雅正》卷首）四库提要卷一九〇：《古文雅正》十四卷，"是集选录自汉至元之文凡二百三十六篇。前有自序曰：名之曰'雅正'者，其辞雅，其理正也。案《诗·大雅》、《小雅》及《尔雅》，古注疏皆训为正。然《史记·五帝本纪》称：'百家言黄帝，其文不雅驯。'《司马相如传》称：'从车骑雍容，娴雅甚都。'顾野王《玉篇》亦曰：'雅，仪也；娴，雅也。'是自汉以来，雅正已分两训，世远盖用此义也。考总集之传，惟《文选》盛行于历代。残膏剩馥，沾溉无穷。然潘勖九锡之文，阮籍劝进之笺，名教有乖，而简牍并列。君子恒讥焉，是雅而不正也。至真德秀《文章正宗》，金履祥《濂洛风雅》，其持论一准于理，而藏弆之家，但充插架。固无人起而攻之，亦无人嗜而习之，岂非正而未雅欤？夫乐本于至和，然五音六律之不具，不能呕哑吟唱以为和。礼本于至敬，然九章五采之不备，不能袒裼跪拜以为敬也。文质相辅，何以异兹？世远是集，以理为根柢，而体杂语录者不登；以词为羽翼，而语伤浮艳者不录。刘勰所谓'扶质立干，垂条结繁'者，殆庶几焉。数十年传诵艺林，不虚也。或疑姚铉删《文苑英华》为《唐文粹》，骈体皆所不收。而此集有李谔《论文体书》、张说《宋公遗爱碑颂》诸篇，似乎稍滥。不知散体之变骈体，犹古诗之变律诗。但当论其词义之是非，不必论其格律之今古。杜甫一集，近体强半，论者不谓其格卑于古体也。独于文则古文、四六判若鸿沟，是亦不充其类矣。兼收俪偶，正世远深明文章正变之故，又何足为是集累乎？"

林之蒨《偶存草堂诗集》六卷刊行。 据《贩书偶记续编》附录。四库提要卷一八五：《偶存草堂集》六卷，"国朝林之蒨撰。之蒨字素园。杨梦琬序称其产于鲁，客于楚。其自署曰孝感，盖寓籍也。其取法在中唐、南宋之间，而学力则未逮焉。"又，林之蒨后续其集至十三卷，雍正十一年居易斋刊行。据《贩书偶记续编》卷一五。《晚晴簃诗汇》卷六二录其诗三首。［按，林之蒨，一作林蒨］

杨垕（1723—1754）生。垕字子载，号耻夫，南昌人。诗名与汪轫相埒，蒋士铨甚推服之。著有《耻夫诗钞》二卷。事迹见《清史列传》蒋士铨传附、《清史稿》蒋士铨传附。

卢镐（1723—1785）生。镐字配京，号月船，鄞县人。乾隆十八年举人，官平阳教谕。著有《月船居士诗稿》四卷。事迹见《湖海诗传》卷一五。

李光坡卒，年七十三。 据朱彭寿《清代人物大事纪年》。所著《周礼述注》二十四卷、《仪礼述注》十七卷、《礼记述注》二十八卷，四库全书收录。《皋轩文编》十卷雍正三年清白堂刊行。据《贩书偶记续编》卷一五。四库提要卷一八二：《皋轩文编》一卷，"是集凡文二十篇，皆发挥性理、阐明经义之作。其论学主程、朱，论礼主郑氏，论《易》则宗邵子而兼取扬雄《太玄》，以为僭经虽有罪，而存《易》则有功。然必以太极、先天二图为不出自陈抟，则未免回护之见。晁以道作《李之才传》，序述源流，至为明白。同时之人当非无据，非朱震一人之私言也。"《清史稿》本传："论学主程、朱，论《易》主邵子，兼取扬雄《太玄》，发明性理，以阐大义。壮岁专意《三礼》，以《三礼》之学至宋而微，至明几绝，《仪礼》尤世所罕习，积四十年，成《三礼述注》六十九卷，以郑康成为主，疏解简明，不蹈支离，亦不侈奥博，自成一家言。其兄光地尝著《周官笔记》一篇，光地子钟伦亦著《周礼训纂》二十一卷，皆标举要旨，弗以考证辨论为长，与光坡相近，其家学如是也。"《国朝文汇》甲集卷五三录其《重修李忠定公祠碑记》等文四篇。

嘉定张大受卒，年六十四。 据朱彭寿《清代人物大事纪年》。《匠门书屋文集》三十卷（含诗十卷、诗余一卷）雍正七年顾诒禄刊行。郑方坤《张学政大受小传》："匠门生有异才，又好学特甚，于经史百家之言，无不贯弗。最为汪钝翁、韩慕庐、朱竹垞三先生所赏识。其《秋夜书怀》诗云：'尧峰许领东南俊，吏部容先弟子行。更感白头朱检讨，苦将尘剑拭光芒。'俯仰情深，如侯喜之所云死不恨也。""有集三十卷行世。各体皆工，而有韵之言尤推绝唱。真所谓翰以风骨，润以丹青，而谐以金石者。盖自三百年来以经义取士，老生宿儒卒疲神埋照于其中，其于风雅一途，未遑染指。以余所见，如望溪、庸东诸君子，皆不能诗。即前明之震川、鹿门诸老，间一为之，亦蹇辖不成家数。匠门科举之文瓣香寒碧，久已衣被士林，而其诗复精诣若此。是知学究一科，果不足以牢笼大雅，有志之士，慎勿拘墟自守也夫。"（《碑传集》卷四七）杨际昌《国朝诗话》卷一："《江左十五子诗》，商丘开府时所选也。分道扬镳，一时竞爽。匠门张太史大受笔力稍弱，七言绝句，丰致绝秀。《清流关咏古》其一云：'树障重云鸟跕山，中原旗帜望空还。风流后主耽歌舞，不闭南朝第一关。'其二云：'半叠《霓裳》舞未休，宋师不觉到清流。可怜百战南唐将，莫为宫中大小周。'其三云：'玉笙吹彻小楼寒，谁念东南战血干。梦断故宫涧夜合，西风飞角过磨盘。'其四云：'一鼓关前晖凤搇，降王片纸出澄心。东流只有春江水，每念家山泪不禁。'曩义门何太史焯尝称匠门时艺'良质美手，英英鲜润'，诗讵不然耶？"沈德潜等《国朝诗别裁集》卷二二："先生未第进士时，即已陶成士类。既入馆选，汲引尤众。后有负之者，弗与校，且若不知也。吴中宏奖风流，断推匠门。今没世已久，过其故居者，犹想望余风焉。骈语、韵语皆清新独出，披其集如遇其人。"录其《鲁肃庙》等诗十一首。杨锺羲《雪桥诗话》卷三："'鸟背岚光过夕汀，碎萍鱼唼水花腥。青山一角湖三面，记是菱塘乙未亭。'张日容绝句也。日容居吴郡之干将门，干将门又名匠门，遂以自号。诗文温雅，为钝翁、慕庐、竹垞三先生所赏识。"《国朝文汇》甲集卷四四录其《株溪先生传》、《郐阳康君墓表》文两篇。

管楒卒，年六十二。据邓之诚《清诗纪事初编》卷四。《国朝诗别裁集》卷二〇录其《匡庐歌》、《蛮中作》诗二首。《晚晴簃诗汇》卷五〇录其诗十二首。

汪士铉卒，年六十六。据沈彤《右春坊右中允汪先生行状》（《果堂集》卷一一）。《行状》云："其为文喜谈吏事，有所见辄反复论议，晓告当事，冀得用其言而泽及于民。"《国朝诗别裁集》卷一八录其《陈沧州太守出瘗鹤铭于江中以拓本见示作歌记之》、《插秧图》诗二首。《晚晴簃诗汇》卷五四录其诗一首。《国朝文汇》甲集卷四〇录其《史蕉饮先生过江集序》等文六篇。《贩书偶记》卷一四："《栗亭诗集》六卷，阮溪汪士铉撰。无刻书年月，约康熙间刊。"卷一五："《秋泉居士集》十七卷，长洲汪士铉撰。乾隆十三年刊。"

张远卒，年七十六。据江庆柏《清代人物生卒年表》。四库提要卷一八三：《超然诗集》八卷，"国朝张远撰。远字超然，侯官人。康熙己卯举人。官禄丰县知县。与萧山张远同姓名，而其生稍后。是集诸诗多近元白长庆体，在晋安诗派之中，自为别调。杭世骏《榕城诗话》曰：张远领康熙己卯乡荐第一，游京师，与竹垞、初白诸人倡和甚富，有集梓行。初尝挟策游四方，未有所遇。登滕王阁题诗，一达官嗟赏，为之延誉，诗名遂振。其《咏松涛》有'月明何处雨，风定数声钟'，亦佳句也。"《国朝诗别裁集》卷一八："超然旅寓常熟，久困举场。发解时，其年已老，以老名士终，贤于方干身后成名矣。诗格大段疏朗，异于局束如辕下驹者。"录其《下建溪诸滩》等诗九首。杨锺羲《雪桥诗话续集》卷三："沈子大谓其诗文在屈翁山、魏叔子伯仲间。"

《清史列传》林麟焻传附："远尝谓闽越自林子羽以平澹之诗鸣，严沧浪、高廷礼先后倡为盛、中、晚之说，习以成风。逮《晋安风雅》书出，后之作者，袭其肤浅浮泛之词，以步趋唐人余响，遂以不振。"《国朝文汇》甲集卷四〇录其文六篇。

陆震约本年卒，年五十三。据严迪昌《清词史》第三编第二章。刘熙载等《重修兴化县志》卷八《人物志·文苑（国朝）》："震澹于名利，厌制艺，攻古文辞及行草书。""诗工截句，诗余妙绝等伦，郑燮从之学词焉。所填甚夥，身后无子，稿半佚，同里刘宗霈搜罗荟萃，属休宁程某锓版行世。"（《郑板桥全集》附录）

徐文驹约本年卒。据《中国文学家大辞典》清代卷。《国朝文汇》甲集卷四五录其《盛云涛诗序》等文六篇。

公元 1724 年（雍正二年　甲辰）

正月

初一日，邵齐熊（1724—1800）生。齐熊初名炳，字方虎，号耐亭，晚号松阿，常熟人。乾隆十二年举人。三试礼部不第。十九年御试，入选内阁中书。著有《隐几山房稿》十六卷、《礼记考义》十六卷、《隐几山房七录》若干卷。事迹见钱大昕《内阁中书舍人邵君松阿墓志铭》（《潜研堂文集》卷四四）。〔按，生日据朱彭寿《清代人物大事纪年》〕

帅念祖去年成进士，本拣发湖广，以知县用。本月引见，改庶吉士。据《南昌府志》、《奉新县志》本传（《树人堂诗》卷首）、《树人堂诗》卷四《甲辰正月二十二日乾清宫门御试》。

二月

十七日，厉鹗重游洞霄宫，探大涤洞天。诗见《樊榭山房集》卷三。

刊刻《圣谕广训》，颁布天下。据蔡冠洛《清代七百名人传》附录《清代大事年表》。

黄叔琳巡抚浙江。据顾镇《黄侍郎公年谱》。

方苞请假归葬，明年三月还京。据苏惇元《方望溪先生年谱》。《方苞集》卷一二《黄际飞墓表》："雍正二年，余得请归葬。际飞为余行营风雪中，并日夜而不为疲。间语余曰：'吾与子皆老矣！念此生幸不为海内士君子所遐弃，而无恨于吾身，惟子直谅之功，兹所以报也。'"又，是时法海督学江南，时以所为诗示方苞。据《方苞集》卷一二《兵部尚书法公墓表》。

杜诏序姚培谦《自知集》。署"雍正甲辰仲春，锡山同学弟杜诏"。（《松桂读书堂集》诗卷首）是书刻于本年。据四库提要卷一八五。

三月

沈德潜馆王鹤书家。据《沈归愚自订年谱》。

查慎行《周易玩辞集解》十卷成书。是书凡五易稿而后成。据陈敬璋《查他山先生年谱》。

春

乡试（补癸卯正科）。是科各省考官有田从典、吴士玉、孙嘉淦、张照、于振、沈近思、巩建丰、王国栋、李钟峨、王恕、曹源邵等。据法式善《清秘述闻》卷五。所取举人有杭世骏（四库提要卷一九七）、陈兆崙（陈玉绳《陈句山先生年谱》）、李继圣（张庚《振南别传》）等。沈德潜报罢。据《沈归愚自订年谱》。

王懋竑以母忧去官。据钱大昕《王先生懋竑传》（《潜研堂文集》卷三八）。

四月

禁八旗官员邀游歌场戏馆。据《大清世宗宪皇帝实录》卷一八。

赵执信自苏州北返，经扬州，逗留凡五月，年底归里。据《因园集》卷一一《回帆集·归舟》、《端午抵扬州，假寓于使院之前醝贾之馆，颇宽洁，有竹数十竿》等诗。从此退居因园至终老。又，仲是保亦随行。据仲是保《翰村诗稿》卷末赵念跋。

五月

初五日，汪景祺自序《读书堂西征随笔》。序云："自邢州取道晋阳、河东，入潼关，至雍州，凡路之所经，身之所遇，心之所记，口之所谈，咸笔之于书。其有不可存者悉毁弃之，名之曰《西征随笔》。意见偏颇，则性之所近而然也；议论悖戾，则心之所激而成也。其或情牵脂粉，语涉狭斜，犹是香奁本色。知我罪我，听之而已。雍正二年五月五日，钱塘汪景祺星堂书于开元寺僧舍。"（《读书堂西征随笔》卷首）

张廷玉充《大清会典》总裁官。据张廷玉《澄怀主人自订年谱》卷二。

张云章序曹炳曾《放言居诗集》。署"雍正甲辰夏五月，嘉定同学弟朴村张云章书"。（《放言居诗集》卷首）《放言居诗集》此后又有续稿。

六月

十五日，纪昀（1724—1805）生。昀字晓岚、春帆，号石云、观弈道人、孤石老人，献县人。乾隆十九年进士，改庶吉士，散馆授编修。历官福建学政、侍读学士、四库全书总纂官、兵部侍郎、礼部尚书、协办大学士。谥文达。所著诗文及《阅微草堂笔记》等，今人辑为《纪晓岚文集》。事迹见朱珪《经筵讲官太子少保协办大学士礼部尚书管国子监事谥文达纪公墓志铭》（《知足斋文集》卷五）、江藩《国朝汉学师承记》卷六、《清史列传》本传、《清史稿》本传。

厉鹗北游，冬杪南归。据《樊榭山房集》卷一〇《念奴娇·甲辰六月八日，予将北游，东扶、圣几钱予湖上。泊舟柳影荷香中，日落而归，殊觉黄尘席帽难为怀抱矣。因用白石道人韵，歌以志别》、《定风波·甲辰冬杪南归，过邗城，被江见留，酒间款语忘暮，月黑江寒，行五六里送至舟中而别。到家旬余，被江书来，作此寄之》。

七月

沈德潜馆温而逊家。据《沈归愚自订年谱》。

八月

黄叔琳以被控收淮南赃等事，解巡抚任。十月，赴扬州听勘。据顾镇《黄侍郎公年谱》。

方苞再至浮山。据《方苞集》卷一四《再至浮山记》。

秋

立秋日，厉鹗同马碧沧、汪青渠、松泉上人游惠山。诗见《樊榭山房集》卷三。

会试。考官：吏部尚书朱轼、内阁学士福敏、户部尚书张廷玉、吏部侍郎史贻直。题“子张问仁 敏惠”，“诚者自成”二句，“菽粟如水”二句。据法式善《清秘述闻》卷五。

十月

初五日，世宗御太和殿，传胪。赐一甲陈悳华、王安国、汪德容进士及第，二甲汪由敦、王峻、李重华、刘统勋、诸锦、陈浩、尹会一、周长发等进士出身，三甲王文清、严遂成、陆培、黄光岳等同进士出身。据《历科进士题名录》、《清通鉴》。[按，严遂成会试未第，越七日，由恩榜中式。据程晋芳《勉行堂文集》卷六《严海珊小传》。]

三十日，余庆长（1724—1800）生。庆长字庚耦，号元亭，安陆人。乾隆十五年举人。官至广西乐平知府。告归后主云南五华书院。著有《十经摄提》、《大树山房文稿》等二十余种。事迹见王昶《同知署广西平乐府知府余君墓志铭》（《春融堂集》卷五四）、《清史列传》本传。

陈兆崙丁忧归里。据陈玉绳《陈句山先生年谱》。

十一月

十五日，余元遴（1724—1778）生。元遴字秀书、药斋，婺源人。诸生。著有《庸言》、《诗经蒙说》、《画脂集》。事迹见朱筠《婺源余生墓志铭》（《笥河文集》卷一二）、《清史列传》汪绂传附、《清史稿》汪绂传附。

二十二日，王昶（1725—1806）生。昶字德甫、兰泉、琴德，号述庵，青浦人。乾隆十九年进士。官至刑部侍郎。致仕后主娄东书院、敷文书院讲席。著有《春融堂集》，辑有《湖海诗传》、《青浦诗传》、《湖海文传》、《国朝词综》。事迹见阮元《诰授光禄大夫刑部右侍郎述庵王公神道碑》（《揅经室二集》卷三）、秦瀛《刑部侍郎兰泉王公墓志铭》（《小岘山人文集》卷五）、严荣《述庵先生年谱》、江藩《国朝汉学师承记》卷四、《清史列传》本传、《清史稿》本传。

禁丧殡演戏。《大清世宗宪皇帝实录》卷二六："雍正二年甲辰十一月庚戌，严禁兵民等出殡时前列诸戏，及前一日聚集亲友设筵演戏。"

陈元龙壬寅十一月至本月诗为《兰峪集》。此间元龙及诸大臣在景山为圣祖守陵。见《爱日堂诗》卷二一。本年冬赴粤西经理仓储。至丙午二月，所为诗为《重临集》。见《爱日堂诗》卷二二。

十二月

禁外官蓄养优伶。据《世宗宪皇帝上谕内阁》卷二七（雍正二年十二月）。

故太子胤礽卒。据蒋良骐《东华录》卷二六。

本年

禁市卖淫词小说。光绪延煦等编《台规》卷二五："雍正二年又奏准，凡坊肆市卖一应淫词小说，在内交与都察院等衙门，转行所属官弁严禁，务搜版书，尽行销毁；有仍行造作刻印者，系官革职；军民杖一百，流三千里；市卖者杖一百，徒三年；买看者杖一百；该管官弁，不行查出，按次数分别议处；仍不许借端出首讹诈。"（王利器《元明清三代禁毁小说戏曲史料》第一编）

袁枚游杭州吴山，时年九岁。袁枚《随园诗话补遗》卷六："余九岁时，偕人游杭州吴山，学作五律，得句云：'眼前三两级，足下万千家。'至今重游此山，觉童语终是真语。"

郑燮游江西，识无方上人于庐山。板桥为之写竹、题诗，以后时有交往。郑燮《怀无方上人》："初识上人在西江，庐山细瀑鸣秋窗。后遇上人入燕赵，瓮山古瓦埋荒庙。"（《郑板桥全集·板桥集》）

史震林读书滆河之西。据史震林《西青散记》卷一。

商盘入京师。蒋士铨《宝意先生传》："明年入京师。周公学健、任公兰枝咸目为国士。凡名卿大夫文字之饮，得公击盘刻烛，始相引重。公洒墨淋漓，每成四韵，辄倾倒前贤，而才子之名赫然布满都下。"（《忠雅堂文集》卷三）

全祖望与厉鹗、杭世骏、梁诗正、陈兆崙、赵昱、赵信、姚世钰、长兴王豫等交往。董秉纯《全谢山先生年谱》："是年当娶前孺人张氏。自昨年再过武林，尽交樊榭、堇浦、艻林、勾山、谷林、意林、蕙田、立甫诸先生，讨论经史，证明掌故，尊酒邮筒，殆无虚日。而简帖题跋，多不署岁月，不敢附会，惟与樊榭论苏若兰回文诗札确系此年。"

符曾北游京师。据赵一清《符药林先生传》（《东潜文稿》卷上）。

裘琏先后客西泠、海昌。据裘姚崇《慈溪裘蔗村太史年谱》。

塞尔赫补宗学正教长。据《钦定八旗通志》卷一二〇。

尤世求任万县知县。据《四库全书·四川通志》卷三一。

黄任官四会知县。据《四库全书·广东通志》卷二九。郑方坤《黄任小传》："屡上春官不第，匆匆捧檄，得粤之四会令。莘田故名士，无龌龊俗吏态，坐是为上官所不喜，劾其纵情诗酒不治事，拂衣归里。"（《碑传集》卷一〇六）

张符骧自翰林院乞休归里。据沈默《张符骧传》（《碑传集补》卷八）。

查祥罢编修职归里。据查祥《云在诗钞》卷五《出春明十二年，岁丙辰……》

王珝任晋阳书院山长。掌教此书院凡十余年。据刘赟《三立祠传》（《王石和文集》卷首）。

陶成任豫章书院山长。据陶成《吾庐先生遗书·日程三》。

徐兰自青海军中遣回。据张慧剑《明清江苏文人年表》。

陈珮归江昱。据江昱《亡妻陈君墓碣》（《闺房集》附录）。

沈虹《蓬庄诗集》六卷收录康熙丁亥至本年诗。四库提要卷一八四：《蓬庄诗集》六卷，"国朝沈虹撰。虹字渭梁，长洲人。是集其所自编。以作诗先后为次，起康熙丁亥，讫雍正甲辰，古今体共五百四首。每卷之前皆有小引，纪其岁月及所阅历遭逢。"

石子斐《正昭阳》传奇有本年旧钞本。子斐字成章，绍兴人。据《古本戏曲剧目提要》。庄一拂《古典戏曲存目汇考》卷一一：《正昭阳》，"《曲录》著录。曹氏藏雍正甲辰沈闰生旧钞本。今入藏北京图书馆。《曲录》据《传奇汇考》著录。凡二卷二十八出。演宋李宸妃事，为今京剧《狸猫换太子》所本。剧以蒯飞云暗中回护李妃，其夫巩拆天代为向包拯拦舆鸣冤。刘后闻李妃已迎入宫，服鸩自尽。仁宗迎母大宴群臣，正位昭阳殿。敷演情节，颇能循序。元人杂剧有《金水桥陈琳抱妆盒》，题材类同。"又，《龙凤衫》，"《曲录》著录。《曲录》据《传奇汇考》著录，作《龙凤山》。《曲海总目提要拾遗》有《龙凤衫》一本，疑即石氏作。演司马师兄弟图魏，为曹操篡逆之报。大意与明邹玉卿《青虹啸》相类。其曰《龙凤衫》者，以魏帝裂所御龙凤衫，书血诏命诛师、昭。佚。"《镇灵山》，"《曲录》著录。《曲录》据《传奇汇考》著录，作《镇仙灵》，疑有误。《曲海总目提要》有《镇灵山》一本，云蓉江石子斐作。一名《楞伽塔》。演苏州巡抚商尹，毁楞伽山五圣祠，永禁吴民不得尚淫祠。中述李其兼、甄子才两家被祟事，皆非真实。楞伽山在吴山东北，一名上方山。佚。"

无名氏《后西游》传奇有本年钞本。庄一拂《古典戏曲存目汇考》卷一三：《后西游》，"此戏未见著录。雍正二年咏风堂沈氏钞本。一名《阴阳二气山》。见《读曲小识》，怀宁曹氏藏。凡十二出：《指路》、《凿山》、《摆阵》、《陷阱》、《变蝶》、《挂剑》、《出匣》、《寻师》、《求助》、《跳圈》、《脱套》、《送行》。以好胜名圈为关键，叙唐半偈、小行者、猪一戒、沙弥师徒四众取经，过阴阳二气山，造化小儿以'酒色财气贪嗔痴爱'八圈，套行者无效。最后出好胜圈，行者摆脱不得，求助于老君，始得脱套云。"

刘凡《清芬阁诗》八卷刊行。凡《山泉稿》、《岫云稿》、《耕余稿》、《于役稿》、《漫兴稿》、《吴越稿》、《补遗稿》、《乙巳丙午稿》八种。据《贩书偶记续编》卷一五。

胡介祉《茨村咏史新乐府》二卷《附录》一卷诸暨郭氏学种花庄刊行。据《贩书

183

偶记》卷一八。[按，是书成于康熙三十九年。据邓长风《明清戏曲家考略·十四位清代浙江戏曲家生平考略》]李慈铭《越缦堂读书记·茨村咏史新乐府》："介祉字存仁，号循斋，礼部尚书衔祕书院学士兆龙之子。康熙间官湖北金事道。乐府共六十首，皆咏明季事，起《信王至》，纪庄烈帝之入立也；终于《钟山树》，纪国朝之防护明陵也。每首各有小序，注其本末。时《明史》尚未成，故自谓就传闻逸事，取其有关治乱得失者谱之。今其事既多众著，诗尤重滞不足观。"胡玉缙《许庼经籍题跋》卷四："其诗拘于事迹，用笔不能超脱，而所注则颇详尽。"光绪《顺天府志》卷一二五："毛奇龄称其诗宗太白、摩诘，而得其正者。"（《方志著录元明清曲家传略》）《晚晴簃诗汇》卷三二录其诗二首。

阎循观（1724—1768）生。循观字怀庭，号伊嵩，昌乐人。乾隆三十一年进士。官吏部考功司主事。著有《西涧草堂全集》。事迹见韩梦周《吏部考功司主事阎君循观墓志铭》（《碑传集》卷六〇）、彭绍升《阎怀庭墓表》（《二林居集》卷一〇）、卢文弨《阎考功怀庭哀辞》（《抱经堂文集》卷三四）、《清史列传》本传、《清史稿》刘原渌传附。

汪仲鈖（1724—1753）生。仲鈖字丰玉，号桐石，秀水人，孟𫓧弟。乾隆十五年举人。著有《桐石草堂集》八卷、《怀新词》一卷。事迹见《晚晴簃诗汇》卷八〇。

黄振（1724—1773）生。振字瘦石，号海樵，别号柴湾村农。贡生。著有《黄瘦石稿》十卷、《斜阳馆日记》十卷、《石榴记》传奇。事迹见嘉庆《如皋县志》卷一七（《方志著录元明清曲家传略》）、张慧剑《明清江苏文人年表》。

袁景辂（1724—1767）生。景辂字质中，号朴村，吴江人。诸生。著有《小桐庐诗稿》十卷，辑有《国朝松陵诗征》二十卷。事迹见张慧剑《明清江苏文人年表》。

一说曹雪芹生于本年。敦诚《挽曹雪芹》云"四十年华付杳冥"，据雪芹卒年上推知本年生。又，据此说，则雪芹为曹頫子。

顾嗣立卒，年六十。据顾嗣立《闾邱先生自订年谱》王大隆跋。《国朝诗别裁集》卷二三："秀野选元人诗集，搜罗殆遍，使百年文献不致沦没，皆其功也。素以文酒友朋为性命，有名人过吴下者，惟恐不诣其宅。至家道中落，犹以不能酬赠为愧。与前明葛震甫之爱客正复相类。今三十年余，此风歇绝矣。诗品初访金、元，继跻昌黎，后臻王、孟、韦、柳，垂老以未能步趋李、杜为憾。盖其诗得江山之助，游历愈广，风格愈上。《桂林》、《嵩岱》二集，尤为生平之冠云。"录其《读元史》等诗十首。林昌彝《射鹰楼诗话》卷一二："长洲顾侠君庶常嗣立著有《秀野》、《闾丘》二集。庶常精于元人掌故，其《读元史》五言古一诗，可称包括无遗。粤东温伊初尝诵其'积雨湿江云，林深白一片。春风急吹开，青峰递隐见'之句，谓为孟山人之亚。"《晚晴簃诗汇》卷四八录其诗八首。《国朝文汇》甲集卷四六录其《桂林集自序》一篇。《贩书偶记》卷一四："《闾丘诗集》六十卷附《味蔗诗集》三卷，长洲顾嗣立撰。康熙间精刊。卷三十八至卷四十八，卷五十七至卷六十，凡十五卷原阙。卷四十九至卷五十六即《桂林集》，首有自序。至《闾丘集》之卷数间，皆属墨丁。嗣立著有《昌黎诗集注》，辑有《元诗选》。"又，"《秀野草堂诗集》六十五卷，《寒厅诗话》、《自订年谱》一卷，长洲顾嗣立撰。道光戊申刊。"

公元 1725 年（雍正三年　乙巳）

正月

　　元旦，尤世求作《乙巳元旦广济寺朝贺恭纪》。 见《南园诗钞》卷一〇《都历草》。此为《南园诗钞》直接标明年份之最晚诗作。四库提要卷一八四：《南园诗钞》十卷，"国朝尤世求撰。世求字念修，长洲人。官南充县知县。是集分《金台草》一卷、《冰壶草》二卷、《湛华草》一卷、《怀新草》二卷、《沁雪草》二卷、《逢辰草》一卷、《都历草》一卷。世求为侗之孙，故诗格亦与《西堂杂俎》相近。"［按，查《四库全书·四川通志》卷三一，历任南充县知县无尤世求名，当为万县知县。又，《南园诗钞》卷九《逢辰草·入境》云："万水万山到万州。"］

　　黄叔琳奉旨效力海塘。 二月，赴海宁工次。五月，之苏州，随赴苏州工次。又，在浙案结，得旨放还。遂居吴门。据顾镇《黄侍郎公年谱》。又，《砚北丛录》当作于此后。四库提要卷一四三：《砚北丛录》无卷数，"是编卷首有魏兆龙序，称为叔琳巡抚浙江时罢官以后所偶录。皆杂采唐、宋、元、明及近时说部，亦益以耳目所闻见。大抵多文人嘲戏之词，如《谐史》、《笑林》之类。或著出处，或不著出处，为例不一。亦未分卷帙。盖忧患之中借以遣日而已，意不在于著书也。"

　　厉鹗、陈章、丁敬、石文游吴山。 据《樊榭山房集》卷四《人日同陈授衣、丁敬身、石贞石登吴山，用石壁上东坡先生释迦院看牡丹韵》。

二月

　　十六日，张伯行卒，年七十五。 据其子师栻、师载《张清恪公年谱》卷下。所著《道统录》二卷附录一卷、《道南源委》六卷、《伊洛渊源续录》二十卷、《居济一得》八卷、《二程语录》十八卷、《小学集解》六卷、《续近思录》十四卷、《学规类编》二十七卷、《性理正宗》四十卷、《广近思录》十四卷、《濂洛关闽书》十九卷、《困学录集粹》八卷、《正谊堂集》十二卷、《濂洛风雅》九卷等，四库提要著录。高斌《正谊堂文集序》："盖公之生平，笃信子朱子，表章不遗余力，大要尤谓居敬以立其本，穷理以致其知，返躬以践其实，紫阳一脉，所以直接尼山者在是。故公之学问本末，一以是三者为的。凡献之大廷，嘉惠来学，无非直抒所心得，其有少异于是者，辞而辟之，毋少借焉。则是集之传，其裨益于世道人心，视昌黎为何如耶？青天白日，人共快其清明；凤凰芝草，世共知为美瑞。余请即昌黎之言，以为是集必传之券。时乾隆三年春正月毅旦，东轩高斌拜撰。"（《正谊堂文集》卷首）四库提要卷一八三：《正谊堂集》十二卷，"前二卷为奏议。第三卷至第五卷皆寻常案牍之文。第六卷为书，大抵讲学之语。第七卷、八卷为序，皆已见所刊各书中。第九卷至十二卷为记、论、说、议、传、墓志、墓表、祭文、杂著。迹其一生，大抵步趋陆陇其也。"《国朝文汇》甲集卷三三录其《鳌峰书院记》等文三篇。《晚晴簃诗汇》卷四八录其诗二首。

　　十九日，张鹏翮卒，年七十七。 据张知铨《遂宁张文端公年谱》。《国朝诗别裁集》卷九录其《旅夜书怀》诗一首。《晚晴簃诗汇》卷三六录其诗二首。

三月

方楘如序朱樟《一半勾留集》。 署"峕雍正三年龙集乙巳三月幾望，赋溪学弟方楘如顿首"。（《观树堂诗集·一半勾留集》卷首）是集为朱樟忧归居杭时所作。

春

厉鹗客扬州，仲夏归里。 据《樊榭山房集》卷一〇《琵琶仙·康山在扬州，辇土为之，以康对山寓此得名，今属吴氏。乙巳二月四日，被江招饮其上，四顾旷然，俯仰今昔。同集者尺凫、授衣各赋一解》、《埽花游·乙巳三月二十三日，客扬州。空斋积雨，孤愁特甚，问人，始知是春尽日也。黯然于怀，赋寄尺凫》。又，在扬州见元郭畀日记手稿四册，手录其中客杭一册以归。据四库提要卷六四。

四月

二十二日，赵由仪（1725—1747）生。 由仪字山南，号渐堂，南丰人。乾隆六年举人。明年会试中乙榜，例授教官，不就。与蒋士铨、汪轫、杨垕并称四子。事迹见谢鸣谦《书赵山南事》（《国朝文汇》乙集卷一九）、《清史列传》蒋士铨传附、《清史稿》蒋士铨传附。

禁盛京演戏。 据《大清世宗宪皇帝实录》卷三一。

五月

禁江南苏松两府因蠲免浮粮聚会演戏。 据《大清世宗宪皇帝实录》卷三二。

查慎行《余生集上》为雍正元年正月至本月诗。 见《敬业堂诗续集》卷三。

六月

十六日，张熙纯（1725—1767）生。 熙纯字策时、少华，号敬亭，上海人。乾隆二十七年举人。三十年召试，授内阁中书。著有《华海堂集》、《昙花阁词》。事迹见王昶《内阁中书舍人张君墓志铭》（《春融堂集》卷五六）。

二十六日，檀萃（1725—1801）生。 萃字岂田、默斋，号废翁，望江人。乾隆二十六年进士。历官贵州青溪、云南禄劝知县。罢官后主五华、成材书院，滇士多师事之。著有《滇南文集》、《草堂外集》等。事迹见金天翮《檀萃师范传》（《广清碑传集》卷九）、《清史列传》本传。[按，生日据朱彭寿《清代人物大事纪年》]

王掞以旧曾密疏请免除江苏浮粮，被斥沽名市恩。 据《世宗宪皇帝上谕内阁》卷三三。

鄂尔泰编《南邦黎献集》十六卷刊行。 据鄂容安等《襄勤伯鄂文端公年谱》。法式善《陶庐杂录》卷三："《南邦黎献集》十六卷，鄂尔泰辑。文端于雍正三年官江南布政使，下车延访真才，建春风亭会课，所得佳编，哀集成卷。类编付梓，颇称好事。甄拔之士，一时翘楚。"

七月

十八日，张廷玉署理大学士。据张廷玉《澄怀主人自订年谱》卷二。

八月

二十五日，程瑶田（1725—1814）生。瑶田字易田、易畴，号伯易、亦田、让堂等，歙县人。乾隆三十五年举人，选授嘉定县教谕。嘉庆元年，举孝廉方正。著有《丧服足征记》、《宗法小记》、《沟洫疆里小记》等。事迹见罗继祖《程易畴先生年谱》、江藩《国朝汉学师承记》卷五、《清史列传》本传、《清史稿》江永传附。[生日据朱彭寿《清代人物大事纪年》]

俞兆晟序王士禛《渔洋诗话》。署"雍正乙巳八月，海盐俞兆晟书于澄江使院"。（《渔洋诗话》卷首）[按，俞兆晟字叔颖，海盐人。官内阁学士。《国朝诗别裁集》卷二二："公视学江左时，诸生进谒，相接如先生弟子。论文行外，兼及诗品画理，以二者皆公所长也。清风和气，至今尤想慕之。"录其《吴宫曲》诗一首，评曰："悠扬婉转，结处一声中有无限余声。"《晚晴簃诗汇》卷五七亦录此诗一首]

王顼龄卒，年八十四。据钱保塘《历代名人生卒录》。《国朝诗别裁集》卷一〇录其《魏忠贤衣冠墓》等诗四首。《晚晴簃诗汇》卷四一录其诗六首。丁绍仪《听秋声馆词话》卷一五《王顼龄词》："国朝两开制科，康熙己未中选五十人，官大学士者，华亭王文恭顼龄一人。乾隆丙辰中选者先后只十九人，官大学士者亦一人，为武进刘文定纶。二公诗文斋皇典丽，俱以余力及词，王氏已采入《词综》。余尤爱文恭《蝶恋花》云：'绰约风情天付与。柳叶眉边，多少销魂处。可惜芳踪再难遇。依稀记得门前树。孤馆凄凉香篆烛。雁没鱼沉，消息无凭据。好梦不来来又去。梧桐窗外三更雨。'意极凄警，殊不似富贵人语。"

九月

初六日，满保卒，年五十三。据朱彭寿《清代人物大事纪年》。杨钟羲《雪桥诗话》卷三："雍正三年九月卒于官。有《检心堂集》。《浦城》云：'土肥农力厚，沙浅水纹清。'《保安》云：'云中山养势，雨后水添声。'《临江道中》云：'山花开处不知名，野水浇田细有声。经岁谁怜农父老，辛勤一半代牛耕。'"《晚晴簃诗汇》卷五四录其诗二首。

初九日，查为仁、鲁之裕、徐兰、张坦、符曾等共赏菊。查为仁《莲坡诗话》："乙巳重九，家松晴奕楠种菊顾顾斋，招同鲁亮侪之裕、徐芝仙兰、张眉洲坦、符药林曾燕赏。""十月初，余又邀诸公赏于澹宜书屋。"[按，张坦字逸峰，号青雨、眉州散人，抚宁人。康熙三十二年举人。官内阁中书。著有《履阁诗集》。《晚晴簃诗汇》卷

五四录其诗十九首]

二十九日，赵文哲（1725—1773）生。文哲字损之、升之，号璞函、璞庵，上海人。乾隆二十七年召试举人，授内阁中书，在军机章京上行走。以卢见曾案褫职，旋入温福幕，出征缅甸。三十七年以功复中书，又授户部主事，仍随营治事。三十八年，卒于木果木之战。著有《娵雅堂集》。事迹见王昶《慰忠祠碑·赵文哲》（《春融堂集》卷五一）、《恤赠光禄寺少卿户部主事赵君墓志铭》（《春融堂集》卷五三）、《清史列传》本传及曹仁虎传附、《清史稿》本传。[按，生日据朱彭寿《清代人物大事纪年》]

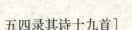

二十七日，王杰（1725—1805）生。杰字伟人，号惺园、畏堂、葆淳，韩城人。乾隆二十六年状元。官至兵部尚书、东阁大学士。谥文端。著有《葆淳阁集》。事迹见姚鼐《光禄大夫东阁大学士王文端公神道碑文并序》（《惜抱轩文后集》卷六）、朱珪《太子太傅东阁大学士军机大臣予告在家食俸特赠太子太师谥文端王公墓志铭》（《知足斋文集》卷五）、阮元《王文端公年谱》、《清史列传》本传、《清史稿》本传。

二十八日，蒋士铨（1725—1785）生。士铨字心余、苕生，号清容、藏园，铅山人。乾隆十二年举人，官内阁中书。二十二年成进士，改庶吉士，散馆授编修。旋乞假归，先后主绍兴蕺山、扬州安定书院。著有《忠雅堂集》、《藏园九种曲》。事迹见自编《清容居士行年录》、袁枚《翰林院编修候补御史蒋公墓志铭》（《小仓山房续文集》卷二五）、洪亮吉《翰林院编修记名御史铅山蒋先生碑文》（《卷施阁文乙集》卷三）、阮元《蒋心余先生传》（《忠雅堂文集》卷首）、翁方纲《翰林院编修蒋公墓志铭》（《复初斋集外文》卷二）、王昶《翰林院编修蒋君墓志铭》（《春融堂集》卷五六）、《清史列传》本传、《清史稿》本传。

宋至卒，年七十。 据《方苞集》卷一二《宋山言墓表》。[按，朱彭寿《清代人物大事纪年》谓其卒于十二月十八日]《晚晴簃诗汇》卷五六录其诗六首。

十二月

十一日，年羹尧以罪令自尽，子年富处斩。 据蒋良骐《东华录》卷二七、朱彭寿《清代人物大事纪年》。

十八日，汪景祺以罪处斩。 据朱彭寿《清代人物大事纪年》。

二十一日，戴祖启（1726—1783）生。祖启字敬咸、东田，号未堂，上元人，休宁籍。乾隆二十七年与戴震同举于乡，时有"二戴"之目。三十九年，毕沅延主关中书院。四十三年成进士，明年以国子监学正录用，未到选期而卒。著有《师华山房集》。事迹见钱大昕《国子监学正戴先生墓志铭》（《潜研堂文集》卷四六）、严长明《国子学正戴府君墓碣》（《国朝文汇》乙集卷三四）、《清史列传》本传。

沈德潜《古诗源》刻成，选明诗起。 据《沈归愚自订年谱》。

本年

禁止搬做杂剧律例。据《大清律例按语》卷二六《刑律杂犯》（王利器《元明清三代禁毁小说戏曲史料》第一编引）。

杨潮观、顾我锜、许朝、姜兆锡、李堂、胡鸣玉等应鄂尔泰召课，各作《慎时斋轩纪事》诗。据张慧剑《明清江苏文人年表》。

陈兆崙授徒于家之紫竹山房。据陈玉绳《陈句山先生年谱》。

刘大櫆游京师。刘大櫆《徐昆山文序》："雍正三年，余游京师，与四方之英豪相结。"（《海峰先生文》卷二）《国史文苑传·刘大櫆》："年二十九，游京师。时内阁学士同邑方苞以能为古文辞负重名，大櫆以布衣持所业谒苞，苞一见惊叹，告人曰：'如苞何足算邪！邑子刘生乃国士尔。'闻者始骇之，久乃益信。"（《海峰先生文》卷首）〔按，雍正三年，刘大櫆年二十八〕

郑燮游燕京，有《燕京杂诗》三首、《花品跋》等。见《郑板桥全集·板桥集》、《板桥集外诗文》。郑方坤《本朝名家诗钞小传·板桥诗钞小传》："壮岁客燕市，喜与禅宗尊宿及期门、羽林诸子弟游。日放言高谈，臧否人物，无所忌讳，坐是得狂名。"（《郑板桥全集》附录）

金农客泽州。法式善《梧门诗话》卷二："金寿门自序《冬心续集》云：……岁乙巳，客于泽州陈幼安壮履学士家四载，学士叹曰：'君乡查翰林是吾后进，兔园挟册，吾最薄之。君诗如玉潭灵漱，汲绠不息，是吾师也。'从此执业称诗弟子。"

全祖望在童岙授徒，成《沧田录》。董秉纯《全谢山先生年谱》："是年当在童岙授徒。先是，先生曾王父、王父皆避兵于是，先生感之，益参考旧闻，成《沧田录》。"

符之恒补博士弟子员，时年二十岁。据王曾祥《符南竹权厝志铭》（《静便斋集》卷九）

姚孔铜食廪饩。据姚孔鈉《三弟梁贡行实》（《华林庄诗集》卷首）。

朱绛任广东承宣布政司左布政使。据《四库全书·广东通志》卷二九。

杨名时擢兵部尚书，总督云贵。据方苞《礼部尚书赠太子太傅杨公墓志铭》（《方苞集》卷一〇）。

王步青授检讨。据王廷琬《家传》（《己山先生文集》卷首）。

陈履中擢御史，署给事中。十月，出为甘肃布政司参议，分守宁夏道。据蒋士铨《宁夏道雁桥陈公墓志铭（代）》（《忠雅堂文集》卷六）。

余甸擢顺天府丞。据《清史稿》本传。甸字田生，祖训，福清人。康熙四十五年进士。历官江津知县、吏部主事、山东兖宁道、按察使、顺天府丞。以事下狱，事未白而卒。著有《千卷楼集》。事迹见方苞《少京兆余公墓志铭》（《方苞集集外文》卷七）、程廷祚《少京兆余公墓表》（《青溪文集》卷一二）、《清史列传》本传、《清史稿》本传。《晚晴簃诗汇》卷五七录其诗二首。《国朝文汇》甲集卷四三录其《程编修传》、《韩晋之传》文两篇。

卢见曾官四川洪雅知县。据《四库全书·四川通志》卷三一。

顾陈垿以目疾乞归。据王昶《顾陈垿传》（《春融堂集》卷六五）。

《古今图书集成》一万卷成书。《皇朝文献通考》卷二三〇《经籍考二〇》："《钦定古今图书集成》一万卷，雍正三年户部尚书蒋廷锡等奉勅校。""是书分六汇编，三十二典。""通六千一百九部，凡一万卷。"胡玉缙《许庼经籍题跋》卷三："先是康熙三十九年，侯官陈梦雷以编修侍皇三子诚亲王，广罗群籍，分门别类，统为一书，四十五年四月告成，名曰《汇编》，凡为汇编者六，为志者三十有二，为部六千有奇。越十年进呈，赐名《古今图书集成》，命儒臣重加编校，十年未就。至是，世宗复命廷锡督在事诸臣成之，凡厘定三千余卷，增删数十万言，编仍其旧，'志'易为'典'。四年，御制序文，藏诸石室。""另目录二百卷，有凡例四十七则。复以聚珍铜字印行，其图亦镂铜为之，极为精细。偶以颁大臣，民间不能得。近坊间有排印本，宣统间内府又命上海以原本付石印，皆不如此本之善也。昔明成祖敕撰《永乐大典》，或以一字一句分韵；或析取一篇，以篇名分韵；或全录一书，以书名分韵。割裂庞杂，漫无条理。此以六汇编为纲，三十二典为目，体例颇为允协。惟欲使万事万物毕贯通于一书，而巨细兼陈，既不免烦芜，仍不能无挂漏。如艺术典、经籍典之类，当补者殊夥。谭献《复堂日记》议其字学典后附《文房考》、《书人列传》为繁猥，尚未中其失。然网罗甚富，检阅攸资，且所据往往多善本，间有迄今而已佚者，尤为可贵，自书契以来，殆未有如斯之巨帙矣。"

汪缙（1725—1792）生。缙字大绅，吴县人。诸生。年十六，试为文，数百言立就。尝主来安建阳书院，昌明正学，缘岁饥，辍讲席。又尝应浙江窦学使聘，校试文，非所好也。归而闭户习静，不复应科举。落落寡合，往来最密者，彭绍升一人而已。卒年六十八。著有《读书四十偈私记》等。事迹见江藩《国朝宋学渊源记·附记》、《清史列传》彭绍升传附。

胡赓善（1725—1799）生。赓善字受毂，号心泉，歙县人。少从方楘如学。乾隆二十四年举人，屡踬会闱。迄母丧终，遂绝志求进，日与诸生讲诵文艺以为乐。适姚鼐主紫阳书院讲席，常与往来。著有《新城伯子文集》（一名《胡心泉先生文集》）八卷。事迹见姚鼐《歙胡孝廉墓志铭并序》（《惜抱轩文集》卷一三）。

殷元福卒，年六十四。据邓之诚《清诗纪事初编》卷八。《候鸣集》六卷、《知非草》一卷、《读易草》三卷、《外集》一卷康熙五十年至雍正四年刊行。据《贩书偶记续编》卷一四。

帅我卒，年七十八。据《疑年录汇编》卷一〇。四库提要卷一八四：《墨澜亭集》无卷数，"国朝帅我撰。我字备皆，号简斋，奉新人。康熙辛卯举人。江西古文，自艾南英倡于前，魏禧等和于后，踵而起者虽所造深浅不同，而大都循循有旧法。是集亦其一也。旧刊版于南昌，所载未备。雍正乙卯，其子念祖属徐廷槐取已刻未刻诸稿，裒为此本，凡一百四十篇。"《国朝文汇》甲集卷四五录其《熊璧岸先生集序》等文四篇。

方登峄卒，年六十七。据邓之诚《清诗纪事初编》卷五。所著《依园诗略》一卷、《星砚斋存稿》一卷、《垢砚吟》一卷、《葆素斋集》三卷、《如是斋集》一卷，收入桐城方氏三世家集《述本堂诗集》十八卷，四库提要卷一九四著录。《国朝诗别裁集》卷二〇："水曹以朋友负罪牵连谪戍，处极危苦之境，而能种花赋诗以寻乐意，所养定也。迨奉诏赦归，已殂谢塞外矣。"录其《秦女休行》等诗十一首。《晚晴簃诗汇》卷五〇录其诗二首。

潘其灿卒，年三十六。据张慧剑《明清江苏文人年表》。《国朝诗别裁集》卷二三录其《春风和李玉洲韵》等诗三首。

王吉武卒，年八十一。据顾陈垿《王冰庵太守传》（《国朝文汇》甲集卷四二）。《冰庵诗钞》八卷乾隆五年季冬縠诒堂刊行。据《贩书偶记续编》卷一五。《国朝诗别裁集》卷一〇："先生莅官，能化民成俗。归里后，依然老诸生，喜引掖后学。有荐之者，奉旨征召，坚辞之，以上寿终。"录其《重修六贤祠成展祭作》等诗八首。《国朝文汇》甲集卷二八录其《大学士文恪宋公神道碑》文一篇。

徐夔卒，年五十。汪启淑《徐夔传》："甲辰三月，应广南学使之聘。甫及匝岁，竟卒于粤，年仅五十。龙友于书无所不窥，诗文悲壮。"（《续印人传》卷一）《凌雪轩诗》六卷乾隆九年刊行。据《贩书偶记续编》卷一四。《国朝诗别裁集》卷二六："龙友负才高俊，读书一二遍，终身不忘也。与予结诗课时，专学昌黎，芒角四露。之广南学幕后，醉心义山，谓以男女会合喻君臣事使，得《风骚》宗旨，格律又一变矣。年五十，殁于广南，榇归。广南诗散失，兹所收者，皆向年朋旧论文时作。读其诗，犹见其尊酒浇胸气概也。""注义山诗，与朱长孺注互有异同，与惠定宇栋注王渔洋《精华录》，已经行世。"录其《移居赠永夫》等诗九首。《晚晴簃诗汇》卷七〇录其诗四首。

陈炳卒，年八十一。据徐葆光《阳山陈先生墓表》（《阳山诗集》卷首）。《阳山诗集》十卷雍正九年刊行。据卷首蔡家驹序。四库提要卷一八三：《阳山诗集》十卷，"国朝陈炳撰。炳字虎文，长洲人。居阳山裘巷里，因以自号。是集分《青桂岩稿》、《润州草》、《风蓬吟》、《楚游草》、《始闲吟》、《宝华山稿》、《蕉雨闲房寓中稿》、《檐铃集》、《仙人塘上吟》、《竺坞遗稿》，凡十集。大致妥帖而颇乏遒警。黄中坚作传，称其少时有'松顶红裙拖绿上，山腰白鸟破青飞'之句，由是知名。然二语实卑俗，非诗家上乘，不知当时何以传诵也。"《国朝诗别裁集》卷二一："诗宗孟山人，或少变化，然尘垢尽涤，亦如其性情之孤子焉。"录其《杂诗》等诗三首。

汪文柏卒，年六十七。据江庆柏《清代人物生卒年表》。《国朝诗别裁集》卷二五录其《盛湖》、《登烟雨楼》诗二首。《晚晴簃诗汇》卷四〇："朱竹垞曰：柯庭除北城指挥，干谒之奔忙，判牍之繁冗，而不废吟咏。解组归来，所作益工。其《过吴江盛泽》云：'夜灯千匹练，秋雨半湖菱。'匪仅开宋元突奥，直造唐人之堂而咋其戟。诗之绝唱，正不在多。沈归愚曰：竹垞所称，不无溢美。然谓时有佳句，比于孟山人之'微云淡河汉，疏雨滴梧桐'，斯为得之。诗话：季青《菊影》诗为姜西溟所赏，时有'汪菊影'之目。所传诵者，如'竟夜不移香不染，晚年相对意相关'，'数武淡香分对榻，一窗生意出孤檗'，自是佳句，惜全体未称。"录其诗十首。

储雄文卒，年五十二。据江庆柏《清代人物生卒年表》。何曰愈《退庵诗话》卷七："宜兴储氏以时艺鸣，而字汜云雄文者，诗独擅场。"《国朝诗别裁集》卷二四录其《有访》、《访朝阳道院》诗二首。《晚晴簃诗汇》卷六一录其诗八首。

费锡琮卒，年六十五。据江庆柏《清代人物生卒年表》。《国朝诗别裁集》卷二五："厚蕃为高人此度长子，克传家学。五言亦有'大江流汉水，孤艇接残春'之概，新城王尚书惜未见其诗。"录其诗二首。《晚晴簃诗汇》卷四〇："厚蕃为此度长子，工医。诗集已不存。咸丰间新繁僧含澈、雪堂合刻费氏诗三世四家，厚蕃诗九篇，为最少。

片羽愁留，盖亦仅矣。"录其诗三首。

徐兰卒于此后数年，年六十余。王应奎《柳南随笔》卷一："浙水沈方舟用济尝与吾友汪西京沈琇论近日虞山诗人，以芬若为第一。""雍正三年，芬若年已六十余矣，久占籍天津，以红兰主人事牵连，勒令家居，不许在外行走。又几年以疾卒。""沈确士德潜尝语予云：芬若工画，可继恽正叔，而白描人物，一时无对，不特长于诗也。予所见芬若诗已付梓者，有《芝仙书屋集》一卷，计诗二百三十余首，籍贯仍刻海隅。而《出居庸关》诗，有'马后桃花马前雪，出关争得不回头'之句，确士亟为予称之。"查为仁《莲坡诗话》："虞山徐芬若兰号芝仙，诗格雄健，极为渔洋所称赏。"沈德潜等《国朝诗别裁集》卷二五："芬若亦字芝仙，长白描人物，诗无一语不奇。吾友徐龙友见之，几于下拜，奇人见奇诗，尤契合云。"录其《雨阻黑河》等诗六首。

公元 1726 年（雍正四年　丙午）

正月

二十六日，卢道悦卒，年八十七。据卢见曾《先府君梦山公暨先母程王两孺人行述》（《雅雨堂文集》卷四）。《国朝诗别裁集》卷一〇："班史称循吏以文章饰吏治，作者以吏治为文章，诗中所云，皆从忧勤廉惠中出也，勿徒于对偶声律间求之。"录其《阻风》等诗四首。《晚晴簃诗汇》卷三六录其诗一首。

厉鹗游扬州即归，又客吴淞，夏归。据朱文藻撰、缪荃孙重订《厉樊榭先生年谱》。

二月

石成金自序《雨花香》四十种。署"雍正四年二月花朝，石成金天基撰写"。又，袁载锡序署"时在雍正岁次丙午仲春望日，文林郎内阁中书改授扬州府江都县儒学教谕兼训导事年家眷弟袁载锡拜题"。

沈德潜与修《元和县志》。据《沈归愚自订年谱》。

张廷玉授文渊阁大学士，兼户部尚书。据张廷玉《澄怀主人自订年谱》卷二。

三月

二十五日，靳荣藩（1726—1784）生。荣藩字价人，号绿溪，又号镇园，黎城人。乾隆十三年进士，官至大名府知府。著有《绿溪全集》。事迹见朱珪《大名府知府靳君墓志铭》（《知足斋文集》卷三）。

革侍讲钱名世职衔，并赐"名教罪人"匾额。蒋良骐《东华录》卷二七："三月，大学士九卿等奏：'食侍讲俸之钱名世，作诗投赠年羹尧称功颂德，备极诡谀，应革职治罪。'得旨：'向来如钱名世、何焯、陈梦雷等，皆颇有文名，可惜行止不端，立身卑污。而钱名世自取罪戾，但其所犯，尚不至于死。伊既以文词诡谀奸恶，为名教所不容，朕即以文词为国法，示人臣之炯戒，着将钱名世革去职衔，发回原籍，朕书"名教罪人"四字，令该地方官制造匾额，张挂所居之宅。且钱名世系读书之人，不知大义，廉耻荡然，凡文学正士必深恶痛绝，共为切齿。可令在京现任官员，由举人进士出身者，仿诗人刺恶之意，各为诗文，纪其劣迹，以儆顽邪，并使天下读书人知所儆厉。其所为诗文，一并汇齐，缮写进呈，俟览过，给付钱名世。'"

张廷玉充《圣祖仁皇帝实录》总裁官。据张廷玉《澄怀主人自订年谱》卷二。

陈元龙自粤西返京，仍归马兰峪。至戊申年所得之诗为《兰峪后集》二卷。见《爱日堂诗》卷二三、二四。

查慎行作《敬业堂铭》。陈敬璋《查他山先生年谱》："春三月，作《敬业堂铭》。先生集黄文节公斋铭语作《敬业堂铭》以示子孙，其词曰：'学未竟，日西入。明追今，终弗及。慢游者，日失一日；敬业者，不速而疾。'"

四月

十九日，袁文典（1726—1816）**生**。文典字仪雅，号陶村，保山人。乾隆二十一年举人。官广西州学正。以母老乞归。著有《陶村诗钞》一卷、《袁陶村文集》一卷。与弟文揆同辑《滇南明诗略》、《国朝滇南诗略》等。事迹见《清史列传》师范传附。[按，生卒年据姜亮夫《历代名人年里碑传总表》]

二十一日，周京序朱樟《白舫集》。署"丙午四月二十又一日，同里周京拜书"。序云："在蜀诗不一，有《问绢》、《叱驭》、《古厅》诸集，《白舫集》其一也。"（《观树堂诗集·白舫集》卷首）

下浣，苉斋主人序《二刻醒世恒言》。署"雍正岁次丙午清和下浣，滇螺苉斋主人题"。孙楷第《中国通俗小说书目》卷三：《二刻醒世恒言》上函十二回下函十二回，"存。雍正间原刊本。……清无名氏撰。苉斋主人评。题'心远主人编次'（二函一回）。首雍正丙午（四年）滇螺苉斋主人序。每回演一故事。"

五月

初三日，汪森卒，年七十四。据储大文《户部郎中貤封监察御史汪君森墓志铭》（《碑传集》卷五九）。《晚晴簃诗汇》卷四〇："晋贤尝与竹垞同定《词综》，宦游邕桂，编辑《粤西诗载》，尚风雅，重文献，有足多者。家有裘杼楼，藏书甚富。与周青士、沈山子辈讲习诗古文辞。所自为诗，五言拟陶，七言敩高、岑，皆见风格。"录其诗十首。

高孝本有《台雁集》。小序云："丙午春杪，狷亭相邀为天台、雁荡之游，归已夏五矣。有稿辄录，尚未及删。"（《固哉叟诗钞》总目）

六月

黄之隽抵京师。奉旨革退中允职，仍在翰林院编修行走。据黄之隽《冬录》（《庸堂集》附录）。

夏

释元璟与沈德潜相遇于天宫佛寺。《国朝诗别裁集》卷三二："元璟字借山，浙江平湖人。借山以诗受圣祖知，居京师久，后放归。丙午岁，与予遇于天宫佛寺，名流咸在。时炎月，借山裸裎指予曰：'此即长洲沈生耶？'既出诗稿相质，为点出败阙几处，辄心服。别时整衣送半里外，知非一例傲岸者也。惠天牧学士不轻许人，向人每称借山，即诗品可知矣。"录其《题屈翁山诗集》等诗十首。又，四库提要卷一八一：《完玉堂诗集》十卷，"国朝释元璟撰。元璟字借山，浙江天童寺僧也。是编分十集，曰《东湖集》、《名山集》、《红椒集》、《紫柏集》、《太白集》、《绿琼集》、《京师百咏》、《晚香集》、《黄琼集》、《鹊南集》，每集为一卷。前有元璟自序及题辞二十余则。其诗以清雅为宗，时有秀句。如'才怜孤峤远，斗转一峰迎'、'浅碧胶鱼沫，残红落雁声'、'水绕西施浣纱石，云藏子敬读书山'、'二月草堂逢社燕，一春花事到山茶'等句，为卢元昌所赏，见卷首题词。又如'一笛破寒渚，千帆凑夕阳'、'船如米家小，水似瀼西偏'、'秋思嗁螿集，归心落叶知'、'吟诗不闭梅花阁，怀古独登文选楼'、'才堪与世作蓍草，道在忘情似木鸡'等句，王士祯亦摘入《居易录》中。盖其居杭州时，曾结西溪吟社，所与酬倡者，皆一代胜流。耳濡目染，落笔自能远俗。但根柢不深，气味不免太薄耳。"

七月

初四日，张云章卒，年七十九。方苞《张朴村墓志铭》："卒以雍正丙午七月朔后三日，享年七十有九。有《朴村集》二十卷行世，乙未以后文集若干卷、《南北史摘要》、《咏南北史诗》藏于家。"（《方苞集》卷一〇）《国朝文汇》甲集卷四六录其《上李总宪书》等文十二篇。《晚晴簃诗汇》卷三五录其诗七首。

初七日，许鼎序游绍安《纪行诗》。署"雍正四年岁在丙午七夕，梅崖许鼎拜跋"。（《涵有堂稿》卷首）《纪行诗》为游绍安及第后，以铨注未及期，自粤东至吴门游历之作。

九月

查嗣庭案发。据《世宗宪皇帝上谕内阁》卷四八（雍正四年九月）。徐珂《清稗类钞·狱讼类·查嗣庭以文字被诛》："雍正丙午，查嗣庭、俞鸿图典江西试，以'君子不以言举人'二句、'山径之蹊间'一节命题。其时方行保举，廷旨谓其有意讥刺，三题'茅塞于心'，廷旨谓其不知何指，其居心不可问。因查其笔札诗草，语多悖逆，遂伏诛。并其兄慎行、嗣瑮，遣戍有差。浙人因之停丁未会试科，俞鸿图自认出日省月试题免罪。旋出学差，以不知检束论死。或曰：查所出题为'维民所止'，忌者谓维止二字，意在去'雍正'二字之首也，遽上闻。世宗以其怨望毁谤，谓为大不敬，命搜行箧，中有日记二本，乃按条搜求。至谓其为隆科多、蔡珽所荐，系死党；又谓其狼顾之相，必心术不端；又谓其捏造怨蜚语难枚举……遂下严旨着拿问，交三法司审讯。或曰：查尝著《维止录》一书，取明亡大厦已倾得清维之而止也。世宗览之，初甚嘉许，谓其识大义。太监某进曰：'此背逆书耳，何嘉焉？'世宗询以故，某曰：'纵览之，见其颂扬我朝；若横览之，尽是诋斥满洲耳。'世宗侧其画观之，果然，遂大怒。或曰：查之《维止录》专记世宗宫廷暧昧事。籍没时，其原稿进呈，有曾私录其副秘藏于家者，见其首页云'康熙六十一年某月日，天大雷电以风。予适乞假在寓，忽闻上大行，皇四子已即为，奇哉'云云。亦可知其大凡矣。又是书有跋，记查氏受祸始末甚详。其略云：查君书名震海内，而不轻为人书，琉璃厂贾人贿查侍者，窃其零缣剩墨出，辄得重价。世宗登极，有满人某欲得查书，贾人以委侍者，半年不能得一纸。一日，查闭书室门，有所作，侍者穴隙窥之，则见其手一巨帙，秉笔疾书，书讫，梯而藏之屋梁。乃伺查出，窃以付贾人，贾人以献满人，遂被举发。是夜三更，查方醉眠，围而捕之，全家十三口，无一免者。又浙东诸家桥镇，一小市集也，有庵祀关羽，某学究书一联榜其门云：'荒村古庙犹留汉，野店浮桥独姓诸。'朱、诸同音，为查采入《维止录》中，狱起，亦置于法。"

沈德潜序魏荔彤《怀舫集》。署"雍正丙午九月，长洲后学沈德潜拜撰"。（《怀舫集》卷首）是书本年刊行。据《中国丛书综录》。荔彤时年五十七岁。据《怀舫集·怀舫自述》。四库提要卷一八二：《怀舫集》三十六卷，"是集凡诗十二卷，又《续集》诗九卷，《别集》诗六卷，《偶遂草》两卷，《纪恩诗》一卷，外《杂著》三卷，《怀舫词》一卷，《杂曲》一卷，《弹词》一卷。末附《自述》一篇，盖仿扬雄之体。然所云'手注《九古经》，望道窥一贯，发微言，明大义，不落前儒窠臼'云云，自负亦颇不浅矣。"《国朝诗别裁集》卷二五录其《题沈归愚万峰独立图》、《马陵道》诗二首。《晚晴簃诗汇》卷五〇录其诗二首。

秋

乡试。是科各省考官有蒋廷锡、沈近思、查嗣庭、陈万策、张照、戴瀚等。据法式善《清秘述闻》卷五。所取举人有王延年（《清史稿》王峻传附）、沈虹（福格《听雨丛谈》卷四）、张元（宋弼《墓表》）、曹一士（全祖望《工科给事中前翰林院编修济寰曹公行状》）、林赞龙（四库提要卷一〇）、傅为詝（蔡新《副都御史傅公为詝墓表》）等。沈德潜报罢。据《沈归愚自订年谱》。

王延年乡试中式。延年字介眉，钱塘人。官国子监司业。事迹见《清史列传》王峻传附、《清史稿》王峻传附。《国朝文汇》甲集卷五六录其《汉唐兵制论》文一篇。《晚晴簃诗汇》卷六六录其诗一首。

林赞龙乡试中式。赞龙字云泽，侯官人。有《吟台诗草》一卷，收入其子其茂编《长林四世弓冶集》，四库提要卷一九四著录。

十月

诏停浙江乡会试。蒋良骐《东华录》卷二八："十月，以河南学政光禄寺卿王国栋为浙江观风整俗使，以查嗣庭玷辱科名，停浙江八乡会试。"

黄之隽入明史馆修书。据黄之隽《冬录》（《堂集》附录）。

李塨《恕谷后集》成书。阎镐序云："大兴王昆绳曰：'恕谷之注经，超轶汉、宋，连篇片语，皆古文也。'河南李主事汝懋曰：'吾遍阅闻人集，钱牧斋、吴梅村犹是宋、明遗习，汪苕文弱，侯朝宗亦涉摩拟，方灵皋练或伤气，王昆绳主奇变，而乃有唐陈，若夫渊源圣经，旁罗百氏，雄洁奥化，不名一家，其《恕谷后集》乎？'知言哉！"署"雍正四年丙午正阳月吉旦，樊舆门人阎镐谨识"。（《恕谷后集》卷首）四库提要卷一八四：《恕谷后集》十卷《续刻》三卷，"是集所作古文也。前有其门人阎镐序。称'恕谷'者，自名其里也。'后集'者，自康熙癸未以前俱置之，而惟存其后焉者也。集首第一篇为《送黄宗夏序》，后有题曰：此王昆绳改本也。恕谷初学八大家，昆绳言当宗秦、汉章法，订此《恕谷后》，谓唐、宋不如秦、汉，秦、汉不如六经，于文法一宗圣经，题曰《后集》云云。昆绳者，大兴王源字也。尝撰《文章练要》，分六宗百家，谈古文之法。后与塨同师颜元，塨遂从学古文，尽弃其少作。后集之名盖别其前之所弃也。今观其文，根柢仍出八家。但开合断续，不主故常，异乎明以来学欧、曾者惟以纡余曼衍为长耳。遽曰秦、汉，曰六经，溢其量矣。塨天分本高，其学自成一家，以经世致用为主，亦具有根柢。然负气求胜，其文或失之麤豪，少古人淳穆之气。其持论又自命太高，自信太果，几于唐、宋、元、明诸儒无一人能当其意，亦未免伤于褊激。盖前明自万历以后，心学盛行，儒、禅淆杂。其曲谨者又阔于事情，沿及国初，犹存商俗。故颜元及塨独力以务实相争。存其说以补诸儒之枵腹高谈，未为无益。然不可独以立训，尽废诸家。譬诸礞石、大黄，当其对证，实有解结涤滞之功。若专服久服，则又生他疾耳。"王灏《恕谷后集跋》："恕谷先生治古文辞，初学唐、宋八家，后受法王氏昆绳，始有志于秦、汉之作，而益求导其源于六经，特区之曰《后集》。其文主识议，恢奇变化，不可方物。王文简公、阎氏百诗俱盛推之。李次青廉访《国朝先正事略》称其博学工文辞，与慈溪姜西溟齐名。方氏灵皋先生志墓，详辨学术，不言所为文，意以其为余事欤？先生学出颜氏习斋，而规模益大。所著论学书甚具，并自撰年谱，已次第刊布。是集为其门下士所辑，每篇俱有评点。今只录本文，识者当各有取焉。光绪七年辛巳中秋节前三日，王灏识。"（《恕谷后集》卷末）

查慎行《余生集下》为去年六月至本月诗。见《敬业堂诗续集》卷四。

十一月

朔日，旷敏本初序蓝鼎元《鹿洲初集》。署"雍正四年丙午冬十有一月朔日，衡山旷敏本序"。序云："鹿洲，经济之儒、文章之匠也。其志存乎世道人心，其心系乎生民社稷，其为文如万斛之泉，随地涌出，而无不逢其源，凡以摅其心志之所欲宣也。是故刊有道之碑，殉阵骂贼必录也；表柏舟之节，投缳刲股必录也；风俗之贞淫必纪之，欲跻叔季于淳古也；形势之要害、士马之强弱必纪之，欲奠封疆于盘石也；海洋之情状、蛮徼之咽喉必纪之，直欲使禹迹之所未经，庄蹻之所不到，尽与享王之列也。"（《鹿洲初集》卷首）

查慎行以其弟嗣庭事被逮入狱。陈敬璋《查他山先生年谱》："十一月，被逮入都，诣刑部狱。叔弟润木由学士擢少宗伯，坐讪谤罪，削职逮问。先生以家长失教，牵连入狱。《族谱约编》：'润木读书不多，领悟最捷，有文名。由编修视学河南，以清廉大获声望。为人跌宕不羁，卒自罹于法。'"又，查慎行本月至明年四月诗为《诣狱集》。

十二月

初六日，大雪初霁，厉鹗同吴耕民着屐登吴山。归检乡先辈《凌柘轩集》，有《同瞿存斋吴山对雪》诗，因次其韵。诗见《樊榭山房集》卷四。

谢济世以奏劾河东总督田文镜落职，戍军台效力。据《世宗宪皇帝上谕内阁》卷五一（雍正四年十二月）、谢庭瑜《诰授奉政大夫掌山东道监察御史湖南盐驿长宝道按察司副使谢公济世小传》（《碑传集》卷八三）、袁枚《随园诗话》卷八。

冬

惠士奇自广东学政任满还都，时年五十六岁。钱大昕《惠先生士奇传》："任满还都，送行者如堵墙。既去，粤人尸祝之，设木主配食先贤。潮州于昌黎祠，惠州于东坡祠，广州于三贤祠，每元旦及生辰，诸生咸肃衣冠入拜，其得士心如此。丙午冬还。"（《潜研堂文集》卷三八）袁枚《随园诗话》卷六："苏州惠天牧先生，督学广东，训士子以实学；一时英俊，多在门墙。去后，人立生祠，如潮州之奉韩愈也。"《清史稿》何梦瑶传："惠士奇视学广东，一以通经学古为教。梦瑶与同里劳孝舆、吴世忠，顺德罗天尺、苏珥、陈世和、陈海六，番禺吴秋一时并起，有'惠门八子'之目。"

高孝本自编诗集十七集，名曰《固哉叟未删稿》。据《固哉叟诗钞》卷首高孝本自识。四库提要卷一八四：《固哉叟诗钞》八卷，"国朝高孝本撰。孝本字大立，号青华，嘉兴人。康熙辛未进士。官绩溪县知县。孝本虽年届四十始为诗，然罢官后放浪山水以老。故其诗洒落有清气，但深厚不足耳。是编分十七集：曰《趋庭集》，曰《江汉集》，曰《径山集》，曰《琴溪集》，曰《岭南集》，曰《秦游集》，曰《大鄣集》，曰《葛园集》，曰《晋游集》，曰《津门集》，曰《南州集》，曰《幔亭集》，曰《海岱集》，曰《黄梅集》，曰《台雁集》。皆孝本七十八岁所自编，为雍正丙午以前诗。至丁未，又编其病中所作为《维摩集》，附十七集后。故自序但列十七集云。"

本年

杨名时晋吏部尚书，仍管云南巡抚事。据方苞《礼部尚书赠太子太傅杨公墓志铭》（《方苞集》卷一〇）。

岳钟琪迁川陕总督。据袁枚《威信公岳大将军传》（《小仓山房文集》卷六）。

刘璋以前任亏米谷里累，卸深泽令。据王植《深泽尹二刘合传》（《崇德堂稿》卷四）。

孙勷告归。独居一室者十五年，未尝至城市。据宋弼《朝议大夫通政使司右参议我山孙公遗事》（《鹤侣斋诗》附录）。

王澍告假葬亲。据王步青《吏部员外郎族侄虚舟墓志铭》（《己山先生文集》卷八）。

宁楷失学，在街头卖卜为生。据张慧剑《明清江苏文人年表》。

陈章访姚世钰莲花庄居。据姚世钰《石贞石遗诗序》（《屏守斋遗稿》卷三）。

《御定骈字类编》成书。是书凡二百四十卷，始编于康熙五十八年。据四库提要卷一三六。

全祖望《古今通史年表》约作于本年。据董秉纯《全谢山先生年谱》。

高孝本有《愚斋集》。小序云："戊戌冬自阳朔归，拟裹足不复出门。欲学吾家子羔子之愚，以'也愚'自号，以'愚'名斋，即以'愚斋'名稿。合己亥至丙午所作，共八年。"（《固哉叟诗钞》总目）

李漫翁《御炉香》二卷三十二出有本年序刻传钞本。署"吴下寄民李漫翁氏著"，首序署"雍正丙午小春月，同学弟海上张怡题于武安郡斋"。据《古本戏曲剧目提要》。

郑际熙（1726—1761）生。际熙字大纯，侯官人。乾隆二十一举人。曾主漳州云阳书院。年三十六卒。著有《浩波遗集》三卷。事迹见姚鼐《郑大纯墓表》（《惜抱轩文集》卷一一）。

陈奉兹（1726—1799）生。奉兹字时若，号东浦，德化人。乾隆十二年解元。二十五年成进士，授四川知县。历官蓬山、阆中知县、茂州知府、四川、河南按察使、江苏布政使。著有《敦拙堂集》十三卷。事迹见姚鼐《江苏布政使德化陈公墓志铭》（《惜抱轩文集》卷一三）、《清史列传》本传。

夏秉衡（1726—1784 后）生。秉衡字谷香，华亭人。乾隆十八年举人。官蒲城知县。著有《清绮轩初集》四卷、《秋水堂传奇》三种。事迹见乾隆《蒲城县志》卷六、光绪《蒲城县新志》卷八（《方志著录元明清曲家传略》）。［生卒年据邓长风《明清戏曲家考略·昆剧演出史料钩沉》］

曹锡黼（1726—1754）生。锡黼字诞文，号菽圃，上海人，一士从子。任太常寺牧，年二十九卒于官。著有杂剧《桃花吟》、《四色石》。事迹见乾隆《上海县志》卷一〇（《方志著录元明清曲家传略》）。

戴梓卒，年七十八。据邓之诚《清诗纪事初编》卷七。金兆燕《戴耕烟先生传》："先生抱经世大略，凡象纬勾股、战阵河渠之学，靡不究悉。总河俞成龙得其《治河十策》，至今多用之。诗雄劲，画尽诸家所长，书兼董、米。"（《棕亭古文钞》卷二）《国朝诗别裁集》卷一三："诗挺劲有力，谪戍后尤佳。"录其《烽台晚眺》等诗三首。《晚晴簃诗汇》卷五〇录其诗三首。

冒褒卒，年八十三。据张慧剑《明清江苏文人年表》。《晚晴簃诗汇》卷一三："无誉为辟疆弟，幼学于辟疆，事辟疆如父。岁祲，辟疆赈恤不足，无誉倾资以助，曰：'无重吾兄忧也。'名不逮辟疆，而事与之齐。"录其诗一首。

公元 1727 年（雍正五年　丁未）

正月

初六日，潘天成卒，年七十四。据许重炎《溧阳潘孝子铁庐先生年谱》。四库提要卷一七三：《铁庐集》三卷《外集》二卷《后录》一卷，"是集为其门人许重炎所编。冠以小传、年谱。第一卷为《黙斋训言》，天成述其师汤之锜语也。二卷为杂著，天成诗文也。三卷为语录，重炎与蒋师韩记天成语也。《外集》一卷为《勿庵训言》；天成记其师梅文鼎语。二卷为杂著，亦天成遗文补刊者。《后录》一卷则其墓记之类也。天成学问源出姚江，以养心为体，以经世为用。其诗文皆抒所欲言，不甚入格。然行谊者文章之本，纲常者风教之源。天成出自寒门，终身贫贱，而天性真挚，人品高洁，类古所谓独行者。其精神坚苦，足以自传其文，故身没嗣绝，而人至今重之。特录其集，俾天下晓然知国朝立教在于敦伦纪、砺名节、正人心、厚风俗。固不与操觚之士论文采之优劣，亦不与讲学之儒争议论之醇疵也。"

二十九日，张远览（1727—1803）生。远览字伟瞻，号梧冈，西华人。乾隆二十四年举人。选授正阳县教谕。毕沅闻其名，调摄开封府教授。后选授贵州镇远知县。旋乞归。著有《初名集》、《古欢集》、《黔游集》等。事迹见《清史列传》本传。〔生日据朱彭寿《清代人物大事纪年》〕

晦日，厉鹗同姚念慈游道场山。诗见《樊榭山房集》卷五。

二月

初二日，阮葵生（1727—1789）生。葵生字宝诚、安甫，号唐山，山阳人。乾隆壬申举于乡，辛巳会试取中正榜，授内阁中书。官至刑部右侍郎。著有《七录斋集》二十四卷、《茶余客话》三十卷。事迹见阮元《刑部侍郎唐山阮公传》（《揅经室二集》卷三）。〔按，生日据朱彭寿《清代人物大事纪年》〕

黄白麟编定其父黄越诗文稿为《退谷文集》（含诗集七卷）。黄越序之，署"雍正丁未花朝，退谷黄越自序，时年七十有五"。（《退谷文集》卷首）四库提要卷一八四：《退谷文集》十五卷《诗集》七卷，"国朝黄越撰。越字际飞，上元人。康熙己丑进士。改庶吉士。所著《四书大全合订》，及选刻制义如《明文商》、《今文商》、《墨卷商》、《考卷商》之类，皆盛行一时。盖平生精力注于讲章、时文。此集所著诗古文，乃以余暇兼治者。其《尚书古今文辨》，惟以蔡传折服诸家；《三传得失辨》，惟以胡传断制众论，亦仍举业绳尺也。"

三月

初一日，厉鹗、杭世骏、符曾、汪沆游皋园。据《樊榭山房集》卷五《三月一日同杭大宗、符圣几、汪西颢游皋园。园在城东，为严颢亭少司农所筑。得诗二首》。

二十二日，查嗣庭狱中自尽，年六十四。陈敬璋《查他山先生年谱》："三月二十二日，弟润木有罪自杀，作诗哭之。时横浦公与第三子中翰克上同卒狱中，中翰妇浦孺人与其姑史夫人在家闻变，俱投缳而死。一时哀感行路。"

开闽省洋禁。据蒋良骐《东华录》卷二八。

会试。考官：刑部尚书励廷仪、工部侍郎史贻直、左都御史沈近思。题"人能弘道"二句，"仲尼祖述"一节，"孔子圣之"一句。据法式善《清秘述闻》卷五。

闰三月

陆奎勋乞假南还。据《盟松别稿》小序（《陆堂诗续集》卷一）。

春

厉鹗客吴兴。据《樊榭山房集》卷一〇《一萼红·丁未始春客吴兴，郡治后圃有爱山台，南宋时建，盖取东坡'尚爱此山看不足'之句。日与客登其巅，苍弁清苕，奔赴襟焉，情味洒然，如遇白石、草窗诸名胜于五百载上。乃歌此曲，以寄予怀》。

四月

初五日，世宗御太和殿，传胪。赐一甲彭启丰、邓启元、马宏琦进士及第，二甲邹一桂、潘安礼等进士出身，三甲张鹏翀、杨锡绂、刘青芝等同进士出身。据《历科进士题名录》、《清通鉴》。

禁各省地方指称万寿聚集梨园。据《世宗宪皇帝上谕内阁》卷五六（雍正五年四月）。

厉鹗游姑苏诸胜。据朱文藻撰、缪荃孙重订《厉樊榭先生年谱》。

《御定子史精华》一百六十卷成书。据卷首御制序。

查慎行《诣狱集》为去年十一月至本月诗。见《敬业堂诗续集》卷五。

五月

二十五日，厉鹗、吴焯、赵信、丁敬、沈嘉辙游西湖。据朱文藻撰、缪荃孙重订《厉樊榭先生年谱》。

惠士奇以入对不称旨，罚修镇江城。据钱大昕《惠先生士奇传》（《潜研堂文集》卷三八）、《清史稿》惠周惕传附。

查慎行获赦出狱南还。本月至六月诗为《生还集》。见《敬业堂诗续集》卷六。蒋良骐《东华录》卷二八："五月，内阁等议奏：查嗣廷应照大逆律凌迟处死，今已在监病故，应戮尸枭示。嗣廷兄查慎行、查嗣瑮，子查沄、侄查克念、查基斩决。嗣廷次子长椿、大梁、克瓒，侄查开、查学俱年十五以下，给功臣家为奴。得旨：'查沄改监候，查慎行父子释放回籍，查嗣瑮、查基免死，流三千里。'"

六月

初五日，赵佑（1727—1800）生。佑字启人，号鹿泉，仁和人。乾隆十七年进士，改庶吉士，散馆授编修。官至吏部侍郎、左都御史。著有《清献堂诗文集》八卷。事迹见《清史列传》本传。[按，生日据朱彭寿《清代人物大事纪年》]

初十日，厉鹗、丁敬、石文游龙兴寺。据《樊榭山房集》卷五《六月十日同丁敬身、石贞石游龙兴寺，观唐开成二年陀罗尼石幢，为处士胡季良书》。

七月

查慎行本月以后诗为《住劫集》。据陈敬璋《查他山先生年谱》。

八月

三十日，查慎行卒，年七十八。据陈敬璋《查他山先生年谱》。沈廷芳《翰林院编修查先生行状》："先生品诣矫然，学问困灏，文章丽则，而尤工于诗，汇韩、白、苏、陆之长，以发抒性灵，海内咸宗之。"（《查他山先生年谱》卷首）查为仁《莲坡诗话》："家伯初白老人尝教余诗律。谓：诗之厚，在意不在辞；诗之雄，在气不在直；诗之灵，在空不在巧；诗之淡，在脱不在易。须辨毫发于疑似之间。"沈德潜等《国朝诗别裁集》卷二〇："所为诗得力于苏，意无弗申，辞无弗达。或以少蕴藉议之，然视外强中干、袭面目而失神理者，固孰得而孰失也。惟学之者，勿更扬其波，斯为善学者耳。"录其《秋感》等诗十九首。袁枚《随园诗话》卷八："查他山先生诗，以白描擅长；将诗比画，其宋之李伯时乎？"洪亮吉《北江诗话》卷二："七律之多，无有过于宋陆务观者。次则本朝查慎行。陆诗善写景，查诗善写情。写景故千变万化，层出不穷；写情故宛转关生，一唱三叹。盖诗家之能事毕，而七律之能事亦毕矣。近日赵兵部翼亦擅此体，可为陆、查之亚。"赵翼《瓯北诗话》卷一〇专论初白诗。吴骞《初白先生年谱序》："先生学博而志宏，少年足迹半宇内，于书无所不窥，卓然为当世儒宗。所著《周易玩辞集解》及《敬业堂全集》，并录入《钦定四库全书》，而诗学尤为海内谈诗家首屈一指。长洲沈文悫公辑《别裁集》，亦极推许。近武进赵云松观察撰《十家诗话》，国朝惟推梅村、敬业二家，且谓先生直可继香山、剑南之后。二公非如世之徒徇乡曲之见者，盖天下之公言也。"（《查他山先生年谱》卷首）《年谱》刘承幹跋："他山之诗，黄梨洲比之陆放翁。王渔洋则谓：'奇创之才，他山逊陆；绵至之思，陆逊他山。'时以为知言。赵瓯北《十家诗话》举唐之李、杜、韩、白，宋之苏、陆，金之遗山，明之青丘，本朝则梅村与先生，可谓推重之至。然列于诸君之后，无愧色也。"（《查他山先生年谱》卷末）张维屏《国朝诗人征略》卷一九引《听松庐诗话》："初白先生诗极清真，极隽永，亦典切，亦空灵。如明镜之肖形，如化工之赋物，其妙只是能达。""查悔翁于人情物理，阅历甚深。发而为诗，多所警悟。"昭梿《啸亭续录》卷二："国初诗人，以王、施、宋、朱为诸名家。查初白慎行继以苏、陆之调著名当时。其诗句亦颇俊逸峭劲，视西厓、义门诸公自为翘楚。"朱庭珍《筱园诗话》卷二："查初白诗宗苏、陆，以白描为主，气求条畅，词贵清新，工于比喻，善于形容，意婉而能曲达，笔超而能空行，入深出浅，时见巧妙，卓然成一家言。惟气剽则嫌易尽，意露则嫌无余，词旨清倩则嫌味不厚，局阵宽展则嫌诣不深，古人所谓骨重神寒者，苦未能焉。且投赠公卿，动为连章，尤好为长篇，急于求知，冗繁皆不暇烹炼，虽多中年以前之作，究自累诗品，为白璧一瑕矣。云松《诗话》举梅村、初白以足十家，继唐、宋、元、明诸大家之后，若统绪相传，昭代只此二家，足为正宗者然，宜稚存非之，而人多议其阿好溢美，实无当于公论也。"杨锺羲《雪桥诗话续集》卷三："查他山七古俊利，长篇间有喧砌之嫌，其短篇尤见遒紧。"《晚晴簃诗汇》卷五六：

"国初诸老，渐厌明七子末流科（日）[目]，至初白乃专取径于香山、东坡、放翁，桃唐祖宋，大畅厥词，为诗派一大转关。其自言在熟处求生，《题癸未后诗稿》云：'平生怕拾杨、刘唾，甘让西昆号作家。'大旨昭揭。归愚有微词，则门户之见也。"录其诗五十七首。《国朝文汇》甲集卷四二录其《曝书亭集序》、《自怡园记》文两篇。

黄之隽以官闽旧案落职。九月出都，十月抵松江。据黄之隽《冬录》（《唐堂集》附录）。

十月

初四日，黄越卒，年七十五。据黄白麟《皇清敕授文林郎翰林院检讨加一级武英殿纂修官予告乡饮大宾显考退谷府君行述》（《退谷文集》附录）。《晚晴簃诗汇》卷五八录其诗一首。

十三日，沈近思卒，年五十七。据彭启丰《资政大夫都察院左都御史赠太子少傅礼部尚书沈端恪公墓志铭》（《芝庭先生集》卷一三）。《国朝文汇》甲集卷四一录其《远虑论》等文五篇。

二十二日，赵翼（1727—1814）生。翼字耘松、云松（崧），号瓯北，阳湖人。乾隆十九年，由举人中明通榜，用内阁中书。旋入直军机。二十六年成进士，授编修。历官广西镇安知府、广州知府、贵西兵备道。以广州谳狱旧案降级，遂乞归，不复出。尝主扬州安定书院。五十二年随李侍尧赴闽治军。事平，辞归，以著述自娱。著有《廿二史札记》、《皇朝武功纪盛》、《陔余丛考》、《檐曝杂记》、《瓯北集》。事迹见姚鼐《贵西兵备道赵先生翼家传》（《碑传集》卷八六）、佚名《瓯北先生年谱》、《清史列传》本传、《清史稿》本传。

逮隆科多下狱，永远禁锢。据蒋良骐《东华录》卷二九。

张廷玉晋文华殿大学士。据张廷玉《澄怀主人自订年谱》卷二。

李之果序吕抚《纲鉴通俗演义》。署"时雍正五年岁次丁未孟冬月吉，邑宰桂岩弟子李之果题"。时《纲鉴通俗演义》已成书。孙楷第《中国通俗小说书目》卷二：《二十四史通俗演义》二十六卷四十四回，"存。清雍正间原刊本。正气堂活字本。上海广百宋斋石印本。清吕抚撰。首雍正五年李之果桂岩序，雍正十年抚自序。抚字安世，浙江绍兴府新昌人。诸生。乾隆元年举孝廉方正。抚作书时，并无二十四史。其书本名《纲鉴演义》。传本作《二十四史演义》者，乃后来追改。"

十一月

二十七日，邵齐然（1728—1779）生。齐然字光人、光辰，号闇谷，昭文人，齐焘弟。乾隆十三年进士。官至杭州知府。著有《聊存草》。事迹见《湖海诗传》卷一三。[生卒时间据江庆柏《清代人物生卒年表》]

十二月

上谕罢曹頫职，查抄曹家。十五日上谕："江宁织造曹頫审案未结，着绥赫德以内务府郎中职衔管理江宁织造事务。"二十四日上谕："江宁织造曹頫，行为不端，织造款项亏空甚多。朕屡次施恩宽限，令其赔补。伊倘感激朕成全之恩，理应尽心效力。然伊不但不感恩图报，反而将家中财务暗移他处，企图隐蔽，有违朕恩，甚属可恶。着行文江南总督范时绎，将曹頫家中财务，固封看守，并将重要家人，立即严拿。家人之财产，亦着固封看守，俟新任织造官员绥赫德到彼之后办理。伊闻知织造官员易人时，说不定要暗派家人到江南送信，转移家财。倘有差遣之人到彼处，着范时绎严拿，审问该人前去的缘故，不得迟忽。钦此。"（朱一玄编《红楼梦资料汇编》）

　　厉鹗客扬州。据《樊榭山房集》卷一〇《意难忘·丁未冬抄客芜城。将归，次饮谷送别韵》。

冬

　　高孝本有《维摩集》。小序云："游台、荡后，久不作诗。至丁未冬初，吟兴忽动，得诗如干首。因已抱恙，名《维摩集》，命禹儿附十七集之后。"（《固哉叟诗钞》总目）

本年

　　袁枚受知于学使王交河，补博士弟子员。据方濬师《随园先生年谱》。

　　万经将全祖望荐于孙诏。董秉纯《全谢山先生年谱》："武威孙公诏来守宁，访士于万九沙太史，太史力推先生。孙公甚重之，先生因上《尊经阁祀典议》。及孙公观察三郡，凡再上《修南宋六陵》及《祠祭冬青义士》帖子。其后修郡志，孙公招先生入局，辞之，而总裁为九沙太史。移书问遗事，纠缪凡数十条，先生详答之。孙公将荐先生于朝，先生上书力辞，因欲先生自署门生，先生自后遂不复往。及孙公按察江西，旋卒，先生感念高谊，为之诔，今载集外。"

　　岳锺琪拜宁远大将军，征准噶尔。据袁枚《威信公岳大将军传》（《小仓山房文集》卷六）。

　　塞尔赫授监察御史。据《钦定八旗通志》卷一二〇。

　　杨名时以奏豁盐课叙入密谕，削尚书职，仍署巡抚事。据方苞《礼部尚书赠太子太傅杨公墓志铭》（《方苞集》卷一〇）。

　　曹一士春试不第，授职如皋县学教谕。据全祖望《工科给事中前翰林院编修济襄曹公行状》（《鲒埼亭集》卷二五）。

　　盛熙祚以诸生引见，命往广东试用，署灵山县。不一年，改吴川县。据张庚《盛晴谷先生传》（《强恕斋文钞》卷二）。

　　王步青告归。据王廷琬《家传》（《己山先生文集》卷首）。

　　陈兆崙授徒于同里徐氏。据陈玉绳《陈句山先生年谱》。

　　蒋蘅书《法华经》成，以示吏部，吏部劝其书十三经。此后数年，蘅致力于书写群经。据余集《蒋湘帆先生传》（《秋室学古录》卷五）。

成永健此际编定所著《偶存诗集》十一卷。据张慧剑《明清江苏文人年表》。

王喆生《懿言续录》编年讫本年。四库提要卷一二五：《懿言日录》一卷《二录》一卷《续录》一卷《别录》一卷附《礼闱分校日记》一卷《七规》一卷，"国朝王喆生撰。喆生字素岩，昆山人。康熙壬戌进士，官翰林院编修。是书编年成帙，《日录》始康熙庚申终丁丑，《二录》始戊寅终壬寅，《续录》始雍正癸卯终丁未。多讲学之语，亦兼及杂事。大旨尊程、朱，攻陆、王。谓孙奇逢初守程、朱甚笃，自鹿善继诱以文成，讲习遂复异趣，所遇非人，固其不幸云云。案鹿善继之在明季，力赴杨左之难，触珰焰而不辞；泊大兵攻定兴，死守孤城，力竭授命：为人如是，亦奚愧于圣贤？而喆生不论人品之醇疵，但论学术之同异，至以非人诋之，程、朱所传恐不如是。至《别录》一卷，纯言修炼之术，称为真仙所传，又称佛言应生无所住心，是无上妙义，能见得无住之心，便可超凡云云，纯为二氏之学。其《礼闱分校日记》一卷，乃康熙乙丑为同考官时所作。《七规》一卷，则其邀讲学诸人结会，每一会，静坐七昼夜，以验心学者也。"

田霡《鬲津草堂诗》三卷刊行。绝句诗一卷，七十岁以后诗二卷。据《贩书偶记》卷一五。[按，康熙乾隆间刻德州田氏丛书本《鬲津草堂诗》凡六卷：《鬲津草堂五字古体诗》、《香城居士七十以后诗》（《菊隐集》）、《鬲津草堂绝句诗》、《鬲津草堂七十以后诗》（《南游稿》）、《鬲津草堂五字今体诗》、《鬲津草堂乃了集》。]四库提要卷一八三：《鬲津草堂诗集》无卷数，"国朝田霡撰。霡字子益，号乐园，又号香城居士，德州人。康熙丙寅拔贡生。授堂邑县教谕，以病未赴。霡与兄雯、需并能诗。雯才调纵横，沿几社之余风，以奇伟巨丽自喜。与王士禛同郡同时，而隐然负气不相下。士禛《池北偶谈》中载其服药必取异名一事，亦阴不满之。霡乃独从士禛游。是编凡《鬲津草堂五字古体诗》一卷，《五字今体诗》一卷，皆士禛评而序之。序称：'唐有诗，不必建安、黄初也；元和以后有诗，不必神龙、开元也；北宋有诗，不必李、杜、高、岑也。'语盖为雯而发。又《鬲津草堂绝句诗》一卷，里人孙勷序之。序称：'吾州近时前辈以诗名者，无间于时。余性不近诗，然当披编佩句之余，亦或颇有所睹。于作者之旨，大都若格格于余怀，未能强以为无间然也。'语亦侵雯。然观霡所作，虽密咏恬吟，成一丘一壑之趣，至才力富健，究不足以敌雯也。集后又有《菊隐集》一卷、《南游稿》一卷，总题曰《鬲津草堂七十以后诗》。黄越序之，称其垂老所作，弥淡弥甘。大抵霡生平为诗，以七言绝句自负，自少至老，亦惟是体特多云。"

永恩（1727—1805）生。永恩字惠周，宗室。著有《诚正堂集》、《律吕元音》、《度蓝关》杂剧、《海岳圆》传奇及《漪园四种曲》（《五虎记》、《四友记》、《三世记》、《双兔记》）。事迹见姚鼐《礼恭亲王永恩家传》（《惜抱轩文后集》卷五）。

吴璥（1727—1773）生。璥字方甸，号鉴南，山阴人。著有《苏门纪游》、《黄琢山房诗》六卷等。事迹见蒋士铨《入祀昭忠祠鉴南吴公传》（《忠雅堂文集》卷三）、王昶《慰忠祠碑·吴璥》（《碑传集》卷一二一）。

江昉（1727—1793）生。昉字旭东，号橙里、砚农，歙县人，寓居扬州。官候选知府。著有《练溪渔唱》三卷、《随月读书楼词钞》、《集山中白云词》，尝与吴烺、程名世等合辑《学宋斋词韵》。事迹见李斗《扬州画舫录》卷一二。

吴恒宪（1727—1780 以后）生。恒宪（一作恒宣）字来旬，号郁州山人，海州人。居板浦。幼称神童，长游太学，呼为狂生。精六壬奇门术，喜谈兵，善歌，自称青藤后身。漕督崔应阶延入幕。崔卒，郁郁无所遇，久之发病死。著有《郁州山人集》、《云台山志》、《义贞记》传奇。另有《火牛阵》、《玉燕钗》，已佚。事迹见嘉庆《海州直隶州志》卷二五（《方志著录元明清曲家传略》）、邓长风《明清戏曲家考略·九位明清江苏、上海戏曲家生平考略》。

张符骧卒，年六十四。据沈默《张符骧传》（《碑传集补》卷八）、张慧剑《明清江苏文人年表》。《国朝文汇》甲集卷五一录其《记李编修言曲阜颜氏事》等文四篇。《贩书偶记》卷一四："《依归草》十卷首一卷《自长吟》十二卷，扬州张符骧撰。无刻书年月，约康熙间刊。"又，"《依归草》一刻二卷，海陵张符骧撰。康熙丙子刊。"

应是卒，年九十。据纪大奎《宜黄应升传略》附（《双桂堂稿续编》卷一〇）。《国朝文汇》甲集卷二三录其《桃源图记》、《宜城五世传》文两篇。

王誉昌尚在世。据张慧剑《明清江苏文人年表》。《国朝诗别裁集》卷二一："露涓有《崇祯宫词》百首，人共称之。然十七年中，忧勤尽瘁之意，未能传出，故从舍旃。"录其《舟泊武林城外因忆新安会稽之胜赋呈确庵夫子志别》等诗三首。

楼俨尚在世，时年五十九岁。据张慧剑《明清江苏文人年表》。

徐昭华（女）**尚在世**。袁枚《童二树先生墓志铭》："（童钰）家邻女史徐昭华，七岁时，徐抱置膝上，为梳髻课诗。"（《小仓山房续文集》卷二六）四库提要卷一八三：《徐都讲诗》一卷，"国朝徐昭华撰。昭华字亦曰。昭华，骆加采之妻也。其父咸清与毛奇龄善。奇龄暮年里居，昭华从之学诗，称女弟子，故有都讲之目。是集即奇龄所点定，附刻《西河集》中者也。"《国朝诗别裁集》卷三一："徐昭华字昭华，浙江会稽人。诸暨骆加采室。昭华为毛西河太史学诗女弟，诗附毛集中以传，毛极推扬之。然绰约有余，未尽离铅粉之习。"录其《舟泊垂虹桥重翻吴江闺秀诗有感》、《送虞英嫂归诸暨》诗二首。《晚晴簃诗汇》卷一八四录其诗四首。

公元 1728 年（雍正六年　戊申）

正月

初七日，钱大昕（1728—1804）生。大昕字晓征、辛楣，号竹汀，嘉定人。乾隆十六年召试举人，授内阁中书。十九年成进士，选庶吉士，散馆授编修。历官右赞善、侍讲学士、侍读学士、詹事府少詹事、广东学政。乾隆四十年丁忧归，不复出。归田三十年，历主钟山、娄东、紫阳三书院。著有《潜研堂文集》五十卷、《诗集》二十卷等，合为《潜研堂全书》。事迹见王昶《詹事府少詹事钱君墓志铭》（《春融堂集》卷五五）、钱大昕自编、钱庆曾校注《竹汀居士年谱》、江藩《国朝汉学师承记》卷三、《清史列传》本传、《清史稿》本传。

二月

初一日，陈珮（女）**卒**，年二十二。据江昱《亡妻陈君墓碣》（《闺房集》附录）。

四库提要卷一八五：《闺房集》一卷，"国朝陈（佩）[珮] 撰。（佩）[珮]字怀玉，天长人。江都诸生江昱之妻。是集仅诗四十首，长短句十首，附以传诔及昱所作墓碣。"

十六日，吴焯招厉鹗等往包家山看桃花。 据《樊榭山房集》卷五《二月十六日，吴尺凫招同袁舒雯、沈栾城、符幼鲁、赵谷林、意林、杭大宗、丁敬身包家山看桃花》。

郎坤援引小说陈奏遭革职。 据《世宗宪皇帝上谕内阁》卷六六（雍正六年二月）。

三月

初八日，康基田（1728—1814）生。 基田字仲耕，号茂园，兴县人。乾隆二十二年进士，以知县分发江苏。历官新阳、昭文知县、江苏按察使、广东布政使等。著有《霞荫堂诗集》。事迹见《茂园自撰年谱》、《清史稿》本传。

十一日，汤大奎（1728—1787）生。 大奎字曾辂，号纬堂，武进人。乾隆二十七年举人，明年成进士，授福建凤山县知县。任满俟代，适林爽文起事，城陷死事。著有《炙研琐谈》三卷。事迹见赵怀玉《福建凤山县知县世袭云骑尉汤君墓表》（《亦有生斋集》文卷一六）、洪亮吉《福建凤山县知县赠云骑尉世袭死节汤君墓表》（《卷施阁文乙集》卷七）、《清史稿》本传。[按，生日据朱彭寿《清代人物大事纪年》]

十一日，徐映玉（女，1728—1763）生。 映玉字若冰，昆山人。苏州诸生孔毓艮室。为沈大成女弟子。著有《南楼吟稿》二卷。事迹见沈大成《徐媛传》（《学福斋集》卷一九）、施淑仪《清代闺阁诗人征略》卷四。

上谕演戏无一概禁止之理。 《世宗宪皇帝上谕内阁》卷六七（雍正六年三月）："二十三日，奉上谕：魏廷珍奏称违禁演戏之保长已杖八十发落等语。查雍正元年间，李凤翥曾经奏称，乡邑之中，共为神会，敛钱演戏，男女混杂，耗费多端，应行禁止。朕因其所奏合理，比即降旨允行。盖州县村堡之间，豪强地棍，借演戏为名，敛钱肥己，招呼匪类，开设赌场，男女混淆，斗殴生事，种种不法，扰害乡愚，此则地方有司所当严禁者。至于有力之家，祀神酬愿，欢庆之会，歌咏太平，在民间有必不容己之情，在国法无一概禁止之理，今但称违例演戏，而未分晰其缘由，则是凡属演戏者，皆为犯法，国家无此科条也。"

储大文等游石柱山。 据《存砚楼文集》卷一二《游石柱山记》。

厉鹗辑《城东杂记》二卷。 自序署"雍正六年春三月十有二日，樊榭山民厉鹗书于野人舟"。（《城东杂记》卷首）卢文弨于乾隆丁酉为跋，见《抱经堂文集》卷九。

张廷玉晋保和殿大学士。 据张廷玉《澄怀主人自订年谱》卷二。

春

郑燮读书于兴化天宁寺。呫哔之暇，手写《论语》、《孟子》、《大学》、《中庸》各一部。据郑燮《四书手读序》（《郑板桥全集·板桥集外诗文》）

石文卒于是春或稍前，年三十二。据厉鹗《樊榭山房集》卷五《同敬身东扶过云居寺伤贞石下世》，郑方坤《国朝名家诗钞小传》卷四《贞石诗钞小传》。《国朝诗别裁集》卷二九录其《同丁敬身访张丈应华有赠》诗一首。

四月

二十日，田从典卒，年七十八。据张廷玉《光禄大夫太子太师文华殿大学士兼吏部尚书谥文端田公神道碑铭》（《澄怀园文存》卷一一）。四库提要卷一八三：《峣山文集》四卷《诗集》一卷，"国朝田从典撰。从典字克（正）［五］，阳城人。康熙戊辰进士。官至文华殿大学士。谥文端。是集奏疏、序传等杂文五十余篇，为四卷。诗三十余首，为一卷。又附以补刻文一册。据卷首储大文序，谓从典文多散佚，此乃其子暨族属所搜辑者，故仅止于此，非全本也。"《国朝诗别裁集》卷一六录其《拟七德九功舞歌效乐天体》诗一首。《国朝文汇》甲集卷三四录其《砭愚说赠开翁殷大司马》、《泊谷张公墓表》文两篇。

二十一日，吕谦恒卒，年七十六。据方苞《光禄卿吕公墓志铭》（《方苞集》卷一〇）。《墓志铭》云："自容城孙征君讲学淇源，汤司空、耿詹事名节在天壤。由是中州士大夫多好言理学，而公兄弟则尚质行，以文学知名。公兄少司农坦庵公与吾亡友昆绳治古文而旁及于诗，公则以诗名而兼治古文。余尝以古文义法绳班史、柳文，尚多瑕疵；世士骇诧，虽安溪李文贞不能无疑，惟公笃信焉。"《方苞集》卷四《青要集序》："公诗格调不袭宋以后，吟咏性情，即境指事，恻恻感人，实得古者诗教之本义。"《国朝诗别裁集》卷二二："光禄诗烹炼，兄元素司农诗古雅，新安二吕并重于时。"录其《望岳》等诗六首。林昌彝《射鹰楼诗话》卷一二："'雪峰藏白日，云谷束青天'，此新安吕天益光禄谦恒句也（康熙四十八年进士）。雅近警炼，其全集纯学宋派，疏爽有余，颇嫌质直无味。"《晚晴簃诗汇》卷五七录其诗六首。

厉鹗、吴焯等游西山。据《樊榭山房集》卷五《四月十五日同施自嘂、吴尺凫游西山，入龙泓洞》。

七月

二十七日，常纪（1728—1773）生。纪字铭勋，号黻廷，别号理斋，承德人。乾隆二十一年举于乡，明年成进士。历官四川西充知县、崇庆知州。三十八年六月土人叛乱，遂死难昔岭。著有《爱吟草》一卷《前草》一卷附一卷。事迹见张洲《诰赠中宪大夫恩恤道历官四川崇庆州知州常君殉节行状》（《碑传集》卷一二一）。

江西清江县知县牛元弼以张筵唱戏被参。据《大清世宗宪皇帝实录》卷七一。

八月

准浙江士子明年乡会试。据蒋良骐《东华录》卷二九。

九月

初一日，厉鹗同丁敬、金焜、符之恒等游天龙寺。诗见《樊榭山房集》卷五。

曾静遣徒张倬投书案发，雍正十三年十二月止。据《清代文字狱档》。

张九键拔贡。据张家栻《陶园年谱》。

张洲（1728—1787）生。洲字莱峰，号南林，武功人。乾隆十八年举人，二十二年进士。官广西修仁、浙江德清知县。罢官后客齐鲁间，掌峄县胶州书院。著有《对雪亭集》。事迹见薛著廷《南林张君墓志铭》（《国朝文汇》乙集卷二八）。

王喆生卒，年八十一。据孙勷《翰林院编修昆山素岩先生王公墓志铭》（《鹤侣斋文稿》卷二）。四库提要卷一八三：《素岩文稿》二十六卷，"国朝王喆生撰。喆生有《懿言日录》，已著录。是编所载皆杂文。末卷并录及讼牒，则太异矣。"《国朝文汇》甲集卷三三录其《重建郴州濂溪书院记》等文四篇。

朱纲卒。据朱彭寿《清代人物大事纪年》。四库提要卷一八四：《苍雪山房稿》一卷，"国朝朱纲撰。纲字子聪，历城人。官至福建巡抚。与兄绅、绛皆学诗于王士禛。是集亦士禛所评定，诗颇清浅，盖少作也。"《晚晴簃诗汇》卷六二录其诗一首。

秋

直隶总督刘师恕欲荐朱泽沄于朝，泽沄辞之。据王箴传《止泉先生朱公行状》（《止泉先生文集》卷八）。

十月

温而逊升官去，沈德潜解馆归。据《沈归愚自订年谱》。

冬

沈廷芳受业于方苞。苏惇元《方望溪先生年谱》："冬，仁和沈廷芳来受业。先生曰：'师所以传道授业解惑，生欲登吾门，当以治经为务。'廷芳谨受教。先生以所著《丧礼或问》授之，曰：'丧、祭二礼，事亲根本，世罕习者，生其研于斯。'"

裘琏相传以昆山三徐事株及被逮，时年八十五岁。据裘姚崇《慈溪裘蔗村太史年谱》。

本年

胡天游入山阴县学，为弟子员，时年三十三岁。天游（1696—1758）榜姓方，一名骦，字稚威、云持，山阴人。负才名三十余年，两举乡贡，皆抑为副。应博学鸿词报罢，后举经学，又报罢。客游山西，卒于河中书院。著有《石笥山房集》。事迹见胡元琢《先考稚威府君年谱纪略》（卷首附朱仕琇《方天游传》）、《清史列传》本传、《清史稿》本传。

颜肇维官临海县知县。在任凡九年。据牛运震《协办礼部仪制司行人司行人颜公墓志铭》（《空山堂文集》卷七）。四库提要卷一八四：《钟水堂诗》三卷，"国朝颜肇维撰。肇维字次雷，曲阜人。官临海县知县。是集乃其官浙东时所作，多学南宋诸家。"

许廷镖任武平县知县。据《四库全书·福建通志》卷二七。

王时翔以兴化知府沈起元之荐，授晋江县知县。明年到任。据沈起元《墓志铭》（《小山诗文全稿》卷首）。

芮复传擢分巡温处道。据朱筼《浙江提刑按察使司副使分巡温处道芮君墓碣铭》（《筼河文集》卷一二）。

符曾以大理卿汪漋荐，在户曹贵州司行走。据赵一清《符药林先生传》（《东潜文稿》卷上）。

黄永年举孝廉方正不就。据陈道《崧甫黄先生行状》（《南庄类稿》卷首）。

曹頫携家北上，曹雪芹随之到京。《江宁织造绥赫德奏细查曹頫房地产及家人情形折》："窃奴才荷蒙皇上天高地厚洪恩，特命管理江宁织造。于未到之先，总督范时绎已将曹頫家管事数人拿去，来讯监禁，所有房产什物，一并查清，造册封固。及奴才到后，细查其房屋并家人住房十三处，共计四百八十三间。地八处，共十九顷零六十七亩。家人大小男女共一百十四口。余则桌椅、床机、旧衣零星等件及当票百余张外，并无别项，与总督所查册内仿佛。又家人供出外有所欠曹頫银，连本利共计三万二千余两。奴才即将欠户询问明白，皆承应偿还。再，曹頫所有田产房屋人口等项，奴才荷蒙皇上浩荡天恩特加赏赉，宠荣已极。曹頫家属蒙恩谕少留房屋以资养赡，今其家不久回京，奴才应将在京房屋人口酌量拨给。"又，雍正七年七月二十九日《刑部为知照曹頫获罪抄没缘由业经转行事致内务府移会》："今于雍正七年五月初七日，准总管内务府咨称：原任江宁织造员外郎曹頫，系包衣佐领下人，准正白旗满洲都统咨查到府。查曹頫因骚扰驿站获罪，现今枷号，曹頫之京城家产人口及江省家产人口，俱奉旨赏给绥赫德。后因绥赫德见曹寅之妻孀妇无力，不能度日，将赏伊之家产人口内，于京城崇文门外蒜市口地方房十七间半，家仆三对，给予曹寅之妻孀妇度命。"（朱一玄编《红楼梦资料汇编》）

全祖望辞王兰生荐。董秉纯《全谢山先生年谱》："督学交河王公将以贤良荐，先生以两尊人年高独子鲜侍养者上书辞之。其后有司以万先生承勋应，先生于万先生中表后辈也。先生以名不易副，颇有规切。万先生曰：后于吾而生，先乎吾而闻道者，子也。""是年得高隐学先生《雪交亭集》于陆氏。"

杨名时以事罢官，始聚徒讲学于滇南，凡八年。据方苞《礼部尚书赠太子太傅杨公墓志铭》（《方苞集》卷一〇）。

唐英以内务府员外郎奉命驻景德镇御窑厂协理陶务。据郭葆昌《唐俊公先生陶务纪年表》。

王曾祥识符曾于符之恒秋声馆舍。王曾祥《符药林诗集序》："忆岁戊申，余始识药林于其族孙南竹秋声馆舍。是时里中称诗，就余所熟识者，为沈栾城、吴绣谷、金寿门、厉樊榭、赵谷林、意林、杭堇浦、丁敬身、石贞石、陈授衣、江皋、汪西颢、施竹田及南竹，俱各以其工力所到，争雄于豪隽。而君诗特深秀约洁，角立于作者。"（《静便斋集》卷七）

张梁《幻花庵词钞》八卷刊行。是书又有乾隆二十四年刻本。据《清词别集知见目录汇编》。

陆培《白蕉词》四卷刊行。据《清词别集知见目录汇编》。陈廷焯《白雨斋词话》卷四："陆南芗《白蕉词》四卷，全祖南宋，自是雅音，但无宋人之深厚，不耐久讽也。"

梦麟（1728—1758）**生**。梦麟字文子、瑞占，号谢山、午塘、耦堂，蒙古正白旗人。乾隆十年进士，改庶吉士，散馆授检讨。官至户部侍郎。著有《大谷山堂集》六卷、《梦喜堂诗集》六卷。事迹见王昶《户部侍郎署翰林院掌院学士梦公神道碑》（《春融堂集》卷五二）、《清史稿》本传。

褚廷璋（1728—1797）**生**。廷璋字左莪（一作左茇），号筠心，长洲人。乾隆二十二年召试举人，授内阁中书。二十八年成进士，改庶吉士，散馆授编修。官至侍讲学士。归主震泽书院。著有《西域图志》、《西域同文志》、《筠心书屋诗钞》。事迹见《清史列传》曹仁虎传附。

苏去疾（1728—1805）**生**。去疾字献之，号园公，常熟人。乾隆二十四年举人。二十六年官内阁中书。二十八年成进士，改庶吉士，散馆授刑部主事。发贵州为直隶知州，署都匀府八寨同知，以逸狱囚罢官。次年引见，以原官起用。请疾，遂不出。尝为山西、河南书院山长，旋归。著有诗集六卷、《制义律赋》二卷。事迹见姚鼐《苏献之墓志铭并序》（《惜抱轩文后集》卷七）。

鲍廷博（1728—1814）**生**。廷博字以文，号渌饮、通介叟、得闲居士等，歙县人，流寓浙江。诸生。四库馆开，进书六百余种，为天下献书之冠。又刻《知不足斋丛书》。嘉庆十八年以广刊秘籍赐举人，逾年卒。事迹见阮元《知不足斋鲍君传》（《揅经室二集》卷五）、《清史列传》本传。

蒋业晋（1728—1804 后）**生**。业晋字绍初，号立厓，长洲人。乾隆二十一年举人。四十六年，官汉阳府同知，以诖误充发乌鲁木齐。五十年，放还。著有《立厓诗钞》七卷。事迹见张慧剑《明清江苏文人年表》。

汪启淑（1728—?）**生**。据江庆柏《清代人物生卒年表》。启淑字慎仪，号秀峯（一作纫庵），歙县人。治盐于浙，寓居钱塘。工诗好古，与顾之珽、朱樟、杭世骏、厉鹗诸人相唱和，继西泠诸子之轨。援例为工部郎，擢兵部职方司郎中。藏书甲江南。著有《秀峯诗存》、《续印人传》、《水曹清暇录》等。事迹见《徽州府志》本传（《碑传集补》卷四五）。

方芳佩（女，1728—1809）**生**。芳佩字芷斋，号凤池、怀蓼，钱塘人。方德发女，汪新室。少受诗法于翁照。著有《在璞草堂集》。事迹见袁枚《随园诗话》卷六、法式善《梧门诗话》卷一五、施淑仪《清代闺阁诗人征略》卷五。

王掞卒，年八十四。据邓之诚《清诗纪事初编》卷三。《国朝诗别裁集》卷九录其《虹友兄斋同汉槎夜话》等二首。《晚晴簃诗汇》卷三六录其诗二首。《国朝文汇》甲集卷二四录其《六贤书院碑记》、《刑部尚书阮亭王公神道碑铭》文两篇。

郑世元卒，年五十八。据朱彭寿《清代人物大事纪年》。《国朝诗别裁集》卷二四："耕余诗无镌本，浙中亦无道及名姓者，兹从令嗣炳也太史处借得。未尝求新立异，而胸次高明，卓荦可观。会稽诗人中，罕此矫然者。"录其《感怀杂诗》等诗十四首。林昌彝《射鹰楼诗话》卷一二："余姚郑黛参孝廉世元，幼颖异，博综群书，一发之于诗。《感怀杂诗》及《捉船行》诸诗，皆传作也。其名句之脍炙人口者，如'人皆欲杀今之白，我醉须埋昔者伶'，可谓奇警。番禺张南山则赏其'客中寒食最销魂'之句，谓旅人不堪诵，亦名句也。"《晚晴簃诗汇》卷六五录其诗四首。

高孝本卒，年八十。据《固哉叟诗钞》卷首高孝本自识、金永昌《传》。《国朝诗别裁集》卷一七录其《没字碑》等诗六首。

公元 1729 年（雍正七年　己酉）

正月

二十六日，何世璂卒，年六十四。据鄂尔泰《墓表》、张廷玉《墓志铭》、俞正燮《何端简公年谱》（《何端简公集》附录）。《何端简公集》十二卷、《年谱》一卷（俞正燮编）道光甲辰中秋澹志堂刊行。据《贩书偶记续编》卷一四。袁枚《随园诗话》卷一六："余幼时闻吾乡督学何公世璂之贤，和若春风，廉如秋月。世宗时总督直隶，赠尚书，谥端简，渔洋先生之高弟子也。"录其《畅春苑诗》、《咏史》等诗。《晚晴簃诗汇》卷五七录其诗二首。

沈德潜游虞山。《沈归愚自订年谱》："正月之虞山。从兴福寺、破龙涧上山，至绝顶望海墩，下过剑门，至拂水岩，遇雨，下山作《雨中游虞山记》。黄遵古作图，王金宪子重讳材任赠诗倡和，连日归。"

二月

石成金自序《通天乐》十二种。署"雍正七年二月花朝，石成金天基撰写"。

三月

储大文等再游石柱山。据《存砚楼文集》卷一二《后游石柱山记》。

春

厉鹗客扬州，秋归。据朱文藻撰、缪荃孙重订《厉樊榭先生年谱》。

四月

王玽自题文集。署"雍正己酉四月上旬王玽题"。（《王石和文集》卷首）四库提要卷一八四：《王石和文集》无卷数，"国朝王玽撰。玽字石和，又字韫辉，盂县人。康熙丙戌进士。官翰林院检讨。是集中多议论之文，笔意亦颇纵横。其记周遇吉死节事，谓贼兵攻城急，城将陷，贼募献遇吉者。遇吉谓左右曰：'岂惜一死以累众？可献我！'兵民环泣，众遂以绳系公下，有两贼掖之去。公见贼骂，倒悬演武厅磔之云云。与《明史》本传不合。又以蚱蜢庙为田子方庙，与朱彝尊碑不合。其最异者如《文昌阁碑记》，谓孔子不得帝君之教，天下将有悖心反道，肆然于日用伦常之际，而不复以天地日月为可忌者，尤不可为训也。"《王石和文》八卷本年培风斋刊行。据《贩书偶记续编》卷一五。《王石和文集》九卷乾隆六年江西重刊。

沈德潜移居木渎山塘。《沈归愚自订年谱》："四月，移居木渎山塘。爱其山水之秀，人物之朴也。"

五月

初九日，王嘉曾（1729—1781）**生。**嘉曾初名廷商，后改楷曾，复改今名。字汉仪、宁甫，号史亭，华亭人。乾隆十八年举人。三十一年成进士，改庶吉士，散馆授编修。历官四库馆暨方略馆纂修、文渊阁校理。著有《闻音室诗集》四卷。事迹见许巽行《诰授奉政大夫文渊阁校理翰林院编修加五级王公墓志铭》（《闻音室诗集》卷首）。

下湖南曾静狱。剉已故浙江吕留良尸，尽诛其族。据蒋良骐《东华录》卷三〇。佚名《康雍乾间文字之狱·曾静、吕留良之狱》："曾、吕之狱，本朝诸文字狱中第一巨案也。世宗至将其始末自著一书，名曰《大义觉迷录》，颁之学官，使秀才人人同读，与卧碑、圣谕、广训等同视。后至乾隆间，而《大义觉迷录》始为禁书。雍正间之颁之学官，世宗之深心也。乾隆间之列为禁书，又高宗之深心也。各从其时，要之皆专制国之雄主矣。"

吴敬梓赴滁州应科考，几被黜。金两铭《为敏轩三十初度》："昨年夏五客滁水，酒后耳热语喃喃。文章大好人大怪，匍匐乞收遭娺魖。使者怜才破常格，同辈庆遇柱下聃。"（转引自陈美林主编《儒林外史辞典·吴敬梓的时代、生平、思想和创作》）

六月

初六日，朱筠（1729—1781）**生。**筠字竹君、美叔，号笥河，大兴人。乾隆十八年举人。明年成进士，选庶吉士。二十二年散馆，授编修。历官赞善、侍读学士、安徽学政、福建学政。著有《笥河诗集》二十卷、《文集》十六卷卷首一卷。事迹见孙星衍《朱先生筠行状》、章学诚《朱先生墓志铭》、李威《从游记》、汪中《朱先生学政记》、王昶《翰林院编修朱君墓表》（《碑传集》卷四九）、姚鼐《朱竹君先生传》（《惜抱轩文集》卷一〇）、朱珪《翰林院编修诰授中议大夫前日讲起居注官翰林院侍读学士加二级先叔兄朱公墓志铭》（《知足斋文集》卷三）、罗继祖《朱笥河先生年谱》、江藩《国朝汉学师承记》卷四、《清史列传》本传、《清史稿》本传。

十七日，裘琏卒，年八十六。据裘姚崇《慈溪裘蔗村太史年谱》。《宁波府志·文苑志》："琏才思敏捷，所作诗古文，对客据几，立尽数纸。或中夜有得，燃烛书之。家贫，常为人佣文，受其润笔，登第后犹然。"柯振岳《裘太史蔗村先生传》："是时慈溪人文特盛，以诗古文著者如姚翼方、孙介夫、冯元公、周宏济诸君，不可一二数，而姜湛园、郑寒村二先生尤当代斗杓也。先生以孤童崛起，年未壮而著作等身。其文如尹吉甫、季札等《论》，扶植纲常，多前人所未发。诗辞藻古艳，旁及宋元乐府，尤工填词。""柯振岳曰：予始得《寒山集》，谓湛园浑灏，寒村古淡，先生殆两逊之。近读其未梓者，乃知暮年所造甚深，斯言谬矣。"（《年谱》附录）张舜徽《清人文集别录》卷三"《横山文集》十六卷"："其诗文集早岁刊行者，有《横山文钞》、《横山初集》及《易皆轩二集》诸种。光绪中，其族人复获得横山原稿二十五卷，裔孙光耀与其邑人王家振，就原刻数种益之以旧钞选本，共得文二百五十八篇，厘为十六卷。后乃付之排印，此本是已。"《国朝文汇》甲集卷四八录其《尹吉甫论》等文六篇。《晚晴簃诗汇》卷五九录其诗十五首。

七月

初五日，韩梦周（1729—1798）生。梦周字公复，号理堂，潍县人。乾隆十七年举人，二十二年进士。官来安知县，有政声。著有诗集四卷、文集十卷、制义四卷、日记八卷等。事迹见丁锡田《韩理堂先生年谱》、韩起毂等《先府君理堂公行述》、《来安县志》本传（《年谱》附录）、徐侃《韩理堂先生传》（《国朝文汇》乙集卷四五）、陈用光《韩理堂先生墓表》（《太乙舟文集》卷八）、《清史列传》阎循观传附、《清史稿》刘原渌传附。

诏杀已革御史谢济世，寻释之。据蒋良骐《东华录》卷三〇。佚名《康雍乾间文字之狱·谢济世之狱》："观谢济世之狱，而叹监谤之道，至矣尽矣。录上谕一节，俾见当时雄主所以操纵臣民之作用焉。"

杀广西举人陆生楠。据蒋良骐《东华录》卷三〇。佚名《康雍乾间文字之狱·陆生楠之狱》："以论前史而获罪者，自陆生楠之狱始。自兹以往，非惟时事不敢论议，即陈古经世之书，亦不敢读矣。此真历代文字狱所未前闻也。"

八月

望日，高岑自识《丰城杂词》。署"雍正七年八月望日识"。见《眺秋楼诗》卷六。

沈德潜游茶坞山等处。《沈归愚自订年谱》："八月，赴省试归。与诸同人游茶坞山、牛眠堰等处，归作游记。"

九月

刊刻《大义觉迷录》，颁行天下。据蔡冠洛《清代七百名人传》附录《清代大事年表》。

西藏提督周瑛以令所辖兵丁演戏等由解任严审。据《世宗宪皇帝上谕内阁》卷八六（雍正七年九月）。

郑元庆作《西河竹垞合像记》，追记康熙壬午从游两公于昭庆寺中事。元庆当卒于此后不久。雍正十三年诏开大科，李绂惜其已卒。据盛百二《郑先生传》（《柚堂文存》卷四）。〔按，据杨谦《朱竹垞先生年谱》，毛、朱而人同游西湖在康熙四十年辛

巳三月，四十一年壬午朱彝尊未尝至西泠。疑《西河竹垞合像记》所记为辛巳年事]

樵云山人自序《飞花艳想》。署"岁在己酉菊月未望，樵云山人书于芍药溪下"。（《斩鬼传》附录）[按，此"己酉"一说为康熙己酉]孙楷第《中国通俗小说书目》卷四：《飞花艳想》十八回，"存。清刊本。……另一旧刊本……题《梦花想》。道光壬午刊本改题《鸳鸯影》。清刘璋撰。题'樵云山人编次'。"

秋

乡试。是科各省考官有任兰枝、王峻、刘统勋、钱陈群、彭启丰、陈弘谋等。据法式善《清秘述闻》卷五。所取举人有席鏊（四库提要卷一八五）、浦起龙（《四库全书·江南通志》卷一三四）、商盘（蒋士铨《宝意先生传》）等。

胡天游中浙闱副榜第五名。据胡元琢《先考稚威府君年谱纪略》。

刘大櫆举副榜贡生，时年三十二岁。据《国史文苑传》本传（《海峰先生文》卷首）。

吴敬梓应乡试报罢。吴敬梓《减字木兰花·庚戌除夕客中》其四："学书学剑，傲恨古人吾不见。株守残编，落魄诸生二十年。"（《文木山房集》卷四）

十月

二十日，敦敏（1729—约1796）生。敦敏字子明，号懋斋，英亲王阿济格五世孙。历官锦州税官、右翼宗学副管、总管。著有《懋斋诗钞》。事迹见周汝昌《红楼梦新证》第七章、吴恩裕《曹雪芹丛考》卷四第四篇。

十一月

施瑮作《己酉冬仲，挈小儿北上。舟行真州至淮安，皆为雨雪所苦。闷坐蓬窗，杂得绝句十二首》。见《随村先生遗集》卷六。瑮当卒于此后数年。《随村先生遗集》卷首吴芮序署"乾隆元年岁在丙辰孟秋既望，年家眷世侄吴芮顿首拜撰"，时瑮已卒。四库提要卷一八四：《随村遗集》六卷，"国朝施瑮撰。瑮字随村，宣城人。侍读闰章之孙也。此集为杭世骏所编。其诗酷学其祖，而风骨稍峭，边幅稍狭，则根柢之深厚不及也。"是书乾隆四年刊行。《晚晴簃诗汇》卷六三录其诗二首。

十二月

十四日，吴省钦（1730—1803）生。省钦字充之、冲之，号白华，南汇人。乾隆二十二年召试赐举人，二十八年成进士。官至左都御史。著有《白华前稿》六十卷、《后稿》四十卷、《诗钞》十三卷。事迹见其自订、子敬枢补订《年谱》、王昶《前经筵讲官都察院左都御史吴君墓志铭》（《春融堂集》卷五六）、《清史列传》本传。

二十五日，余廷灿（1730—1798）生。廷灿字卿雯，号存吾，长沙人。乾隆二十六年进士，改庶吉士。散馆授检讨，充三礼官纂修官。以母老乞归。晚主濂溪、石鼓、城南等书院。著有《存吾文稿》、《诒穀堂诗集》。事迹见《清史列传》王文清传附。
[生日据江庆柏《清代人物生卒年表》]

二十九日，缪沅卒，年五十八。 据胡宗绪《诰授资政大夫刑部左侍郎缪公墓志铭》
（《碑传集补》卷三）。《墓志铭》云："作为诗歌，冲和淡远，卓然自为一家。"《余园
诗钞》六卷乾隆十年刊行，《余园诗精选》四卷乾隆三十八年仲春蕴真堂刊行。据《贩
书偶记续编》卷一四。《国朝诗别裁集》卷二二："司寇视学楚中，延四方名流校阅，
所得人文，极一时之盛，楚人为予称道之。诗旧入《江左十五子选》中，予曾评点，
后披全稿，见半属朱墨改易，所云'老去渐于诗律细'者耶？"录其《王孝子诗》等
诗五首。《晚晴簃诗汇》卷五七录其诗十一首。

沈初（1729—1799）生。初字景初，号萃岩、云椒，平湖人。乾隆二十七年召试
举人，授内阁中书。明年成进士，授编修。历官福建、顺天、江苏、江西学政、礼部、
兵部、吏部侍郎，左都御史，军机大臣，兵部、吏部、户部尚书。谥文恪。著有《兰
韵堂御览诗》六卷、《经进文稿》二卷、《诗集》十二卷《续》一卷、《文集》五卷
《续》一卷、《西清札记》二卷。事迹见《清史列传》本传、《清史稿》本传。

冬

沈德潜辞荐。《沈归愚自订年谱》："冬月，学使邓公招往江阴，欲荐予大优，谓可
得县令。自忖无作外吏才，辞之。"

厉鹗复客扬州，岁末归。 据朱文藻撰、缪荃孙重订《厉樊榭先生年谱》。

本年

韩锡胙补县学生员，时年十四岁。 据刘耀东《韩湘岩先生年谱》卷上。

沈祖惠拔贡。 据严可均《沈屺望传》（《铁桥漫稿》卷七）。

徐玺拔贡。 玺有《就正草》一卷，四库提要卷一八五著录："玺号雷溪，进贤人。
雍正己酉拔贡。是编乃其文集。前题云《续刻就正草》，则必先有初刻，今未之见。前
有吴士玉序，而卷中有祭士玉文，殆刻在序后耶？"

全祖望充选贡。 董秉纯《全谢山先生年谱》："王公以先生充贡，先生又辞。王公
不许。太夫人曰：'欧阳詹求有得而归，以为亲荣。夫但言有得，尚不过世俗之荣，倘
能有得而又有闻焉？是则吾所望于汝也，汝其行矣。'遂以明年春治装北上。"

去年和今年，金埴假馆于彭城张氏。 据金埴《不下带编》卷四。

史震林客扬州，与曹学诗、屈复等先后定交。 据史震林《西青散记》卷一。

张九钺从兄九镒习制义策论。 据张家枏《陶园年谱》。

顾成天以圣祖仁皇帝挽辞六章为世宗所赏，入京为官。 据《世宗宪皇帝上谕内阁》
卷八四。

严遂成任山西临县知县。 据《四库全书·山西通志》卷八一。

王时翔任福建晋江知县。 据《四库全书·福建通志》卷二七。《国朝诗别裁集》卷
二七："小山初为晋江令，前令尚击断，人皆股栗。小山曰：'此吾赤子，敢以盗贼视

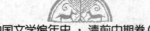

乎？'自是历任守此心，外严内宽，一归仁厚，所谓经术饬吏治也。"

戴瀚以左春坊左庶子任福建学政。据《四库全书·福建通志》卷二七。

厉鹗撰《湖船录》一卷。据朱文藻撰、缪荃孙重订《厉樊榭先生年谱》。

冯咏《桐村诗》编年起康熙癸巳讫本年。四库提要卷一八四：《桐村诗》九卷，"国朝冯咏撰。咏字襞飏，金溪人。康熙辛丑进士。官翰林院编修。是编一卷为一集：一曰《江汉集》，二曰《日下集》，三曰《章江集》，四曰《南海集》，五曰《南海二集》，六曰《公车集》，七曰《玉堂集》，八曰《京口集》，九曰《黔中集》。分年编次，各以作诗之地为名。始于康熙癸巳，迄于雍正己酉，共十七年之诗。前有自序，题康熙甲午。盖《江汉集》之序，刊板时取冠全诗尔。"

郑燮作《道情》十首。《板桥集》原刻本开场白："枫叶芦花并客舟，烟波江上使人愁。劝君更尽一杯酒，昨日少年今白头。自家板桥道人是也。我先世元和公公，流落人间，教歌度曲。我如今也谱得《道情》十首，无非唤醒痴聋，销除烦恼。每到山青水绿之处，聊以自遣自歌。若遇争名夺利之场，正好觉人觉世。这也是风流世业，措大生涯。不免将来请教诸公，以当一笑。"《板桥集》原刻本跋："是曲作于雍正七年，屡抹屡更。至乾隆八年，乃付诸梓。刻者司徒文膏也。"又，他本《道情》十首跋语与原刻本不同，一并附于此。裴景福《壮陶阁书画录·清郑板桥书道情卷》跋云："雍正三年，岁在乙巳，予落拓京师，不得志而归，因作《道情》十首以遣兴。今十二年而登第，其胸中犹是昔日萧骚也。人于贫贱时，好为感慨。一朝得志，则讳言之，其胸中把鼻安在！西峰老贤弟从予游，书此赠之。异日为国之柱石，勿忘寒士家风也。乾隆二年人日，板桥居士郑燮书并识。"夏衍藏《道情》十首墨迹跋云："载臣先生见予所作《道情》，索自书一通奉赠，小胥所抄，不取也。迟之一岁，乃克如命。时乾隆八年夏六月八日雨中，乃盖极热微凉后也。扬州小弟郑燮。"天津艺术博物馆藏郑燮《道情》墨迹跋云："名桥续大哥，二十年前相好于京师，见予《道情》十首，嘱书小楷二纸，其一纸尤楷者，盖奉老伯雁峰先生也。老伯爱余书画诗词特甚，故敬书之。今几年事，名桥宦游，封公舍其禄，邮书复索重写。老不能漫楷，真行相杂，勿罪也。乾隆十九年，板桥郑燮书于潍县官斋。"（《郑板桥全集·板桥集》）

顾成天《金管集》一卷、《帝京赋》一卷、《三重赋》一卷刊行。又名《东浦草堂诗》。据《贩书偶记续编》附录。四库提要卷一八五：《金管集》一卷，"国朝顾成天撰。成天有《离骚解》，已著录。其所作诗凡二千余首，尝以质于蔡嵩。嵩为摘其中有关世教者八十三首，抄为此集。题曰'金管'，用梁元帝事也。"

周春（1729—1815）生。春字芚兮，号松霭，晚号虚谷居士、内乐村农，海宁人。少从沈德潜、齐召南学。乾隆十九年进士，官岑溪知县。著有《十三经音略》等八种，后人辑为《周松霭先生遗书》。另有《西夏书》等。事迹见秦瀛《周松霭诗序》（《小岘山人文集》卷三）、《清史列传》丁杰传附、《清史稿》丁杰传附、邵远平传附。

冯廷丞（1729—1785）生。廷丞字均弼，代州人。历官光禄寺署正、大理寺丞、刑部员外郎、江西按察使、湖北按察使等。事迹见汪中《大清诰授通议大夫湖北提刑按察使司按察使兼管驿传冯君碑铭》（《述学外编》）。[按，朱彭寿《清代人物大事纪年》谓其生于雍正六年九月，卒于乾隆四十九年十一月]

董潮（1729—1764）生。潮字晓沧，号东亭、曜仙、红豆诗人，阳湖人。流寓海盐。"嘉禾八子"之一。乾隆二十一年，举浙江乡试。二十六年，补中书学正，寻入内阁行走。二十八年成进士，改庶吉士。以营葬假归，郡人延修《毗陵志》。书垂成，卒。著有《红豆诗人集》、《东皋杂钞》。事迹见《阳湖县志》本传（《碑传集补》卷八）、《国朝诗人征略》初编卷四〇。

伊朝栋（1729—1807）生。朝栋字用侯，号云林，宁化人。乾隆二十四年举人，三十四年进士，官至光禄寺卿。予告后随子秉绶居京师、岭南、扬州。著有《赐砚斋集》四卷、《南窗丛记》八卷。事迹见姚鼐《资政大夫光禄寺卿加二级宁化伊公墓志铭并序》（《惜抱轩文后集》卷八）、恽敬《前光禄寺卿伊公祠堂碑铭》（《大云山房文稿二集》卷四）、王芑孙《资政大夫予告光禄寺卿伊公神道碑铭》（《惕甫未定稿》卷一〇）、秦瀛《光禄寺卿云林伊君家传》（《小岘山人续文集》卷一）。

余萧客（1729—1777）生。萧客字仲林、古农，吴县人。少从惠栋学。方观承闻其名，延至保定修《畿辅水利志》。间游京师，与朱筠、纪昀、胡高望相友善。以目疾归，教授乡里。著有《古经解钩沉》三十卷、《文选音义》八卷、《文选杂题》三十卷。事迹见任兆麟《余君萧客墓志铭》（《碑传集》卷一三三）、江藩《国朝汉学师承记》卷二、《清史列传》惠周惕传附、《清史稿》惠周惕传附。［按，朱彭寿《清代人物大事纪年》谓其生卒年为1732—1778年，此据任兆麟《墓志铭》］

朱㴋（1729—1822）生。㴋字大米，号画亭，江阴人。乾隆三十年拔贡生。历官沐阳教谕、芦山知县。著有《画亭诗草》十八卷、《词草》一卷、《词续》二卷。事迹见《晚晴簃诗汇》卷九二、张慧剑《明清江苏文人年表》。

金士松（1729—1800）生。士松字亭立，号听涛，吴江人，寄籍宛平。举顺天乡试，改归原籍。乾隆二十五年成进士，选庶吉士，授编修。官至礼部、兵部尚书。谥文简。著有《乔羽书巢诗内外集》。事迹见《清史稿》本传。

胡季堂（1729—1800）生。季堂字升夫，号云坡，光山人，煦子。初以荫生授顺天府通判，累官至兵部尚书、直隶总督。谥庄敏。著有《培荫轩文集》二卷、《诗集》四卷、《杂记》无卷数。事迹见《清史稿》本传。

祝喆（1729—1784）生。喆字明甫，号西涧，秀水人，维诰子。乾隆二十五年举人。著有《西涧诗钞》。事迹见《湖海诗传》卷二三、《晚晴簃诗汇》卷八九、《清史稿》王又曾传附。

梁份卒，年八十九。据汤中《梁质人年谱》（谢巍《中国历代人物年谱考录》著录）。《清史稿》魏禧传附："（份）少从彭士望、魏禧游，讲经世之学。工古文辞。尝只身游万里，西尽武威、张掖，南极黔、滇，遍历燕、赵、秦、晋、齐、魏之墟，览山川形势，访古今成败得失，遐荒轶事，一发之于文。方苞、王源皆重之。"《国朝文汇》甲集卷四〇录其《送张方伯往山海关序》等文三篇。《晚晴簃诗汇》卷三九录其诗三首。

王原卒，年八十四。据张慧剑《明清江苏文人年表》。王昶《王原传》："原壮而力学，老而不倦。早年受业于平湖陆陇其，已从睢阳汤斌问学，精研理道，一以濂洛为宗。"（《碑传集》卷五五）张舜徽《清人文集别录》卷二"《西亭文钞》十二卷"：

"原之文集，初未梓行。没后二百年，值光绪之初，青浦方修县志，求其遗书，得原古文辞稿本六巨册于董福咸家。盖董氏世代珍藏，经丧乱而未失者。其邑人刘汝锡为遴次若干首，名曰《西亭文钞》，以付剞劂，即此本也。于是原之遗文，始有刊本行世云。"

田霡卒，年七十八。据江庆柏《清代人物生卒年表》。《晚晴簃诗汇》卷四八："乐园与两兄山薑侍郎、鹿关编修齐名。渔洋为序其集，谓于表圣《诗品》中兼冲淡、自然、清奇三境。七言绝句尤擅胜场。"录其诗八首。

张时泰本年前后在世。据《中国文学家大辞典》清代卷。四库提要卷一八五：《实懒斋诗集》四卷，"国朝张时泰撰。时泰字平山，号六可，嘉兴人。官桐城县知县。是集前有时泰自作《十懒先生传》，颇以旷达闲适自许。《传》末系以诗曰：'懒送穷愁懒顾身，懒趋权贵懒干人。懒寻枯句每经日，懒作报书恒几旬。幽赏懒殊辜景物，远游懒已绝风尘。懒眠懒起情如醉，十懒先生懒是真。'其诗格大抵似此也。"

朱纬本年前后在世。据《中国文学家大辞典》清代卷。四库提要卷一八五：《梦村集》二卷，"国朝朱纬撰。纬字义俶，历城人。由岁贡生官丘县训导。是集有七十自寿诗。又有次儿生日诗，作于七十四岁时。盖其晚年所自编。诗颇清浅，而时有脱洒之致。"《晚晴簃诗汇》卷六二录其诗二首。

公元 1730 年（雍正八年　庚戌）

正月

沈德潜、盛锦游篁村竹坞。据《沈归愚自订年谱》。

二月

初八日，方觐卒，年五十。据姚世钰《通奉大夫陕西西安布政使赠太常寺卿方公墓志铭（代改堂师）》（《屠守斋遗稿》卷三）。四库提要卷一八四：《石川诗钞》三卷，"国朝方觐撰。觐字近雯，江都人。康熙己丑进士。官至陕西布政使。是集乃其少子柱山所编。凡各体诗二百六十余首。其《题朱彝尊手书诗册》有'曝书亭下自抄诗，想见苍茫独立时。不是到门亲受业，唐音宋格有谁知'，盖尝从学于彝尊者也。"《国朝诗别裁集》卷二二录其《定兴县谒杨忠愍祠》等诗四首。

会试。考官：文华殿大学士蒋廷锡、礼部侍郎鄂尔奇、工部侍郎孙嘉淦、内阁学士任兰枝。题"志于道据"三句，"自诚明谓"全章，"见其礼而"一节。据法式善《清秘述闻》卷五。

四月

初五日，世宗御太和殿，传胪。赐一甲周澍、沈昌宇、梁诗正进士及第，二甲倪国琏、陶正靖、顾成天、浦起龙、林蒲封、商盘、胡宗绪、杨中兴（即杨仲兴）、嵇璜、刘元燮、汪振甲、曹一士、陈兆崙等进士出身，三甲戚发言、李凯、田实发、何梦瑶、伊福纳（即伊福讷）、马长淑等同进士出身。据《历科进士题名录》、《清通鉴》。

伊福讷成进士。《钦定八旗通志》卷一二○：《白山诗钞》八卷，"伊福讷撰。伊福讷字兼五，号抑堂，所著有《农曹集》、《蜕山诗稿》。是编盖选撷诸家之诗总为一集，分金、石、丝、竹、匏、土、革、木八卷。""凡所搜罗，共七十二家，可谓勤矣。然伊福讷所作《农曹》、《蜕山》二集，亦自列焉。既乖选家体例，而名编巨集，率多遗漏，讨寻未广，实为此书深惜之。"法式善《八旗诗话》一○八："少秉家学，且得师友之助。诗有渊源，下笔幽邈，虽得力于宋人，而辞意琢炼。闻其耄年丧明，藉吟啸遣岁月。集中佳篇，多不用韵，盖失于翻检也。"《晚晴簃诗汇》卷六七："抑堂诗风骨遒上，波澜老成，在同时俦侣中当出保雨村、苏雷岩、卓误庵诸人之右。"录其诗七首。

五月

静恬主人《疗妒缘》（一名《鸳鸯会》）成书。 延南堂藏板本题《疗妒缘》，署"静恬主人戏题"。日省轩藏板本题《鸳鸯会》，卷首有序，署"岁在庚戌夏五书于染云山庄之西轩静恬主人戏题"。孙楷第《中国通俗小说书目》卷七：《疗妒缘》八回（即《鸳鸯会》），"存。坊刊小本。后来坊刊本，易书名为《鸳鸯会》，实一书。清无名氏撰。首庚戌（无年号）静恬主人序。按：《金石缘》亦署'静恬主人'，当是一人。《金石缘》为乾隆时书，疑此亦乾隆间所为也。"

夏

厉鹗客扬州，旋归。 据朱文藻撰、缪荃孙重订《厉樊榭先生年谱》。其间全祖望北上赴试，过扬州晤厉鹗。据《樊榭山房集》卷六《四月十八日，同人泛舟红桥，登平山堂，送全绍衣入京》。

七月

曹去晶《姑妄言》成书。 是书首一卷为引文；正文二十四卷，每卷一回，计二十四回。自序署"雍正庚戌中元之次日，三韩曹去晶编于独醒园"，《林钝翁总评》署"庚戌中元后一日，古营州钝翁书"。据《中国古代小说总目》白话卷。

八月

十八日，毕沅（1730—1797）生。 沅字纕蘅、湘衡，号秋帆、弇山，自号灵岩山人，镇洋人。乾隆二十五年状元，授修撰。抚陕甚久，关中风雅，于斯为盛。著有《灵岩山人诗集》四十卷、《文集》八卷。事迹见钱大昕《太子太保兵部尚书湖广总督世袭二等轻车都尉毕公墓志铭》（《潜研堂文集》卷四二）、王昶《兵部尚书都察院右都御史湖广总督赠太子太保毕公神道碑》（《春融堂集》卷五二）、史善长《弇山毕公年谱》、《清史列传》本传、《清史稿》本传。

皇四子弘历序蔡世远《二希堂文集》。据卷首四库馆臣按语。四库提要卷一七三：《二希堂文集》十二卷，"是编乃其所作杂文，冠以《耕籍赋》、《圣主亲诣太学颂》、《青海平定诗序》、《日月合璧五星连珠颂》、《河清颂》、《乐善堂文钞序》，共六篇为卷首，志荣遇也。其余序四卷，记一卷，传一卷，论、说、书共二卷，墓表、志铭、行状共一卷，祝文、祭文共一卷，杂著一卷。目录之后有其门人宁化雷鋐附《跋》，称其堂所以名'二希'者，世远尝自作《记》，言学问未敢望朱文公，庶几其真希元乎？事业未敢望诸葛武侯，庶几其范希文乎？其务以古贤自期，见于是矣。前有雍正庚戌皇上在藩邸时亲制《序》一篇，称其讲学鳌峰，教人以忠、信、孝、弟、仁、义，发明濂、洛、关、闽，渊源有自也。及立朝，而风采议论，嘉言谠议，足以为千百世治世之良规，则又国家栋梁之任也。今观其文，溯源于六经，阐发周、程、张、朱之理，而运以韩、柳、欧、苏之法度。所谓蕴之为德行，行之为事业，发之为文章者，吾于先生见之。煌煌天语，载在简端。睿鉴品题，昭示中外。非惟一时之恩遇，实亦千古之定论矣。迨我皇上龙飞御极，于甘盘旧学，笃念弥深。乾隆己卯，谕正文体，举世远之文为标准。癸巳诏编纂《四库全书》，世远著作又蒙褒录。且丝纶宣示，均字而不名。宠礼儒臣，于斯为极。今读其集，大抵理醇词正，具有本原。仰见遭际圣时，契合非偶。其上邀知遇，固不仅在文字间矣。"

秋

厉鹗登虎阜，游惠山。 复客扬州。同马曰琯、马曰璐、汪沆、陈皋自京口放船至焦山，又游金山。诗见《樊榭山房集》卷六。

全祖望读王藻《莺脰山房诗集》。 《鲒埼亭集》卷三二《莺脰山房诗集序》："梅沜之诗，其取材也精，其就律也细，清和温润，匠心独运，盖兼前人之长而别有闲情逸气出于行墨之表，未尝屑屑描橅之迹，震川所谓'得西子之神而不徒以其颦'者地。其为人如其诗，清谈洁供，萧然绝俗。所至焚香烹茗，拥卷长唫。五月而披羊裘，三冬而衣皂褐。梅沜不以介意，犹且修饰牙签，检点研席，长笺短札，一签题俱不苟。偶有伧父唐突其间，则蹙然如浼。然而凤泊鸾飘，漫淲怀中之刺，东华冠冕之场，拓落牢愁，不知者以为玄之尚白，其知者以为瑟之非竽也。予自庚戌之秋，读《莺脰山房集》而心契焉。去年再至白下，偶及宛陵之论，不觉促膝相近，赏音同调，而又转叹菖歜之嗜，无怪其为时所外也。梅沜属予为序屡矣，荏苒缁尘，未及裁答。秋风伏雨，况味萧寥，信笔书此，聊以申平日樽酒细论之旨云尔。"

十月

十八日，周振业卒，年七十一。 据黄叔琳《周意庭墓表》（《国朝文汇》甲集卷三七）。沈德潜《贡士周右序传》："为文宗庐陵、南丰，时义出入于毗陵、震川。"（《归愚文钞》卷一六）《国朝文汇》甲集卷五五录其《驭吏策》文一篇。

屈大均诗文及雨花台衣冠冢案发，乾隆四十年三月止。 据《清代文字狱档》。

十二月

十四日，汪辉祖（1731—1807）生。辉祖初名鳌，字焕曾，号龙庄，晚号归庐，萧山人。乾隆四十年进士。官湖南宁远知县。所著《学治臆说》、《佐治药言》为言治者所宗。事迹见其自撰《病榻梦痕录》、《梦痕余录》、洪亮吉《赐进士出身敕授文林郎晋封奉直大夫湖南宁远县知县加三级萧山汪君墓志铭》（《更生斋文续集》卷二）、《清史列传》本传、《清史稿》本传。

吴敬梓客居南京，作《减字木兰花·庚戌除夕客中》八首。有"三十年来，那得双眉时暂开"云云。见《文木山房集》卷四。

本年

议开博学鸿辞科。方苞《再送佘西麓南归序》："雍正八年，议开博学鸿辞科，诏阁、部、院、司、府、寺三品以上暨直省督、抚、学臣，举学与行兼者。诸公多叩余以所举，余应之曰：'称此者实难，而辨所应举则易。夫行必有迹，学与辞尤艺之外襮而与众共之者，非若德蕴于心，或深潜而不易识也。然必乡国莫不知，天下莫不闻，然后举者无怍，在人不疑，是则匪易耳。'因自计执友之存者，惟南昌龚缨孝水、歙县佘华瑞西麓；游好之久者，则嘉善柯煜南陔、淳安方楘如文辀。"（《方苞集》卷七）

王时翔任政和知县。据《四库全书·福建通志》卷二七。

田榕任保山县知县。据《四库全书·云南通志》卷一八下之一。

全祖望入京。董秉纯《全谢山先生年谱》："春，北上。时新例许赴选人之籍入对阙下，先生但投牒成均而已。山东学使罗竹园先生邀佐文衡，赴之。""浙江方修《通志》，先生谓翁洲六大忠臣当立传，乃作武进吴尚书、上海朱尚书、钟祥李尚书三状，张相国、刘安洋、董给事三志移之。初入京，即上书方灵皋先生论丧礼，或问灵皋，大异之，由是声誉腾起。"

官献瑶受业于方苞门下。据苏惇元《方望溪先生年谱》。

袁枚受知于李安溪，补增广生。据方濬师《随园先生年谱》。

许廷鑅与黄任定交。据许廷鑅《秋江集诗序》（《秋江集》卷首）。

沈大成始交卢芥舟，与王京客、李采符、陈东尹切劘为诗歌。后同问业于黄之隽。据沈大成《卢芥舟遗诗序》（《学福斋集》卷五）。

沈德潜作时文百篇。《沈归愚自订年谱》："是年专攻时文，共得百篇。"

陶成与修《江西通志》。据陶成《吾庐先生遗书·日程四》。

劳孝舆、罗天尺与修《广东通志》。据罗天尺《春秋诗话后序》（《春秋诗话》卷首）、伍崇曜《五山志林跋》（《五山志林》卷末）。

汪观侨寓苏州，辑《清诗大雅》成。据张慧剑《明清江苏文人年表》。

孙之騄《松源集》刊于去年、本年间。四库提要卷一八五：《松源集》无卷数，"是集凡五种：其题曰《松源纪行》者，初取道富春赴庆元任作也；曰《龙泉舟中杂记》者，岁试至处州作也；曰《经说》者，告诸生五经源流纪也；曰《敦行录》者，与诸生立条约及经传杂训也；曰《杂文》者，其酬应之作也。集刻于雍正己酉、庚戌

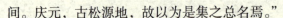

间。庆元，古松源地，故以为是集之总名焉。"

钱良择《抚云集》九卷刊行。据《贩书偶记》卷一五。王应奎《柳南随笔》卷二："吾邑钱玉友良择诗十卷，名《（模）［抚］云集》，古体规昌黎，近体模昭谏，气雄调响，见者率震而矜之。然如米氏作字，只知险绝为工，而趑趄自雄，去钟情王态远矣。"

王初桐（1730—1821）生。初桐原名丕烈，字于阳、耿仲，无言，号竹所、思玄，嘉定人。诸生。官新城知县。著有《罋牖山人集》。事迹见《湖海诗传》卷三八、张慧剑《明清江苏文人年表》。

顾汝敬（1730—1806）生。汝敬字配京，号蔚云，吴江人。嘉庆九年钦赐举人。著有《研渔庄集》。事迹见朱春生《顾蔚云先生墓志铭》（《国朝文汇》乙集卷七〇）。

吴兰庭（1730—1802）生。兰庭字胥石、虚若，号镇南、千一叟，归安人。乾隆三十九年举于乡，七应礼部试不遇。游历二十年，声誉日起。同邑丁杰邃于经，兰庭熟于史，一时有"丁经吴史"之目。著有《五代史记纂误补》四卷、《族谱稿存》二卷、《南雪草堂诗集》四卷。事迹见严元照《千一叟》、吴兰史《胥石大兄传》、严元照《吴胥石先生墓志铭》（《胥石诗文存》附录）、《清史列传》章学诚传附、《清史稿》章学诚传附。

周永年（1730—1791）生。永年字书昌，历城人。乾隆三十六年进士，与邵晋涵同征修四库全书。改翰林院庶吉士，散馆授编修。事迹见桂馥《周先生传》（《晚学集》卷七）、《清史列传》邵晋涵传附、《清史稿》邵晋涵传附。

李文藻（1730—1778）生。文藻字素伯、茝晚，晚号南涧（一作南碉），益都人。乾隆二十四年举人，二十六年成进士。久之，选广东恩平县知县。三年俸满，擢桂林府同知，未及一年卒。曾访惠栋、江永等人遗书刻之，名曰《贷园丛书》。著有《南涧文集》二卷。事迹见钱大昕《李南涧墓志铭》（《潜研堂文集》卷四三）、翁方纲《李南碉墓表》（《复初斋文集》卷一四）、江藩《国朝汉学师承记》卷六、《清史列传》本传。

王文治（1730—1802）生。文治字禹卿，号梦楼，丹徒人。乾隆二十五年探花，授编修。逾三年，擢侍读。出为云南临安知府。因事镌级，乞病归，不复出。往来吴、越间，主讲杭州、镇江书院。著有《梦楼诗集》二十四卷。事迹见姚鼐《中宪大夫云南临安府知府丹徒王君墓志铭并序》（《惜抱轩文后集》卷七）、《清史列传》梁同书传附、《清史稿》本传。

袁树（1730—1795后）生。树字豆村，号香亭，钱塘人，袁枚从弟。乾隆二十七年举人，二十八年进士。官至广东肇庆知府。著有《红豆村人诗稿》。事迹见冯金伯《墨香居画识》卷六、方濬师《随园先生年谱》。［按，生年据袁枚《随园诗话补遗》卷九"盖余年八十，弟亦六十有六矣"之语推知］

汤修业（1730—1800后）生。修业字宾鹭，号狷庵，阳湖人，大绅子。著有《赖古斋文集》八卷。事迹见张慧剑《明清江苏文人年表》。

徐承烈（1730—1803）生。承烈字绍家、悔堂，晚号清凉道人，德清人。以游幕、训蒙为生。著有《德辉堂集》、《听雨轩笔记》。事迹见《中国文言小说家评传·徐承烈》。

杨守知卒，年六十二。据朱彭寿《清代人物大事纪年》。《国朝诗别裁集》卷一九录其《唵嘛酒歌》诗一首。《国朝诗人征略》初编卷一八引《松轩随笔》："致轩为雍建孙，与沈树本、陆奎勋、柯煜齐名。"袁枚《随园诗话》卷五："李啸村《虎丘竹枝词》，已极新艳。而杨次也先生《西湖竹枝》，乃更过之。"卷一五："水仙花诗无佳者；惟杨次也先生七律，前半首云：'汀蘅洲草伴无多，以水为家奈冷何。生意不须沾寸土，通词直欲托微波。'余按，《焦氏易林》云：'凫雁哑哑，以水为家。'杨暗用之，而使人不觉，可为用典者法。"《晚晴簃诗汇》卷五五录其《东归留别》诗一首。

曹焴曾卒，年六十七。据顾成天《修职郎理藩院知事岁贡生曹春浦先生墓志铭》（《长啸轩诗集》附录）。四库提要卷一八四：《长啸轩诗集》六卷，"国朝曹焴曾撰。焴曾字祖望，号春浦，上海人。康熙末贡生。炳曾之弟也。是集为《石仓世纂》之第二种，凡诗四卷，后附诗余一卷，杂著一卷。其生平所注意者在于诗余、骈体。其诗亦专学晚唐，以纤丽自喜。"《国朝诗别裁集》卷二八录其《病中雨夜》诗一首。

钱名世卒，年七十一。据江庆柏《清代人物生卒年表》。《国朝诗别裁集》卷一九录其《春霁山行》、《题延陵季子庙碑后》诗二首。《晚晴簃诗汇》卷五六录其诗四首。

邓廷喆卒。据江庆柏《清代人物生卒年表》。廷喆字宣人、蓼伊，东莞人。举人。官内阁中书。所著《蓼园诗草》五卷康熙间刊行。据《贩书偶记》卷一四。《晚晴簃诗汇》卷六一："蓼伊诗和平闲雅，恪守岭南三家轨范。"录其诗七首。

张荣《空明子自叙年谱·续刊年谱》止于本年，荣时年七十二岁。此后事迹未详。

公元 1731 年（雍正九年　辛亥）

正月

十二日，朱珪（1731—1807）**生**。珪字石君，号南厓，晚号盘陀老人，大兴人。年十七举于乡，明年成进士，选庶吉士，散馆授编修。官至兵部、户部、吏部尚书，体仁阁大学士。谥文正。著有《知足斋文集》六卷。事迹见阮元《太傅体仁阁大学士大兴朱文正公神道碑》（《揅经室二集》卷三）、吴嵩《赐谥文正大兴朱公墓志铭》（《吴学士文集》卷四）、《清史列传》本传、《清史稿》本传。

沈德潜寓古龙庵，成《说诗晬语》二卷，付鸣谦上人。据《沈归愚自订年谱》。查为仁《莲坡诗话》："《说诗晬语》二卷，推论历代风雅源流，一一抒其心得。"胡玉缙《许廎经籍题跋》卷四："是书据其自记，盖辛亥春读书小白阳山之僧舍，应僧之请而作，讨论源流，评骘得失，明晰平允，足为学诗者之津梁。惟以高栋'海国霜气凉'诸句为风致疑出常建，谢榛'云出三边外'诸句为高、岑遇之行当把臂，推尊似过。又以《中州集》所选诗品薄弱，《唐诗鼓吹》视《瀛奎律髓》尤为下劣，与《四库提要》之言适相反。平心而论，两选俱未精，《鼓吹》实出方书之上，当以《提要》为正。德潜殆以其轨辙归一，故以为汩没灵台耳。然此亦见智见仁，无碍于指示初学，诚能从此编入手，断不致误入歧途也。汪师韩《诗学纂闻》云：'近有作诗话者，谓齐、梁以来乐府限以八句，不复有咏歌嗟叹之意。夫齐、梁以来乐府固不如汉、魏，然其所以不如者岂八句之谓？且亦何尝限以八句？'即隐斥是书。但沈谓失在八句固非，其谓失在对偶，未尝不是。又中引姜夔《诗说》一条，语多脱误，当由镌本所讹云。"

三月

沈德潜与修《浙江通志·西湖志》，同人时相倡酬。《沈归愚自订年谱》："同人会合，时相倡酬。尤契合者，方文辀、张存中、陈葆林、诸襄七、厉太鸿、周兰坡、王介眉诸公，不必出门求友矣。"

田肇丽尚在世，时年七十一岁。[按，《有怀堂文集·李槐村墓表》有"雍正辛亥三月"云云。又，据《世宗宪皇帝朱批谕旨》卷三三，雍正六年肇丽六十八岁，则本年肇丽七十一岁。又，据《有怀堂文集》卷末田同之识语，雍正乙卯秋肇丽已卒]四库提要卷一八四：《有怀堂诗文集》一卷，"国朝田肇丽撰。肇丽字念始，号苍厓。户部侍郎雯之子。官户部郎中。肇丽负隽才而屡试不第，其入官也以任子，故《述怀诗》有'惭非科名人'句。盖吟咏之间，尝以是耿耿云。"《晚晴簃诗汇》卷五〇录其诗三首。

春

陈洛亭邀沈大成游邓村。归而刻其《看梅诗》。黄之隽首为之序，郡中知名士皆赋诗以艳其事。据沈大成《汪是庵诗集序》（《学福斋集》卷三）。

四月

二十九日，叶佩荪（1731—1784）生。佩荪字丹颖，号辛麓、闻沚，归安人。乾隆十五年举人，十九年进士。官至湖南布政使。著有《易守》四十卷、《慎余斋诗钞》四卷等。事迹见朱珪《湖南布政使司布政使叶君墓志铭》（《知足斋文集》卷三）、《清史列传》胡渭传附、《清史稿》胡渭传附。

五月

初五日，曹仁虎（1731—1787）生。仁虎字来殷，号习庵，嘉定人。乾隆二十二年召试赐举人，授内阁中书。二十六年成进士，选庶吉士，授编修。累迁侍讲学士。五十一年，视学粤东。方按试连州，闻母讣，酷暑奔丧，哀毁卒于途。著有《宛委山房诗集》、《蓉镜堂文稿》。事迹见钱大昕《日讲起居注官翰林院侍讲学士曹君墓志铭》（《潜研堂文集》卷四三）、王鸿逵《曹学士年谱》、《清史列传》本传、《清史稿》本传。

七月

郑燮作《念奴娇·金陵怀古》十二首。见《郑板桥全集·板桥集》。

王会汾序杜诏《云川阁诗》十四卷。署"辛亥秋七月，门人王会汾谨序"。序云："会汾侍吾师云川先生有年，窃窥先生诗格凡数变，其集亦随时而名。少作则《兰苕小屿诗》，被命入都后则《春明梦草》，馆选后则《瀛壖别稿》，乞假归养后则《在陬集》、《半楼集》，业已镂版行世。比复重加芟薙，益之以《渡淮草》、《白门艸》、《浙东游草》、《匡庐游草》、《历下余吟》、《淮游草》，起康熙癸酉，讫雍正辛亥，前后凡四十年，都为一集，总名之曰《云川阁诗》。"（《云川阁诗》卷首）[按，四库提要卷一八四著录《残本云川阁诗集》九卷。《贩书偶记》卷一四著录《云川阁诗集》六卷《词》一卷康熙庚寅刊行，《云川阁诗集》六卷《词》七卷康熙癸巳刊行，《云川阁诗集》十四卷《词》七卷雍正辛亥刊行]

九月

十日，厉鹗、马曰琯、马曰璐、陈皋、汪祓江游真州吴氏园。据朱文藻撰、缪荃孙重订《厉樊榭先生年谱》。

秋

陈祖范赴江宁修通志。据陈祖范《自序》（《司业文集》卷四）。

十月

二十三日，孟超然（1731—1797）生。超然字朝举，号瓶庵，闽县人。乾隆二十四年举乡试第一。明年成进士，选庶吉士。散馆授兵部主事，累迁吏部郎中。以亲老，不复出。巡抚徐嗣曾延主鳌峰书院，倡明正学。著有《亦园亭全集》。事迹见陈寿祺《为孟考功夫子请祀乡贤呈词》（《左海文集》卷一〇）、《清史列传》本传、《清史稿》本传。

十二月

十四日，许宝善（1732—1804）生。宝善字敩愚，号穆堂，青浦人。乾隆二十五年进士。官至监察御史。著有《自怡轩诗》十二卷《续集》四卷、《自怡轩词》一卷、《自怡轩词谱》六卷。事迹见许宗彦《浙江道监察御史许公墓志铭》（《鉴止水斋集》卷一八）。

二十日，姚鼐（1732—1815）生。鼐字姬传、梦谷、稽川，室名惜抱轩，人称惜抱先生，桐城人。乾隆二十八年成进士，选庶吉士，散馆改兵部主事。三十六年擢刑部郎中。四库馆开，充纂修官。书成，以御史记名，乞养归。后掌教扬州梅花、安庆敬敷、歙县紫阳、江宁钟山书院，凡四十年。著有《惜抱轩诗文集》三十八卷等，编有《古文辞类纂》。事迹见姚莹《朝议大夫刑部郎中加四品衔从祖惜抱先生行状》（《东溟文集》卷六）、郑福照《姚惜抱先生年谱》、《清史列传》本传、《清史稿》本传。

范梧序李凯《寒香亭》传奇。署"雍正辛亥岁嘉平月，素园范梧书"。序云："最后，见其所填《寒香亭》传奇，其叙致之妙，研辨之精，视其少作，弥益精当。昔赤水屠先生作《昙花记》竟，后见玉茗诸剧，几欲毁其板。予向时亦曾谱《红玉燕》院本，自谓当与《桃花扇》、《燕子笺》相颉颃，今见雪崖之作，乃深悔曩者许负之过。盖予之所肆力于是者，毋过取其韵之合、律之谐、调之适。兹观雪崖是编，则其叙事也，错综委折，直叅子长、孟坚之遗；其选词也，极巧穷幽，隐兼汉、魏乐府之奥。苟使李卓吾见之，当有不徒以'化工'、'画工'相例者，则岂予之所能逮其万一也哉？"又，罗有高序云："雪崖先生《寒香亭》传奇何为而作也？曰：以正伦也。夫妇者，伦之始也，先王重焉，所以教民成孝敬、宜家室、美风化也。""传中魏思，字通微，官礼部，命旨深长矣。魏者，陶唐氏之遗民，忧深思远，故以为姓也。是以立朝而敢言，筹边而功集，是能缮思秉礼原伦者也。谭素，何也？字栖霞，何也？逸诗曰：'素以为绚兮。'《记》曰：'忠信之人，可以学礼。'此之谓也。"署"乾隆丁酉岁孟春望日，天目山人罗有高序"。钱维乔跋云："甬上词坛，推赤水《昙花记》。兹复见李子雪崖《寒香亭》之作，其序事也，错综而有致；其属辞也，清艳而不靡。得玉茗之风神，去笠翁之纤俗。若夫筹边克敌，经济裕如，锄佞除奸，风裁卓尔。吾未知雪崖何如人，略闻其起家甲科，以司铎老。寻常酸腐头巾不能具此胸怀，意者亦有所郁结而为之耶？虽小道必有可观，吾将引为同调。"署"乙巳中秋后一日，毗陵钱维乔跋"。（《中国古典戏曲序跋汇编》卷一二）庄一拂《古典戏曲存目汇考》卷一一：《寒香亭》，"《今乐考证》著录。怀古堂刊本，友益斋刊本。其他戏曲书簿未见著录。凡四卷四十出。题目作'和情词和就了善哭工愁的亲串，拽情舟拽翻了澈骨钻心的爱眷；冒情郎冒做了吃敲替死的刑徒，嫁情娘嫁出了改面生嗔的闺媛'。演谭秦游燕京，寓处有寒香亭，获卫吏部女凌波所作诗一卷，误以为礼部魏思女凝烟。倩其年伯谢平江作伐，以致姓氏沿误。几经曲折变化，卒两女同归于谭。情节极为错综。"

本年

全祖望春夏游山左，秋南归。董秉纯《全谢山先生年谱》："自旧秋至是夏，在罗竹园幕，遂遍游三齐诸胜，皆有纪志题咏。为蓬莱王孝子立传，应黄昆圃先生之命也。秋七月，自历下南归省亲。"

方苞授詹事府左春坊左中允。据苏惇元《方望溪先生年谱》。

王时翔任瓯宁知县。据《四库全书·福建通志》卷二七。

陈兆崙摄福建鳌峰书院山长。又总领《福建通志》局，与谢道承、黄任共事，相契厚。据陈玉绳《陈句山先生年谱》。

沈元沧复至京师，吏议安置宁夏。据沈德潜《皇清敕授文林郎广东琼州府文昌县知县诰赠朝议大夫山东布政司参议分守登莱青道东隅兄墓志铭》（《归愚文钞》卷一八）。

陈兆崙与黄任定交。据陈兆崙《秋江集诗序》（《秋江集》卷首）。

顾成天《花语山房诗文小钞》一卷、《三重赋》一卷刊行。据《贩书偶记续编》

附录。四库提要卷一八五：《花语山房诗文小钞》一卷附《三重赋》一卷《燕京赋》一卷，"国朝顾成天撰。是集乃雍正庚戌、辛亥二年成天侍直内廷时所作，花语山房即苑外直庐名也。凡诗六十八首，文二十三首，以岁月先后杂编，不分体裁。又《三重赋》一卷，成天为诸生时恭逢圣祖南巡所献。《燕京赋》一卷并自注，则雍正癸卯成天赴京会试时作也。

郑文炳编《明伦初集》五卷刊行。四库提要卷一九四：《明伦初集》五卷《续集》五卷，"国朝郑文炳编。文炳字慕斯，莆田人。是书取历朝文之有关五伦者，分类辑之。每篇缀评语于后。《初集》刊于雍正辛亥，《续集》刊于乾隆甲申。其立义甚正，而所选诸文，颇无体例。即如帝王诏诰，独载唐元宗《焚珠玉锦绣》一敕，所收未免太滥。至于徐淑《答兄弟》、钟琬《与妹》两书，不附于'昆弟'，而列于'夫妇'，尤为未协矣。"

王崇炳《学耨堂诗余》二卷刊行。据《清词别集知见目录汇编》。又，《学耨堂诗稿》九卷、《诗余》二卷雍正间刊行，据《贩书偶记》卷一五；《学耨堂文集》七卷、《诗稿》六卷、《诗余》二卷、《哀思草》一卷、《广性理吟》一卷，乾隆二十五年刊行，据《贩书偶记续编》卷一五。崇炳字虎文，东阳人。《国朝文汇》甲集卷五七录其《重刻朱阁部奏疏序》等文四篇。又编有《金华征献略》二十卷，四库提要卷六三著录；《金华文略》二十卷，四库提要卷一九四著录："是编录金华一郡之文。始自汉尚书杨乔，迄于国朝徐腾，共一百一十七人，而崇炳之文亦自录焉。凡例称取《金华文征》十之五，《金华文统》十之二，而益以他书十之三。又称《文统》之例，凡论及兵机政术及为释氏而作者不录，是选汉文不及长沙家令，选宋文不及苏学士矣。故惟侧词艳语在所禁绝，他则悉凭文章，不区疆域云。"

严长明（1731—1787）生。长明字冬友、用晦，号道甫，江宁人。乾隆二十七年赐举人，用内阁中书。旋入值军机。三十六年擢侍读。后以忧归，遂不复出。客毕沅所，为定奏词。晚主庐江书院。著有《归求草堂诗文集》及论辩经史、书算、文艺、金石、文字者几二十余部百余卷。事迹见姚鼐《严冬友墓志铭》（《惜抱轩文集》卷一三）、钱大昕《内阁侍读严道甫传》（《潜研堂文集》卷三七）、《清史列传》本传、《清史稿》本传。

顾光旭（1731—1797）生。光旭字华阳，号晴沙，无锡人。乾隆十七年春乡试中式，秋成进士，授户部主事。官至四川按察使。致仕后主讲东林书院，雅负乡誉。著有《响泉词》二卷，编有《梁溪诗钞》五十八卷。事迹见王昶《甘肃凉庄道署四川按察使司顾君墓志铭》（《春融堂集》卷五四）、《清史列传》本传、《清史稿》本传。

彭元瑞（1731—1803）生。元瑞字掌仍，号辑五、云楣，南昌人。乾隆二十二年进士，改庶吉士，散馆授编修。官至礼部、兵部、吏部尚书，《高宗实录》总裁，协办大学士。谥文勤。著有《恩余堂稿》十二卷、《续稿》二十二卷、《三稿》十一卷。事迹见《国朝耆献类征初编》卷三一、《清史列传》本传、《清史稿》本传。

陆建（1731—1765）生。建字湄君，号豫庭，钱塘人。早孤，母携至外家，舅氏袁枚养育教导之。年十七，补博士弟子员。宿州知府张开士见而赏之，妻以女。遂从官宿州，权记室。著有《湄君诗集》二卷。事迹见袁枚《湄君小传》（《湄君诗集》卷首）。

蒋业鼎（1731—1759）生。业鼎字升枚（一作升梅），长洲人。诸生。尝于桃花坞大会名流。事迹见王昶《蒋升枚墓表》（《春融堂集》卷六〇）。

朱彭（1731—1803）生。彭字亦笺，号青湖，钱塘人。岁贡生。嘉庆元年，辞孝廉方正之荐。著有《抱山堂集》、《湖船箫词谱》、《吴越古迹考》，辑有《同岑诗选》。事迹见《清史列传》宋大樽传附。

方成培（1731—1789）生。成培字仰松，号岫云，歙县人。布衣。著有《雷锋塔》传奇、《味经堂词》六卷、《香研居词麈》五卷等。事迹见邓长风《明清戏曲家考略三编·十三位清代戏曲家的生平材料》引周暟《布衣词合稿序》。

张埙（1731—1789）生。埙字商言、商贤，号瘦铜、吟乡、石公山人、小茅山人，吴县人。乾隆三十年举人，三十四年考授内阁中书。后入四库馆。著有《竹叶庵文集》三十五卷。事迹见张慧剑《明清江苏文人年表》、邓长风《明清戏曲家考略·张埙和他的<竹叶庵文集>》。

张尚瑗卒，年七十六。据江庆柏《清代人物生卒年表》。《国朝诗别裁集》卷一七："损持太史诗，风神未足，沉着有余，犹书家之颜平原、柳诚悬也。生平宗法昌黎，故尤工古体。诗稿止镌游闽、粤作，今全稿散失矣，深为怅惜。""去官后，笺疏诸经甚富，已镌者有《三传折诸》。"录其《上滩》等诗七首。《国朝文汇》甲集卷三六录其《春秋列国论》文一篇。

王汝骧卒。据朱彭寿《清代人物大事纪年》。四库提要卷一八四：《墙东杂著》一卷，"国朝王汝骧撰。汝骧字云衢。所刻制义或自书曰'云劬'，又自书曰'耘渠'，皆以同音假借也。金坛人。由贡生官通江县知县。此编乃所作古文。其以'墙东'为名，盖用后汉王君公事。汝骧掉鞅文坛，事殊牛佟。殆以其王姓，断章取义耶？文凡二十一篇。前六篇皆经说，后十五篇则皆史评也。其《术序记》谓学记术有序，即遂也，辨旧志读术为州之非。考春秋秦伯使术来聘，公谷作使遂，则汝骧之说实闇合古义。其《荀彧论》上、下二篇，反复推奖，以为有道之士，则过矣。"《国朝诗别裁集》卷二五："云衢丈制义宗工。中岁为诗，不落宋、元习气，古体尤上，外人不知为诗人，以文名掩也。有嗜痂癖，每来吴中，酒后背诵余诗至数十章，人多笑而怪之。诗稿未镌，葺诗时，屡访不得，只存其旧时钞誊二章，比之吉光片羽焉。"录其《鸡头关》、《黄牛峡》诗二首，评曰："能造险语，仿佛老杜入蜀诸诗。"《晚晴簃诗汇》卷五〇录其诗一首。《国朝文汇》甲集卷五三录其《论历代逸史短长》等文八篇。

公元 1732 年（雍正十年 壬子）

正月

沈德潜与张少弋、叶中理同游虞山。据沈德潜《雨中游虞山记》（《归愚文钞》卷九）。

二月

月初，赵昱、沈德潜游西溪。据《沈归愚自订年谱》。

周昂（1732—1801）生。昂字千若，号少霞、鸥梦，常熟人。乾隆三十年拔贡。官宁国训导。三十五年举于乡。三十七年引疾归。著有《西江瑞》、《玉环缘》、《兕觥记》、《两孝记》传奇，另有韵书数种。事迹见乾隆《支溪小志》卷三、乾隆《常昭合志》卷七（《方志著录元明清曲家传略》）。［按，生卒时间据邓长风《明清戏曲家考略·周昂的生平及其＜兕觥记＞传奇的本事》。然袁枚卒于嘉庆二年，却作有《周君少霞墓志铭》，见《小仓山房续文集》卷三一。未解何故］

春

清明日，王藻邀四方文士集于京师之怡园，续宋熙宁壬子、明洪武壬子韵事。张维屏《国朝诗人征略》初编卷二七引《词科掌录》："雍正壬子清明，载阳邀萃毂诸名公集怡园，赋七言古诗，追和宋苏子瞻、明杨孟载两先生作。"法式善《梧门诗话》卷四："宋熙宁壬子清明，眉山苏公看花钱塘吉祥寺。后三百年为明洪武壬子，杨基孟载在江西省披，清明花开，追和东坡之句，小引云：'为后三百年张本。'至雍正十年壬子，已六百六十年矣。四方文士集于京师之怡园，献花赋诗，以踵韵事。"

四月

沈德潜科试、试古学，名俱第一。《沈归愚自订年谱》："四月科试，名在第一。试古学，《震泽赋》、《诗学源流论》、《范文正公祠堂碑记》、《玉山晴望姑苏怀古》五题，名复第一。科试卷评：'理境通明，从容合节，策亦原委瞭然。'古学卷评：'诸体并擅，精能鼓吹六籍、斧藻郡言，洵艺林钜手也。'"

旷敏本合蓝鼎元雍正四年以后所作，为重编《鹿洲初集》刊行。序署"壬子夏四月既望，旷敏本再题"（《鹿洲初集》卷首）。四库提要卷一七三：《鹿洲初集》二十卷，"此集为其友旷敏本所编。初定于雍正丙午，越六年壬子，又合其续稿重汰定之，仍为二十卷。故前有敏本序，序后又有敏本纪，各述其始末。鼎元喜讲学，尤喜讲经济，于时事最为留心。集中如论闽、粤、黔诸省形势及征剿台湾事宜，皆言之凿凿，得诸阅历，非纸上空谈。至于所叙忠孝节烈诸事，亦点染生动，足裨风教。其中如论直隶水利之类，生长南方，不能达北方水性，未免掇拾陈言。《与顾太史书》之类自雪冤谤，杂以轻薄谑詈，尤所养不纯。然文笔条畅，多切事理，在近人文集中犹可谓有实际者也。"

五月

二十二日，沈业富（1732—1807）生。业富字方毅，号既堂，高邮人。年二十二举于乡。明年成进士，改庶吉士。散馆授编修。乾隆三十年，补安徽太平知府。四十六年，授河东盐运使。后致仕归里十余年卒。著有《味镫斋集》。事迹见阮元《翰林编修河东盐运使司沈公既堂墓志铭》（《揅经室二集》卷五）、《清史列传》本传。

方苞迁翰林院侍讲。据苏惇元《方望溪先生年谱》。

闰五月

蒋廷锡卒，年六十四。据钱保塘《历代名人生卒录》。《国朝诗别裁集》卷一九："文肃工绘花卉，品与恽南田敌。""少岁豪于诗，感时伤事，放情纵酒，一一寄诸永言，《青桐轩》诗皆未遇时作也。后此黼黻文明、敷扬大业诸篇未见镌本，故所录只在《青桐轩稿》中。"录其《续古诗》等诗七首。《晚晴簃诗汇》卷五六录其诗九首。《国朝文汇》甲集卷四一录其《严太仆文集序》文一篇。

六月

十九日，朱泽沄卒，年六十七。据王箴传《止泉先生朱公行状》（《止泉先生文集》卷八）。刘师培《朱止泉传》："所著之文，多发明朱子一家之学。"（《广清碑传集》卷六）四库提要卷一八二：《止泉文集》八卷，"此集乃其子光进所编。凡诗一卷、语录一卷、书牍四卷、杂著二卷。大抵亦皆讲学之语，盖其生平惟以崇奉朱子为事也。"是书乾隆四年顾天斋刊行，光绪辛丑重刊。据《贩书偶记续编》附录。又，《朱止泉外集》五卷道光三年刊行。据《贩书偶记》卷一四。《国朝文汇》甲集卷五五录其《唐书本纪论》等文五篇。

夏

沈元沧扶病西行赴宁夏。据沈廷芳《诰赠通议大夫山东按察使前文昌县知县显考东隅府君行状》（《隐拙斋集》卷四九）。

七月

方苞迁翰林院侍讲学士。据苏惇元《方望溪先生年谱》。

陆奎勋自前年冬至本月与修《浙江通志》。据《志余存稿》小序（《陆堂诗续集》卷三）。

八月

十六日，孙埏自序《锡六环》（一名《弥勒记》）传奇。署"时雍正十年南昌月既望，奉化碧溪孙埏序于嵩溪书院"。自序云："即余之为此传奇，亦非欲传布佛教也。念人生在世，南柯一梦，田地山园，即佛家之檀那香积也；夫妻子母，即佛家之因缘果业也；功名富贵，即佛家九魔十难之神奇鬼怪也。一切有为梦幻泡影，儒、释何尝不一而二，二而一哉！惟背违伦理，无父无君，未免开罪于圣人，而要其以空寂之一义，惊醒尘梦，亦未必一无可取。《锡六环》一剧，即本此义演出千奇百怪，而究归之乌有。乃知天地间，无论大豪杰、大圣贤，所留遗者，不过一名而已。""是剧出，不独令红尘中人消得许多妄念，即令秃子见之，点头道好，或能自悔其吃狗肉、偷妇人之非。自揣于两教，均不无小补。后之凭吊者，呼我为孔圣人弟子也可，呼我为弥勒化身也，亦无不可。"（《中国古典戏曲序跋汇编》卷一二）庄一拂《古典戏曲存目汇考》卷一一：《弥勒记》，"此戏未见著录。湖澜书塾刊本。一名《锡六环》。凡二卷二十四出。其题目作'笑弥勒化作布袋僧，痴摩诃未识六环人；鹤林寺透出幻时形，锦屏山色相隐全身'。演布袋僧出家鹤林寺，历经观音、如来显化，赐名弥勒。复历魔难，收徒摩诃，募其祖地锦屏山，建造塔院，幻化而灭。摩诃送遗蜕入塔，题额曰六环飞锡。剧中所叙，与《奉化县志》相合，志则系采释氏《稽古录》、《传灯录》等书记之而加详。孙锵跋谓布袋禅师显迹奉化，里俗相传，其事不一。按吴晓铃有光绪四年孙氏家钞本《锡六环》，与刊本文字大异。"孙埏又有《两重天》传奇，已佚。据《古典戏曲存目汇考》卷一一。

黄叔琳自苏州还里。至是侨寓吴门者凡八年。据顾镇《黄侍郎公年谱》。

九月

十三日，钱九韶（1732—1796）生。九韶字太和，号南浔，密县人。贡生。以《芦花诗》知名，有"钱芦花"之称。尝主桧阳书院。著有《南浔诗集》二十四卷《文集》十六卷。事迹见朱彭寿《清代人物大事纪年》。

文昭卒，年五十三。据朱彭寿《清代人物大事纪年》。《钦定八旗通志》卷一二〇著录《芗婴居士集》八卷。《贩书偶记》卷一五著录《紫幢轩诗集》三十二卷（又名《芗婴居士诗集》），雍正间精刊。《清史稿》本传："宗室文昭，字子晋，饶余亲王阿巴泰曾孙，镇国公百绶子。辞爵读书，从王士禛游。工诗，才名藉甚。王式丹称其诗以鲍、谢为胚胎，而又兼综众有，撷百家之精华，其味在酸咸之外。"法式善《梧门诗话》卷一二："天（湟）［潢］工诗者，当以《紫幢轩集》为最富有。郭元釪谓其'健比牧之，清如坡老'，似非谀语。"《八旗诗话》九："其诗大抵劖思入骨，澹语如云，排比之中，不掩跳荡，宫商之外，别具低徊。"《晚晴簃诗汇》卷一〇录其诗二十六首。

秋

乡试。是科各省考官有任兰枝、邵基、张廷璐、刘统勋、梁诗正、李重华、邹一桂、彭启丰、王峻等。据法式善《清秘述闻》卷五。所取举人有邵大业（《清秘述闻》卷五）、梁启心（杭世骏《梁蔎林传》）、邱仰文（陆燿《保安县知县邱君仰文墓志铭》）、周宣猷（陈兆嵛《分司嘉松转运周君雪舫传》）、马朴臣（《国朝诗别裁集》卷二七）、曹秀先（彭元瑞《光禄大夫太子太傅礼部尚书曹文恪公墓志铭》）、郑燮（《四库全书·江南通志》卷一三四）、全祖望（董秉纯《全谢山先生年谱》）、英廉（法式善《八旗诗话》一一一）、戴永植（戴熙《家农南公行状》）、马荣祖（杭世骏《马石莲传》）等。刘大櫆（《国史文苑传》本传）、钱载（吴文溥《故礼部侍郎钱公传》）、张凤孙（《国朝文汇》甲集卷五九）中副榜。王愫报罢。据毛咏《王林屋先生传》（《国朝文汇》乙集卷一九）。

全祖望举顺天乡试，为曹一士、李绂等所赏。董秉纯《全谢山先生年谱》："房考曹公一士径过寓斋，倾倒特甚。而临川李穆堂先生见先生行卷，曰：'此深宁、东发以后一人也。'招之同寓。遂偕万孺庐先生唱和于紫藤轩，一时名下俱愿纳交先生。然先生所心契，李、万之外，惟灵皋先生、坦斋王侍郎、济寰曹给事、谢石林侍御、郑笔谷侍讲数人而已。而时相之门虽屡招之，不赴，卒以此深嫉之，至于放黜。"

郑燮游杭州。有家书《杭州韬光庵中寄舍弟墨》，诗《观潮行》、《韬光》，词《沁园春·西湖夜月有怀扬州旧游》等，见《郑板桥全集·板桥集》。

厉鹗客扬州，岁末归。访赵昱于松江。据《樊榭山房集》卷七《丁未暮春，佩兮来游湖上，曾作五字诗奉赠。壬子秋，仆至邗，留寓小玲珑山馆。岁晚将归，复次前韵志别，兼呈令兄秋玉》、《过青浦县（时将访功千于松江）》。

十月

李果自序《咏归亭诗钞》。署"雍正十年壬子十月，长洲李果书于悔庐"。自序云："曰《石间》者，早岁居石里所为诗也；曰《竹亭》者，客扬州作也；曰《溪堂》者，买屋莳溪红桥，奉老母以居，虽往来江都，亦以溪堂名也；曰《莱圃》者，既赋悼亡，重归石里，割李氏之园，灌畦养母，取莱子之意也；曰《蒿庐》者，从莱圃移家于此，偶有作也；曰《东楼》，曰《舫斋》者，横经城西之地也。统曰《咏归亭诗》，凡若干卷。"（《咏归亭诗钞》卷首）李果殁后，门人朱昂等为辑《编余集》，成《咏归亭诗钞》八卷刊行。

杭世骏自序《榕城诗话》。署"雍正岁在壬子十月朔，董浦杭世骏在太未城下书"。（《榕城诗话》卷首）四库提要卷一九七：《榕城诗话》三卷，"国朝杭世骏撰。世骏有《续方言》，已著录。是编乃雍正壬子世骏以举人充福建同考官所作，故以榕城为名。案，雍正壬子、乙卯二科皆以邻省举人充乡试同考官，故世骏以甲辰举人膺是仕，谨附识于此。其论诗以王士禛为宗，故如冯舒、冯班、赵执信、庞垲、何焯诸人不附士禛者，皆深致不满。于同时诸人，无不极意标榜，欲以仿士禛诸杂著。然士禛善于选择，每一集节取一二联，往往可观。世骏则未之能也。"

冬

纪逵宜官国子监助教，时年六十一岁。据陈仪《闲云老人纪逵宜传》（《碑传集》卷一〇二）。

本年

李重华落职，仍留京师。刘大櫆《翰林院编修李公墓志铭》："壬子典四川乡试，而是年以前所荐举人不称落职。而公之长子治运方为秋官郎中，以禄养留京师。则日与缙绅及故交之闲居者连为诗社，或聚徒课文。文章益富，贤豪趋赴益众。"（《海峰先生文》卷七）〔按，此后李重华随长子治运宦游四方，历京师、山左、榆林、安庆等

地]

游绍安出守南安。据《涵有堂稿·跋陶舫砚史》小序。

袁枚与朱端士结忘年交。方濬师《随园先生年谱》："杭州朱端士先生命制七十寿序，结忘年交。"

李中简与戈涛为昆弟交。中简时年十二岁，戈涛十六岁。据李中简《芥舟先生小传》（《国朝文汇》乙集卷一八）。

黄子云移家灵岩山，筑长吟阁。据徐传诗《星湄诗话》卷下。

厉鹗移居南湖，遂自号南湖花隐。据朱文藻撰、缪荃孙重订《厉樊榭先生年谱》。

方苞作《与鄂、张两相国论制驭西边书》。见《方苞集集外文》卷五。朱轼《评与鄂、张两相国书》："老谋雄略，一归经术；未审韩、范规模，视此何似？"姚鼐《跋与鄂、张两相国书稿》："望溪宗伯《与鄂、张两相国书》论制准夷事，忧国忠友之情，则皆可谓至矣，于公平生风义，所关颇重。"（《方苞集》附录《诸家评论》）

盛谟、盛镜、盛乐《豫宁三盛诗》三卷刊行。据《贩书偶记》卷一九。［按，"盛谟"一作"盛大谟"］

崔应阶《拙圃诗草初集》一卷刊行。据《贩书偶记续编》卷一五。

鲁九皋（1732—1794）生。九皋原名仕骥，字絜非，号山木，新城人。乾隆三十五年举人，三十六年进士，选山西夏县，以积劳致疾卒。著有《山木居士集》、《是程集》等。事迹见姚鼐《夏县知县新城鲁君墓志铭》（《惜抱轩文集》卷一三）、《清史列传》朱仕琇传附、《清史稿》姚鼐传附。

朱休度（1732—1812）生。休度字介斐，号梓庐、小木子，秀水人。乾隆十八年举人。历官安吉州学正、嵊县训导、新喻知县、广灵知县。乞归后主剡川书院，以著述为事。著有《皇本论语经疏考异》、《学海观沤录》等。事迹见钱仪吉《朱休度事状》（《中华大典·明清文学分典》）、《清史列传》本传、《清史稿》汪辉祖传附。

徐爔（1732—1807）生。爔字鼎和，号榆村，吴江人，灵胎子。以太学生候选布政司理问，授儒林郎。著有《梦生草堂诗文集》四卷、《写心杂剧》及《镜光缘》、《双环记》、《联芳楼》传奇（后二种佚）。事迹见光绪《吴江县续志》卷二〇（《方志著录元明清曲家传略》）、邓长风《明清戏曲家考略续编·徐大椿和徐爔：父子医家兼曲家》。

王鸣韶（1732—1788）生。鸣韶字鹤溪，嘉定人，鸣盛弟。诸生。钱大昕视学广东，邀与俱往。鸣盛选江左十二子诗，次鸣韶其中，论者不以为私。著有《逸野堂文集》十卷、《礼传堂文集》十卷、《翠微庐小稿》五卷、《鹤溪剩稿》五卷、《入粤记》一卷、《粤东窃闻记》一卷。事迹见钱大昕《鹤溪子墓志铭》（《潜研堂文集》卷四八）、《清史列传》郑燮传附。

王元文（1732—1788）生。元文字翚曾，号北溪，吴江人。诸生。尝客山东按察使陆耀幕。著有《北溪诗集》二十卷、《文集》二卷。事迹见张士元《王元文传》（《碑传集》卷一四一）、张慧剑《明清江苏文人年表》。

戚蓼生（1732？—1792）约本年生。蓼生字念切，号（或字）晓堂，德清人。乾隆二十七年举人，三十四年进士。历官刑部主事、郎中、江西南康府知府、福建盐法道、福建按察使。著有《竺湖春墅诗钞》五卷。以序《石头记》闻名。事迹见周汝昌《红楼梦新证》附录《戚蓼生考》。

陈訏卒，年八十三。据朱彭寿《清代人物大事纪年》。四库提要卷一八三：《时用集》无卷数，"国朝陈訏撰。訏有《句股引蒙》，已著录。訏为黄宗羲门人，又与查慎行同里友善。故文格、诗格俱有所受，然所作终亚于二人。是集为訏所自编，凡四十岁以前所作悉删去之。断自己巳，迄戊子为正编。又自己丑迄壬子为续编，则其晚所增刻也。其曰《时用集》者，訏自序为家塾署联用东坡语'《春秋》古史乃家法，诗笔《离骚》亦时用'，故手订正续集，遂以时用标题云。"四库提要卷一九四：《宋十五家诗选》十六卷，"国朝陈訏编。十五家者，梅尧臣、欧阳修、曾巩、王安石、苏轼、苏辙、黄庭坚、范成大、陆游、杨万里、王十朋、朱子、高翥、方岳、文天祥也。每集各系小传及前人诗话，而以己所评论附焉。"《晚晴簃诗汇》卷三九录其诗七首。

万承勋约卒于本年前后，年六十余。据全祖望《磁州牧西郭万君墓表》（《鲒埼亭集》卷二二）推知。《墓表》云："西郭讳承勋，字开远，生于康熙庚戌某月日，卒于雍正某年月日，子一敷前先卒，以其从孙在兹为后。所著有《冰雪诗集》六卷。西郭之未通籍也，查田先生盛许其诗，曰：'孟郊之流也。'西郭耻以诗人自域，掉头不答。晚而自哂曰：'我并不复能唱渭城矣。'"

公元 1733 年（雍正十一年 癸丑）

正月

初一日，李塨卒，年七十五。据冯辰《李恕谷先生年谱》卷五。所著《周易传注》七卷附《周易筮考》一卷、《郊社考辨》一卷、《学记》五卷、《论语传注》二卷、《大学传注》一卷、《中庸传注》一卷、《传注问》一卷、《李氏学乐录》二卷、《大学辨业》四卷、《圣经学规纂》二卷、《论学》二卷、《恕谷后集》十卷、《续刻》三卷，四库提要著录。方苞《李刚主墓志铭》："刚主言语温然，终日危坐，肃敬而安和，近之者不觉自敛抑。以昆绳之气，既老而为刚主屈；以刚主之笃信师学，以余一言而翻然改。其志之不欺，与勇于从善，皆可以为学者法。"（《方苞集》卷一〇）《清史稿》本传："塨博学工文辞，与慈溪姜宸英齐名。""塨学务以实用为主，解释经义多与宋儒不合。又其自命太高，于程、朱之讲学，陆、王之证悟，皆谓之空谈。盖明季心学盛行，儒禅淆杂，其曲谨者又阔于事情，沿及顺、康朝，犹存余说，盖颜元及塨力以务实相争。存其说可补诸儒枵腹之弊，然不可独以立训，尽废诸家。"《国朝文汇》甲集卷三七录其《原道》等文七篇。《晚晴簃诗汇》卷四九录其诗三首。

初七日，罗聘（1733—1799）**生**。聘字遁夫，号两峰、衣云、花之寺僧、金牛山人，歙县人。久寓扬州。布衣。师事金农，称高足弟子。以《鬼趣图》闻名。著有《香叶草堂诗》、《正信录》。事迹见俞蛟《罗两峰传》（《梦厂杂著》卷七）、吴锡麒《罗两峰墓志铭》（《碑传集补》卷五六）、杨锺羲《雪桥诗话》卷七、《清史稿》华嵒传附。

初八日，蔡世远卒，年五十二。据方苞《礼部侍郎蔡公墓志铭》（《方苞集》卷一

○）。《墓志铭》云："所著《二希堂文集》十五卷，《鳌峰学约》、《朱子家礼辑要》、《合族家规》各一卷。所编《性理精要》、《历代名臣言行录》，论定《古文雅正》、《汉魏六朝四唐诗》各若干卷。惟《学约》、《家礼》、《古文雅正》及与高安朱相国共订《历代名臣名儒循吏传》已刻行于世。蔡氏世居漳浦之梁山，故学者称梁村先生。"李祖陶《国朝文录·二希堂文录引》："盖其生平拓落不羁，以振古人豪自命；潜心理学，务绝其自私自利之心。故其发为文也，义理则日月晶明，气势则江河汹涌，格力则龙虎争斗，意度则原野安闲，凿凿指陈，皆有裨于学术、治术。无论肇悦为文，讲机局而工格调者不能及，即讲学家洞见本原而不能发挥酣畅，务为谆复而不能纪律严明者亦不能及也。先生之选《古文雅正》也，持择綦严，自汉以后仅得二百余篇，凡理正而词不雅，词雅而理不正者皆不录。谓其事则可法可传，其文则可歌可诵。读先生之文，吾知必有兴起于百世以下者矣。序、传美不胜收，今择其文之尤者为二卷。"《国朝文汇》甲集卷四四录其《家忠烈公遗诗序》等文四篇。《晚晴簃诗汇》卷五八录其诗一首。

十七日，沈元沧卒，年六十八。 据沈廷芳《诰赠通议大夫山东按察使前文昌县知县显考东隅府君行状》（《隐拙斋集》卷四九）。沈德潜《皇清敕授文林郎广东琼州府文昌县知县诰赠朝议大夫山东布政司参议分守登莱青道东隅兄墓志铭》："兄于学无弗窥寻，而陶写情性，尤长于诗。探源《骚》、《选》，出入于杜、韩、苏、陆诸家。一时朱竹垞、查他山、陈恪勤诸公咸推重之，由取法正而根柢深也。"（《归愚文钞》卷一八）沈彤《赠山东布政使司参议沈公墓表》："公交游多当世名人，其以师事者，在乡邑则有若钱塘应嗣寅㧑谦、鄞万充宗斯大、秀水朱检讨彝尊、族父昭嗣佳，在京邸则有若吉水李尚书振裕、仁和汤侍郎右曾、海宁查编修慎行，入书局则有若长沙陈恪勤公鹏年，而昭嗣、恪勤则北面焉，皆时承指授，获益湛深。故其类经能整齐纲目，有详有要；为古今文有远识高论；赋诗本性情，而出入杜、韩、苏、陆诸集，尤卓然成家。"（《果堂集》卷一○）《滋兰堂文集》四卷《诗集》十卷乾隆十四年男廷芳等刊行。据《贩书偶记续编》卷一五。四库提要卷一八四：《滋兰堂诗集》十卷，"是编分六集，曰《康瓠集》、《灌畦集》、《今雨集》、《紫贝集》、《劳薪集》、《西征集》。前有其孙廷芳题识，称《康瓠集》为家居侍亲及为查氏赘婿时作；《灌畦集》为移居龙山时作；《今雨集》为入直武英殿时作；《紫贝集》为官文昌时作；《劳薪集》为罢官后自京赴粤时作；《西征集》为由粤赴京，谪居银州时作。元沧为查昇之婿，久与查慎行游，故其诗格颇近《初白堂集》云。"《国朝诗别裁集》卷二三："诗与查他山先生唱和，品兼唐、宋人之长。"录其《外舅查声山先生挽辞》等诗十首。《晚晴簃诗汇》卷五九录其诗一首。《国朝文汇》甲集卷四二录其《平黎议》等文三篇。

命各直省设立书院。 据蔡冠洛《清代七百名人传》附录《清代大事年表》。

张九铖与兄九钧登采石太白楼作歌，江南人竞相传写。 据张家栻《陶园年谱》。袁枚《随园诗话补遗》卷五："湘潭张紫岘九铖年十三，登采石太白楼作歌，人呼'太白后身'。中有数联云：'乾坤浩荡日月白，中有斯人容不得。空携骏马五花裘，调笑风尘二千石。''自从大雅久沉沦，独立寥寥今古春。待公不来我亦去，楼影潇潇愁杀人。'果有青莲风味。"

二月

会试。考官：户部尚书鄂尔奇、吏部侍郎任兰枝、兵部侍郎杨汝穀。题"为君难为"二句，"中也者天"一句，"禹恶旨酒"二节。据法式善《清秘述闻》卷五。

吴敬梓自全椒移家南京。吴敬梓《买陂塘》序云："癸丑二月，自全椒移家，寄居秦淮水亭。诸君子高宴，各赋《看新涨》二截见赠。余既依韵和之，复为诗余二阕，以志感焉。"（《文木山房集》卷四）又，《移家赋并序》约作于一年后，见《文木山房集》卷一。

三月

方苞选编《古文约选》。苏惇元《方望溪先生年谱》："春三月，奉果亲王教，约选两汉及唐、宋八家古文，刊授成均诸生。其后于乾隆初诏颁各学官。"《古文约选序例》署名和硕果亲王，实由方苞代笔。《方苞集集外文》卷四《古文约选序例》："盖古文所从来远矣，六经、《语》、《孟》，其根源也。得其枝流而义法最精者，莫如《左传》、《史记》，然各自成书，具有首尾，不可以分剟。其次《公羊》、《穀梁传》、《国语》、《国策》，虽有篇法可求，而皆通纪数百年之言与事，学者必览其全而后可取精焉。惟两汉书、疏及唐宋八家之文，篇各一事，可择其尤，而所取必至约，然后义法之精可见。故丁韩取者十二，于欧十一，余六家或二十、三十而取一焉；两汉书、疏，则百之二三耳。学者能切究于此，而以求《左》、《史》、《公》、《穀》、《语》、《策》之义法，则触类而通，用为制举之文，敷陈论、策，绰有余裕矣。虽然，此其末也。先儒谓韩子因文以见道，而其自称则曰：'学古道，故欲兼通其辞。'群士果能因是以求六经、《语》、《孟》之旨，而得其所归，躬蹈仁义，自勉于忠孝，则立德立功，以仰答我皇上爱育人材之至意者，皆始基于此，是则余为是编以助流政教之本志也夫。雍正十一年春三月，和硕果亲王序。"

吴士玉卒，年六十九。《国朝诗别裁集》卷二二录其《玉带生歌奉和漫堂先生》诗一首。《晚晴簃诗汇》卷五七："其诗雍容大雅，瓣香在苏、陆之间。"录其诗三首。

春

全祖望春闱下第，仍居京师。董秉纯《全谢山先生年谱》："春闱下第，仍居京师。榜后始闻张孺人之赴，将归省，有词科之命。工部尚书仁和赵公以先生荐，遂为吏部所留，不得归，仍居紫藤轩，与临川先生论陆氏学案，凡四上书。"全祖望《翰林院学士南昌万公墓碑铭》："予以雍正癸丑春试报罢，束装欲归，前侍郎临川李公固留予，使之应词科。其时侍郎居宣武门南，故合肥李相国邸也。西有紫藤轩，割以居万公孺庐，又割其东以居予。每日高春，必相聚一室，或讲学，或考据史事，或分韵赋诗，葱汤麦饭，互为主宾。"（《鲒埼亭集》卷一八）

蓝鼎元卒，年五十九。据陈寿祺《蓝鼎元传》（《碑传集》卷一〇〇）。[按，朱彭寿《清代人物大事纪年》谓其卒于六月二十五日，年五十四]《中国丛书综录》："《鹿洲全集》，（清）蓝鼎元撰。清雍正十年（1732）刊本，清同治四年（1865）广东纬文堂刊本，清光绪五年（1879）蓝谦修补刊本。《鹿洲初集》二十卷，《平台纪略》一卷，《东征集》六卷，《鹿洲公案》二卷，《修史试笔》二卷，《棉阳学准》五卷，《女学》六卷（雍正、同治本）、《鹿洲奏疏》一卷。"前六种四库提要著录。李祖陶《国朝文录·鹿洲文录引》："（其文）大都口讲指画，凿凿可见诸行，与吾乡魏叔子相上下。但叔子文雄劲峭健，得山分居多；鹿洲浩瀚淋漓，得水分较足。盖生长海滨，沐日浴月，与僻处金精山中者，固自各有其胜也。"林昌彝《射鹰楼诗话》卷九："（鹿洲）凡讲学谈经，均未免拘迂之见，惟指陈时务，动合机宜，其经济诚有大过人者。"《晚晴簃诗汇》卷六五录其诗十首。《国朝文汇》甲集卷五九录其《上张大中丞书》等文十篇。

四月

初二日，世宗御太和殿，传胪。赐一甲陈倓、田志勤、沈文镐进士及第，二甲张若霭、张映辰、张湄、鄂容安、雷鋐、邵大业、董邦达、沈澜、汪师韩、夏之蓉、张映斗、任启运、双庆等进士出身，三甲郑方城、介福、章楹、桑调元、彭肇洙、牛运震、邱仰文、周宣猷、傅为詝（即傅为詝）、彭端淑、韩海等同进士出身。据《历科进士题名录》、《清通鉴》。[按，张若霭本为一甲三名，拆卷知为廷玉子，以廷玉坚辞，乃改二甲一名。据《清史列传》张廷玉传附]

上谕举博学鸿词科。《世宗宪皇帝上谕内阁》卷一三○（雍正十一年四月）："除现任翰詹官员无庸再膺荐举外，其它已仕未仕之人，在京着满汉三品以上，各举所知汇送内阁；在外着督抚会同该学政，悉心体访，遴选考验，保题送部，转交内阁。"

方苞擢内阁学士兼礼部侍郎，以足疾辞。据《方苞集集外文》卷二《谢授礼部侍郎札子》。

五月

李绂序王沛恂《匡山集》。署"雍正癸丑夏五，临川李绂书"。（《匡山集》卷首）四库提要卷一八三：《匡山集》六卷，"国朝王沛恂撰。沛恂字书岩，诸城人。官兵部主事。是集凡文五卷、诗一卷。诗文皆伉直有气，而亦有恃气之处。故意之所至，畅所欲言，不免时有累句。"

六月

上浣，盛逢润序劳孝舆《春秋诗话》。署"时雍正癸丑季夏上浣，江右禾川年家同学教弟盛逢润海观氏拜题于端署梅花书屋"。序云："类聚群分，章疏句解，要皆发前人之所未发。"又有乾隆辛未张汝霖序、何梦瑶序、苏珥序、罗天尺序（《春秋诗话》卷首）。是书凡五卷，四库提要卷一九七著录，乾隆辛未刊行。

方苞教习庶吉士。据苏惇元《方望溪先生年谱》。

夏

纪昀随侍祖母于沧州南上河涯别墅，时年十岁。据纪昀《阅微草堂笔记》卷一一《槐西杂志一》。

八月

十六日，翁方纲（1733—1818）生。方纲字正三，号覃溪，晚号苏斋，大兴人。乾隆十二年举人。十七年成进士，选庶吉士，散馆授编修。官至内阁学士兼礼部侍郎。著有《苏诗补注》八卷、《复初斋诗集》七十卷、《文集》三十五卷、《复初斋集外诗》二十四卷、《集外文》四卷、《石洲诗话》八卷、《小石帆亭著录》六卷。事迹见《国史馆儒林传稿·翁方纲传》、张维屏《翁覃溪先生年谱稿》（《碑传集三编》卷三六）、沈津《翁方纲年谱》、江藩《国朝汉学师承记》卷六、《清史列传》本传、《清史稿》本传。

方苞充一统志馆总裁，奉命校订《春秋日讲》。据苏惇元《方望溪先生年谱》。

九月

初九日，郑燮作《别梅鉴上人》。诗后注云："此雍正十一年重九日奉别梅鉴和尚之作也，时结交已十余载。乾隆二十年，余自山左南归，重过海陵，师请再书，遂作一大幅，又一小幅，以供方丈，他日二徒可分守矣。"（《郑板桥全集·板桥集外诗文》）

二十五日，吴焯卒，年五十八。据张燧《吴绣谷先生行状》（《碑传集补》卷四五）。《行状》云："自其羁卯称诗，泛滥众制，汉、魏而下皆能沿其流，别裁伪体，媲群雅以合作者之意。中年以后为词，兢兢去上二字之别。友人厉君鹗称其纡徐幽邃，惝恍绵丽，在周清真、张玉田诸人间。盖笃论焉。"查为仁《莲坡诗话》："钱塘吴绣谷焯作诗，别出机杼，令人可想。""有《药园诗稿》、《渚陆飞鸿》等集。尤工倚声，有《玲珑帘词》。其储书之富，与小山赵氏相埒。"《晚晴簃诗汇》卷五一录其诗五首。厉鹗《吴尺凫玲珑帘词序》："本朝沈处士去矜号能词，未洗鹤窗余习，出其门者波靡不返，赖龚侍御蘅圃起而矫之，尺凫《玲珑帘词》盖继侍御而畅其旨者也。尺凫之为词也，在中年以后，故寓托既深，揽撷亦富，纡徐幽邃，惝恍绵丽，使人有清真再生之想。予素有是好，与尺凫倡和，见其掐谱寻声，不失刌度，且兢兢于去上二字之分，若宋人隔指、正平诸调遗论犹未坠者，亦可见其使才之工矣。"（《樊榭山房文集》卷四）

秋

厉鹗客扬州。据《樊榭山房集》卷七《中秋夜广陵看山楼对月》等诗。其间识沈廷芳，别后为《沈椒园诗序》，有云："符君幼鲁，里中诗人之择也，向尝与予论浙西之诗，独于沈君椒园口之不置。予询椒园之诗何若，则曰：'清丽之辞，和平之响，为能绝去粗浮怒张之习，而有似乎唐大历、宋庆历诸公也。'予心识之，顾以未得见其诗为恨。癸丑岁客维扬，椒园亦从海昌来，访予于邸，喜且慰。言笑既浃，神色间若有结轖不自得者。询其故，则知椒园为名家子，少（擩）[濡]染见闻于外氏，得文苑巨公以为师，若韩之湜、籍，苏之晁、张。然平居有田庐给饘粥，诗书供研讨，既更多难，不独骨肉师友间聚散死生，云乖雨绝。而椒园亦用是客游无方，屡叹少陵之干请伤性矣。别去之真州，始寄一编来。如《别母》云：'云影有心随望眼，线痕和泪绽征衣。'《秋怀》云：'境当安稳谁知足，事到分飞始信穷。'《过樵沙道院》云：'乡老曾居此，今朝忍再过。'《遣怀》云：'秋来红豆怀南国，春到青铜赴朔方。'皆缠绵悲惋，元本于人伦天咫之故，而合于四始六义之旨。若幼鲁昔日嗟赏之言，犹不足以尽椒园者。殆情随境迁，有不得已而言，不特工力之浅深与年俱进而已。惜幼鲁远客京华，不得重与论椒园之诗，使予兴怀人之感也。"（《樊榭山房文集》卷三）

厉鹗初读陆培词。《樊榭山房文集》卷四《陆南香白蕉词序》："癸丑秋，有客传《白蕉词》至，鹅水陆君南香作也。清丽闲婉，使人意消。询知南香以南宫上第，出宰东流，叹诧以为此酒边花外风调，腰章手版间，无是人也。"

十月

初十日，曹炳曾卒，年七十四。据曹一士《敕封征仕郎内阁中书舍人国学生巢南府君墓志铭》（《放言居诗集》附录）。[按，《墓志铭》谓其生于顺治庚子九月十三日，卒于雍正癸丑十月初十日，年七十二。其得年推算有误] 四库提要卷一八四：《放言居诗集》六卷，"国朝曹炳曾撰。炳曾字为章，号巢南，上海人。康熙末诸生。煜曾之从弟也。是集为《石仓世纂》之第三种，凡诗五卷，后附杂著一卷，并从子一士所撰墓志铭。其诗与煜曾《道腴堂集》格律相近，而才地稍逊焉。"《国朝诗别裁集》卷二八："曹氏昆弟，人比之刘孝绰。三昆齐名，诗品亦复相当。"录其《九日送人北归》诗一首。

又，曹煜曾当卒于炳曾、瑛曾之后。《道腴堂诗集》卷末曹锡黼识语云："伯祖寿八十余，先祖与叔祖皆殁矣，犹强饭。""吾邑言诗者咸以为先祖诗似放翁，春浦叔祖诗似铁崖，而皆本源于伯祖麓蒿先生。盖伯祖之诗粹矣。"四库提要卷一八四：《道腴堂诗集》四卷，"国朝曹煜曾撰。煜曾字麓蒿，上海人。康熙末贡生。是集为其孙锡宝所编《石仓世纂》之第一种也，凡诗一百五十五首。煜曾为云间董俞弟子，故其诗声律格调颇有师法。然卷中但存近体而无古诗。王延年序称其懒不自惜，散佚颇多，今所传者皆其孙口授。岂训课时惟取声律谐适，易于记诵故耶？"《国朝诗别裁集》卷二八："曹丈诗得董苍舒指授，故其品特高。"录其《水仙花》诗一首。

二十一日，吴骞（1733—1813）生。骞字槎客，号愚谷、海槎、漫叟等，海宁人。贡生。藏书五万卷，筑拜经楼藏之。著有《拜经楼诗集》十二卷《续编》四卷《再续编》一卷、《愚谷文存》十四卷《续编》二卷、《拜经楼诗话》四卷《续编》二卷。事迹见吴德旋《初月楼闻见录》卷九、《杭州府志》本传（《碑传集补》卷四五）、《清史列传》汪宪传附。［按，生日据朱彭寿《清代人物大事纪年》]

　　陈元龙予告归里，自己酉年至本月所得诗为《黄扉集》三卷。见《爱日堂诗》卷二五、二六、二七。

　　金农自编其诗为《冬心先生集》四卷。集中诗始于康熙丙申，止于本年。本月广陵般若庵刊行。自序云："乃鄙意所好常在玉溪、天随之间。玉溪赏其窈眇之音而清艳不乏，天随标其幽遐之旨而奥衍为多。然宁必规玉溪而范天随哉？予之诗，不玉溪，不天随；即玉溪，即天随耳。比长年来益为汗漫游，遍走齐、鲁、燕、赵、秦、晋、楚、粤之邦，或名岳大河倾写胸臆，或荒台哆殿怅触古怀，或雨零风歊感伤羁屑，或筝人酒徒飞扬意气，境会所迁，声情随赴，不谐众耳，唯矜孤吹，此则予诗之大凡也。孤露以后，旧业随废，欲求天随子松江通潮之田、小鸡山之樵薪已不可得，旅食益困。念玉溪生有打钟扫地为清凉山行者誓愿，因亦誓愿五十之年便将衣祴入林，得句呈佛，以送余生。遂发愤将旧稿删削编番，都为四卷，写一净本付之镂木家。自今有索冬心先生而望屾息心者得不披对此集乎？"署"雍正十一年十月钱塘金农自序"。（《冬心先生集》卷首）四库提要卷一八五：《冬心集》四卷，"国朝金农撰。农字寿门，钱塘人，客于扬州。书画皆以奇逸自喜，诗亦如之。其名冬心者，取崔国辅'寂寥抱冬心'之语也。"

　　顾我锜卒，年四十六。据黄之隽《顾湘南墓志铭》（《唐堂集》卷二六）。《国朝诗别裁集》卷二八："顾我锜字湘南，江南吴江人。廪生。鄂文端任江苏藩使时，古学试士，得五十三人，湘南为冠。后举博学鸿词，文端奏请若为湘南设也。及诏下而湘南殁矣。丰于才，啬于命，文端叹息弥襟。"录其《趵突泉》等诗三首。《晚晴簃诗汇》卷七三录其诗七首。

十一月

　　陈元龙本月至丙辰年诗为《林泉集》。见《爱日堂诗》卷二八。

十二月

　　初八日，史震林别绡山。《西青散记》卷三："雍正十一年癸丑十二月八日，别绡山，束装将归，明年将北游。慰双卿，勉自爱，无忧伤劳苦，培疾陨年。此行使双卿名天下满也。"丁绍仪《听秋声馆词话》卷一六《贺双卿词》："双卿生有凤慧，嫁金坛周姓樵子家。无纸墨，所为诗词，悉芦叶写之。余外祖顾筠溪公为赋《芦叶诗》二百余言。梧冈教授《西青散记》中详述所遇。"陈廷焯《白雨斋词话》卷五："《西青散记》载绡山女子双卿词十二阕。双卿负绝世才，秉绝代姿，为农家妇，姑恶夫暴，劳瘁以死。生平所为诗词，不愿留墨迹，每以粉笔书芦叶上，以粉易脱，叶易败也。其旨幽深窈曲，怨而不怒，古今逸品也。"谓其《望江南》、《二郎神·咏菊花》"皆忠厚缠绵，幽冷欲绝，而措语则既非温、韦，亦不类周、秦、姜、史，是仙是鬼，莫能名其境矣"；《惜黄花慢·孤雁》"悲怨而忠厚，读竟令人泣数行下"；《薄幸词·咏疟》"日用细故，信手拈来，都成异采"；《摸鱼儿》"缠绵凄恻，陇头流水，不如是之呜咽也";《凤凰台上忆吹箫》"其情哀，其词苦，用双字至二十余叠，亦可谓广大神通矣。易安见之，亦当避席"。

本年

袁枚受知于程元章，入万松书院肄业。袁枚《随园诗话补遗》卷四："余年十八，受知于浙督程公元章，送入万松书院肄业。离家二十里，夜不能归，辄借榻湖州沈谦之、永之寓所。"方濬师《随园先生年谱》："先生以制府观风受知于程公元章，命肄业万松书院。其时山长为杨文叔先生绳武。呈所作《高帝》、《郭巨》二论请诲。文叔墨其后云：'文如项羽，用兵所过，无不残灭，汝未弱冠，英勇乃尔！'先生自是锐意述作，文叔启之也。与杭州仲烛亭同学为诗，吟成便携袖中，冒雨欣赏。"

帅念祖提督浙江学政。据《四库全书·浙江通志》卷一二一。

徐以升提督广西学政。据《四库全书·广西通志》卷五七。

王时翔任漳州府海防同知。据《四库全书·福建通志》卷二七。

张凤孙幕游云南。据张慧剑《明清江苏文人年表》。

沈祖惠游陕甘学政幕中，始锐意词章。严可均《沈岿望传》："祖惠殚精帖括，弱冠有声，屡困场屋。年卅四游陕甘学政幕中，始锐意词章。为《西征赋》，两年乃成。""赋既脱稿，并自注合一万五千六百四十许字，赅洽闳深，上掩潘岳。交河王侍郎兰生曰：'千余年来巨制也。'"（《铁桥漫稿》卷七）

陈祖范分修通志稿成，不复往江宁。辞江宁钟山书院、云南五华书院之聘。据《司业诗集》卷三《癸丑元日》自注。

汪师韩作《龙书五十韵示同馆诸君》。见《上湖纪岁诗编》卷一。卷首桂元复《旧序》："韩门自少能诗，顾自余辈落落数人外未有见者。其文章知名最早，同辈亦独韩门为早达，乡里推服其文，而称诗不及焉。余窃闻，其初习国书，尝赋《龙书五十韵》，请正临川李穆堂先生。先生叹异，携其诗入《八旗志》书馆，馆中见者多不知其辞所自出。先生曰：'我尚有不知者，何况君辈。'"

林之蕡《偶存草堂集》十三卷居易斋刊行。据《贩书偶记续编》卷一五。

允礼《春和堂集》、《静远斋诗》、《奉使纪行诗》、《春和集》刊行。据法式善《八旗诗话》二。又，《贩书偶记》卷一五："《春和堂纪恩诗》一卷、《恩赐汇纪》一卷、《诗集》一卷、《静远斋诗集》无卷数（起戊戌止乙未计十卷）、《奉使纪行诗》二卷、《自得园文钞》无卷数，和硕果亲王允礼撰。雍正十三年刊。"又，"《雪窗杂咏》一卷，经畬主人撰。乾隆戊寅精刊。经畬主人者，果亲王之别号也。"

陆继放（1733—1798）生。继放一名弘祚，字锡先，号林土山人，别署居易堂主人，会稽人。屡困场屋。壮游公卿间，足迹遍天下。六旬僻迹西湖，遨游旬余，题咏五十余首。归著《西湖快曲》八出，一时脍炙人口。另有《仙游阁》传奇，凡二卷五十二出。事迹见《古本戏曲剧目提要》。

钱世锡（1733—1795）生。世锡字嗣伯、慈伯，号百泉，秀水人，载子。乾隆四十三年进士。官翰林院检讨。著有《麂山老屋集》。事迹见《国朝诗人征略》初编卷四

五、《清史稿》金德瑛传附。

袁棠（女，1733—1770）生。棠字秋卿、云扶，袁枚堂妹。生于粤西，嫁扬州汪楷亭。家颇温饱，伉俪甚笃。以娩难亡。著有《绣余吟稿》一卷、《盈书阁遗稿》一卷，收入袁枚编《袁家三妹合稿》。事迹见袁枚《女弟盈书阁遗稿序》（《小仓山房文集》卷一一）、《绣余吟序》（《小仓山房外集》卷二）、《随园诗话》卷一〇。

沈嘉辙卒。据厉鹗《樊榭山房集》卷七《哭沈栾城》。

龚翔麟卒，年七十六。据《疑年录汇编》卷一〇。［按，顾栋高《御史龚公翔麟传》（《碑传集》卷五五）谓其卒年六十二，未言具体生卒年］冯金伯《词苑萃编》卷八《蘅圃词》引李分虎云："竹垞客通潞时，蘅圃与之朝夕，故为倚声最早，无纤毫俗尚入其笔端。"

公元 1734 年（雍正十二年　甲寅）

正月

初九日，厉鹗、王曾祥、丁钝、丁敬、汪沆同游静慧寺。据王曾祥《游佛日净慧寺录》（《静便斋集》卷九）、朱文藻撰、缪荃孙重订《厉樊榭先生年谱》。

二月

徐逢吉《清波小志》二卷成书。据朱彭寿《清代人物大事纪年》。

陈以刚序曹锡珪《拂珠楼偶钞》。署"雍正甲寅仲春，东楚陈以刚叙"。（《拂珠楼偶钞》卷首）锡珪为曹一士女。是书本年刊行，又于乾隆庚午附刻于一士《四焉斋诗集》。据四库提要卷一八五。《晚晴簃诗汇》卷一八四录其诗二首。

陈万策卒，年六十八。据汪由敦《晋江陈学士传》（《松泉集》卷一九）、朱彭寿《清代人物大事纪年》。汪由敦《传》云："公文淳洁雅驯，得力于唐人为多。"四库提要卷一八四：《近道斋文集》六卷《诗集》四卷，"国朝陈万策撰。万策字对初，一字谦季，安溪人，徙于晋江。康熙戊戌进士。官至詹事府詹事，缘事降翰林院检讨，终于侍读学士。万策以康熙癸酉举于乡，困公车者二十六年。久从李光地游，多得其指授。然平生诗文多散佚不收。此本乃乾隆癸亥其子冕世所辑。其中《西洋算法异同论》，颇能究其所以然。《李光地》、《施琅》诸传，轶闻旧事亦多可考云。"《国朝文汇》甲集卷五〇录其《施襄庄公家传》、《施勇果公家传》文两篇。

王曾祥再游静慧寺。同游者，许天仁、符之恒。据王曾祥《游佛日净慧寺后录》（《静便斋集》卷九）。

三月

初一日，敦诚（1734—1791）生。敦诚字敬亭，号松堂，敦敏弟。官宗人府笔帖式、太庙献爵。著有《四松堂集》、《琵琶亭》杂剧（佚）。事迹见敦敏《敬亭小传》（敦诚《四松堂集》卷首）、杨锺羲《雪桥诗话》卷六、周汝昌《红楼梦新证》第七章、吴恩裕《曹雪芹丛考》卷四第四篇。

沈德潜辞博学鸿词之荐，后仍应试。《沈归愚自订年谱》："时诏举博学鸿辞，县令沈讳光曾以礼币来聘，予以学术浅陋辞。文宗召往，坚命应诏。"

五月

史震林至孟河。史震林《西青散记》卷四："甲寅夏五月，至孟河之天荒书院。"恽敬《子惠府君逸事》："其游孟河则雍正十二年也。""盖其时天下殷盛，士大夫多暇日，以风雅相尚。所谓非古之风发发者，非古之车揭揭者，未之有焉。故悟冈先生及其友朋能自逸如此。"（《大云山房文稿二集》卷三）

夏

杭世骏编次所为文，得百有几十首，王曾祥序之。见《道古堂文集》卷首。

七月

初九日，郑燮作《和汪芳藻咏顾世永代弟买妾》诗。见《郑板桥全集·板桥集外诗文》）

八月

二十一日，厉鹗游西湖四照亭。据《樊榭山房文集》卷六《秋日游四照亭记》。

沈德潜《明诗别裁集》成书。据《沈归愚自订年谱》。

方朝卒，年六十。据李果《方勺湖哀辞并序》（《在亭丛稿》卷一一）。《国朝诗别裁集》卷二八："东华幼岁失明，复明时，年十三四矣。考九谷先生，不令习时艺，文读诸子，诗读汉、魏、盛唐，宋、元以下书均未寓目，故著述无时下一点习气。喜结宾客，与乃兄冀朔同。二方之名，远近交推之，而弟名尤著。集中尤长五古，故所收诸体从略。"录其《中宿峡》等诗二十一首。

九月

总督程元章合试全浙之士，厉鹗赴试。朱文藻撰、缪荃孙重订《厉樊榭先生年谱》："据《词科掌录》，是年九月初十日正试，十四日补试，十三年正月十九日续试。先生正试取第二名。"

高其佩卒，年六十三。据朱彭寿《清代人物大事纪年》。《晚晴簃诗汇》卷五〇："且园指画，奇情异趣，为世所重。张瓜田尤称其笔画之妙，要以神采机趣胜。其《述画诗》自道所得也。"录其诗二首。

十月

陆奎勋启程赴桂林。明年三月就任秀峰书院山长。据《粤西纪游稿》(《陆堂诗续集》卷五)。

十一月

郑性游天台，时年七十岁。据郑性《南溪偶刊·七十台游日记》。

十二月

初二日，陆锡熊(1734—1792)生。锡熊字健男、耳山，上海人。乾隆二十六年进士。明年应召试，授内阁中书。官至左副都御史。与纪昀同总纂四库全书。著有《宝奎堂集》、《篁村诗集》。事迹见王昶《都察院左副都御史陆君墓志铭》(《春融堂集》卷五五)、《清史列传》本传、《清史稿》纪昀传附。

初五日，李调元(1734—1803)生。调元字羹堂，号雨村、童山，绵州人。乾隆二十八年进士，改翰林院庶吉士，散馆授吏部主事。三十九年充广东乡试副考官，回朝迁考功司员外郎。四十二年督学广东。四十六年擢直隶通永兵备道。四十七年因事落职入狱，四十八年出狱。五十年返乡。嘉庆七年卒。著有《童山诗集》四十二卷、《文集》二十卷、《雨村诗话》十六卷《补遗》四卷，辑有《函海》等。事迹见嘉庆《罗江县志》卷七(《方志著录元明清曲家传略》)、《清史列传》本传。

张廷玉充校对《三朝实录》总裁官。据张廷玉《澄怀主人自订年谱》卷三。

吴敬梓客居南京，作《乳燕飞·甲寅除夕》。有“三十诸生成底用，赚虚名、浪说攻经史”，“倘博将来椎牛祭，总难酬罔极深恩矣”云云。见《文木山房集》卷四。

李茹旻卒，年七十六。据朱际昌《李鹭洲先生传》(《碑传集补》卷一一)、朱彭寿《清代人物大事纪年》。四库提要卷一八四：《二水楼诗集》十八卷《文集》十卷，“国朝李茹旻撰。茹旻字覆如，临川人。康熙癸巳进士。官中书舍人。尝预修《广西通志》、《抚州府志》。所作凡例及诸传序，皆载集中。”《李鹭洲集》诗二十卷文十卷乾隆十三年刊行。《晚晴簃诗汇》卷五九录其诗六首。

冬

马曰琯、马曰璐兄弟招余元甲、金农、闵崋、汪沆、陈皋、厉鹗等集会。据《樊榭山房集》卷七《冬日，马秋玉佩兮招同葭白、祓江、寿门、廉风、西颢、江皋集小玲珑山馆限韵，时予与西颢、江皋将还武林》。

沈德潜序薛雪诗。署“甲寅冬日，学弟沈德潜题于娄东之含清别墅”。(《一瓢斋诗存》卷首)

本年

纪昀随父容舒至京师，时年十一岁。纪昀《阅微草堂笔记》卷七《如是我闻一》：“雍正甲寅，余初随姚安公至京师。”

全祖望移寓藤轩之东。长安米贵，以行箧书二万卷质于仁和黄监仓。据董秉纯《全谢山先生年谱》。《春明行箧当书记》见《鲒埼亭集外编》卷一七。

朱樟官泽州知府。据《观树堂诗集·冬秀亭集》卷一《初抵泽州》。

岳锺琪以失职下狱。据袁枚《威信公岳大将军传》（《小仓山房文集》卷六）、《清史稿》本传。

陈元龙游西湖。袁枚《随园诗话》卷四："雍正甲寅，海宁陈文简公予告在家，来游西湖。人知三朝元老，观者如堵。余年十九，犹及仰瞻风采。先生仙风道骨，年已八十，犹替人题陈章侯《莲鹭图》云：'墨花吹得绿差差，小景分来太液池。白鹭不飞莲不谢，摇风立雨已多时。'书法绝似董香光。"

陈以刚编《国朝诗品》二十一卷刊行。据《贩书偶记》卷一九。法式善《陶庐杂录》卷三："《诗品》十八卷附二卷，天长陈以刚选，刻于雍正十二年。自吴伟业以下三百四十余家，方外三十余家，闺秀十九家。虽有世故之见存，时时有具只眼处，不可没也。"

黄之隽《香屑集》十八卷刊于海宁。据张慧剑《明清江苏文人年表》。四库提要卷一七三：《香屑集》十八卷，"是编皆集唐人之句为香奁诗，凡古今体九百三十余首。前有自序，亦集唐人文句为之，凡二千六百余言。""之隽是编，虽取诸家之成句，而对偶工整，意义通贯，排比联络，浑若天成。且惟第二卷《无题》五言长律中重用杜甫二句、陆龟蒙二句，余虽洒洒巨篇，亦每人惟取一句，不相重复。且有叠韵不已，至于倒押前韵，而一一如自己出。可谓前无古人，后无来者。虽其词皆艳冶，千变万化，不出于绮罗脂粉之间，于风骚正轨未能有合。而就诗论诗，其记诵之博，运用之巧，亦不可无一之才矣。"陈廷焯《白雨斋词话》卷八："黄石牧《香屑集》具有化工，为诗中集句绝技，可谓专门名家矣。"陆以湉《冷庐杂识》卷三《香屑集》："华亭黄唐堂宫允《唐香屑集》，集唐诗九百四十二首，各体皆备。其自序集唐骈体文三千余言，工巧浑成，极才人之能事。自言应试屡黜，穷愁外侮，百感纷至，每用艳体为集句，寓美人香草之言，以写忧而寄思，盖皆未通籍时所作也。"

吴龙见《薛帏文钞》十四卷颐庆堂刊行。据《贩书偶记续编》卷一五。

罗有高（1734—1779）生。有高字台山，号尊闻居士、吉云山人，瑞金人。乾隆三十年举人。著有《尊闻居士集》八卷。事迹见王昶《罗台山墓志》（《春融堂集》卷五八）、彭绍升《罗台山述》（《二林居集》卷二二）、鲁仕骥《罗台山哀辞》（《尊闻居士集》附录）、恽敬《罗台山外传》（《大云山房文稿初集》卷三）、江藩《国朝宋学渊源记·附记》、《清史列传》彭绍升传附。〔按，生年据彭绍升、鲁仕骥，王昶所记生年误〕

李惇（1734—1784）生。惇字成裕，号孝臣，高邮人。乾隆四十五年进士，注选知县。乾隆四十九年卒。著有《群经识小》等。事迹见汪喜孙《李先生惇家传》（《尚友记》卷一）、焦循《李孝臣先生传》（《雕菰集》卷二一）、《清史列传》王念孙传附、《清史稿》王念孙传附。

郭元灏（1734—1786）生。元灏字清源，号海粟居士，吴江人。少为吴江县学生，从陆燿游，最得称赏。屡试不售。著有《深柳读书堂诗稿》。事迹见姚鼐《郭君墓志铭》（《惜抱轩文集》卷一三）、郭麟《先君子行略》（《灵芬馆杂著》卷一）。

薛起凤（1734—1774）生。起凤字家三、皆山，号香闻居士。少孤，依舅氏福公。福公即吴人所称不二和尚也。少为长洲县学生，与余萧客、汪元亮同学，为古文诗歌，见称于时。乾隆二十五年举于乡，文名益著，来学者甚众。会试辄黜。寻主沂州书院者三年，得疾归，寻卒。据彭绍升《薛家三述》（《二林居集》卷二二）、江藩《国朝宋学渊源记·附记》、袁枚《随园诗话》卷一〇。

阮芝生（1734—?）生。据江庆柏《清代人物生卒年表》。芝生字谢阶，号紫坪，山阳人，葵生弟。乾隆二十二年进士。官德清知县。著有《听潮集》二卷。事迹见《晚晴簃诗汇》卷八八。

茹纶常（1734—1809后）生。纶常字文静，号容斋，别署漫叟、簇蚕山樵，介休人。监生。著有《容斋诗集》二十八卷、《古香词》一卷、《容斋文钞》十卷。事迹见《容斋诗集》、《容斋文钞》诸序跋。

查嗣瑮卒，年八十二。据邓之诚《清诗纪事初编》卷七。[按，吴荣光《中国古代名人生卒·历史大事年谱》、朱彭寿《清代人物大事纪年》、张惟骧编《疑年录汇编》卷一〇皆谓其卒于去年，年八十二]《清史稿》查慎行传附："（嗣瑮）诗名与慎行相埒。"《国朝诗别裁集》卷一九录其《贾太傅祠》、《过白沙岭寄同年张砚斋》诗二首。《晚晴簃诗汇》卷五五录其诗三首。

张棠卒，年七十三。据江庆柏《清代人物生卒年表》。四库提要卷一八四：《残本赋清草堂诗钞》六卷，"国朝张棠撰。棠字吟樵，华亭人。康熙丙子举人。官至桂林府知府。告归后加衔为太仆寺少卿。是编原分五集：曰《白云吟》，曰《一肩吟》，曰《独宜吟》，曰《江上吟》，最后所作曰《雪篷吟》。今存者惟《江上吟》及《雪篷吟》，余俱散佚。其诗欲以风调胜，而骨干未遒。"

朱厚章卒，年四十四。据江庆柏《清代人物生卒年表》。《国朝诗别裁集》卷二八："朱厚章字以载，江南昆山人，寓居嘉定。廪生。著有《多师集》。以载长身鹤立，言论侃侃。尝于座间见旁列二人，各操纸墨，以载口授，一成四六序，一改友人长律，而己又誊《孝子传》，有所得，使二人参错书之。序、长律俱工，己所录无讹字，五官并用人也。征博学鸿词，病卒。门下士金君昂午刻其集，行心丧礼，乡邦并重之。"录其《拜方正学祠》等诗七首。

公元 1735 年（雍正十三年　乙卯）

正月

张廷玉充《皇清文颖》总裁官。据张廷玉《澄怀主人自订年谱》卷三。
方苞充皇清文颖馆副总裁。据苏惇元《方望溪先生年谱》。

二月

上浣，陆廷灿自序《南村随笔》六卷。署"昔雍正乙卯仲春上浣，嘉定陆廷灿"。又，王澍序署"雍正乙卯孟夏之月既望，良常王澍撰"。（《南村随笔》卷首）是书本年陆氏寿椿堂刊行。四库提要卷一二九：《南村随笔》六卷，"国朝陆廷灿撰。廷灿有《续茶经》，已著录。此其居家时取平日所见闻杂录之，而于新城王士禛、商丘宋荦两家说部采取尤多。盖廷灿为士禛与荦之门人，故其议论皆本之《池北偶谈》、《筠廊随笔》诸书，而略推扩之。其中如辨古人之登高不独重九，开元寺纸箫胜于磁箫诸条，亦颇见新意。至其载汉设官七千五百余员，乃后汉之制，不知前汉则其数较倍。推梁萧子显之《同姓名录》，不知子显书世已无传，考据亦时有未密也。"

上谕再行遴选博学鸿词征士。《世宗宪皇帝上谕内阁》卷一五二（雍正十三年二月）："朕令荐举博学鸿词，以广育才之典，为督抚学臣者自应秉公采访，加意搜罗，以副朕爱惜人材之至意。乃降旨已及两年，而外省之奏荐者寥寥无几，以江浙两省人材众多之地，至今未见题达。此非人材之不足应选，乃督抚学臣等奉行不力之故也。""着再通行宣谕，无论已奏未奏之省，俱着再行遴选。"

三月

沈岩序薛雪诗。署"雍正乙卯三月初旬，长洲同学弟沈岩书于胥江二十四研小斋"（《斫桂山房诗存》卷首）。序有"一瓢方著诗话"云云，则《一瓢诗话》成于此际。胡玉缙《许庼经籍题跋》卷四："《一瓢诗话》一卷，苏州薛雪撰。雪有《周易粹义》，四库附存目。是编以兴会为主，不甚考究故实，与王士禛宗尚'神韵'略同，故屡称其说。又屡称其师横山先生说，即叶燮著《原诗》者，有明引，有暗袭，亦有不为苟同者，如'前辈论诗，往往有作践古人处'云云是也。以杜诗'握节汉臣归'，'握'字为有'我心匪石'之义，换郤'秃'字，呆板无味。……凡此，或立新说，或沿旧讹，实不足据。亦多英雄欺人之语，如云：'诗文家最忌雷同，而大本领人偏多于雷同处见长，却又不异而异，同而不同。'此语按诸法理，实欠圆足。雪虽自称受韬钤之法于蹇翁，究竟兵学如何，未见实用，乃一则曰'不谙武备，自呈败缺'，再则曰'儒者不知兵，乃一大患'，又曰'无武备不是文人'，书本论诗，非论兵，亦何苦矜张如是。然其谈诗宗旨，颇为纯正，以备参考，于诗学未必无裨也。"

春

厉鹗客吴兴月河。据朱文藻撰、缪荃孙重订《厉樊榭先生年谱》。

袁枚、周长发同试博学鸿词于杭州制府。主试者总督程元章、学使帅念祖。诗题为《春雪十二韵》。据袁枚《随园诗话》卷一四。

四月

停旌表烈妇例。据蔡冠洛《清代七百名人传》附录《清代大事年表》。

浚仪散人序车江英《四名家传奇摘出》。署"雍正乙卯清和上浣，浚仪散人书于情话轩"。序云："乙卯初夏，读江右车子江英填词，取韩、柳、欧、苏之事谱作新声，于是知车子人品之高迈，襟期之旷达，有不可一世之概矣"。（《中国古典戏曲序跋汇编》卷八）《蓝关雪》演韩愈事，《柳州烟》演柳宗元、刘禹锡事，《醉翁亭》演欧阳修事，《游赤壁》演苏轼事。有雍正间刻《四名家传奇摘出》本、《清人杂剧二集》本。据庄一拂《古典戏曲存目汇考》卷八。

孔传铎卒，年六十三。据朱彭寿《清代人物大事纪年》、江庆柏《清代人物生卒年表》。传铎字振路，号牖民，曲阜人。袭封衍圣公。著有《申椒》、《盟鸥》二集，为未袭封时所作。《国朝诗别裁集》卷一三录其《半塘吊五人墓》等诗三首。《晚晴簃诗汇》卷五〇录其诗三首。又有《红尊词》二卷。谢章铤《赌棋山庄词话续编》卷三《孔传铎红尊词》谓其"词颇清疏，但游戏之笔过多"。录《八声甘州·过邹平谒伏生祠》、《踏莎行·过宋状元梁颢故里》二首。

闰四月

二十一日，厉鹗等集竹墩积照堂。同联句者，沈树本、杭世骏、沈炳震、沈炳巽、沈炳谦。据《樊榭山房集》卷七《闰四月二十一日，集竹墩积照堂联句，用颜鲁公石尊联句韵》。

五月

二十四日，郑燮作《焦山别峰庵雨中无事书寄舍弟墨》。又，本年郑燮四十三岁，读书镇江焦山。有《焦山读书寄四弟墨》、《焦山双峰阁寄舍弟墨》等家书。见《郑板桥全集·板桥集》。

张照以刑部尚书为抚定苗疆大臣。据乾隆《娄县志》卷二六（《方志著录元明清曲家传略》）、《清史稿》本传。

六月

二十七日，汤准卒，年六十五。据朱彭寿《清代人物大事纪年》。《国朝诗别裁集》卷二五："稚平为文正公季子，幼承家学，以乐天守道自期。诗不求工，而陶冶性灵，自足天趣。诗以人重，人不以诗重也。作序者以孟山人、林处士拟之，恐非其伦。"录其《咏史》等诗三首。

八月

初二日，江濬源（1735—1808）生。濬源字岷雨，号介亭，怀宁人。乾隆三十五年举人，四十三年成进士。历官吏部主事、员外郎、郎中，出为临安知府。年七十致仕归，后五年卒于家。著有《介亭文集》六卷、《外集》六卷、《诗钞》一卷、《笔记》十卷。事迹见姚鼐《朝议大夫临安府知府江君墓志铭》（《惜抱轩文后集》卷八）、董教增《题祀乡贤录·事实节略》、江景绶等《皇清诰授朝议大夫云南临安府知府前吏部稽勋司郎中考功司员外郎考功司主事显考岷雨府君行述》（《介亭文集》卷首）。

豫章书院山长梁机编定《豫章书院唱和诗》一卷。卷首何人龙序署"雍正十三年

仲秋上浣，年家眷弟何人龙拜手题"，彭廷训序署"雍正十三年中秋，年家眷弟彭廷训拜手书"。（梁机《三华集》附录）

世宗卒，年五十八。 在位十三年。高宗即位，以明年为乾隆元年。据蒋良骐《东华录》卷三二。四库全书收录《世宗宪皇帝御制文集》三十卷。《晚晴簃诗汇》卷一录世宗诗四首。

九月

十三日，李文炤卒，年六十四。 据朱彭寿《清代人物大事纪年》。所著《周易本义拾遗》六卷、《周礼集传》六卷、《春秋集传》十卷、《太极解拾遗》一卷《通书解拾遗》一卷《后录》一卷《西铭解拾遗》一卷《后录》一卷、《正蒙集解》九卷、《近思录集解》十四卷，四库提要著录。《恒斋文集》十二卷乾隆三年刊行。据张舜徽《清人文集别录》卷四。

既望，章楹自序《谔崖脞说》五卷。 署"雍正十三年九月既望，章楹自识"。（《谔崖脞说》卷首）四库提要卷一二九：《谔崖脞说》五卷，"国朝章楹撰。楹字柱天，浙江新城人。雍正癸丑进士，官青田县教谕。是书皆其随意抄撮之语，初名《噩摧脞说》，后更今名。一卷曰《诗话》，多录同时诸人赠答诗篇，而己作亦附见一二。二卷曰《昔游》，乃述平生经历山水佳胜。三卷曰《诧异》，则记近世异闻而间证以古事。四卷、五卷曰《摭轶》，则诸书纪载非世所习见者，节录大略，而以己见发明之，略似史论之体。"是书乾隆三十六年浣雪堂刊行。

秋

乡试。 是科各省考官有戴瀚、邵基、彭启丰、刘元燮、郑江、嵇璜、倪国琏、张鹏翀等。据法式善《清秘述闻》卷五。所取举人有彭遵泗（《清秘述闻》卷五）、史震林（王韬《华阳散稿序》）、钱琦（袁枚《福建布政使钱公墓志铭》）、黄永年（陈道《崧甫黄先生行状》）、尹嘉铨（《清史列传》尹会一传附）等。

商盘经水西庄访查为仁。 查为仁《莲坡诗话》："（商盘）乙卯秋入都，路经水西庄，余出歌者演剧。"

陈祖范自苏州紫阳书院归。 据《司业诗集》卷三《自紫阳书院归朋好索然感而有作》。在紫阳书院前后三年。据陈祖范《自序》（《司业文集》卷四）。

全祖望序祝维诰诗。 《鲒埼亭集外编》卷二六《祝豫堂诗集序》："秀水祝君豫堂来京，以所著《绿野庄诗》索予为序，诺之，两年而未就。乙卯秋，豫堂试北闱甫毕，遽为关东之游。予问之曰：'何不少待？'豫堂曰：'吾之游，不过百五十日，倘得捷耶，归来正及春试之期；不捷，买棹南归可也。'达哉，豫堂之言，请即以之序其诗。今馆阁中言诗者，共推江右万先生孺庐为第一。尝过予邸，四顾壁间，独长哦豫堂《清明游陶然亭》诗，以为冲融骏雅，有《唐贤三昧集》之遗。则豫堂之诗之工，固无待乎予之费辞。然古今人工文字者，类有藉乎山川之助，以昌其气。关东国家王业所基，而列圣飞龙之地也。""是豫堂之归，其诗必有更进于此者，目前之诗未足以穷其变矣。"

十月

二十三日，王奂曾卒，年八十五。据郭为观《皇清诰授奉政大夫都察院湖广道监察御史思显王公暨元配张宜人继配高宜人合葬墓志铭》（《旭华堂文集》附录）。《墓志铭》云："为文简洁直朴，立言必衷诸道。"四库提要卷一八三：《旭华堂文集》十四卷《补遗》一卷《续编》一卷，"国朝王奂曾撰。奂曾字元亮，别字思显，号诚轩，山西太原人。康熙丙辰进士。官至湖广道监察御史。是编为其孙婿赵勋典所刊。凡奏议一卷、杂文十三卷。附以《补遗》一卷，则奏议二首，并序文杂著八首也。"《国朝文汇》甲集卷二七录其《古虞官庙碑记》、《梁广庵先生墓志铭》文两篇。《晚晴簃诗汇》卷三七录其诗二首。

十一月

禁扮演杂剧。据《大清高宗纯皇帝实录》卷六。

方苞上《请定征收地丁银两之期札子》、《请定常平仓穀祟籴之法札子》、《请复河南漕运旧制札子》。见《方苞集集外文》卷一。

张照以抚苗无功而返，革职下狱。据杨锺羲《雪桥诗话》卷八。

十二月

十七日，庄炘（1736—1818）生。炘字景炎、似撰，号虚庵，武进人。乾隆三十三年，中顺天乡试副榜贡生。历官咸宁知县，兴安府汉阴通判，邠州、直隶州知州等。校刊《淮南子》、《一切经音义》，深于声音训诂之学。舟过汉江，为水渗漏，生平著述丧失过半，仅存文六卷，诗七百余首。事迹见赵怀玉《清故奉政大夫陕西邠州直隶州知州庄君墓志铭》（《亦有生斋集》文卷一九）、江藩《国朝汉学师承记》卷四、《清史列传》严长明传附。

沈廷芳受业于沈德潜门下。据《沈归愚自订年谱》。

《明史》三百三十六卷修成，二十七日进呈。据张廷玉《澄怀主人自订年谱》卷三。

冬

谢济世自军台召还。据王峻《艮斋诗集》卷八《题谢梅庄侍御军中学易图》自注。

本年

陈兆崙考授内阁中书。据陈玉绳《陈句山先生年谱》。

纪遂宜晋宗人府主事。据陈仪《闲云老人纪遂宜传》（《碑传集》卷一〇二）。遂宜此后事迹未详。陈仪《传》云："先生之文，幽邃隽永，人不能指其瑕，而亦不能知其味也。余独含咀之而不厌，自以为不及也。厥后余益颓然自放，而先生乃醇而肆，典以则，超乎其不可追矣。至其诗，天秉既高，学殖日富，陶铸融冶，一归大雅。而言外之意，神韵悠然。"《晚晴簃诗汇》卷六五录其诗十六首。

鲍鉁复宰长兴。据厉鹗《樊榭山房集》卷七《鲍西冈明府罢官后十二年，复来宰长兴。顷从授衣处读其诗集，作此奉怀》。

胡釴拔贡。例入监读书，以侍养辞归，入皋兰书院。据杨鸾《胡静庵墓志铭》（《国朝文汇》乙集卷一〇）。

边连宝拔贡。据蒋士铨《随园征士边君传》（《忠雅堂文集》卷四）。

董榕拔贡。据乾隆《丰润县志》卷四、光绪《丰润县志》卷四（《方志著录元明清曲家传略》）。〔按，桑调元《观察虔南定岩董君墓志铭》（《弢甫集》卷一八）谓其乾隆丁卯拔贡。〕

孙景烈应陕西布政司试，中第二榜。巡抚蒲坂崔公以孝廉方正荐，授六品衔，为商州学正。据张洲《征仕郎翰林院检讨孙先生景烈行状》（《碑传集》卷四八）。

江永偕乡人立义仓。据金天翮《江永传》（《广清碑传集》卷七）。

全祖望居京师，与词科征士广为结交。董秉纯《全谢山先生年谱》："三十一岁，居京师。与穆堂、孺庐为重四之集，有诗和者至百余家。时大科诸公尚未尽集，李公以问先生，为奏记四十余人，各列所长，李公叹曰：'使庙堂复前代通榜之例，君亦奚惭韩退之哉！'其后四十余人者，李公多展转道地，登之启事。同时词科举主以临川、灵皋为眉目，士之欲见二公者，率藉先生道引。于是应召二百余人，多半与先生通缒纻，先生因得尽其人之文章学术，乃汇为《词科掫言》一书。而先之以康熙己未百八十六征士，仿高允《征士颂》之例详书之。而接以今科，则广采同谱诸公所著人之。其书甚博，已成大半，会先生放归，未卒业，仅得前后姓名及举主及试录三卷。"

黄西清绘《松里五子图》。五子者，杭世骏、张燸、符之恒、王曾祥、汪沆。据王曾祥《静便斋集》卷首汪沆序。

杭世骏自杭州如福州。龚自珍《杭大宗逸事状》："大宗著《道古堂集》，海内学士见之矣，世无知其善画者。龚自珍得其墨画十五叶，雍正乙卯岁自杭州如福州纪程之所为也。叶系以诗，或纪程纪月日琐语，语汗漫而瑰丽，画萧寥而粗粹，诗平澹而屈强。"（《定盦文集补编》卷四）

张廷玉《澄怀园诗选》十二卷为本年以前之诗。《澄怀园载赓集自序》："廷玉既刻《传经堂诗焚余集》，又刻《澄怀园诗选》，生平愿学未能，怀惭负愧之意具载两序中。而编年实断自雍正乙卯。"（《澄怀园载赓集》卷首）

嵇曾筠《师善堂诗集》十卷刊行。据《贩书偶记》卷一五。

常安《受宜堂集》四十卷去年至今年刊行。据《贩书偶记》卷一五。

崔应阶《拙圃诗草》十卷雍正间刊行。据《贩书偶记》卷一五。

朱孝纯（1735—1801）生。孝纯字子颍（一作子颖），号思堂、海愚，汉军正红旗人。乾隆二十七年举人。历官简县知县、重庆知府、泰安知府、两淮盐运使。在扬州创梅花书院。与王文治、姚鼐善。著有《海愚诗钞》十二卷。事迹见《国朝诗人征略》

初编卷三八、《清史列传》鲍鋆传附。［按，张慧剑《明清江苏文人年表》谓其生于雍正七年（1729），此据朱彭寿《清代人物大事纪年》］

钱塘（1735—1790）生。塘字学渊、禹美，号溉亭，嘉定人，钱大昕族子。乾隆四十四年举人。明年成进士，需次当得知县，自以不习吏事，就教职，选江宁府学教授。著有《律吕考文》六卷、《史记三书释疑》三卷、《泮宫雅乐释律》四卷、《说文声系》二十卷、《淮南天文训补注》三卷、《述古编》四卷。事迹见钱大昕《溉亭别传》（《潜研堂文集》卷三九）、江藩《国朝汉学师承记》卷三、《清史列传》钱大昕传附、《清史稿》钱大昕传附。

金榜（1735—1801）生。金榜字辅之、蘗中，号檠斋，歙县人。乾隆三十年召试举人，授内阁中书。三十七年状元，授翰林院修撰。以父丧归，不复出。师事江永，友戴震。著有《礼笺》十卷。事迹见吴定《翰林院修撰金先生榜墓志铭》（《碑传集》卷五〇）、江藩《国朝汉学师承记》卷五、《清史列传》本传、《清史稿》戴震传附。

段玉裁（1735—1815）生。玉裁字若膺，号茂堂、懋堂，金坛人。乾隆二十五年举人。至京师见戴震，遂师事之。以教习得贵州玉屏知县，旋调四川，署富顺及南溪县事，又办理化林坪站务，寻任巫山知县。年四十六，以父老引疾归，键户不问世事者三十余年。著有《六书音均表》五卷、《说文解字注》三十卷。事迹见汪喜孙《段先生玉裁家传》（《尚友记》卷二）、刘盼遂《段玉裁先生年谱》、罗继祖《段懋堂先生年谱》、江藩《国朝汉学师承记》卷五、《清史列传》本传、《清史稿》本传。

曹文埴（1735—1798）生。文埴字竹虚、近微，号茮原、直庐、香山，歙县人。乾隆二十五年进士，改庶吉士，授编修。官至刑、兵、工、户部侍郎，兼管顺天府府尹。五十二年，乞养归。谥文敏。著有《石鼓砚斋诗钞》三十二卷、《文钞》二十卷、《试贴》二卷、《直庐集》八卷。事迹见金天翮《曹文埴曹振镛传》（《广清碑传集》卷九）、《清史稿》本传。

陈之纲（1735—1817）生。之纲字旭峰，鄞县人。乾隆五十五年进士。官国子监助教。著有《杏本堂诗集》。事迹见《晚晴簃诗汇》卷一〇七。［按，生卒年据江庆柏《清代人物生卒年表》］

朱文藻（1735—1806）生。文藻字映漘，号朗斋，仁和人。诸生。尝游王杰、王昶、阮元幕。著有《碧溪草堂诗文集》、《碧溪诗话》。事迹见《清史列传》汪宪传附。［按，生卒年据朱彭寿《清代人物大事纪年》］

尹庆兰（1735 或 1736—1788）生于本年或明年。庆兰字似村，满洲镶黄旗人，继善第六子。一生未仕，先后随父兄赴任，足迹遍历南北。著有《小有山房诗钞》、《绚春园诗钞》。一说《萤窗异草》三编十二卷（署名长白浩歌子）系庆兰所作。事迹见铁保《瑛梦禅庆似村合传》（《碑传集三编》卷三七）、袁枚《尹似村公子诗集序》（《小仓山房外集》卷三）、上海古籍出版社《萤窗异草》前言。

徐永宣卒，年六十二。据张慧剑《明清江苏文人年表》。汤大绅《茶坪公传》："先生早年通籍，不为制举业所困，乃肆力于诗古文词。著有《茶坪诗钞》十余卷，镂板行世。上追《骚》、《雅》，下薄齐、梁，挹经史子集之菁华，万取一收，毕萃于歌谣篇什。其为一代传人，洵无愧也。"（《中华大典·明清文学分典》）《国朝诗别裁集》

卷一九:"茶坪天爵自贵,不就选人。诗全得力于东坡,王墙东、耘劬极称道之,谓其晚唐风韵,各有会心也。"录其《缲丝行》等诗七首。《晚晴簃诗汇》卷五五录其诗三首。

柯煜卒,年七十一。据钱陈群《同年柯石庵墓志铭》(《香树斋文集》卷二五)。《国朝诗别裁集》卷二四:"石庵困顿场屋,老而始遇,一官憔悴,以病乞身,至荐举鸿博,而石庵则已没矣。诗私淑牧斋,亲炙钝翁,论者谓得两家之长。予谓不袭两家之貌,斯为善学两家者。"录其《古诗》等诗七首。《晚晴簃诗汇》卷六五录其诗三首。

韩海卒,年六十。据朱彭寿《清代人物大事纪年》。[按,江庆柏《清代人物生卒年表》谓其生卒年为 1674—1733 年]《国朝诗人征略》卷二十六引《广东通志》:"鸿博之举,当事欲荐海,令赋《夏莲》诗,有'欲待移根归太液,须寻十丈藕如船'之句。当事知其意,乃不果荐。"吴应逵《七先生传·韩海》:"同里车腾芳称其性清介,特不苟取。于为文浸淫《史》、《汉》,尤工骈体;诗出入李、杜,旁及于西昆。论者谓非阿好语。"《晚晴簃诗汇》卷六八录其诗三首。

费锡璜此际尚在世。《新繁县志·人物》:"锡璜字滋衡,合肥李司空尝欲荐举鸿博,谢免。晚岁间□入蜀,访求先墓。"(费冕《费燕峰先生年谱》附录)又,据《费燕峰先生年谱》,锡璜生于康熙三年(1664),则其享寿七十以上。《国朝诗别裁集》卷二五:"此此度次子。熟古乐府。诗中苍苍莽莽,时有古音,然亦不无粗率处。淘汰之,取其古而近雅者,迥异时流。"录其《儿语》等诗十首。《晚晴簃诗汇》卷四〇录其诗九首。

第二章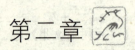

乾隆元年丙辰至乾隆三十六年辛卯（1736—1771）共 36 年

·引　言·

《清史稿》黄易传：自乾嘉以来，汉学盛行，群经古训无可搜辑，则旁及金石，嗜之成癖，亦一时风尚然也。

汪喜孙《旧学蓄疑跋》：乾隆之世，潜研史学者，若嘉定钱少詹事、余姚邵学士、高邮李进士惇，并熟于大事本末、名臣言行，以及舆地、官制、氏族之类，穿穴贯通，昭然如睹。至校正先秦诸子，发明作者之旨于千载之上，博及群书，实事求是，则惟高邮王先生一人。曩者，仁和卢学士亦从事于此，其实门径初开，未臻极诣也。（《孤儿编》卷二）

汪喜孙《汪孝婴莱家传》：徽州之学，自江明经永倡其先，戴庶常震、金殿撰榜、程孝廉方正瑶田，踵而兴焉。江氏精西人法，戴氏饰以古《九章》割圆，故天文术算与宣城梅氏相伯仲，东吴钱少詹事大昕、教授塘，遥相应和。（《尚友记》卷一）

洪亮吉《北江诗话》卷三：藏书家有数等：得一书必推求本原，是正缺失，是谓考订家，如钱少詹大昕、戴吉士震诸人是也。次则辨其板片，注其错讹，是谓校雠家，如卢学士文弨、翁阁学方纲诸人是也。次则搜采异本，上则补石室金匮之遗亡，下可备通人博士之浏览，是谓收藏家，如鄞县范氏之天一阁、钱唐吴氏之瓶花斋、昆山徐氏之传是楼诸家是也。次则第求精本，独嗜宋刻，作者之旨意从未尽窥，而刻书之年月最所深悉，是谓赏鉴家，如吴门黄主事丕烈、邬镇鲍处士廷博诸人是也。又次则于旧家中落者，贱售其所藏，富室嗜书者，要求其善价，眼别真赝，心知古今，闽本蜀本，一不得欺，宋椠元椠，见而即藏，是谓掠贩家，如吴门之钱景开、陶五柳，湖州之施汉英诸书估是也。

梁章钜《制义丛话》卷一一：乾隆初以墨卷著名者，群推吴、田、马、李四家，谓吴珏、田玉、马国果、李中简也。四家中以马国果之文为最清矫。

平步青《霞外捃屑》卷六《二十四家时文》：坊间有《二十四家时文》。首宛平陈莼浍（庭学，乾隆丙戌）文六，次瞿孚若（颉，乾隆戊子，常熟人）文五，次韩□□（泰来，乾隆甲午，平湖）文三，次管缄若（世铭，乾隆戊戌）文五，次曹寅谷（之升，乾隆辛丑）文四，次吴退庵（煊，乾隆丁未）文五，次陈旭峰（之纲，乾隆庚戌）文三，次陈钟溪（希曾，乾隆癸丑）文五，次莫葆斋（晋，乾隆乙卯）文五，次李蘅塘（锡恭，嘉庆丙辰）文三，次来懋斋（宗敏，嘉庆丙辰）文三十五，次周莱峰（兰枝，嘉庆戊午，海盐）文十三，次姚文僖（文田，嘉庆己未）文三，次陈厚甫（钟麟，嘉庆己未）文五，次贾艮庭（声槐，嘉庆己未）文四，次鲍双梧（桂星，嘉庆己未）文五，次盛逸云（大士，乾隆乙卯副，嘉庆庚申举人，镇洋人）文五，次顾南雅（莼，嘉庆壬戌）文四，次饶绮峰（向荣，嘉庆壬戌）文九，次凌泊斋（鸣喈，嘉庆壬戌）文五，次顾耕石（元熙，嘉庆己巳）文九，次王月槎（海观，嘉庆己巳）文二十三，次李子仙（福，嘉庆庚午）文十，次戈德庵（其迈，嘉庆丁丑）文五。莼溪、韫山、寅谷、旭峰、文僖、厚甫、兰修，皆制艺名家；退庵、钟溪、宝斋、双梧、吴羹，亦多佳构。而专稿入选寥寥。来王师弟，收采独多，而亦非其至者。殆书侩所为。署名朱香雨，并伪作史问山尚书叙冠之。

袁枚《随园诗话》卷三：升平日久，海内殷富，商人士大夫慕古人顾阿瑛、徐良夫之风，蓄积书史，广开坛坫。扬州有马氏秋玉之玲珑山馆，天津有查氏心谷之水西庄，杭州有赵氏公千之小山堂，吴氏尺凫之瓶花斋：名流宴咏，殆无虚日。……此外，公卿当事，则有唐公英之在九江，鄂公敏之在西湖，皆以宏奖为己任。不四十年，风流顿尽。

袁枚《随园诗话》卷三：乾隆初，杭州诗酒之会最盛。名士杭、厉之外，则有朱鹿田樟、吴鸥亭城、汪抱朴台、金江声志章、张鹭洲湄、施竹田安、周穆门京，每到西湖堤上，掎裳联袂，若屏风然。有明中、让山两诗僧留宿古寺，诗成传抄，纸价为贵。……四十年来，儒、释两门，一齐寂灭，竟无继起者。

李斗《扬州画舫录》卷八：扬州诗文之会，以马氏小玲珑山馆、程氏筱园及郑氏休园为最盛。至会期，于园中各设一案，上置笔二、墨一、端研一、水注一、笺纸四、诗韵一、茶壶一、碗一、果盒茶食盒各一。诗成即发刻，三日内尚可改易重刻，出日遍送城中矣。每会酒殽俱极珍美。一日共诗成矣。请听曲，邀至一厅甚旧，有绿琉璃四。又选老乐工四人至，均没齿秃发，约八九十岁矣。各奏一曲而退。倏忽间命启屏门，门启则后二进皆楼，红灯千盏，男女乐各一部，俱十五六岁妙年也。吾闻诸员周南云：诗牌以象牙为之，方半寸，每人分得数十字或百余字，凑集成诗，最难工妙。休园、筱园最盛。近共传者，张四科云："舟棹恐随风引去，楼台疑是气嘘成。"药根和尚云："雨窗话鬼灯先暗，酒肆论仇剑忽鸣。"黄北垞云："流水莫非迁客意，夕阳都是美人魂。"汪容甫云："叶脱辞穷巷，莲衰埽半湖。"皆警句也。

陈仪《竹林答问》：问，近时外人，于吾浙诗有浙派之称，以厉樊榭为之祖，不知何以有此语？（答:）樊榭集中以五古为第一，七律亦源出中唐，流丽清圆，醰醰有味。后人不学其古而好学其七律，又不善学之，遂来浙派之诮，樊榭有灵，不受过也。

朱庭珍《筱园诗话》卷二：浙派自西泠十子倡始，先开其端，至厉太鸿而自成一派，后来多宗之。其清俊生新，圆润秀媚之篇，佳处自不可没。然病亦坐此，往往求妍丽姿态，遂失于神骨不俊，气格不高，力量不厚，无雄浑阔大之局阵篇幅，谐时则易，去古则远也。樊榭集中，工于短章，拙于长篇，工于五言，拙于七言，七古尤劣。其宗派囿于宋人，唐风败尽。好用说部丛书中琐屑生僻典故，尤好使宋以后事。不惟采冷峭字面及掇拾小有风趣谐语入诗，即一切别名、小名、替代字、方音、土谚之类，无不倚为词料。意谓另开蹊径，色泽新异别致，生趣姿态，并不犹人也。殊不知大方家数非不能用此种故实字样，大方手笔非不能为此种姿态风趣，乃不屑用，并不屑为，不肯自贬气格，自抑骨力，遁入此种冷径别调耳。是小家卖弄狡狯伎俩，非名家之品也。吴縠人等，皆系此一派门径。故洪稚存谓如画家学元人着色山水，虽施青绿，渲染韶秀，而气韵未能苍老，境界未能深厚，诚中其病。近人吴仲云尚书《花宜馆》诗，亦是浙派，但无其替代琐屑诸弊，圆秀冷峭，门径弥小，幸神韵犹较深远，亦近代一小名家也。如童二树、刘豹君之属，均未成家。惟山阴胡天游稚威，幽峭拗折，笔锐而奇，虽法郊、岛、山谷，取径僻狭，有生涩、晦僻、枯硬诸病，然笔力较为沉着深刻，亦足以成一家，又非樊榭、縠人、仲云辈所及矣。

尚镕《三家诗话·三家分论》：苕生少与汪莘云、杨子载、赵山南齐名。赵则略成体格，汪则寒瘦逼人，杨之新乐府与五古庶可肩随苕生，惜其未能全美也。

杨锺羲《雪桥诗话余集》卷四：刘鸣玉、刘文蔚、姚大源、沈翼天、陈芝图、茅逸、童钰，联吟倡和，称"越中七子"。

袁枚《随园诗话》卷七：近日文人，常州为盛。赵怀玉字映川，能八家之文；黄景仁字仲则，诗近太白；孙星衍字渊如，诗近昌谷；洪君亮吉字稚存，诗学韩、杜：俱秀出班行。

钱泳《履园谭诗·总论》：沈归愚宗伯与袁简斋太史论诗判若水火：宗伯专讲格律；太史专取性灵。自宗伯三种《别裁集》出，诗人日渐日少；自太史《随园诗话》出，诗人日渐日多。然格律太严固不可；性灵太露亦是病也。

袁枚《随园诗话》卷九：昔人称王粲精思，不能有加于宿构，故拙速不如巧迟。此言是也。然对客挥毫，文不加点，亦是乐事。余平生所见敏于诗者四人：前辈中，一为宫詹张南华鹏翀，一为学士周兰坡长发；同学中，一为侯夷门嘉翻，一为金进士兆燕：俱可以击钵声终，万言倚马。

李本宣《文木山房集序》：近代诗作，多取燕游花月为咏，而体则七律居半，兼以分韵、限韵、次韵称奇。不知诗言志，歌永言，言之不足而长言之，长言之不足而咏叹之。如必燕游花月，分题角胜，将作者之精神，注于声律比偶之工，不几失诗之真面目哉？（《吴敬梓诗文集》附录）

袁枚《随园诗话补遗》卷七：近日满洲风雅，远胜汉人。虽司军旅，无不能诗。

袁枚《随园诗话补遗》卷八：近时闺秀之多，十倍于古，而吴门为尤盛。

陈廷焯《白雨斋词话》卷六：雍乾以还，词人林立，如南苓、橙里辈，非无磨琢之工，而卒不能超然独绝者，皆苦不知本原所在，故下不至如杨、郭之卑靡，上亦难窥姜、史之门户。后之为词者，不根柢于《风》、《骚》，仅于词中求生活，又无陈、朱才力，纵极工巧，亦不过南苓、橙里之匹；则亦车载斗量，不可胜数矣，尚安足为贵乎？

陈廷焯《词坛丛话·乾隆词家》：竹香以词名武陵，渔川以词名临潼，橙里以词名安徽。但存、龙威，两雄相峙。俱能出入两宋，变化三唐。余每病诸公，家数近小，祇可称名家，不足称大家也。得史位存起而囊括之，而国初诸老之风，又见于乾隆初矣。

陈廷焯《词坛丛话·璞函词风》：璞函词，直逼朱陈，分镳樊榭。芝田、晴波、蠡槎、箦渔，起而羽翼之，而词又一变。

谭献《复堂词话》：浙派为人诟病，由其以姜、张为止境，而又不能如白石之涩、玉田之润。（《箧中词》）

谢章铤《赌棋山庄词话》卷九《词贵清空》：宋词三派，曰婉丽，曰豪宕，曰醇雅，今则又益一派曰饾饤。宋人咏物，高者摹神，次者赋形，而题中有寄托，题外有感慨，虽词实无愧于六义焉。至国朝小长芦出，始创为征典之作，继之者樊榭山房。长芦腹笥浩博，樊榭又熟于说部，无处展布，借此以抒其丛杂。然实一时游戏，不足为标准也。乃后人必群然效之。即如咏猫一事，自葆馚、竹垞、太鸿、绣谷而外，和作不下十数家。予少日曾为集录，亡友张任如见之笑曰："弄月嘲风之笔，乃为有苗氏作世谱哉？"予失笑，投笔而起。是言虽虐，然实咏物家针砭也。或曰："多识之学，风诗不废，子何独于词而訾謷之，一言不已，而至再至三乎。"予曰："《诗》三百篇开卷第一言，即是咏物，然使第曰'关关雎鸠，在河之洲'，第曰'参差荇菜，左右流之'，而尽去其下文，则此诗何以为风化之原乎。而当日尼山秉笔，吾知必从删弃矣。且今之为此者，动曰吾瓣香姜、史也。然《暗香》、《疏影》之篇，软语商量之句，岂二公搜索枯肠，独无一二冷典，乃赋空而不为征实哉。盖词贵清空，宋贤名训也。"

谢章铤《赌棋山庄词话》卷一一《小山词社》：雍正乾隆间，词学奉樊榭为赤帜，家白石而户梅溪矣。惟王小山太守时翔及其侄汉舒秀才策独倡温、李、晏、秦之学，其时和之者，顾玉停行人陈垿、毛鹤汀博士健、徐同怀秀才庾，又有素威辂、颖山嵩、存素愫三秀才，皆王门一姓之俊。笙磬同音，埙篪迭奏，欲语羞雷同，诚所谓豪杰之士矣。太仓自吴祭酒而后，风雅于兹再盛。

谢章铤《赌棋山庄词话》卷一一《小山词社》：小山词社诸君，亦多揣摩南宋，然得髓者殊未见也。

吴衡照《莲子居词话》卷四《江左七子》：江左七子，吴舍人泰来、赵农部文哲尤工词。而王少司寇昶，晚续竹垞《词综》之刻，俾枯槁憔悴之士，垂声艺苑，洵不朽盛事也。吴中擅词学者，如朱上舍昂、施明府源、沈进士清瑞、吴茂才翙凤，各自名家，瓣香南渡，俱卓然可传者也。

昭梿《啸亭续录》卷一《大戏节戏》：乾隆初，纯皇帝以海内升平，命张文敏制诸院本进呈，以备乐部演习，凡各节令皆奏演。其时典故如屈子竞渡、子安题阁诸事，无不谱入，谓之月令承应。其于内庭诸喜庆事，奏演祥征瑞应者，谓之《法宫雅奏》。其于万寿令节前后奏演群仙神道添筹锡禧，以及黄童白叟含哺鼓腹者，谓之《九九大庆》。又演目犍连尊者救母事，析为十本，谓之《劝善金科》，于岁暮奏之，以其鬼魅杂出，以代古人傩祓之意。演唐玄奘西域取经事，谓之《升平宝筏》，于上元前后日奏之。其曲文皆文敏亲制，词藻奇丽，引用内典经卷，大为超妙。其后又命庄恪亲王谱蜀、汉《三国志》典故，谓之《鼎峙春秋》。又谱宋政和间梁山诸盗及宋、金交兵，徽、钦北狩诸事，谓之《忠义璇图》。其词皆出日华游客之手，惟能敷衍成章，又抄袭元、明《水浒义侠》、《西川图》诸院本曲文，远不逮文敏多矣。嘉庆癸酉，上以教匪事，特命罢演诸连台，上元日惟以月令承应代之，其放除声色至矣。

卢见曾《旗亭记序》：扬州繁华甲天下，竹西歌吹之盛，自唐以至于今，梨园之□名部，宜矣。顾人情厌故，得坊间一新剧本，则争相购演，以致时下操觚，多出射利之徒。导淫者既流荡而忘返，述怪者又荒诞而不经。愚夫愚妇及小儿女辈，且艳称之，将流而为人心风俗之害，心甚非之而无以易也。（《中国古典戏曲序跋汇编》卷一三）

公元1736年（乾隆元年 丙辰）

正月

初六日，毛大瀛（1736—1800）生。大瀛初名思正，字又苌，号又长、海客，宝山人。少以能诗名，为"练川十二子"之一。由附监生充四库馆誊录。用州同，发陕西，累为河南巡抚毕沅、山东巡抚惠龄调用。以军功擢授中江县知县、简州知州。卒于战。著有《醉啸轩集》、《戏鸥居集》等。事迹见《国朝耆献类征初编》卷三六七、《清史稿》本传。[按，生日据朱彭寿《清代人物大事纪年》]

上元日，黄之隽序陈元龙诗。署"乾隆元年春正月上元日，门人华亭黄之隽谨识"。（《爱日堂诗》卷首）四库提要卷一八三著录《爱日堂诗》二十七卷。又，乾隆刻本《爱日堂诗》二十八卷，多《林泉集》一卷。

十六日，黄文旸（1736—1809后）生。文旸字时若，号秋平，甘泉人。贡生。素通音律之学。乾隆间，两淮盐政于扬州设词曲局，延为总裁。壮岁奔走齐、鲁、吴、越间。归里后，曾燠招入题襟馆中，与时流相唱和，所作益多。著有《扫垢山房诗钞》十二卷、《曲海目录》一卷。事迹见李斗《扬州画舫录》卷五、同治《续纂扬州府志》卷一三、光绪《增修甘泉县志》卷一四、二三（《方志著录元明清曲家传略》）、《清史列传》本传、张慧剑《明清江苏文人年表》。[按，生日据朱彭寿《清代人物大事纪年》]

高其倬以疾召还京。据《钦定八旗通志》卷一九二。

二月

会试。考官：内阁大学士鄂尔泰、内阁大学士朱轼、吏部侍郎邵基、工部侍郎张廷璟。题"君子笃于"一节，"五者天下 一也"，"欲为君尽 已矣"。据法式善《清秘述闻》卷五。

黄叔琳起为山东按察使。据顾镇《黄侍郎公年谱》。

闲斋老人序吴敬梓《儒林外史》。序云："夫曰'外史'，原不自居正史之列也；曰'儒林'，迥异元虚渺荒之谈也。其书以功名富贵为一篇之骨：有心艳功名富贵而媚人下人者；有倚仗功名富贵而骄人傲人者；有假托无意功名富贵，自以为高，被人看破耻笑者；终乃以辞却功名富贵，品地最上一层，为中流砥柱。篇中所载之人，不可枚举，而其人之性情、心术，一一活现纸上。读之者，无论是何人品，无不可取以自镜。传云：'善者，感发人之善心；恶者，惩创人之逸志。'是书有焉。甚矣！有《水浒》、《金瓶梅》之笔之才，而非若《水浒》、《金瓶梅》之致为风俗人心之害也。则与其读《水浒》、《金瓶梅》，不若读《儒林外史》。世有善读稗官者，当不河汉予言也夫。乾隆元年春二月闲斋老人序。"（《儒林外史》汇校汇评本附录）一说，序末"元年"系"九年"之讹。

三月

颁十三经、二十一史于各省会及府州县学。据蔡冠洛《清代七百名人传》附录《清代大事年表》。

方苞上《请备荒政兼修地治札子》。见《方苞集集外文》卷一。

春

方苞再入南书房。据苏惇元《方望溪先生年谱》。

四月

初五日，高宗御太和殿，传胪。赐一甲金德瑛、黄孙懋、秦蕙田进士及第，二甲蔡新、曹秀先、黄永年、葛祖亮、赵青藜、旷敏本、金门诏、吴龙见、史调、汤聘、郑燮等进士出身，三甲林其茂、王显绪、全祖望等同进士出身。据《历科进士题名录》、《清通鉴》。

旷敏本成进士。敏本字鲁之，号岣嵝，衡山人。《晚晴簃诗汇》卷七四录其诗三首。《岣嵝丛书》有乾隆中旷氏刊本。凡《岣嵝删余文草》一卷、《岣嵝删余诗草》一卷、《岣嵝文草杂著》一卷、《岣嵝韵语》八卷、《岣嵝仿古》一卷、《岣嵝韵牋》五卷、《岣嵝时艺》一卷、《岣嵝鉴撮》四卷、《声韵订讹》一卷。据《中国丛书综录》。

高其倬授湖北巡抚，寻调湖南。据《钦定八旗通志》卷一九二。

五月

江西巡抚俞兆岳奏禁演扮淫戏以厚风俗。据《大清高宗纯皇帝实录》卷一九（乾隆元年丙辰五月）。

十五日，焦袁熹卒，年七十六。据其子以敬、以恕等《焦南浦先生年谱》。《国朝诗别裁集》卷一八："广期先辈乡举后，不入春闱，意自知非用世人，故愿以不材终其天年也。穿穴经学，工制义，诗亦孑孑独造，不侪流俗。"录其《杂诗》等诗四首。《此木轩杂著》八卷光绪八年刊行，《此木轩诗钞》八卷嘉庆十年刊行，《此木轩直寄词》二卷乾隆十七年刊行。据《贩书偶记》卷一一、一六、二〇。

望日，如莲居士序《说唐全传》。序云："夫经书之诣最奥而深，史鉴之文亦邃而俊。然非探索之功、研究之力，焉能了彻于胸而为人谈说哉？故由博学而至笃行，其间工夫不可胜道。今见藏书阁中有《说唐》一书，自五代后起，至盛唐而终，历载治乱之条贯、兴亡之错综、忠佞之判分、将相之奇猷，善恶毕具，妍丑无遗，文辞径直，事理分排。使看者若瞭火，闻者如听声，说者尽悬（壹）[河]，能兴好善之心，足惩为恶之念，亦大有裨世之良书也，可付之于剞劂氏。时乾隆元岁蒲月望日，如莲居士题于北山居中。"（《说唐全传》卷首）孙楷第《中国通俗小说书目》卷二：《说唐演义全传》六十八回，"存。清乾隆癸卯（四十八年）刊本。……嘉庆辛酉（六年）会文堂重刊本。善成堂刊本，析原书为八卷，改题《说唐前传》，回目一律改为七言，刊工尤劣。维经堂刊小本。清无名氏撰。首乾隆元年如莲居士序，会文堂本封面署'鸳湖渔叟较订'。书以褚人获书为底本而敷演之，所记特为粗犷。"

杜诏至浙西辞博学鸿词之荐，过杨绳武于浙江书院。据杨绳武《杜云川先生墓志铭》（《国朝文汇》甲集卷四七）。

六月

方苞奉旨选有明及本朝诸大家四书制义数百篇，颁布天下，以为举业准的。至乾隆四年告成。《钦定四书文》卷首："乾隆元年六月十六日，总理事务王大臣奉上谕：国家以经义取士，将使士子沉潜于四子五经之书，阐明义理，发其精蕴，因以觇学力之浅深与器识之淳薄。而风会所趋，即有关于气运，诚以人心士习之端倪呈露者甚微，而征应者甚巨也。顾时文之风尚屡变不一，苟非明示以准的，使海内学者于从违去取之介，晓然知所别择而不惑于岐趋，则大比之期，主司何所操以为绳尺？士子何所守以为矩矱？有明制义诸体皆备，如王、唐、归、胡、金、陈、章、黄诸大家，卓然可传。本朝文运昌明，英才辈出，刘子壮、熊伯龙以后作者接踵，莫不根柢经史，各抒杼柚，此皆足为后学之津梁，制科之标准。自坊选冒滥，士子率多因陋就简，剽窃陈言，雷同肤廓，间或以此幸获科名，又展转流布，私相仿效，驯至先正名家之法置而不讲，经史子集之书束而不观，所系非浅鲜也。今朕欲裒集有明及本朝诸大家制义，精选数百篇汇为一集，颁布天下学士。方苞于四书文义法夙尝究心，着司选文之事务，将入选之文发挥题义清切之处逐一批抉，俾学了然心目间，用为模楷。又会试、乡试墨卷若必俟礼部刊发，势必旷日持久，士子一时不得观览，可弛坊间刻文之禁。果有学问淹博、识见明通者，不拘乡、会墨卷，房行试牍，准其照前选刻。但不得徇情冒滥，或狂言横议，以酿浇风。朕实嘉惠士子，其各精勤修业，以底大成，敬体朕意，共相黾勉。钦此。"

七月

初九日，诏修《三礼》。鄂尔泰、张廷玉、朱轼、甘汝来为总裁，杨名时、徐元梦、方苞、王兰生为副总裁。据张廷玉《澄怀主人自订年谱》卷四。

十二日，杜诏卒，年七十一。据杨绳武《杜云川先生墓志铭》（《国朝文汇》甲集卷四七）。《墓志铭》云："先生少以填词得名，既而人奉为诗老，晚益肆力于古文。词原出于姜白石。诗则起家温、李，后更老格遒上。余尝序之曰：'前辈论诗者，每谓学杜须从义山入，云川之能为温、李，正其善守少陵之家法者也。'先生深领之。古文则得之庐陵者为多。"《国朝诗别裁集》卷二三："云川以诗受知于圣祖，会试不第，赐进士，入词馆，士林荣之。而云川以养亲归，不复出矣。晚与道士荣涟、僧天钧结九龙三逸社，有庐山东林之风焉。中岁尝选《唐诗叩弹集》行世，皆中、晚名作，故生平得力亦在大历以后云。"录其《隋堤曲》等诗八首。《晚晴簃诗汇》卷五八录其诗六首。《国朝文汇》甲集卷四六录其《拟重修东林书院碑记》文一篇。丁绍仪《听秋声馆词话》卷一《杜诏词》："吾邑杜云川太史诏，先以监生膺荐，食七品俸。预辑《历代诗余》，蒙恩赐进士。复与诸词臣纂修《词谱》，逮授庶吉士，即乞养归。生平恬退寡营，少时从顾梁汾、严藕渔两先生游，故其词如水碧金膏，纤尘不染。"录其《鳌阳对月·祝英台近》、《南乡子》、《沙塞子》等。

方苞删定《管子》、《荀子》成。据苏惇元《方望溪先生年谱》。序见《方苞集》卷四。

八月

史承豫游蜀山，访东坡遗迹。据其《游蜀山记》（《国朝文汇》乙集卷三一）。

陈元龙卒，年八十五。据朱彭寿《清代人物大事纪年》。

九月

初一日，杨名时卒，年七十七。据方苞《礼部尚书赠太子太傅杨公墓志铭》（《方苞集》卷一〇）。《杨氏全书》乾隆五十九年江阴叶廷甲水心草堂刊行。据《中国丛书综录》。《国朝文汇》甲集卷三七录其《徐霞客游记序》一篇。《晚晴簃诗汇》卷四九录其诗三首。

十三日，胡煦卒，年八十二。据彭启丰《资政大夫礼部左侍郎胡公墓志铭》（《芝庭先生集》卷一四）。《葆璞堂文集》四卷乾隆三十七年刊行。据《贩书偶记》卷一五。《国朝文汇》甲集卷四五录其《柴愚山尊人望韩居诗集跋》、《西园记》文两篇。《晚晴簃诗汇》卷五八录其诗三首。

十八日，朱轼卒，年七十二。据朱岺《朱文端公年谱》、袁枚《文华殿大学士太傅朱文端公神道碑》（《小仓山房文集》卷二）。《朱文端公文集》四卷乾隆间刊行。据《贩书偶记》卷一五。《朱文端公文集》四卷《补编》四卷同治十二年古欢斋刊行。据张舜徽《清人文集别录》卷四。李祖陶《国朝文录·朱文端公文集引》："而以予论之，公不仅名臣也，亦名儒，亦循吏。""文章非其意之所重，故当时不以此名。然理正词醇之中别有风发泉流之韵，根深实遂，膏沃光华，仁义之人，其言蔼如也。拔其尤者为二卷，以继张素存、李厚庵两相国之后，无愧色矣。独惜奏稿不存，不得与孙文定公之疏并读为有憾云。"《国朝文汇》甲集卷三九录其《书张璁传后》等文三篇。《晚晴簃诗汇》卷五四录其诗二首。

博学鸿词科征士御试保和殿。李调元《淡墨录》卷一〇《再举博学鸿词》："先是雍正十一年四月初八日，上降旨并照康熙己未之例，再举博学鸿词。乃降旨已久，而外省之奏荐者，寥寥无几。十三年二月二十八日，复降旨催促，如李卫、吴应棻合举二人，而吴应棻又独举二人，则皆宣化府进士。上以宣化北边一郡，尚有可举之人，何况内地各省之大，可见李卫、吴应棻乃实心为国家留意人材，看再通行宣谕，无论已奏未奏之省，俱着再行遴选。"卷一一《再举博学鸿辞》："乾隆丙辰元年，召试雍正十一年至十三年各部院各省荐举博学鸿辞诸人，钦命题：五六天地之中合赋，赋得山鸡舞镜七言十二韵。取一等五名：刘纶、潘安礼、诸锦、于振、杭世骏；二等十名：杨度（江）［汪］、陈兆（伦）［嵛］、刘玉麟、沈廷芳、夏之蓉、汪士锽、陈士璠、齐召南、周长发、程恂，共十五名。"福格《听雨丛谈》卷四《丙辰宏词科征士录》："乾隆丙辰宏词科共举二百七十二人，除重保五人外，实举二百六十七人。"又，袁枚《随园诗话》卷五云："海内荐者二百余人，至九月而试保和殿者一百八十人。"《小仓山房诗集》卷一有《同一百九十三人试博学鸿词于保和殿下……》诗。蔡冠洛《清代七百名人传》附录《清代大事年表》云："高宗亲试博学鸿词一百七十二人于保和殿"。

又，是科主考为鄂尔泰、张廷玉、邵基。据张廷玉《澄怀主人自订年谱》卷四。又，据《听雨丛谈》卷四，是科征士有：易宗瀛、李锴、梁机、杜诏、查祥、黄之隽、胡天游、徐文靖、车文、方贞观、杨述曾、陈长镇、曹秀先（未试）、赵昱、万经（未试）、全祖望（未试）、吴麟、华希闵（丁忧）、方楘如（驳）、胡浚（驳）、戴永植、盛乐、符曾（丁忧）、苏珥（未试，据《清史稿》何梦瑶传附）、屈复、马朴臣、刘大櫆、闻元晟（未试）、曹廷枢（即曹庭枢）、沈彤、周京、尚廷枫、王藻、桑调元、汪祚、马曰璐（未试）、陈撰（未试）、赵信、方观承（未试）、顾陈垿（未试，据王昶《顾陈垿传》）、朱稻孙、沈炳震、叶酉、傅王露（驳）、金德瑛（未试）、王延年、沈冰壶、金门诏（未试）、裘曰修、祝维诰（驳）、边连宝、沈德潜、朱厚章（故）、吴龙见、马荣祖、张凤孙、沈虹、王会汾、陈黄中、周振采（未试）、顾栋高、任瑗、程廷祚、吴繁、严遂成（丁忧）、厉鹗、沈炳谦、汪沆、周大枢、万光泰、邵昂霄、钱载、金文淳、申甫、翁照（未试）、黄永年、易宗涒、张庚、牛运震、万邦荣、叶裔凤、许遂、劳孝舆、车腾芳、袁枚、沈澜、连云龙等。此外，辞未就试者有曹学诗（郑虎文《曹学诗传》）、罗天尺（《清史稿》何梦瑶传附）、韩海（吴应逑《七先生传·韩海》）、何梦瑶（《国朝诗人征略》初编卷二六引《广东通志》）、程嗣立（程晋芳《水南先生墓志铭》）、童能灵（雷鋐《童先生能灵墓志铭》）、方世举（萧穆《方息翁先生传》）、陈梓（丁子复《杨园先生年谱》附录《陈梓传》）、顾奎光（《晚晴簃诗汇》卷七九），抵京后归去者有夏纶（徐梦元《五种总序》），报罢者有卢存心（四库提要卷一八五）、查礼（《四川通志·四川布政使查公礼传》）、张云锦、官献瑶（《淡墨录》卷一一）等。李慈铭《越缦堂读书记·鹤征录、鹤征后录》："偶阅前后《鹤征录》。后鸿博之人才，自董浦、息园、草庐三君外，不得不屈菽园一指，盖其余实无人，较之前鸿博相去不啻霄壤。幸有杭、齐，足为朱、毛后劲，而草庐亦足追配托园，六人皆浙产也。其举而不用者，震沧、果堂、位山之经学，东甫、东庄、梅史（沈清玉别号）之史学，樊榭、石笥、唐堂之词章，是九君者，足以特立。其次则不得不数绵庄之经学，鹰青之史学，亭培、浦山之杂学，随园之词章，此五君者，虽俱学无师法，而或以功力胜，或以才情胜，不特远过刘文定、于鹤泉诸人，即较之彭羡门、倪阆公、汪东川亦超数等也。其荐而未与试者，则谢山一人，遥与梨洲辉映，学术相承，系东南文献之大宗，比之朱霞天半矣。其不用之最有名者，若沈归愚、刘海峰仅胜于余子而已。取人至于考试，论文至于应制，虽极天子延揽之力，终不足以得人。后鸿博十九人中，若潘安礼、杨度汪、刘玉麌、汪士锽、陈士璠、万松龄等，固与近之翰林无以大异，即前鸿博五十人中，若王文恭、秦留仙、周浣初清原、陆雅坪棻、冯方寅勖、袁杜少佑、沈昭子珩、沈开平筠、周庆曾、范必英、崔如岳、吴元龙、陈鸿绩、曹宜溥、毛升芳、黎骞初等，文采一无表见，姓名久在泯没间，即偶有诗文，亦不过涂抹翰林、江湖名士，视彼衮衮台阁，岂真大有径庭哉？而余所举之九君五君者，震沧先成进士，后累赐司业祭酒终，未尝一日立朝，唐堂先入翰林而被黜，子才后与馆选，而官亦不达，余皆以布衣老，以视两汉《儒林传》中无不致大官者，古今悬绝，不深可喟乎！盖汉之经学，为禄利之路，其从师传业者，无异今之举业，而国朝诸儒之学，则实与时背驰，宜其愈上而愈困也。然周清原、潘安礼诸人，至今绝无称道，而谢山、震沧诸君，稍有识者，无不奉为山斗，著述流传，将与天地不朽，此则寻常科第，固等毫毛，即大科亦安足重哉？"《越缦堂读书记·道古堂文集、诗集》："予尝品浙人之登大科者：康熙己未则西河鸿而不博，竹垞博而不鸿；乾隆丙辰则息园博而不鸿，董浦鸿而不博。合而斟之，则齐之腹笥已俭于萧山，杭之才华实逊于秀水。若言毛之天姿，朱之学力，则又二君折轴喘牛所不能骋，先后悬隔，非可强也。"

张照自狱中释出。后复迁至刑部尚书，兼领乐部。据乾隆《娄县志》卷二六（《方志著录元明清曲家传略》）。

秋

恩科乡试。是科各省考官有邵基、孙嘉淦、倪国琏、汪由敦、彭启丰、嵇璜、陶正靖、刘元燮、万承苍、王峻等。据法式善《清秘述闻》卷五。所取举人有罗天尺（伍崇曜《五山志林跋》）、李海观（道光《宝丰县志》卷一二）、祝洤（钱馥《祝人斋先生小传》）、蒋麟昌（金鉴《书菱溪遗草后》）、万光泰（全祖望《万循初墓志铭》）、张九镒（张家栻《陶园年谱》）、郭赵璧（四库提要卷一八五）、姚范（金天翮《姚范传》）、王械（《秋灯丛话》宋楚望跋）、杨潮观（《湖海诗传》卷六）等。

郭赵璧乡试中式。四库提要卷一八五：《瑜斋诗草》一卷，"国朝郭赵璧撰。赵璧字名瑾，侯官人。乾隆丙辰举人。是集乃赵璧没后，其子文焕所编，后其子文海又搜求佚稿附益之。凡古今体诗一百十一首。盖赵璧喜吟咏，而不自收拾。故散失之余，所存仅此云。"

孙埏中副榜。孙锵《锡六环跋》："公讳埏，字尚登，号碧溪。由前清乾隆元年副贡肄业，修道堂，富于著述。所撰《行文语类》三卷，久已风行海内。相传有《弥勒记》、《两重天》二种传奇。"（《中国古典戏曲序跋汇编》卷一二）

十月

十三日，厉鹗留别金志章诸人。据《樊榭山房集》卷七《十月十三日，接叶亭留别金绘卣、金寿门、符幼鲁、全绍衣、王载扬、申及甫、汪西颢》。

十一月

二十一日，曹一士卒，年五十九。据全祖望《工科给事中前翰林院编修济寰曹公行状》（《鲒埼亭集》卷二五）。四库提要卷一八五：《四焉斋诗集》六卷附《梯仙阁余课》一卷《拂珠楼偶钞》二卷，"国朝曹一士撰。一士字谔庭，号济寰，上海人。雍正庚戌进士。官至兵科给事中。是编乃其诗集，《石仓世纂》之第四种也。附载《梯仙阁余课》，为一士继室陆氏凤池作，刻于康熙壬辰。又《拂珠楼偶钞》，一士之女锡珪所作，刻于雍正甲寅。"又：《四焉斋文集》八卷，"国朝曹一士撰。《石仓世纂》之第五种也。与其诗集同刻于乾隆庚午。其论文之旨，谓古人之所以称古者，乃意义之古，非词句之古。有明潜溪、遵岩、荆川、震川，其文词之近时者甚多，不以此损其古意。于麟、元美，字句之古几于无一不肖，而终与古远。观其持论，可以见其宗旨矣。"《国朝诗别裁集》卷二七："谔廷诸生时，名满大江南北。既为黄门，所条封事，皆去积弊培元气，有利国家者，艺林吐气，赖有斯人，奏疏可覆按也。诗亦不肯随俗，时露奇警。"录其《拟古》等诗四首。《国朝文汇》甲集卷五八录其《盐法论》等文四篇。《晚晴簃诗汇》卷六七录其诗五首。

二十六日，沈叔埏（1736—1803）**生。**叔埏字剑舟、埴为，号双湖，秀水人。乾隆五十二年进士。官吏部主事。到部未十日，以母老乞养归。筑室锦带、宝带两湖间，学者称双湖先生。主魏塘讲席尤久。著有《颐采堂诗钞》十卷、《颐采堂文集》十六卷、《剑舟律赋》二卷。事迹见阮元《敕授承德郎吏部稽勋司主事沈君墓志铭》（《碑传集补》卷一一）、《清史列传》郑虎文传附。

李柷卒，年八十一。据沈德潜《李芥轩墓志铭》（《归愚文钞》卷一七）。《国朝诗别裁集》卷二六："芥轩天真未漓，视天下无不善人。人有机械者，对芥轩亦无所施，生平在春风和蔼中也。居鹅湖之浣春园，妻子奴婢，萧然自得。晚岁盲于目，诗成，每令童孙书之。"录其《沈庄樗古隶歌》等诗三首。《晚晴簃诗汇》卷六四录其诗三首。

十二月

除夕，吴敬梓作《丙辰除夕述怀》。云："回思一年事，栖栖为形役。相如封禅书，仲舒天人策。夫何采薪忧？遽为连茹厄。人生不得意，万事皆愿愿。有如在网罗，无由振羽翮。"（《文木山房集》卷二）

梁机自识《征草》、《还草》。《征还随草题辞》署"乾隆丙辰嘉平月三华山人梁机识"。（《三华集·征草》卷首）四库提要卷一八四：《三华集》四卷，"国朝梁机撰。机字仙来，泰和人。康熙癸巳进士。是集机所自编，分四子部：一曰《入洛志胜》，多题咏古迹之作；一曰《燕云诗钞》，随侍其父宦游京邸之作，皆王士禛选定；一曰《征草》，则乾隆元年荐举博学鸿词，召试入都之作；一曰《还草》，则试不入格，归途之作也。"［按，梁机为康熙癸巳举人，辛丑进士。四库提要误以中举之年为成进士之年。］梁机又有《北游草》一卷、《偶游日记》一卷康熙丙子刊行，据《贩书偶记》卷一四。袁枚《随园诗话》卷一三录其《桃花》、《赠妓》、《臂篓》、《沙丘》等诗句。《晚晴簃诗汇》卷六一录其诗四首。《国朝文汇》甲集卷五三录其《畲从子钦劝应词科书》文一篇。

冬

方苞上《请定经制札子》。见《方苞集集外文》卷一。《方苞集》附录邵懿辰《邵钞奏议序》："《上元县志》称先生当官敷奏，俱关国计民瘼。今观《请定经制》等札子，煌煌巨篇，乃经国远谟，足与靳文襄公《生财》、《裕饷》诸疏并垂。余亦直抒所见，不肯一字诡随。生平端方严谨之概，可以想见。曩尝病《望溪集》独阙奏议一体，今喜得而录之。他日当益搜先生遗文，重刻以惠学者，庶表区区私淑之志云。道光丁酉九月三日，仁和邵懿辰记。"

本年

王心敬荐举贤良方正，以老病不能赴京而罢。据四库提要卷六。

曹庭栋举孝廉方正，辞未就。据《重修浙江通志稿·曹尔堪传》附（《广清碑传集》卷三）。

易宗瀛、易宗涒兄弟同举博学鸿词，未入选。二人皆为湖南诸生。事迹见《清史列传》周宣猷传附。《晚晴簃诗汇》卷七二录二人诗各二首。

车腾芳应博学鸿词，至京后期，即乞终养归。腾芳字图南，番禺人。事迹见《清史列传》本传、《清史稿》何梦瑶传附。《国朝文汇》甲集卷五〇录其《党锢论》、《新会两生传》文两篇。

程廷祚应博学鸿词报罢。程晋芳《绵庄先生墓志铭》："乾隆元年至京师，有要人慕其名，欲招致门下，属密友达其意曰：'主我，翰林可得也。'先生正色拒之，卒不往，亦竟试不用。归江宁时，年四十有五。自此不应乡举。"（《勉行堂文集》卷六）

刘大櫆以方苞之荐应博学鸿词科，为大学士张廷玉所黜。既乃知大櫆，深惋惜。据《国史文苑传》本传（《海峰先生文》卷首）。昭梿《啸亭杂录》卷二《刘海峰》："举博学鸿词科，鄂文端公业经首选，张文和恶其才，因曰：'此吾乡之浮荡者。'因易以刘文定公，先生遂落拓终其身。"

胡天游以任兰枝之荐，入都应博学鸿词试。自本年起留居任兰枝第凡十年。据胡元琢《先考稚威府君年谱纪略》。齐召南《胡稚威集序》："曩者词科之役，海内征士二百余人毕集京师，才学各有专长，而言诗文工且敏，磊落擅奇气，下笔惊人，矫挺纵横，不屑屑蹈常袭故，雄深瑰伟足与古作者角力，必首推山阴胡子稚威。"（《宝纶堂文钞》卷五）袁枚《随园诗话》卷七："余自幼诗文不喜平熟。丙辰，诸征士集京师，独心折于山阴胡天游稚威。尝言：'吾于稚威，则师之矣。'"

曹庭枢应博学鸿词试被放。四库提要卷一八五：《谦斋诗稿》二卷《补遗》一卷，"国朝曹庭枢撰。庭枢字六芗，嘉善人。雍正癸卯副榜贡生。乾隆元年尝荐举博学鸿词，集中载有《午门谢颁月廪恭纪诗》，即其事也。是集亦皆其游京师时所作。"《国朝诗别裁集》卷二七："古谦应博学鸿辞，诏入都，日课一赋一诗，同人敛手推让。试后放归。"

邵昂霄试博学鸿词报罢。昂霄字丽寰、子政，号聂甫，余姚人。拔贡生。事迹见《清史列传》明安图传附。四库提要卷一八五：《万青楼诗文残编》一卷，"国朝邵昂霄撰。昂霄有《万青楼图编》，已著录。所著诗文名《万青楼稿》，身后散佚。是编为其从子是楠所手录，仅存文数篇，诗数首而已。"

沈冰壶试鸿博报罢。四库提要卷一八五：《抗言在昔集》一卷，"国朝沈冰壶撰。冰壶字心玉，山阴人。是编皆咏古七言绝句，而多考证文史，与他家咏古评论事迹得失者又别。其学识颇为拔俗，而有意示高，或流于诞。""又如国朝诗人自王士禛、朱彝尊、田雯、梁佩兰、宋琬诸人，无一不肆诋排。国朝文人自黄宗羲、毛奇龄、汪琬、姜宸英、王源、方苞诸人，无一不遭指摘。或加以丑詈，至谓其不堪供唾，且谓此外寥寥，自郐无讥。其意欲于百余年中，以第一人自命，尤放诞矣。"袁枚《随园诗话》卷一二："山阴沈冰壶，字清玉，有《古调独弹集》。以新乐府论古事，极有见解。如：辨永王璘之非反，李白之受诬，作《夜郎行》；雪李赞皇之非党，作《崖州行》；笑隋主诛宇文，身死于宇文，作《南氏怨》。以何平叔之不父曹瞒为孝，不从司马为忠，其粉白不离手之说，即梁冀诬李固之胡粉饰貌也。人言崔浩毁佛遭祸，乃咏《崔浩》云：'仙不能救，佛岂能厄？'尤为超脱。"

汪沆试鸿博报罢后旋馆津门查为仁水西庄，与诸名士为烂漫游。据汪沆《山游集序》（《国朝文汇》乙集卷一二）、王曾祥《汪西颢盘西游集序》（《静便斋集》卷七）。

四布衣试鸿词科。袁枚《随园诗话》卷四："丙辰以布衣荐鸿词者，海内四人：一江西赵宁静，一河南车文，一陕西屈复，一嘉禾张庚。车之著作，余未经见。张善画，长于五古，人亦朴诚。独屈曳傲岸，自号悔翁，出必高杖，四童扶持。在京师，见客，南面坐；公侯学诗者，入拜床下。专改削少陵，訾诋太白，以自夸身份。耳食者抵死奉若神明。山左颜懋伦心不平，独往求见。坐定，即问曰：'足下诗，有《书中干蝴蝶》二十首，此委巷小家子题目，李、杜集中，可曾有否？'屈默然惭。人以为快。"平步青《霞外捃屑》卷八下《屈悔翁》："三征不起，赋《感遇》五古三十首。"

吴敬梓未赴博学鸿词之征。吴敬梓《伤李秀才》序云："丙辰三月，余应博学鸿词科，与桐城江若度、宣城梅淑伊、宁国李岑森同受知于赵大中丞。余以病辞，而三君入都。"（《文木山房集》卷三）程晋芳《文木先生传》："安徽巡抚赵公国麟闻其名，招之试，才之，以博学鸿词荐，竟不赴廷试。亦自此不应乡举，而家益以贫。"程廷祚《文木山房集序》："曾与荐鸿博，以病未赴，论者惜之。"唐时琳《文木山房集序》："今天子即位之元年，相国泰安赵公方巡抚安徽，考取全椒诸生吴敬梓敏轩；侍读钱塘郑公督学于上江，交口称不置。既檄行全椒，取具结状，将论荐焉，而敏轩病不能就道。两月后病愈，至余斋。盖敏轩之得受知于二公者，则又余之荐也。余察其容憔悴，非托为病辞者。"（《吴敬梓诗文集》附录）金和《儒林外史跋》："雍正乙卯，再举博学鸿词科，当事以先生及先生从兄青然（名檠）先生应诏书。先生坚卧不起，竟弃诸生籍。"顾云《盋山志》卷四《人物上·吴敬梓》："乾隆间，再以博学鸿词荐，有司奉所下檄文，朝夕造请，坚以疾笃辞。或咎之，曰：'吾既生值明盛，即出，其有补斯世耶？否耶？与徒持词赋博一官，虽若枚、马，曷足贵耶？'卒弗就。且并脱诸生籍，去居江宁。"（朱一玄等编《儒林外史资料汇编》）俞樾《茶香室续钞》卷一三《儒林外史》："按嘉兴李富孙《鹤征后录》载不就试者二十五人，无吴敬梓，惟有吴檠，字青然，全椒人，乃与试而未用者，恐非其人也。"

夏纶应博学鸿词，旋归。徐梦元《五种总序》："今上龙飞诏许开选，先生名在单目首列，扶疾捧檄入都。长途况瘁，兴已索然，抵部复有意外尼之者，因决志舍去，归隐湖山，日以著述自娱。"（《中国古典戏曲序跋汇编》卷一二）

查祥以应博学鸿词科至京师，滞留五载方归。据查祥《云在诗钞》卷五《出春明十二年，岁丙辰，召试博学宏辞，留京师提调律例馆。竟五寒暑，书竣告归……》。

商盘充八旗馆、国史馆纂修。据蒋士铨《宝意先生传》（《忠雅堂文集》卷三）。

雷铉授编修。据彭启丰《通奉大夫都察院左副都御史加二级雷公墓志铭》（《芝庭先生集》卷一三）

王时翔除蒲州府同知。未几，擢成都知府。在成都屡雪疑狱，时称神明。据沈起元《墓志铭》（《小山诗文全稿》卷首）。

卢见曾自颍州知州调两淮盐运使。据卢文弨《故两淮都转盐运使雅雨卢公墓志铭》（《碑传集补》卷一七）、张慧剑《明清江苏文人年表》。

王奕清自新疆召回复职。据王昶《王掞传》（《春融堂集》卷六四）。

谢济世复御史职。据谢庭瑜《诰授奉政大夫掌山东道监察御史湖南盐驿长宝道按察司副使谢公济世小传》（《碑传集》卷八三）。

徐用锡蒙特恩召起补侍读。据徐用锡《圭美堂集》卷末徐铎识语。

惠士奇奉旨调取来京引见。以讲读用，所欠修城银两得宽免。上令纂修《三礼》。据江藩《国朝汉学师承记》卷二、《清史稿》惠周惕传附。

庄亨阳以杨名时之荐，授国子监助教，始识方苞。据方苞《庄复斋墓志铭》（《方苞集》卷一〇）。

王澍被命起官，以疾未赴。据王步青《吏部员外郎族侄虚舟墓志铭》（《己山先生文集》卷八）。

史震林、曹学诗在京晤屈复。史震林《华阳散稿》卷上《记秋草》："《秋草》者，屈悔翁诗也。悔翁陕西人，鳏而为客。客蜀，客晋楚，既而客吴。年且老，北上客燕赵。既倦，止京师之湘潭书院，依恪勤公之子刑部郎中陈树蓍。都人素闻悔翁名，喜其至，王公以下交赘于其门。悔翁年已七十，鬓眉皆白，方袍赤舄，著梅花锦袜，登座说诗，诸名士肃然环听。长洲马授畴博学有奇才，尤敬事之。雍正己酉，余识之于广陵。乾隆丙辰，与曹震亭访于都，请其集，未刻。少时有刻者，今毁去。授余《秋草诗》十首。"

史震林、吴震生、曹学诗同游戒坛、香山。据史震林《西青散记》卷四。

史承谦始交同里储秘书。据张慧剑《明清江苏文人年表》。

袁枚至广西省叔父。后北上应试，报罢。方濬师《随园先生年谱》："省叔父于广西，寓中丞金公鉷署中，作《铜鼓赋》，合座称赏。时方开博学鸿词科，中丞首以先生列荐剡，遂北上。胡稚威天游初见先生，谓曰：'美才多，奇才少，子奇才也。年少修业而息之，他日为唐之文章者吾子也。'冬试鸿词科，报罢，落魄无归，饭高怡园先生景蕃家三月有余。"袁枚《随园诗话》卷一三："丙辰在都，诗人大会。有常州储君师轼、字学坡者，年最长，为坐中祭酒。"卷一〇："余试鸿词报罢，蒙归安吴小眉少司马最为青盼。"林昌彝《射鹰楼诗话》卷三："作诗最忌诗名太甚，每见诗家名甚之后，多率意为之。朱竹垞、袁简斋应鸿词科后，诗格一变，而简斋尤甚，学者当深戒之。"

袁枚、沈廷芳等在李重华家结吟社。 方濬师《随园先生年谱》："在李玉洲先生家与曹麟书、沈椒园诸公结吟社。临川李穆堂侍郎以文章名，先生袖所作请业。侍郎极爱《李德裕论》一篇，大书卷首云：'洗尽《唐鉴》中腐语，得此痛快淋漓之作，真不觉前贤畏后生矣。'"

郑燮成进士后，在西山、香山小住，与无方上人、青崖和尚、起林上人等唱和。 有《瓮山示无方上人》、《寄青崖和上》、《访青崖和尚，和壁间晴岚学士、虚亭侍读原韵》、《山中夜坐再陪起上人作》等诗。见《郑板桥全集·板桥集》。

全祖望成进士，入庶常馆。未与试鸿博。抄《永乐大典》。移《明史》馆帖子六通。 董秉纯《全谢山先生年谱》："先生本以荐举鸿博留部，至是先成进士，入词馆，而时相方忌先生中大科，遂特奏：'凡经保举而已成进士、入词林者，不必再与鸿博之试。'识者已知先生不能久于馆中矣。是年与临川先生共借《永乐大典》读之。大典共二万二千七百七十七卷，取所流传于世者置之，即近世所无而不关大义者亦不录，但取欲见而不可得者，分其例为五：一经，二史，三志乘，四氏族，五艺文。每日各尽二十卷，而以所签分令人抄之，顾临川与先生皆力薄不能多畜写官。至次年先生遽罢官归，遂未卒业。然先生所抄高氏《春秋义宗》、荆公《周礼新义》、曹放斋《诗说》、《刘公是文钞》、《唐说斋文钞》、史真隐《尚书周礼论语解》、《二袁先生文钞》（袁正献、正肃）、《永乐宁波府志》，皆世所绝无而仅见之《大典》者也。时方开《明史》馆，先生为书六通移之。其第一、第二专论艺文一门，见先生不轻读古人书。又谓本代之书必略及其大意，始有系于一代事故、典则、风会，而不仅书目，其论尤伟。第三、第四专论表，而于外蕃、属国、变乱了如指掌，真经国之才也。第五、第六专言隐逸、忠义两列传，所以培世教、养人心，而扶宇宙之元气，不但史法之精也。初，见江阴杨文定公，公称之曰博，而勉以为有用之学。先生谦言：以东莱、止斋之学，朱子尚议之，何敢言博？公曰：但见及此，则进矣。"袁枚《随园诗话》卷六："全祖望字谢山，以丙辰春闱先入词馆，故九月间不与鸿博之试。"

郑江见汪师韩诗，赠以古风。 汪师韩《上湖纪岁诗编》卷首桂元复《旧序》："同里郑侍讲筠谷先生，其父行也，丙辰见韩门诗，赠以古风。末云：'颓龄睹奇特，自嗤还自贺。'常熟王次山侍御于诗多否少可，独倾倒韩门，更和郑先生韵题其集，有'兼包竹垞能，肯拾渔洋唾'之句。嘉兴马墨麟副使，录其《凤尾砚》、《太平鼓》二歌入《旧雨集》。是时，韩门年三十岁耳。"

无名氏《情中幻》传奇有本年钞本。 庄一拂《古典戏曲存目汇考》卷一三：《情中幻》，"此戏未见著录。乾隆元年汝南郡钞本，北京图书馆藏。叙骊山老母以幻娘与郑谱有一载夫妇之缘，赐以无缝天衣，降凡成眷属，居中表韦鋆园中。鋆曾与将军侍姬宠奴有约，幻娘为盗宠奴归，使鋆完聚。后谱授槐里府尉，幻娘化金光而去，颇类红绡故事。惟情节前后不全，共四卷十六出，疑有佚逸。本事似出《太平广记》之任氏条。崔应阶有《情中幻》杂剧，同名异事。"

蔡应龙作《紫玉记》传奇。 应龙字潜庄，自署玉麈山人，青溪人。据《古本戏曲剧目提要》。庄一拂《古典戏曲存目汇考》卷一一：《紫玉记》，"《今乐考证》著录。

乾隆清梦山房刊本。其他戏曲书簿未见著录。一名《紫玉钗》，凡二卷四十出。乃删定玉茗堂《紫箫》、《紫钗》两记，取其便于登演。仅后之霍王关合，是其增出外，无甚变移。大部以《紫箫》原文为底本，略参用《紫钗》，未脱原作窠臼。"应龙又有《琵琶重光记》传奇，《古典戏曲存目汇考》卷一一：《琵琶重光记》，"此戏未见著录。徐绍桢《紫玉记序》云：'潜庄先生修月神工，补天妙手。谓《琵琶记》前后照应之未满人意，为补缀之，作《琵琶重光记》，虬欲选集伶工，俾传盛事。'"

罗天尺《瘿晕山房诗钞》六卷约乾隆初年刊行。《贩书偶记》卷一五："《瘿晕山房诗钞》六卷，顺德罗天尺撰。无刻书年月，约乾隆初年精刊。卷一五律，卷二五古，卷三七律（原刻作卷四，误），卷四七古，卷五七绝，卷六排律（原刻作卷五，误）。"

方薰（1736—1799）生。薰字兰坻、兰士、兰如、长青，号樗庵，石门人。布衣。精绘事，工画兰。著有《山静居诗》八卷、《词》二卷、《诗话》二卷、《论书》二卷、《论画》二卷。事迹见俞蛟《方兰如奚铁生合传》（《梦厂杂著》卷七）、汪启淑《方薰传》（《续印人传》卷二）、《清史稿》华嵒传附。

桂馥（1736—1805）生。馥字冬卉，号未谷，曲阜人。乾隆五十四年举人，明年成进士。选教授，保举知县。补云南永平县知县，卒于官。著有《晚学集》八卷、《未谷诗集》四卷、《后四声猿》杂剧。据蒋祥墀《桂君未谷传》（《晚学集》卷首）、江藩《国朝汉学师承记》卷六、《清史列传》本传、《清史稿》本传。[按，吴荣光《中国古代名人生卒·历史大事年谱》谓其生卒年为 1736—1806 年，此据蒋祥墀《桂君未谷传》]

宗圣垣（1736—1815）生。圣垣字介藩，号芥飐，会稽人。乾隆三十九年举人，五十二年挑发广东为知县。历官文昌知县，广、惠、潮、雷、琼五郡同知，权罗定、德庆等州。年七十六引疾归，居九曲山房。年八十卒。生前刻有《九曲山房诗钞》十六卷，另有续集一卷、杂著文尺牍四卷，皆未刻。事迹见宗稷辰《雷州府君墓志》（《躬耻斋文钞》卷一〇）。

金学诗（1736—1796 后）生。学诗字韵言，号二雅，吴江人。乾隆二十七年举人，官国子监助教。乾隆三十八年，入四库馆。以母忧不出，历主仪征、松陵诸书院。著有《播琴堂集》。事迹见张慧剑《明清江苏文人年表》。[按，生年据金学诗自订《二雅年谱》（谢巍《中国历代人物年谱考录》著录）]

翁春（1736—1797）生。春字曙鸠、辨堂、澹生，号石瓠，华亭人。布衣。著有《赏雨茅屋诗》四卷。事迹见王芑孙《华亭二布衣传》（《惕甫未定稿》卷九）。

和邦额（1736—?）生。字闟斋，别号愉园、霁园、霁园主人、蛾术斋主人等，满洲镶黄旗人。少随祖父宦游西北、东南。后自闽进京，入咸安宫官学。期满后一度任山西乐平县令。著有《蛾术斋诗稿》、《霁园杂记》、《夜谭随录》、传奇《湘山月一江风》等。事迹见《中国文言小说家评传·和邦额》、《中国古代小说总目》文言卷。[按，其生年系据《夜谭随录自序》推知，《评传》记其生卒年为 1736—1799 年?，《总目》作 1736—1795 年后]

李暾卒，年七十五。据朱彭寿《清代人物大事纪年》。全祖望《李东门墓表》："所著《松梧阁集》，其佳处时与寒村相近云。"（《鲒埼亭集》卷二一）

公元 1737 年（乾隆二年 丁巳）

二月

会试。考官：内阁大学士张廷玉、左都御史福敏、副都御史索柱、吏部侍郎姚三辰。题"既庶矣又"二节，"君子之所 见乎"，"人皆有不 政矣"。据法式善《清秘述闻》卷五。张廷玉《澄怀主人自订年谱》卷四："是科多士，云集辇下者，较曩时为盛。上科应试者四千五百数十人，今则增至五千四百余人。锁闱一月有余，遵旨取中三百十七名。四月初九日放榜。"

春

李继圣下第归。道出睢州，州刺史刘某方开洛学书院课士，遂邀继圣以佐。据张庚《振南别传》（《寻古斋文集》卷首）。

袁枚与周大枢、万光泰同在胡天游寓。袁枚《随园诗话》卷七："丁巳春，予与元木、循初同在稚威寓中，夜眠听雨，元木见赠一篇云：'文章之家无不有，袁郎二十胆如斗。'诗甚奇诡，不能备录。"

四月

全祖望作《泰陵配天大礼赋》。见《鲒埼亭集外编》卷一。董秉纯《全谢山先生年谱》："四月，泰陵配天礼成，献《大礼赋》。灵皋先生曰：'笔力弗逮杜公。然语语本经术，典核矜重，则杜公微愧拉杂矣。'"

厉鹗客扬州，重游京口。据《樊榭山房集》卷八《四月十一日客广陵，秋玉、佩兮招予同为京口之游。晚雨，泊舟入高旻寺》、《晓霁出江口，望五州山》等诗。

五月

初五日，高宗御太和殿，传胪。赐一甲于敏中、林枝春、任端书进士及第，二甲观保、张九镒、钱琦、周煌等进士出身，三甲纳国栋（即国梁）、程穆衡、廖鸿章、乔光烈、史震林、帅家相、德保、彭遵泗等同进士出身。据《历科进士题名录》、《清通鉴》。

全祖望散馆列下等。董秉纯《全谢山先生年谱》："五月，散馆，竟列下等，左迁外补。而先生舅氏蒋季眉先生亦同被黜。或曰当事者恶先生，因及蒋公。先生以两尊人年高多病，亟欲归，灵皋先生犹欲荐先生入三礼馆，辞之，而荐吴君廷华。"

法海卒，年六十七。据方苞《兵部尚书法公墓表》（《方苞集》卷一二）。《墓表》云："根于忠孝刚正之气不可屈挠者，公之学也，诗岂足以传公之学哉？然读其诗，足以发人忠孝之心，则亦其学之诚而形者。"法式善《八旗诗话》五六："格律近中唐。如'心经患难初知敛，身阅功名老渐轻'，粗涉世故者不能道，亦不能知。其《咏鹤》

诗通体自写怀抱，归愚谓其风骨独高。"《国朝诗别裁集》卷一八录其诗四首。《晚晴簃诗汇》卷五四录其诗一首。

六月

补试博学鸿词。张廷玉《澄怀主人自订年谱》卷四："六月，内阁奏请，考试各省荐举续到之博学鸿词二十四人。奉旨著张廷玉、孙嘉淦阅卷，随于史馆校阅，取万松龄为一等，朱荃、洪世泽、张汉三人为二等，将原卷进呈。奉旨：万松龄着授为翰林院检讨，张汉着授为翰林院编修，朱荃、洪世泽着授为翰林院庶吉士。"李调元《淡墨录》卷一一《丁巳补试博学鸿辞》："先是丙辰召试荐举博学鸿辞，人尚未到齐，至是陆续到京，再请补试，得一等一人，二等三人。"

胡天游补试博学鸿词，以病报罢。朱仕琇《方天游传》："时四方文士云集。每稠人广座，天游辄出数千言，落纸如飞。文成奥博，见者嗟服，一日赫然名振京师。同举者皆得显官，而天游以病不能试，罢。"（胡元琢《先考稚威府君年谱纪略》卷首）[按，天游去年以持服未试]

方苞擢礼部右侍郎。据苏惇元《方望溪先生年谱》。

惠士奇补侍读。据钱大昕《惠先生士奇传》（《潜研堂文集》卷三八）。

七月

方苞教习庶吉士。《方苞集》卷七《赠石仲子序》："往者余以衰残，荷世宗宪皇帝暨今上搜扬，俾赞阁部教习庶常，窃虑辞章声律未足以陶铸人材，转局其志气，使日趋于卑小。欲仿朱子《学校贡举议》，分《诗》、《书》、《易》、《春秋》、《三礼》为三科，而以《通鉴》、《通考》、《大学衍义》附之（《诗》、《书》、《易》附以《大学衍义》，《春秋》附以《通鉴纲目》，《三礼》附以《文献通考》），以疑义课试。当路者多见谓迂远不近于人情，惟高安朱可亭、江阴杨宾实所见与余同。久之，亦以违众难行止余。余犹欲发其端，乃奏：'河北五路及边方人，不谙声律，宜专治经史。'果格于众议。乃私择其有所祈向者，喻以宜取幼所熟《四书》语，反之于身，以验其然否。三分日力，以其一讨论《通鉴》中古事。每相见，必举古人处变而得机宜，遭危而必伸其志者，以警发之。"苏惇元《方望溪先生年谱》："先生馆课，不尚诗赋工丽，务觇人学识根柢；经刮目者，多克以名节自立，祁阳陈可斋相国（名大受，字占咸）其一也。"

八月

二十五日，吴城邀厉鹗、符曾、施安、王曾祥等泛湖。据《樊榭山房集》卷八《八月二十五日病起，吴敦复邀同宣城沈丈樗崖、符幼鲁、施竹田、王麐征、赵诚夫泛湖》。

九月

初九日，查礼招周焯、汪沆、万光泰、查为仁等集秋白斋赏菊。据查礼《铜鼓书堂遗稿》卷二《丁巳闰重九，招刘紫仙、王孝仙、吴中林、朱嵩仲、李仁山、周月东、余犀若、胡佩康、赵端人、汪西颢、施济清、万循初、心毅伯兄集秋白斋赏菊》。

黄叔琳晋山东布政司使。据顾镇《黄侍郎公年谱》。

沈德潜、黄若木游西洞庭。据《沈归愚自订年谱》。

全祖望出都，冬抵浙。便道过姚江孙忠襄公墓，拜而为之铭。据董秉纯《全谢山先生年谱》。

闰九月

初九日，黄子云自序《野鸿诗的》一卷。署"乾隆二年闰九月九日，巑村一老识于郡西寓楼"。（《野鸿诗的》卷首）

陆奎勋自粤归里。据《易外稿·闰重阳后四日抵家作》（《陆堂诗续集》卷六）。

厉鹗客扬州。据《樊榭山房集》卷八《闰九日客广陵，同金寿门、陈授衣、闵廉风、江宾谷集吴氏城东水槛》。

十月

初二日，冯协一卒，年七十七。据赵执信《台湾府知府冯君墓志铭》（《国朝文汇》甲集卷二八）。四库提要卷一八三：《友柏堂遗诗选》二卷，"国朝冯协一撰。协一字躬暨，益都人。大学士冯溥第三子也。以溥荫，官至台湾府知府。是集乃协一殁后，其子原检收遗稿，求正于其姻家赵执信。执信托目疾不省览，命门人常熟仲是保代删之，而执信为之序，是保跋焉。其诗虽未极工，亦非极恶。而执信序嘲诮百端，殊可怪讶，亦可云魏收惊蛱蝶矣。"

十二月

初三日，沈炳震卒，年五十九。据全祖望《沈东甫墓志铭》（《鲒埼亭集》卷一九）。《墓志铭》云："东甫笃志古学，穷年著书，其最精者，有《新旧唐书合钞》，共二百六十卷，折衷二史之异同而审定之。而莫善于《宰相世系表》之正讹、《方镇表》之补列拜罢、承袭诸节目，是皆予读《唐书》时有志为之而未能者。尝语东甫，可援王氏《汉书艺文志考证》之例孤行于世者也。《九经辨字》，则小学之膏粱也；《读史四谱》，则《三通》之羽翼也；其余尚有《唐诗金粉》等书，则亦骚人之鼓吹也；《增默斋集》，其古今体诗也：予皆尝受而读之，叹其不徒博而且精。然而一生志力，罢疲于考索之间，而古貌古心，不为时风众势之人所喜。其所著书，只堪自得，终不能一当于场屋之役。又不善问家人生产，年运而往，日以丧失，顾落落自如。"沈德潜《家贡士东甫传》："诗初学王右丞、柳仪曹，中年出入于东坡、山谷，后流衍于石湖、放翁。然营心编纂，不欲以韵语自鸣也。"（《归愚文钞余集》卷五）

[按，炳震有弟名炳巽，字绎旃，号权斋。著有《水经注集释订讹》、《权斋文稿》、《权斋笔记》、《续唐诗话》。事迹见《清史列传》赵昱传附、《清史稿》沈炳震传附。]

方苞复以老病请解侍郎任，诏许之；仍带原衔，食俸，教习庶吉士。据苏惇元《方望溪先生年谱》。

史震林自序《西青散记》四卷。署"乾隆二年十二月十二日梦中作"（《西青散记》卷首）。是书记作者雍正元年至乾隆元年间经历及见闻。卷首又有吴震生、曹学诗序，卷末有鳏叟（吴震生）跋。

冬

史震林、曹学诗出都。至广陵，晤吴震生等，留逾月。据史震林《华阳散稿》卷上《记与可村书》。

本年

尹会一迁河南巡抚。据方苞《尹元孚墓志铭》（《方苞集》卷一一）。

郑方城官新繁知县。据刘绍攽《郑先生方城传》（《碑传集》卷一〇三）。

颜肇维官礼部仪制司行人。据牛运震《协办礼部仪制司行人司行人颜公墓志铭》（《空山堂文集》卷七）。

岳钟琪赦归田里。据袁枚《威信公岳大将军传》（《小仓山房文集》卷六）。

沈德潜与马曰琯定交包山寺中。据沈德潜《沙河逸老小稿序》（《沙河逸老小稿》卷首）。

顾成天以老乞归。据袁枚《随园诗话》卷八。

崔纪抚秦，延史调为关中书院山长。据崔纪《墓志铭》（《史复斋文集》附录）。

袁枚流落长安，寓刑部郎中王琬家。据袁枚《随园诗话》卷二、《小仓山房诗集》卷五《乾隆丁巳余落魄长安，金陵人田古农见而奇之，哀其饥渴，沽酒为劳。未十年，余宰金陵，古农已为异物。求其子孙，以诗告墓》。又，本年尝寓沈廷芳家。《随园诗话》卷一四："沈椒园太史所居烂面胡同，接叶亭汤西崖少宰之故居也。丁巳，余主其家。记其《秋夜》云：'薄病闲身坐小厅，乡心三度见流萤。水云凉到庭前树，一夜秋声带雨听。'"

吴敬梓移居江城东之大中桥，未知何时，当在博学鸿词科之后，姑系于此。程晋芳《文木先生传》："乃移居江城东之大中桥，环堵萧然，拥故书数十册，日夕自娱。窘极，则以书易米。或冬日苦寒，无酒食，邀同好汪京门、樊圣□（谟）辈五六人，乘月出城南门，绕城堞行数十里，歌吟啸呼，相与应和，逮明，入水西门，各大笑散去，夜夜如是，谓之'暖足'。余族伯丽山先生与有姻连，时周之。方秋，霖潦三四日，族祖告诸子曰：'此日城中米奇贵，不知敏轩作何状。可持米三斗，钱二千，往视之。'至，则不食二日矣。然先生得钱，则饮酒歌呶，未尝为来日计。"（《勉行堂文集》卷六）

张文瑞以公事至济南。据《六湖先生遗集》卷首金以成序。文瑞卒于稍后数年。《六湖先生遗集》十二卷乾隆九年孝友堂刊行。四库提要卷一八五：《六湖遗集》十二卷，"国朝张文瑞撰。文瑞字云表，六湖其号也，萧山人。官青州府同知。其诗凡分十八集。其私印曰'少陵私淑'，又曰'五言长城'，自命颇高。所作则大抵以秀润为工也。"

陶成《吾庐先生遗书·日程四》编年讫本年。四库提要卷一八四：《吾庐遗书》无卷数，"国朝陶成撰。成有《皇极数钞》，已著录。是集为其子其懔所编，皆所作杂文。颇纯正有轨度，而稍狭于波澜。其中《象纬考》一篇，有录无书。意传写佚之，或于订定时删去，而误留其目也。"《贩书偶记续编》卷一一：《吾庐遗书》十卷，"清南城陶成撰。底稿本，即《四书讲习录》六卷、《日程》四卷，首有乾隆乙亥海宁陈世倌、雷鋐二序。"《晚晴簃诗汇》卷五八录陶成诗一首。

王孝咏自序《岭西杂录》。四库提要卷一二九：《岭西杂录》二卷，"国朝王孝咏撰。孝咏字慧音，吴县人。自序题'强圉大荒落之岁'，当为乾隆二年丁巳。其时《旧唐书》犹未刊刻颁行，故孝咏有重刊之议也。是书乃孝咏客游广西时作，其中颇纪粤事。而所考证议论，无关于粤者甚多。盖以成于岭西而名，非记其风土也。孝咏犹及与朱彝尊等游，故耳目濡染，所言往往有根柢。其中如评李贽、屠隆、祝允明，皆极确当。其论徐炯注李商隐文集，程婴、公孙杵臼事，未详左氏记赵武事与《史记》全殊，失之不考。其欲以《山海经》、《老子》、《庄子》、《楚词》、《水经》为十三经羽翼，则文人好异之谈，又堕明人习气矣。"［按，据四库提要卷一二九"《后海堂杂录》"条，乾隆甲申王孝咏年已七十五，则其生于康熙二十九年（1690），而朱彝尊卒于康熙四十八年（1709），则孝咏与朱彝尊游在二十岁之前］

盛熙祚编《棣华乐府》刊行。凡盛枫《梨雨选声》二卷，盛禾《稼村填词》二卷，盛本枏《滴露堂小品》二卷。据《中国丛书综录》。

胡宗绪《环隅集》九卷万卷楼刊行。凡赋一卷，诗四卷，古文四卷。宗绪著书凡四十余种，计百数十卷，多未梓行。据《贩书偶记》卷一五。宗绪字袭参，桐城人。康熙末，以举人荐充明史馆纂修。雍正八年成进士，授编修，迁国子监司业。《清史稿》刘大櫆传："桐城自方苞为古文之学，同时有戴名世、胡宗绪。名世被祸，宗绪博学，名不甚显。"刘大櫆传附："（宗绪）自经史以逮律历、兵刑、六书、九章、礼仪、音律之类，莫不研穷。""自为诗文曰《环隅集》，古藻过大櫆。"《国朝文汇》甲集卷五八录其《顾嗣宗楚游诗序》等文六篇。

江炳炎《琢春词》二卷刊行。据《贩书偶记》卷二〇。炳炎字研南，著有《琢春词》、《冷红词》。冯金伯《词苑萃编》卷八《江研南词》引陈玉几云："江研南《琢春词》，艳艳如月，亭亭若云，萧然遇之，清风入林。程物赋形，而无遗声焉。至于审音之妙，钥合尺围，靡间丝髪，昔人所称神解者非耶。"陈廷焯《白雨斋词话》卷四："江研南词取法南宋，颇有一二神解处。南芗所得在貌，研南所得在神，吾终不以貌易神也。""研南词如'只有东风，依依分绿上杨柳'，又《柳影》云：'误了闺人，也曾描出春前怨。'宛雅幽怨，视少游、碧山，几于化矣。《琢春词》在国朝不甚显，然识者当相赏于风尘外也。""研南学南宋，合者得其神理；宾谷学南宋，合者得其意趣：

皆出陆南芗之右，而皆未能深厚。”

张太复《秋坪新语》十二卷刊行。据《中国古代小说总目》文言卷。太复初名景运，字静旃，号春岩、秋坪，南皮人。乾隆四十二年拔贡。官浙江太平知县，改迁安教谕。另有《因树山房诗钞》。《晚晴簃诗汇》卷一〇〇录其诗二首。

谢启昆（1737—1802）生。启昆字蕴山，号苏潭，南康人。乾隆二十六年进士，选庶吉士，散馆授编修。历官国史馆纂修官，日讲起居注官，镇江、扬州知府，浙江按察使，山西、浙江布政使，广西巡抚，卒于官。著有《西魏书》二十四卷、《树经堂诗初集》十五卷《续集》八卷、《文集》四卷。事迹见姚鼐《广西巡抚谢公墓志铭并序》（《惜抱轩文后集》卷七）、李斗《扬州画舫录》卷一、《清史列传》本传、《清史稿》本传。

孙志祖（1737—1801）生。志祖字诒毂、颐谷，号约斋，仁和人。乾隆三十一年进士，改刑部主事，洊升郎中，擢江南道监察御史，乞养归。著有《读书脞录》七卷、《家语疏证》六卷、《文选考异》四卷、《文选注补正》四卷、《文选理学权舆补》一卷。事迹见孙星衍《清故江南道监察御史孙君志祖传》（《平津馆阁文稿》卷下）、阮元《孙颐谷侍御史传》（《揅经室二集》卷五）、《清史列传》卢文弨传附、《清史稿》本传。

范来宗（1737—1817）生。来宗字翰尊，号芝岩，吴县人。乾隆四十年进士，改庶吉士，授编修。校书武英殿，纂修国史。五十四年告归，不复出。著有《洽园诗稿》二十二卷。事迹见张慧剑《明清江苏文人年表》。

冯培（1737—1808）生。培字仁寓、玉圃，号实庵，仁和人。乾隆三十七年由举人考取中正榜，官内阁中书。四十三年成进士，由庶吉士改官吏部，先后在军机行走二十余年。致仕后掌教苏州紫阳书院。著有《鹤半巢诗存》十卷。事迹见胡玉缙《许庼经籍题跋》卷四。[生卒年据江庆柏《清代人物生卒年表》]

金曰追（1737—1780）生。曰追字对扬，号璞园，嘉定人。贡生。著有《仪礼经注疏正讹》十七卷。事迹见《清史稿》王鸣盛传附。

蒋深卒，年七十。据《疑年录汇编》卷一〇。《国朝诗别裁集》卷二五：“绣谷以纂修《书画谱》得官，居官有政声。诗亦时露警句，名场中交重之。”录其《蝇》等诗五首。《国朝文汇》甲集卷五四录其《重修余庆县学宫碑记》、《改复岩门构皮官渡碑记》文两篇。

王奕清卒，年七十三。据王昶《王掞传》（《春融堂集》卷六四）。

徐用锡卒，年八十一。据《圭美堂集》卷末徐铎识语、卷首雷鋐序。四库提要卷一八四：《圭美堂集》二十六卷，“国朝徐用锡撰。用锡字昼堂，宿迁人。康熙己丑进士。官翰林院编修。是集诗十卷，文十六卷，乃其族子铎及门人周毓仑所校刊。用锡从学于李光地，作文以朴澹为长。平生书法颇工，集中《字学札记》二卷，皆自道其心得。其它题跋，亦辨论法帖手迹者居多。”[按，徐用锡官至侍读，非止编修] 是书乾隆十五年刊行。《国朝诗别裁集》卷二二录其《得何义门太史凶信》、《关峡早行》诗二首。《晚晴簃诗汇》卷五八录其诗一首。《国朝文汇》甲集卷四四录其《看山楼记》等文三篇。

公元 1738 年（乾隆三年　戊午）

二月

二十二日，管世铭（1738—1798）**生。**世铭字缄若，号韫山，武进人。乾隆三十九年举人。四十三年成进士，授户部主事。累迁郎中，充军机章京，擢御史。以制义名。著有《韫山堂文集》八卷、《诗集》十六卷，辑有《读雪山房唐诗》三十四卷。事迹见陆继辂《掌广西道监察御史管君墓表》（《崇百药斋文集》卷一八）、《清史列传》钱沣传附、《清史稿》洪亮吉传附。[按，生日据朱彭寿《清代人物大事纪年》]

允礼卒，年四十二。据《皇朝文献通考》卷二四六。法式善《八旗诗话》二："王诗理清赡，寄托遥深，间事镌削，未伤风骨。"《晚晴簃诗汇》卷五录其诗十二首。

三月

高其倬擢工部尚书，寻调户部。据《钦定八旗通志》卷一九二。

陈祖范应黄叔琳之邀，游济南。据《司业诗集》卷三《丹阳舟次二首》自注。

王心敬卒，年八十三。据刘青芝《王征君心敬传》（《碑传集》卷一二九）、朱彭寿《清代人物大事纪年》。所著《丰川易说》十卷四库全书收录，《尚书质疑》八卷、《丰川诗说》二十卷、《礼记汇编》八卷、《四礼宁俭编》无卷数、《春秋原经》二卷、《江汉书院讲义》十卷（乃其子王功所录存）、《关学编》五卷、《丰川全集》二十八卷、《丰川续集》三十四卷，四库存目著录。四库提要卷一八五：《丰川续集》三十四卷，"国朝王心敬撰。据其子勋凡例称，心敬康熙丙申刻有正、续集二十八卷，是已有正、续两集矣。又称自丙申至乾隆戊午，与当代大人君子相酬答，及与门人子弟讲说论辨者，视前刻倍多，今裒成三十四卷。是此本又出续集后矣。然其二十八卷之本，实不分正集、续集之目，未喻何说。故此本仍刊版之名，以《丰川续集》著录焉。"《国朝文汇》甲集卷五六录其《太白山人雪木李先生墓碣》文一篇。《晚晴簃诗汇》卷七八录其诗三首。

四月

既望，黄叔琳序赵执端《宝菌阁遗诗》。署"乾隆三年岁次戊午清和月既望，北平黄叔琳拜手书"。（《宝菌阁遗诗》卷首）四库提要卷一八三：《宝菌堂遗诗》，"国朝赵执端撰。执端号缓庵，益都人。雍正中分益都置博山，赵氏所居割隶焉，故此本追题为博山人。执端于赵执信为从弟，而于王士禛为甥。执信、士禛以争名构衅，著书互诋，两家诉争如水火。执端犹舍执信而从士禛。其诗句拟字摹，亦颇得其一体。集中有《过士禛旧居》诗曰：'突兀龙门群仰望，飘零宅相独徘徊。依然万壑朝宗在，不禁蚍蜉撼树来。'盖为执信《谈龙录》发也。执信《谈龙录》负气指摘，或不免失之太过，而所言不尽无理。执端直以群儿谤伤诋之，是其门户之见，尚未湔明季余习矣。"《晚晴簃诗汇》卷五〇录其诗二首。

蒋诵先、沈德潜等二十三人集复园，叶芳林作图。越十余年王峻为之记，沈德潜、袁枚皆一再题诗题跋。据叶廷琯《鸥陂渔话》卷三《复园嘉会图》。

五月

初七日，吴省兰（1738—1810）生。省兰字泉之，南汇人，省钦弟。乾隆二十七年举人。四十三年会试报罢，特准与殿试，列二甲进士。官至礼部、工部侍郎。著有《听彝堂偶存稿》二十一卷。事迹见《清史列传》吴省钦传附。[生日据朱彭寿《清代人物大事纪年》]

六月

初四日，姚孔锏卒，年四十五。据姚孔锏《三弟梁贡行实》（《华林庄诗集》卷首）。四库提要卷一八四：《华林庄诗集》四卷，"国朝姚孔锏撰。孔锏字梁贡，号于巢，桐城人。康熙中诸生。其诗七言绝句工于写景，如'垂杨枝上莺捎蝶，撼得飞花破水痕'之类，亦殊有晚唐风味。所谓香车金犊，陌上留连者也。至'黄云白雪门前路，荞麦田中作菜花'之类，则刻画太甚，无情景交融之致矣。"

田嘉毅序朱樟《冬秀亭集》。序云："《冬秀亭集》，钱塘鹿田朱公守泽州所作之诗也。"署"乾隆三年岁次戊午律中林钟之月，治下阳城田嘉毅树滋氏顿首拜序"。（《观树堂诗集·冬秀亭集》卷首）

七月

门人仲是保序赵执信《声调谱》。据蒋寅《清诗话考》下编一。四库提要卷一九六：《声调谱》一卷，"国朝赵执信撰。……执信尝问声调于王士禛，士禛靳不肯言。执信乃发唐人诸集，排比钩稽，竟得其法，因著为此书。其例古体诗五言重第三字，七言重第五字，而以上下二字消息之。大抵以三平为正格。其四平切脚如李商隐之'咏神圣功书之碑'，两平切脚如苏轼之'白鱼紫蟹不论钱'者，谓之落调。柏梁体及四句转韵之体则不在此限焉。律诗以本句平仄相救为单拗。出句如杜甫之'清新庾开府'，对句如王维之'暮禽相与还'是也。两句平仄相救为双拗。如许浑之'溪云初起日沉阁，山雨欲来风满楼'是也。其它变例数条，皆本此而推之。而起句结句不相对偶者则不在此限焉。其说颇为精密。惟所列李贺《十二月》乐府所标平仄不可解。卷末附以《古韵通转》，其说尤谬。或曰《古韵》一篇，乃其门人所妄增也。"

八月

顾栋高为唐英编订《陶人心语》。是书正续凡十九卷，本年以后诗文当是随时赓续编入。据郭葆昌《唐俊公先生陶务纪年表》。[按，张慧剑《明清江苏文人年表》谓此事在雍正四年（1726）]

九月

二十六日，符之恒卒，年三十三。据王曾祥《符南竹权厝志铭》（《静便斋集》卷九）。《厝志铭》云："文虽不多作，词意简远，有魏晋风概。诗尤清峭，脱弃凡近，能自抒其所得。"杭世骏《符南竹传》："体素清羸，疾疢间作，诗益刻峭峻厉，浸淫于中州、河汾暨江湖诸老间。"（《道古堂文集》卷三四）厉鹗《秋声馆吟稿序》："其为诗澄汰众虑，清思眑冥，松寒水洁，不可近睨。至琴言酒坐，送别登楼，则往往绵密周环，情不与辞俱尽。使其克永天年，驱使豪族，殆未可量，而惜乎其仅此也。"（《樊榭山房文集》卷三）查为仁《莲坡诗话》："《秋声馆吟稿》，仁和符圣几之恒遗诗也。圣几为余友药林从侄，学诗于厉征士樊榭，具有宗旨。年三十三夭。""尤工五言，如'烛光来树背，人语到堂襟'、'草长桥西路，茭枯水上田'、'花寒斜更敛，香润断微生'、'鸥寒依苇立，山静见烟生'、'小桥连野水，虚室贮秋寒'、'寒烟栖木末，活水啮城根'等句，绝似咸平处士。"《晚晴簃诗汇》卷九七录其诗二首。《秋声馆吟稿》一卷乾隆四年刊行，民国甲子重刊。据《贩书偶记续编》卷一五。

牛运震赴秦安知县任。据《空山堂文集》卷五《筮仕秦安纪程》。

秋

乡试。是科各省考官有孙嘉淦、于振、赵青藜、金德瑛、张映辰、董邦达、张湄等。据法式善《清秘述闻》卷五。所取举人有阿桂（那彦成等《阿文成公年谱》）、沈德潜（《沈归愚自订年谱》，至是共踏省门十七回矣）、袁枚（方濬师《随园先生年谱》）、卢文弨（段玉裁《翰林院侍读学士卢公墓志铭》）、庄纶渭（梁同书《皇清敕授文林郎例授奉直大夫历任浙江武康上虞定海县知县推升甘肃宁州知州苇塘庄先生行状》）、苏珥（《国朝文汇》乙集卷八）、祝维诰（《清史列传》张庚传附）、包彬（《国朝诗别裁集》卷二九）、张九键（张家栻《陶园年谱》）等。胡天游中顺天副榜，考授州同衔。据胡元琢《先考稚威府君年谱纪略》。

十月

厉鹗、闵华、江昱、陈章等游红桥。据《樊榭山房集》卷一〇《湘月·扬州胜处惟红桥为最，春秋佳日，苦为游氛所杂。俗以大舟载酒，穹篷而六柱，旁翼阑槛，如亭榭然。每数艘并集，或衔尾以进，则烟水之趣希矣。戊午十月十七日，风日清美，煦然如春。廉风、黄亭、宾谷、莳田招予与授衣、于湘唤舟，出镇淮门，历诸家园馆，小泊红桥，延缘至法海寺，极芦湾尽处而止。萧寥无人，谈饮间作，亦一时之乐也。悬灯归棹，吟兴各不能已，相约赋〈念奴娇离指声〉一阕，而属予序之》。

高其倬卒于宝应舟次，年六十三。据《钦定八旗通志》卷一九二、杨锺羲《雪桥诗话》卷三、袁枚《户部尚书两江总督高文良公神道碑》（《小仓山房文集》卷二）。《钦定八旗通志》卷一二〇：《味和堂诗集》六卷，"是编卷一名《白蘋红杏集》，为诗一百二首；卷二名《懒后忧余集》，为诗一百一首；卷三名《滦阳消夏集》，为诗六十二首；卷四名《塞上集》，为诗五十九首；卷五诗一百二十四首，卷六诗一百十四首，则并为《知非集》云。《白蘋红杏集》者，其自序谓少年作诗，未尝存稿，存稿始于《万柳塘篇》，有'白蘋风细鱼蒲长，红杏花深燕子飞'之句，为友人所赏，适居卷首，遂以名其集也。《懒后忧余集》者，其自序谓生平吟咏，多缘友朋，自旧游云谢，懒不作诗，丁外艰三年，又无诗可作，通括前后，篇什寥寥，故名集云云。其《滦阳消夏集》，则乙未岁扈跸山庄，起四月迄十月之作也。《塞上集》，则丙申秋随恒邸于热河，起七月迄九月之作，盖其倬隶属恒王旗下故也。其《知非集》二卷，殆扬历封疆时所作。以上五集，皆其倬卒后子恪等为之校刻，合而题曰《味和堂诗集》云。"《国朝诗别裁集》卷一八："文良馆选后，乞假读书数年，然后就职。生平学术政治，俱有根本。所为诗其言有物，匪求于（队）［对］仗声律之末也。古体尤卓然，而外间所称，转在近体。"录其《行役晓发》等诗十二首。袁枚《高文良公味和堂诗序》："居我朝显位而以诗圣者，其惟大司农高文良公乎？所为《味和堂集》，思沉彩鲜，声与律应，谓之唐不可，不谓之唐又不可。其真能润色休明，轶新城而上者矣。然而公诗之工，未有所闻于人间者，则因公之高爵盛业，有以掩之也。"（《小仓山房文集》卷一〇）《随园诗话》卷四："余于古人之诗，无所不爱，恰无偏嗜者；于今人之诗，亦无所不爱，恰于高文良公《味和堂集》、黄莘田先生《香草斋集》有偏嗜焉。岂亦性之所近耶？"卷一四："本朝高文良公，诗为勋业所掩，不知一代作手，直驾新城而上。如《值夜》云：'一蓦新寒雨后生，宫槐黄叶下重城。意中故国偏无梦，风里银河似有声。万马夜嘶秋待猎，一封宵奏远论兵。杞人孤坐听残角，落月光中太白明。'其他佳句，雄壮则：'宴罢白沉千帐月，猎回红上六街灯。''自在骑牛今竖子，苦辛逐鹿昔英雄。'奇警则：'风铎闲同山魅语，鬼灯红出寺门游。''万点城乌惊曙鼓，一炉村酒闪风灯。'绵丽则：'白蘋风细鱼苗长，红杏花深燕子低。''老树无花三月半，旧游如梦六年余。'委婉则：'白月无声秋漏永，红灯有影夜楼深。''天涯日日思归日，觉有归期日倍长。'淡宕则：'长河暂伏潜仍出，高岭遥看到恰平。''才穿云过扪衣润，欲觅诗行任马迟。'至于'东南生意偕谁计，数仰江云掉白头'，则又大臣报国忧民，深情若揭矣。"朱庭珍《筱园诗话》卷二："高文良公《味和堂集》，袁枚极推崇之，谓一代作手，直驾新城而上，人多疑其妄许。予观公集中，律诗皆有唐音，能切而不浮，清而不薄，造诣颇深。五古尤高，《蓟州新城》、《碧云寺》诸大篇，洋洋洒洒，真挚古厚，卓然可传。合而论之：五古则胜阮亭，七古则不及阮亭，律诗在伯仲间，只可随阮亭肩行。谓胜宋牧仲、田山薑、汤西崖、陈其年诸家一筹，则诚然；谓胜阮亭，则阿好也。当与阮亭、赵秋谷、陈泽州先后并驱中原，为北方诗家四杰耳。"杨锺羲《雪桥诗话》卷三："世但称其和雅之作，此等诗［俊按，指《南天门》、《古北口》］尤为实大声宏，上追韩、杜。"《晚晴簃诗汇》卷五四录其诗十八首。

十一月

十八日，尹壮图（1738—1808）**生。**壮图字楚珍，昆明人。乾隆三十一年进士，改庶吉士。散馆，授礼部主事。官至内阁学士兼礼部侍郎。以事降礼部主事，遂乞归。

事迹见其自订、子佩环等补订《楚珍自记年谱》、《清史列传》本传、《清史稿》本传。

十二月

朔日，邹山作《乐余园百一偶存集》发凡，时年九十四岁。 据江庆柏《清代人物生卒年表》。［按，谢巍《中国历代人物年谱考录》谓其本年卒］《乐余园百一偶存集》三十二卷附《双星图》二卷本年刊行。据《贩书偶记续编》卷一五。《双星图》二卷三十出，演牛郎、织女故事，与民间传说不同。据庄一拂《古典戏曲存目汇考》卷一一。

十七日，嵇曾筠卒，年六十九。 据张廷玉《光禄大夫太子太傅文华殿大学士兼吏部尚书加赠少保谥文敏嵇公墓志铭》（《澄怀园文存》卷一二）。《国朝诗别裁集》卷二二录其《五台山》诗三首。《晚晴簃诗汇》卷五七录其诗十一首。

二十日，余集（1739—1823）生。 集字蓉裳，号秋室，钱塘人。乾隆三十一年进士，候选知县。三十八年入四库馆，授编修。官至侍读学士。致仕后主大梁书院八年。工画士女，时称曰"余美人"。著有《秋室学古录》、《梁园归棹录》、《忆漫庵剩稿》。事迹见《秋室居士自撰志铭》（《秋室学古录》卷六）、俞蛟《余秋室传》（《梦厂杂著》卷七）、《清史列传》本传、《清史稿》陈洪绶传附。

冬

方苞过遵化州，访鹰青山人李锴，未遇。 据苏惇元《方望溪先生年谱》。

本年

禁淫词小说。 《钦定大清会典则例》卷二〇《文禁》："严禁淫辞。乾隆三年议准：坊肆内一应小说淫辞，严行禁绝，将版与书一并尽营销毁。如有违禁造作刻印者，系官革职，买者系官罚俸一年，若该管官员不行察出，一次者罚俸六月，二次者罚俸一年，三次者降一级调用，仍不准藉端出首讹诈。"

王鸣盛补诸生，时年十七岁。 据江藩《国朝汉学师承记》卷三。

纪昀从董邦达受业，时年十五岁。 纪昀《书陆青来中丞家书后》："乾隆戊午，余与陈光禄枫厓读书董文恪公家。继而至者，为窦总宪元调、刘侍郎补山、蔡殿撰季实、刘观察西野、李进士应弦及陆中丞青来。课诵之暇，辄杂坐斯与堂东厢，以文艺相质正。""余少好嘲弄，往往戏侮青来。青来不为忤，尝私语季沧州曰：'晓岚易喜易怒，其浅处在此，其真处亦在此也。'余闻之，有知己之感，故与青来尤相善。"（《纪晓岚文集》第一册卷一一）

袁枚馆嵇璜家，教其子承谦。 据袁枚《随园诗话》卷三、方濬师《随园先生年谱》。

全祖望家居。 董秉纯《全谢山先生年谱》："先生既归，侍庭闱有间，益广修枌社掌故并桑海遗闻，著作日富。重登天一阁，搜括金石旧揭，编为《天一阁碑目》，又为之《记》。又抄黄南山《仪礼戴记附注》四卷、王端毅公《石渠意见》，皆阁中秘本，世所仅见者。"

雷铉充日讲起居注官。据彭启丰《通奉大夫都察院左副都御史加二级雷公墓志铭》（《芝庭先生集》卷一三）

唐英奉命总理景德镇御窑厂陶务。据郭葆昌《唐俊公先生陶务纪年表》。

陈履平迁通政司右通政。据张庚《通政司右通政陈公勉夫墓志铭》（《强恕斋文钞》卷三）。

程穆衡任山西榆社县知县。据张慧剑《明清江苏文人年表》。

谢济世以母老乞外补，特授湖南粮储道。据谢庭瑜《诰授奉政大夫掌山东道监察御史湖南盐驿长宝道按察司副使谢公济世小传》（《碑传集》卷八三）、《清史稿》本传。

蒋蘅官英山县学博。初，蘅以恩贡除英山县学博，以写经未赴任，至是始就任，凡十二年矣。据余集《蒋湘帆先生传》（《秋室学古录》卷五）。

《御选唐宋文醇》五十八卷成书。据四库提要卷一九〇。

吴铭道《古雪山民诗后》八卷为康熙五十五年至本年诗。据邓之诚《清诗纪事初编》卷一。铭道时年六十八，此后事迹未详。《国朝文汇》甲集卷五七录其《李师承诗序》等文十一篇。《晚晴簃诗汇》卷五一录其诗二十五首。

戴瀚辑太湖西洞庭山纪游诗为《探梅集》。缪曰藻、缪曰苣序之。据张慧剑《明清江苏文人年表》。

全祖望为韩江马氏兄弟作《丛书楼记》。据《鲒埼亭集》卷三二《丛书楼书目序》。

胡天游在京师闻知康熙间烈女李三事，作《烈女李三行》五古。自序云："岁戊午，予居长安始闻，感当世无能文章扬洗昭暴之，使家说户唱，相为劝勉，乃撰述其事，歌而系之。"袁枚《随园诗话补遗》卷七："山阴胡稚威天游旷代奇才，丙辰同举鸿博，终身纡郁而亡。余初抄其骈体文三十篇，为杨蓉裳纂取去。乃于别处搜得《烈女李三行》一篇，初嫌太长，难入《诗话》。然一序一诗，俱古妙，不忍听其炀没，今刻续集，不妨载之。"

黄图珌《雷峰塔》传奇成书。黄图珌《自引（观演雷峰塔传奇一题）》云："余作《雷峰塔》传奇凡三十二出，自《慈音》至《塔圆》乃已。方脱稿，伶人即坚请以搬演之。遂有好事者，续'白娘生子得第'一节。落戏场之窠臼，悦观听之耳目，盛行吴、越，直达燕、赵。嗟乎！戏场非状元不团圆，世之常情，偶一效而为之，我亦未能免俗。独于此剧不可者维何？白娘，妖蛇也，而入衣冠之列，将置己身于何地邪？我谓观者必掩鼻而避其芜秽之气。不期一时酒社歌坛，缠头增价，实有所不可解也。昔关汉卿续《西厢记·草桥惊梦》后之诸剧，以为狗尾续貂；余虽未敢以王实甫自居，在续《雷峰塔》者，犹东村捧心，不知自形其丑也。然姑苏仍有照原本演习，无一字点窜者，惜乎与世稍有未合，谓无状元团圆故耳。"又，《自引（伶人请新制《栖云石》传奇行世一阕）》云："《雷峰》一编，不无妄诞。余借前人之齿吻，发而成声，于看山之暇，饮酒之余，紫箫红笛，以娱目赏心而已。一时脍炙人口，轰传吴、越间。

好事者粗知音律，窃弄宫商，以致错乱甲乙，颠倒是非，使闻者生嗟，见者欲呕，为千古名胜之雷峰，一旦低眉削色，致声价顿减也。"（《中国古典戏曲序跋汇编》卷一三）[按，所谓好事者，即指陈嘉言父女之改本，增益《产子》、《祭塔》诸出。据庄一拂《古典戏曲存目汇考》卷一二]

沈德潜撰、厉鹗评《归愚文续》十二卷附《说诗晬语》二卷刊行。据《贩书偶记续编》卷一五。

史震林《西青散记》四卷刊行。又，《重订西青散记》八卷嘉庆乙丑醉墨楼刊行。据《贩书偶记》卷一二。

章学诚（1738—1801）生。学诚字实斋，号少岩，会稽人。乾隆四十三年进士。官国子监典籍。先后游朱筠、毕沅幕，主定州定武、肥乡清漳、永平敬胜、保定莲池书院。主修和州、亳州、永清诸志，著有《文史通义》、《校雠通义》、《实斋文集》。事迹见汤纪尚《越耆旧传·章学诚》、沈元泰《章学诚传》、谭献《文林郎国子监典籍会稽实斋章公传》（《碑传集补》卷四七）、胡适《章实斋年谱》、《清史列传》本传、《清史稿》本传。

丁杰（1738—1807）生。丁杰原名锦鸿，字升衢，号小山、小疋（一作小雅），归安人。乾隆四十六年进士。官宁波府学教授。著有《大戴礼记绎》、《周易郑注后定》、《小酉山房文集》等。事迹见汪喜孙《丁教授杰家传》（《尚友记》卷一）、翁方纲《丁小疋传》（《复初斋文集》卷一三）、许宗彦《丁教授传》（《鉴止水斋集》卷一七）、《清史列传》本传、《清史稿》本传。

任大椿（1738—1789）生。大椿字幼植、子田，兴化人。乾隆二十七年举人。三十四年进士。历官礼部主事、转郎中、陕西道监察御史，充四库馆纂修官。著有《弁服释例》八卷、《深衣释例》三卷、《吴越备史注》二十卷、《字林考逸》八卷、《小学钩沉》二十卷、《子田诗集》六卷。事迹见章学诚《任君大椿别传》、施朝幹《任幼植墓表》（《碑传集》卷五六）、姚鼐《陕西道监察御史兴化任君墓志铭》（《惜抱轩文集》卷一三）、汪喜孙《任御史大椿家传》（《尚友记》卷一）、江藩《国朝汉学师承记》卷六、《清史列传》本传。

刘玉麟（1738—1797）生。玉麟（一作玉麐）字又徐，号定香、春浦、甓斋，宝应人。拔贡生。尝游京师，获闻戴震、程瑶田诸老绪论，始从事小学。又就正于其乡通儒刘台拱，所学日以进。中岁侨居江都，与汪中常相往来。久之，以州判需次广西。嘉庆初，值峒苗之变，殁于军。著有《鄂渚小稿》、《濠上吟》、《北征小藁》、《南归集》、《邗江小稿》。事迹见汪喜孙《书刘先生玉麟逸事》（《汪孟慈集》卷四）、《清史列传》刘台拱传附。[按，乾隆丙辰科征士亦有一刘玉麟（一作玉麐），又名刘藻，菏泽人]

高文照（1738—1776）生。文照字润中，号东井，武康人。早擅诗名，与黄景仁同入朱筠幕，称二才子。乾隆三十九年举人。著有《阒清山房诗稿》。另有《韵海》八十余卷及其他著述，殁后为族人子散尽。事迹见《国朝诗人征略》初编卷四三。

钱伯坰（1738—1812）生。伯坰字鲁思（一作鲁斯），自号仆射山人，阳湖人，维城从子。少孤，力学，工诗嗜酒，广交游，以国子监生终。著有《仆射山庄诗集》。事迹见恽敬《国子监生钱君墓志铭》(《大云山房文稿二集》卷四)、吴德旋《初月楼闻见录》卷七、《清史稿》邓石如传附。

李怀民(1738—1793)生。怀民名宪暟,以字行,号石桐,高密人。诸生。与两弟宪暠、宪乔相师友,以诗鸣,时称"三李"。著有《石桐诗钞》十六卷。事迹见王宁焯《石桐先生墓志铭》(《中华大典·明清文学分典》)、《清史列传》本传。

冯金伯(1738—1808 后)生。金伯字冶亭,号墨香、南岑,南汇人。嘉庆贡生,选用句容训导。著有《墨香居诗钞》十二卷、《墨香居画识》八卷,辑有《海曲诗钞》十六卷、《二集》六卷、《词苑萃编》二十四卷、《国朝画识》十七卷。事迹见张慧剑《明清江苏文人年表》。

高鹗(约 1738—约 1815)约本年生。鹗字兰墅,别号红楼外史,汉军镶黄旗人。乾隆六十年进士。历官内阁中书、内阁侍读、江南道监察御史、刑科给事中。著有《高兰墅集》。以补续曹雪芹《红楼梦》而闻名。事迹见《红楼梦资料汇编·作者编》附。[按,高鹗生卒年,说法多歧,参见张书才《高鹗生卒年考实》(《文献》1989 年第 4 期)及江庆柏《清代人物生卒年表》。此姑据一说]

马朴臣卒,年五十六。郑方坤《马朴臣小传》:"乾隆元年征天下鸿博士诣京师,大臣有荐之者,御试复不遇。不两年以病卒京邸。"(《碑传集》卷六〇)沈德潜等《国朝诗别裁集》卷二七:"相如以友朋为性命,有过从者,必酌以酒,明日断炊,弗顾也。殁于京师,几无以为殓,闻鬻马于市,始得盖棺。友人作《鬻马行》以吊之。"录其《渔》等诗三首。杨锺羲《雪桥诗话》卷五:"桐城马朴臣相如与方贞观履安林谷同声,襟情交契。南堂寄怀句云:'自入秋来常中酒,一从君去断吟诗。'其交情可见也。南堂曾隶旗籍,雍正元年放还。相如少即工诗,寓扬州天宁寺有句云:'客到几人曾跨鹤,我来三月不闻莺。'乾隆丁卯卒于京师。其弟苏臣湘灵属陶篁村索遗稿于沈平山,篁村题云:'山阳人去笛声秋,断纸零缣小宋收。七字凄凉三月客,不闻莺语住扬州。'其子腾元刻于甲戌。"[按,《雪桥诗话》所云卒年与郑方坤《小传》相左,此从小传]《晚晴簃诗汇》卷六八录其诗十九首。

长兴王豫卒,年四十一。据全祖望《王立甫圹志铭》及严元照注(《鲒埼亭集》卷二〇)。《圹志铭》云:"古文初学柳州,继而归于半山。诗则醇乎唐音也。"《孔堂初集》二卷、《孔堂私学》二卷、《孔堂文集》一卷乾隆四年刊行,一名《王立父遗文》。据《贩书偶记》卷一五。《国朝文汇》乙集卷八录其《街亭之败论》等文四篇。《晚晴簃诗汇》卷七〇录其诗一首。

公元 1739 年(乾隆四年 己未)

正月

初二日,孔继涵(1739—1784)生。继涵字体生、甫孟,号荭谷,曲阜人。乾隆二十五年举人,三十六年进士。官户部主事,兼理军需局事。深于《三礼》,校刊《微波榭丛书》。著有《杂体文稿》七卷、《红榈书屋诗集》四卷、《砏冰词》三卷。事迹见翁方纲《皇清诰授朝议大夫户部河南司主事孔君墓志铭》(《复初斋文集》卷一四)、江藩《国朝汉学师承记》卷六、《清史列传》孔广森传附。

二月

会试。考官：内阁大学士赵国麟、户部侍郎留保、吏部尚书甘汝来、兵部侍郎凌如焕。题"生而知之"二句，"舜好问而"四句，"君子所性"二句。据法式善《清秘述闻》卷五。

诏重刊《十三经》、《廿二史》。苏惇元《方望溪先生年谱》："春二月，诏重刊《十三经》、《廿二史》。先生充经史馆总裁，乃疏请勑内府、内阁藏书处遍检旧本，谕王大臣及在京各官家藏旧本，并勑江南、浙江、江西、湖广、福建五省督、抚购送旧本，详校改正。又前侍讲学士何焯曾博访宋版，正前、后《汉书》、《三国志》遗讹。请勑就其家索原书，照式改注别本，其原本给还。从之。"

三月

厉鹗编定《樊榭山房集》十卷，序而刊之。自序云："仆少好篇咏，晚颇知难。三十年以来，所作随手弃斥，存箧中者仅十之二三。暇日编次，古今体诗为八卷，长短句二卷。"署"乾隆四年三月朔，钱唐厉鹗自序"。（《樊榭山房集》卷首）

春

惠士奇以病告归，时年六十九岁。据钱大昕《惠先生士奇传》（《潜研堂文集》卷三八）。

四月

《钦定四书文》告成。方苞于初三日上《进四书文选表》云："臣敬遵明旨，别裁伪体，校录有明制义四百八十六篇，国朝制义二百九十七篇，缮写成帙，并论次条例，恭呈御览。"（《方苞集集外文》卷二）四库提要卷一九〇：《钦定四书文》四十一卷，"乾隆元年，内阁学士方苞奉勑编明文，凡四集：曰化治文，曰正嘉文，曰隆万文，曰启祯文，而国朝文别为一集。每篇皆抉其精要，评骘于后。卷首恭载谕旨。次为苞奏折。又次为凡例八则，亦苞所述，以发明持择之指。盖经义始于宋，《宋文鉴》中所载张才叔《自靖人自献于先王》一篇，即当时程试之作也。元延祐中，兼以经义、经疑试士。明洪武初，定科举法，亦兼用经疑。后乃专用经义，其大旨以阐发理道为宗。厥后其法日密，其体日变，其弊亦遂日生。有明二百余年，自洪、永以迄化、治，风气初开，文多简朴。逮于正、嘉，号为极盛。隆、万以机法为贵，渐趋佻巧。至于启、祯，警辟奇杰之气日胜，而驳杂不醇。猖狂自恣者，亦遂错出于其间。于是启横议之风，长倾波之习。文体蠱而士习弥坏，士习坏而国运亦随之矣。我国家景运聿新，乃反而归于正轨。列圣相承，又皆谆谆以士习文风勤颁诰诫。我皇上复申明清真雅正之训。是编所录，一一仰禀圣裁。大抵皆词达理醇，可以传世行远。承学之士于前明诸集，可以考风格之得失，于国朝之文可以定趋向之指归。圣人之教思无穷，于是乎在。非徒示以弋取科名之具也。故时文选本，汗牛充栋，今悉斥不录。惟恭录是编，以为士林之标准。原本不分卷第，今约其篇帙，分为四十一卷焉。"

初五日，高宗御太和殿，传胪。赐一甲庄有恭、涂逢震、秦勇进士及第，二甲官献瑶、袁枚、裘曰修、沈德潜、蒋麟昌、储麟趾、程景伊、梁启心、鞠逊行、金文淳、许朝、叶酉等进士出身，三甲单烺、梁善长、孙景烈、杨鸾、舒瞻、凌树屏等同进士出身。据《历科进士题名录》、《清通鉴》。

官献瑶成进士。献瑶字瑜卿，石溪，安溪人。执业于蔡世远、方苞，称高足弟子。历官三礼馆纂修、翰林院编修、广西学政、陕甘学政、司经局洗马。自陕甘任满，乞养归，奉母二十余载。卒年八十。著有《石溪文集》十六卷、《诗集》二卷。事迹见《清史列传》本传、《清史稿》庄亨阳传附。

五月

厉鹗渡太湖至吴江，旋归。据《樊榭山房集》卷八《五月二十八日渡太湖至吴江作二首》。

田同之过天津，访查为仁。查为仁《莲坡诗话》："德州田在田助教同之，山薑司农孙。幼即以诗名，司农呼曰小山薑。己未五月，来津欢宴弥月。"

方苞落职。苏惇元《方望溪先生年谱》："五月，庶吉士散馆，先生补请后到者考试。忌者劾之，谓有所私。遂落职。命仍在三礼馆修书。"

七月

初五日，程际盛（1739—1796）**生**。际盛初名琰，字焕若，号东冶，长洲人。乾隆四十五年进士。官至监察御史。著有《稻香楼集》、《清河偶钞》四卷等。事迹见吴省钦《中宪大夫掌湖广道兼掌京畿道监察御史程公墓志铭》（《白华后稿》卷二四）、《清史列传》褚寅亮传附。

二十一日，甘汝来卒，年五十六。据张廷玉《光禄大夫太子少保吏部尚书兼理兵部尚书谥庄恪甘公墓志铭》（《澄怀园文存》卷一二）。《国朝文汇》甲集卷四七录其《胥朴斋先生传》文一篇。《晚晴簃诗汇》卷五九："其诗直朴无华，洵由肫诚流露也。"录其诗五首。

二十五日，《明史》刻成。四库提要卷四六：《明史》三百三十六卷，"国朝保和殿大学士张廷玉等奉敕撰。乾隆四年七月二十五日书成，表进。凡本纪二十四卷、志七十五卷、表一十三卷、列传二百二十卷、目录四卷。"

八月

初七日，马位自序《秋窗随笔》。署"时乾隆己未八月初七日"。胡玉缙《许庼经籍题跋》卷三："《秋窗随笔》一卷，武功马位撰。位字思山，一字石亭，官至刑部员外郎。是书据自记，乃乾隆己未归里后作，前有杭世骏、夏一理两序。大致考论文史，而言诗居十之八九，驳正前人处，颇多心得。"

修《明史纲目》。张廷玉《澄怀主人自订年谱》卷四："八月二十日，内阁以纂修《明史纲目》奏请派员。奉旨：着鄂尔泰、张廷玉为总裁官，赵国麟、陈悳华、尹继善、杨起曾为副总裁官。"

潘安礼编定《东山草堂集》六卷。自序署"乾隆四年岁在己未中秋日，潘安礼书于京师日南坊紫赟书屋"。（《东山草堂集》卷首）四库提要卷一八五：《东山草堂集》六卷，"国朝潘安礼撰。安礼字立夫，南城人。乾隆丙辰召试博学鸿词，官翰林院编修。是编皆其官京师时所作律赋，凡三十九首，其门人为注而刻之。"《贩书偶记》卷一五著录潘安礼撰、廖理注《东山草堂赋集》六卷本年刊行。《晚晴簃诗汇》卷七〇录潘安礼诗一首。《国朝文汇》甲集卷五六录其《频伽园文集序》文一篇。

张侗作《辟象山记》。见《国朝文汇》甲集卷四四。侗有《放鹤村文集》五卷，四库提要卷一八五著录："侗字同人，一字石民，诸城人。是集前有方迈所作侗小传，称其有孝行，多奇节。盖亦孤高之士。其文则欲摆脱町畦，乙乙冥冥，别标象外之趣，而反堕公安、竟陵派中。盖存一不落窠臼之意，即其窠臼矣。"《国朝文汇》甲集卷四四录其《辟象山记》、《蓬莱阁记》文两篇。

九月

厉鹗《樊榭山馆续集》诗始于本月。据朱文藻撰、缪荃孙重订《厉樊榭先生年谱》。

鲁曾煜序胡浚《绿萝山庄文集》。署"己未秋杪，年眷仝学弟鲁曾煜顿首拜撰"。（《绿萝山庄文集》卷首）

汪德容卒，年五十七。据汪师韩《叔父重阆府君权厝志》（《上湖分类文编》卷九）。《晚晴簃诗汇》卷六六录其诗三首。

十月

初八日，蒋锡震卒，年七十八。据储大文《蒋平川传》（《存砚楼文集》卷一三）。《蒋平川传》云："先生诗嗜刘宾客梦得、元左司裕之，探其奥窔，非扪揣钥烛者比。文多奇气。"《国朝诗别裁集》卷二七："契潜少参洞中呼崖和尚，后归儒，师储同人先生学古文，制举业非所好也。喜探奇，尝独经薑山下，闻上有孙皓囤碑，日已没，步山椒观之，夜半抵家，其好奇可知亦。诗亦有奇气，惜不多见。"录其《梅花》、《冬夜宿野人家床无帏幕屋破而多风取积草障之乃戏曰此汝家草屏风也》诗二首。

二十日，郑燮作七律四首赠卢见曾。《送都转运卢公讳见曾》诗题署"乾隆四年十月廿日，恭赋七律四首，奉呈雅雨山人卢老先生老宪台，兼求教诲。板桥后学郑燮。"见《郑板桥全集·板桥集》。

汪抱朴觞客于复园之先春亭，王曾祥为作《复园记》。见《静便斋集》卷七。

十一月

　　二十二日，王澍卒，年七十二。据王步青《吏部员外郎族侄虚舟墓志铭》（《己山先生文集》卷八）。《清史稿》本传："绩学工文，尤以书名。"《国朝文汇》甲集卷四六录其录其《罗烈妇墓志铭》一篇。《晚晴簃诗汇》卷五七录其诗一首。

十二月

　　陆奎勋自序诗文集。署"甚乾隆四年己未腊月，当湖七十五翁陆奎勋坡星书"。自序云："卯冬就养梧州，《易学》始脱稿，《五经》皆已行世。所余诗歌古文本无关于重轻，张甥龙威、侄婿沈荻庐辈愿为锓版，正续诗集外选存文集二十卷，次第开雕。"（《陆堂文集》卷首）四库提要卷一八四：《陆堂文集》二十卷《诗集》十六卷《续诗集》八卷，"国朝陆奎勋撰。奎勋有《陆堂易学》，已著录。是集前有自序，谓在长洲汪琬、秀水朱彝尊之间。其文内《序问考辨》诸篇，亦颇博辨。然说经好为异论，颇近毛奇龄，尚不及琬与彝尊也。"

本年

　　张九镒散馆授编修。据张家枨《陶园年谱》。

　　符曾随工部侍郎德尔敏等往江南兴修水利。据赵一清《符药林先生传》（《东潜文稿》卷上）。

　　雷铉迁左谕德，以父忧去。据彭启丰《通奉大夫都察院左副都御史加二级雷公墓志铭》（《芝庭先生集》卷一三）。

　　两淮盐运使卢见曾遭革职。据卢文弨《故两淮都转盐运使雅雨卢公墓志铭》（《碑传集补》卷一七）。

　　陈履平丁内艰归，不复出。据张庚《通政司右通政陈公勉夫墓志铭》（《强恕斋文钞》卷三）。

　　陈祖范主徐州云龙书院。据《司业诗集》卷三《将之彭城同社宴别》自注。

　　蒋士铨受业于王庸。王氏藏书数万卷，士铨于是涉猎者历二载。据蒋士铨自编《清容居士行年录》。

　　戴震有志闻道，时年十七岁。段玉裁《戴东原先生年谱》："先生十六七以前，凡读书，每一字必求其义。塾师略举传注训诂语之，意每不释。塾师因取近代字书及汉许氏《说文解字》授之，先生大好之，三年尽得其节目。又取《尔雅》、《方言》及汉儒传、注、笺之存于今者参伍考究，一字之义，必本六书，贯群经以为定诂，由是尽通。前人所合集《十三经注疏》，能全举其辞。先生尝谓玉裁曰：'余于疏不能尽记，经注则无不能倍诵也。'又尝曰：'经之至者道也，所以明道者其辞也，所以成辞者字也。必由字以通其辞，由辞以通其道，乃可得之。'此则先生说经溥本肇始于小学，而其敏且专可知矣。又按先生丁酉正月与玉裁书曰：'仆自十七岁时，有志闻道，谓非求之《六经》、孔、孟不得，非从事于字义、制度、名物，无由以通其语言。宋儒讥训诂之学，轻语言文字，是犹渡江河而弃舟楫，欲登高而无阶梯也。为之三十余年，灼然知古今治乱之源在是。"

顾栋高客九江大孤山堂，作《春秋列国地形口号》一百一十三首。据张慧剑《明清江苏文人年表》。

鲍皋次所作诗为《海门初集》十卷。据张慧剑《明清江苏文人年表》。

吴敬梓客真州，时年三十九岁。吴敬梓《真州客舍》："七年羁建业，两度客真州。细雨僧庐晚，寒花江岸秋。"（《文木山房集》卷三）《文木山房集》四卷刻于本年或明年。吴湘皋序云："敏轩以名家子，好学诗古文辞杂体以名于世。凡有所作，必曲折深入，横发截出，就于古人彀率规矩而始已。即于他人作，一览数行下，亦能以片语领作者意旨，以中其要害。江南北朋游中，余独畏其才大眼高而心细也。"程廷祚序云："敏轩生世家，群从皆负逸才。兄青然，与余为同门友，余所畏也。敏轩少攻声律之文，与青然相师资，而奇情勃发，时角立不相下，遂齐名。曾与荐鸿博，以病未赴，论者惜之。为诸生二十年，倦而思去，要其所自树立，岂以缨组为轻重哉！余新安产，而流寓金陵者久。思稍振拔，以追往昔之流风余韵，固大有人在。然又念以敏轩之才，必见用于世，而山水之间，不能不与余以离群之感，为可踟蹰也。因读其集而志之如此。"方嶟序云："侍读之曾孙敏轩，流寓江宁，能以诗赋力追汉、唐作者。既不遇于时，益专精殚志，久而不衰。今将薄游四方，余遂捐箧中金，梓其有韵之文数十纸，以质之当代诸贤。窃叹全椒吴氏，百年以来称极盛，今虽稍逊于前，上江犹比之乌衣、马粪，而敏轩之才名，尤其最著者也。余梓其所著，匪独爱其与余为同调，将与天下共之焉。"黄河序云："吴聘君敏轩，流寓金陵，与余衡宇相望，晨夕唱酬，至乐也。其诗如出水芙蓉，娟秀欲滴。论者称其直逼温、李，而清永润洁，又出入于李颀、常建之间。至词学婉而多风，亦庶几白石、玉田之流亚，信可传也。余方谋付之剞劂，以垂不朽，而敏轩薄游真州，可村方先生爱为同调，遽损囊中金，先我成此盛举，古人哉！是皆可传也。"李本宣序云："本宣流寓金陵二十年，诗筒唱和，积案盈箱，其中绝无敏轩之作，或疑其懒且傲。既见敏轩所存，大抵皆纪事言怀，登临吊古，述往思来，百端交集，苟无关系者不作焉，庶几步趋乎古人。毋怪乎见时贤之分题角胜，则惝惝乎谢不敏也。"沈宗淳词序云："吴子敏轩，凤擅文雄，尤工骈体。悦心研虑，久称词苑之宗；逸致闲情，复有诗余之癖。辟之蚕丝春半，能遇物而牵萦；蛩语秋清，只自传其辛苦。更阑烛跋，写就乌丝；酒暖香温，谱成黄绢。允矣才人之极致，爱其情思之缠绵。"（《吴敬梓诗文集》附录）

蒋蘅进呈所书群经，奉旨授国子监学正衔。据余集《蒋湘帆先生传》（《秋室学古录》卷五）。

沈德潜、周准编《明诗别裁集》十二卷刊行。据《贩书偶记》卷一九。

陆培《白蕉词续集》四卷刊行。据《贩书偶记续编》卷二〇。厉鹗《陆南香白蕉词序》："南香复出续稿二卷，则燕山后游及客梁园之作。其中访邯郸之瑟，觅铜台之瓦，年长多愁，声情每变而愈上。"（《樊榭山房文集》卷四）

石成金《传家宝》刊行。《传家宝》四集，包括笑话、俗谚、俗曲、话本等。《笑得好》为笑话集，分初集、二集，自序云："人性皆善。要知世无不好之人，其人之不好者，总由物欲昏蔽，俗习熏陶，染成痼疾，医药难痊，墨子之悲，深可痛也。即有贤者，虽以嘉言法语，大声疾呼，奈何迷而不悟，岂独不警于心，更且不入于耳，此则言如不言，彼则听如不听，真堪浩叹哉。正言闻之欲睡，笑话听之恐后，今人之恒情。夫既以正言训之而不听，曷若以笑话怵之之为得乎。予乃著笑话一书，评列警醒，令读者凡有过愆偏私，朦昧贪痴之种种，闻予之笑，悉皆惭愧悔改，俱得成良善之好人矣。因以《笑得好》三字名其书。或有怪予立意虽佳，但语甚剋毒，令闻者难当，未免破笑成怒，大非圣言含蕴之比，岂不以美意而种恨因乎？予因谓沉疴痼疾，非用猛药，何能起死回生；若听予之笑，不自悔改而反生怒恨者，是病已垂危，医进良药，尚迟疑不服，转咎药性之猛烈，思欲体健身安，何可得哉？但愿听笑者，入耳警心，则人性之天良顿复，遍地无不好之人。方知剋毒语言，有功于世者不小。全要闻笑即愧即悔，是即学好之人也。石成金天基撰并书。"（王利器辑录《历代笑话集》）平步青《霞外捃屑》卷六《传家宝》："《传家宝》四集，凡三十二卷，扬州石成金辑。成金字天基，号惺斋，著书四十余种，浅易多此类。卷一《知世事》，卷二《金言》（申涵光）、《铭心纪要》、《座右铭》、《瑞鹤堂新语》、《钱粮管见》、《千门种》，卷三《吉征》、《绅瑜》、《联瑾》、《高赏集》、《文字窍》、《禅宗直指》、《读书法》、《举业蓓蕾》（董其昌），卷四《快乐章程》、《大事因缘》、《金刚经石注》、《救命针》，诸类标题极可笑。然芟其冗复，合为一编，未尝不足为持身涉世之助，尤有裨于幼学。视坊本善书侈陈报应，半出臆造，无可考证者，固当胜之。"

钱维乔（1739—1806）生。维乔字树参、季木，号曙川、竹初，别署林栖居士、半园逸史，武进人，维城弟。乾隆二十七年举人。六赴礼闱不第，入赀为县令，历遂昌、鄞县。以疾归。著有《竹初诗钞》十六卷、《文钞》六卷、《碧落缘》（佚）、《鹦鹉媒》、《乞食图》传奇。事迹见其《自述文》（《竹初文钞》卷六）、乾隆《阳湖县志》卷七、光绪《遂昌县志》卷六（《方志著录元明清曲家传略》）。

戴璐（1739—1806）生。璐字敏夫，号莼塘，长兴人。乾隆二十八年进士。由工部主事累官至太仆寺卿。后主扬州梅花书院。著有《秋树山房集》、《吴兴诗话》十六卷、《藤阴杂记》十二卷。事迹见姚鼐《中议大夫太仆寺卿戴公墓志铭并序》（《惜抱轩文后集》卷七）。

钱孟钿（女，1739—1806）生。孟钿字冠之，号浣青，武进人。钱维城女、崔龙见室。著有《浣青集》。事迹见赵怀玉《崔恭人钱氏权厝志》（《碑传集》卷一四九）、袁枚《随园诗话》卷五。

余京卒，年七十六。据张慧剑《明清江苏文人年表》。[按，朱彭寿《清代人物大事纪年》谓其明年卒，年七十□]沈德潜《处士余江干墓志铭》："庚申冬，予将之京，道润州，访隐君余江干。时江干没既归藏矣。"（《归愚文钞》卷一七）《国朝诗别裁集》卷二六："予游焦山，见山间有文坧石刻诗，颇有警句。询之寺僧，僧曰：'此市人也。'有轻之之意。予访之江干老屋，遂与定交。时柏乡魏念庭观察爱其诗，欲令往见。文坧曰：'往役，义也；以诗为羔雁，非礼也。'卒不往。魏公益重之。诗格意俱高，尤长近体。既老，从游日众。然得其一体，无能为替人者。"录其《毕孝子宁古塔负祖父骨归里》等诗十二首。《晚晴簃诗汇》卷九七录其诗八首。

王材任卒，年八十八。据邓之诚《清诗纪事初编》卷八。［按，邓长风《明清戏曲家考略三编·乾隆刻本〈黄冈二家诗钞〉》谓其本年卒，年八十七］《尊道堂诗钞》八卷、《别集》六卷乾隆间玉照亭刊行。据《贩书偶记》卷一五。《国朝诗别裁集》卷一三："西涧早负盛名。去官后，自楚入吴，买钱牧斋拂水山庄居之，以诗自娱。晚岁困甚，晏如也。诗品杂唐、宋间，时有警句。"录其《和李梅谷选君赠别韵》等诗五首。《晚晴簃诗汇》卷四七录其诗一首。

公元 1740 年（乾隆五年　庚申）

正月

厉鹗、王曾祥、吴城、汪沆、张熷等游西溪。据《樊榭山房续集》卷一《同鹰征、敦复、西颢、曦亮、北亭游西溪，进舟西堰桥，望秦亭、法华诸山晴雪》等诗。

二月

姚培谦合前刻《春帆集》等，编定《松桂读书堂集》诗八卷。自序署"乾隆庚申二月，栌香姚培谦书"。（《松桂读书堂集》诗卷首）四库提要卷一八五：《松桂读书堂集》八卷，"国朝姚培谦撰。培谦字平山，华亭人。喜刻巾箱小本，亦好事之士。所著有《春帆集》，刻于康熙庚子；《自知集》，刻于雍正甲辰；《乐府》及《览古诗》，刻于乾隆己未。此本乃乾隆庚申裒合诸编，删为一集，培谦自为之序。其诸集序亦仍列之于卷端。"

三月

初七日，潘奕隽（1740—1830）生。奕隽字守愚、榕皋，号水云漫士，晚号三松老人，吴县人。乾隆三十四年进士。历官内阁中书、户部主事。五十引疾归，优游林下数十载。著有《三松堂集》二十四卷、《续集》六卷。事迹见《三松自订年谱》。

顾琮序方苞文集。署"乾隆五年三月，混同顾琮撰"。序云："方子尝语余曰：'吾少好文而不好学，故终老无成。颜子不迁怒，不贰过，而孔子许为好学。使吾能以好文者好学，虽愚且顽，概乎必有得于身矣。'嗟乎！非学之笃，而能为是言乎？方子之文，乃探索于经书，与宅心之实，与人之忠，随所触而流焉者也。故生平无不关于道教之文。余共事时，爱而录之者十之四，邮致者十之二，姑就箧中所存，编而录之，异日当刊布，以示好方子之文而未知其学者。"（《方苞集》附录）

春

蒲立德跋《聊斋志异》。跋云："《志异》十六卷，先大父柳泉先生著也。先大父讳松龄，字留仙，别号柳泉。聊斋，其斋名也。幼有轶才，学识渊颖；而简潜落穆，超然远俗。虽名宿宗工，乐交倾赏。然数奇，终身不遇，以穷诸生授举子业，潦倒于荒山僻隘之乡。间为诗赋歌行，不愧于古作者；撰古文辞，亦往往标新领异，不剿袭先民：皆各数百篇藏于家。而于耳目所睹记、里巷所流传、同人之籍录，又随笔撰次而为此书。其事多涉于神怪；其体仿历代志传；其论赞或触时感事，而以劝以惩；其文往往刻镂物情，曲尽世态，冥会幽探，思入风云；其义足以动天地、泣鬼神，俾畸人滞魄、山魈野魅各出其情状而无所遁隐。此《山经》、《博物》之遗，《远游》、《天问》之意，非第如干宝《搜神》已也。初亦藏于家，无力梓行。近乃人竞传写，远迩借求矣。昔昌黎文起八代，必待欧阳而后传；文长雄踞一时，必待袁中郎而后著。自今而后，焉知无欧阳、中郎其人者出，将必契赏镂梓，流布于世，不但如今已也。则且跂予望之矣！大清乾隆五年岁次庚申春日，孙立德谨识。"（《但明伦批评聊斋志异》卷首）

尹会一自河南入为副都御史，始与方苞相见。 未数月即以终养告归，家居七年后始再为官。据方苞《尹元孚墓志铭》（《方苞集》卷一一）。

孙勷卒，年八十四。 据宋弼《朝议大夫通政使司右参议莪山孙公遗事》（《鹤侣斋诗》附录）、孙勷《莪山自叙笔记》（《鹤侣斋文稿》卷四）。四库提要卷一八三：《鹤侣斋集》三卷，"国朝孙勷撰。勷字子未，一字予未，号莪山，又号诚斋，德州人。康熙乙丑进士。官至大理寺少卿，终于通政司参议。其集凡诗一卷，文二卷。勷性简傲，不谐于俗。集中《石丈诗》云：'山鬼矜伎俩，此老如不闻。或具袍笏拜，此老亦不尊。坦然自高卧，雨蚀青苔痕。'盖亦自寓云。"金埴《不下带编》卷一："予过茌平，访吴明府宝崖陈琰，适孙太常莪山勷以札抵宝崖云：'勷于时文一道，稍知点次。若诗古文述，实有未能，不敢妄语以欺己。'"袁枚《随园诗话》卷一六："（孙勷）以时文名重天下，诗亦清超。"录其《次渔洋谢公村》诗。《晚晴簃诗汇》卷四八录其诗一首。

万邦荣卒，年六十七。 据江庆柏《清代人物生卒年表》。《国朝诗别裁集》卷二四录其《偶感》诗三首。《晚晴簃诗汇》卷六〇录其诗八首。

四月

初一日，钱沣（1740—1795）生。 沣字东注、约甫，号南园，昆明人。乾隆三十六年进士，改庶吉士，散馆授检讨。历官江南道监察御史、太常寺少卿、湖南学政。后值军机处，以积劳成疾卒。或谓沣将劾和珅，和珅实鸩之。殁后诗稿散佚，嘉庆八年师范、法式善辑为《南园诗存》二卷，同治十一年刘辑为《钱南园先生遗集》五卷。事迹见袁文揆《钱南园先生别传》、程含章《钱南园先生墓志铭》（《钱南园先生遗集》卷首）、方树梅《钱南园先生年谱》、《清史列传》本传、《清史稿》本传。

厉鹗移居东城。 《樊榭山房续集》卷一《移居四首》云："南湖结隐八年余，又向东城赋卜居。"

五月

初四日，马维翰卒，年四十八。 据桑调元《马墨麟传》（《弢甫集》卷一〇）。《传》云："所著诗古文，精悍如其人。入蜀后所诣益进，同时浙西以坛坫自矜许者，举莫之及。"四库提要卷一八四：《墨麟诗》十二卷，"国朝马维翰撰。维翰字墨麟，海盐人。康熙辛丑进士。官至四川川东道。其诗以纵横排奡为长，意之所向，不避险阻。然神锋太俊者居多。"是书有雍正间刻本。《国朝诗别裁集》卷二四："意不肯庸，语不肯弱，莽莽苍苍，纵笔挥霍，虽未神来，已梯峭险。墨麟学杜，可云循墙而走矣。"录其《早发俯浦》等诗七首。《晚晴簃诗汇》卷六一录其诗四首。《清史列传》本传："诗宗杜、韩，以纵横排奡为长，然神锋太俊者居多。"

十四日，方昂（1740—1800）生。昂字叔驹、讱庵，号坳堂，历城人。乾隆三十六年进士，授刑部主事。累官至江苏布政使。事迹见纪昀《江苏布政使司布政使坳堂方公墓志铭》（《纪晓岚文集》第一册卷一六）、《清史稿》本传。

厉鹗与王藻会于扬州。据《樊榭山房续集》卷一《甲寅秋杪，有过平望怀王载扬诗。丙辰同被征，相见于都下。今年夏五，重会于邗城僧舍，载扬用前韵见赠，再次奉答》。

六月

黄叔琳丁母忧归里。据顾镇《黄侍郎公年谱》。

闰六月

沈德潜序沈心诗。署"乾隆庚申闰六月归愚德潜撰"。（《孤石山房诗集》卷首）

夏

厉鹗五客扬州，旋归。据朱文藻撰、缪荃孙重订《厉樊榭先生年谱》。

七月

望日，顾士荣序王应奎《柳南随笔》六卷。署"乾隆庚申七月望日，同里顾士荣文宁氏撰"。序云："搜遗佚，则可以补志乘；辨讹缪，则可以正沿习；以至考诗笔之源流，究名物之根柢；著《虞初》、《诸皋》之异事，标解颐抚掌之新闻。盖不出碎文璅语，而谈苑之质的，艺文之标准，胥有赖焉。以古人著书之例拟之，亦容斋洪氏之遗意也。"又，卷末黄廷鉴跋云："柳南先生为吾邑诗老，好著述，所撰《随笔》六卷，多记旧闻轶事。其考证经史，论说诗文，亦杂见焉。体例在语林、诗话之间。故其书雅俗俱陈，大小并识，吐晋人之清妙，订俗学之谬讹。洴澼山方氏所云：'远希《老学》，近埒新城'者已。"是书有本年刊本、嘉庆《借月山房汇钞》本等。

二十九日，崔述（1740—1816）生。述字武承，号东璧（一作东壁），大名人。乾隆二十七年举人。嘉庆元年，授福建罗源县知县。七年，乞归。居无定所，闭门著书以终。著书三十余种，《考信录》一书尤生平心力所专注。事迹见陈履和《敕授文林郎福建罗源县知县崔东璧先生行略》、刘大绅《崔东璧先生行略跋》、刘师培《崔述传》、胡适《科学的古史家崔述》（《崔东璧遗书》附录）、《清史列传》本传、《清史稿》雷学淇传附。

常安《沈水三春集》十二卷成书。据朱彭寿《清代人物大事纪年》。是书本年刊行。据《贩书偶记续编》卷一五。

九月

朔日，郑燮序董伟业《扬州竹枝词》。署"乾隆五年九月朔日，楚阳板桥居士郑燮题"。（吴泽顺编《郑板桥集》）

十八日，冯应榴（1740—1800）生。应榴字诒曾、星实，晚号踸息居士，桐乡人。乾隆二十五年举人，明年成进士。历官内阁中书、宗人府主事、江西布政使、鸿胪寺卿。著有《苏诗合注》五十卷附录五卷。事迹见秦瀛《鸿胪寺卿星实冯君墓表》（《小岘山人文集》卷五）、《清史列传》倪璠传附。[生日据朱彭寿《清代人物大事纪年》]

卢见曾以前控案受惩，自扬州遣戍伊犁。据《雅雨山人出塞集》卷首马荣祖序。有人为作《出塞图》，卢见曾本人、郑燮、钱陈群、程梦星、周榘、李葂、江昱、吴敬梓等题诗。据《吴敬梓诗文集·文木山房集外诗文》。

秋

郑燮赴京，有《行路难》三首、《淮安舟中寄舍弟墨》等。见《郑板桥全集·板桥集》。在京与慎郡王允禧交往颇深。

本年

史承谦、史承豫、储国钧、汪溥、储秘书等集会南园，作阳羡古迹诗。据张慧剑《明清江苏文人年表》。

戴震随父客南丰，课学童于邵武，时年十八岁。据段玉裁《戴东原先生年谱》。

汪缙试为文，数百言立就，时年十六岁。据江藩《国朝宋学渊源记·附记》。

赵翼始课举业，时年十四岁。落笔往往出人意表。然翼性好诗古文词，常私为之。据佚名《瓯北先生年谱》。

全祖望读《礼》之余，博考全氏掌故。作《桓溪全氏祠堂碑》、《东浦全氏祠堂碑》、《桓溪旧宅碑》、《鹊巢碛记》、《全氏义田记》、《响岩先茔地脉记》、《崇让里记》，凡数十篇。是年始迁居青石桥胡氏适可轩，后所称双韭山房者也。据董秉纯《全谢山先生年谱》。

史调需次都门。后授福建仙游令，在任十月即致仕归。设教横渠书院，五年而卒。据崔纪《墓志铭》（《史复斋文集》附录）。

李集偕同学诸子为诗课于里中。李集《古藤精舍记》："岁庚申，集偕同学诸子为诗课于里中，内兄张学琳兄弟与焉，执牛耳者为族祖养恬先生。月三会课，古今诗若干首。"（《国朝文汇》乙集卷三六）

吴敬梓偕同志诸君祭祀泰伯等先贤。金和《儒林外史跋》："先生又鸠同志诸君，筑先贤祠于雨花山之麓，祀泰伯以下名贤凡二百三十余人，宇宦极闳丽，工费甚钜，先生售所居屋以成之。"〔按，此事未详何时，胡适《吴敬梓年谱》附于本年〕

张鹏翀官北京，编次所作诗为《张南华诗钞》，陆续得二十二卷。据张慧剑《明清江苏文人年表》。

袁景辂从沈德潜学。据《沈归愚自订年谱》。

陈祖范主安庆敬敷书院。据《司业诗集》卷三《登大观亭》自注。在敬敷书院一年。据陈祖范《自序》（《司业文集》卷四）。

沈祖惠归里。严可均《沈屺望传》："年四十一而倦游，以帖括授徒乡里。潜心理学，厌薄词章。先时稿本，弃之敝籯。与并世名流，绝不通闻问；并世名流，亦鲜或称道之。或曰意有所惩，深自韬晦也。"（《铁桥漫稿》卷七）

李继圣作《抱雄儿自状》。署"岁次庚申，状于山左高唐客署"。（《寻古斋文集》卷首）继圣时年四十五岁。

查为仁编《沽上题襟集》八卷刊行。法式善《陶庐杂录》卷三："《沽上题襟集》，乾隆五年宛平查为仁选刻，钱塘厉鹗、嘉定张鹏翀序之。厘为八卷。第一卷刘文煊诗一百一首，附三首。第二卷吴廷华诗七十五首，附四首。第三卷查为仁诗七十三首，附七首。第四卷汪沆一百四首，附一首。第五卷陈皋诗五十八首，附四首。第六卷万光泰诗九十七首，附五首。第七卷胡睿烈诗六十八首，附四首。第八卷查学礼诗一百三首，附六首。新颖之篇甚多。锓木印纸，俱极工雅。"厉鹗序云："查君心谷，俭堂舅弟，诗品皆清警拔俗，性复喜宾友。负郭有水西庄，轩楹虚敞，坐挹风帆云树于无际。主其家者多浙中名胜：山阴则有刘君雪舫、胡君炅斋，秀水则有万君柘坡，吾杭则有吴君东壁、陈君对沤、汪生西颢，其诗各张一军，与主人为勍敌。"（《樊榭山房文集》卷二）

沈祖禹《吴江沈氏诗录》十二卷刊行。法式善《陶庐杂录》卷三："《吴江沈氏诗录》十二卷，起于明成化沈奎，至裔孙培福止。凡七十人，闺秀二十人，诗九百五十一首。沈祖禹定。前有沈德潜序。刻版于乾隆五年。"

李绂《穆堂初稿》五十卷无恕轩刊行。据《贩书偶记》卷一五。

陈仪《陈学士文集》十八卷兰雪斋刊行。据《贩书偶记》卷一五。

小说《桃花扇》约本年刊行。是书六卷十六回，作者未详。据路工、谭天合编《古本平话小说集》（人民文学出版社1984年版）所收《桃花扇》题解。

鲍之钟（1740—1802）生。之钟字论山，号雅堂，丹徒人，皋子。乾隆三十四年进士。官至户部郎中。在都门与洪亮吉、吴锡麒、赵怀玉唱酬甚密，法式善称之为"诗龛四友"。著有《论山诗选》十五卷。事迹见《国朝诗人征略》初编卷四〇、《清史列传》鲍皋传附。

彭绍升（1740—1796）生。绍升字允初，号尺木、知归子，长洲人。启丰子。乾隆二十六年进士，例选知县，不就。与汪缙、罗有高、薛起凤交游。中年即茹素，与夫人别屋而居。父卒后，往深山习静。后家居，寻卒。著有《二林居集》二十四卷。事迹见江藩《国朝宋学渊源记·附记》、《清史列传》本传。

侯坤（1740—1801）生。坤字碛石，无为人。乾隆二十三年补博士弟子员，四十二年拔贡生。屡试京兆不第。五十一年考授州同知，改盐运使司经历，分发广东。嘉庆元年补官，五年摄运同事。六年卒于潮州官署。著有《蠹竹山房诗文集》。事迹见英和《侯先生墓志铭》（《碑传集补》卷二八）。

和瑛（1740—1821）**生**。和瑛初名和宁，字润平，号太莽，额勒德特氏，蒙古镶黄旗人。乾隆三十六年进士，授户部主事。官至军机大臣、上书房总谙达、文颖馆总裁。卒于刑部尚书任。谥简勤。著有《易简斋诗钞》四卷。事迹见《清史稿》本传。[按，生卒年据江庆柏《清代人物生卒年表》]

吴文溥（1740—1801）**生**。文溥字博如，号澹川，嘉兴人。贡生。尝参苗疆、台湾诸戎幕。阮元督学浙江，见其诗，定为浙中诗士之冠，招入幕中。著有《南野堂诗集》、《南野堂笔记》。事迹见《清史列传》曹庭栋传附、《清史稿》宋大樽传附。[按，吴文溥生卒年，朱彭寿《清代人物大事纪年》作？—1800 年，江庆柏《清代人物生卒年表》作 1741—1802 年，金陵生（蒋寅）《吴文溥生卒年考》（《文学遗产》1999 年第 1 期）作 1740—1801 年]

杜纲（约 1740—约 1800）**约本年生**。纲字振三，号草亭，昆山人。诸生。著有《北史演义》、《南史演义》、《娱目醒心编》等。事迹见《中国古代小说总目》白话卷。

陆奎勋卒，年七十六。据江庆柏《清代人物生卒年表》。所著《陆堂易学》十卷、《今文尚书说》三卷、《陆堂诗学》十二卷、《戴记绪言》四卷、《春秋义存录》十二卷、《陆堂文集》二十卷《诗集》十六卷《续诗集》八卷，四库提要著录。《国朝诗别裁集》卷二四："陆堂穿穴《五经》，皆有述作，今人中井大春也。诗独风流明丽，广平赋梅花，不碍心似铁，泂然。"录其《江南曲拟梁昭明》等诗三首。《清史列传》本传："金山杨履基谓朱子后大儒，无如许衡、吴澄，陇其似许，奎勋则似吴云。然奎勋经学，自信太勇，务出新奇，是其所短。""诗文自弱冠时已充箧笥，后乃以余事为之。"《国朝文汇》甲集卷五一录其《东皋菜园记》、《少司寇李公传》文二篇。《晚晴簃诗汇》卷六一录其诗六首。

金埴卒，年七十八。据中华书局《不下带编 巾箱说》点校说明。胡玉缙《许庼经籍题跋》卷三："《巾箱说》一卷，会稽金埴撰。埴字小郯，全祖望《鲒埼亭集·征士谷林赵君诔》内所称'金小郯诗人'者是也。是编所录皆经史余绪、南北涉历、友朋轶事，约二百则。为江南图书馆所藏稿本。经史既无所发明，轶事亦无甚关系，姑存其目，俾姓名不致湮没焉。"

涂天相卒，年七十六。据江庆柏《清代人物生卒年表》。《晚晴簃诗汇》卷五六："燮庵以壬午、癸未连捷成进士，年四十矣。出同邑熊文端之门，讲学笃守师说。与张清恪、陈恪勤相应和。其言诗以朱子为古今诗人之冠，尝取《感兴》诗拟之。张清恪为序其集。"录其诗三首。

徐葆光卒，年七十。据江庆柏《清代人物生卒年表》。《国朝诗别裁集》卷二三："曩见太史怀旧诗七章，胎源于少陵《八哀》，今已散佚矣。兹从奉使琉球册中录出，得其大概。"录其诗六首。《晚晴簃诗汇》卷五八录其诗四首。

徐逢吉卒。据厉鹗《樊榭山房续集》卷三《徐丈紫山没三年矣。闻湖上故居名黄雪山房者，已拆卖于人。雪樵有诗吊之，予亦次韵》。此诗作于乾隆八年癸亥，则徐逢吉卒于本年。冯金伯《词苑萃编》卷八《徐紫山词》引厉樊榭云："徐丈紫山黄雪山房，在学士港口湖山幽胜处也。其词清微婉妙，绝似宋人。"吴衡照《莲子居词话》卷三《徐逢吉词》："徐紫珊逢吉在西陵后十子之列，居清波门外学士港，为黄雪山房。南宋时称清波门为阔门，故时人称阔门先生。工词，有《摇鞭微笑》、《柳洲清响》、《峰楼写生》等集。"录其《长相思·章贡道中和赵饮谷》、《满江红·由盐官至檇李，舟中听雨不寐有作》等。

徐昂发卒。据江庆柏《清代人物生卒年表》。四库提要卷一八四：《畏垒山人诗集》四卷，"国朝徐昂发撰。昂发有《畏垒笔记》，已著录。是集诸体杂编。其五言古体大抵刻峭清新，一往骏利，有透空碎远之音。而下手太快，亦颇乏渟蓄深厚，则思锐而才狭之故也。"《国朝诗别裁集》卷一九："畏垒文酒自豪，常倾四座。所著骈体追仿六朝，《笔记》亦见博洽。倘能本此出政，便为艺林完人。""五言古从杜陵出，近体得力樊南，而能自出面目，同时谈艺名士无与俪者。"录其《下田雨叹》等诗十五首。林昌彝《射鹰楼诗话》卷一二："《畏垒山人诗集》，长洲徐大临太史昂发著（康熙三十九年进士）。太史《宫词》百首，遍播旗亭，古诗如《雁门关》、《彭蠡湖》、《漱玉亭》，皆入唐贤之室。名句之最者，如'草木尚生无患子，男儿那作可怜虫'，可谓新颖。"《晚晴簃诗汇》卷五五录其诗二首。《贩书偶记》卷一四："《乙未亭诗集》六卷，长洲徐昂发撰。康熙间桂森堂精刊。"又，"《畏垒山人文集》四卷，长洲徐昂发撰。传钞本。"

公元 1741 年（乾隆六年　辛酉）

正月

上弦时，吴敬梓与吴培源于秦淮河畔联句。据吴培源《辛酉正月上弦与敏轩联句》（《会心草堂集》诗四），收入《吴敬梓诗文集·文木山房集外诗文》。［按，吴培源号蒙泉，乃《儒林外史》中虞博士之原型］

二十四日，万经卒，年八十三。据全祖望《提督贵州学政翰林院编修九沙万公神道碑铭》（《鲒埼亭集》卷一六）。《六堂诗存》四卷乾隆三十四年刊行。据《贩书偶记》卷一五。《晚晴簃诗汇》卷五六录其诗一首。

张九钺拔贡。据张家枨《陶园年谱》。

二月

二十一日，曹庭枢卒，年三十六。据朱彭寿《清代人物大事纪年》。《国朝诗别裁集》卷二七录其《张鸿勋惠读看云吟稿作长歌奉柬即送其南还》、《春雨和钱玙沙编修韵》诗二首。《晚晴簃诗汇》卷六五："六芝诗清俊拔俗，婉而多风。""（殁后）其兄六圃搜集遗诗，为序而刻之。"录其诗四首。

沈彤赴京师，顺道游泰山。据沈彤《登泰山记》（《果堂集》卷九）。

沈德潜入词馆教习。据《沈归愚自订年谱》。

查为仁自序《莲坡诗话》三卷。据蒋寅《清诗话考》下编二。胡玉缙《许庼经籍题跋》卷四："《莲坡诗话》一卷，宛平查为仁撰。为仁字心毂，号莲坡，尝以事系狱。是书就见闻所得，专录先辈及同人诗，并附方外、闺秀、杂流之句。称人姓字，并列其名，颇便学者，体例与顾嗣立《寒厅诗话》略同，而不及古人诗为异。如郑清之、王安石诗，阿金论李商隐诗，汪琬本某某诗，皆因而及之。阎尔梅以史可法勿从其劝，投书而去；沈廷芳得苏轼题安平泉石刻，手拓以贻查慎行；计东访得谢榛墓，请当事为之立碣，此类亦足以见轶事。"

三月

曹庭栋《宋百家诗存》成书。自序署"乾隆六年岁次辛酉三月既望，曹庭栋书于二六书堂"。（《宋百家诗存》卷首）是书凡二十八卷，四库全书收录。

惠士奇卒，年七十一。钱大昕《惠先生士奇传》："辛酉三月卒，年七十有一。先生盛年兼治经史，晚岁尤邃于经学。撰《易说》六卷、《礼说》十四卷、《春秋说》十五卷。"（《潜研堂文集》卷三八）江藩《国朝汉学师承记》卷二："所著有《红豆斋小草》、《咏史乐府》，及《南中集》、《采莼集》、《归耕集》各一卷，《人海集》四卷、《时术录》一卷。海内学者称为红豆先生。"《国朝诗别裁集》卷二二："半农少即笃志经史，而于经学尤深，著有《易说》、《春秋说》、《礼说》、《大学说》等书，皆晚年论定者。视学广南，以通经术为先务，空疏旧习，为之一变。操行之洁，比于白圭、《振鹭》，广南前此未尝有也。身后祀于韩山，配食昌黎韩子，至今尸祝之。诗近唐人，以自然为宗，视研溪先生家学，各有所得。"录其《除夕写怀》等诗十五首。《国朝文汇》甲集卷四四录其《访海》等文五篇。

崔应阶自撰《烟花债》杂剧小引。署"乾隆辛酉暮春之初，楚鄂研露楼主人题于大客梁寓"。又，朱绣《烟花债赠言》云："兹睹《烟花债》一剧，旧事翻新，创草于梁苑培风之日。知此中纯是英雄牢骚气概，借儿女子口头发泄之耳。"署"癸亥良月，金筑寅弟朱绣书"。（《中国古典戏曲序跋汇编》卷一三）庄一拂《古典戏曲存目汇考》卷八：《烟花债》，"《今乐考证》著录。乾隆间刊本。《曲海目》、《曲录》并见著录。与《考证》俱列入传奇，实误。刊本署'研露楼主人填词'，计四折，本事出宋王明清《摭青杂说》。叙单符郎、邢春娘事。剧以春娘虽落风尘，仍守旧约，有良人风度。得完其贞，以酬单符郎之义，故曰《烟花债》。明梅禹金《长命缕》、沈璟《双鱼记》题材同。"

四月

方苞作《七思》。怀兄百川、弟椒涂、伯姊、仲姊、三姊、妻蔡氏、兄子道希。见《方苞集》卷一七。

张鹏翀序沈翼机《澹初诗稿》。署"乾隆辛酉清和月，受业门人张鹏翀谨识"。（《澹初诗稿》卷首）时沈翼机已卒。四库提要卷一八四：《澹初诗稿》八卷附《见山堂诗钞》一卷，"国朝沈翼机撰。翼机字西园，号澹初，海宁人。康熙丙戌进士。官至翰林院侍读学士。诗分十集：曰《谋野集》，曰《新安集》，附《黄山纪游百咏》，皆翼机为诸生时作。曰《瀛洲集》、《丹葵集》，皆馆选后作。曰《蜀使草》，康熙甲午典试四川时作。曰《黔使草》，康熙丁酉至庚子为贵州学政时作。曰《江右使草》，雍正癸卯至丙午为江右学政时作。曰《两山集》，乞假归田后作。曰《觐光集》，乾隆元年翼机复补原官后作。曰《游衍集》，则致仕后作也。附《见山堂诗钞》一卷，为其子廷荐之作。廷荐字澄怀，雍正壬子举人，未仕早卒，仅存诗六十余首。"

夏

庄亨阳赴湖广，以同知题补。据方苞《庄复斋墓志铭》（《方苞集》卷一〇）。

七月

谢道承卒。据《小兰陔诗集》卷首吴文焕序。四库提要卷一八四：《小兰陔集》十二卷，"国朝谢道承撰。道承字又绍，号古梅，闽县人。康熙辛丑进士。官至内阁学士，兼礼部侍郎。是集诗十卷，文二卷。道承假归养亲，故取《南陔补亡诗》语名集。而集中所载，则应制馆课之作皆在焉，不专家居作也。其中碑帖题跋亦颇具鉴赏。"《晚晴簃诗汇》卷六一录其诗三首。

八月

蒋士铨始自课《朱子语录》。蒋士铨自编《清容居士行年录》："士铨病剧，几成瘵。医药杂投无或效。秋八月，予喘嗽不能卧。一夕兀坐绳床，皎月穿户牖。嗒然而思，若有所悟者，力疾起，燃残烛，出箧中淫靡绮丽之书数十册，并所著艳诗四百余首火于庭。向天泥首悔过，誓绝妄念。诘朝购《朱子语录》观之，立日程自课。至仲冬而神气复强如初。"

姚培谦编定其读经史之文。自序署"乾隆辛酉桂月，姚培谦书于松桂读书堂"。又，《对问》六十条自序署"时乾隆癸酉嘉平月"。（《松桂读书堂集》文卷首）〔按，乾隆刻本《松桂读书堂集》文七卷，卷一至卷三《读经》，卷四、卷五《读史》，卷六《诗话》，卷七《对问》。又，《贩书偶记》卷一五著录《松桂读书堂集赋颂》二卷、《诗》八卷、《读经史》七卷、《周甲录》一卷，乾隆间刊行〕

九月

谢济世著书案发，乾隆七年一月止。据《清代文字狱档》。

黄之隽自序《冬录》。见《冬录》（《㽔堂集》附录）卷首。

秋

乡试。是科各省考官有李绂、金德瑛、张廷璐、彭启丰、赵青藜、诸锦、陈兆嵛、张鹏翀、周煌、刘纶、胡中藻等。据法式善《清秘述闻》卷六。所取举人有王太岳

（王昶《国子监司业王公行状》）、赵由仪（谢鸣谦《书赵山南事》）、申甫（王昶《都察院左副都御史申君墓志铭》）、法坤宏（韩梦周《法迁斋先生墓志铭》）、曹锡宝（朱珪《掌陕西道监察御史特恩赠副都御史曹公墓志铭》）、图鞑布（朱珪《翰林院侍讲学士佟先生图鞑布墓志铭》）等。

全祖望游白下，岁暮而归。董秉纯《全谢山先生年谱》："闻临川先生主试江南，秋至金陵，投止承恩寺，遍游朝天宫、报恩寺、燕子矶、旧院诸迹，皆有诗。自戊午、己未接丁外内艰至再近大祥，从不作吟咏声，始为破戒，因题曰《祥琴集》以志过。及撤闱而临川病，送之舟中，为先生商古人出处之义。先生呈截句五首，其次章曰：'申辕报罢董生黜，更复谁同汲直群。自分不求五鼎食，何妨平揖大将军。'末章曰：'生平坐笑陶彭泽，岂有牵丝百里才。秫未成醪身早去，先几何待督邮来。'自是先生遂无出山之意矣。归经扬州，止宿马氏畲经堂，成《困学纪闻》三笺。万孺庐先生适见之，以为在阎百诗、何义门二家之上。"

十月

初一日，王懋竑卒，年七十四。据王箴听等《皇清敕授文林郎翰林院编修先考王公府君行状》（《白田草堂存稿》卷首）。所著《朱子年谱》四卷《考异》四卷《附录》二卷、《白田杂著》八卷、《白田草堂存稿》二十四卷，四库提要著录。四库提要卷一八四：《白田草堂存稿》二十四卷，"是集凡文二十卷，诗四卷，末附行状一篇。其学长于考证，故全集以杂著为冠。诗文则未能过人。其《与方苞书》自谓笔力拖沓，不近古人。所谓人之知我，不如我之自知。亦足见其学问之笃实也。"是书乾隆十七年刊行。据张舜徽《清人文集别录》卷四。《国朝诗别裁集》卷二四："太史精研理学，身体力行，一时有小朱子之目。诗亦言其所得力，不求工于词也。"录其《书座右二章》诗二首，评曰："此言慎独之功，欲念乍萌，绝之于微，勿使其潜滋暗长也。妙在亲切，不觉其腐。"林昌彝《射鹰楼诗话》卷七："宝应王予中广文懋竑《白田草堂存稿》，穷经论史，皆有卓识。生平服膺朱子，考究研析，原委了然。其书实有关于身心性命与当世之务，表章人善，微贱不遗。其于学，可谓潜心用力，俛然日有孜孜者矣。予中以广文受世庙之知，授以史职，旋以病卒。其生平事业，未及展布，惜哉！诗多质实，近体有佳句可采，五言如'清心悬冻月，逸韵澹流风'……七言如'万里风烟云似盖，满天星斗月如钩'……"《晚晴簃诗汇》卷六〇录其诗三首。《国朝文汇》甲集卷五〇录其《书范增论后》等文四篇。

庄亨阳授德安府同知。据方苞《庄复斋墓志铭》（《方苞集》卷一〇）。

马朴臣序李锴《睫巢集》六卷。署"乾隆六年岁在辛酉之孟冬"。序云："廌青先生诸门人之请，自订其三十年所作诗，都为一集，将以命之雕开氏。"（《睫巢集》卷首）查为仁《莲坡诗话》："锴号廌青山人，有《睫巢集》六卷，古体刻意追摹汉、魏，近诗则取裁郊、岛间。"

邹炳泰（1741—1820）**生。**炳泰字仲文，号晓屏，无锡人。乾隆三十七年进士，选庶吉士，授编修。官至吏部尚书、协办大学士。著有《午风堂全集》。事迹见《清史

列传》本传、《清史稿》本传。［生卒时间据朱彭寿《清代人物大事纪年》］

十一月

庄亨阳擢知江南徐州府。明年四月到任。在徐三年，两遇大荒，勤赈事，饥不暇食，困不得眠。据方苞《庄复斋墓志铭》（《方苞集》卷一〇）。

史震林自孟河渡江北游，作文记孟河之天荒西院。据史震林《华阳散稿》卷上《记天荒》。

黄之隽自序《唐堂集》五十卷。见《唐堂集》卷首。

十二月

曹庭栋去年六月至本月诗为《产鹤亭诗一稿》。据《产鹤亭诗一稿》卷首标识。

门人丁际隆跋赵执信《因园集》。署"乾隆辛酉除夕前三日，门人丁际隆谨记"。四库提要卷一七三：《因园集》十三卷，"其诗集流传颇夥，诸本往往不同。此本曾经落水，纸墨渝敝。末有乾隆辛酉执信门人丁际隆跋，称是秋重谒秋谷先生于因园。时先生病目弥甚，不作诗者六年矣。从仲君羹梅得先生手定诗稿，分十三集。录副未及校，而羹梅遂索原本以去。岁寒无事，乃校一过。曩见手书《济南竹枝》及《宿法庆寺》二律皆不在，盖所删多矣云云。羹梅者，常熟仲是保之字，为执信门人之冠，最为笃契。则是集为执信晚年定本，手授之者矣。十三集者，一曰《并门集》，二曰《闲斋集》，三曰《还山集》，四曰《观海集》，五曰《鼓枻集》，六曰《涓流集》，七曰《荈溪集》，八曰《红叶山楼集》，九曰《浮家集》，十曰《金鹅馆集》，十一曰《回帆集》，十二曰《怀旧集》，十三曰《礛庵集》。集各一卷，以存其旧，不复以篇页多寡为分也。执信娶王士禛之甥女，初相契重。相传以求作《观海集序》，士禛屡失其期，遂渐相诟厉，仇隙终身。今观《还山集》中尚有酬士禛诗二首，又为士禛作《西城别墅十三咏》。至《鼓枻集》中《渡江》一首，已有'只应羡诗老，持节问岷源'句，注曰谓阮翁。又《悼吴孝廉》一首有'渔洋未识名先著'句，其词气已不和平。自是以还，遂互相排击。则谓二人之衅生于作《观海集》时，其说当信。迨其后沿波逐流，递相祖述，坚持门户，入主出奴，哓哓然迄无定说。平心而论，王以神韵缥缈为宗，赵以思路劖刻为主。王之规模阔于赵，而流弊伤于肤廓；赵之才力锐于王，而末派病于纤小。使两家互救其短，乃可以各见所长。正不必论甘而忌辛，好丹而非素也。"

朱稻孙序张锡爵《吾友于斋诗钞》。署"乾隆辛酉涂月，同学弟朱稻孙拜撰"。（《吾友于斋诗钞》卷首）四库提要卷一八四：《吾友于斋诗钞》八卷，"国朝张锡爵撰。锡爵字担伯，号中岩，嘉定人。寄居吴江。是集前有雍正乙巳张云章序，题曰原序，盖为其旧稿而作。又有乾隆辛酉朱稻孙序，则刊此本时所作。其诗酷摹王士禛，亦往往得其一体。其斋名'吾友于'者，取杜甫《岳麓寺》诗'山花山鸟吾友于'语也。"

蔡廷弼（1741—1821 后）生。廷弼字调夫、右伯，号古香、看云山人，德清人。著有《太虚斋存稿》、《晋春秋》传奇。事迹见邓长风《明清戏曲家考略三编·十三位清代戏曲家的生平材料》。

冬

方苞《周官义疏》成书。 据苏惇元《方望溪先生年谱》。

本年

开律吕正义馆。 杨恩寿《词余丛话》卷一："乾隆六年开律吕正义馆，庄亲王董其事。王撰《分配十二月令宫调论》，最为精核。"又，张照分总其事。董洪、缪谟以张照之荐入馆。张坚、黄之隽辞不入馆。据张慧剑《明清江苏文人年表》。顾陈垿亦辞不入馆，时论高之。据《清史稿》本传。

　　[按，缪谟（一作缪模）字虞皋，华亭人。岁贡生。乾隆《娄县志》卷二五："谟诗文清丽，尤长乐府，论者比之姜白石。"（《方志著录元明清曲家传略》）《国朝诗别裁集》卷二七录其《出门》、《舟次》诗二首。庄一拂《古典戏曲存目汇考》卷八著录其《银河曲》杂剧]

郑王臣拔贡。 据四库提要卷一九四。

韩锡胙由廪生拔贡，时年二十六岁。 据刘耀东《韩湘岩先生年谱》卷上。

王昶应学使试，以第一名入学，时年十八岁。 本年，得韩柳文集、《归震川集》、张炎《山中白云词》，读而爱之，始学为诗词。据严荣《述庵先生年谱》。

符曾自江南还朝，补户部陕西司额外主事。 据赵一清《符药林先生传》（《东潜文稿》卷上）。

胡天游落解。 据胡元琢《先考稚威府君年谱纪略》。

严长明为李绂所赏，时年十一岁。 绂告方苞、杨绳武曰："此将来国器也！"长明遂执经二人之门。据钱大昕《内阁侍读严道甫传》（《潜研堂文集》卷三七）。

朱筠通五经，始学为文，时年十三岁。 据罗继祖《朱笥河先生年谱》。

郭植《月坡诗集》编年讫本年。 植字于岸，古田人。乾隆七年进士。四库提要卷一八五：《月坡诗集》四卷，"国朝郭植撰。植有《经史问》，已著录。是集分四编：一曰《雪竹草堂集》，一曰《北游集》，一曰《台江草》，一曰《温陵草》。以集中编年考之，迄于辛酉，盖其乡试中式之后所刊也。"

乔亿初定所著《小独秀斋诗》。 据张慧剑《明清江苏文人年表》。

程之鵕《黄山纪游诗》一卷、《白岳纪游诗》一卷刊行。 据《贩书偶记》卷一五。

蒋衡《拙存堂文初集》八卷刊行。 《贩书偶记》卷一五："《拙存堂文初集》八卷，金坛蒋衡撰。乾隆辛酉刊。卷一《中庸说》、《易卦私笺》，卷二《读诗疑》，卷三至六杂文，卷七尺牍、《说诗别裁》、古乐府、《古诗十九首》、《杜诗纪闻》，卷八《学诗偶存》等类。"又，"《拙存堂文集》无卷数，金坛蒋衡撰。无刻书年月，约乾隆间刊。《说诗别裁》一卷，古乐府一卷，《古诗十九首笺》一卷，《杜诗纪闻》一卷，尺牍一卷，贡卷一卷，凡六种。衡兼工书法，手写十三经全部。"

顾于观《澥陆诗钞》四卷刊行。 据《贩书偶记续编》卷一五。于观字万峰（一作桐峰），号瀣陆，兴化人。诸生。《晚晴簃诗汇》卷八六："万峰精书法，与李复堂、郑板桥友善。数奇不偶，刻意为诗，纵其才力之所至，而驰驱就范，流丽雄超，不落窠臼。"录其诗四首。

钱坫（1741—1806）生。坫字献之，号十兰、篆秋，别署泉坫，嘉定人，大昕族子。乾隆三十九年副榜贡生。游毕沅幕，与方正澍、洪亮吉、孙星衍讨论训诂舆地之学。以监修陕西城，授乾州州判。得末疾归，卒于苏州。著有《史记补注》一百三十卷。事迹见潘奕隽《陕西乾州州判钱献之传》（《三松堂集》卷四）、包世臣《钱献之传》（《艺舟双楫》附录二）、江藩《国朝汉学师承记》卷三、《清史列传》钱大昕传附、《清史稿》钱大昕传附。

沈起凤（1741—1802）生。起凤字桐威，号薲渔、红心词客，别署花韵庵主人，吴县人。乾隆三十三年举人，五试礼部不第。以坐馆、游幕为生。著有《红心词》、《谐铎》及传奇《报恩缘》、《才人福》、《文星榜》、《伏虎韬》等。事迹见石韫玉《独学庐余稿·沈氏四种传奇序》。

陈梦雷卒，年九十二。据江庆柏《清代人物生卒年表》。林昌彝《射鹰楼诗话》卷一五："《闲止书堂集》二卷，闽县陈省斋太史梦雷著。""诗多高壮之音。"录其《雨夜泊桐庐》、《秋兴》诗。《晚晴簃诗汇》卷三六："省斋早以文章名世，尤长古体。所拟《古诗十九首》及《西郊杂咏》绝工。"录其诗十首。《国朝文汇》甲集卷二五录其《与某同年书》等文四篇。

公元1742年（乾隆七年 壬戌）

正月

元夕，马璞序屈复《弱水集》。署"乾隆壬戌元夕，长洲同学弟马璞序"。（《弱水集》卷首）

十七日，唐英嘱伶人吹奏新作《笳骚》。唐英自为题词云："忆予十年前曾写《归夏图》，兼缀七律二章，客有以'买古人愁'见嘲者。予曰：'嘻！子不闻悲歌慷慨古燕、赵之风耶？予真燕、赵间人也。斯愁之买，舍我其谁？'爰更拟其当年之形神心事，镕铸其《十八拍》之节调遗音，不枝不蔓，敷衍引申，笳吹骚动，骚谱笳传，使文姬有知，未必不笑啼首肯于笔尖腕下也。时壬戌上元后二夜，予侨寓于古江州之溢浦邸署。时痴云蛮雨，月暗更残。新辞授之阿雪，轻吹合以洞箫，歌声呜咽，四壁凄清。予则掀髯而听，听然而笑，拍案大叫，赓予旧句曰：'偕老那期归董祀，可人毕竟是曹瞒。'歌竟雨歇，江风大作，涛声彭湃，响震几筵，若助予之悲歌慷慨者。"（《中国古典戏曲序跋汇编》卷八）［按，唐英有杂剧十四种，今存十二种。有《十字坡》、《英雄报》、《梅龙镇》、《面缸笑》、《长生殿补阙》、《野庆》（佚）、《旗亭》（佚）等。据庄一拂《古典戏曲存目汇考》卷八］

二月

二十四日，倪蜕作《代仁寿庵僧募建达摩楼疏》。以此知倪蜕尚在世，寿七十五以上。据邓长风《明清戏曲家考略·倪蜕的生平及其学术贡献述略》。《晚晴簃诗汇》卷五一录其诗三首。《国朝文汇》甲集卷四五录其《雷说》、《甘忠果公传后序》文两篇。又有传奇《秦楼梦》、《情中侠》，已佚，据庄一拂《古典戏曲存目汇考》卷一二。

会试。考官：内阁大学士鄂尔泰、刑部尚书刘吴龙、兵部侍郎汪由敦、副都御史仲永檀。题"如保赤子 远矣"，"子击磬于"一节，"所过者化"二句。据法式善《清秘述闻》卷六。

三月

全祖望辞吏部之选。董秉纯《全谢山先生年谱》："三月除服，吏部催赴选，有司以为请，先生谓二丧并及，当服五十四月，今虽遵例除服，而心丧有未尽，辞之。有《心丧札子答鄞令》。其实先生本无意出山也。"

张九钺至京师。据张家杭《陶园年谱》。

春

高岑取月泉吟社诸人诗和之，成《和月泉吟社春日田园杂兴诗原韵六十首》。据张庚《和月泉吟社春日田园杂兴诗原叙》（《眺秋楼诗》卷首）。诗见《眺秋楼诗》卷八。此为高岑晚年之作，岑此后事迹未详。《眺秋楼诗》八卷有乾隆二十二年十研居刻本。四库提要卷一八四：《眺秋楼诗》八卷，"国朝高岑撰。岑字岘亭，商丘人。官丰城县知县。其诗每卷各为集名，终之以和月泉吟社《田园杂兴》六十首。岑为吏部尚书宋荦外孙，故其诗法亦本于荦，与宋至《纬萧草堂集》体格相近，所谓酷似其舅者也。"《国朝诗别裁集》卷三〇："岘亭为宋商丘冢宰外孙，故诗有渊源。归田后，学力尤进。"录其《秋日书怀》、《暮春送别》诗二首。《晚晴簃诗汇》卷六九录其《秋日书怀》诗一首。

四月

初五日，高宗御太和殿，传胪。赐一甲金甡、杨述曾、汤大绅进士及第，二甲邵齐焘、姚范、窦光鼐、郭植、郑虎文等进士出身，三甲庄纶渭、李化楠、周宣武、王太岳等同进士出身。据《历科进士题名录》、《清通鉴》。

周宣武成进士。四库提要卷一八五：《咏史六言》一卷，"国朝周宣武撰。宣武字燮轩，长沙人。乾隆壬戌进士。是编杂采史事，以六言绝句评论之。或一首咏一事，或一首连类两三事，不分门目，亦不叙时代后先。每首之末，各附论一篇。六言一体，古今作者颇少。诗家偶一为之，避其难也。宣武独衍至百首以外，意欲间道出奇，然终不能见长也。"

张九钺以一等一名留成均肄业。据张家杭《陶园年谱》。

方苞出都归里。苏惇元《方望溪先生年谱》："春，先生以年近八旬，时患疾痛，乞解书局，回籍调理。上许之，赐翰林院侍讲衔。四月，出都归里，杜门著书，不接宾客。江南总督尹文端公讳继善踵门求见者三，皆以疾辞。"

本月和十月，全祖望在里中与同人举真率社。董秉纯《全谢山先生年谱》："四月，纠同邑陈先生南皋、钱先生芍庭、李先生甘谷、胡先生君山、先君钝轩先生为真率社，重举重四之会，壶觞一旬。再举至十月。得诗三百余篇，皆纷社掌故，题曰《句余土音》，后删定为《句余唱和集》。"

五月

初五日，厉鹗贫甚，桑调元冒雨假以白金十两。据朱文藻撰、缪荃孙重订《厉樊榭先生年谱》。

张九钺考取正黄旗官学教习。据张家杺《陶园年谱》。

六月

二十五日，郑燮跋允禧《随猎诗草》、《花间草堂诗草》。郑燮《题随猎诗草、花间草堂诗草》云："善读书者曰攻，曰扫。攻则直透重围，扫则了无一物。紫琼道人深得读书三昧，便有一种不可羁勒之处。试读其诗，如岳鹏举用兵，随方布阵，缘地结营，不必武侯八阵图矣。曰清、曰轻、曰新、曰馨。偶然得句，未及写出，旋又失之，虽百思之不能续也。又有成局已构，及援笔兴来，绝非□□，若有神助者。主人深于此道，两种境地，集中皆有。""问琼崖之诗已造其极乎？曰：未也。主人之年才三十有二，此正其勇猛精进之时。今所刻诗，乃前矛，非中权，非后劲也。执此为陶、谢复生，李、杜再作，是谄谀之至，则吾岂敢！英伟俊拔之气，似杜牧之；春融澹泊之致，似韦□□；□□清远之态，似王摩诘。沉□□□□□，似杜少陵、韩退之。种种境地，已具有古人骨干。不数年间，登其堂，入其室，探其钥，发其藏矣。主人有三绝：曰画，曰诗，曰字。"署"乾隆七年六月二十五日，板桥郑燮谨顿首顿首"。（《郑板桥全集·板桥集外诗文》）

黄叔琳授詹事府詹事。据顾镇《黄侍郎公年谱》。

曹庭栋作《魏塘纪胜》百首。后编为《产鹤亭诗三稿》。据《产鹤亭诗二稿》卷首自序。

田同之自序《西圃丛辨》三十二卷。署"乾隆七年岁在壬戌六月，西圃田同之书"。（《西圃丛辨》卷首）四库提要卷一二六：《西圃丛辨》三十二卷，"国朝田同之编。同之字在田，德州人。康熙庚子举人。官国子监学录。是书杂采诸家说部，分类排比，皆因其旧文，不加论断，故卷首题名不曰'撰著'而曰'纂集'云。"是书乾隆十九年李世垣刊行。

八月

初一日，彭遵泗自序《蜀碧》。署"壬戌八月朔，五丹溪生磬泉泗自叙"。（《国朝文汇》乙集卷八）是书纪"蜀乱"始末及一时死节士女，四库提要卷六三著录。

郑性编定《南溪偶刊》。自题署"乾隆壬戌八月中秋后十日"。(《南溪偶刊》卷首）是书五卷，本年刊行。凡《南溪梦寐》一卷（五十岁以前诗），《南溪寱歌》二卷（五十至七十六岁诗），《南溪不文》一卷，《台游日记》一卷。

　　盛百二自序所为诗。署"乾隆壬戌八月，柚堂居士自序"。(《皆山楼吟稿》卷首）

　　许廷录自序《五鹿块》传奇。署"壬戌秋八月"。是剧凡二卷二十八出，演重耳出亡事。自序云："因思是编为众所共知，而其事实可风世。骊姬之酿祸，献公之信谮，申生之纯孝，杜原欸之忠恳，子犯之智，赵衰、臼季之赞画，魏犨、颠颉之勇敢，秦、楚两君之好贤，至若季隗之能守，齐姜之能断，负羁妻之明慧，终之以重耳之能捍国患，皆可以为世之鉴而立之。"(《中国古典戏曲序跋汇编》卷一二）又，据《古本戏曲剧目提要》，是剧约康熙四十一年作。

九月

　　二十二日，戚弢言卒，年四十四。据章有大《书戚孝子事》(《碑传集》卷一〇一）。《晚晴簃诗汇》卷六七录其诗一首。

　　二十八日，蒋麟昌卒，年二十二。据金鉴《书菱溪遗草后》(《菱溪遗草》卷末）。《菱溪遗草》诗一卷、诗余一卷附挽诗一卷本年刊行。四库提要卷一八五著录《菱溪遗草》一卷。袁枚《随园诗话》卷三："诗有奇气。咏《七夕》云：'一报人间箫鼓喧，羊灯无焰秋云碧。'《中元》诗云：'两岸红沙多旋舞，惊风不定到三更。'"《晚晴簃诗汇》卷七五录其诗四首。

　　桑调元编定诗十四卷、文六卷，诗先刊行。自序署"乾隆七年重九日，桑调元自序"。(《弢甫集》诗卷首）

秋

　　赵由仪下第南归，以诗示谢鸣谦。谢鸣谦《书赵山南事》："壬戌秋，山南下第南归。时江北方水患，余急就山南讯北来事，山南出诗数十篇相示。其《河决》三章，忧深思远，有长沙遗风。"(《国朝文汇》乙集卷一九）

　　王昶游神佘、横云诸山，泛泖湖。作诗多效陶、谢、王、孟体，同里张梁剧奖赏之。据严荣《述庵先生年谱》。

十月

　　十六日，王恕卒，年六十一。据沈大成《太原王楼山先生传略》(《学福斋集》卷一七）。《传略》云："所著文章词赋及奏议甚多，海内学者尊之曰楼山先生。盖楼山即公少时读书地，因以自名其集云。"《国朝诗别裁集》卷二四录其《牧牛词》、《过十八滩》诗二首。袁枚《随园诗话》卷一三录其《过潮州感旧》诗，谓"通首唐音"。《晚晴簃诗汇》卷六一录其诗五首。

十二月

黄叔琳以山左会揭事牵连去官。据顾镇《黄侍郎公年谱》。

冬

王玙卒。据刘贽《三立祠传》（《王石和文集》卷首）。玙字韫辉，号石和，盂县人。康熙四十五年进士，选庶吉士，授检讨。充三朝国史馆纂修官，旋以亲老乞归。著有《王石和文集》九卷。《国朝文汇》甲集卷四二录其《宋东京考序》文一篇。

本年

汪轫、杨垕成名于此际。谢鸣谦《书赵山南事》："辇云者，为字云门人，贫而工诗，壬戌、癸亥间名大起，当路争罗致。""是时与辇云方驾者，为南昌子载杨垕。"（《国朝文汇》乙集卷一九）法式善《梧门诗话》卷三："杨子载垕与汪辇云轫皆西江人，以工诗齐名。杨以清微胜，汪以刻挚胜。"

管兆桂、张曾、鲍皋、钱为光等共举浣花会，纪念杜甫。据张慧剑《明清江苏文人年表》。

去年和今年，程晋芳邀吴敬梓至其家。程晋芳《文木先生传》："辛酉、壬戌间，延至余家，与研诗赋，相赠答，惬意无间。而性不耐久客，不数月，别去。"（《勉行堂文集》卷六）

蒋士铨始读少陵、昌黎、太白、东坡各家集。而于太白追欢宴游、流连神仙诸什，辄厌其空且复。据蒋士铨自编《清容居士行年录》。

曹仁虎与钱大昕为同学。王鸿逵《曹学士年谱》："是岁朝议公设帐家中，同邑钱竹汀大昕从受业，与先生交好如弟兄。而王西庄鸣盛亦时过从，呼为小友。"

李文藻从父远游曹家亭。作记一篇，仿《赤壁赋》，见者以为神童。文藻时年十三岁。据钱大昕《李南涧墓志铭》、江藩《国朝汉学师承记》卷六。

戴震自邵武归。同邑程恂一见大爱重之。见婺源江永，取平日所学就正于永。据段玉裁《戴东原先生年谱》。

江永成岁贡生，时年六十二岁。据汪世重、江锦波《江慎修先生年谱》。

卢文弨考授内阁中书。据段玉裁《翰林院侍读学士卢公墓志铭》（《抱经堂文集》卷首）。

袁枚初试溧水知县。方濬师《随园先生年谱》："是年翰林散馆，试翻译，置下等，阅卷大臣鄂文端公所定也。启名大恨，招先生往赐饭，与深语，且曰：'汝为外吏，必职办。'先生问及当代诸名臣，文端云：'汝到江南，有一真君子，不为利动，不为威慑，守其道生死不移者，可交也。'问何人，曰：'顾琮也。我此时不必通书，汝见时但道是我门生，渠必异目相待。'先生到淮，见顾公于总河署中，果如旧相识。临别先生求顾公教诲，公曰：'君聪明，任君行去，但要大处错不得，可紧记老夫语。'先生叹为真儒者之言。""桐城张药斋侍郎闻先生改外，向其兄文和公作元相语曰：'韩愈可惜。'"“需次白门，寓王俣岩太史家。”“初试溧水知县，太翁自广西来，虑先生年少不谙吏治，乃匿姓名询诸途。有女子告曰：'吾邑袁公，政若神明，真好官也。'太翁大喜，骑驴直入县署，合邑传为佳话。”

郑燮为范县令，刊刻作品集。 郑燮《刘柳村册子》：“四十举于乡，四十四岁成进士，五十岁为范县令，乃刻拙集。是时乾隆七年也。”（《郑板桥全集·板桥集外诗文》）将之任，有《将之范县拜辞紫琼崖主人》诗，允禧亦有《送板桥郑燮为范县令》诗。见《郑板桥全集·板桥集》。

芮复传此前以事解职，至此以办铜事竣，例当复官。 以父母卒，奔丧归。服除，不复出，家居三十余年。据朱筠《浙江提刑按察使司副使分巡温处道芮君墓碣铭》（《笥河文集》卷一二）。

盛熙祚引疾归。 据盛百二《先府君行述》（《柚堂文存》卷四）。

颜肇维予告归。 据牛运震《协办礼部仪制司行人司行人颜公墓志铭》（《空山堂文集》卷七）。

厉鹗辑《辽史拾遗》成书。 据朱文藻撰、缪荃孙重订《厉樊榭先生年谱》。

韦谦恒《传经堂诗钞》存诗始于本年。 据《传经堂诗钞》卷首自序。

吴敬梓《老伶行（赠七十八叟王宁仲）》作于本年或明年。 见《吴敬梓诗文集·文木山房集外诗文》。王又曾《丁辛老屋集》卷一二《书吴征君敏轩先生文木山房集后（有序）》：“一首《老伶》吴祭酒，几篇乐府白尚书。”（《吴敬梓诗文集》附录）

彭廷梅编《据经楼诗选》十四卷刊行。 法式善《陶庐杂录》卷三：“《据经楼诗选》十四卷，分体类编，彭廷梅禀紫琼道人意所辑，故多高澹之音。道人序其端云：矫其性者，损而除之。正气勃勃从纸上出，毫无乖气相戾。可以知道人之寄托焉。乾隆七年刻。”

王辅铭编《国朝练音集》十二卷刊行。 法式善《陶庐杂录》卷三：“《国朝练音集》十二卷，共三百人，略仿翟例。而载现存之人甚多，并其子之诗亦附入，识者讥其滥焉。刻于乾隆七年。前有张鹏翀、沈德潜二序。”

田同之《砚思集》六卷刊行。 据《贩书偶记》卷一五。

晏斯盛《楚蒙山房集》刊行。 凡《楚蒙山房诗》五卷，《楚蒙山房文集》二十卷，《楚蒙山房易经解》十八卷，《学易初津》二卷，《易翼宗》六卷，《易翼说》八卷。据《中国丛书综录》。

张湄《瀛壖百咏》一卷刊行。 据《贩书偶记》卷一五。

崔应阶《拙圃诗草》十卷附《梅花集句》一卷刊行。 据《贩书偶记续编》卷一五。

吴翌凤（1742—1819）**生。** 翌凤初名凤鸣，字伊仲，号枚庵、漫士，长洲人。诸生。长期游幕。性好藏书，喜抄秘籍。著有《与稽斋丛稿》、《吴梅村诗集笺注》、《逊志堂杂钞》、《灯窗丛录》。事迹见《与稽斋丛稿》各卷自序、石韫玉《吴枚庵墓志铭并序》（《独学庐四稿》文卷五）、《清史列传》王豫传附。

王友亮（1742—1797）**生。** 友亮字景南，号葑亭，婺源人。乾隆三十年举人。四十六年进成士，授刑部主事。官至通政司副使。著有《双佩斋集》六卷。事迹见姚鼐《中议大夫通政司副使婺源王君墓志铭并序》（《惜抱轩文后集》卷七）、《清史列传》

袁枚传附。

戚学标（1742—1825）生。学标字翰芳，号鹤泉，别号南墅居士，太平人。少从齐召南游。乾隆四十六年进士。官河南涉县、林县知县。罢官后改宁波教授，未几归，著述以终。著有《汉学谐声》二十三卷、《鹤泉文钞》二卷、《鹤泉文钞续选》九卷、《景文堂诗集》十三卷。事迹见缪荃荪《戚学标传》（《碑传集补》卷三九）、《清史列传》本传、《清史稿》本传。

彭绩（1742—1785）生。绩字其凝，号秋士，长洲人。布衣。品诣孤峻。乾隆末穷而客死。著有《秋士先生遗集》六卷。事迹见彭绍升《秋士先生墓志铭》（《二林居集》卷一〇）、《清史稿》陆继辂传附。

杨抡（1742—1806）生。抡字方叔，号莲跌，金匮人，潮观子。乾隆四十三年进士，官浙江天台知县。著有《春草轩诗存》四卷、《诗余》四卷、《芙蓉湖棹歌》一卷。事迹见张慧剑《明清江苏文人年表》。

祝德麟（1742—1798）生。德麟字止堂（一作趾堂），号芷塘，海宁人。乾隆二十八年进士。历官编修、御史。著有《悦亲楼诗集》三十卷《外集》二卷。事迹见《国朝耆献类征初编》卷一三七。

陈仪卒，年七十三。据符曾《陈学士仪传》（《碑传集》卷四七）。《晚晴簃诗汇》卷五九录其诗一首。

公元 1743 年（乾隆八年 癸亥）

正月

二十八日，秦瀛（1743—1821）生。瀛字凌沧、小岘，晚号遂庵，无锡人。乾隆三十九年举人，四十一年应召试，授内阁中书。官至刑部侍郎。著有《小岘山人诗文集》三十七卷、《己未词科录》十二卷。事迹见陈用光《刑部侍郎秦小岘先生墓志铭》、陶澍《刑部侍郎秦小岘先生神道碑》（《小岘山人诗文集》卷首）、《清史列传》本传、《清史稿》本传。

全祖望有《虬骨集》。董秉纯《全谢山先生年谱》："先生以乙酉正月五日生，而是年立春在初十日者，例作甲申年庚，则癸亥为四十年矣。朋好有称祝者，先生作诗谢之。而诗集亦遂题曰《虬骨》，用东坡语也。"

二月

御史杭世骏对策忤旨，革职。据邓长风《明清戏曲家考略三编·关于＜明清戏曲家考略＞及其＜续编＞的若干补正》引平步青《樵隐昔寱》卷一五、蔡冠洛《清代七百名人传》附录《清代大事年表》。

三月

望日，齐召南序周长发《赐书堂诗钞》。署"乾隆癸亥三月望日，年侍齐召南书"。

（《赐书堂诗钞》卷首）四库提要卷一八五：《赐书堂诗选》八卷，"国朝周长发撰。长发字兰坡，别号石帆，会稽籍，山阴人。雍正甲辰进士。选庶吉士，散馆外补广昌县知县，又改乐清县教谕。乾隆丙辰召试博学鸿词，授检讨。官至侍讲学士，后降补侍讲。长发诗才敏捷，操笔即成。故富赡有余，而亦微伤于快。平生所作，计逾万首。此集八卷，盖汰存十之一云。"是书本年刊行。据《贩书偶记续编》附录。

初三日，厉鹗等访鲁曾煜于敷文书院。据《樊榭山房续集》卷三《三月三日同许初观访鲁秋塍山长于敷文书院，即事有作二首》。是春倡和频繁，有《同少穆、竹田、敦复、南漪饮吴山酒楼，时桃始花，薄暮泛月归，诸君送予至西桥别去》、《寒食同少穆、初观城南看花，用东坡上巳日携酒出游韵》、《清明后一日，鲁秋塍招同顾丈月田、许初观看花山中分韵》、《谷雨前一日，同顾丈月田、周少穆、金寿门、丁敬身、施竹田、吴敦复、张南漪泛湖二首》等。

十六日，厉鹗序汪沆《盘西纪游集》。署"乾隆八年三月十六日雨中，南湖花隐厉鹗撰"。序云："（其诗）以坚瘦为其格，以华妙为其词，以清莹为其思。山水五言自康乐后，体制不一。西颢此作，绝去切傺，冥心独造，而卒无不与古人合。仆性喜为游历诗，搜奇抉险，往往有得意句。读之亦绝叫，以为不如也。凡诗之难，难于锻炼情景，而尤难于近理。卷中如'托根莫嫌孤，特立物所尚'；'讵识快心地，人生有蹞步'；'缔造绵一纪，役罢万夫瘵'；'生年谁满百，辛苦营台榭'；'山林俗不争，遗荣亦远辱'，如此诸句，披豁委琐，振醒瘄聋。盖西颢从羁栖流转、忧愁阅历之余，有所得而形于言。至《皇姑寺》、《观元妙严公主拜砖》、《碧云寺》三诗，则又立阴教之大防，诛巨慝于既往。使西颢得行其志，有适时之用，当不作碌碌人。而年已逾壮，奔走衣食，近又自津门归里，将为闽峤之游，岂天之穷其身，所以昌其诗耶？"（《樊榭山房文集》卷三）

四月

李绂序胡浚《绿萝山庄文集》。署"乾隆癸亥孟夏上旬，通家生临川李绂撰"。（《绿萝山庄文集》卷首）

闰四月

全祖望检点旧作，诠次得八十卷。自序署"乾隆八年癸亥四月闰余中旬，双韭山民祖望自叙"。郑乔迁识云："此先生四十时初定文稿序也。较之全集卷帙已不符，且少作多有删去者。余于小钝翁书籁中得先生自序手稿，谨藏之，并录于此。"署"嘉庆庚午长至日，后学郑乔迁识"。（《全祖望集汇校集注》附录《集外文》）

五月

沈德潜晋翰林院侍读。又，六月，晋左庶子掌坊；九月，晋侍讲学士；十二月，授日讲起居注官。据《沈归愚自订年谱》。

夏

帅念祖作《癸亥夏署中遣怀》四首。见《树人堂诗》附《搜遗》。是时帅念祖官陕西布政使。后缘事谪戍军台，卒于戍所。据《南昌府志》、《奉新县志》本传（《树人堂诗》卷首）。《晚晴簃诗汇》卷六五录其诗二首。

七月

初十日，郑性卒，年七十九。据全祖望《五岳游人穿中柱文》（《鲒埼亭集》卷二一）。《穿中柱文》云："南雷黄氏之讲学也，其高弟皆在吾甬上。再传以来，绪言消歇，证人书院中子弟，不复能振其旧德。求其如北山之有光于朱，蒙斋、融堂、和仲之有光于陆者，吾未之见也。慈水郑先生南溪其庶几乎？先生于黄氏之学，表章不遗余力。南雷一水一火之后，卷籍散乱佚失，乃理而出之，故城贾氏颠倒《明儒学案》之次第，正其误而重刊之。先是，尊府君高州欲立祠于家以祀南雷而不果，先生成其志，筑二老阁于所居东，以祀南雷及王父秦川观察，春秋仲丁，祭以少牢，黄氏诸孙及同社子弟皆邀之与祭，使知香火之未坠也。"余集《郑诩斋墓志铭》："（性）与鄞人李东门、万西郭、蛟川谢北溟倡和为诗，称四明四友。"（《秋室学古录》卷三）《晚晴簃诗汇》卷六三录其诗一首。

八月

十四日，沈树本卒，年七十三。据吴大受《沈舲翁年谱》（谢巍《中国历代人物年谱考录》著录）。《国朝诗别裁集》卷二三："从来学苏诗者，只得其随手征引，波澜不穷，其弊往往流于纵肆。此独于用意正大处求之，即质之元遗山，必无沧海横流之目。"录其《大水叹五首》等诗十一首。《晚晴簃诗汇》卷五八录其诗一首。

十五日，吴蔚光（1743—1803）生。蔚光字悲甫、执虚，号竹桥，晚号湖田外史。世居休宁，四岁随父迁居昭文，始为昭文人。乾隆四十五年进士，选庶吉士。散馆改礼部主事。旋乞病归，退闲林下二十余年。著有《素修堂文集》二十卷、《古今石诗斋前集》四十五卷、《后集》十五卷、《小湖田乐府前集》十卷、《续集》四卷、《闲居诗话》四卷。事迹见法式善《例授奉直大夫礼部主事吴君墓表》（《碑传集补》卷一一）。[生日据朱彭寿《清代人物大事纪年》]

二十日，曹锡淑（女）卒，年三十五。据陆秉笏《行略》（《晚晴楼诗草》附录）。四库提要卷一八五：《晚晴楼诗草》二卷，"国朝曹锡淑撰。锡淑字采荇，上海人。兵科给事中一士之女。适同里举人陆（正）[秉]笏。一士有《四焉斋诗集》，其妻陆凤池亦有《梯仙阁余课》。锡淑承其家学，具有轨范。大致以性情深至为主，不规规于俪偶声律之间云。"《晚晴簃诗汇》卷一八四录其诗二首。

方苞寻医浙东，因作天姥、雁荡之游。有《记寻大龙湫瀑布》、《题天姥寺壁》、《游雁荡记》等，见《方苞集》卷一四。

王霖为吴燠文选定自丁未至癸亥诗十卷。据《朴庭诗稿》卷首吴燠文自识、王霖

序。王霖序署"乾隆昭阳大渊献岁中秋日，山阴弇山老人王霖书于南宫官署"。(《朴庭诗稿》卷首)

唐英自序《转天心》传奇。署"乾隆昭阳大渊献之岁桂花令节，蜗寄居士识"。自序云："天之外无所信，心之外无所守。守其心以信天，信其转以验守。圣贤之训，何肯自外？释老之教，亦难妄评。惟即其事以揆理，即其理以揆心。心与理洽，而人心转矣；理与事宜，而天道合矣。"又，董榕序云："蜗居先生《转天心》乐府之作，其精于《易》者乎！观吴明之题壁傲慢，是亢龙之有悔也。亢极则变，故换其胎，纯阴之际，一阳复生，吴定即硕果之仅存也。所谓'卦无定象，爻无定位'者，斯其见端欤？当困于幽谷之时，而指点循环消息者，为注生之南斗，坎陷互离明矣。丐而孝母，以需郊之乐为颐养之贞，孝笃天经，干蛊之高风也。得金矢而坚贞，不使旅人丧其资斧；遇少女之蒙难，返厥归妹脱于寇弧。合之代孝、代偿，老老幼幼，广及于人。善不积不足以成名，犹彼恶不积不足以灭身。积不善，必有余殃；如此积善，得不有余庆乎？自此人心转而天心亦转矣。刚健粹精，得天之健，即得剑之说也。侍时而动，时尚潜也。一旦乘时利见，炳为虎变，刚中而应，行险而顺。师出以律，立执三禽。开国承家，极锡命之荣焉。由大困转而为大亨，此非天转之也，实有所以转有乎天者，则在此改过迁善之心转之而已矣。而此能转者谁也？即剥极复生之人为之。《易》所以象于硕果也，则豆因豆果之义，不更彰明较著也哉？吾不知作者拈毫时如何落想，而第见其文与事无之而非《易》也。固知其生平阅历，究心于盈虚消长之机、悔吝忧虞之故者甚深，是以有取于改过之义而为此书也。"署"正乾隆昭阳作噩之岁长至日也，浭阳董榕题于舒啸台次"。又，商盘序并诗署"甲戌蕤宾令节，宝意商盘"。(《中国古典戏曲序跋汇编》补遗) 是剧凡三十八出，本事见艾衲居士《豆棚闲话》第五则《小乞儿真心孝义》，演黄冈乞丐吴定行善获报事。

九月

二十六日，蒋蘅卒，年七十二。据吴荣光《中国古代名人生卒·历史大事年谱》。洪亮吉《北江诗话》卷一："舅氏蒋检讨蘅诗，如长孺戆直，至老益坚。"《国朝文汇》乙集卷二三录其《赠山阴姜藻亭序》等文六篇。《晚晴簃诗汇》卷六九录其诗七首。[按，"蒋蘅"一作"蒋衡"，初名振生，字湘帆、拙存，金坛人。又，名"蒋衡"者，有字丕绍，号芝冈者，乾隆间长洲人；名"蒋蘅"者，有初名殿元，字未斋者，嘉庆间福建人：皆非此"蒋蘅"也]

全祖望出游，有《杪秋江行集》。据董秉纯《全谢山先生年谱》。

厉鹗、方士庶、闵华、全祖望、张四科、陈章、程梦星、马曰琯、马曰璐、方士庶、陆锺辉、王藻等在扬州举陶潜诗会。据《樊榭山房文集》卷六《九日行庵文讌图记》。

秋

厉鹗、方士庶、闵华、陆锺辉、王藻等游金陵。朱文藻撰、缪荃孙重订《厉樊榭先生年谱》："同方西畴士虔、闵玉井皞、陆溽川锺辉、王梅沿藻游金陵摄山，诗有《摄山纪游集》一卷，陈授衣章序。"《樊榭山房续集》卷四有《同方西畴、闵玉井、陆溽川自纱帽洲江行至青山作》、《摄山杂咏十二首》、《秦淮怀古四首》等诗。

王藻此后事迹未详。〔按，据江庆柏《清代人物生卒年表》，王藻生于康熙三十二年（1693）〕袁枚《随园诗话》卷四："丙辰征士王藻，字载扬，吴江人，贩米为业。《偶题桃源图》云：'相看何物同尘世？只有秦时月在天。'以此受知于沈艎翁先生，四处揄扬，遂弃业读书。吴大宗伯荆山荐举鸿词科，廷试报罢，往来扬州，与诗人结社吟咏。貌琐瘦急遽，小声音，好蓄宋板书、青田石印章。有友借观，误堕地碎，载扬垂泣三日，其风趣如此。《读梅村集》云：'百首淋漓长庆体，一生惭愧义熙民。'《剪梅》云：'大抵端相求入画，最难割爱似删诗。'"《晚晴簃诗汇》卷七三录其诗四首。

十月

全祖望至维扬，有《七峰草堂唱和集》。据董秉纯《全谢山先生年谱》。

十二月

马长淑自题所编《渠风集略》。署"乾隆癸亥嘉平上浣，邑后学马长淑题于淦阳署中"。（《渠风集略》卷首）四库提要卷一九四：《渠风集略》七卷，"国朝马长淑编。长淑字汉荀，安丘人。雍正庚戌进士。官至磁州知州。初，安丘张贞欲辑其邑自明以来迄于国朝之诗，名曰'渠风'，久而未就。长淑因踵成是编。称'渠风'者，安丘古渠丘地也。书凡四卷。其五卷则专辑马氏一家诗。其六卷为流寓、方外、闺秀、续编四门。其七卷为诗余。然意主夸饰风土，不免附会古人。如'方外'内阑入唐释皎然一诗，殊不合断自前明之例。而'流寓'内首列苏轼，亦非事实也。"是书本年辑庆堂刊行。

冬

卢见曾自伊犁戍所放还。据《雅雨山人出塞集》卷首马荣祖序。《雅雨山人出塞集》一卷乾隆十一年刊行。据《贩书偶记》卷一五。

本年

袁枚由溧水改知江浦，复从江浦改知沭阳。又赴赣榆鞫狱。据方濬师《随园先生年谱》。

陈兆崙丁忧归里。据陈玉绳《陈句山先生年谱》。

全祖望为韩江马氏兄弟作《丛书楼书目序》。见《鲒埼亭集》卷三二。

黄图珌自序《栖云石》传奇。是剧又名《人月圆》，凡二卷三十二出。据庄一拂《古典戏曲存目汇考》卷一一。

王辅铭编《练音集补》七卷刊行。据张慧剑《明清江苏文人年表》。

查为仁《蔗塘未定稿》八卷、《押帘词》一卷、《外集》八卷刊行。《贩书偶记》卷一五："《蔗塘未定稿》八卷、《押帘词》一卷、《外集》八卷，宛平查为仁撰。乾隆间精刊。《花影庵集》二卷、《无题诗》二卷、《是梦集》一卷、《抱瓮集》一卷、《竹村花鸥集》一卷、《山游集》一卷（以上正集），《赏菊倡和诗》一卷、《花影庵杂记》二卷、《芸香阁剩稿》一卷（山阴女史金至元撰）、《游盘日记》一卷、《莲坡诗话》三卷（以上外集）。"［按，"乾隆间精刊"实为本年。据《清词别集知见目录汇编》］厉鹗《查莲坡蔗塘未定稿序》："诗不可以无体，而不当有派。""查君莲坡以诗鸣寓内久矣。莲坡家海津，去日下数百里而近，舟车驰骛，憧扰于耳目；门庭授受，诱掖其心思：宜其诗之囿于派。而莲坡掉头天际，纵心遥遇，所托意者，山水禅悦、友朋书卷之间。通脱雄鸷，涤烦释滞，标举胜境，流连景光，辄警秀不可移置。间为艳诗及乐府，非搴兰揽茝之旨，即花飞钏动之悟。此其陶冶深而采择富，殆无体不苞，以成为莲坡之诗体欤？"（《樊榭山房文集》卷三）

郑燮《道情》十首刊行，刻者司徒文膏。据《板桥集》原刻本跋。（《郑板桥全集·板桥集》）又，郑燮《刘柳村册子》云："《道情》十首作于雍正七年，改削十四年，而后梓而问世。传至京师，幼女招哥首唱之，老僧起林又唱之，诸贵亦颇传颂，与词刻并行。"（《郑板桥全集·板桥集外诗文》）陈廷焯《词坛丛话·板桥道情》："板桥道情之妙，前无古人，后无来者。虽令其年、竹垞为之，亦不能及。盖物各有体，道情与词，笔路迥别，非可强而致也。极录入杂体一卷中，借以消余之烦恼，并借以平天下之争心。"

邵晋涵（1743—1796）生。晋涵字与桐、二云，号南江，余姚人。乾隆三十六年进士，归班铨选。旋入四库馆，改庶吉士，逾年授编修。历官左中允、侍读、左庶子、侍讲学士、日讲起居注官、文渊阁直阁事、国史馆纂修官、提调官。著有《南江文钞》十二卷、《诗钞》四卷。事迹见章学诚《邵与桐别传》（《碑传集》卷五〇）、王昶《翰林院侍讲学士充国史馆提调官邵君墓表》（《春融堂集》卷六〇）、钱大昕《日讲起居注官翰林院侍讲学士邵君墓志铭》（《潜研堂文集》卷四三）、洪亮吉《邵学士家传》（《卷施阁文甲集》卷九）、江藩《国朝汉学师承记》卷六、黄云眉《邵二云先生年谱》、《清史列传》本传、《清史稿》本传。

方正澍（1743—1809）生。正澍又名正添，字子云，号玉溪，歙县人，寓居南京。国子生。学诗于何士颙，与袁枚激扬风雅，争长诗坛。著有《子云诗集》十卷、《花韵轩词》二卷。事迹见《国朝诗人征略》初编卷三三、《清史列传》檀萃传附。［生卒年据江庆柏《清代人物生卒年表》］

胡亦常（1743—1773）生。亦常字同谦，号豸浦，顺德人。乾隆三十六年举人。著有《赐书楼集》。与张锦芳、冯敏昌称"岭南三子"。事迹见钱大昕《孝廉胡君墓志铭》（《潜研堂文集》卷四六）、《清史列传》黎简传附、《清史稿》黎简传附。

陈昌齐（1743—1820）生。昌齐字宾臣，号观楼，海康人。乾隆三十六年进士，选庶吉士，散馆授编修。官至浙江温处道。致仕后主粤秀书院讲席。著有《赐书堂集》六卷等。事迹见《广东通志·浙江温处道陈公昌齐传》、吴应逵《温处兵备道陈公传》（《碑传集》卷八七）、《清史列传》本传、《清史稿》本传。

瞿颉（1743—1817 后）生。颉初名颙，字孚若，号菊亭，常熟人。乾隆三十三年举人。十一试礼部不售，援例授丰都知县。著有《秋水阁古文》二卷、《秋水吟》二卷、传奇六种（《鹤归来》、《雁门秋》、《桐泾月》、《元圭记》、《紫云回》、《锦衣树》，后二种已佚）。事迹见同治《苏州府志》卷一〇三、民国《重修常昭合志》卷二〇（《方志著录元明清曲家传略》）。[按，生卒时间据邓长风《明清戏曲家考略·瞿颉和他的＜鹤归来＞传奇》]

仲是保卒于赵执信家，年六十。据《翰村诗稿》卷末赵念跋。四库提要卷一八五：《翰村诗稿》六卷，"国朝仲是保撰。是保字羹梅，号翰村，常熟人。是集前五卷为是保所自编，皆题曰《行卷》。第一卷曰《辛集》，第二曰《壬集》，第三曰《癸集》，第四曰《甲集》，第五曰《后甲集》。按唐时进士，以所业投贽当路，谓之行卷。见于《摭言》等书者颇详。是保终老山林，而名所作为'行卷'，未喻其说。又文集以甲、乙标目，始于《文选》诸赋。其两集分甲、乙者为李商隐《樊南集》。一集以甲、乙分卷者为陆龟蒙《笠泽丛书》。然皆以十干为次。是集独以辛、壬、癸、甲为次，亦莫明其故。第八卷题曰《遗集》，则乾隆癸亥是保旅卒于博山，其友赵念所续编也。是保初学诗于同里冯武。武，冯班从子也。故其诗格律色泽皆冯氏法。康熙辛丑，复北至益都，从赵执信受学。故其诗运意镌刻，则纯用赵氏法云。"

储大文卒，年七十九。据《疑年录汇编》卷一〇。廖鸿章《笠州草堂文集序》："宜兴储氏以文章名天下，而画山先生文尤世所推。先生学殖闳富，贯串古今，所著《存研楼集》，议论纵横驰骤，为文章之雄。"（《国朝文汇》乙集卷七）瞿源洙《画山先生文集序》："画山先生喜议论，长于考订，其叙述形势之地，尤工且密。山川阻险，边关阨塞，天地所以设险，英雄所以力争，表里异势，攻守异形，凉燠异候，今昔异名，先生次其道途，详其广袤。奥溪曲隧，苇桥板屋，触毫而出，历历如绘。""读其文者，如行异域而就熟径，如登绝岭而骤康庄，斯真班定远之指南、李药师之韬略也。盖先生尝愤西域负固，扰我边圉，故潜究默订，囊括山河，作《取道》上、下篇。又愤章句之徒、介胄之士，不审天下大计，作《原势》以下诸篇。至于记、序、碑铭、杂文，亦皆牢笼古今，动摇山岳。""癸亥之冬，与同学诸子谋付之梓，厘为十六卷。余文尚千篇，俟续刻。甲子仲夏告成。"（《国朝文汇》乙集卷一六）四库提要卷一七三：《存砚楼文集》十六卷，"国朝储大文撰。大文字六雅，宜兴人。康熙辛丑进士。官翰林院编修。大文初以制艺名，归田后乃潜心古学，尤究心于地理。故全集十六卷，而论形势者居七卷。凡山川阻隘、边关阨塞，靡不详究。如《荆州论》至十一篇，《襄阳论》至七篇，《广陵西城》一篇。推求古今城郭异地、山川异名，援据史籍，如绘图聚米。当年进退攻守之要，成败得失之由，皆口讲而指画之。他家作史论者多约略大概以谈兵，作地志者多凭借今名而论古。国朝百有余年，惟阎若璩明于沿革，大文详于险易。顾祖禹《方舆纪要》考证史文虽极博洽，往往以两军趋战，中途相遇之地，即指为兵家所必争，不及二人之精核也。惟边塞以外，如西域诸部、蜀徼各番，验之往往不合。盖当道路未通，异域传闻，图经不备，不能及今日天威奢定，得诸目睹之真。势使之然，固不足怪耳。其它杂文间有隶事太繁之失，而征引典博，终胜空疏，但取其所长可矣。"《国朝诗别裁集》卷二四录其《秋江词》诗一首。《晚晴簃诗汇》

卷六一录其诗二首。《国朝文汇》甲集卷五一录其《斛律光论》等文六篇。《贩书偶记》卷一五："《存砚楼文集》十六卷、《二集》二十五卷，宜兴储大文撰，受业张耀先、张冕等编。乾隆九年至十九年本楼刊。四库著录阙《二集》。"

陶贞一卒，年六十八。据江庆柏《清代人物生卒年表》。王峻《陶退庵墓志铭》："其于文字尤有天禀。初习举子业，昆山徐司寇会课，辄居前列。至十六岁所为文，已为人借刻。及在海外，早夜精思，文格益进，何义门先生尤所咨赏。熟于史事，汉、唐、宋事迹与其治忽之几，皆能疏举。晚而学《易》，颇有所得。为古文词，波澜意匠，最近庐陵，然不规规形似，今所存二百篇许。"（《艮斋文集》卷四）《国朝文汇》甲集卷四五录其《汉魏二孝文优劣论》等文三篇。《贩书偶记》卷一五："《退庵文集》无卷数，常熟陶贞一撰。无刻书年月，约乾隆间贻清堂刊。考订之文。"

高不骞卒，年八十七。据江庆柏《清代人物生卒年表》。沈大成《翰林院待诏小湖高先生墓表》："先生幼承太常公之训，长亲炙秀水朱检讨，而交吴中惠红豆、何义门、张匠门诸名士，故嗜古最深而痛绝乎流俗。""先生既绳家美，又得检讨之扬扢，故其为学一本于经史，而尤长考订。其说古今典礼皆有据依，其为诗专尚唐贤，其《商榷》一集足为五言程，不止备郡文献也。"（《学福斋集》卷一五）

倪国琏卒。据朱彭寿《清代人物大事纪年》。四库提要卷一八五：《春及堂诗集》四十三卷，"国朝倪国琏撰。国琏有《康济录》，已著录。是集乃乾隆壬辰其子承宽所刊。凡《竹立园集》一卷、《南隐山房小草》一卷、《橘山游草》二卷、《文杏馆集》一卷、《浮湍集》一卷、《枫花草》一卷、《松鳞书屋唱和诗》一卷、《庚子诗草》一卷、《剡东游草》一卷、《庐江游草》二卷、《西江游草》三卷、《南游草》二卷、《湖南吟稿》二卷、《燕云集》一卷、《竹窗集》三卷、《滇行集》八卷、《春闱诗》一卷、《星沙奉使集》二卷、《潞河吟》一卷、《庚申南行集》三卷、《嘉荫书屋集》三卷，皆国琏严自删汰，惟存其得意之作。故每卷多者不过四十余首，少者或十余首云。"

蔡珽卒。据《清史稿》本传。珽字若璞，号禹功，自号无功居士、松山季子，汉军旗人。康熙三十六年进士。官至兵部尚书、直隶总督。降奉天府尹。著有《素堂诗集》。法式善《八旗诗话》五九："尚书生平勤于诗，与高文良至戚，唱酬最多，文良畏之。尚书殁，手录稿本尚有三四十册，子孙不甚爱惜，人分取之。予亦得其一，皆中年作诗。二百余草。气清味腴，最近刘文房、钱仲文。惜全集不可再见，生平造诣，当不在味和堂下。"《国朝诗人征略》二编卷一一引《听松庐文钞》："至就诗论诗，颇多可采之句。在汉军诗人中。固当高置一座矣。"《晚晴簃诗汇》卷五四："诗清刚隽上，如其为人。"录其诗十二首。

公元 1744 年（乾隆九年　甲子）

正月

一说《说岳全传》卷首金丰序在本月。序署"甲子孟春上浣，永福金丰识于余庆堂"。此"甲子"或云当为康熙二十三年甲子。

沈德潜校勘《旧唐书》毕。据《沈归愚自订年谱》。

厉鹗等集赵昱小山堂。据《樊榭山房续集》卷四《试灯前一日，同人集赵谷林小山堂，观流求国官工松元泰新刻墨谱，用山谷松扇韵》。

二月

厉鹗、周京、施安、吴城等宴集。据《樊榭山房续集》卷四《二月三日，同少穆、竹田诸君集湖上，题酒楼壁》、《二月十四夜，同周少穆、胡又乾、施竹田、吴敦复、汪旭瞻、施北亭西湖泛月，共赋四绝句》。

王昶游西湖，入灵隐、天竺，抵韬光寺，得诗十数首。乃汇前所作编为《兰泉书屋集》。据严荣《述庵先生年谱》。

程嗣立卒，年五十七。据程晋芳《水南先生墓志铭》（《勉行堂文集》卷六）。《国朝诗别裁集》卷三〇："程嗣立字风衣，江南安东人。贡生。风衣长古歌诗杂文，惜无稿可觅，蔡子方山处偶见此篇，因采录之。"录其《送边秀才入成都》诗一首。《国朝文汇》乙集卷三一录其《唐元宗焚珠玉服玩论》文一篇。

三月

十三日，王念孙（1744—1832）生。念孙字怀祖，高邮人，安国子。乾隆四十年进士，改翰林院庶吉士。散馆授工部主事。历官工部郎中、陕西道御史、吏科给事中、直隶永定河道、山东运河道、永定河道。以永定河溢，自引罪，得旨休致。著有《读书杂志》八十二卷、《广雅疏证》三十二卷、《王石臞先生遗文》四卷、《丁亥诗钞》一卷。事迹见阮元《王石臞先生墓志铭》（《碑传集补》卷三九）、闵尔昌《王石臞先生年谱》、江藩《国朝汉学师承记》卷五、《清史列传》本传、《清史稿》本传。

托庸任广西巡抚，十一年五月革职。据《钦定八旗通志》卷三四〇。

袁栋自序《书隐丛说》十九卷。署"乾隆九年甲子莫春，书隐楼主人漫恬袁栋自序"。（《书隐丛说》卷首）四库提要卷一二九：《书隐丛说》十九卷，"国朝袁栋撰。栋号漫恬，吴江人。是书杂钞小说家言，参以己之议论，亦颇及当代见闻。原序拟以洪迈《容斋随笔》、顾炎武《日知录》，栋自序亦云摹仿二书，然究非前人之比也。"是书乾隆间刊行。

王宣序西湖渔樵主人《济公传》。孙楷第《中国通俗小说书目》卷五：《济公传》十二卷不标回数，"存。清乾隆九年吴门仁寿堂刊小本。清无名氏撰。首乾隆九年王宣序。"《中国古代小说总目》白话卷"《济公传》十二卷"条："西湖渔樵主人真实姓名不详。本书十二卷，现存清乾隆九年吴门仁寿堂小型刊本，刻殊不工。卷首有序，署'乾隆九年季春金陵旅寓枫亭王宣撰'。卷一第一叶题'西湖渔樵主人编'。本书存日本宫内省图书寮，未见，此据孙楷第《日本东京所见小说书目》之著录。"

长海卒，年六十七。据李锴《马山人传》（《碑传集补》卷四五）。《传》云："其诗矩矱古人而不胶于固，断句尤冠绝一时。"《雷溪草堂诗》一卷本年刊行。据《贩书偶记续编》卷一五。《钦定八旗通志》卷一二〇：《雷溪草堂诗》，"是编五言古十八首，七言古十一首，五言律二十八首，七言律三十二首，五言排律二首，五言绝句七首，七言绝句九十五首。前有宁郡王及大学士鄂尔泰二序，后有宗室塞尔赫跋。"杨锺羲《雪桥诗话》卷五："其'园竹穿林夜有声'及'雪压鸡声冷出篱'之句，可谓沈思独往，妙手天成。"又谓其《乌镇》、《李后主祠》、《清明扫墓》、《自题玉衡阁图》、《上阳女》等"皆以自然澄澹为宗"。《清史稿》李锴传附："（长海）论诗以性情为主，举靡丽之习而空之。"

春

全祖望与杭世骏同游龙山诸胜。董秉纯《全谢山先生年谱》："四十岁，自题诗稿曰《五甲集》。以同年施蘗斋令余姚来招，赴之。适杭先生堇浦亦在署，同游龙山诸胜，皆有诗。复同渡江至湖上。夏，还宁。"

张廷璐序陈正瓈《五峰集》。署"乾隆九年甲子春，同学姻弟张廷璐拜撰"。正瓈时年七十岁。序云："其为诗风调遒逸，格律峻整，一以少陵为宗。虽与表圣、鲁望所作间有不同，要其绝俗离尘之识则一也。"（《五峰集》卷首）

毛秋绳序李天根《白头花烛》。署"乾隆甲子惊蛰，阳湖同学弟飘飘以者毛秋绳"。序云："散人继其尊甫芥轩先生为再世高隐，其胸中五岳每寄托于铜琵琶、铁绰板之间。曩读《李云娘》一剧，知其以侠隐；今读《白头花烛》，知又以定远隐也。扼腕则投笔，本怀良算则摧撞较妥，遂令人望诵仿经，直如南阳村庄，不可梯接。"（《中国古典戏曲序跋汇编》卷一二）〔按，天根有杂剧三种：《紫金镮》、《白头花烛》、《颠倒鸳鸯》，均佚。据庄一拂《古典戏曲存目汇考》卷八〕

五月

十八日，王时翔卒，年七十。据沈起元《墓志铭》（《小山诗文全稿》卷首）。刘绍攽《王小山先生传》："少好学，初欲以文墨驰骋当世，为吏非所好。然犹欲立功，会国家承平，宪章完具，无以自见，故常郁郁。"（《国朝文汇》乙集卷二）四库提要卷一八五：《小山全稿》二十卷，"是集凡诗稿八卷，诗余四卷，文稿八卷。诗稿分初、续、后三稿，诗余分五集：曰《香涛》，曰《绀寒》，曰《青绡乐府》，曰《初禅绮语》，曰《旗亭梦呓》。"《国朝诗别裁集》卷二七："（小山）诗能从情性中出，往往清绝。"录其《于忠肃公墓》等诗四首。《晚晴簃诗汇》卷六九录其诗二首。《国朝文汇》乙集卷四录其《于忠肃公文集序》等文五篇。吴衡照《莲子居词话》卷四《王时翔词》："太仓自梅村祭酒以后，风雅之道不绝。王小山时翔与同里毛鹤汀健、顾玉停陈埦倡词社。又有王汉舒策、素威铎、颍山嵩、存素愫、徐阿怀庚辈起而应之，几于人人有集。小山自跋云：'余年十五，爱欧阳文忠、晏叔原、秦少游之作，摹其艳制，得二百余首。'盖意主北宋，而以格韵自赏者。"陈廷焯《白雨斋词话》卷四："小山工为绮语，才不高而情胜，措语亦自婉雅，无绮罗恶态。"《词坛丛话·王小山宗北宋》："王小山词，艳而清，微而远，语不深而情至。时诸家皆效法南宋，小山独宗北宋，而亦兼有南宋之长。"

〔按，太仓诸王中，王策（字汉舒）才情最高，著有《香雪词钞》二卷。谢章铤

《赌棋山庄词话》卷一一《小山词社》："汉舒著《香雪词》，比之小山，更觉胜场。小山短调调较工，汉舒长篇亦美，即小山亦盛推之，谓逸尘而奔，几欲驾两宋诸名家而出其上也。"陈廷焯《白雨斋词话》卷四："太仓诸王皆工词，汉舒尤为杰出，次则小山。""汉舒自是作手，惜其享年不永，未尽所长。其笔分甚高，如《琵琶仙·秋日游金陵黄氏废园》云：'……真不信寻常亭榭，也例逐沧桑棋劫。何怪宋苑陈宫，荒蛄吊月。'感慨苍茫，结四语尤妙，他手每每倒说，意味转薄。""作词贵于悲郁中见忠厚；悲怨而激烈，其人非穷则夭。汉舒词如：'浮生皆梦，可怜此梦偏恶。'又云：'看取西去斜阳，也如客意，不肯多耽搁。'沈痛迫烈，便成词谶，香雪所以不永年也。""闲情之作，竹垞几于仙矣，文友则妖也，香雪居二者之间。读香雪词，去取不可不慎。""香雪《兰陵王》一阕，句句从对面写来，直至结处云：'这般情景，怎教我，不念着。'一笔叫醒，戛然而止，用笔亦有龙跳虎卧之奇。"《词坛丛话·香雪词婉雅》："香雪词，出小山之右。风流婉雅，永叔、叔原之流亚也。"]

厉鹗在扬州。据《樊榭山房续集》卷四《五月二日，嶰谷、半槎招同人集小玲珑山馆，题五毒图》、《五月十四夜，红桥王氏园看月，同玉井、梅沜、南圻作》等。

沈德潜序吴定璋编《七十二峰足征集》。署"乾隆甲子夏五，长洲同学弟沈德潜题于燕台客舍之夷白斋"。又，秦蕙田序署"乾隆乙丑新秋，锡山同学弟秦蕙田拜手书"。（《七十二峰足征集》卷首）法式善《陶庐杂录》卷三："《七十二峰足征集》诗八十六卷词二卷，吴定璋编。定璋字友篁，吴县人。采历代文人产太湖七十二峰间者，录其所作为是集。不分时代，每姓类从，题曰某氏合编。人系小传，意主该洽。前有沈德潜、秦蕙田二序。刻于乾隆九年。"又，四库提要卷一九四著录是书一百一卷，凡诗八十三卷、词二卷、赋三卷、文十三卷，谓"征引颇为赅洽，而大旨在因诗以存人，不免夸饰之见，复不免乡曲之私，滥采兼收，固其势所必至"。

六月

十五日，郑燮作《范县署中寄舍弟墨第三书》。[按，郑燮范县署中寄舍弟墨家书五通，他四通未署日期]见《郑板桥全集·板桥集》。

翁方纲补顺天府学生，时年十二岁。据张维屏《翁覃溪先生年谱稿》（《碑传集三编》卷三六）。

沈德潜晋詹事府少詹事，钦点湖北正主考。据《沈归愚自订年谱》。

瞿源洙、张思孝、吕旭临等刊储大文文集事竣，同游南岳。据瞿源洙《南岳志别序》（《国朝文汇》乙集卷一六）。

夏

常安、胡浚序鲁曾煜《秋塍文钞》。常安序署"甲子夏日，两浙使者纳兰常安题于水净阁"。胡浚序署"乾隆甲子夏五月浣，同里年眷弟胡浚拜撰"。（《秋塍文钞》卷首）《秋塍文钞》十二卷本年鸣野山房刊行。据《贩书偶记续编》附录。四库提要卷一八四：《秋塍文钞》十二卷《三州诗钞》四卷，"国朝鲁曾煜撰。曾煜字启人，秋塍其别号也，会稽人。康熙辛丑进士。改庶吉士，未授职。乞养亲归，教授生徒终于家。是集文一百二十一篇，中多考证之作。其文气颇剽急，盖才性使然。若《续中山狼传》之类，虽规模《毛颖》，然不作可也。目列《易本末论》六十四篇、《易纂例》八十篇，而有录无书，盖均未刻。又《广东》、《祥符》二《志》凡例，亦有录无书，殆以已见于两《志》欤？"

七月

任启运卒，年七十五。据钱保塘《历代名人生卒录》。《清史稿》本传："启运学宗朱子。"《国朝文汇》甲集卷五九录其《为人后者为之子辨》等文七篇。《清芬楼遗稿》四卷嘉庆二十二年刊行。

八月

鄂尔泰驳舒赫德上废科目疏。李调元《淡墨录》卷一三《鄂文端不废科目》："乾隆九年，兵部侍郎舒赫德上废科目疏。时首相鄂尔泰持议力驳，得以不废。其原疏云：'科举凭文而取，案格而官，已非良法，况积弊已深，侥幸日众。古人询事考言，其所言者，即其居官所当为之职事也；今之时文，徒空言而不适于用，此其不足以得人者一。墨卷房行，辗转抄袭，肤词诡说，蔓衍支离，以为苟可以取科第而止，其不足以得人者二。士子各占一经，每经拟题多者百余，少者不过数十，古人毕生治之而不足，今则数月为之而有余，其不足以得人者三。表判可以预拟而得，答策随题敷衍，无所发明，其不足以得人者四。且人材之盛衰，必于心术之邪正。今之侥幸求售者，弊端百出，探本清源，应将考试条款改移而更张之，别思所以遴拔真才实学之道'等语。文端公驳曰：'……时艺之弊，则今舒赫德所陈奏是也。……且夫时艺取士，自明至今殆四百年，人知其弊而守之不变者，非不欲变，诚以变之而未有良法美意以善其后。且就此而责其实，则亦未尝不适于实用，而未可概訾毁也。何也？时艺所论，皆孔孟之绪余，精微之奥旨，未有不深明书理而得称为佳文者。……虽曰小技，而文武干济、英伟特达之才，未尝不出乎其中。至于奸邪之人，迂懦之士，本于性成，虽不工文，亦不能免，未可以为时艺咎。若今之抄袭腐烂，乃是积久生弊，不思力挽末流之失，而转咎作法之凉，不已过乎？即经义、表判、策论等，苟求其实，亦岂易副？……凡此诸科，内可见其本原之学，外可验其经济之才，何一不切于士人之实用，何一不见之于施为乎？必变今之法，行古之制，则将治宫室，养游士，百里之内，置官立师，狱讼听于是，军旅谋于是，又将简不率教者，屏之远方，终身不齿，其毋乃徒为纷扰而不可行。又况人心不古，上以实求，下以名应，兴孝则必有割股庐墓以邀名者矣，兴廉则必有恶衣菲食弊车羸马以饰节者矣，相率为伪，其弊尤繁。甚至借此虚名，以干进取，及乎莅官之后，尽反所为，至庸人之不若，此尤近日所举孝廉方正中所可指数，又何益乎？……则莫若惩循名之失，求责实之效，由今之道，振作补救之为得也。……至于人之贤愚能否，有非文字所能决定者。故立法取士，不过如此，而治乱盛衰，初不由此，无俟更张定制为也。舒赫德所奏，应毋庸议。'八月十四日奏，奉旨所议是。科目不废者，文端公之力也。"方濬师《蕉轩随录》卷六《试士废八股文》："康熙三年，以八比文多剿袭，乡、会试改用策论。甲辰会试，丙午直省乡试，皆照改定章程行。至八年己酉科，复用八股试三场（前科改三场为二场）。乾隆九年，兵部侍郎舒赫德上疏请废科目，大学士鄂尔泰等议驳，迄今遂仍其旧云。"

徐大椿自序《乐府传声》。署"乾隆甲子秋八月既望，吴江徐大椿书于洄溪草堂"。又，胡彦颖序云："此书不但为时伶下针砭，为元曲留面目，并古今乐部之节奏曲折，可由此而推测其万一，其功岂浅鲜哉！"署"时乾隆十三年二月既望，同学德清胡彦颖拜手序"。黄之隽序云："细读数过，真发千古歇绝之秘籥，而昭明疏析。虽曹于音律如弟之顽石，亦辄点头微悟，实天生神解之人于盛朝，审定律吕之时，非因源流家学而已。亟宜刊行，公诸寰宇，无使夔、旷，寂寂枫江之上。华亭黄之隽题。"（《中国古典戏曲论著集成》七）是书乾隆十三年刊行。

秋

乡试。是科各省考官有汪由敦、邓钟岳、蔡新、王会汾、官献瑶、夏之蓉、万承苍、沈德潜、叶酉、曹秀先、于敏中、金甡、朱荃等。据法式善《清秘述闻》卷六。所取举人有朱仕琇（《清秘述闻》卷六）、王元启（翁方纲《皇清例授文林郎赐进士出身福建将乐县知县惺斋王先生墓志铭》）、汪宪（钱陈群《诰赠朝议大夫原任刑部陕西司员外郎鱼亭汪君传略》）等。张熷举副榜贡生。据全祖望《张南漪墓志铭》（《鲒埼亭集》卷二〇）。张凤孙再中副榜。据《国朝文汇》甲集卷五九。

叶酉为是科河南副主考。酉字书山，号花南，桐城人。乾隆四年进士，入翰林。累迁国子监司业、左春坊左庶子，降补翰林院编修。又尝视学贵州、湖南。主讲钟山书院十余年。少师方苞，与沈德潜、袁枚友善。卒年八十一。著有《春秋究遗》十六卷、《诗经拾遗》十三卷、《易经补义》十二卷。事迹见马其昶《姚编修叶庶子传》（《广清碑传集》卷八）、《清史列传》本传。

钱大昕与王昶定交于是科乡试。据钱大昕自编、钱庆曾校注《竹汀居士年谱》。

汪士慎《巢林集》七卷刻成。陈撰序署"乾隆甲子秋中，钱唐同砚弟陈撰书于真州之穆陀轩"。序云："吾友巢林先生亮体达心，涉冶群籍，意行自重，不屑世好，衡门两版，宵如空山，三四素心，时相过从，焚香瀹茗之余，他无所事。故其诗亭亭落落，迥然尘埃之外，深情孤诣，吐弃一切。韩江文采如林，若吾巢林，洵如所称寒琼独朵者矣。"（《扬州八怪诗文集·巢林集》卷首）

十月

张九镡始编《先儒文略》，乾隆十七年成书。据《先儒文略序例》（《国朝文汇》乙集卷四五）。

钱大昭（1744—1813）生。大昭字晦之、竹庐、可庐，嘉定人，大昕弟。事兄如严师，时有"两苏"之比。嘉庆元年应孝廉方正科，赐六品顶戴。著有《尔雅释文补》三卷、《广雅疏义》二十卷、《后汉书补表》八卷、《两汉书辨疑》四十卷。事迹见江藩《国朝汉学师承记》卷三、《清史列传》本传、《清史稿》本传。[生卒年据朱彭寿《清代人物大事纪年》，出生月份据钱大昕自编、钱庆曾校注《竹汀居士年谱》]

十一月

二十四日，赵执信卒，年八十三。据汪由敦《文林郎前右春坊右赞善兼翰林院检讨赵秋谷先生墓志铭》(《国朝文录续编·松泉文录》卷一)。《墓志铭》云："先生诗绝去雕饰，有初日芙蓉之目。"查为仁《莲坡诗话》："秋谷诗法二冯，格律甚细，有《蠹海》、《蓝溪》二集。"沈德潜等《国朝诗别裁集》卷一三："赞善以宴饮观剧去官，时年尚未壮也。高才被放，纵情于酒，醋嬉淋漓，嫚骂四座，借以发其抑郁不平之概，君子可以谅其志焉。""生平服虞山冯氏定远，称私淑弟子。而于渔洋王氏，著《谈龙录》以贬之。然责人斯无难，未必服渔洋之心也。诗品奔放有余，不取蕴酿。兹所录者半属《观海集》中之作，余略见云。"录其《弃妇词》等诗十五首。朱庭珍《筱园诗话》卷二："赵秋谷诗，笔力沈挚，意主刻露，殊少含蓄酝酿之功。其意境真切处，固胜阮亭，而锻炼未纯，时有率笔，篇外亦无余味，不及阮亭处处典雅大方，得失正复相等。心余讥其篇幅窘狭，诚中其病。以笔力之锐入快出，直击鼓心而论，亦胜于阮亭。然是证辟支佛者之力量神通，非如来正眼法藏不可思议之大自在神力也。生平与阮亭不睦，至作《谈龙录》以消之。然集矢阮亭，而于海虞二冯服膺推崇，意欲铸金以事，癖同嗜痂，令人莫解。岂以二冯持论偏刻，巧于苛议前哲，轻于诋訾时流，天性相近，故易于契合耶？秋谷诗长于古体，律诗气薄而格不高，往往有句无篇，绝少完璧，无可观也。"《清史列传》本传："大抵士禛诗以神韵缥缈为宗，执信诗以思路劖刻为主；士禛之规模阔于执信，而流弊伤于肤廓；执信之才力锐于士禛，而末派亦病于纤巧。论者谓两家互救其短，乃益见所长云。"《晚晴簃诗汇》卷四七录其诗三十首。李祖陶《国朝文录续编·饴山文录引》："古文力去陈言，字字清激，气象亦逊阮亭。然独到之篇，不平之鸣，实有如鹤唳猿啼，迥出风尘之外；剑跳弓啸，伏于纸墨之间者。太仓沈子大序谓：'先生少负俊才，捷南宫，登馆阁，才气魄力俯视屈、宋。微眚被斥，才无所施，偶触于文，不自知其锋铦锷厉，激荡低昂，以摅其磊落之概。'可谓能明作者之意者矣。"《国朝文汇》甲集卷二八录其《钝吟集序》等文六篇。丁绍仪《听秋声馆词话》卷五《赵执信词》："所著《饴山词》，不让衍波王氏。"

十二月

二十日，汪中（1745—1794）生。中字容甫，江都人。乾隆四十二年拔贡生。以母老不赴朝考，绝意仕进。五十九年，因校勘文宗阁《四库全书》，往浙江借书雠对，卒于西湖之葛岭园僧舍。著有《述学》六卷、《容甫遗诗》六卷。事迹见汪喜孙《容甫先生年谱》、《先君年表》、《先君灵表》、《先君学行记》(《汪喜孙著作集》)、孙星衍《汪中传》(《五松园文稿》卷一)、王引之《行状》(《述学》附录)、凌廷堪《汪容甫墓志铭》(《校礼堂文集》卷三五)、陈寿祺《清故拔贡生敕赠内阁撰文中书诰赠户部员外郎汪先生墓志铭》(《左海文集》卷九)、江藩《国朝汉学师承记》卷七、《清史列传》本传、《清史稿》本传。

本年

朱杏芳（字云裁）以久困场屋，本年后不再赴棘闱，遂更名为朱乔，字山渔，自号薆稗道人。据汪启淑《朱乔传》（《续印人传》卷一）。

鄂尔泰、张廷玉荐胡天游入三礼馆纂修。据胡元琢《先考稚威府君年谱纪略》。

庄亨阳迁按察司副使，分巡淮安、徐州、海州道。据方苞《庄复斋墓志铭》（《方苞集》卷一〇）。

雷铉被召，仍直上书房。据彭启丰《通奉大夫都察院左副都御史加二级雷公墓志铭》（《芝庭先生集》卷一三）

卢见曾官滦州知州。据卢见曾《李啸村三体诗序》（《扬州八怪诗文集·啸村近体诗选》卷首）、卢文弨《故两淮都转盐运使雅雨卢公墓志铭》（《碑传集补》卷一七）。

陈兆嵛主讲蕺山书院。据陈玉绳《陈句山先生年谱》。

蒋士铨因杨垕而交汪轫。据蒋士铨《汪鱼亭学博传》（《忠雅堂文集》卷四）。

赵由仪与汪轫定交。谢鸣谦亦因赵由仪而与汪轫、杨垕交。据谢鸣谦《书赵山南事》（《国朝文汇》乙集卷一九）。

全祖望搜集耆旧遗集。董秉纯《全谢山先生年谱》："选定李杲堂先生内稿及《西汉节义传》及昭武先生残集，皆为之序。于是有意《耆旧诗》之续，遍搜诸老遗集，而《杨氏四忠双烈合状》、《华氏忠烈合状》、《屠董二君子合状》、《王评事状》皆成于是年。秋，之浮石周氏，访三和尚及立之、石公诸集，又得林评事《朋鹤草堂集》、《正气录》二书，为之狂喜，作诗以志。"

敦诚由家塾转入右翼宗学。敦敏《敬亭小传》："（敦诚）五岁入家塾，即解诵读。十一入宗学，执经问难，为师长所期许。"（《四松堂集》卷首）

袁机归如皋高氏。据方濬师《随园先生年谱》。

戴震《筹算》一卷成书。据段玉裁《戴东原先生年谱》。

厉鹗辑《云林寺志》八卷。据朱文藻撰、缪荃孙重订《厉樊榭先生年谱》。

遗民外史《虎口余生》传奇约作于本年前后。自序云："国朝定鼎以来，海宇奠安，迄有百岁。间尝过河、洛，走幽、燕，见夫荆棘荒疗，久无虎迹。暇日就旅邸中，取逸史所载边君事，证以父老传闻，填词四十四折。竣后，前灯披读，落叶打窗，弁其名曰《虎口余生》，亦以数天下事之死而之生皆余也，岂独一边君然哉！如边君者，直可继美于孙、蔡诸公之后，论者勿以余生而忽之也，幸乎！遗民外史自题。"（《中国古典戏曲序跋汇编》卷一二）或谓遗民外史即曹寅，误，参见《古本戏曲剧目提要》。

劳巘编《倪城风雅》二卷刊行。据《贩书偶记续编》附录。四库提要卷一九四：《倪城风雅》二卷，"国朝劳巘编。巘有《半庵诗稿》，已著录。是编所录皆阳信一县之诗。上卷自明代嘉靖以后，得刘世伟等十人；下卷自国朝雍正以前，得张崖等二十三人。上卷少而可观，下卷不免冗滥矣，则同时假借之故也。"

张用天《懒真初集诗选》八卷刊行。四库提要卷一八五："国朝张用天撰。用天字用六，号诚庵，娄县人。是集刻于乾隆甲子，有用天自序。其诗气体匀整，而捶字往往未坚，句法亦多沿袭。如《板桥吟》中'红归水上桃花簇，青入烟中柳叶齐'，则直点窜杜甫句矣。"

林佶《朴学斋诗稿》十卷补编一卷刊于维扬。据卷首标识。四库提要卷一八四：《朴学斋诗集》十卷，"国朝林佶撰。佶有《甘泉宫瓦记》，已著录。佶工于楷法。文师汪琬，诗师陈廷敬、王士禛。琬之《尧峰文钞》、廷敬之《午亭文编》、士禛之《精华录》皆其手书付雕。廷敬、士禛之集皆刻于名位烜耀之时，而琬集则缮写于身后，故世以是称之。兹集古体诗三卷、今体诗七卷，渊源有自，故体格犹为近古。特才分差弱，出手微易耳。"《国朝诗别裁集》卷二三录其《甘泉宫瓦歌》、《游武夷登一览亭》诗二首。《晚晴簃诗汇》卷五八录其诗二首。《国朝文汇》甲集卷四六录其《栖鹤巢记》等文四篇。

屈复《百砚铭》一卷、《弱水集对联》一卷、《王渔洋秋柳诗四首解》一卷附《征刻国朝诗启》刊行。据《贩书偶记》卷一五。

彭湘怀《皋庑集》六卷《独持集》十卷刊行。据《贩书偶记》卷一五。湘怀字念堂，汉阳人。乾隆间监生。《国朝文汇》乙集卷一九录其《汉阳宰刘公惠政碑记》等文五篇。《晚晴簃诗汇》卷六四录其诗二首。

梁玉绳（1744—1819）生。玉绳字曜北，号谏庵、清白士，钱塘人，同书嗣子。增贡生。屡试不第，年未四十，遂弃举子业，专心撰著，与弟履绳以学问相勉。著有《史记志疑》三十六卷、《清白士集》二十八卷。事迹见《清史列传》本传、《清史稿》孙志祖附。［生卒年据朱彭寿《清代人物大事纪年》］

屠绅（1744—1801）生。绅字贤书、笏岩，别署竹勿山石道人、磊珂山人。江阴人。乾隆二十八年进士，授云南师宗县知县，迁寻甸州知州，五校乡闱，颇称得士，后为广州同知。嘉庆六年以候补在北京，暴疾卒于客舍。著有《鹗亭诗话》、《六合内外琐言》、《蟫史》。事迹见沈燮元《屠绅年谱》。

吴定（1744—1809）生。定字殿麟，号淡泉，歙县人。嘉庆初举孝廉方正。与姚鼐相友善，论文严于法。鼐每为文示定，定所不可，必尽言，得当乃止。屡试不售，晚乃专究经学。著有《周易集注》十卷、《紫石泉山房文集》十二卷、《诗集》六卷。事迹见《清史列传》刘大櫆传附、《清史稿》姚鼐传附。［按，生卒年据朱彭寿《清代人物大事纪年》］

黄易（1744—1802）生。易字大易，号小松、秋庵，钱塘人。监生。官山东运河同知。所蓄金石，甲于一时。著有《小蓬莱阁金石目》、《小蓬莱阁金石文字》、《小蓬莱阁诗》、《小蓬莱阁词》、《秋庵遗稿》。事迹见翁方纲《黄秋庵传》（《复初斋文集》卷一三）、《清史列传》瞿中溶传附、《清史稿》本传。

潘有为（1744—1821）生。有为字卓臣，号毅堂，番禺人。乾隆三十五年举人。官内阁中书。丁外艰归，不复出。著有《南雪巢诗》。事迹见《国朝诗人征略》初编卷四〇。［按，生卒年据江庆柏《清代人物生卒年表》］

吴俊（1744—1815）生。俊字奕千、昙绣，号竹圃、蠡涛，吴县人。乾隆三十七年进士。官至山东布政使。著有《荣性堂集》二十卷。事迹见《国朝诗人征略》初编

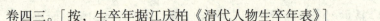

卷四三。[按，生卒年据江庆柏《清代人物生卒年表》]

蓝千秋卒，年七十六。 据江庆柏《清代人物生卒年表》。四库提要卷一八五：《蓝户部集》二十六卷，"国朝蓝千秋撰。千秋字长青，宜黄人。以荐授国子监学正，官至盛京户部员外郎。是集刻于乾隆丙寅，凡诗四卷，文二十二卷。"《晚晴簃诗汇》卷六九录其诗二首。《国朝文汇》乙集卷四录其《洪子约言序》等文四篇。

王图炳卒，年七十六。 据朱彭寿《清代人物大事纪年》。《国朝诗别裁集》卷二三录其《咏史》等诗六首。《晚晴簃诗汇》卷五八录其诗三首。

孙之骤卒。 据朱彭寿《清代人物大事纪年》。之骤号晴川，仁和人。雍正间官庆元县教谕。所著《松源经说》四卷、《考定竹书》十三卷、《二申野录》八卷、《南漳子》二卷、《晴川蟹录》四卷《后录》四卷、《枝语》二卷、《樊绍述集注》二卷、《玉川子诗集注》五卷、《松源集》无卷数，所编《别本尚书大传》三卷《补遗》一卷等，四库提要著录。

公元 1745 年（乾隆十年　乙丑）

正月

初一日，杨于果（1745—1812）生。 于果字硕亭，晚号审岩，秦安人。乾隆三十五年举人，四十年成进士。历知湖北长阳、汉川、枝江、枣阳、南漳、穀城，擢荆州通判。著有《审岩文集》二卷、《补遗》一卷、《史汉笺论》十卷。事迹见陈预《湖北荆州府通判杨先生于果墓志铭》（《碑传集》卷一〇九）、《清史列传》本传。

十九日，张照以奔丧回籍，卒于徐州途次，年五十五。 据乾隆《娄县志》卷二六（《方志著录元明清曲家传略》）、朱彭寿《清代人物大事纪年》。《国朝诗别裁集》卷二二："文敏性地高明，通释氏教。所作诗左硙右触，皆禅语也。予未谙禅理，仍取主性情、叶风雅者。"录其《观海》等诗三首。《晚晴簃诗汇》卷五八录其诗十六首。

沈德潜校勘《新唐书》毕。 据《沈归愚自订年谱》。

二月

二十九日，郑江卒，年六十四。 据杭世骏《侍读郑公行状》（《道古堂文集》卷三八）。全祖望《郑侍读筼谷先生墓碑铭》："先生平日自视欿然，其在侪辈，似不能言者。故未尝轻与人言学，然而知学者莫如先生；未尝轻与人出其诗古文词，然而知诗古文词者莫若先生。""先生向从义门何公游，义门墨守朱学者，予意其不出师席之储胥，不料其岳岳不肯苟同如此。其所作诗古文词，称情而出，一任时风众势之上下，确然莫能涸其本色。然细读之，正不轻下一字，大类宋范正献公淳夫，而世之以险语僻文相尚者所弗知也。临川学士穆堂尝谓予曰：'今馆阁人物渺然，如筼谷者真正始之遗。'盖确论也。"（《鲒埼亭集》卷一八）沈德潜等《国朝诗别裁集》卷二四："筼谷以诗为事业，有指其失及改定其诗者，终身敬礼之。出使广南时，山人黄子云适留其地，为点窜数言，出囊中金赠之，俾还故乡。此风近日已罕见矣。"录其《西溪草堂图》等诗六首。

三月

会试。考官:内阁大学士史贻直、吏部侍郎阿克敦、兵部尚书彭维新、刑部侍郎钱陈群。题"孰为夫子 而立","人皆曰予"四句,"于季桓子"三段。据法式善《清秘述闻》卷六。

厉鹗过毗陵,与吴震生游青山庄。据《樊榭山房续集》卷五《舟泊毗陵,同吴长公游青山庄四首》。

春

唐绍祖致仕归。据唐绍祖《改堂先生文钞》卷末陈章跋。

四月

十四日,张鹏翀卒,年五十八。据沈德潜《皇清通议大夫日讲官起居注詹事府詹事兼翰林院侍读学士加二级张先生行状》(《归愚文钞》卷一八)。《行状》云:"嘉定故多才人,李、唐、程、娄四先生后,至今时闻接踵。先生出,高越辈流。古文恣肆滂濞,不名一家。制艺独宗正轨。典滇中、中州试,取文独高。而华赡英敏,尤在诗学。晚岁亦喝韵而成,古之刻烛击钵,无以过之。"《国朝诗别裁集》卷二七:"南华天才敏捷,赋《雁字诗》,日未午,成七言律三十章。赓和御制,顷刻数篇,上褒美赏赉之。有经进诗,上时转次其韵,比太白之君为调羹,东坡之金莲烛送归院,遇尤荣也。后更唱韵成诗,捷于击钵,然风格亦少减矣。工画,捷同于诗。生平事事洒落,人目为漆园散仙,窃自喜。中道殂谢,九重惋惜,叹才人之不易得也。"录其《经史法戒诗》等诗十五首。袁枚《随园诗话》卷九:"先生咏物诗尤为独绝。如集中《泥美人》、《雁字》、《粉团》、《玉环》诸题,皆能不脱不黏,出人意表。"《晚晴簃诗汇》卷六六录其诗二首。

二十日,鄂尔泰卒,年六十六。据其子容安等《襄勤伯鄂文端公年谱》。《西林遗稿》六卷乾隆甲午葆真堂刊行,又名《鄂文端公遗稿》。据《贩书偶记》卷一五。《钦定八旗通志》卷一二〇:《西林遗稿》六卷,"是编为其门人杨潮观所刻。潮观于乾隆甲子岁即任校雠之役,事未竣而其师已卒。岁己巳,潮观急为镌板于吴,然仅居是编之半也。辛卯,潮观入都,尽得余稿。甲午春,与其表弟顾光旭共编而刻之。于是西林之诗集始全,即此六卷是也。""首有乾隆甲午大学士阿桂序,而潮观、光旭并为之跋。"《国朝诗别裁集》卷一八:"文端开藩吴中,以古学造士,今《南邦黎献集》,彬彬如也。掌翰院时,亦以立品董率后进。生平不欲以诗自鸣,而意格自高,熔冶《骚》、《选》者转未能或先。"录其《听姜客弹琴》等诗十一首。法式善《八旗诗话》六〇:"所为诗古劲苍莽,直书胸臆。"《晚晴簃诗汇》卷五五录其诗十四首。

五月

初一日,高宗御太和殿,传胪。赐一甲钱维城、庄存与、王际华进士及第,二甲章恺、蒋元益、李因培、吴檠、顾奎光、赵秉忠、宋弼、汪宪等进士出身，三甲梦麟、丁时显、范泰恒等同进士出身。据《历科进士题名录》、《清通鉴》。

赵秉忠成进士。四库提要卷一八五著录：《敝帚集》二卷附《芦中集》一卷，"国朝赵秉忠撰。秉忠字景光，号秋墅，兴化人。乾隆乙丑进士，改庶吉士。未散馆而卒。是集皆古今体诗。末附《芦中集》，乃哭其子春祈而作也。"

丁时显成进士。时显字名扬，号鹏抟，天津人。著有《青蜺居士集》。《晚晴簃诗汇》卷七九："鹏抟少负隽才。尝有句云：'青帝杨柳市，黄蝶菜花天。'以是得名，人号为丁黄蝶。得第后，以未入词林，悒悒遽卒于都门。"录其诗一首。

二十二日，陶正靖卒，年六十四。据顾陈垿《陶太常正靖墓表》（《碑传集》卷五六）。全祖望《太常晚闻陶公神道碑铭》："公于经术最喜说《诗》，其独到处，范逸斋、严华谷不能过也。古文淡简有法，尤熟于明史。"（《鲒埼亭集》卷一八）《国朝文汇》甲集卷五八录其《官制议》等文十篇。

沈德潜晋詹事府詹事。据《沈归愚自订年谱》。

高宗论沈德潜、张鹏翀诗才诗风差异。《沈归愚自订年谱》："上召见于勤政殿……又云：'张鹏翀才捷于汝而风格不及于汝。'"

六月

十三日，沈赤然（1745—1817）生。赤然初名玉辉，字蕴山，号梅村，仁和人。乾隆三十三年举人。历官平乡、南乐、南宫、丰润知县。罢归，以著书自娱。著有《五研斋诗钞》二十卷、《文钞》十一卷、《寄傲轩读书随笔》十卷、《续笔》六卷、《三笔》六卷。事迹见沈赤然《自编年谱》（《五研斋诗钞》卷首）、《清史列传》余集传附。

八月

二十二日，张廷璐卒，年七十一。据沈德潜《通奉大夫礼部左侍郎张公暨配姚夫人合葬墓志铭》（《归愚文钞》卷一八）。《墓志铭》云："为学原本经史；制义宗震川；古文师庐陵；诗学古体横空硬语，师昌黎，近体出入大历十子；应制得唐初陈、杜、沈、宋格。"《国朝诗别裁集》卷二四："心躁者多志微噍杀之音，心平者多顺成和动之响，言为心声，不可强也。药斋公不干进，不务华，以介自矢，以诚感人。视学江苏九年，如和风著物，万类萌动。既久，士林犹歌颂之。宜发言为诗，比于水之漾洄，春之和盎，读者心醉气夷而不自知也。注力不在五言，故不备录。"录其《岈山招游云龙山用东坡答吕梁仲屯田韵》等诗十一首。袁枚《随园诗话》卷二："桐城张药斋宗伯，三任江南学政，奖擢名流，诗尤清婉。"《晚晴簃诗汇》卷六〇录其诗十首。《国朝文汇》甲集卷四九录其《赵柯村公传》文一篇。

二十五日，童能灵卒，年六十三。据雷铉《寒泉童先生墓志铭》（《冠豸山堂文集》卷首）。所著《周易剩义》二卷、《乐律古义》二卷、《朱子为学考》三卷、《理学疑问》四卷、《冠豸山堂文集》三卷，四库提要著录。四库提要卷一八二：《冠豸山堂文集》三卷，"是编刻本一卷，为《中天河洛五伦说》；钞本二卷，皆论学之文。然刻本题曰卷一，必尚有他卷，非完书也。其论河图之中数三五配《大学》之三纲领、外八数配八条目、一二三四为'明明德'之条目、六七八九为'新民'之条目，未免牵合。至于辨六十四卦与大衍相合之数，又以九卦即序卦之余蕴，序卦为气，九卦为朔，亦苦心研索之学。然大抵附会于术数，朱子所谓易外别传者也。"《清史稿》李梦箕传附："连城理学，始自宋之邱起潜、明之童东皋，而能灵、鹏翼继之。力敦伦纪，严辨朱、陆异同。张伯行抚闽时，建文溪书院，祀起潜、东皋。后增建五贤书院，中祀宋五子，而以能灵、鹏翼配焉。"《冠豸山堂全集》光绪二十三年连城童氏刊行。据《中国丛书综录》。《晚晴簃诗汇》卷七三录其诗一首。

　　厉鹗游越中。据朱文藻撰、缪荃孙重订《厉樊榭先生年谱》。

秋

　　杜甲为李锴刊《睫巢后集》一卷。杜甲跋署"乾隆岁次乙丑秋，邗上杜甲补堂氏跋"。（《睫巢后集》卷首）四库提要卷一八五：《睫巢集》六卷《后集》一卷，"国朝李锴撰。锴有《尚史》，已著录。锴卜居盘山，优游泉石以终。故其诗意思萧散，挺然拔俗，大都有古松奇石之态。而刻意求高，务思摆脱，亦往往有劖削骨立，斧凿留痕。较王世贞所谓高叔嗣诗'如空山鼓琴，沉思忽往，木叶尽脱，石气自青'者，则犹有一间之未达。盖可以着力之处，精思者得之；不容着力之处，精思者反失之也。第一卷皆拟古乐府，古人音节既不可得，乃诘屈其词，以意为之。题下所注，如《朱礴》下注曰：'建鼓殷所作，栖翔鹭于上，或曰鹭鼓精。'此吴竞解题本说也。《临高台》下注曰：'趋帝乡而会瑶台也。'借寓游仙，已非原解。《雉子斑》下注曰：'关雎之类。'则纯非古题之意，又不知其寓意所在。卷中大抵类此殊不可解也。"杨锺羲《雪桥诗话》卷五："铁君《睫巢集》为洪东阆所刊，多少年之作。邗上杜甲刊《后集》。秦文恭序称其浸淫汉、魏，归本少陵。"

十月

　　朱筠与弟珪同应郡试，珪第一，筠稍次。据罗继祖《朱笥河先生年谱》。

　　戴震《六书论》三卷成书。自序见《戴震集》上编《文集》卷三。

　　唐绍祖编定其文稿。陈章跋署"乾隆十年寒孟，钱塘后生陈章拜跋"。（《改堂先生文钞》卷末）四库提要卷一八四：《改堂文钞》二卷，"国朝唐绍祖撰。绍祖字次衣，江都人。康熙己丑进士。由庶吉士改刑部主事，官至湖州府知府，仍入为刑部员外郎，告归卒。绍祖少师姜宸英，登第出安溪李光地之门，故其文苍劲有师法。此集乃晚年手自删定，仅存四十三篇，皆其生平得意之作也。"

　　韩孝基序李果《在亭丛稿》。署"乾隆十年冬十月，东篱韩孝基拜序"。序云："今岁秋杪，出平生所著古文若干篇见示，曰此保宁陆君为刻者。"（《在亭丛稿》卷首）又，卷首尤秉元《旧序》云："会有同学友为刻其《在亭文稿》，爰为序之"。署"乾隆七年九月，蓉溪尤秉元序"。

十一月

二十二日，武亿（1745—1799）生。亿字虚谷、小石，自号半石山人，偃师人。乾隆四十五年进士。官山东博山县知县。罢职后就东昌启文书院讲席，又馆于亳州、临清、鲁山、安阳、邓州。著有《授堂文钞》八卷、《续集》二卷、《授堂诗钞》八卷。事迹见朱珪《前博山县知县诏起引见武君墓志铭》（《知足斋文集》卷五）、法式善《武虚谷传》（《碑传集》卷一〇八）、孙星衍《武亿传》（《五松园文稿》卷一）、汪喜孙《武虚谷亿家传》（《尚友记》卷二）、江藩《国朝汉学师承记》卷四、《清史列传》本传、《清史稿》本传。

十二月

朱筠院试第一。钱陈群闻其才，访之，勖励备至。据罗继祖《朱笥河先生年谱》。

厉鹗、陈章、姚世钰、张熷、马曰琯、马曰璐等对雪联句。据《樊榭山房续集》卷五《小玲珑山馆对雪联句》、《看山楼雪月联句》。又，《除夕同江声、寿门、董浦、瓯亭诸君登吴山饮酒楼分韵》。

冬

储掌文入都赴吏部就铨。据储樵等《先府君云溪公行状》（《云溪文集》附录）。

本年

胡天游集天下知名士十五人修禊陶然亭，朱仕琇、朱仕玠等与焉。据朱仕琇《方天游传》（胡元琢《先考稚威府君年谱纪略》卷首）。

赵翼入常州府学，补弟子员，时年十九岁。据佚名《瓯北先生年谱》。赵翼《檐曝杂记》卷二《杭应龙先生》："余十余岁，颇能作时文，如明隆、万间短篇，一日可得四五首。先府君子容公观其文义，谓他日不患不文，而经书尚未尽读，遂不令复作，专以读经为业。十四岁始发笔为之，辄有发挥处。十五岁，先府君见背。余童骏，专弄笔墨学作诗、古文、词、赋、四六之类，沾沾自喜，而举业遂废。有杭应龙先生，与先府君交最厚，悯余孤露，谓不治举业，何以救贫，乃延余至家塾，课其幼子念屺，而使长君杏川、次君白峰拉余同课，二君久以举业擅名者也。余时年十八，犹厌薄不肯为。至冬，有庄位乾明经移帐于杭，课先生从子廷宣，书舍与余同一厅事，日相愁恩，始勉为之。然驰骋于诗、古文者已数年，一旦束缚为八股，转不如十四五岁时之中绳墨矣。明年补诸生，遂不得不致力。后藉以取科第得官，皆应龙先生玉成之力也。"

韩锡胙考授武英殿纂修官，留补八旗官学教习。据刘耀东《韩湘岩先生年谱》卷上。

张九钺以教习期满将外用，乞假归。著《江帆集》。据张家柣《陶园年谱》。

袁枚调江宁县知县。据方濬师《随园先生年谱》。又,"徐园高会"在袁枚江宁任上。袁枚《随园诗话》卷一三:"次年,奉调江宁。……予月课多士,拔其尤者,如车研、宁楷、沈石麟、龚孙枝、朱本楫、陈制锦及秦君等,共二十人,征歌选胜,大会于徐园。"

张坚持札求见袁枚。袁枚《随园诗话》卷六:"乙丑,余宰江宁。有张漱石名坚者,持故人陈长卿札求见。赠云:'他年霖雨知何处?记取烟波有钓徒。'"

雷铉迁通政使。据彭启丰《通奉大夫都察院左副都御史加二级雷公墓志铭》(《芝庭先生集》卷一三)

卢见曾迁永平守。据卢见曾《李啸村三体诗序》(《扬州八怪诗文集·啸村近体诗选》卷首)

黄永年拜平凉知府,以亲老辞,改知镇江,岁除又改常州。据彭绍升《常州知府黄君墓表》(《二林居集》卷一〇)。

全祖望续选《甬上耆旧诗集》。有答陈兆嵛诗等作。董秉纯《全谢山先生年谱》:"杲堂先生《耆旧集》,缙绅终于万历,先生续之,并及本朝,凡百六十卷,分任同社诸公及门下诸子抄录,人为立传,视杲堂加详焉。于是桑海之变征、太平之雅集,凡为乡党所恭敬而光芒有未阐者毕出,真大有功于名教者也。是年之诗即题曰《抄诗集》。""前京兆陈句山先生再以书速先生出山,先生答诗三首,有曰:'寸长尺短谁相量,北马南辕我弗任。'又曰:'苦不自知吾岂敢,敢将一掷试微躯。'盖先生于出处之际筹之熟矣。""《诗集》有《送钱二池之黄蘖山省墓》之作,合之《文集》诸钱碑版,则知《忠介神道第二碑》、《葬录》、《年谱》以及《侍御》、《职方》、《推官》诸志,《忠介大全集》、《侍御东村集》诸序,《画像》、《降神》诸记凡数十种皆成于是年。"

常安邮寄《受宜堂集》给全祖望,祖望序之。《受宜堂集序》云:"读公之集,渊源本乎忠孝,涵养底于和平,函雅故,通古今,其真圣代之儒臣,可不谓之巨手欤?"(《鲒埼亭集外编》卷二六)

高凤翰自跋诗集。署"乾隆乙丑归云老人六十三岁记"。自跋云:"总生平所为诗,起戊子止甲子,三十八年中凡得诗二千三百六十有六首,订为六册共三十九卷为一帙。其前此《骑竹集》皆幼年所作,及频年随手散落者概未阑入,其后此自乙丑续成者亦另存,粗拣编辑,倩王甥静思陆续手抄。于岁甲子自春徂冬,经数阅月始告竣。其第三十九卷奇零未完者,则又倩宋表侄汉庭所补抄而成者也。"(《南阜山人诗集》卷末)四库提要卷一八五:《南阜山人诗集》七卷,"国朝高凤翰撰。凤翰字西园,晚自号南阜山人,又曰归云老人,胶州人。尝以县丞署泰坝盐大使,患风痹罢归卒。凤翰工于书画,笔墨脱洒,不主故常。风痹后右臂已废,乃以左臂挥洒,益疏野有天趣。间作诗歌,不甚研炼,往往颓唐自放,亦不甚局于绳尺。然天分绝高,兴之所至,亦时有清词丽句。故少时以诗谒王士祯,极称赏之。生平所作凡三千余首,曰《击林集》,曰《湖海集》,曰《岫云集》,曰《鸿雪集》,曰《归云集》,曰《归云续集》,曰《青莲集》。晚年贫病,且死,自跋其后曰:'盲子顽孙,箧笥谁付?不知后来所作,尚复几许,亦不知得成卷与册否?尚有人拾取于蛛丝蠹腹之余,以少得流传于人世否?露电茫茫,老病日笃,死且不知何时,而犹惓惓于此故纸窠中物,愚哉南阜,不直达人一笑矣。'其志亦可哀也。"

郭宗林《双忠节》传奇约本年作。郭宗林字蓼洲，平河人。是剧演明末毛文龙、袁崇焕等人事。据《古本戏曲剧目提要》。

黄图珌初定所著《看山阁全集》。凡《看山阁南曲》四卷、《看山阁闲笔》十六卷。据张慧剑《明清江苏文人年表》。

董熜编《董氏诗萃》二十卷刊行。法式善《陶庐杂录》卷三："《董氏诗萃》二十卷，乌程董熜编。自宋董贞元以下，凡四十八人，闺媛六人。刻于乾隆十年。镂版甚精致可爱，字画细劲，仿宋椠本。

张揆方《米堆山人诗钞》八卷刊行。据《贩书偶记》卷一五。《晚晴簃诗汇》卷五九录张揆方诗二首。

姜任修《白蒲子诗编锄经集》六卷、《三以集》六卷、《鸿干集》五卷刊行。据《贩书偶记》卷一五。又，本年编定所著《白蒲子古文》十卷、编年诗三十六卷。据张慧剑《明清江苏文人年表》。

佚名《人中画》植桂楼刊行。孙楷第《中国通俗小说书目》卷三：《人中画》，"存。清乾隆乙丑（十年）植桂楼刊三卷本，未见，大连图书馆有日本照钞本。……乾隆庚子（四十五年）泉州尚志堂刊四卷本。啸花轩刊十六卷本。清无名氏撰。植桂楼本、尚志堂本均每卷一事。尚志堂本多《女秀才》一卷即《二拍》'女秀才移花接木'事。啸花轩本则一事占数卷，所演凡五事。其中三事与植桂楼本同，二事不见植桂楼本。"[按，啸花轩刊十六卷本文中"玄"字不缺笔，当为顺治或康熙初避讳不严时刻本，此本有路工《古本平话小说集》排印本。据《中国古代小说总目》白话卷]

李翮（1745—1810）**生。**翮字逸翰，金乡人。乾隆三十七年进士。官至分巡杭嘉湖道，署布政使，一署按察使。以母老乞养归，服阕，奉旨发陕西，以道员用。旋以疾卒。著有《秋影山房诗稿》、《秋影山房词》。事迹见恽敬《浙江分巡杭嘉湖道陕西候补道李公墓表》（《大云山房文稿初集》卷四）。

洪榜（1745—1779）**生。**榜字汝登，号初堂，歙县人。乾隆四十一年应天津召试，授内阁中书。卒年三十五。著有《明象》（未成书）、《四声均和表》五卷、《示儿切语》一卷。生平服膺戴震，震所著《孟子字义疏证》，当时读者不能通其义，惟榜以为功不在禹下。事迹见江藩《国朝汉学师承记》卷六、金天翮《戴震传》附（《广清碑传集》卷九）、《清史列传》金榜传附、《清史稿》凌廷堪传附。

李馥卒，年八十四。据《疑年录汇编》卷一〇。[按，江庆柏《清代人物生卒年表》谓其生卒年为1666—1749年]《国朝诗别裁集》卷一六："鹿山公虚己受益，有指其诗瑕颣者，应时改定。诗多见道语，因未寄镌本，只录其暴时记诵一章。"录其《过司空表圣墓》诗一首。

沈用济尚在世。袁枚《随园诗话》卷八："吾乡沈方舟用济，诗宗老杜。常来金陵，与姚雨亭、袁古香诸人唱和。余宰江宁时，先生已老，不复来矣。"用济字方舟，钱塘人。国子生。著有《方舟集》。沈德潜等《国朝诗别裁集》卷二五："方舟足迹半天下，至广南与屈翁山、梁药亭定交，诗乃大进；游边塞，留右北平久，诗皆燕、赵声，一时名流几莫与抗行。然所成诗一句一字，质之同人，有讥弹辄改定，所由完善无罅漏也。向见重红兰主人，辇下名大著。余留京邸时，知方舟为诗人者寥寥矣，不知向后有能传其人否耶？感慨系之。"录其《燕山》等诗二十三首。袁枚《随园诗话补遗》卷一："沈诗音节沉雄，得明七子梗概，而新颖过之。足迹所到，足以助其豪宕之气。"录其《下朝阳》、《小泊》、《天启德陵》、《怀宗思陵》、《泰山》等诗句。朱庭珍《筱园诗话》卷二："浙中诗人沈方舟者，名用济，上舍生，客游四海，终老幕府。诗最沈雄有格，专工近体，其佳者直凌前后七子而追攀工部，卓卓可传。"《晚晴簃诗汇》卷三九录其诗二首。

[按，沈用济室朱柔则，字道珠，钱塘人。著有《嗣音轩诗钞》。事迹见《清代闺阁诗人征略》卷三。《国朝诗别裁集》卷三一："方舟为红兰主人客，道珠遥寄故乡山水图，主人作诗，有'应怜夫婿无归信，翻画家山远寄来'之句。方舟旋归，当时传为佳话。"录其《寄远曲》等诗六首]

公元 1746 年（乾隆十一年　丙寅）

正月

朔日，孔广林（1746—1814 后）生。广林字丛伯，号幼髯，曲阜人。廪膳生，署太常寺博士。究心三礼，又工曲学。著有《说经五稿》三十六卷、《通德郑氏遗书所见录》七十二卷、《温经楼游戏翰墨》二十卷。事迹见民国《续修曲阜县志》卷五（《方志著录元明清曲家传略》）。[生日据孔广林自订《温经楼年谱》（谢巍《中国历代人物年谱考录》著录）]

十六日，庄亨阳卒，年六十一。据方苞《庄复斋墓志铭》（《方苞集》卷一〇）。《秋水堂遗集》六卷有嘉庆二十一年刻本。又，《中国丛书综录》："《秋水堂遗集》，（清）庄亨阳撰。清光绪十五年（1889）南靖庄氏刊本。《秋水堂文集》六卷、《余集》一卷、《诗集》六卷，《庄氏算学》八卷，《历法问答》一卷。"

十八日，任兰枝卒，年七十。据胡天游《礼部尚书任公墓志铭》（《石笥山房文集》卷六）。任兆麟《礼部尚书任公神道碑铭》："当世有'任大宗，活文昌'之谚云。公少喜为诗，并工古文辞。及典试江西，视学蜀中，览匡庐、彭蠡、长江之胜，行剑栈，观峨眉，篇咏尤多。"（《国朝文汇》乙集卷六六）《国朝诗别裁集》卷二三："诗亦典重有体。"录其《武侯祠》等诗四首。《晚晴簃诗汇》卷五九录其诗六首。《国朝文汇》甲集卷四六录其《靳文襄公传》文一篇。

桑调元之越，厉鹗有诗送之。见《樊榭山房续集》卷五《送桑弢甫独为天台、雁荡之游》。

顺天府尹蒋炳邀其同乡刘纶、程景伊、钱维城、庄存与、庄培因等设筵招朱筠、朱珪兄弟面试。刘纶授题《昆山双玉歌》。诗成，诸公惊喜。翌日皆造访朱筠。于是京师有竞爽之目。据江藩《国朝汉学师承记》卷四、罗继祖《朱笥河先生年谱》。

因任兰枝卒，胡天游移居米市胡同。至此，胡天游依任兰枝凡十年。冬，又移居南城。据胡元琢《先考稚威府君年谱纪略》。袁枚《随园诗话》卷一："山阴胡天游稚威，以旷代才，受知于大宗伯任香谷先生。其待之之厚，不亚于令狐相公之待玉溪生

也。"

二月

沈德潜晋内阁学士。据《沈归愚自订年谱》。

闰二月

初三日，杭州府鄂敏修禊于西湖，与会者凡六十一人。梁文濂、周京、金志章、金农、厉鹗、丁敬、张湄、陈兆崙、吴城、杭世骏、王曾祥、鲁曾煜、陆培、张云锦、全祖望、钱载、徐以泰、周宣猷、顾之麟、丁健、汪启淑、梁启心等与焉。鄂敏汇刊其诗，周京作序。据朱文藻撰、缪荃孙重订《厉樊榭先生年谱》。

春

储掌文擘得安徽东流县，改调四川纳溪县。据储樵等《先府君云溪公行状》（《云溪文集》附录）。《云溪文集》卷首储樵识语："及捧檄入川，上奉宪台之命，下应寅僚之请，其作始多。"

赵由仪始知蒋士铨名。明年，阅士铨诗益多。谢鸣谦《书赵山南事》："丙寅春月，（山南）踵门告曰：'昨得辇云书，有铅山莘畬蒋士铨，新自太原归，豪于诗，与吾同岁生，而足迹半天下。此奇士，方当齐我辈名。'丁卯，阅莘畬诗益多。顾余笑曰：'蒋生蒋生，与吾三人者并驱中原，未知谁先。'继乃以事左，不获一见。其勤勤恳恳，爱惜莘畬之意，于辇云、子载无间也。其秋，莘畬隽而山南不及见矣。至所谓汪、杨、赵、蒋四家者，一时并以为然。"（《国朝文汇》乙集卷一九）

全祖望寓吴门。董秉纯《全谢山先生年谱》："春杪至湖上，适董浦先生以闰重三日为禊事之会，太守鄂钝夫而下至者四十二人，先生与焉。遂自苕上至吴门，寓陆氏水木明瑟园。有诗曰《吴船集》。舟中取南雷黄氏《宋儒学案》未成之本编次序目，重为增定。遇彭侍郎芝庭先生，曰：'吾观同馆诸公，蕉萃太甚，安得如谢山之春容自便？'先生有感于其言，作诗谢之。"

四月

初一日，宋大樽（1746—1804）生。大樽字左彝，号茗香，仁和人。乾隆四十二年举人。官国子监助教，以母老引疾归。著有《茗香诗论》、《学古集》、《牧牛村舍诗钞》。事迹见戚学标《国子助教茗香宋君墓志铭》（《鹤泉文钞续选》卷七）、《清史列传》本传、《清史稿》本传。

许重炎为潘天成订定年谱。据许重炎《溧阳潘孝子铁庐先生年谱》。重炎字少来，荆溪人，昌国子。有《璞堂文钞》十一卷，四库提要卷一八五著录："是集多讲学之文，而持论平允，无喧争门户之习。于忠孝节义尤睠睠表章，亦非空谈性命，自号圣贤者流。文则纵横曼衍，惟意所如，不能一一入格也。"

五月

初七日，黄定文（1746—1826）生。定文字仲友，号东井，鄞县人。少师其乡董秉纯及蒋学镛，为全谢山再传弟子，而婿于卢镐。乾隆四十二年举人。历官广东饶平知县、江苏扬州同知、松江知府。著有《东井文钞》二卷、《诗钞》四卷。事迹见黄式三《族谱东井公传》（《儆居集杂著》四）、李慈铭《越缦堂读书记·东井文钞》。

陈兆崙回京供职。据陈玉绳《陈句山先生年谱》。

王植自序《崇德堂稿》。署"乾隆丙寅夏五，深泽王植自序"。自序云："向所录存可自为一书者，已付之剞劂。其余虽错杂无绪，然生平所经，寤梦中犹可自检点生平所为。"（《崇德堂稿》卷首）［按，《崇德堂稿》或作《崇雅堂稿》。又，《贩书偶记续编》附录著录《崇德堂稿》十卷乾隆九年刊行］四库提要卷一八四：《崇德堂集》八卷，"国朝王植撰。植有《四书参注》，已著录。此集植所自编。其学主于敦励名节，而事事有济于物。故集中所载，多居官案牍之文，颇足见其生平。其考论经籍，则好以意推理，断不能一一征于古也。"又，四库提要卷一八四：《偶存草》无卷数，"国朝王植撰。是集亦植所自编。植喜讲学，故其诗全沿《击壤集》之派。"

夏

厉鹗客德清县斋，归游临平诸胜。据朱文藻撰、缪荃孙重订《厉樊榭先生年谱》。

全祖望过维扬。再馆马氏畬经堂，编纂《宋儒学案》。有《韩江唱和第二集》。据董秉纯《全谢山先生年谱》。

七月

初二日，黄图珌自跋《看山阁集闲笔》。跋云："《琵琶》为南曲之宗，《西厢》乃北调之祖，调高辞美，各极其妙。虽《琵琶》之谐声、协律，南曲未有过于此者，而行文布置之间，未尝尽善。学者维取其调畅音和，便于歌唱，较之《西厢》，则恐陈腐之气尚有未销，情景之思犹然不及。噫，所谓画工，非化工也。时乾隆丙寅秋七月二日，静夜新凉，书于活水轩之北牖。峰泖守真子。"（《中国古典戏曲论著集成》七）

二十八日，吴锡麒（1746—1818）生。锡麒字圣征，号穀人，别署东皋生，钱塘人。乾隆四十年进士，改庶吉士。散馆，授编修。累迁祭酒。以亲老乞养归，主讲扬州东仪、梅花、安定、乐仪书院。著有《正味斋诗集》十六卷、《文集》十六卷、《骈体文》二十四卷、《词集》八卷、《续集》二卷、《渔家傲》传奇。事迹见《清史列传》本传、《清史稿》邵齐焘传附。［生日据朱彭寿《清代人物大事纪年》］

九月

初三日，洪亮吉（1746—1809）生。亮吉初名莲，字华峰，后更此名，字君直、稚存，号北江，阳湖人。乾隆五十五年进士。历官编修、贵州学政、咸安宫总裁。嘉庆四年遣戍伊犁，五年获赦归里，自号更生居士。著有《洪亮吉集》。事迹见赵怀玉《皇清奉直大夫翰林院编修洪君墓志铭》（《亦有生斋集》文卷一八）、吕培等《洪北江先生年谱》、江藩《国朝汉学师承记》卷四、《清史列传》本传、《清史稿》本传。

史承豫游伏牛洞。据其《伏牛洞记》（《国朝文汇》乙集卷三一）。

十月

张廷玉自序《澄怀园语》四卷。署"乾隆丙寅冬十月，澄怀居士张廷玉撰"。（《澄怀园语》卷首）

十一月

十七日，张若霭卒，年三十四。据张廷玉《冢子内阁学士兼礼部侍郎若霭行略》（《澄怀园文存》卷一五）。《晚晴簃诗汇》卷六八："兼工绘事。诗多应制题画之作，承平簪绂，吐属清华，不烦绳削，自然俊朗。"录其诗三首。

门人程崟为方苞编刻文集。程序云："二十年前，崟尝与二三同学刻《周官集注》于吴门，刘丈古塘刻《丧服或问》于浙东，龚丈孝水刻《周官辨》于河北。先生闻之，切戒'可示生徒，不可播书肆'。刘、龚二君子既殁，得其书者益稀，总督漕政御史大夫顾公惜之，复刻于淮南。每与崟言'先生经说，不可使沈没'，间出所录先生古文，则其半所未前见，以兆符早世，而崟久离先生之侧也。乾隆壬戌，先生告归。崟请编定古文，多散在朋友生徒间，失其稿者十且三四。谨就二家所录及崟所得近稿，先镂诸版，各从其类，而不敢编次卷数。俾海内同志知先生所作，无一不有补于道教，而苟有存者，不可不公传于世也。乾隆十一年仲冬，门人程崟撰。"四库提要卷一七三：《望溪集》八卷，"其古文杂著，生平不自收拾，稿多散佚。告归后门弟子始为裒集成编，大抵随得随刊，故前后颇不以年月为铨次。苞于经学研究较深，集中说经之文最多。大抵指事类情，有所阐发。其古文则以法度为主。尝谓周、秦以前，文之义法无一不备。唐、宋以后，步趋绳尺而犹不能无过差。是以所作上规《史》、《汉》，下仿韩、欧，不肯少轶于规矩之外。虽大体雅洁，而变化太少，终不能绝去町畦，自辟门户。然其所论古人椠度与为文之道，颇能沈潜反复，而得其用意之所以然。虽蹊径未除，而源流极正。近时为八家之文者，以苞为不失旧轨焉。"戴钧衡《重刻方望溪先生全集序》："我朝有天下数十年，望溪方先生出。其承八家正统，就文核之，亦与熙甫异境同归。独其根柢经术，因事著道，油然浸溉乎学者之心而羽翼道教，则不惟熙甫无以及之，即八家深于道如韩、欧者，亦或犹有憾焉。盖先生服习程、朱，其得于道者备；韩、欧因文见道，其入于文者精。入于文者精，道不必深，而已华妙而不可测；得于道者备，文若为其所束，转未能恣肆变化。然而文家精深之域，惟先生掉臂游行。周、汉、唐、宋诸家义法，亦先生出而后揭如星月，而其文之谨严朴质，高浑凝固，又足以戢学者之客气，而湔其浮言。以故百数十年来，奉而守者，各随其才学高下浅深，皆能薪乎古不摈于正。背而驰者，则虽高才广学，亦虚憍浮夸，半为跃冶之金而已。先生文集久行于世，第原编卷数未分，亦未用古人刻书首尾相衔之法。近复残缺漫漶，而集外又多关系重要之文，世所未见。钧衡既搜辑，乃贷金而全刊之，以快天下心目，并揭发先生明道与文之功，正告海内来者，知尊信而趋步也。咸丰元年辛亥正月，邑后学戴钧衡谨序于味经山馆。"（《方苞集》附录）

十二月

十二日，毛燧传（1747—1801）生。燧传字阳明、洋溟，号味蓼，阳湖人。年三十余，始以博士弟子员应乡举，又报罢。武昌守张璚见其文，聘主苕庭书院。著有《味蓼居文稿》。事迹见赵怀玉《毛阳明家传》（《亦有生斋集》文卷一三）、吴士模《毛洋溟墓志铭》（《国朝文汇》乙集卷六五）、《清史列传》恽敬传附。

二十九日，舒瞻卒。据江庆柏《清代人物生卒年表》。《钦定八旗通志》卷一二〇：《兰藻堂集》六卷，"舒瞻撰。舒瞻字垄宙，号云亭，满洲正白旗人。乾隆丙辰科举人，己未科进士。出为浙江桐乡县知县，历调平湖、山阴、海盐三县。是编古今体诗计首卷四十八首，次卷五十二首，三卷一百一首，四卷九十二首，五卷九十首，六卷九十三首。乾隆壬申，长洲沈德潜为之序。"《国朝诗别裁集》卷二九："云亭亲交卫、霍，在京师屏居委巷，如寒素然。既出仕，而浙东西颂其廉明，传其风雅，古所云文学饰吏治者也。诗品在元、白之间，近情处迥不易及。"录其《别竹田》等诗五首。袁枚《随园诗话》卷七："同年舒瞻，字云亭，作宰平湖，招吾乡诗人施竹田、厉樊榭诸君，流连倡和，极一时之盛。"法式善《八旗诗话》一五六："诗藻思绮合，抽秘骋妍，吾独赏其清妙微至者。"《晚晴簃诗汇》卷七五录其诗九首。

冬

厉鹗、周京、金志章、梁启心、丁敬、杭世骏、全祖望、顾之麟、吴城、丁健、汪启淑等为销寒会。据《樊榭山房续集》卷六《杭堇浦招集寄巢，戏赋冬闺，用鱼元机和光威哀联句韵（销寒第一会）》、《汪秀峰自松江载书归，招同人小集分韵（销寒第二会）》、《十二月八日，敦复招集饼花斋，食腊八粥联句（销寒第三会）》。

鲁曾煜自序《秋塍三州诗钞》。署"乾隆丙寅立冬后三日，鲁曾煜书"。自序云："三州者，杭州、汴州、广州也。余自雍正庚戌暨乾隆丙寅居广二年，居汴六年，居杭少汴一年。广有纂志之役，汴、杭则教授书院。"（《秋塍三州诗钞》卷首）四库提要卷一八四：《秋塍文钞》十二卷《三州诗钞》四卷，"其诗以'三州'名集，自序曰杭州、汴州、广州也。盖其历主讲席，游踪所及之地云。"杨际昌《国朝诗话》卷二："会稽鲁庶常秋塍曾煜，为前辈李穆堂绂所得士，入词馆，未久予告归，至老不起。勤订经史，诗其余技。尝病唐贤咏帝京用事多泛，博据典故，作《唐宫》长篇。晚刻《秋塍诗钞》，诸体皆禀先民，《催租行》一首，尤见风人讥刺之义。"

本年

吴省钦与赵文哲、张熙纯定交。据《吴白华自订年谱》。

蒋士铨还铅山应童子试，督学金德瑛奇其才，称为"孤凤凰"，拔冠弟子员。据蒋士铨自编《清容居士行年录》。

曹仁虎补博士弟子员，时年十六岁。据王鸿逵《曹学士年谱》。

观保主持上江科试，李葂试一等。袁枚《随园诗话》卷一〇："乾隆丙寅，观补亭阁学科试上江。点名至啸村，笑曰：'久闻秀才诗名，此番考不必作四书文，作诗二首可也。'题是《卖花吟》。李有句云：'自从卖落行人首，瓦缶金尊插任君。'又曰：'自笑不如双粉蝶，相随犹得入朱门。'阁学喜，拔置一等。"

郑燮自范县调署潍县。据张耀璧等《潍县志》卷三（《郑板桥全集》附录）。是岁山东饥荒，郑燮设法赈灾。法坤宏《书潍县知县郑燮事》："丙寅丁卯间，岁连歉，人相食，斗粟值钱千百。令大兴工役，修城凿池，招徕远近饥民，就食赴工；籍邑中大户，开厂煮粥，轮饲之；尽封积粟之家，责其平粜。"（《郑板桥全集》附录）潍县饥民出关觅食，郑燮有感而赋《逃荒行》。见《郑板桥全集·板桥集》。

郑方城以蜀闱磨勒事罢官。上官惋惜之，延主锦江书院。据刘绍攽《郑先生方城传》（《碑传集》卷一〇三）。

张九钺馆南昌。撰《历代诗话》四卷、《苔华杂记》一卷。和杨垕《铜鼓歌》。冬归里。著《豫章初集》。据张家栻《陶园年谱》。

戴震《考工记图注》成书。是书于乾隆二十年冬由纪昀刻成。据段玉裁《戴东原先生年谱》。

全祖望仍录《耆旧诗》，兼修黄宗羲《宋儒学案》。据董秉纯《全谢山先生年谱》。

厉鹗辑《宋诗纪事》。据朱文藻撰、缪荃孙重订《厉樊榭先生年谱》。是书一百卷，四库全书收录。郑方坤《厉君鹗小传》："《宋诗纪事》百卷，天水华英，网罗殆遍，较诸孟棨、计有功，应高出一头地。知其解者固当不易吾言。"（《碑传集》卷一四一）法式善《陶庐杂录》卷三："《宋诗记事》一百卷，厉鹗纂。其自序云：'访求积卷，兼之阅市借人，历二十年之久。披览既多，颇加汰择。计所钞撮，凡三千八百一十二家。略其出处大概，缀以评论本事，咸著于编。其于有宋知人论世之学，不为无小补矣。'乾隆十一年刻行之。选诗兼以著史，应推此书。"

李重华自定所著《贞一斋集》十卷、《贞一斋诗说》一卷。据张慧剑《明清江苏文人年表》。

赵希璜（1746—1806）生。希璜字渭川，长宁人。少读书罗浮山，与黎简友善。乾隆四十四年举人。官安阳知县。著有《四百三十二峰草堂诗钞》三十卷。事迹见《清史列传》冯敏昌传附、《清史稿》冯敏昌传附。［生卒年据江庆柏《清代人物生卒年表》。］

纪大奎（1746—1825）生。大奎字慎斋、向辰，临川人。乾隆四十四年举人。五十年，议叙知县，发山东，署商河。补丘县，历署昌乐、栖霞、福山、博平。以父忧归。嘉庆中复出，授四川什邡县，擢合州知州。道光初引疾归。著有《双桂堂稿》十卷、《续编》十二卷。事迹见《清史列传》本传、《清史稿》刘大绅传附。

洪朴（1746—?）生。据江庆柏《清代人物生卒年表》。朴字伯初，号素人，歙县人。乾隆三十六年进士。尝督学湖北，后官广平知府。事迹见《湖海诗传》卷三二。

《晚晴簃诗汇》卷九四录其诗四首。《国朝文汇》乙集卷四〇录其《蕴山先生诗序》等文三篇。

奚冈（1746—1803）生。冈字铁生，号蒙泉，旧为歙县人，居钱塘，遂隶籍。负奇，不得志，寄于诗画。四十后名益噪。与同县黄易齐名。著有《冬花庵烬余稿》三卷、《奚铁生先生印谱》一卷。事迹见俞蛟《方兰如奚铁生合传》（《梦厂杂著》卷七）、《国朝耆献类征初编》卷四四〇、《清史稿》华嵓传附。［生卒年据吴荣光《中国古代名人生卒·历史大事年谱》］

喻文鏊（1746—?）生。据蒋寅《清诗话考》下编三。文鏊字冶存，号石农，黄梅人。贡生。官湖北竹溪县教谕。著有《红蕉山馆诗文钞》、《考田诗话》。事迹见《国朝诗人征略》初编卷五三、《清史列传》叶继雯传附。

鲁之裕卒，年八十一。据朱则杰《鲁之裕的卒年及其他》（《文艺研究》2004 年第 2 期）。《晚晴簃诗汇》卷六〇录其诗四首。《国朝文汇》甲集卷五九录其《选兵论》、《治河淮策》文两篇。《贩书偶记》卷一五："《式馨堂文集》十五卷、《诗集》十二卷、《诗后集》十六卷、《诗余偶存》一卷、《蜕窝集》一卷，三南鲁之裕撰。康熙甲戌至雍正间精刊。之裕著有《书法彀订》、《救荒一得》。"

劳孝舆卒，年五十。据毛庆耆《春秋诗话·前言》。［按，其生卒年，蒋寅《清诗话考》下编二作 1698—1747 年，江庆柏《清代人物生卒年表》作 1696—1745 年。］《阮斋文钞》四卷、《诗钞》六卷乾隆癸未刊行。据《贩书偶记》卷一五。苏珥《春秋诗话序》："人谓其五律得王、孟风味。"（《春秋诗话》卷首）《晚晴簃诗汇》卷七三录其诗七首。《国朝文汇》乙集卷一录其《西江源流说》等文四篇。

万承苍卒，年六十四。据江庆柏《清代人物生卒年表》。全祖望《翰林院学士南昌万公墓碑铭》云："予尝谓江西文统，自欧阳充公后，如平园，如邵庵，如东里，皆以和平雅洁嗣其瓣香，而公其世适也。"（《鲒埼亭集》卷一八）李祖陶《国朝文录续编·孺庐文录引》："《孺庐文集》，南昌万字兆先生著。""第即以其文论之，精深阔大，无一篇不以全力成之。集中如《栖贤寺罗汉记》、《王阳明画像记》，贯穿内外，上下古今，固足见先生学术之大；即下至序时文、序寿，亦深入无际，无复人之说者。"《国朝文汇》甲集卷四八录其《赠太傅文华殿大学士朱文端公传》、《兵部侍郎福建总督王公国安传》文两篇。《晚晴簃诗汇》卷五九录其诗五首。《孺庐全集》十四卷道光癸未刊于桂林。据《贩书偶记续编》卷一七。

公元 1747 年（乾隆十二年　丁卯）

正月

初五日，叶长扬、张钺、沈德潜、谢淞洲、李果、薛雪等集苏州二弃草堂，拜祭叶燮。据沈德潜《沈归愚自订年谱》、李果《咏归亭诗钞》卷八。

赵昱卒，年五十九。据朱彭寿《清代人物大事纪年》。厉鹗《赵谷林爱日堂诗集序》："综论君之诗，大概格高思精，韵沈语炼，昭宣备五色，铿洋叶六义，胚胎于韦、柳、韩、杜、苏、黄诸大家，而能自出新意，不袭故常。其于今世魁人杰士之号能诗

者，与之颉颃，驰骤其间，未知其孰为后先也。使少加以名位，则不胫而走天下者，非一日矣。而卒有待于后人之发明，呜呼，是非命也哉！"（《樊榭山房文集》卷三）全祖望《爱日堂吟稿序》："予与谷林定交且二十年，江湖之邮寄，京洛之追寻，家园之止宿，分题刻烛，良亦多矣。妄不自揣，以为当在地丑德齐之间。及其下世，始尽取其集读之，其气穆然以清，其神油然以莹，其取材浩乎莫穷其町，其别裁盖非一师一家之可名也。乃喟然自媿，以为曩者特管中之窥，不料其所造一至于此。"（《鲒埼亭集》卷三二）《贩书偶记》卷一五："《爱日堂吟稿》十五卷，仁和赵昱撰。乾隆十二年其子一清刊。"《晚晴簃诗汇》卷七三录其诗八首。

二月

二十七日，张云璈（1747—1829）生。 云璈字仲雅、简松，号复丁老人，钱塘人。乾隆三十五年举人。历官湖南安福、湘潭知县。著有《简松草堂诗集》二十卷。事迹见其《公车自序》（《广清碑传集》卷九）、姚椿《湖南湘潭知县张君墓志铭》（《晚学斋文集》卷八）、《清史列传》朱休度传附。〔按，《清史列传》谓其生卒年为1722—1804年，此据姚椿《墓志铭》及朱彭寿《清代人物大事纪年》〕

全祖望至湖上，上巳后至金陵访方苞。 董秉纯《全谢山先生年谱》："二月，至湖上。上巳后重过水木明瑟园，谋刻《宋儒学案》，遂至金陵访灵皋先生于湄园。灵皋年八十方七，治《仪礼》，戒先生不当为汗漫之游。先生呈诗四章，其卒章有曰：'廿年荷陶铸，十年惜别离。六年遭荼苦，余年患阻饥。以此成惭负，著书杳无期。犹喜素丝在，未为缁所移。'灵皋之规切，先生之持守，均可见矣，古人哉！"〔按，方苞时年八十岁，非八十七〕

王之正序梁善长编《广东诗粹》。 署"乾隆丁卯仲春，北平王之正书"。（《广东诗粹》卷首）四库提要卷一九四：《广东诗粹》十二卷，"国朝梁善长编。善长字崇一，顺德人。乾隆己未进士。此集所选广东诗，上起于唐，下至国朝，凡四百一十三家，一千五百五十余首，各为之评注。先是，黄登有《五朝诗选》。善长以其持择未精，故更加搜访，定为此集云。"法式善《陶庐杂录》卷三："《广东诗粹》十二卷，顺德梁善长编。第一卷唐六人、五代一人、宋二十二人、元四人，第二卷明二十三人，第三卷明三十八人，第四卷明四十三人，第五卷明三十八人，第六卷明三十一人，第七卷明三十九人，第八卷明□十□人，第九卷明□十□人，第十卷明二十人，第十一卷国朝十九人，第十二卷国朝五十九人。虽收明人诗过多，甄核称审确，论粤诗数则亦简当。印镂甚精。成于乾隆丁卯年，前有王之正序。"是书本年达朝堂刊行。

戴震作《转语》。 自序见《戴震集》上编《文集》卷四。段玉裁《戴东原先生年谱》："玉裁按：此于声音求训诂之书也，训诂必出于声音。惜此书未成，孔检讨广森序《戴氏遗书》，亦云未见。"

三月

初五日，赵怀玉（1747—1823）生。 怀玉字亿孙，号味辛，武进人，申乔四世孙。

乾隆四十五年召试举人，授内阁中书。出为山东青州府同知，以忧归。晚主通州石港、西安关中、湖州爱山书院讲席。著有《亦有生斋集》五十四卷。事迹见其自订《收庵居士自叙年谱略》、陆继辂《山东青州同知赵君墓志铭》（《崇百药斋续集》卷四）、汪喜孙《赵同知怀玉家传》（《尚友记》卷一）、江藩《国朝汉学师承记》卷四、《清史列传》恽敬传附、《清史稿》恽敬传附。

十二日，**杨伦**（1747—1803）生。伦字敦五，号西和（一作西禾），阳湖人。乾隆四十六年进士。官江西贵溪、广西荔浦知县。尝主湖北江汉、江西白鹿洞书院讲席。著有《九柏山房集》十六卷、《杜诗镜诠》二十卷。事迹见赵怀玉《广西荔浦县知县杨君墓志铭》（《亦有生斋集》文卷一八）、《清史列传》汪学金传附。

二十五日，**秦道然卒**，年九十。据钱维城《改礼科给事中驰赠光禄大夫经筵讲官刑部右侍郎加三级秦公神道碑铭》（《茶山文钞》卷一二）。《国朝诗别裁集》卷二二："前明高忠宪、归季思二公诗理足于中，不假修饰，得陶公一脉。泉南先生亦然，无理语，有理趣，别乎白沙、定山流派。彼求工词句与说理入腐者，均不知其品之高也。能读陶诗者，欣然遇之。"录其《山居诗》等诗十首。

王昶在长洲谒蒋恭棐、杨绳武两编修。蒋、杨劝学古人，以宋文宪为法。据严荣《述庵先生年谱》。

金农编定《冬心先生续集》二卷。自序署"乾隆十二年太岁在丁卯三月三日钱塘金农自序"。（《冬心先生续集》卷首）

春

厉鹗客当湖。据朱文藻撰、缪荃孙重订《厉樊榭先生年谱》。

程梦星编定《今有堂诗后集》六卷。自序云："余向刻《今有堂集》凡四卷，皆五十以前所作诗也。""丁卯初春，雨窗独坐，偶检近年诸作，自加删汰，得若干首，厘为六卷。"（《今有堂诗后集》卷首）四库提要卷一八四：《今有堂诗集》六卷附《茗柯词》一卷，"国朝程梦星撰。梦星字午桥，号香溪，江都人。康熙壬辰进士，官翰林院编修。家有篠园，擅水竹之胜，日与宾客吟咏其中，年七十七乃卒。是编分六集：曰《漪南集》、《蠹余集》、《五觊集》、《山心集》、《琴语集》、《就简集》，末附《茗柯词》。其诗略近剑南一派，而间出入于玉溪生。词亦具南宋之体，但格力差减耳。"《今有堂诗集》四卷、《后集》六卷附《茗柯词》一卷本年刊行。阮元《淮海英灵集》卷四："诗分十集：曰《江峰》，曰《分藜》，曰《香溪》，曰《畅余》，曰《蠹余》，曰《漪南》，曰《五觊》，曰《山心》，曰《琴语》，曰《就简》，总名《今有堂集》，附以《茗柯词》。诗终于乾隆丙寅、丁卯间，年逾七十矣。"

四月

十二日，**史调卒**，年五十一。据崔纪《墓志铭》（《史复斋文集》附录）。四库提要卷一八五：《史复斋文集》四卷，"国朝史调撰。调字匀五，号复斋，晚号云台山人，华阴人。乾隆丙辰进士。官仙游县知县。是集一卷为其官仙游时禀谕及荒政义仓等略；

二卷为序、跋、书、论；三卷为横渠书院规谕及谕子书，而以仙游所定《求士三则》冠焉；四卷为语录及功过式，并以崔纪所作志铭附于其后。"

五月

望日，杭世骏序梁文濂《桐乳斋诗集》。署"乾隆岁在丁卯五月望日，通家子杭世骏拜撰"。（《桐乳斋诗集》卷首）《桐乳斋诗集》十二卷本年刊行。四库提要卷一八四：《桐乳斋诗集》十二卷，"国朝梁文濂撰。文濂字溪父，钱塘人。大学士诗正父也。是集凡诗九百余首，而同时唱和诸作亦间附录。杭世骏序称其壮时南浮衡、湘，北抵碣石，践历嵩、华，回旋宋、卫之郊。盖颇耽怀山水者，故记游之诗为多焉。"

十一日，恒仁卒，年三十五。据沈廷芳《墓志铭》（《月山诗集》附录）。《墓志铭》云："生之诗，清微朴老，克具古人风格，其足传于后无疑也。"《国朝诗别裁集》卷三〇录其《玉泉禅院》、《南西门外即目》诗二首。《晚晴簃诗汇》卷七录其诗十七首。

二十三日，黎简（1747—1799）生。简字简民、未裁，号二樵，顺德人。生于广西南宁。少时诗为李文藻、李调元所赏，补弟子员。久之，膺选拔。寻丁外艰，遂终于家，足不逾岭。著有《五百四峰堂诗钞》、《五百四峰堂文钞》、《药烟阁词钞》、《芙蓉亭乐府》。事迹见黄丹书《明经二樵黎君行状》（《碑传集三编》卷三七）、《清史列传》本传、《清史稿》本传。

六月

二十八日，顾陈垿卒，年七十。据沈起元《行人司行人顾君墓志铭》（《国朝文汇》甲集卷五二）。《墓志铭》云："君平生绝学有三：曰字学，曰算学，曰乐律。"《国朝诗别裁集》卷二三："娄东诗人虽各自成家，大约宗仰梅村祭酒。玉停晚出，欲自辟町畦，而能不离正轨，亦后辈中矫矫者。"录其《钱敬亭上江西观察分题得盆桧》等诗九首。《国朝文汇》甲集卷四二录其《东江先生传》、《王冰庵太守传》文二篇。《贩书偶记》卷一五："《洗桐轩文集》九卷、《抱桐轩文集》三卷，镇洋顾陈垿撰。乾隆间淡成堂精刊。又名《顾宾易集》。陈垿著有《八矢注守图说》、《钟律陈数》，已见四库存目。"

沈德潜任礼部侍郎，入上书房辅导诸皇子。据《沈归愚自订年谱》。

夏

全祖望返武林，修《宋儒学案》。秋尽，复过维扬。岁暮，归。据董秉纯《全谢山先生年谱》。

七月

《皇清文颖》成书。据卷首进书表。四库提要卷一九〇：《皇清文颖》一百二十四卷，"康熙中圣祖仁皇帝诏大学士陈廷敬编录未竟。世宗宪皇帝复诏续辑，以卷帙浩博，亦未即蒇功。我皇上申命廷臣，乃断自乾隆甲子以前，排纂成帙。冠以列圣宸章、皇上御制二十四卷，次为诸臣之作一百卷。"

严遂成以《明史杂咏》寄示齐召南，召南序之。署"乾隆十二年孟秋，年弟天台齐召南拜题"。（《明史杂咏》卷首）四库提要卷一八五：《明史杂咏》四卷，"国朝严遂成撰。遂成字海珊，乌程人。雍正甲辰进士。官云南知州。咏史之作，起于班固。承其流者，唐胡曾、周昙皆用近体，明李东阳则用乐府体。遂成此编，赋明一代之事，古体、近体相间，故名曰'杂咏'。"

八月

十一日，冯敏昌（1747—1806）生。敏昌字伯求、伯子，号鱼山，钦州人。乾隆三十五年举人。四十三年成进士，改庶吉士。散馆，授编修。大考改刑部主事。时方候铨，遂出外云游七年。回京后供职户部、刑部。丁忧归，不复出。晚主端溪、粤秀书院讲席，学者称鱼山先生。著有《小罗浮草堂诗集》、《孟县志》、《华山小志》、《河阳金石录》。事迹见其子士镳《先君子太史公年谱》、吴兰修《户部主事冯公敏昌传》（《碑传集》卷六〇）、谢兰生《冯鱼山先生传》（《碑传集三编》卷三七）、《国朝诗人征略》初编卷四五、《清史列传》本传、《清史稿》本传。

十六日，赵由仪卒，年二十三。据谢鸣谦《书赵山南事》（《国朝文汇》乙集卷一九）。盛大谟《南丰赵山南诗序》："所为四五言，深远微秒，若难与名，然不轻以示人。顾独善予门人汪轫，乃得见予。与之言，往往移日不厌。旧春访予于巢，夜卧论诗，则曰诗与乐通，如琴瑟之韵，可闻而不可求也。顾予而笑，意乃益合。""赵子诗多散佚，轫与杨垕收其遗稿，得若干首，集为一卷。"（《国朝文汇》乙集卷一七）《晚晴簃诗汇》卷七五录其诗七首。

尹会一视学江南。造清凉山拜方苞为师，方苞辞之。据方苞《尹元孚墓志铭》（《方苞集》卷一一）。

九月

晦日，英廉招周焯、陈皋、查为仁、查礼等集南溪送秋。据查礼《铜鼓书堂遗稿》卷七《九月晦日，冯计六司马招同王崑霞、吴中林、朱嵩仲、余犀若、周月东、陈江皋、高泽公、心榖伯兄、履方仲兄集南溪送秋，分韵得五歌》。

张锦芳（1747—1792）生。锦芳字粲夫（一作粲光）、药房，号花田，顺德人。乾隆四十五年，举乡试第一。五十四年成进士，改庶吉士。明年散馆授编修，充万寿盛典纂修官。未几，告养归。与胡亦常、冯敏昌称"岭南三子"，与黎简、黄丹书、吕坚号"岭南四家"。著有《逃虚阁诗钞》六卷、《南雪轩文钞》二卷、《南雪轩诗余》一卷。事迹见邵晋涵《翰林院编修张君行状》（《南江文钞》卷一〇）、《清史列传》黎简传附、《清史稿》黎简传附。

秋

乡试。是科各省考官有阿克敦、刘统勋、邓钟岳、周长发、钱陈群、王会汾、裘曰修、朱荃、赵青藜、德保、诸锦、张映斗、周煌、杨述曾等。据法式善《清秘述闻》卷六。所取举人有纪昀（《清秘述闻》卷六）、胡德琳（《清秘述闻》卷六）、陈奉兹（《清秘述闻》卷六）、梁同书（许宗彦《学士梁公家传》）、朱珪（罗继祖《朱笥河先生年谱》）、蒋士铨（《清容居士行年录》）、翁方纲（张维屏《翁覃溪先生年谱稿》）、涂瑞（鲁仕骥《乡贡进士候选知县涂先生瑞墓志铭》）、王鸣盛（钱大昕《西沚先生墓志铭》）、韩锡胙（刘耀东《韩湘岩先生年谱》）、邵齐熊（钱大昕《内阁中书舍人邵君松阿墓志铭》）、林明伦（朱筠《衢州府知府穆庵林君行状》）、廖景文（《青浦诗传》卷三〇）、蔡寅斗（《国朝诗别裁集》卷二九）等。朱筠（罗继祖《朱笥河先生年谱》）、胡天游（胡元琢《先考稚威府君年谱纪略》）、赵翼（佚名《瓯北先生年谱》）、王昶（严荣《述庵先生年谱》）、钱大昕（钱大昕自编、钱庆曾校注《竹汀居士年谱》）报罢。

王昶应江宁乡试报罢后游宜兴。摹国山碑以归，金石之好盖自此始。据严荣《述庵先生年谱》。

夏秋间，厉鹗客扬州。据《樊榭山房续集》卷六《五月十五日客广陵，马半槎招集小玲珑山馆，为展重午之会，出诸家钟馗画索题，予得出猎图》、《秋日嶰谷、半槎饯予平山堂分韵》、《九日同全谢山、吴瓯亭诸君游城东报国院》等。

毗陵徐昆作《遁斋偶笔》，时任宁海州州同。据乾隆十八年自序。

十月

十三日，陈景云卒，年七十八。据王峻《陈少章先生墓志铭》（《艮斋文集》卷四）。《墓志铭》云："自何先生殁后，先生独以名德见推，为中吴文献之重轻者几三十年。""其为学如饥渴之于饮食，终日丹铅不离手。凡经史四部书，从源及委，贯串井然。地理制度，考据尤详。下及稗官说家，无不综览。而尤深于史学。早岁温公《通鉴》，略能成诵。前明三百年事，谈之更仆不倦，若身列其间，能剖决其（豪）［毫］芒得失者。为文章简严有法。所著有《读书纪闻》十二卷、《纲目辨误》四卷、《两汉订误》五卷、《国志校误》三卷、《韩文校误》三卷、《柳文校误》三卷、《文选校正》三卷、《通鉴胡注正误》二卷、《纪元考略》二卷、文集四卷，皆能有功前哲，嘉惠后来。"

塞尔赫晋兵部侍郎，未及任而卒，年七十一。据李锴《少司马宗室塞公家传》（《碑传集补》卷三）、杨锺羲《雪桥诗话》卷三、朱彭寿《清代人物大事纪年》。《晓亭诗钞》四卷乾隆十四年刊行，附伊都札《鹤鸣集》一卷。据《贩书偶记》卷一五。《钦定八旗通志》卷一二〇：《晓亭诗钞》四卷，"是编为晓亭次子鄂洛顺所刻，合古、近体诗厘为四集，以一集为一卷。卷一曰《春雪集》，卷二曰《三余集》，卷三曰《怀音集》，卷四曰《秋塞集》。其诗气格清旷，风度谐婉，而不伤纤弱。长洲沈德潜尝序萨哈岱集，言于北地得晤三诗人，首数塞尔赫，次乃及于英廉、萨哈岱。则是编之见重当时久矣。"《国朝诗别裁集》卷三〇："晓亭遇能诗人，虽樵夫、牧竖，必屈己下之，固以诗为性命者也。辨唐、宋之分，如渑、淄然。身后诗为夫己氏所编，不免以中驷为上驷矣。知诗者惜之。有佳句云：'一水明残照，孤村入暮烟。''宋朝南渡君称侄，周室东迁帝是侯。'"录其《荆卿墓》、《白芍药》诗二首。《晚晴簃诗汇》卷一〇录其诗二十三首。

十二月

全祖望与陈章话别于维扬，为序《宝瓿集》。序云："竹町居士陈授衣，以诗名大江南北者几三十年，而不遇。其遇益蹇，其诗愈工。顾竹町之诗愈工，而其心愈歉然有所不足。余谓其心之歉然有所不足者，此其诗之所以工也。请言竹町之为人也，古心而笃行，方严醇雅，造次不苟，有儒者气象。故其为诗亦绝无险诐之习，夸诞靡曼之音，狭隘僻陋之肠，破碎之句，而一出之以和平温厚，取材自汉、魏以至宋、元无不到，而归宿于中唐。年逾五十，手不停披，含毫渺然，会心自远。吾疑其胸中所造，殆有得于学道者，故其诗之工如此。而竹町逊谢曰：'吾未能也。'""竹町之诗既工，而其胸中所造有近乎道，其欿然不自足也，殆将有更进而致精焉者。曾氏之瑟未希，而颜子之卓如有立矣。吾知其不仅仅以诗人终也。"（《鲒埼亭集》卷三二）

冬

沈德潜序王道《江湖闲吟》。署"乾隆丁卯冬月，长洲弟沈德潜题于夷白斋"。（《江湖闲吟》卷首）是书本年学诗堂刊行。四库提要卷一八五：《江湖闲吟》八卷，"国朝王道撰。道字直夫，漳浦人。官金山县知县。卷首有黄之隽序，称所著有《鹿皋文集》，有《京华稿》。今未见。此集题曰《江湖闲吟》，乃其罢官后寓居朱泾所作。其版心则题曰《鹿皋诗集》。盖其集总名'鹿皋'，以诗文分集，而诗集之中此为一种也。据所自述，初学李梦阳，后乃变以王维、陆游。然先入者为主矣。"［按，黄之隽序署"乾隆六年春华亭黄之隽顿首撰"］《国朝诗别裁集》卷二十八录其《过仙霞岭》诗一首。

张映斗卒。据《秋水斋诗集》卷首齐召南序。四库提要卷一八五：《秋水斋诗集》十五卷，"国朝张映斗撰。映斗字雪子，乌程人。雍正癸丑进士。官翰林院编修。是编凡十四集：首曰《或可存集》，次《江上集》，次《钓矶集》，次《云林集》，次《范湖集》，次《日下集》，次《水签集》，次《新馆集》，次《内舍集》，次《新馆后集》，次《旧雨集》，次《清秘集》，次《瀛台集》，次《使星集》。皆其子守约、守愚所编。前有汤右曾序，作于康熙乙未。盖其早年即为右曾所赏识也。"《国朝诗别裁集》卷二七录其诗一首。《晚晴簃诗汇》卷六八录其诗一首。

本年

山东饥荒未已，郑燮随高斌放赈。有《和高相公给赈山东，道中喜雨并五日自寿之作》。又有《和学使者于殿元枉赠之作》、《济南试院奉和宫詹德大主师枉赠之作》、《御史沈椒园先生新修南池，建少陵书院，并作杂剧侑神，令岁时歌舞以祀》诸诗，及《板桥偶记》。见《郑板桥全集·板桥集》、《板桥集外诗文》）。

毕沅读书砚山书堂。 据史善长《弇山毕公年谱》。

袁枚升迁未果，初得随园。 方濬师《随园先生年谱》："题升高邮州知州，格于部议不果。""初得随园，先生有诗云：'暂时邀主先为客，异日将官易此园。'"

褚廷璋见王昶诗词，嘱昶族兄王鸣盛移书相赠。 据严荣《述庵先生年谱》。

吴泰来识王昶于秦淮。 据吴泰来《述庵诗钞序》（《国朝文汇》乙集卷三〇）。

胡天游馆王晋川第。 据胡元琢《先考稚威府君年谱纪略》。

史震林赴淮安府学教授任。 据张慧剑《明清江苏文人年表》。

全祖望有《偷儿弃余集》、《吴山消夏集》、《漫兴集》。 据董秉纯《全谢山先生年谱》。

严遂成为吴燏文编定近四年所作诗，共辑六卷付梓。 据《朴庭诗稿》卷首吴燏文自识。

沈德潜序《韩江雅集》。 法式善《陶庐杂录》卷三："《韩江雅集》十二卷，胡期恒、唐建中、程梦星、马曰琯、汪玉枢、厉鹗、方士庶、王藻、方士廙、马曰璐、陈章、闵华、陆钟辉、全祖望、张四科、方士序十六人所作。前有沈归愚尚书乾隆十二年序。"

黄之隽编定所著《㝢堂集》六十卷。 据张慧剑《明清江苏文人年表》。四库提要卷一八四：《㝢堂集》六十一卷，"是集凡五十卷，又《补遗》二卷、《续集》八卷，皆之隽所手编，各有自序。末附《冬录》一卷，则所自撰年谱也。之隽之学，排陆、王而尊程、朱，多散见所作诗文中，持论甚正。而综览浩博，才华富赡，兴之所至，下笔不能自休，往往溢为狡狯游戏之文，不免词人之结习。又名誉既盛，赠答遂繁，牵率应酬，不能割爱，榛楛勿剪，所存者不尽精华。譬之古人，殆陆机之患才多矣。"袁枚《随园诗话》卷八："㝢堂诗集生新超隽，美不胜收。姑录短句，以志一脔之嗜。《芭蕉》云：'日不红三伏，天惟绿一庵。'《北路买饼》云：'驻马一钱交易，羁留三刻行程。'《玫瑰花》云：'生来合是依人命，从不容渠在树看。'集中七古，远胜潘稼堂。"

李绂《穆堂别稿》五十卷奉国堂刊行。 又，《穆堂诗文钞》十一卷道光间刊行。据《贩书偶记》卷一五。

查礼《㦤题上方二山纪游集》一卷刊行。 据《贩书偶记》卷一五。

闵华《楮叶词》二卷刊行。 据《贩书偶记》卷二〇。

杨复吉（1747—1820）**生。** 复吉字列欧，号慧楼，震泽人。乾隆三十七年进士。以辑刊《昭代丛书》闻名。著有《慧楼诗文集》、《乡月楼学古文》、《梦阑琐笔》等。事迹见《疑年录汇编》卷一二、朱彭寿《清代人物大事纪年》。

龚景瀚（1747—1803）**生。** 景瀚字海峰、惟广，闽县人。乾隆三十六年进士，以知县归部铨选。里居教授十四载始授职，历官中卫知县、平凉知县、邠州知州、庆阳知府、兰州知府。著有《澹静斋文钞》六卷、《外集》二卷、《诗钞》六卷。事迹见陈寿祺《传》（《澹静斋文钞》卷首）、《清史列传》龚其裕传附、《清史稿》本传。

王复（1747—1797）生。复字敦初，号秋塍，秀水人，又曾子。援例为国子监生。官河南鄢陵知县。著有《树萱堂》、《晚晴轩》二集，毕沅采入《吴会英才集》。又有杂剧《艳禅》，已佚。事迹见武亿《偃师县知县王君行实辑略》（《授堂文钞》卷八）、《清史稿》王又曾传附。

伯麟（1747—1824）生。伯麟字玉亭，号梅坪，瑚锡哈哩氏，满洲正黄旗人。乾隆三十六年举人。历官兵部笔帖式、右春坊右赞善、内阁学士、兵部侍郎、山西巡抚、云贵总督、实录馆总裁、体仁阁大学士。谥文慎。著有《退思斋吟草》。事迹见《清史列传》本传、《清史稿》本传。［按，生卒年据朱彭寿《清代人物大事纪年》］

吴东发（1747—1804）生。东发字侃叔，号芸父、耘庐，海盐人。诸生。少工诗，后从钱大昕学，潜心经传及金石文字之学。著有《遵道堂诗文稿》、《澉浦诗话》等十余种。事迹见梁同书《吴侃叔小传》（《频罗庵遗集》卷九）、《清史列传》丁杰传附。

刘大绅（1747—1828）生。大绅字寄庵，号潭西，晋宁人。乾隆三十七年进士。历官山东新城、曹县、朝城知县，青州、武定同知。以母老归，遂不出。事迹见刘鸿翱《刘青天大绅传》（《碑传集》卷一〇四）、《清史列传》本传、《清史稿》本传。

王汝璧（1747—1806）生。汝璧，四川铜梁人。乾隆三十一年进士。官至刑部右侍郎。著有《铜梁山人诗集》二十五卷、《芸籧偶存》二卷。事迹见《国史列传》本传（《铜梁山人诗集》卷首）、《清史稿》王恕传附。

彭淑（1747—1807）生。字谷修，号秋潭，长阳人。乾隆三十五年举人，大挑一等，分发江西。历知瑞昌、弋阳、崇仁、瑞金、吉水、浮梁、临川等县。著有《秋潭诗集》十卷、《外集》十六卷。事迹见恽敬《前临川县知县彭君墓志铭》（《大云山房文稿初集》卷四）。

郑方城卒，年七十。据刘绍攽《郑先生方城传》（《碑传集》卷一〇三）。《国朝文汇》乙集卷一录其《广丘省斋伍员论》文一篇。《晚晴簃诗汇》卷六八录其诗一首。

方贞观卒，年六十九。据朱彭寿《清代人物大事纪年》。查为仁《莲坡诗话》："桐城方南堂贞观'生儿莫漫悬弧矢，识字惟当记姓名'之句，海内传诵。与同邑马相如朴臣齐名。"沈德潜等《国朝诗别裁集》卷二八："康熙癸巳岁，履安以负罪者累，诏隶归旗籍。雍正癸卯，奉旨复归江南。十年中别母妻，弃丘陇，行动羁絷，极人世之困穷，然境穷而诗乃工矣。卷中所录，多流离抑郁时作。"录其《平陵公子歌》等诗六首。袁枚《随园诗话》卷一三："桐城二诗人，方扶南与方南塘齐名。鱼门爱扶南。余独爱南塘。何也？以其诗骨清故也。扶南苦学玉溪、少陵两家，反为所累，夭阏性灵。南塘如'风定孤烟直，天遥独鸟沉'、'因潮通估客，隔苇见渔灯'、'闰年入夏花犹在，积雨逢晴草怒生'，皆扶南所不能。至于'无意怀人偏入梦，未报恩门羞再入'，其妙在真。又，'清风时一来，悠然复徐歇。'真陶诗之佳者。"马其昶《方氏三诗人传》："南堂先生胸次潇然，布素终身，若忘其为华胄者。善行楷书，与汪退谷、王箬林、卢雅雨友善。孙文定公嘉淦在翰林时，从之学诗。先生诗初近张籍、王建，后浸淫贞元、大历间。以《南山集》被累出关。放归后，诗益平淡。"（《广清碑传集》卷三）

周焯卒。据《中国文学家大辞典》清代卷。查为仁《莲坡诗话》："周月东焯，天津人，赋诗务极研炼，不肯苟为雷同。有《卜砚山房诗》一卷。尝作咏物诗，推敲一字未就，语如曰：'吾为此损眠两夜矣。'"《国朝诗别裁集》卷二八录其《五十》诗一首。《晚晴簃诗汇》卷六四录其诗二首。

许廷录（又名许逸）约本年卒，年七十。据《古本戏曲剧目提要》。［按，郭英德《明清传奇史》第十五章第三节谓其生卒年为 1678—1744 年］

屈复尚在世，时年八十岁。据《弱水集》卷一〇《自寿》。《国朝诗别裁集》卷二八："屈复字悔翁，陕西蒲城人。著有《弱水集》。悔翁以布衣遨游公侯间，不屈志节，固有守士也。诗虽未纯，亦时露奇气。惟过自矜许，好为大言。而一二标榜之人，至欲以一悔翁抹倒古今诗家，于是学者毛举疵瘢而苛责之，悔翁无完肤矣。余所采数章，皆铦刃不顿，人宜厌心者。"录其《鲁隐公菟裘》等诗八首。金埴《不下带编》卷四："予最爱其《湖上吟》二句：'此生安得西湖死，添个梅花处士坟。'风致如许，较胜元人'咸平处士真堪羡，死守梅花在里湖'之句。"平步青《霞外捃屑》卷八下《屈悔翁》："郑荔乡撰《小传》云：'……诗多残山剩水之思，麦秀黍离之感，若夏肆周遗之所为作。又或附凤攀龙，与前朝有瓜葛者。其论诗，于比、兴之外，专以寄托为主。谓陶之饮酒、郭之游仙、谢之登山、左之咏史，彼自有所以伤心之故，姑借题发挥。必执是数者求之，固矣。'庸按：集中《过贞贤里》诗自注：'岁丙寅，予年十九。'则生于康熙七年戊申，其时永明久灭，天下大定，荔乡所谓附凤攀龙，固未核实。《贞女吟》郑注云：'戊戌，怡贤亲王未封，时有荐弱水入邸，岁币千金，固辞乃止。'其诗云：'细微鸿鹄志，愿终此清白。'亦未有周遗意也。惟《咏古》十首，以夷、齐、鲁仲连、留侯居首，邵康节、申屠蟠居末，似有感而作。""弱水诗，道源少陵七古，间学昌谷，最长于七律，如《旅怀》三首、《秋怀》三首、《登岱》五首、《戊戌春日杂兴》十八首、《秋日杂兴》二十首、《钱唐怀古》十首，沈郁顿挫，慷慨悲歌，真浣花嫡乳也。《论诗绝句》凡二十四首，兹录其十三云……似亦兼综博涉，转益多师，不薄宋、元，尤为通识。（《别裁集》卷十二孙枝蔚小传：'近有秦人，胸无典籍，好为大言。至云作诗，先洗去李、杜俗洄，庸妄如此，而人群然信之，云远胜豹人，不可解也。'按，秦人即悔翁）"《晚晴簃诗汇》卷七二："悔翁本楚系而家于秦，足迹半天下，豪宕感慨，一寓之诗。所作原本汉、魏，贯串三唐，不屑屑依傍他人门户，卓然成家。论者谓如鸾凤之音，非鹦鹉之语。"录其诗十首。

公元 1748 年（乾隆十三年　戊辰）

正月

黄之隽卒，年八十一。据《唐堂集》卷首门人王永祺识语。《国朝诗别裁集》卷二四："云间诗，自陈黄门振兴后，俱能不入歧途，累累绳贯；至卢文子后，又日就衰隤，鲜所宗法矣。唐堂学殖富有，而心思才力又足以驱策之，故能自开生面，仍复不失正轨，谓之诗学中兴可也。"录其《杂诗》等诗十首。《清史列传》本传："其为学排陆、王而尊程、朱，持论甚正。而综览浩博，才华富赡，下笔不能自休。撰述甚富。

手编《厝堂集》五十卷，又《补遗》二卷、《续集》八卷。尝纂修《江南通志》，时人比之范成大、梁克家。诗别开生面，仍复不失正轨。"《国朝文汇》甲集卷五一录其《姜伯约论》等文十四篇。《晚晴簃诗汇》卷六一录其诗六首。

二月

胡天游赴山西宁武太守周景柱署，修《宁武府志》。十一月回京。据胡元琢《先考稚威府君年谱纪略》。

王昶补增广生，乃与张熙纯、赵文哲、凌应曾辈十六人为文酒之会。据严荣《述庵先生年谱》。

三月

望日，黄图珌重识《看山阁集闲笔》。识云："余自小性好填词，时穷音律。所编诸剧未尝不取古法，亦未尝全取古法。每于审音、炼字之间出神入化，超尘脱俗，和混元自然之气，吐先天自然之声，浩浩荡荡，悠悠冥冥，直使高山、巨源、苍松、修竹皆成异响，而调亦觉自协。颇有空灵杳渺之思，幸无浮华鄙陋之习。毋失古法，而不为古法所拘；欲求古法，而不期古法自备。窃恐才思渐穷，情澜益涌，虽不能自出机杼，亦聊免窃人余唾。不抹东村本色，何必效颦而反增其丑也！戊辰三月之望，峰泖守真子重识。"（《中国古典戏曲论著集成》七）

会试。考官：吏部尚书陈大受、兵部侍郎鄂容安、户部侍郎蒋溥、礼部侍郎沈德潜。题"好人之所"一节，"子曰呜乎"二句，"鲁君之宋"二句。据法式善《清秘述闻》卷六。

厉鹗由水路入都，抵津门，客查为仁之水西庄，同撰《绝妙好词笺》七卷，遂不就选而归。全祖望《厉樊榭墓碣铭》："樊榭亦且老矣，乃忽有宦情，会选部之期近，遂赴之。同人皆谓：'君非有簿书之才，何孟浪思一掷？'樊榭曰：'吾思以薄禄养母也。'然樊榭竟至津门，兴尽而返。予谐之曰：'是不上竿之鱼也。'"（《鲒埼亭集》卷二〇）朱文藻撰、缪荃孙重订《厉樊榭先生年谱》："梁启心《南香草堂集·喜樊榭自津门归》诗……自注云：'樊榭本以谒选入都，至津门，忽不乐，即日买舟归里。'"

全祖望之武林，又之绍兴。董秉纯《全谢山先生年谱》："三月，之武林。太守鹿田先生问曰：'先生不出之意何其决也？'先生答以诗曰：'野人家住鄞江上，但见山清而水寒。一行作吏少佳趣，十年读书多古欢。也识敌贫如敌寇，其奈爱睡不爱官。况复头颅早颁白，那堪逐队争金襕。'绍守杜公，先生故人也，来招，遂适越。复位黄氏《遗书》。姚总制之孙述祖求撰《总制神道第二碑》。"

王昶游虞山，还访陈祖范。据严荣《述庵先生年谱》。

四月

百龄（1748—1816）生。百龄字子颐，号菊溪，汉军正黄旗人。乾隆三十七年进士，改庶吉士，散馆授编修。累官至湖广、两广、两江总督。谥文敏。著有《守意龛诗集》二十八卷。事迹见《清史列传》本传、《清史稿》本传。［按，出生时间据《守意龛诗集》卷二八《生日作时年六十有六》"四月清和夏景延"］

五月

初一日，高宗御太和殿，传胪。赐一甲梁国治、陈栴、汪廷玙进士及第，二甲刘星炜、陈长镇、李中简、曹学诗、朱珪、秦朝钎、冯浩、邵焕（即邵齐然）、林明伦等进士出身，三甲寅保、赖晋、陈道、靳荣藩、朱仕琇、图翰布等同进士出身。据《历科进士题名录》、《清通鉴》。

查礼授户部陕西司主事。据《铜鼓书堂遗稿》查淳《后序》。

王昶见惠栋，因识沈彤、李果。自是潜心经术。据严荣《述庵先生年谱》。

六月

李天根《爝火录》成书。自序署"大清乾隆十三年六月望前二日，云墟散人李天根书"。（《爝火录》卷首）是书凡三十二卷，为南明编年史。［按，《国朝诗别裁集》卷二八："李天根原名大本，字天根，江南无锡人。吾友芥轩子也。生平不妄言，不疾行，硁硁自守。人有假其名具呈当事者，知之曰：'污我名矣。'遂易之以字。余仍之，恐违其志也。"录其《题听松山人雨蕉书屋图》诗一首］

张廷玉编定《澄怀园文存》十五卷。自序署"乾隆十三年岁次戊辰夏六月，桐城张廷玉书于澄怀园之秋水轩"。（《澄怀园文存》卷首）

七月

初七日，查为仁召厉鹗、英廉、吴廷华、陈皋等集南碕草堂。据《樊榭山房续集》卷七《七夕，查莲坡招同英司马梦堂、吴东壁、陈对沤集南碕草堂，以'荷净纳凉时'分韵，得'荷'字》。

十五日，尹会一卒，年五十八。据方苞《尹元孚墓志铭》（《方苞集》卷一一）。《健余文集》十卷《别集（尺牍）》四卷《奏议》十卷《诗草》三卷《读书随笔》六卷《札记》四卷《语录》四卷《抚豫条教》四卷《年谱》四卷敦崇堂乾隆十四年至十六年刊行。据《贩书偶记》卷一五。王击瑢《健余先生文集序》："乾隆十有三年秋七月，先生以吏部侍郎督学江左，卒于官。越三年春，而先生遗书始出。其文笃古而达于词。何高洁至是？盖由来者渐也。先生幼孤，奉母夫人教，三十年扬历大官，日与巨人长者相切劘，文凡三变矣。其少而宕激于中也，若舒蹙云鳞以勃郁；其壮而肆之外也，若鸣凤之诡然而高翔；其晚而成之以简质也，若桂吹古香，松传老韵。要皆本之于道，而以程、朱之学为门庭，以周、孔之书为归宿，以是斯文未丧，光于今，大于后，而翘然与古为徒，夫岂一朝一夕之故哉？嗟呼！西京以下，其文笃古而不明道；北宋以降，其文明道而不笃古。孔子曰：'有德者必有言。'先生当之矣。"（《文集》

卷首)《国朝诗别裁集》卷二七录其《居庸关》诗一首。《晚晴簃诗汇》卷六五录其诗二首。

二十五日，常安以罪处绞。据朱彭寿《清代人物大事纪年》。《钦定八旗通志》卷一二〇：《醉红亭诗钞》一卷《诗余》一卷《文集》二卷《班余剪烛集》十四卷，"常安撰。常安姓纳兰，字履坦。满洲镶红旗人。康熙中以诸生补山西巡抚掾吏，寻擢理事同知。雍正初授山西冀宁道，累迁至贵州布政使。擢江西巡抚，丁艰。服阕，补盛京兵部侍郎，转刑部侍郎。出为漕运总督。迁浙江巡抚，坐事罢。寻卒。伊福讷《白山诗钞》言其所著《受宜堂集》数十卷，而是编所题《醉红亭》者，诗文词乃仅五卷，盖其宦黔所刻初稿也。其《班余剪烛集》则其为少司寇时所编。卷一为论，卷二为序、记，卷三为书，卷四、五、六皆史评，卷七为辨及题跋，卷八题跋，卷九赋，卷十以下皆诗，较初稿又远胜矣。"《晚晴簃诗汇》卷五四："履坦学于韩文懿，通经史，能文章。集凡五刻，曰《醉红亭集》，曰《瀚海前后集》，曰《沈水三春集》，曰《班余剪烛集》，曰《驻淮集》。又编《廿二史文钞》、《古文披金》。论著甚多，往往援古刺今，讥切时事。中蜚语死，非其罪，论者惜之。"录其诗四首。

陈兆崙丁忧归里。据陈玉绳《陈句山先生年谱》。

闰七月

十九日，鲍鉁卒，年五十九。据全祖望《杭州海防草塘通判辛浦鲍君墓志铭》（《鲒埼亭集》卷一九）。《墓志铭》云："辛浦之诗，宗法新城，丰赡流丽，自然合度，随手脱稿，即自书之以付雕工。或曰：'更无待于论定耶？'辛浦笑且叹曰：'吾老矣，而无子，漫为之，亦漫存之耳。'或曰：'是定可以免长吉中表之累者也。'所著诗集四十卷，别有《道腴堂文稿》、《亚谷丛书》诸集，并行于世。"《国朝诗别裁集》卷三〇："鲍鉁字冠亭，奉天人。官海塘通判。冠亭好客，有负之者，重来待之如初，曰：'我爱其才也。'风趣近吴园次太守。虽沉溺下僚，艺林重之。"录其《雁门太守行》、《范忠贞公祠》诗二首。法式善《八旗诗话》一三四："西冈在湖州，振兴文教，浙中名士多与之游。著《亚谷丛书》、《稗勺》各种，捃摭一时掌故，颇资考证，笔墨亦修洁可喜。尤留心韵语，生平所作不下万首，金寿门为汰存二十六卷。"杨锺羲《雪桥诗话》卷五："辛浦《道腴堂诗》，古体如《浈阳峡》、《十八滩》、《玉渊潭》、《延建道中》、《观音崖》、《下滩行》诸作，模山范水，裂月撑霆，诸襄七所谓'文编笠泽丛书体，诗写鱼山梵呗听'，当指此种。"《晚晴簃诗汇》卷六二录其诗七首。《道腴堂集》雍正乾隆间刊行。据《中国丛书综录》。

汪沆游天津，客查为仁水西庄。旋之武昌。据厉鹗《樊榭山房续集》卷七《闰七夕，汪西颢自京来津门，莲坡招集水琴山画堂分赋》、《归舟行卫河，西颢先发一日，中途相遇，知有武昌之行，赋此送之》。

八月

蒋士铨为唐英《三元报》杂剧题辞。署"时乾隆著雍执徐之岁桂月，铅山蒋士铨题并书于济宁舟中"。题辞云："原夫孟子弃书不读，机零母氏之丝；乐羊舍业而归，杼割贤妻之锦。此传称列女，双垂废织遗规；乃剧谱名媛，别演断机故事。表秦门之贞女，纪商氏之孤儿。夫事既足传，野志可参正史；倘曲劳多顾，妙词端赖通人。此《三元报》之所由作也。于是摅忠厚之微忱，著纲常之大义。"（《中国古典戏曲序跋汇编》补遗）庄一拂《古典戏曲存目汇考》卷八：《三元报》，"《曲录》著录。《古柏堂五种》刊本。计四折。演商辂母秦氏早寡，辂为遗腹子，受母教甚严。以辂得三元捷报故名。戏剧同此题材数见。"又，蒋士铨是科会试报罢，唐英于七月入京，至是同舟南还。据蒋士铨自编《清容居士行年录》。

九月

初二日，汪学金（1748—1804）生。学金字敬箴，号杏江，晚号静厓，太仓人。乾隆三十五年举人，四十六年进士，授翰林院编修。官至左春坊左庶子。著有《井福堂文稿》十卷、《静厓诗初稿》十二卷、《后稿》十二卷、《续稿》六卷。事迹见朱珪《日讲起居注官文渊阁校理教习庶吉士詹事府左春坊左庶子加二级汪君墓志铭》（《知足斋文集》卷五）、《清史列传》本传。

初九日，郑燮作《与江宾谷、江禹九书》，论及为文之道。见《郑板桥全集·板桥集外诗文》。

蒋士铨为唐英《芦花絮》杂剧题辞。署"时乾隆戊辰重阳前，铅山蒋士铨题并书于汶上之海岳行馆"。题辞云："尝叹亲其底豫，重华斯可解忧；我无令人，《凯风》是以不怨。盖天下无不是底父母，而古人有独挚之真诚。故操《履霜》以自哀，庶几孝子；苟诵《蓼莪》而不哭，必系忍人。第学士葆尔秉彝，或可涵融自尽；奈愚民忽于天性，必需感发乃坚。此有心世道者往往即游戏作菩提，藉讴歌为木铎也。倘谓予言未确，请观斯剧可知。盖合万人一本之天良，百善莫先于孝；遭双亲二弟于门内，大贤独处其难。事等号泣旻天，人可伦常锡类。前贤不匮，后世堪师。爰吐笔花，为传芦絮。""演向词场，未同绮语；传诸乐府，不愧正声。鉴其隐，是能处捐阶、焚廪之俦；读斯文，竟可补《白华》、《南陔》之什。作者既费苦心，顾者都无讹字。昔听度曲，泪抛白雪青尊；今志题词，时泊芦花浅水。"（《中国古典戏曲序跋汇编》补遗）庄一拂《古典戏曲存目汇考》卷八：《芦花絮》，"《今乐考证》著录。《古柏堂五种》刊本。《曲录》亦著录之，列入传奇，误。计四折，演闵子骞事。有蒋士铨序。宋、元戏文有《闵子骞单衣记》。"

全祖望主蕺山书院讲席。董秉纯《全谢山先生年谱》："秋渡钱唐，病，方撰《顾宁人先生神道表》，力疾成之。（先生自丁卯冬有不寐之疾，医者谓是虐用其心之过，当静摄以养之。先生未能用其言，至是遂大病。中秋乃痊。己巳居杭，复病。庚午，大病。）九月，杜守请主蕺山讲席，始设奠于子刘子影堂，议定从祀诸弟子。初课诸生以经义，继以策问、诗古文。条约既严，甲乙无少贷。越人始而大哗，继而帖然。一月之后，从者云集，学舍至不能容。复与杜守议立故太守汤公笃庵之主于书院，以其有大功于越，而专祠久废也。又欲推其例于陈卧子先生及明故相胶州高公，皆已定议，以先生去，不果。而《冬青义士祠祭议》，凡与杜公三复焉。"

秋

厉鹗自津门返扬州。据《樊榭山房续集》卷七《淮城使风暮抵扬州》等诗。

袁枚解组归随园。王箴舆、商盘等置酒相贺。据袁枚《随园诗话》卷五。《清史稿》本传："卜筑江宁小仓山，号随园，崇饰池馆，自是优游其中者五十年。"又，《随园诗话补遗》卷四："余宰江宁时，门下士谈毓奇为刻《双柳轩诗文集》二册。罢官后，悔其少作，将板焚毁。后《小仓山房集》中仅存十分之三。"

张廷玉编定丙辰以来所得诗为《澄怀园载赓集》六卷。自序云："大抵皆对扬拜献之辞，因名曰《载赓集》，而一二咏怀赠答之篇亦附焉。"署"乾隆十三年岁次戊辰秋月，桐城张廷玉书"。（《澄怀园载赓集》卷首）

十月

曹庭栋壬戌正月至本月诗为《产鹤亭诗二稿》。据《产鹤亭诗二稿》卷首标识。

十一月

马曰琯、马曰璐、厉鹗、陈章、杭世骏、楼锜、方士庶、闵華、陆锺辉等九人游镇江焦山，马曰琯编有《焦山纪游集》。据厉鹗《焦山纪游集序》（《樊榭山房文集》卷三）。胡玉缙《许廎经籍题跋》卷四："《焦山纪游集》一卷，祁门马曰琯编。……是编盖乾隆戊辰与同人游焦山唱和之作，自琯及其弟曰璐外，为钱塘厉鹗、陈章、仁和杭世骏、长洲楼锜、歙方士庶、仪征闵華、江都陆钟辉，凡九人，皆一时胜流，各赋诗七首、联句一首，气格亦皆清秀，即由厉鹗为之序。其中《焦山看月诗》分韵，明见鹗诗内，而《登双峰阁诗》分韵，俱未之及。考之《沙河逸老小稿》，乃'清磬度山翠，闲云来竹房'也。昔《四库提要》于顾瑛《玉山纪游》云'山水清音，琴樽佳兴，一时文采风流，千载下尚如将见之'，足以移赠斯集矣。粤雅堂本伍崇曜跋，称其'越林屋之游七年'，不知林屋唱酬，尚在其后，殆误以壬申为庚申欤？"

十二月

二十四日，高凤翰卒，年六十六。沈廷芳《题高西园醉禅遗照》自注云："戊辰冬，予过南阜斋中话旧，因用东坡《海市》韵见赠。腊月廿二日，又为余赋《杜文贞公祠》诗。越二日，南阜逝矣。"（《隐拙斋集》卷二五）。[按，张惟骧编《疑年录汇编》卷一〇、朱彭寿《清代人物大事纪年》谓其卒于乾隆八年（1743），年六十一，误。]袁枚《随园诗话》卷五录其《送人》诗，卷一六录其《泰州题壁》、《游孤山》等诗。《晚晴簃诗汇》卷七八："宋蒙泉曰：集中诗七古得苏、陆之遗，自擅胜场；诸体品格在中、晚、两宋之间。诗话：南阜以诗画名，郑板桥最推重之。《自题小象》云：'颓以唐，激以昂，不痴不狂，亦谲亦狂，是为南阜之行藏。'观此则南阜之兀傲

351

昂藏可想见矣。"录其诗七首。

　　二十五日，厉鹗、周京、吴城访大恒上人。据厉鹗《樊榭山房续集》卷七《十二月二十五日，同穆门、瓯亭泛舟至圣因寺，访大恒上人。用东坡腊月游孤山访惠勤、惠思二僧韵》。又，《岁除日同江声、东壁、瓯亭游紫阳庵》。

冬

　　厉鹗重游大涤洞天。据厉鹗《樊榭山房续集》卷七《冬日重游大涤洞天，得诗三首》。

本年

　　康基田入晋阳书院肄业。据《茂园自撰年谱》。

　　罗有高补博士弟子，时年十六岁。据王昶《罗台山墓志》（《春融堂集》卷五八）。

　　赵青藜奉命察赈山东，还朝，以耳疾乞休。据金天翮《赵青藜鲍桂星传》（《广清碑传集》卷一〇）。青藜字然一（一作然乙），号星阁，泾县人。乾隆元年进士。历官编修、御史。有直声。年八十余卒。事迹见《清史列传》本传、《清史稿》徐文靖传附。袁枚《随园诗话补遗》卷一："（青藜）为人古淡朴质，有诗集高尺许，记其祝某云：'退食常随鹤，闲行不杖鸠。'《夜行》云：'高树引凉生腋下，远山衔月挂舆前。'又，《阻风》云：'客舟牢系客心飞。'七字尤妙。"《清史列传》本传："为古文，受义法于桐城方苞，故风格似之。苞称及门有所祈向，而可信其操行之终不迷，惟青藜为最。诗自汉、魏及宋、元靡不毕贯，独宗仰杜甫，晚乃归于韩愈。""著有《漱芳居文集》十六卷、《诗集》三十二卷。尤长于史，所作史论有特识。著《读左管窥》二卷，于二百四十二年事鳞次栉比，穿穴甚深。"《晚晴簃诗汇》卷七四录其诗二首。《国朝文汇》乙集卷二录其《刘后主不取荆州论》等文三篇。《漱芳居文钞》八卷、《二集》八卷嘉庆间刊行，又名《星阁文钞》。据《贩书偶记》卷一六。

　　自本年起至乾隆甲戌，纪昀、秦大士、钱大昕、卢文弨等在京师以应礼部试结为文社。纪昀《袁清悫公诗集序》："忆自乾隆戊辰至甲戌，清悫公方宦京师，与秦学士涧泉、卢学士绍弓、张编修松坪、周舍人筠溪、陈舍人筠亭、王舍人谷原、左舍人羹塘、丁舍人药圃、钱詹事辛楣及余与从兄懋园，均以应礼部试结为文社。率半月而一会，商榷制义，往往至宵分；中间暇日，又往往彼此过从，或三四人，或五六人，看花命酒，日夕留连，时以诗句相倡和，一时友朋之乐，殆无以加也。"（《纪晓岚文集》第一册卷九）

　　袁枚与蒋用庵、姚云岫等分韵赋诗。方濬师《随园先生年谱》："江宁高庙僧亮一工栽菊花，能月月有花。席武山别驾邀先生与蒋用庵侍御、姚云岫观察同往赏之，分韵赋诗。"

　　王昶与厉鹗定交。王昶《蒲褐山房诗话》："予于戊辰岁在长洲赵君饮谷小吴船遇之，辱为忘年交。"（《湖海诗传》卷二）

　　毕沅问学于惠栋。史善长《弇山毕公年谱》："仍居砚山书堂。于时惠征君栋博通诸经，著书数十种，至老弥笃。公叩门请谒，问奇析疑，征君辄娓娓不倦，由是经学日邃。"

刘大櫆以方苞荐，馆江阴学院。据张慧剑《明清江苏文人年表》。

高宗东巡，郑燮为书画史，治顿所，卧泰山绝顶四十余日。据《板桥自叙》（《郑板桥全集·板桥集外诗文》）。

韩锡胙八旗官学教习期满，拣发山东知县。据刘耀东《韩湘岩先生年谱》卷上。

岳锺琪起为四川提督，征大金川。据袁枚《威信公岳大将军传》（《小仓山房文集》卷六）。

张凤孙官云南。作《金沙厂记》、《汤丹厂记》，记昭通银厂及滇铜输京事。张慧剑《明清江苏文人年表》。

全祖望有《漫兴二集》、《望岁采荛集》。据董秉纯《全谢山先生年谱》。

潍县饥民渐返乡，郑燮作《还家行》以纪其事。见《郑板桥全集·板桥集》。

陈祖范作《自序》。时年七十三岁。见《司业文集》卷四。

芬利它行者自序《竹西花事小录》。是书凡一卷，记广陵青楼轶事。据《中国古代小说总目》文言卷。

李海观始作《歧路灯》，时年四十二岁。据李海观《歧路灯自序》（栾星《李绿园诗文辑佚》卷三）。

佚名《挟忠烈》传奇今存本年淳朴堂钞本。是剧未见著录，凡二卷三十出。演明嘉靖间杜文学等人事迹。剧中人物除严嵩、海瑞外均为虚构。据《古本戏曲剧目提要》。

张廷玉《澄怀园全集》刊行。凡《澄怀园文存》十五卷、《澄怀园载赓集》六卷、《澄怀园语》四卷、《澄怀老人自订年谱》六卷。据《中国丛书综录》。四库提要卷一八四：《澄怀园全集》三十七卷，"国朝张廷玉撰。廷玉字衡臣，号砚斋，桐城人。康熙庚辰进士。官至保和殿大学士。谥文和。是集为廷玉所自编。凡《文存》十五卷，皆乾隆戊辰以前作。《诗选》十二卷，皆雍正乙卯以前作。《载赓集》六卷，皆乾隆丙辰以后作。《澄怀园语》四卷，则所作笔记也。"

鲍皋撰、尹嘉铨选《海门初集》十卷首一卷健余堂刊行。又，《海门诗钞》八卷《外集》四卷约乾隆间刊行。据《贩书偶记》卷一五。

钦琏《虚白斋诗集》八卷男履乾刊行。据《贩书偶记续编》卷一五。《晚晴簃诗汇》卷六五录其诗二首。

张湄《柳渔诗钞》十二卷圣雨斋刊行。据《贩书偶记续编》附录。四库提要卷一八五：《柳渔诗钞》十二卷，"国朝张湄撰。湄字鹭洲，钱塘人。雍正癸丑进士。官至给事中。是编分《于野》、《鸡木》、《砖景》、《滇行》、《痴床》、《海槎》、《岵怀》、《皖游》、《鹢风》、《罍耻》十集。湄与金志章、厉鹗等以诗相镞砺，故集中与诸人唱和为多。"袁枚《随园诗话》卷四："先生作御史，立朝侃侃，颇著风绩。有《柳渔集》行世。"录其《巡台湾作》诗。

顾敏恒（1748—1792）生。敏恒字立方，号笠舫，金匮人，奎光子。少与孙星衍、方正澍读书于江宁瓦官寺。乾隆五十二年进士。官苏州府学教授。卒于任。著有《辟疆园遗集》十卷。事迹见《国朝诗人征略》初编卷四八、《清史列传》顾奎光传附。

汪端光（1748—1826）生。端光字剑潭（一作剑崟），仪征（一作江都）人。乾隆三十六年举人。官广西府同知。著有《涉江集》、《晚霞集》、《才退集》。事迹见《湖海诗传》卷三二、张慧剑《明清江苏文人年表》。

李秉礼（1748—1830）生。秉礼字敬之，号松圃（一作松甫）、韦庐，临川人。官刑部郎中。与李宪乔交最密。著有《韦庐诗》内集、外集。事迹见《国朝诗人征略》初编卷五六。

梁履绳（1748—1793）生。履绳字处素，钱塘人。乾隆五十三年举人。再试进士不第，遂不求仕进。通音韵之学，尤精《左传》。与兄玉绳有二难之目。著有《左通》（凡《补释》、《广传》、《考异》、《驳证》、《古音》、《臆说》六种，后五种未成）、《澹足轩集》。事迹见卢文弨《梁孝廉处素小传》（《抱经堂文集》卷三〇）、《清史列传》梁玉绳传附、《清史稿》孙志祖传附。

张锦麟（1748—1774）生。锦麟字瑞夫、玉洲，顺德人，锦芳弟。乾隆三十三年举人，三试礼部不第。以赋"碧天如水雁初飞"句得名，时呼张碧天。著有《少游草》。事迹见李文藻《举人张君墓志铭》（《南涧文集》卷下）、《清史列传》黎简传附、《清史稿》黎简传附。

陈诗（1748—1826）生。诗字观民，号愚谷，别号大桴山人，蕲州人。乾隆四十三年进士。官工部主事。乞养归，不复出，主楚北书院数十年。著有《大桴山人诗文集》，辑有《湖北旧闻》、《湖北文载》、《湖北诗载》、《湖北丛载》等。事迹见《国朝诗人征略》初编卷四五、《清史列传》叶继雯传附。［生卒年据江庆柏《清代人物生卒年表》］

茅星来卒，年七十一。据《疑年录汇编》卷一〇。沈彤《茅钝叟传》："所著古文亦往往于国维民瘼反复致意，足为后世劝惩者。初，叟以文高知希致困厄，年五十余，不复进取，携其稿谒金坛王耘渠汝骧，谒方学士于京师。耘渠以为卓然大雅，学士以为胜宜兴储礼执，叟由此名闻远近，而其《近思录集注》及古文稿亦遂为士大夫所推重。卒年七十，无子，今其桐乡友人程蔼园尚质方谋为次第刊行云"（《果堂集》卷一〇）

公元1749年（乾隆十四年 己巳）

正月

初四日，黄景仁（1749—1783）生。景仁字仲则、汉镛，自号鹿菲子，武进人。先后五应江南乡试，三应顺天乡试，均未售。乾隆四十一年召试二等，授武英殿书签，例得主簿。毕沅奇其才，厚赀之。援例为县丞，铨有日矣，为债家所迫，抱病逾太行，道卒，年三十五。著有《两当轩集》。事迹见洪亮吉《候选县丞附监生黄君行状》（《卷施阁文甲集》卷一〇），左辅《黄县丞状》，王昶《黄仲则墓志铭》，汪启淑《鹿菲子小传》，吴兰修《黄仲则小传》（《两当轩集》附录），毛庆善、季锡畴《黄仲则先生年谱》，《清史列传》本传，《清史稿》赵翼传附。

沈德潜以年老乞休，高宗赐诗送行。六月抵里。据《沈归愚自订年谱》。

储掌文解纳溪知县任。后就任锦江书院山长。据储樵等《先府君云溪公行状》（《云溪文集》附录）。

二月

沈起元告假南归，四月启程。据沈起元《敬亭公自订年谱》。

胡天游客太原。旋走榆次，应钱之青聘修县志。七月由宁武经大同入居庸回京。十月赴蔚州，十一月还京。据胡元琢《先考稚威府君年谱纪略》。

三月

二十四日，袁枚、袁树、陆建等游清凉山。据《小仓山房诗集》卷六《三月二十四日偕门生王梅坡、舍弟香亭、陆甥豫庭游清凉山，逢白下诸君子有修褉之事。为余置别席于南窗，醉后大书僧壁》。

袁枚作《随园记》。见《小仓山房文集》卷一二。

春

韩锡胙官平阴县知县。据刘耀东《韩湘岩先生年谱》卷上。

四月

壶天隐叟为夏纶《杏花村》题辞。署"乾隆己巳清和月，檇李壶天隐叟拜撰"。题辞云："故《杏花村》一编，不为观者计，第为孝子计。知其为孝子计，则世名之心见，而惺斋教孝之心亦见矣。总而论之，世名之孝，孝之变者也。惟变故奇，惟奇故可传。若兴邦，若王彪，一死于贪，一死于诈，胥天道所必然。至马青之败，即钱瑛之退贼；钟祖之降，即董永之遇仙，初非蛇鬼牛神，无非孝之所感焉耳。其间报应分明，经纬绣错，可谓极古今传奇之能事。则惺斋虽为孝子计，又何尝不为观者计耶？"（《中国古典戏曲序跋汇编》卷一二）是剧凡二卷三十二出，演明代金华诸生王世名事。

五月

夏之蓉序王文清诗。署"乾隆己巳仲夏，高沙年眷弟夏之蓉撰"。（《锄经余草》卷首）四库提要卷一八五：《锄经余草》十六卷，"国朝王文清撰。文清有《周礼会要》，已著录。此其所作诗集。前有论诗法十条，则其平生心得之语，而其门人录以冠集者也。"

黄图珌自序《双痣记》传奇。是剧演莱姓商人夫妻离合事。据《古本戏曲剧目提要》。庄一拂《古典戏曲存目汇考》卷一一：《双痣记》，"此戏未见著录。乾隆十四年承恩堂刊本。署蕉窗主人，上海图书馆藏。凡二卷二十出。有山阴汉胄氏序。见《言言斋劫存戏曲目》。"

六月

十七日，周京卒，年七十三。据全祖望《征士穆门周先生墓志铭》（《无悔斋集》附录）。《墓志铭》云："穆门以诗名天下五十余年，平生尝遍历秦、齐、晋、楚之墟，所至，巨公大卿皆为倒屣，顾终于踣蹐不遇而死。其人渊然湛然，莫能窥其涯涘，浑沦元气，充浃眉宇，盖古黄叔度、陈仲弓之流也。""杭之诗人为社集，群雅所萃，奉穆门为职志。诗成，穆门以长笺写之，醉墨淋漓，姿趣颓放，或弁数语于其端，得者以为鸿宝。湖社风流，百年以来，于斯为盛，皆穆门之所鼓动也。"厉鹗《无悔庵诗集序》："穆门方且临易水，上金台，久之无所遇，遂走秦晋之郊，极乎河湟关塞而止。天时之明晦，山川之险易，人事之变迁，无不于诗发之。其豪也，根于理；其健也，阅乎境。岑、杜、储、王之遗响，若去人不远。进而赓歌二雅，颂扬清庙，亦复何让！而穆门终以不遇归，偃乎家巷以殁，岂非识曲听真者寡欤？晚与予辈放浪湖山，结吟社，有句云：'白鸥导我有闲意，青柳笑人成老夫。'此其胸中岂有纤毫流俗者哉！后世诵之，可以想见穆门之为人也。令嗣宸望以遗稿属予点定，略为删汰其什之二三。镂版以行者，故人舒明府云亭，友谊足不朽云。"（《樊榭山房文集》卷三）沈德潜等《国朝诗别裁集》卷二九："少穆足迹远到，欲结契宇内英杰。召试鸿博，不遇归。时偕一二友生游宴西湖，赋诗写怀，盖自此无四方之志矣。诗体和平中正，不为镂刻艰深之语。"录其《武功县望太白山》等诗六首。四库提要卷一八五：《无悔斋集》十五卷，"是集为同里厉鹗所定，分年编次，附录全祖望所撰墓志铭及同人扫墓诗。鹗序以高、岑豪健比之。今观其诗，源出剑南。在一时诗社中，酒旗茗椀，拈韵分题，亦足倾倒流辈。若方驾古人，则又当别论矣。"是书乾隆十七年刊行。据《贩书偶记续编》附录。

七月

方苞《仪礼析疑》成书。据苏惇元《方望溪先生年谱》。

八月

十四日，壶天隐叟为夏纶《瑞筠图》题辞。署"乾隆己巳中秋前一日，檇李壶天隐叟拜撰"。题辞云："《瑞筠图》何为而作也？《瑞筠图》之作，乃惺斋老人为有明礼部右侍郎章纶之嫡母金太夫人未婚守志，有卫于姜风，特抒椽笔，以表扬之，所以劝节者也。与《无瑕璧》之教忠、《杏花村》之教孝，同一维持世道之意，夫岂无故而漫作哉！"（《中国古典戏曲序跋汇编》卷一二）是剧凡二卷三十二出，演明代章纶及其母金氏事。

十八日，方苞卒，年八十二。据全祖望《前侍郎桐城方公神道碑铭》（《鲒埼亭集》卷一七）。所著《周官集注》十二卷、《仪礼析疑》十七卷、《礼记析疑》四十六卷、《春秋通论》四卷、《望溪集》八卷，所编《钦定四书文》四十一卷，四库全书收录。《周官析疑》三十六卷、《考工记析义》四卷、《周官辨》一卷、《春秋比事目录》四卷，四库存目著录。全祖望《神道碑铭》："古今宿儒有经术者，或未必兼文章；有文章，或未必本经术。所以申、毛、服、郑之于迁、固，各有沟浍。唯是经术、文章之兼固难，而其用之足为斯世斯民之重，则难之尤难者。前侍郎桐城方公，庶几不媿于此。然世称公之文章，万口无异辞，而于经术已不过皮相之；若其惓惓为斯世斯民之故，而不得一遂其志者，则非惟不足以知之，且从而掊击之，其亦怵矣。"郑燮《仪真县江村茶社寄舍弟》："方百川、灵皋两先生，出慕庐门下，学其文而精思刻酷过之，然一片怨词，满纸凄调。百川早世，灵皋晚达，其崎岖屯难亦至矣，皆其文之所必致也。"（《郑板桥全集·板桥集》）戴钧衡《方望溪先生集外文补遗序》："先生躬程、朱之学，本其心得，发为经说、文章，义理精深醇正，多沿乎人心之不言而同然。乾嘉时，汉学考证家矜其强记博闻，往往以细故微误，指斥先生经说并及文章。而卒其所自为者，琐碎支离、悖义伤道。其优者，亦第分学中格物之一端，于圣道为识小，求其开通义理，周浃旁皇，如先生之有益于学者身心实用，不可得焉。而其文章佶屈滞拙，更无当作者。平心论之，宇宙间无今汉学家，不过名物、象数、音韵、训诂未能剖晰精微，而于诚、正、修、齐、治、平之道无损也。而确守程、朱如先生者，多一人则道著于一方，遂以昌明于一代。先后承学之士，私淑之徒，犹能抱其绪余，端其趋往，即用以读汉学家书，亦能辨精粗，知去取，不流为尾琐无用之学。彼世之讥先生者，自谓能傲以所不知，而岂知彼之所知，以先生之学衡之，固不必其皆知者哉。"苏惇元《方望溪先生年谱序》："宋以后文家，能合程、朱、韩、欧为一而纯正动人者，以先生之文为最。"李慈铭《越缦堂读书记·方望溪集》："其文终有本领，而义法未纯，由读书未多，情至处弥为佳尔。""其叙天伦悲苦处，怅触生平，时为泫然废卷。痛莫切于伤心鲜民之谓矣。""望溪粹然儒者，其文多关世教，又语必有本，事能见道，自责之言，尤近圣贤克己之旨，宋儒以后，诚不多见。惟务以至高之行，绳切常人。""望溪立朝，议论亦多如此。泥古而不切，强人以难行，当时皆厌苦之。""然其大体严正，足以箴砭人心，使我辈不肖者读之，凛然如对师保父母，其益非浅。""其读经、读子史诸文多不可训，时文序、寿序亦嫌太多。若其书后之文，语无苟作；墓铭志传，亦多谨严；叙述交游，尤为真挚；与人诸书，无不婉切有味：此实可传者也。余二十年前读之，多为浮气所中，又过信钱竹汀、汪容甫诸公之言，颇轻视之，故自后从不寓目，此以知读书贵晚年也。""故尝谓《望溪集》中读经二十七首，当删去太半，则于望溪之学不为无益，所以深爱望溪也。然如《读大诰》、《读王风》、《读周官》、《读仪礼》、《读经解》五首，简括宏深，必传之文，非望溪不能作也。"又，《方苞集》附录《诸家评论》（韩菼、蔡世远、陈鹏年、朱轼、陈弘谋、张自超、王源、李塨、胡宗绪、雷鋐、沈廷芳、姚范、韩梦周、彭绍升、姚鼐等）。《国朝文汇》甲集卷四三录其《刘后主论》等文十五篇。《晚晴簃诗汇》卷五七录其诗一首。

沈德潜在虎丘塔影园举文宴。据《沈归愚自订年谱》。

九月

沈德潜、周准、张曾、徐无执等游西山。据《沈归愚自订年谱》。

韩锡胙补禹城县知县。据刘耀东《韩湘岩先生年谱》卷上。

秋

查为仁卒，年五十七。据朱文藻撰、缪荃孙重订《厉樊榭先生年谱》。［按，朱彭寿《清代人物大事纪年》谓其卒于六月］袁枚《随园诗话》卷四："本籍海宁，寓居天津。十九岁即经患难，在狱八年，始得释归。怜才爱士，置驿通宾。其诗清妙，盖深得初白老人之教者。"录其《同友集空谷园》、《秋夜病中》等诗。王昶《蒲褐山房诗话》："莲坡先生早赋《鹿鸣》，被许得罪，数年而后得释。因发愤读书，博通典故。所居天津水西庄，贮书万卷。南北往来名士，如万柘坡、厉樊榭、赵饮谷等，无不揽环结佩，延主其家，相与覃研诗词书画。又所娶金夫人含英，亦耽风雅，人望如仙。其集中句如：'地偏人迹断，潮定水痕深'；'落花寒食节，飞絮午晴天'；'晚径黄花开有色，晓程残月落无声'；'一榻茶烟留客话，半帘花影枕书眠'，皆中、晚唐妙句也。"（《湖海诗传》卷一）《晚晴簃诗汇》卷五八录其诗六首。冯金伯《词苑萃编》卷八《莲坡词》引陈对鸥云："国初以来，江左言词者，无不以迦陵为宗，家娴户习，一时称盛，然犹有草堂之余。自浙西六家词出，瓣香南宋，另开生面。于是四方承学之士，从风附响，知所指归。予己未夏北游，假馆于莲坡澹宜书屋，每风晨雨夕，酒边烛外，时同招韵。而莲坡于声律之微，必抉根溯源，究其旨奥。至于抽思掞藻，总在汰去侈蔓，一归清真。故其所制激响空明，华而不靡，刻而不露，如幽湍之鸣，如虚林之籁，一本天然也。"《莲坡词雅正》引吴陈琰云："词有四声五音均拍轻重清浊之别，其为之也较难于诗。予友莲坡，才思超俊，履险能夷。其新制抽妍骋秘，宫协律谐，且尽洗草堂、花间之余习，而出之以雅正，洵乎能为其难矣。"

十一月

夏纶自跋《南阳乐》。署"乾隆己巳冬仲，西湖七十老人夏纶谨记"。自跋云："拙刻忠、孝、节、义四种，乃近年所构，惟此'补恨'一编，系采毛序。始之论创于丁未。以前曾为制府彭城李公所欣赏，后携游四方，凡萍水所遇风雅士，辄出相正，颇蒙许可，赐赠得诗如干首，今悉登梨枣，以志不忘。拙作本不足观，或因白雪之投，得挂青云之口，未可知也。"又，壶天隐叟《南阳乐题辞》署"乾隆甲子初冬，槜李壶天隐叟拜题于金粟精舍"。符月亭所撰评语有云："甲子冬仲，寄兴湖山，偶逢西浙名流，得读《南阳》新剧"。（《中国古典戏曲序跋汇编》卷一二）是剧凡二卷三十二出。李调元《雨村曲话》卷下："杭州夏纶有《无瑕璧》、《杏花村》、《瑞筇图》、《广寒梯》、《南阳乐》、《花萼吟》六种。其《南阳乐》作诸葛武侯禳星获生，灭魏、吴以成一统，意本之《翻精忠》，以平人心；词更慷慨激昂，可歌可颂。"梁廷楠《曲话》卷三："钱唐夏惺斋纶作六种传奇。其《南阳乐》一种，合三分为一统，尤称快笔。虽无中生有，一时游戏之笔，而按之直道之公，有心人未有不拊掌呼快者。第三折，诛司马师，一快也；第四折，武侯命灯倍明，二快也；第八折，病体全安，三快也；第九折，将星灿烂，四快也；十五折，子午谷进兵，偏获奇胜，五快也；十六折，杀司马昭，六快也；擒司马懿，七快也；十七折，曹丕就擒，八快也；杀华歆，九快也；十八折，掘曹操疑冢，十快也；二十二折，诛黄皓，十一快也；二十五折，陆伯言自裁，十二快也；孙权投降，十三快也；孙夫人归国，十四快也；三十折，功成归里，十五快也；三十二折，北地受禅，十六快也。立言要快人心，惺斋此曲，独得之矣。"杨恩寿《词余丛话》卷三："夏惺斋征君《惺斋五种》中有《南阳乐》，叙武侯刺杀司马宣王、姜伯约诈降献城、魏延以投魏被杀，布局颇觉支离。惺斋固通经者，其词亦多近理；不若文泉所谱，用魏延出子午谷计径袭长安，直截了当，不必节外生枝。"

十二月

十一日，林树蕃（1750—1776）**生。**树蕃又名澍蕃，字于宣、香海，号南陔，侯官人。乾隆三十六年进士。著有《南陔草》六卷。事迹见朱筠《编修林君墓志铭》（《笥河文集》卷一二）。

罗元焕作怀人诗五十首，为《粤台征雅录》。自序云："己巳冬杪，旅食三城，古欢阔远，耿耿在膈，率尔成诗，得五十首。"（《粤台征雅录》卷首）

席鳌编定诗集六卷。自序署"乾隆十四年十二月，席景溪自序"。自序云："余诗以年编，冠之以《免税功德诗》十一章，尊朝廷也。今定己酉计偕以前为一卷，乙卯服官以前为一卷，丙辰归里后为四卷。盖自余束髪学诗，迄于艾年，厪得此六卷，凡三百五十余篇。"（《竹香诗集》卷首）

冬

壶天隐叟为夏纶《广寒梯》题辞。署"乾隆己巳一阳月，檇李壶天隐叟拜撰"。题辞云："惺斋老人所作忠、孝、节三传奇，予已一一序之矣。是剧则劝义者也。"（《中国古典戏曲序跋汇编》卷一二）是剧凡二卷三十二出，演王生因修善行得中科举事。

姚世钰卒。据姚世钰《孱守斋遗稿》卷末张四科跋。〔按，据全祖望《鲒埼亭集》卷二〇《王立甫圹志铭》、《姚薏田圹志铭》严元照注，薏田卒于本年，年五十四。又，《姚薏田圹志铭》杨凤苞注前后矛盾，有云："辛甫殁于乾隆十三年戊辰"，"辛甫殁之次年，姚先生殁"。又云："（薏田）生于康熙三十七年戊寅，卒于乾隆十七年壬申，得年五十有五。"〕全祖望《姚薏田圹志铭》："归安姚薏田、长兴王敬所，皆今世仅有之材也。二人者为郎舅，其读书能冥搜神会，真见古圣贤之心。其为诗古文词，清隽高洁，平视千古，一时推为国器。然而皆一贫如洗，不克自赡其生。""薏田之为诸生也，王提学兰生、唐太守绍祖皆知之，欲为之道地，然竟不果。未几薏田亦病废，更无意于人世矣。晚年益刊落枝叶，所得粹然，授徒江都，遂卒焉。吾友马曰琯、曰璐、张四科为之料理其身后，周恤其家，又为之收拾其遗文，将开雕焉，可谓行古之道者也。""所著有《莲花庄集》四卷。庄，故松雪王孙之居也。"四库提要卷一八五：《孱守斋遗稿》四卷，"国朝姚世钰撰。世钰字玉裁，号薏田，归安人。平生学问以何焯为宗，故全祖望为其《墓铭》曰：'薏田之学，私淑义门。义门之徒，莫之或先。人亦有言，墨守太坚。薏田不信，御侮兀然。每逢异帜，互有争端。焦唇敝舌，各尊所闻。'纪其实也。祖望《志》又称马曰璐、马曰琯、张四科收拾其遗文开雕。又称所著为《莲花庄集》八卷。此本书名卷数皆与《志》不合。末有张四（教）[科]跋，称勒为诗文各二卷，则又无所阙佚，不知何故也。"是书乾隆十八年张四科刊行。《国朝诗别裁集》卷三〇录其《吴兴太守行》等诗五首。《国朝文汇》乙集卷一〇录其《答沈蕙圃论行状书》等文四篇。

本年

曹仁虎、王昶、钱大昕入紫阳书院肄业。时院长为王峻，褚寅亮、褚廷璋、王鸣盛皆在同舍，以古学相策励。据王鸿逵《曹学士年谱》、严荣《述庵先生年谱》、钱大昕自编、钱庆曾校注《竹汀居士年谱》。又，吴中老宿李果、赵虹、惠栋、沈彤、许廷鑅、顾诒禄等皆引钱大昕为忘年交。据《竹汀居士年谱》。

余元遴为县学生，时年二十六岁。初见汪绂于从叔家，再拜称弟子。据朱筠《婺源余生墓志铭》（《笥河文集》卷一二）。

罗有高寓雩都萧氏别业，遍读所藏书。据王昶《罗台山墓志》（《春融堂集》卷五八）。

雷铉以母疾乞假归。据彭启丰《通奉大夫都察院左副都御史加二级雷公墓志铭》（《芝庭先生集》卷一三）

方观承授直隶总督，任至乾隆三十二年卒。其间惟十九年西陲用兵，暂署陕甘总督办治军需，半年即返原任。据袁枚《太子太保直隶总督方恪敏公观承神道碑》（《碑传集》卷七二）。

查礼补广西庆远府同知。据《铜鼓书堂遗稿》查淳《后序》。

陈祖范馆吴江，袁景辂从学。据张慧剑《明清江苏文人年表》。

张元应卢见曾之聘，主永平敬胜书院。据卢见曾《平山诗草原序》（《绿筠轩诗》卷首）。

全祖望辞蕺山书院讲席，始校《水经注》。董秉纯《全谢山先生年谱》："杜守仍请主蕺山，先生固辞，盖旧冬主人微失礼也。于是萧、上、诸、余之士，争先入学舍者几满。合之山、会，共得五百余人，旅食以待。而诸生蔡绍基、沈有声、姚世治率十余辈抵甯面请，杜守亦密恳观察使者侯公速驾，先生终不赴。秋，诸生以旧秋所课请改定，留越三月，得文百余篇，刻之。是岁有诗三集：曰《西笑》，以大金川平定也；四月后曰《双韭山房夏课》；九月至岁底曰《帖经余事集》。而《水经注》一书，先生晚年精力所注，用功最勤，实始于是夏。"

杨绳武主讲南京钟山书院，本年还吴。据张慧剑《明清江苏文人年表》。

陆培与张云锦、厉鹗时相过从。张云锦《文林郎知东流县事南香陆君墓表》："湖中崇文书院己巳岁移建南城，君为山长。每至书院，必招云锦畅谈，或时枉驾寒斋。

盖书院去舍咫尺，故往来遂为常也。"（《国朝文汇》乙集卷五五）。又，《樊榭山房续集》卷七有《同张龙威访陆南香北墅》等诗。

厉鹗过苏州访王昶于朱氏蘋花水阁。 据朱文藻撰、缪荃孙重订《厉樊榭先生年谱》。

吴泰来随王昶于吴门。 吴泰来《述庵诗钞序》："己巳从宿松假归，随先生于吴门。盖七八年山水之游，花月之坐，无不共也。"（《国朝文汇》乙集卷三○）。

赵翼进京，寓刘统勋第。 佚名《瓯北先生年谱》："先生年二十三，失馆，无以自给，乃袱被入都，才名一日动辇下。刘文正公统勋时为总宪，即延先生于家纂修宫史。"

何晫与帅家相定交，晫为序家相《三十乘书楼诗集》。《卓山诗集》卷首何晫序云："己巳岁，余需次南河。卓山以铨垣出刺广德，道经袁浦。予夙耳其名，介侄孙副使煋而纳交焉。卓山相见欢，旋出自注《三十乘书楼诗集》问序于余。"

厉鹗、查为仁同撰《绝妙好词笺》成书。 四库提要卷一九九：《绝妙好词笺》七卷，"《绝妙好词》，宋周密编。其笺则国朝查为仁、厉鹗所同撰也。""是集成于乾隆己巳，刻于庚午。鹗序称其尚有诗余纪事如干卷，今未之见，殆未成书欤？"是书明年宛平查氏澹宜书屋刊行。据《贩书偶记续编》附录。

郑燮作《板桥自叙》，述己之生平志趣颇详。 明年，又附记数条。见《郑板桥全集·板桥集外诗文》。

戴震作《尔雅文字考序》。 见《戴震集》上编《文集》卷三。

张曾编次所作诗为《石帆诗钞》八卷。 据张慧剑《明清江苏文人年表》。

《金石缘》书末总评署本年。 孙楷第《中国通俗小说书目》卷四：《金石缘》八卷二十四回，"存。同盛堂本。文粹堂本。清无名氏撰。序署静恬主人。总评后题云'乾隆十四年岁次己巳省斋主人重录'。"是书又有嘉庆五年鼎翰楼刊本、嘉庆十二年经元堂刊本、嘉庆十九年崇雅堂藏板本等，或分八卷，或不分卷。据《中国古代小说总目》白话卷。

张九钺在里作《双红碧》传奇。 据张家枋《陶园年谱》。

壶天隐叟为夏纶《无瑕璧》题辞。 署"乾隆己巳惺禊后三日，槜李壶天隐叟拜撰"。题辞云："夏叟惺斋，抱济世才，未为世用，爰寄其才于传奇，以为济世之具。凡无裨世教者，非惟不敢作，亦不屑作，而惟于忠孝节义之事有取焉。是编《无瑕璧》，乃五种之一。所以教忠也。""至于关目之周密，词藻之激昂，令阅者忿极怒生，悲极泪出，斯又非予一人私好也。昔人谓：'读武侯《出师表》而不堕泪者，其人不忠。'吾于读《无瑕璧》亦然。未识惺斋许我为知音否？"（《中国古典戏曲序跋汇编》卷一二）是剧凡二卷三十二出，演明建文年间兵部尚书铁铉家事。

曹锡黼刻所辑《石仓世纂》六种三十三卷。 据张慧剑《明清江苏文人年表》。

彭廷梅编《国朝诗选》十四卷刊行。 据《贩书偶记》卷一九。

廖元度编《楚诗纪》二十二卷附《楚风补》四十八卷卷末一卷际恒堂刊行。 据《贩书偶记续编》卷一九。又，《贩书偶记》卷一九著录《楚诗纪》二十二卷乾隆十七年际恒堂刊行。又，法式善《陶庐杂录》卷三："长沙廖元度汇集《楚诗纪》二十二卷、方外一卷。顺治乙酉起康熙癸酉止。《楚风补》二十六卷、《拾遗》一卷。皆明代之作，共五十卷。刻于乾隆十八年。天津周人骥、河南吕肃高作序。《四库书总目》则载《楚风补》五十卷，不载《楚诗纪》，且谓此书成于康熙甲子、丙子之间。乾隆丙寅，长沙知府吕肃高删定刻之。意主贪多，冗杂特甚，摘其舛漏附会数条。此殆吕所订者，非元度原本，与余所见不同。"

王鸣盛《竹素园诗草》三卷、《日下集》一卷求野堂刊行，又名《曲台丛稿》。据《贩书偶记》卷一五。

郑燮《板桥诗钞》三卷等刊行。《贩书偶记》卷一五："《板桥诗钞》三卷、《词钞》一卷、《小唱》一卷、《题画》一卷、《家书》一卷，兴化郑燮撰。乾隆己巳上元司徒文膏精刊。"［按，郑燮诗前后刻及词均有自序，未署日期，一并附于此］前刻诗序云："余诗格卑卑，七律尤多放翁习气。二三知己屡诟病之，好事者又促余付梓。自度后来亦未必能进，姑从谀而背直。惭愧汗下，如何可言！板桥自题。"后刻诗序云："古人以文章经世；吾辈所为，风月花酒而已。逐光景，慕颜色，嗟困穷，伤老大，虽刳形去皮，搜精抉髓，不过一骚坛词客尔，何与于社稷生民之计、《三百篇》之旨哉！屡欲烧去。平生吟弄，不忍弃之。况一行作吏，此事又束之高阁。姑更定前稿，复刻数十首于后，此后更不作矣。板桥又题。"词序云："燮词不足存录。简亭楼夫子谓燮词好于诗，且付梓人，后来进益，不妨再更定。嗟乎！燮何进也？燮年三十至四十，气盛而学勤，阅前作，辄欲焚去。至四十五六，便觉得前作好。至五十外，读一过，便大得意。可知其心力日浅，学殖日退，忘己丑而信前是，其无成断断矣。楼夫子是燮乡试房师，得毋爱忘其丑乎？""为文须千斟万酌，以求一是。再三更改，无伤也。然改而善者十之七，改而谬者亦十之三。乖隔晦拙，反走入荆棘丛中去。要不可以废改，是学人一片苦心也。燮作词四十年，屡改屡蹶者，不可胜数。今兹刻本，颇多仍旧，而此中之酸甜苦辣备尝而有获者亦多矣。世间为父师者，见其子弟之文疏松爽豁便喜，见其拗渺晦拙便忧。吾愿少宽岁月以待之，必有屈曲达心、沉着痛快之妙。天下岂有速成而能好者乎？少年游冶学秦、柳，中年感慨学辛、苏，老年淡忘学刘、蒋，皆与时推移而不自知者。人亦何能逃气数也！"又，本年自撰《十六通家书小引》云："板桥诗文，最不喜求人作叙。求之王公大人，既以借光为可耻；求之湖海名流，必至含讥带讪，遭其荼毒而无可如何：总不如不叙为得也。几篇家信，原算不得文章。有些好处，大家看看；如无好处，糊窗糊壁，覆瓿覆盎而已，何以叙为！郑燮自题。乾隆己巳。"（《郑板桥全集·板桥集》）

沈彤《果堂集》十二卷本堂刊行。据《贩书偶记续编》附录。四库提要卷一七三：《果堂集》十二卷，"是集多订正经学文字。如《周官颁田异同说》、《五沟异同说》、《井田军赋说》、《释周官地征》等篇，皆援据典核，考证精密。其于《礼经》服制多所考订，尤足补汉、宋以来注释家所未备。其《释骨》一篇，虽为医家而作，然非究贯苍雅、兼通灵素者不能也。其论《尧典》星辰不兼五纬，盖主孔安国传。又于在'璇玑玉衡以齐七政'力辟《史记》'斗杓'之解。虽未必尽为定论，然各尊所闻，亦足见其用意之不苟矣。集虽不尚词华，而颇足羽翼经传。其实学有足取者，与文章家固别论矣。"

方观承《看蚕词》一卷刊行。据《贩书偶记》卷一五。

张诚（1749—1815）生。诚字希和，号熙河，平湖人。乾隆四十二年举人。著有《熙河草堂集》、《梅花诗话》。事迹见《湖海诗传》卷三六。［按，生卒年据江庆柏《清代人物生卒年表》］

周有声（1749—1814）生。有声字希甫，号云樵、东冈、松冈，长沙人。乾隆三十五年举人。官内阁中书二十年。六十年成进士，引见以国子监学正录用。后官清江通判，大定、思州、思南、贵阳知府，以事落职。后复官松江、苏州知府。卒于官。事迹见秦瀛《大定府知府希甫周君墓志铭》（《小岘山人续文集》卷二）、郭麐《前署苏州府知府周公家传》（《灵芬馆杂著》续编卷一）、《清史列传》欧阳辂传附。

仲振奎（1749—1811）生。振奎字云涧，号红豆山樵，泰县人。监生。著有《绿云红雨山房诗钞》及《红楼梦》、《怜春阁》、《诗囊梦》等传奇。事迹见张慧剑《明清江苏文人年表》。

程枚（1749—1810 后）生。枚字时斋，别号苍梧寄客，海州人。监生。著有《一斛珠》传奇。事迹见李斗《扬州画舫录》卷五、张其锦《凌次仲先生年谱》。

王筠（1749？—1819？）约本年生。筠字松坪，号绿窗女史、长安女史，长安人。父元常系乾隆戊辰进士，夫早卒。筠幼随父宦游山东、江苏等地，十三四岁即能诗词。著有《怀庆堂集》、传奇《繁华梦》、《全福记》、《会仙记》（一名《游仙梦》）等。事迹见华玮编辑点校《明清妇女戏曲集·作家作品简介》。

陈履平卒，年五十一。据张庚《通政司右通政陈公勉夫墓志铭》（《强恕斋文钞》卷三）。［按，张庚《墓志铭》谓其生于康熙四十二年，卒于乾隆十四年，得年五十有一。疑误记生年。］《南原诗稿》二卷乾隆二十一年强恕堂刊行。据《贩书偶记续编》卷一五。《国朝诗别裁集》卷二八录其诗一首。《晚晴簃诗汇》卷六二录其诗一首。

陈长镇卒。据朱彭寿《清代人物大事纪年》。长镇字宗五，号延溪，武陵人。乾隆十三年进士。《晚晴簃诗汇》卷七九："诗始摹昌谷，继乃自韩入杜，沈郁深厚，才思溢发，不名一家。"录其诗五首。

包彬卒，年五十八。据张慧剑《明清江苏文人年表》。《国朝诗别裁集》卷二九录其《游弘济寺》等诗四首。《晚晴簃诗汇》卷七五："朴庄潜心经学，所著《易玩》，李申耆称其研穷义理，兼综象数，不为汉宋门户，深造自得。诗多纪游，咏古之作，沈著绵丽，不同浮响。"录其诗九首。

尤怡卒。据《中国文学家大辞典》清代卷。《国朝诗别裁集》卷二九："尤怡字在京，江南长洲人。布衣。昔皮袭美寓临顿里，陆鲁望自甫里至，与之定交倡和，其地为皮市。在京居其地，周子辽村亦至自甫里，相与赋诗，恰符皮、陆也。在京就韩伯休术，欲晦姓名，诗亦不求人知。而重其诗者，谓得唐贤三昧，远近无异词云。"录其《杂感》等诗九首。《晚晴簃诗汇》卷六三录其诗七首。

唐绍祖卒，年八十一。据唐绍祖《改堂先生文钞》卷首吴嗣爵序。《国朝文汇》甲集卷四五录其《汉北海孔公祠记》等文五篇。

颜肇维卒，年八十一。据牛运震《协办礼部仪制司行人司行人颜公墓志铭》（《空山堂文集》卷七）。《晚晴簃诗汇》卷六二录其诗二首。

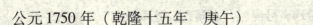

公元 1750 年（乾隆十五年　庚午）

正月

十九日，金德舆（1750—1800）生。德舆字云庄、少权，号鄂岩，桐乡人。监生。入赀为刑部主事。旋乞病归。著有《桐华馆吟稿》。事迹见赵怀玉《刑部奉天司主事金君墓志铭》（《亦有生斋集》文卷一七）。

蒋士铨赴南昌充邑志总纂。与同事杨垕、万廷兰、边镛称莫逆。据蒋士铨自编《清容居士行年录》。

沈德潜、周準游黄山。据《沈归愚自订年谱》。

二月

三十日，张宗泰（1750—1832）生。宗泰字登封，号筠岩，甘泉人。乾隆五十四年选拔贡生，朝考二等一名，以教职用，选安徽天长县教谕。奉讳去官，服阕，选合肥县教谕，引疾归。著有《周官礼经正误》一卷、《尔雅注疏正误》三卷。事迹见汪喜孙《清故修职郎安徽天长县教谕张公行状》（《汪孟慈集》卷四）、薛寿《张登封先生家传》（《续碑传集》卷七六）。

唐英自总理陶务调粤海关，八月抵任。据郭葆昌《唐俊公先生陶务纪年表》。

《儒林外史》已成书或大体成书。程晋芳《勉行堂诗集》卷二《春帆集》编年起乾隆戊辰至本月，中有《怀人诗》十八首，其一注"全椒吴敬梓，字敏轩"，诗云："《外史》纪儒林，刻画何工妍。吾为斯人悲，竟以稗说传。"可知《儒林外史》此时已成书或大体成书。此从胡适说。关于《儒林外史》写作及成书时间，其说主要有：作于乾隆五年（1740）至十五年（1750）间（胡适等）；前半部作于乾隆元年（1736）以前，后半部作于元年以后（陈新、杜维沫）；开头至第二十五回作于乾隆元年二月以前，第二十六回至第三十五回作于元年至四年，第三十六回以下部分陆续完成于作者逝世前（谈凤梁）；始作于移家南京（1733）后不久，大体完成于乾隆十三年（1748）至十五年（1750）间（陈美林）；乾隆九年（1744）春已大体成书（刘良明）。

三月

初九日，朱荃以奔丧回籍，于巴东县落水卒。据朱彭寿《清代人物大事纪年》。《晚晴簃诗汇》卷七一录其诗二首。

春

吴震生自无锡移家杭州。据厉鹗《樊榭山房续集》卷八《吴长公自梁溪移家来杭，用沈陶庵题石田有竹庄韵奉简》。

张坚《梦中缘》传奇刊行。［按，是剧作于康熙三十八年］王鲁川跋云："《梦中缘》编成最早。优伶绝少佳者，故不肯轻售，携以出游。四方名流索观，原本揉躏数易。吾党屡请付剞劂，先生以小技不足以问世。庚午春，同学复固请，九江督榷唐公分清俸助之。乃嘱余校鲁鱼，刊为上、下本四册，并辑诸名士所锡佳评，分列首末。越次年工竣。""是编词曲之妙，乃案头文章，非场中剧本。然其排场生动，变幻新奇，锦簇花团，雅俗共赏。""填词太长，本难全演。作者非故费笔墨，乃文章行乎不得不行耳。但恐舞榭歌楼，曲未终而夕阳已下；琼筵绮席，剧方半而鸡唱忽闻。则此滔滔汩汩之文，终非到处常行之技，未免为优伶所难。兹先生另有删就演本，以待同好自可就而抄录。免致优伶任意剪裁，情文或多不贯，若美锦不能成章，殊为憾事。然而真正赏者，必不惜多赠缠头，务令展其全技，或分演于连台，或卜夜以继昼。则洋洋洒洒，尽态极妍，岂非氍毹场上一大观也哉！"（《中国古典戏曲序跋汇编》卷一二）姚燮《今乐考证》著录九《国朝院本》："韩缙云：读《梦中缘》，则清新俊逸，跌宕风流，恍听嶅岭瑶笙、湘灵仙瑟。"庄一拂《古典戏曲存目汇考》卷一一："《梦中缘》，《今乐考证》著录。《玉燕堂四种》乾隆刊本。《曲录》并见著录。《曲考》、《曲海目》列入无名氏。凡二卷四十六出。题目作'梦易醒醒又梦梦醒不辨，真当假假当真真假难明；姊救妹妹装男皆由侠气，帕作媒花设誓总是痴情'。演钟心得媚兰、丽娟两美，冒名错误，女扮男装，其结构有与万树之《拥双燕三种》相似处。"

全祖望病甚。董秉纯《全谢山先生年谱》："先生有《病目集》，当在是年。然有《莲宇先生再入政府》诗及入吴舟中柬芗林之作，曰天子亲裁锡类，诗则当在辛未。大抵此二年以多病不作诗，无事迹可考。"

四月

二十五日，**李长庚**（1750—1808）生。长庚字超人，号西岩，同安人。乾隆三十六年武进士。官至浙江水师提督。殁于战。军务之暇，不废吟咏。后人编其所作为《李忠毅公诗集》。事迹见洪亮吉《诰授建威将军浙江提督总兵官总统闽浙水师军功加二级纪录二次追封三等壮烈伯谥忠毅李公墓志铭》（《更生斋文续集》卷一）、陈寿祺《大清建威将军浙江提督总兵官追封三等壮烈伯忠毅李公神道碑文》（《左海文集》卷九）、恽敬《浙江提督李公墓阙铭》（《大云山房文稿二集》卷四）、《清史列传》本传、《清史稿》本传。

王昶补廪膳生。据严荣《述庵先生年谱》。

厉鹗客扬州，五月归湖上。据《樊榭山房续集》卷九《齐天乐·庚午夏五，将归湖上，留别韩江吟社诸公》。

五月

王鸣盛、钱大昕、曹仁虎、王昶从沈德潜游。严荣《述庵先生年谱》："五月，礼部侍郎沈公归愚德潜以年八袠予告归，凤喈、晓征、来殷及先生皆游其门。"〔按，据《沈归愚自订年谱》，沈德潜予告归里在去年〕

何晡得读帅念祖《多博啰》，遂跋之。署"庚午端阳后六日，书于桐川官廨，后学山阴何晡念修甫跋"。（《多博啰》卷末）是集凡九章，乃念祖边塞记咏之作。

汪袯江卒。据厉鹗《樊榭山房续集》卷八《哭汪袯江》。

六月

十一日，袁文揆（1750—1815）生。文揆字时亮，号苏亭，保山人。乾隆四十二年拔贡生，官云南教谕。著有《时畲堂稿》，辑有《滇南诗略》、《滇南文略》。事迹见《晚晴簃诗汇》卷一〇〇。[按，生卒年据周维德辑校《蒲褐山房诗话新编》。生日据方树梅《钱南园先生年谱》]

八月

初一日，鳌图（1750—1811）生。鳌图字伯麟，号沧来、静夫，汉军镶红旗人。乾隆三十五年举人，官至江苏按察使。著有《习静轩诗文集》。事迹见《沧来自记年谱》。

初五日，黄钺（1750—1841）生。钺字左田、左君，晚号盲左，当涂人。乾隆五十五年进士，授户部主事。旋乞假回籍。历主徽州紫阳、六安书院，安庆敬敷书院。后入京，历官户部主事、翰林院侍讲、内阁学士、户部侍郎、户部尚书。谥勤敏。著有《壹斋集》四十卷。事迹见黄富民《黄勤敏公年谱》、《安徽通志》本传（《续碑传集》卷八）、《清史列传》本传、《清史稿》本传。

九月

沈德潜游天台。据《沈归愚自订年谱》。

秋

乡试。是科各省考官有汪由敦、钱陈群、裘曰修、金德瑛、王会汾、蒋元益、张湄、窦光鼐、梦麟、张九镒、诸锦等。据法式善《清秘述闻》卷六。所取举人有赵翼（姚鼐《贵西兵备道赵先生翼家传》）、余庆长（王昶《同知署广西平乐府知府余君墓志铭》）、吴镇（杨芳灿《诰授朝议大夫湖南沅州府知府吴松厓先生墓碑》）、叶佩荪（朱珪《湖南布政使司布政使叶君墓志铭》）、朱景英（《清秘述闻》卷六）、汪孟铒（钱载《诰授奉直大夫吏部文选司主事晋赠朝议大夫康古汪君墓志铭》）、周春（秦瀛《周松霭诗序》）、姚鼐（郑福照《姚惜抱先生年谱》）、黄文莲（朱彭寿《清代人物大事纪年》）、汪仲钤（朱彭寿《清代人物大事纪年》）等。何忠相中副榜。据《国朝文汇》乙集卷一九。钱大昕报罢。据钱大昕自编、钱庆曾校注《竹汀居士年谱》。朱筠报罢。据罗继祖《朱笥河先生年谱》。曹仁虎报罢，与诸名士举秦淮文会，据王鸿逵《曹学士年谱》。

十月

宋廷魁自跋《介山记》。署"时乾隆十五年岁在庚午阳月小春，竹溪居士宋廷魁自跋"。跋云："《介山记》既脱稿十余年，一二同志之士，与夫四方大人先生、文人骚客，转相邮致，转相说项，往往有秾花过目、好鸟过耳之忧。"又，《或问》（自序）云："癸亥秋仲，客有访余者，语及《介山记》，论难移日。客去，忆所问答俱个中语也，爰括其大指，列为十条，笔之于篇云。竹溪居士宋廷魁自识。"是剧又有彭遵泗序，署"乾隆庚午履端月，眉山彭遵泗题于岐亭"；方苞序，署"古吴方苞望溪氏题于集贤斋之东轩"；张正任序，署"乾隆五年庚申蒲月，澄川年家侍教生张正任书于四柏斋中"。（《中国古典戏曲序跋汇编》卷一三）庄一拂《古典戏曲存目汇考》卷一二：《介山记》："此戏未见著录。乾隆间刊本。凡二卷二十四出。演介子推事。关目皆依《左传》。其题目作'十九年君臣水火，三千界母子烟霞；归神林白眼人也，登帝阙赤心天家'。彭遵泗序云：宋子竹溪，生于是乡，蓝本左氏，谱之新声。'元人狄君厚有《晋文公火烧介子推》杂剧。"

十一月

十四日，陆元铉（1750—1819）生。元铉字冠南，号乡石、杉石，桐乡人。乾隆五十二年进士。历官雅州、宁远、惠州、高州知府。著有《青芙蓉阁诗集》六卷。事迹见其自订、子瀚补订《乡石自订年谱》。

陈兆崙服阕还朝。据陈玉绳《陈句山先生年谱》。

十二月

十三日，庄述祖（1751—1816）生。述祖字葆琛，号珍艺，武进人。乾隆四十五年进士。历官山东昌乐、潍县知县，桃源同知。著有《珍艺宧文钞》七卷、《诗钞》二卷。事迹见宋翔凤《庄先生述祖行状》（《碑传集》卷一〇八）、汪喜孙《庄葆琛述祖家传》（《尚友记》卷二）、李兆洛《珍艺先生传》（《养一斋文集》卷一五）、《清史列传》本传、《清史稿》本传。

冬

阿克敦、史贻直、刘统勋、王会汾、彭树葵共举胡天游经学。据胡元琢《先考稚威府君年谱纪略》。

紫阳书院山长王峻以病辞归，曹仁虎、王鸣盛、王昶、钱大昕用韩孟会合联句韵送之。据王鸿逵《曹学士年谱》。

赵翼馆汪由敦第。赵翼《檐曝杂记》卷二《汪文端公》："余自乾隆十五年冬客公第，至二十三年公殁，凡八、九年。此八、九年中，诗文多余属草，每经公笔削，皆惬心餍理，不能更易一字。尝一月中代作古文三十篇，篇各彷一家。公辄为指其派系所自，无一二爽，此非遍历诸家不能也。"是冬，赵翼又考取礼部义学教习。据佚名《瓯北先生年谱》。

王又曾与陶元藻定交于武林官舍。据《泊鸥山房集》卷首王又曾序。

沈虹《蓬庄诗集》十卷收诗讫本年长至。据《蓬庄诗集》卷一〇小引。又，虹时年七十四岁。据《蓬庄诗集》卷一〇《即事》。

本年

刘大櫆应张廷玉之荐，举经学，又报罢。据《国史文苑传》本传（《海峰先生文》卷首）。

雷铉入朝，特命督学浙江，寻改江南。据彭启丰《通奉大夫都察院左副都御史加二级雷公墓志铭》（《芝庭先生集》卷一三）

朱筠应刘统勋之聘，修《盛京志》。据罗继祖《朱笥河先生年谱》。

诏举经明行修之士，惠栋时年五十四岁，尹继善、黄廷桂交章论荐。有"博通经史，学有渊源"之语。会大学士、九卿索所著书，未及进而罢归。据江藩《国朝汉学师承记》卷二。

李文藻补邑庠生，时年二十一岁。据钱大昕《李南涧墓志铭》、江藩《国朝汉学师承记》卷六。

顾宗泰读书于郡中书院。据《沧浪集》小序（《月满楼诗集》卷一）。

毕沅从沈德潜游。史善长《弇山毕公年谱》："长洲沈文悫公德潜以风雅总持东南，海内翕然宗之，公从之游。每称公诗有独来独往之概，南朱北王不能不让后贤独步。尝同游香雪海，赋《探梅歌》暨《梅花》七律十首，亟为叹赏。"

钱大昕赴昆山科试。得与黄文莲、赵文哲、张熙纯、吴省钦、凌应曾诸君交。又，翁照本年与大昕定交。据钱大昕自编、钱庆曾校注《竹汀居士年谱》。

汪中少贫苦。其《先妣灵表》云："所居止三席地，其左无壁，覆之以苫。日常使姊守舍，携某及妹俣然匀于亲故，率日不得一食。归则藉藁于地。每冬夜号寒，母子相拥，不自意全济，比见晨光，则欣然有生望矣。"汪喜孙《容甫先生年谱》引此表系于本年。

胡天游在京师，馆田懋第。据胡元琢《先考稚威府君年谱纪略》。

曹雪芹约本年或明年自北京城迁至西郊。据吴恩裕《曹雪芹丛考》卷四第三篇。[按，周汝昌《红楼梦新证》第七章谓此事当不出乾隆二十一年（1756）前后]

《御选唐宋诗醇》四十七卷成书。据四库提要卷一九〇。

王鸣盛《竹素园诗草》三卷、《日下集》一卷求野堂刊行。据《贩书偶记》卷一五。

夏之蓉《骈征集》三卷刊行。据《贩书偶记续编》卷一五。

夏纶《惺斋五种曲》世光堂刊行。夏纶明年撰《五种自序》云："余五种曲，上年既不揣浅陋，开雕质世矣。""故自丙寅迄己巳，不四载，成此五种，其速且易如此，自揣灾梨问世，知我者或不忍付之糊壁。"署"乾隆辛未春仲朔日，惺斋矍叟自题于世光堂，时年七十有二"。徐梦元《五种总序》："其传奇定为五种：曰《无瑕璧》，所以表忠也；曰《杏花村》，所以教孝也；曰《瑞筊图》，曰《广寒梯》，所以劝节、劝义也。至《南阳乐》一编，颠倒两大游戏之昧，为千古仁人志士补厥缺陷，固忠、孝、

节、义之贼而有者也。"（《中国古典戏曲序跋汇编》卷一二）

李鼎元（1750—1815） 生。鼎元字和叔，号墨庄，绵州人。乾隆四十三年进士。历官检讨、内阁中书、兵部主事。著有《使琉球记》六卷、《师竹斋集》十四卷。事迹见《国朝诗人征略》初编卷四五、《清史列传》李调元传附。[按，生卒年据江庆柏《清代人物生卒年表》]

李斗（1750—1816） 生。斗字艾塘、北友，别号画舫中人，仪征人。诸生。好游览，尝三至粤西，七游闽浙，一往豫楚，两上京师。与阮元、焦循、汪中、凌廷堪、黄景仁等相往还。著有《永抱堂集》三十三卷，凡《扬州画舫录》十八卷、《永抱堂诗》八卷、《艾塘乐府》一卷、《奇酸记传奇》四卷、《岁星记传奇》二卷。事迹见《扬州画舫录自序》、道光《重修仪征县志》卷三七（《方志著录元明清曲家传略》）。[按，生卒年据邓长风《明清戏曲家考略三编·十三位清代戏曲家的生平材料》]

吴熊光（1750—1833） 生。熊光字望昆、槐江，号伊江，昭文人。乾隆三十三年举人。三十四年、三十七年两举中正榜，授内阁中书，累迁至湖广、直隶、两广总督。著有《伊江笔录》、《春明补录》、《葑溪笔录》。事迹见包世臣《故大臣昭文吴公墓碑》（《艺舟双楫》附录一上）、《清史列传》本传、《清史稿》本传。

吴江史善长（1750—1804） 生。善长字仲文、诵芬，号赤崖、赤霞，吴江人。诸生。少从父客游秦陇，后入毕沅幕。著有《秋树读书楼遗集》十六卷、《翡翠巢词》一卷。事迹见《国朝诗人征略》初编卷五六、张慧剑《明清江苏文人年表》。

林蒲封卒。据朱彭寿《清代人物大事纪年》。蒲封字鳌洲，号湘青，东莞人。雍正八年进士，改庶吉士，散馆授编修。官至侍讲学士。著有《读史录》十四卷、《鳌洲诗文集》。事迹见《清史列传》本传、《国朝诗人征略》初编卷二六。《国朝文汇》甲集卷五七录其《学校选举论》等文三篇。

张熷卒，**年四十七**。据朱彭寿《清代人物大事纪年》。全祖望《张南漪墓志铭》："南漪读书极博，其说经皆有根据，必折衷于至是，而尤熟于史。其权史也，尤精于地志，几几足以分国初胡、阎、黄、顾诸老之席。其古文最嗜罗存斋，于近人则喜顾亭林，是其平生学术大略也。"（《鲒埼亭集》卷二〇）《国朝文汇》乙集卷一五录其《十诵斋诗集序》等文六篇。《晚晴簃诗汇》卷七九录其诗三首。

吴檠卒，**年五十四**。据张慧剑《明清江苏文人年表》。《国朝诗别裁集》卷二九录其《咏怀》、《晚次彭城》诗二首。吴衡照《莲子居词话》卷四《吴檠词》："（檠）有《阳局词钞》，兰泉先生《词综》遗之。"录其《点绛唇》（箫局烟寒）、《凤衔杯》（花落空廊湘帘覆）、《霓裳中序》（青枫冷露泫）等。

李绂卒，**年七十八**。据全祖望《阁学临川李公神道碑铭》（《鲒埼亭集》卷一七）。《神道碑铭》云："尝谓公之生平尽得江西诸先正之裁冶，学术则文达、文安，经术则盱江，博物则道原、原父，好贤下士则兖公，文章高处逼南丰，下亦不失为道园，而尧舜君民之志不下荆公，刚肠劲气大类杨文节，所谓大而非夸者，吾言是也。"方苞《李穆堂文集序》："其考辨之文，贯穿经史，而能决前人之所疑；章奏之文，则凿然有当于实用；记、序、书、传、状、志、表、诔，因事设辞，必有概于义理，使览者有所感兴而考镜焉。其平生所志，及已见于设施者，即是编以求之，抑可以得其崖略矣。"（《方苞集》卷四）袁枚《内阁学士原任直隶总督临川李公传》："公博闻强记，藏书五万卷，手加丹黄，其宏纲巨旨，都能省记。""少好陆、王之学，不喜朱子。"（《小仓山房续文集》卷二七）《随园诗话》卷九："李穆堂先生诗，以少作为佳；位尊后，有率易之病。予所喜者，皆其未第时及初入翰林之作。"录其《东平州看杏花》等诗。《国朝诗别裁集》卷二二："穆堂来吴，问字于匠门，而学问各有所得。匠门主温雅，穆堂主阔大也。诗品不加修饰，亦复自见风标。"录其《夏至日荥泽渡黄河》等诗三首。《晚晴簃诗汇》卷五八录其诗二首。《国朝文汇》甲集卷四四录其《青苗社仓议》等文八篇。

万光泰卒，年三十九。据全祖望《万循初墓志铭》（《鲒埼亭集》卷二〇）。《墓志铭》云："其穿穴六艺，排比百家，如肉贯弗。而尤卓然独绝者，则《周髀》之学也。"查为仁《莲坡诗话》："（柘坡）惊才绝艳，落笔如神。"四库提要卷一八五：《柘坡居士集》十二卷，"是集其所自定。卷一曰《南村草堂集》，卷二曰《栾于集》，卷三、卷四曰《闻鱼阁集》，卷五曰《北郭草堂集》，卷六、卷七曰《江船集》，卷八曰《闻鱼阁续集》，卷九曰《觚屋集》，卷十曰《江船续集》，卷十一曰《五上春司集》，卷十二曰《青乳轩集》。前有汪孟𫷷序，称循初计偕北上，以病卒。方病中，荟自定诗十二卷，一缄寄余，有可存则付令子存之，不者毁之之说。又称刻既成，取循初别字，题曰《柘坡居士集》。其古文、诗余极夥，闻手自毁去外，杂著十六种则皆其自定缄寄者，俟他日续刻云云。盖光泰才思富赡，篇什颇多，后乃悔其少作，所存止此也。"是书乾隆二十一年汪孟𫷷刊行。袁枚《万柘坡诗集跋》："亡友万柘坡遗集若干，程鱼门昵之，陈古渔非之。二人皆深于诗者也，讼而质于余。余欲通两家之意，特加点按。集中五七古，沉挚之思，如穷渊泉而缒出之，真古豪矣。近体索索，殊少真气，说者谓为宋人所累。余按宋名家绝无此种。考厥滥觞，始于吾乡轻材讽说之徒，专屏彩色声音，钩考隐僻，以震耀流俗，号为浙派。一时贤者，亦附下风。不知明七子貌袭盛唐，而若辈乃皮傅残宋，弃鱼菽而啖豨苓，尤无谓也。"（《小仓山房文集》卷一一）《随园诗话》卷一："同征友万柘坡光泰，精于五、七古。程鱼门读之，五体投地。近体学宋人，有晦涩之病。"陈衍《石遗室诗话》卷二三："秀水万柘坡光泰以能宋诗名，有《柘坡居士集》，然工者实不多。"《清史稿》王又曾传附："光泰诗，杭世骏称其秀朗，载亦称其绮丽。盖虽宗庭坚，而锻炼精到，绝无西江槎枒诘屈之习。""时目为秀水派，而又曾与维诰、光泰尤工。"《晚晴簃诗汇》卷七四录其诗十六首。

金顺（女）卒，年三十。据《清代闺阁诗人征略》卷五引《桐乡县志》。《传书楼诗稿》一卷乾隆五十八年四勿斋刊行，附子汪尚仁编《题词》十卷。据《贩书偶记续编》卷一八。《国朝诗别裁集》卷三一录其《题管夫人画竹》诗一首。《晚晴簃诗汇》卷一八四录其诗三首。

公元 1751 年（乾隆十六年　辛未）

正月

十四日，王步青卒，年八十。据陈祖范《金坛王罕皆墓志铭》（《司业文集》卷四）。四库提要卷一八五：《王已山文集》十卷、《别集》四卷，"国朝王步青撰。步青有《四书本义汇参》，已著录。金坛王氏以能八比称于世者凡六人，所谓王氏六子是也。六子之中，汝骧及步青名尤著。汝骧文神思澹远，取径单微；步青则法律谨严，不失尺寸，在近时号为正宗。于古文则余力及之，非所专门也。其集原名《竹里草堂遗稿》，乃步青没后其子士鳌所编。后宁化雷鋐督学江苏时，从士鳌取其稿本，重为删定，凡存九十余篇，勒为十卷。用步青别号，改题今名。又《别集》四卷，皆其时文选本之序论，则士鳌裒辑编次，附刊以行。盖步青困诸生者二十余年，至康熙甲午乃举于乡。往来公车又十年，至雍正癸卯始成进士。旋以病乞归，里居教授，惟以评选时文为事。平生精力尽在于是，故讲论时文之语，至于积成卷帙。考论文之书，自挚虞《文章流别》后，凡数百家。其专论场屋程试者，则自元倪士毅《作义要诀》始自为一编。于例当入诗文评类。以其原附本集之末，故仍其旧焉。"是书明年敦复堂刊行。据《贩书偶记续编》附录。《国朝文汇》甲集卷五五录其《对松先生诗序》等文三篇。《晚晴簃诗汇》卷六五录其诗二首。

十八日，左辅（1751—1833）**生。**辅字仲甫、蘅友，号杏庄，阳湖人。乾隆五十八年进士，授安徽南陵知县，调霍丘。官至湖南巡抚。著有《念菀斋诗词》。事迹见其自订、子昂等补订《杏庄府君自叙年谱》、李兆洛《湖南巡抚左公墓志铭》（《养一斋文集》卷一三）、张惠言《书左仲甫事》（《茗柯文》三编）、《清史稿》本传

二十九日，师范（1751—1811）**生。**范字端人，号荔扉、金华山樵，赵州人。乾隆三十九年举人。大挑补剑州学博，以军功授望江知县。在任八年，有政声。乞休，卒于京邸。著有《二余堂文稿》二卷《续文稿》二卷、《金华山樵诗前集》八卷《后集》六卷、《师荔扉诗集》二十七卷、《抱瓮轩诗文汇稿》二卷、《荫椿书屋诗话》一卷，辑有《滇系》四十卷。事迹见刘开《师先生范传》（《碑传集》卷一一〇）、金天翮《檀萃师范传》（《广清碑传集》卷九）、《清史列传》本传。[按，生卒年据姜亮夫《历代名人年里碑传总表》，生日据方树梅《钱南园先生年谱》]

高宗第一次南巡，五月回京。据《钦定南巡盛典》。常熟张大受献颂行在，以籍贯误注，不得预召试之列。自是无仕进之志。据钱大昕《张蔚园墓志铭》（《潜研堂文集》卷四六）。朱卉谱《迎銮新曲》，一时为之纸贵。据汪启淑《朱卉传》（《续印人传》卷一）。

沈德潜受聘执掌紫阳书院，五月到任。据《沈归愚自订年谱》。

二月

十七日，王峻卒，年五十八。据钱大昕《江西道监察御史王先生墓志铭》（《潜研堂文集》卷四三）。《墓志铭》云："尤精地理之学，谈九州山川形势，曲折向背，虽足迹所未到，咸瞭如指掌。尝谓《水经》正文与注混淆，欲一一厘正之。而唐以后水道之变迁，地名之同异，郦《注》所未及者，则�摭正史及传记、小说、近代志乘以补之，名曰《水经广注》。手自属稿，未暇成也。诗古文直抒性灵，不加雕琢。书法初宗北海，后师东坡，晚年自谓窥古人用笔之意。所书碑碣盛行吴下，片楮只字，人知珍

之。先生壮年崇尚气节，慨然欲有为于世。既以病废不欲出山，则思见之著述。而天不假年，未竟其业。既没之后，有与先生善者，刻其所著《艮斋诗文集》若干卷行于世，虽未足以尽先生，亦略见先生之概已。"四库提要卷一八五：《王艮斋集》十四卷，"是编凡诗十卷，文四卷。其吴中先哲诸传，则修《苏州府志》时所撰，亦并附之集中云。"《国朝诗别裁集》卷二七："艮斋素行侃侃，弹都御史某，视赵用贤之弹张江陵夺情，则又过之。诗亦英爽如其为人。惟于王新城诗，时加诋諆，赵秋谷诸公闻之，应云将伯助予也。然即此亦是不随众好处。"录其《禹州道中》等诗三首。王昶《蒲褐山房诗话》："其诗宗尚两冯，参以赵秋谷、何义门之说，不独前后七子深加摈斥，即渔洋尚书，亦多未惬然。集中黔行诗，最为清矫刻削，转似蜀道集，何也？"（《湖海诗传》卷三）《国朝文汇》甲集卷五六录其《瞿寿民粤行纪事序》等文四篇。

厉鹗作《烟草倡和诗序》。署"乾隆辛未季春二十有五日"。（《樊榭山房文集》卷二。）

华希闵迎驾，赐知县。据《钦定南巡盛典》卷六九。

三月

会试。考官：内阁大学士刘统勋、工部尚书孙嘉淦、礼部侍郎介福、内阁学士董邦达。题"贤者辟世"四句，"上焉者虽"一段，"舜之居深"全章。据法式善《清秘述闻》卷六。赵翼（佚名《瓯北先生年谱》）、姚鼐（郑福照《姚惜抱先生年谱》）报罢。

谢墉、陈鸿宝、王又曾、钱大昕、吴烺、褚寅亮等应召试，赐举人，授内阁中书。据《钦定南巡盛典》卷七四。

厉鹗、吴城撰《迎銮新曲》。吴城曲曰《群仙祝寿》，厉鹗曲曰《百灵效瑞》，合刻为一编。据朱文藻撰、缪荃孙重订《厉樊榭先生年谱》。杭世骏序云："吾友樊榭、瓯亭两先生，有谈天绘日之才藻，而耻蹈袭扬、马之常，故猵狂其词，诡谲其体，借乔张之雅调，传征侨之逸事，率先衢歌巷舞，诸父老迓六飞于天上，被之管弦，次第进御，圣天子止辇而听之。每奏一篇，称赏不置，虽俳优乎使枚皋、东方朔若在，毕力而为之，未能有加也。"（《樊榭山房集外曲》卷首）全祖望题词云："今天子建中和之极，躬逢圣母南巡至吾浙，浙东西老幼士女，欢声夹道。吾友杭人厉君樊榭、吴君鸥亭，各为《迎銮新乐府》，其词典以则，其音嚌呕清越以长，而二家材力悉敌，宫商互叶，钟吕相宣，非世俗之乐府所可伦也。大吏令歌者奏之天子之前，侑晨羞焉。昔人以此擅长者，如元之酸、甜，明之康、王诸子，不过以其长鸣于草野之间。而二君之作，上彻九重之听，山则南镇助其高，水则曲江流其清，是之谓夏声也矣。"（《鲒埼亭集外编》卷二六）

春

吴泰来招曹仁虎、王昶、钱大昕、沙维杓、张冈游灵岩、上沙诸胜。据王鸿遹《曹学士年谱》。又，严荣《述庵先生年谱》："企晋别业遂初园在木渎，擅花木水石之胜，清瑶池馆、小查山阁尤幽秀。先生、定宇、凤喈、晓征、来殷及张古樵冈、沙斗初维构诸公往游。文酒之胜,为吴中数十年来所未有。"

　　游绍安以诗集邮示郑方坤,嘱论定且索弁言。郑方坤序云:"辛未春,先生邮示诗集,属论定且索弁言。余不敢为序,而急欲读先生诗,因受而藏之,朝夕讽诵,盖至是始得窥全豹,而先生亦早赋遂初矣。"署"乾隆癸酉季夏下浣,年弟郑方坤拜题于东郡之嘉树轩"。(《涵有堂稿》卷首)四库提要卷一八五:《涵有堂诗文集》四卷,"国朝游绍安撰。绍安号心水,福清人。雍正癸卯进士。官至南安府知府。是集诗二卷,文二卷。绍安守南安几二十年,故诗文多南安所作。其文务为奇崛语,诗亦欲以生僻见长。"

　　蒋士铨作《一片石》杂剧。自序云:"前明宁庶人娄妃沉江后,为南昌人私葬。二百年来,无有志者。""余时撰《南昌县志》,乃纪其事,参杂志中。以地属新建故,祠墓篇中例不得载。尚窃惧其弗播人口。霪雨溜檐,新藓上四壁,砚中尘薄若蒙毅,一灯荧荧然。乃起濡残墨,衍其事为《一片石》杂剧,其间稍设神道附会。精诚所感,又何必不尔耶!若诙笑点染,以乡人言乡事,曼声拉杂,谓之掺土音可也。山川落落,客有渡章江者,或向此石作寒山语,即非方回,是亦解人矣。谷雨日,铅山蒋士铨苕生自识。"(《一片石》卷首)庄一拂《古典戏曲存目汇考》卷八:"《一片石》,《今乐考证》著录。《藏园九种曲》刊本。《曲海目》、《曲录》并见著录。剧分《梦楼》、《访墓》、《祭碑》、《宴阁》四折。作者修《南昌县志》时,以明宁王宸濠妃娄氏墓,殆近湮灭,闻知故老,知其所在,乃请立碑识之。此剧即叙此事始末。按:妃娄谅女,有贤德,濠谋叛,屡谏不听。及败,投水死,土人私葬之云。"

四月

　　初六日,方士庶卒,年六十。据闵崋《洵远方君传》(《碑传集补》卷五六)。《传》云:"君初以名诸生屡试不售,遂弃帖括,游戏翰墨间。作五七言古今体诗,吐弃凡近,独标清近。六法则擅长于山水,出入宋元诸名家,猎取菁华,故能超轶一世。"《晚晴簃诗汇》卷七八录其诗二首。

五月

　　十四日,薛雪招宴吴门水南园。与会者叶长杨、虞景星、许廷鑅、李果、汪俊、俞来求、袁枚等,沈德潜因雨未到。据袁枚《随园诗话》卷三、《小仓山房诗集》卷七《薛征士一瓢招同许竹素、汪山樵、李克三、叶定湖、俞赋拙、虞东皋集扫叶庄,各赋一诗》。薛雪辑与会诸人诗为《旧雨集》。

　　十五日,高宗御太和殿,传胪。赐一甲吴鸿、饶学曙、周澧进士及第,二甲刘墉、戈涛、孙洙、何逢僖、罗典、周於礼等进士出身,三甲王元启、谭尚忠、董丰垣等同进士出身。据《历科进士题名录》、《清通鉴》。

闰五月

　　初二日,刘台拱(1751—1805)生。台拱字端临,宝应人。乾隆三十六年举人,七试礼部不第。乾隆四十九年大挑二等，以教职用。逾岁，铨授丹徒县训导。卒年五十有五。著有《刘端临遗书》四卷。事迹见朱彬《刘学士台拱行状》（《碑传集》卷一三五）、阮元《刘端临先生墓表》（《揅经室二集》卷二）、汪喜孙《刘先生台拱家传》（《尚友记》卷一）、江藩《国朝汉学师承记》卷七、《清史列传》本传、《清史稿》本传。

六月

二十二日，黄永年卒，年五十三。据陈道《崧甫黄先生行状》（《南庄类稿》卷首）。四库提要卷一八五：《黄静山集》十二卷，"是集前有雷鋐所作墓志铭，称所著有《希贤编》、《春秋四传异同辨》、《崧甫文类》、《南庄类稿》、《白云诗钞》、《静子日录》。此本仅《南庄类编稿》八卷、《白云诗钞》二卷、《奉使集》一卷、《静子日录》一卷，而他集不见。其《春秋四传异同辨》今在《南庄类稿》第二卷中，亦不别为书，未喻其故。又一别本仅有《南庄类稿》、《奉使集》、《静子日录》三种，疑其随刻随印，皆非完本云。"李祖陶《国朝文录·南庄类稿文录引》："先生以豪杰自命，未达时希风魏叔子，暨官于朝，与方望溪、李穆堂诸先生相讨论，湛深经术，卓然欲追古人。所作《兴说》三篇，痛流俗之沦胥，而欲人鼓其志气才力以自奋。其文虽未免痕迹，百世之下必有读之而兴起者；集中论较多，行文尚未甚老练。而以忍目狄，以量许韩，以气推范，亦万世公评；书多自辨之词，大略与归大仆近；序、记则融精炼液，旨远词文，脱尽町畦，力矫庸俗，殆陶铸于震川、叔子、望溪之间而自成一格者。盖排偶之体至震川始能摆脱，叔子加以古劲，望溪又以精诣胜之。先生参和其间，虽能生面别开，各有其胜。予是以知文章之境地无穷，而叹先生之苦心孤诣为不可及也。先生所著有《白云诗钞》二卷，风格在韩昌黎、杜少陵之间，亦无一笔犹人者。又有《静子日记》。"《国朝文汇》乙集卷四录其《兴说》等文十篇。《晚晴簃诗汇》卷七四录其诗一首。《贩书偶记》卷一五："《南庄类稿》四卷，广昌黄永年撰。乾隆十八年集思堂刊。"《中国丛书综录》："《黄静山所著书》，（清）黄永年撰。清乾隆十八年（1753）序集思堂刊本。《南庄类稿》八卷，《白云诗钞》二卷，《匡游草》一卷，《奉使集》一卷，《静子日记》一卷。"

夏

田同之尚在世，时年七十五岁。据江庆柏《清代人物生卒年表》。《国朝诗别裁集》卷一四："彦威为山薑之孙，而笃信谨守，乃在新城王公。有攻新城学术者，几欲拼命与争，《论诗》一篇其宗旨也，不直赵秋谷宫赞，故大声疾呼论之。"录其《与畹叔编修论诗因属其选裁本朝风雅以挽颓波》、《赵北口感旧》诗二首。《晚晴簃诗汇》卷六〇录其诗七首。

八月

王肇基献诗案发，九月止。据《清代文字狱档》。

王植以老病乞休归里。据其《自纪》。王植当卒于本年以后，年六十七以上。植字槐三，深泽人。康熙辛丑进士。官至邳州知州。所著《四书参注》无卷数、《韵学臆说》一卷、《韵学》五卷、《读史纲要》一卷、《道学渊源录》一卷、《正蒙初义》十七卷、《濂关三书》无卷数、《皇极经世书解》十四卷、《权衡一书》四十一卷、《崇德堂集》八卷、《偶存草》无卷数，四库提要著录。《国朝文汇》甲集卷五一录其《法意论》等文三篇。

高衡刊李宗渭《瓦缶集》十二卷。高衡序署"乾隆辛未中秋后二日，子婿高衡百顿首识并书"。（《瓦缶集》卷首）四库提要卷一八四：《瓦缶集》十二卷，"国朝李宗渭撰。宗渭字秦川，嘉兴人。康熙癸巳举人。初于康熙丁亥自编其诗为《瓦缶集》三卷，后又有《永怀集》一卷附刻以行。宗渭没后，其婿高衡乃哀其遗诗，编为乐府一卷，古体九卷，近体二卷。仍以'瓦缶'为名，从其初称也。其诗古体多于近体，五言多于七言，大旨以汉、魏、六朝、唐人为法，而不肯为宋、元之格，故字句率有古意。昔人论林鸿之诗如唐摹晋帖者，其庶几乎？"《晚晴簃诗汇》卷五九录李宗渭诗三首。

九月

《聊斋志异》铸雪斋钞本成书。此本系历城张希杰据济南朱氏殿春亭钞本过录。练塘老渔识语署"乾隆辛未秋九月中浣，练塘老渔识"。又，卷首练塘渔人题辞云："埋头学执化人祛，荤落文园赋子虚。忽地籁从天际发，披襟快读帐中书。""干宝当年鬼董狐，巢居穴处总模糊。而今重把温犀照，牛鬼蛇神果又无？""一生遭尽揶揄笑，伸手还生五色烟。但学青牛真秘诀，不须更问野狐禅。""眼界从教大地宽，嫏嬛洞里见青天。贾生前席还应接，翻尽人间括异编。"署"乾隆辛未九秋，练塘渔人题"。（《铸雪斋钞本聊斋志异》附录、卷首）

十月

胡天游试经学报罢。胡元琢《先考稚威府君年谱纪略》："十月，将试经学。引见时左都御史梅公毂成但称府君词章，遂不得召见。"朱仕琇《方天游传》："天游居京师十余年，名日以甚，忌日以深。岁辛未，举经明行修，卒为忌者中伤而罢。"（《先考稚威府君年谱纪略》卷首）全祖望《张南漪墓志铭》："浙有妄男子者，客京师，其文皆造险语奇字以欺人，而中实索然无所有。或问之，则取汉、唐以来之亡书对，曰：'是出某本。'赋诗则以用尽韵部之字为工。方余在京师时，力为人言其谬，故妄男子最恨予。及予归，妄男子始猖狂，而吾友中好奇者亦多为所盅，莫之正。南漪入京师，见而唾曰：'嘻，是不足为樊绍述、刘几作舆台，何其无忌惮一至此也。'会妄男子正说经，南漪投以帖子，诘其经义数十条，妄男子嗫不能答，迁延避去。"（《鲒埼亭集》卷二〇）［按，此"妄男子"为胡天游，据严元照注］

沈德潜序乔亿《剑溪说诗》二卷。序云："书成上下二卷，分古今，叙源流，别正闰，而一归于性情之和平。使学者心体而允蹈之，则成大家，即依约而遵守之，亦不失为正格。质之表圣、沧浪、昌穀诸公，有共许为补予未逮者矣。剑溪诗古澹超逸，准之前贤，有契其心神而化其面目者。其所说诗，几于有而后言，匪独见而能言者也。《诗》云：'惟其有之，是以似之'，剑溪有焉。乾隆辛未冬十月，长洲同学弟沈德潜题。”（《剑溪说诗》卷首）

十一月

黄叔琳复詹事原职，加侍郎衔。据顾镇《黄侍郎公年谱》。

郑燮书《潍县竹枝词》旧作二十四首。跋云：“乾隆十二年告灾不许，反记大过一次，百姓含愁，知县解体。板桥居士郑燮旧作，辛未建子月书。”［按，《潍县竹枝词》墨迹二十四首，孙仙坡钞本（即《潍县文献丛刊》印本）四十首。］见《郑板桥全集·板桥集外诗文》。

十二月

高宗序沈德潜《归愚诗钞》二十卷。署“乾隆辛未小除夜，书于坤宁宫之东阁”。（《归愚诗钞》卷首）是书本年刊行。据《中国丛书综录》。

黄叔琳《砚北杂录》成书。据顾镇《黄侍郎公年谱》。四库提要卷一三三：《砚北杂录》无卷数，“是书上至天文地理，下至昆虫草木，凡经史所载，旁及稗官小说，据其所见，各为采录，亦间附以已意。大抵主于由博返约，以为考据之资。中多签题粘补之处，皆叔琳晚年手自删改，盖犹未定之本也。”

唐英自粤海关复调九江钞关总理陶务，明年三月抵任。据郭葆昌《唐俊公先生陶务纪年表》。

冬

周天度游九华山。《晚晴簃诗汇》卷八一：“法梧门曰：钱塘周西隒刺史性豪迈，好游览，所至辄有吟咏。辛未冬，游九华，作诗尤夥。《江行》二首，人多诵之。”

蒋士铨作《西江祝嘏》杂剧四种。梁廷楠《曲话》卷三：“乾隆十六年，恭逢皇太后万寿，江西绅民远祝纯嘏杂剧四种，亦心余手编。第一种曰《康衢乐》，第二种曰《忉利天》，第三种曰《长生箓》，第四种曰《升平瑞》。征引宏富，巧切绝伦，倘使登之明堂，定为承平雅奏，不仅里巷风谣已也。”庄一拂《古典戏曲存目汇考》卷八：“《西江祝嘏》，《今乐考证》著录。嘉庆间大文堂刊本。”

本年

选举经学人员。李调元《淡墨录》卷一四《辛未保举经学》：“乾隆十四年己巳十一月初二日，奉上谕：‘圣贤之学行，本也；文，末也。而文之中，经术其根柢也，词章枝叶也。翰林以文学侍从，近年来因朕每试诗赋，颇致力于词章，而求沉酣六籍、含英咀华、究经术之阃奥者，不稍概见。岂笃志正学者鲜欤，抑有其人而未之闻欤？

夫穷经不如敦行，然知务本，则于躬行为近。崇尚经术，良有关于世道人心。有若故侍郎蔡闻之、宗人府府丞任启运，研穷经术，敦朴可嘉。近者侍郎沈德潜，学有本源，虽未可遽目为通儒，收明经致用之效，而视獭祭为工、剪彩为丽者，迥不侔矣。今海宇升平，学士大夫举得精研本业，其穷年矻矻，宗仰儒先者，当不乏人，奈何令终老牖下，而词苑中寡经术士也！大学士九卿外，督抚其公举所知，不拘进士、举人、诸生以及退休闲废人员，能潜心经学者，慎重遴访，务择老成敦厚、纯朴淹通之士以应，精选勿滥，称朕意焉。钦此。'诚旷典，前此所未有也。嗣内外所保举四十九人。十六年辛未，谕大学士九卿再行虚公核实，确举以闻，如果众所共信，即不必考试。于是公同会核，得陈祖范、吴鼎、梁锡玙、顾栋高等四人。上谕：'既众论金同，其平日研穷经义，必见之著述，朕将亲览之，以观实学。在京送内阁进呈，在外行督抚取，不必另行缮录，致需时日，启剿袭膺鼎之弊。'于是吴鼎进《象数集说》一部……梁锡玙进《易经揆一》一部，恭呈御览。六月初十日，吏部带领引见。十一日，奉旨：吴鼎、梁锡玙俱以国子监司业用……嗣后将常熟会试中式举人陈祖范、无锡进士顾栋高俱授司业职衔。"其余被荐者有李锴、边连宝、戈涛、徐文靖、顾镇、刘大魁、张凤孙、程廷祚、惠栋、范咸、王延年、胡天游、钱载、周大枢、王文清、孙景烈、刘绍攽、陈法等。"未几，徐文靖授检讨衔，王延年授司业衔。"

洪亮吉六岁，丧父。明年起依外家读书。据吕培等《洪北江先生年谱》。

章学诚从同县王浩学，读书于中表杜秉和（燮均）家之凌风书屋。其父镳（字骧衢）得官应城知县，学诚随父至应城。据胡适《章实斋年谱》。

戴震补休宁县学生，时年二十九岁。据段玉裁《戴东原先生年谱》。

胡天游在京师，馆裘曰修第。据胡元琢《先考稚威府君年谱纪略》。

符曾补户部河南司，旋升江南司员外郎。据赵一清《符药林先生传》（《东潜文稿》卷上）。

朱仕琇出知山东夏津县。据林明伦《送朱梅崖同年之任夏津令序》（《国朝文汇》乙集卷一七）。

张九钺游云南。著《滇游集》。明年正月抵里。据张家杙《陶园年谱》。

全祖望《皇雅》成书。董秉纯《全谢山先生年谱》："天子始巡幸江浙，浙中士大夫俱赴吴门迎驾，多有录用及赏赉者，独先生与董浦先生寂然。说者谓瓯臣未尝上达也。先生束芳林少师诗四首，其次章曰：'木雁遭逢岂可班，羞居材与不材间。故人为我关情处，莫学琼山强定山。'盖少师欲荐先生，而先生辞之也。是岁浙中大旱，禾稼无颗粒收。先生索食维扬，岁暮始归。自己已始撰《皇雅》，凡四十二篇，屡有修饰，至是勒为定本。皇皇钟吕之音，足与柳仪曹、姜白石接迹矣。"

王昶去年和本年诗编为《三泖渔庄集》。据严荣《述庵先生年谱》。

厉鹗编定《樊榭山房续集》十卷。自序云："仆诗前集自甲午至己未，凡二十六年，仅编成八卷，词二卷附焉。己未至今辛未十二年来，复次第成续集，如前之数。"四库提要卷一七三：《樊榭山房集》二十卷，"是集因所居取唐皮日休句题曰'樊榭山房'，是以为名。生平博洽群书，尤熟于宋事。尝撰《宋诗纪事》一百卷、《南宋院画录》八卷、《东城杂记》二卷，又与同社作《南宋杂事诗》七卷。皆考证详明，足以传后。其诗则吐属娴雅，有修洁自喜之致，绝不染南宋江湖末派。虽才力富健尚未能与朱彝尊等抗行，而恬吟密咏绰有余思，视国初西泠十子则翛然远矣。前集诗分甲、乙、丙、丁、戊、己、庚、辛八卷，附以词，分甲、乙二卷，为康熙甲午至乾隆己未之作。《续集》亦诗八卷，而以北乐府一卷、小令一卷附焉，则己未至辛未作也。"《国史文苑传》本传："著《樊榭山房集》二十卷，幽新隽妙，刻琢研炼，尤工五言。取法陶、谢及王、孟、韦、柳，而别有自得之趣。兼长诗余，擅南宋诸家之胜。"（《樊榭山房集》卷首）

张应楸作《鸳鸯帕》传奇。是剧凡二卷三十四出，系据清初小说《锦香亭》敷衍而成，有本年佩兰堂刻本。据《古本戏曲剧目提要》。

董榕作《芝龛记》传奇。《芝龛记凡例》云："记中惟阐扬忠孝节义，并无影射讥弹。所有事迹，皆本《明史》及诸名家文集志传，旁采说部，一一根据，并无杜撰。虽词场余技，而存心必矢虚公，命意必归忠厚。深知刻薄讥刺，无益世风，徒伤心术。""此记大意，为秦忠州、沈道州二奇女衍传。而二女者，非寻常闺阁之人，乃心乎国事，有功名教之人也。""记中极小人物，皆无虚造姓名。如小丑脚色中，石跬、小奚、来狩，见褚稼轩《坚瓠集》。顾昆山青衣马锦，取侯朝宗《壮悔堂集》，余仿此。"黄叔琳序云："壬申秋，邮近制《芝龛记》院本，属余序。余受而读之，盖以一寸余纸，括明季万历、天启、崇祯三朝史事，杂采群书、野乘、墓志、文词联贯补缀为之，翕辟张弛，褒贬予夺，词严义正，惨澹经营，泂乎以曲为史矣。"邵大业序云："诗史词史，与正史以参稽；事奇人奇，并传奇而不朽。岂止秦淮舟次，烟花悲亡国之音；玉茗堂前，朝暮琢断肠之句也哉？"（《中国古典戏曲序跋汇编》卷一二）李调元《雨村曲话》卷下："董恒岩《芝龛记》，特为秦忠州、沈道州二奇女行传，全写蜀中事。北京棉花七条胡同有石芝龛，为四川会馆，其遗迹也。而明季史事，一一根据，可为杰作。但意在一人不遗，未免失之琐碎，演者或病之焉。"杨恩寿《词余丛话》卷二："董恒岩《芝龛记》，以秦良玉、沈云英二女帅为经，以明季事涉闺阁暨军旅者为纬，穿插野史，颇费经营。惟分为六十出，每出正文外旁及数事甚至十余事者。隶引太繁，止可于宾白中带叙；篇幅过长，正义不免稍略。喧宾夺主，眉目不清。考据家不可言诗，更不可度曲。论者谓轶《桃花扇》而上，则非蒙所敢知也。第五十七出有悼南都《渔歌》三折，酣畅淋漓，性灵流露，似集中仅见之作。"姚燮《今乐考证》著录十《国朝院本》："蒋士铨云：'读董恒岩太守所为之《芝龛记》，月昏灯灺，按节歌咏之，于《昙援》、《救父》、《题阁》、《江还》等篇，感触唏嘘，尤堪击节。'"傅达源《鸳鸯镜跋》："明季事迹播诸管弦、脍炙人口者，《桃花扇》、《芝龛记》尚矣。然一则仙灵惝恍，其失也诬；一则儿女温柔，其失也曼。"（《中国古典戏曲序跋汇编》卷一三）是剧凡六卷六十出，有乾隆十七年原刻本、光绪十五年董氏重刊本。

夏秉衡《清绮轩词选》十三卷刊行。据张慧剑《明清江苏文人年表》。陈廷焯《白雨斋词话》卷五："《清绮轩词选》（华亭夏秉衡选）大半淫词秽语，而其中亦有宋人最高之作。泾渭不分，雅郑并奏，良由胸中毫无识见，选词之荒谬，至是已极。"

沈德潜《竹啸轩诗钞》十八卷刊行。据《贩书偶记》卷一五。

曹学诗《香雪文钞》十二卷刊行。据《贩书偶记》卷一五。

翟灏《通俗编》三十八卷无不宜斋刊行。据《贩书偶记》卷一一。

方芳佩（女）《在璞堂吟稿》一卷、《续稿》一卷、《诗三刻》一卷本年至嘉庆九年刊行。据《贩书偶记》卷一八。

徐书受（1751—1805）生。书受字尚之、留封，武进人。乾隆四十五年副榜贡生。四十八年乡试报罢，遵例以本班分发河南。不数年，以材擢县令。历署太康县丞、汝州州同、尉氏县知县，奏补兰阳县。丁外艰归，服阕补南召。以河工堵御劳，特旨题补知州，未及迁而卒。著有《教经堂诗集》十四卷、《文集》四卷。事迹见洪亮吉《河南南召县知县候补知州徐君墓志铭》（《广清碑传集》卷一〇）、《清史稿》赵翼传附。

翁元圻（1751—1826）生。元圻字载青，号凤西，余姚人。乾隆四十六年进士。官至陕西总督。著有《佚老巢遗稿》。事迹见《晚晴簃诗汇》卷一〇四、朱彭寿《清代人物大事纪年》。

祁韵士（1751—1815）生。韵士字鹤皋、谐庭，寿阳人。乾隆四十三年进士，选庶吉士。授编修，擢中允，大考改户部主事。嘉庆初，以郎中监督宝泉局。局库亏铜案发，戍伊犁。未几，赦还。卒于保定书院。著有《西域释地》、《西陲要略》、《万里行程记》、《己庚编》、《书史辑要》、《诗文集》等。事迹见自订《鹤皋年谱》、程恩泽《户部福建司郎中鹤皋祁公神道碑铭》（《程侍郎遗集》卷八）、《清史列传》本传、《清史稿》本传。

海宁周嘉猷（1751—1796）生。嘉猷字顺斯，号慕蘐，海宁人。乾隆四十四年举人。官兵部主事。赠员外郎衔。著有《云卧山房诗集》。事迹见《晚晴簃诗汇》卷一〇一。

曾衍东（1751—1830 后）生。衍东字青瞻、七如，号铁鞋道人、七道士，嘉祥人。幼随父宦游闽粤，至于关外。壮以笔墨遨游齐鲁间。乾隆五十七年山东乡试中式。历官楚北、咸宁、江夏、当阳、巴东知县。以事免官，流戍温州，以书画谋生。卒于温州。著有《小豆棚》、《哑然诗句》、《日长随笔》。事迹见彭左海《传》、项震新《叙》、张宪文《曾衍东年表》（《小豆棚》附录）。

陈端生（女，1751—1796）生。端生字云贞，钱塘人，兆嵩孙女，范葵室。著有《绘影阁集》、《再生缘》弹词。事迹见施淑仪《清代闺阁诗人征略》卷六、郭沫若《陈端生年谱》（《再生缘》卷首）。

金门诏卒，年八十。据张慧剑《明清江苏文人年表》。《晚晴簃诗汇》卷七四录其诗一首。《国朝文汇》乙集卷三录其《拟明史流贼传总序》等文三篇。《贩书偶记》卷一五："《金东山文集》十二卷，江都金门诏撰。乾隆丙申精刊。又名《金太史全集》。卷一《明史经籍志》，卷二《明史传总论》，卷三《补三史艺文志》，卷四《读史自娱》，卷五《表》，卷六《诏疏策论序》，卷七《记跋》，卷八《赋》，卷九《议传志书启祭文》，卷十《覃恩焚黄文》，卷十一《江都乡贤传》，卷十二《兰亭序跋经籍志目录》。"

华希闵卒，年八十。据张慧剑《明清江苏文人年表》。顾栋高《延绿阁集序》："若华子之于经，诚所谓不苟同，亦不苟异者也，其进于立言也几矣。华子著述甚夥，为诗歌赋颂多可观。尝欲删成《宋史》，作《宋史质疑》一编问世，人尤服其精识。余不概论，论其说经之大者。"（《国朝文汇》甲集卷五二）《国朝诗别裁集》卷二四录其《山居月夜》诗一首。《国朝文汇》甲集卷五〇录其《考宫献羽论》等文三篇。

李果卒，年七十三。据《咏归亭诗钞》卷首朱昂《后序》、蒋恭棐《传》。蒋恭棐《传》云："沈侍郎德潜雅以诗文与客山相切劘。侍郎晚达，显于时，而客山以布衣终，然名与之齐，里中往往称'沈李'。客山生时，陆太守锦为刻其文集十二卷，余所论定。其未刻诗集若干卷，朱生昂藏之，侍郎云必传于后无疑。"四库提要卷一八五：《在亭丛稿》二十卷，"国朝李果撰。果字硕夫，长洲人，在亭其号也。是集凡杂文十二卷，后附《咏归亭诗钞》八卷。果之论文，谓弇州、北地文古而患乎似，义乌、延陵文真而患乎浅，欲救似与浅之病，惟在读书穷理。故所作颇有矩矱，而墨守太甚，亦未能变化也。"《国朝诗别裁集》卷二九："诗格苍老，一洗肥腻。有一二字未安，屡改不倦。晚年文誉霭郁，过吴门者争识其面，几以鲁灵光目之。"录其《示两儿》等诗十三首。王昶《翁石弧布衣赏雨茆屋诗序》："客山为人，宽而静，柔而正，恭俭而好礼，诗与文如之。是以杨文叔、蒋迪夫、李玉舟、沈文悫公，莫不重其文而推其学。"（《春融堂集》卷三九）法式善《梧门诗话》卷五："客山诸体擅美，五言尤工。"《国朝文汇》乙集卷一录其《曹参论》等文九篇。

赵国麟卒，年七十七。据《清史稿》迈柱传附。《晚晴簃诗汇》卷五七录其诗四首。

姜任修卒，年七十六。据江庆柏《清代人物生卒年表》。《晚晴簃诗汇》卷六一录其诗三首。

祝维诰尚在世，时已告假。据卢文弨《丽景校书图记》（《抱经堂文集》卷二五）。王昶《蒲褐山房诗话》："先生少有才名，一直薇垣，公卿皆为延誉，查、张两相国尤器之。屡随清跸，故滦河、辽海风景，数见于诗。李布衣铁君谓其'怡穆醇静'，沈宗伯称其出塞诸作'激壮遒上'，盖是时风雅中巨擘也。然沈沦下秩久之，当出补同知，而非其意所愿。量迁内阁典籍，乞病以归，未及家而殁。"（《湖海诗传》卷七）《清史列传》张庚传附："（维诰）诗清丽芊绵，尤工乐府。"《清史稿》王又曾传附："维诰诗，全祖望称其俊雅，李锴称其醇静。"《晚晴簃诗汇》卷七五："豫堂与钱择石、王受铭、朱偶圃、陈乳巢号'南郭五子'。诗宗西江而去其生涩，宏肆类竹垞，雅洁俪秋锦。至其凌轹波涛，穿穴险固，独往独来，自成馨逸，有拔戟劖垒于两家之外者。诗稿初经王兰泉侍郎点定，后至道光间，其曾孙子虔官畿辅，始乞朱小云观察删存二卷，与明甫孝廉《西涧诗钞》同时付刻，尚非全帙也。"录其诗九首。

公元1752年（乾隆十七年　壬申）

正月

元旦，在苏州福仁山邑宰幕中，钮孝思与袁枚登妓楼，遍召诸姬，评花张饮。据袁枚《随园诗话》卷一六。

初三日，赵绍祖（1752—1833）生。绍祖字绳伯，号琴士，泾县人。诸生。尝两署滁州训导，一署广德州训导，皆不数月，而士林慕之。应布政使陶澍聘修《安徽省志》，在局五年。旋主池州秀山书院、太平翠螺书院。道光初，举孝廉方正。著有《通鉴注商》、《新旧唐书互证》、《安徽金石记》、《泾川金石记》、《金石文正续钞》、《琴士诗文钞》。事迹见陶澍《赵琴士征君墓志铭》（《陶文毅公全集》卷四五）、朱琦《赵琴士征君传》（《续碑传集》卷七六）、《清史列传》本传、《清史稿》俞正燮传附。

十四日，铁保（1752—1824）生。 铁保字冶亭，号梅庵，满洲正黄旗人。乾隆三十七年进士。官至两江总督、浙江巡抚，为《八旗通志》总裁。著有《梅庵文钞》六卷、《诗钞》八卷、《诗余》一卷，辑有《熙朝雅颂集》。事迹见其自订、子瑞元等补订《梅庵自编年谱》、汪廷珍《铁梅庵先生墓志铭》（《续碑传集》卷九）、《清史列传》本传、《清史稿》本传。

张坚《梅花簪》传奇已成。 自序云："余《梦中缘》一编，固已撇却形骸，发情真谛，犹恐世人不会立言之旨，徒羡其才香色艳、赠答相思之迹，故复成此种。梅取其香而不淫，艳而不妖，处冰霜凛冽之地，而不与众卉逞芳妍，此贞女之所以自况耳。若徐如山本有情而似无情，巫素媛于无情中而自有情，郭宗解为贞情所感触而忽动其侠情，是皆能不失其正而可以风矣。"柴次山序云："壬申上元，踏雪寻访，拥炉联韵。亭前冰花堆树，梅萼舒妍。见案头此种，余笑指谓曰：'梅花冰雪，冠绝群芳，讵不信夫！'漱石曰：'子不弃是编，曷序之？'余欣然携归。"（《中国古典戏曲序跋汇编》卷一二）庄一拂《古典戏曲存目汇考》卷一一：《梅花簪》，"《今乐考证》著录。《玉燕堂四种》乾隆刊本。《曲录》并见著录。《曲考》、《曲海目》列入无名氏。全剧凡四十八出。谱绿苞、杜冰梅以梅花撮合事。本事出《遁叟随草》缘饰之。吴禹洛序谓：《梅花簪》既演，张氏家二十年香橼老树，从未花实者，忽然花大吐，结实累累至千颗，媲美东嘉之瑞烟蜡炬。又谓：稿成时，为江宁优伶购去，易名《赛荆钗》搬演，一时称奇云。今尚演有《抢亲》、《闻嫁》、《遣刺》、《舟误》等出。"

边寿民卒，年六十九。 据丁志安《边寿民年谱》（谢巍《中国历代人物年谱考录》著录）。邱嵩生《苇间老人题画集跋》："苇间先生品诣超卓，以文章雄一时。当日结社曲江楼，与周白民先生暨吾家浩亭、海方两公，号十子，名振大江南北，而诗画特其绪余。今海内但知重先生画耳，非真知先生者也。顾诗文久佚，而画名则远闻海外。"（《扬州八怪诗文集·苇间老人题画集》卷末）

二月

陈兆崙擢左中允。 据陈玉绳《陈句山先生年谱》。

朱桓大会名士于秦淮，凡二百四十余人，成《江南友声二集》。 王昶与焉。时值江宁乡试。据严荣《述庵先生年谱》。

壶天隐叟为夏纶《花萼吟》题辞。 署"乾隆壬申春仲，檇李壶天隐叟拜撰"。题辞云："今年春，老人复过余山居，曰：'忠，则君臣；孝，则父子；节、义，则夫妇、朋友；五伦已备其四，若之何独阙昆弟耶？用为之补。幸已告竣，请先生为我序其首。'"（《中国古典戏曲序跋汇编》卷一二）是剧凡二卷三十二出，演南宋台州姚居仁、利仁兄弟事。

永瑆（1752—1823）生。永瑆号镜泉、少厂，高宗第十一子。乾隆五十四年，封成亲王。著有《诒晋斋集》八卷、《后集》一卷、《随笔》一卷。事迹见《清史稿》本传。[按，生卒时间据朱彭寿《清代人物大事纪年》]

石球卒，年六十四。据《有兰书屋存稿》石琳跋。《有兰书屋存稿》徐树绅序云："少好博览，中岁则精求古人典要，沉潜有宋五子诸绪言。"四库提要卷一八五：《有兰书屋存稿》四卷，"国朝石球撰。球字鸣虞，嘉定人。其近体诗颇有风致，而骨格未坚。徐树绅序称球自生平踪迹，少所涉历，无瑰伟奇特之观，故亦罕沈博绝丽之作。可谓自知矣。"是书乾隆二十六年刊行。

三月

上巳日，李荐青招诸名士修禊于京师万柳堂。俞蛟《梦厂杂著》卷五《平山堂记》："乾隆壬申上巳，李荐青招诸名士修禊于万柳堂。宁郡王闻之，携琴酒而往，为助雅游。王以下二十二人，乡人乐君汇川与焉。因绘图以纪其盛，一时娴于篇什者，争相题咏。余友宗子芥帆，亦题七律四章。"

春

恩科乡试。是科各省考官有孙嘉淦、裘曰修、蔡新、金甡、窦光鼐、张九镒、杨述曾、吴鸿、王显绪等。据法式善《清秘述闻》卷六。所取举人有顾光旭（王昶《甘肃凉庄道署四川按察使司顾君墓志铭》）、陆熠（冯浩《湖南巡抚陆君熠墓志铭》）、周大枢（《国朝诗人征略》初编卷三四）、李祖惠（即沈祖惠，《清秘述闻》卷六）、阮葵生（阮元《刑部侍郎唐山阮公传》）、韩梦周（徐侃《韩理堂先生传》）、吉梦熊（《国朝耆献类征初编》卷九一）等。何忠相再中副榜，据《国朝文汇》乙集卷一九。沈曰霖报罢。据张慧剑《明清江苏文人年表》。

蔡以封中副榜。据朱彭寿《清代人物大事纪年》。四库提要卷一八五：《观光集》五卷，"国朝蔡以封撰。以封字桐川，嘉善人。由优贡生官桐乡训导。是集凡古今体诗八十五首，拟乐府四十六首，皆其监敷文书院，恭逢圣驾南巡，率诸生迎驾时所赋也。"

胡德琳客武林，袁树以诗嘱为点定。临别，胡德琳序袁树诗云："余读其诗，清丽流逸，约数百首。中间所作，与令兄存斋倡和为多。存斋读破万卷，诗文高迈迅厉，率自胸臆流出。盖其雄杰之气，实有高视千古、自成一家者。乃香亭年甫弱冠，竟能起而抗之，此固其天分胜也。然亦幸得放浪吴越间，日从存斋作山中游；且闻起居坐卧，皆有林峦之胜。同时客石城，则有陆甥豫庭。而存斋之门生故旧，亦时时载酒来。盖无日不宴集，无日不赋诗，宜其所作之多且工也。"署"乾隆十七年岁次玄黓涒滩清和月望日，书巢静者胡德琳拜手题于勾留山房"。（袁树著、袁枚编《红豆村人诗稿》卷首）

袁枚北游，过良乡，见旅店题壁诗，风格清美，末署"篁村"二字，心钦迟之，

不知何许人，和韵墨其后。至乾隆三十四年，方知为陶元藻。据袁枚《篁村题壁记》（《小仓山房文集》卷一二）。[按，《随园诗话》卷一所记时间与此不同："壬辰在梁瑶峰方伯署中，晤篁村，方知姓陶，名元藻，会稽诸生也。"]

金农《三体诗》一卷成书。据朱彭寿《清代人物大事纪年》。

蔡元放自序《东周列国志》。序云："《东周列国》一书，稗官之近正者也。周自平辙东移，下逮吕政，上下五百有余年之间，列国数十，变故万端，事绪纷纠，人物庞杂，最为棘目聱牙，其难读更倍于他史。而一变为稗官，则童稚无不可读。夫至童稚皆得读史，岂非大乐极快之事耶？然世之读稗官者甚众，而卒不获读史之益者，何哉？盖稗官不过纪事而已，其有知愚、忠佞、贤奸之行事，与国家之兴废存亡、盛衰成败，虽皆胪列其迹，而与天道之感召，人事之报施，知愚、忠佞、贤奸计言行事之得失，及其所以盛衰成败、废兴存亡之故，固皆未能有所发明；则读者于事之初终原委，方且懵焉昧之，又安望其有益于学问之数哉？夫既无与于学问之数，则读犹不读，是为无益之书，安用灾梨祸枣为！坊友周君，深虑于此，嘱予者屡矣。寅卯之岁，予家居多暇，稍为评骘，条其得失而抉其隐微。虽未必尽全于当日之指，而依理论断，是非既颇不谬于圣人，而亦不致遗嗤于博识之士。聊以豁读者之心目，于史学或亦不无小裨焉。故既为评之，而复序之如此。乾隆十有七年春，七都梦夫蔡元放氏题。"又其《东周列国全志读法》云："《列国志》与别本小说不同。别本多是假话，如《封神》、《水浒》、《西游》等书，全是劈空撰出。即如《三国志》最为近实，亦复有许多做造在于内；《列国志》却不然，有一件说一件，有一句说一句，连记实事也记不了，哪里还有工夫去添造？故读《列国志》，全要把作正史看，莫用小说一例看了。""《列国志》是一部记事之书，却不是叙事之书；便算是叙事之书，却又不是叙事之文。故我之批，亦只是批其事耳，不论文也。非是我不论其文，盖其书本无文章，我不欲以附会成牵强也。"（《东周列国志》卷首）孙楷第《中国通俗小说书目》卷二：《蔡元放评定本东周列国志》二十三卷一百零八回，"存。……星聚堂本。义合斋本。咸丰四年汉口森宝斋砕墨本。清蔡元放评点。此本流传最广，刊本亦极多。卷首蔡序，或题乾隆元年，或题乾隆十七年，或题乾隆丁亥三十二年，殊不一律。元放名昇，号野云主人，江宁人。"

四月

张九镡编《先儒文略》成。据其《先儒文略序例》（《国朝文汇》乙集卷四五）。

晏斯盛卒。据朱彭寿《清代人物大事纪年》。李慈铭《越缦堂读书记·楚蒙山房集》："晏斯盛为江西新喻人，乾隆初官至山东巡抚、户部侍郎。所著有《楚蒙山房易经解》十六卷，收入四库。（《四库书目录》经部易类有晏斯盛《楚蒙山房易经解》十六卷，内为《易学初津》二卷，《易翼宗》六卷，《易翼说》八卷。）哀然巨集，而缪辖扼塞，几于一字不通。颇亦论说理学，有与方灵皋往复书，又为太傅朱文端作墓表，此亦吾服其胆者。中惟《江北水利书》两卷，虽不成文，而有裨实政。"《国朝文汇》甲集卷五二录其《广德州志序》等文三篇。《晚晴簃诗汇》卷六一录其诗一首。

五月

张庚自序《强恕斋诗钞》。署"乾隆壬申夏五，秀水弥伽居士张庚，时年六十有八"。（《强恕斋诗钞》卷首）

严有禧《漱华随笔》四卷成书，陈法序之。据朱彭寿《清代人物大事纪年》。是书本年刊行。据张慧剑《明清江苏文人年表》。

六月

陈兆崙擢侍读学士。据陈玉绳《陈句山先生年谱》。

金志章诗稿不戒于火，悉为灰烬。据《江声草堂诗集》卷首金志章自序。

卢见曾作《刻渔洋山人感旧集序》。署"乾隆壬申夏六月，德州后学卢见曾撰"。（《感旧集》卷首）法式善《陶庐杂录》卷三："王新城尚书《感旧集》十六卷，德州卢见曾所重编，乾隆十七年补刊于扬州者也。作者三百三十三人，诗二千五百七十二首。竹垞序云凡五百余首者，与此不合。此本出宛平黄昆圃侍郎家，为新城晚年更定未成之书耳。其诗多主神韵，宛然一家言。"

夏

袁枚与华阴令姚素山同游华岳。据袁枚《玉井峯莲集序》（《玉井峯莲集》卷首）。

毕沅游京师。史善长《弇山毕公年谱》："春二月就道，夏抵京师，馆族祖给谏谊槐荫书堂。著有《三山揽胜》、《白门访古》、《渡江》、《燕台》诸集。尝赋《病马行》，直隶总督方恪敏公观承、少司空裘文达公曰修一见有国士之目。"

吴树虚序翟灏《无不宜斋未定稿》四卷。署"乾隆壬申夏至后，临江乡人吴树虚序"。（《无不宜斋未定稿》卷首）是书为翟灏乾隆元年至十六年之诗。

七月

纪昀等小集宋蒙泉家，偶谈狐事。与座者聂松言、法南野、田白岩、宋清远各述一事。据《阅微草堂笔记》卷一二《槐西杂志二》。

陈祖范自编诗集。自序署"时乾隆壬申秋七月既望书"。（《司业诗集》卷首）

八月

初七日，盛熙祚卒，年六十七。据盛百二《先府君行述》（《柚堂文存》卷四）。

九月

十一日，厉鹗卒，年六十一。据朱文藻撰、缪荃孙重订《厉樊榭先生年谱》。《樊榭山房文集》八卷、《诗集》十卷、《续集》十卷乾隆四十三年刊行，光绪七年岭南述轩重刊。据《贩书偶记》卷一五。汪沆《樊榭山房文集序》："韩江之雅集，沽上之题襟，虽合群雅之长，而总持风雅，实先生为之倡率也。"（《樊榭山房文集》卷首）查为仁《莲坡诗话》："（厉鹗诗）清微孤峭，于新城、长水外，自树一帜。"沈德潜等《国朝诗别裁集》卷二四："樊榭学问淹洽，尤熟精两宋典实，人无敢难者。而诗品清高，五言在刘眘虚、常建之间。今浙西谈艺家，专以钉饾拆扯为樊榭流派，失樊榭之真矣。"录其《永兴寺二雪堂晓起看绿萼梅是冯具区先生手种》等诗八首。袁枚《随园诗话》卷九："吾乡诗有浙派，好用替代字，盖始于宋人，而成于厉樊榭。"《补遗》卷一〇："吾乡厉太鸿与沈归愚，同在浙江志馆，而诗派不合。余道：厉公七古气弱，非其所长；然近体清妙，至今为浙派者，谁能及之？"吴骞《拜经楼诗话》卷四："数十年来，吾浙称诗，皆推樊榭。然樊榭之作，虽长于用书，慎于选句，终不若渔洋之风华典丽而波澜洪阔，使人读之，皆能称快。"洪亮吉《北江诗话》卷一："近来浙中诗人，皆瓣香厉鹗《樊榭山房集》。然樊榭气局本小，又意取尖新，恐不克为诗坛初祖。"厉志《白华山人诗说》卷二："樊榭老人诗，有精心密虑，结形构巧，此其上者。有工于造句，词清意洁，此其次者。有逞情拈弄，随手付发，此其下者。今人但取其下诵习之，遂沿为风俗，名曰浙派。吾谓能取法其上，更探其渊源所从出，则流为派别，当不至如是而已。"《晚晴簃诗汇》卷六〇录其诗四十五首。《国朝文汇》甲集卷五〇录其《三十六鸥亭记》等文四篇。冯金伯《词苑萃编》卷八《厉太鸿词》引吴允嘉云："厉君太鸿刻意为长短句，拈题选调，与紫山相唱和，数月之间，动成卷帙。声谐律叶，骨秀神闲，当于豪苏腻柳之外，别置一席。至于琢句之隽，选字之新，直与梅溪、草窗争雄长矣。"《樊榭词清空婉约》引《定香亭笔谈》云："厉征君樊榭词，清空婉约，得白石、叔夏正传。建炎湖山之妙，尚可于移宫换羽间得之。"陈廷焯《白雨斋词话》卷四："厉樊榭词，幽香冷艳，如万花谷中，杂以芳兰，在国朝词人中，可谓超然独绝者矣。论者谓其沐浴于白石、梅溪（徐紫珊语），此亦皮相之见。大抵其年、锡鬯、太鸿三人，负其才力，皆欲于宋贤外别开天地，而不知宋贤范围，必不可越。陈、朱固非正声，樊榭亦属别调。""樊榭词拔帜于陈、朱之外，窈曲幽深，自是高境。然其幽深处，在貌而不在骨，绝非从《楚骚》来，故色泽甚饶，而沈厚之味，终不足也。""樊榭措词最雅，学者循是以求深厚，则去姜、史不远矣。"卷六："厉樊榭诸词，造语虽极幽深，而命意未厚，不耐久讽，所以去古人终远。""樊榭词笔幽艳，盖亦知陈、朱之悖乎古，而别出旗鼓以争胜。浅见者遂谓其从《风》、《骚》来，其实不过袭梅溪、梦窗、玉田面目，而运以幽冷之笔耳。然不可谓非作手。""陈、朱词显悖乎《风》、《骚》，樊榭则隐违乎《风》、《骚》，而不知《风》、《骚》门径，必不容与之相背也。"谭献《复堂词话》："太鸿思力，可到清真，苦为玉田所累。填词至太鸿，真可分中仙、梦窗之席。世人争赏其恒钉羸弱之作，所谓微之识碔砆也。《乐府补题》别有怀抱，后来巧构形似之言，渐忘古意。竹垞、樊榭不得辞其过。（《箧中词》）"李慈铭《越缦堂读书记·樊榭山房集》："偶阅《樊榭集》。太鸿学问渊洽，留心金石碑版，尤熟于辽、宋轶事。其诗词皆穷力追新，字必独造，遂开浙西纤哇割缀之习。世之讲求气格者颇诋诼之，以为浙派之坏，实其作俑。然先生取格幽邃，吐词清真，善写林壑难状之境，其佳者直到孟襄阳、柳柳州，次亦不失钱、郎、皇甫。昔人评顾况诗为'翕轻清以为性，结冷汰以为质，煦鲜容以为词'，先生殆可当之。惟七古意务数典，而才力又苦逼窄，未免襞积饾饤，毫无生气。议者举其最弱之体而概其他制，又以学者之不善而集矢先生，诚为过也。""征君词亦精细，苦乏韵致，远不及诗也。"

夏之蓉致仕归里。据《半舫斋编年诗》卷一五《九月出京……》。

秋

恩科会试。考官：内阁大学士陈世倌、礼部侍郎嵩寿、内阁学士邹一桂。题"君子有三畏"一节，"果能此道"一节，"孟子之滕 廧也"。据法式善《清秘述闻》卷六。赵翼（佚名《瓯北先生年谱》）、钱大昕（钱大昕自编、钱庆曾校注《竹汀居士年谱》）、姚鼐（郑福照《姚惜抱先生年谱》）报罢。姚鼐归时，刘大櫆为作《送姚姬传南归序》。

马曰琯、马曰璐、陈章、闵华、楼锜等五人为林屋之游，马曰琯编有《林屋唱酬录》。沈德潜序署"壬申秋日，长洲同学沈德潜撰"。（《林屋唱酬录》卷首）胡玉缙《许顾经籍题跋》卷四："《林屋唱酬录》一卷，祁门马曰琯编，亦纪游之作。其游自扬入吴，如惠山、虎丘、天平、支硎、华山、灵岩、邓尉、天池、石壁、石公、包山、林屋诸胜，初非一处，而总题曰'林屋'，盖以林屋洞为主也。同游者其弟曰璐以外，为陈章、闵华、楼锜，凡五人，得诗五十余首。沈德潜序称其'体格各殊，性情自契，不负斯游'，良非虚语。斯游在乾隆壬申，其先丁巳曾游石公，观沈序自见，故曰琯《石公放舟》诗有'嗟予十载此又到'之句。伍崇曜跋《焦山纪游集》，以为越是游七年，不知是游后于焦山四年也。录中所赋题大略相同，惟《丹阳道中》及《竹坞》之类，或有或无，疑后来有所删削，抑当时不必尽有和诗，俱未可定。此亦粤雅堂本，末附杭世骏所为曰琯传。"

毕沅访舅氏张凤孙于保阳。因凤孙之介，入莲池书院从张叙学。有《莲池吟草》上下卷。据史善长《弇山毕公年谱》。

蔡寅斗卒。寅斗字芳三（一作方三），江阴人。乾隆十二年举人，官国子助教。《国朝诗别裁集》卷二九："方三工古今文及骈丽韵语，闻四方有才人，必远道走访，与之定交，盖以文章友生为性命者也。壬申恩科会试，自经于号舍中，不解其故，人谓之遇祟。文人之厄，一至此耶？"录其《坦坦碕》等诗三首。

十月

初一日，高宗御太和殿，传胪。赐一甲秦大士、范械、卢文弨进士及第，二甲钱载、周天度、吉梦熊、蒋和宁、赵佑、沈作霖、梁同书、秦黉、翁方纲、鞠恺、谢墉、胡德琳、博明、顾光旭等进士出身，三甲李祖惠（即沈祖惠）、黄达、邓梦琴、宦儒章、董元度等同进士出身。据《历科进士题名录》、《清通鉴》。[按，梁同书会试未第，特赐与殿试。据许宗彦《学士梁公家传》（《鉴止水斋集》卷一七）]

胡德琳成进士。德琳字书巢，临桂人，袁枚妹婿。官简州知州。著有《碧腴斋诗存》八卷，袁枚为序刊之。《晚晴簃诗汇》卷八一录其诗四首。

二十五日，沈彤卒，年六十五。据沈廷芳《文孝先生墓志铭》（《隐拙斋集》卷四八）。全祖望《沈果堂墓版文》："义门先生之学，其称高第弟子者，曰陈季方，曰陈少章，年来俱已贡丧，而吴江沈君果堂为之后劲。果堂为人醇笃，尽洗中吴名士之习。读书以穷经为事，贯穿古人之异同，而求其至是。其为文章，不务辞华，独抒心得。顾阔淡自修，世无知之者，而果堂亦不甚求知于世。大科之役，有荐之者，始入京，方侍郎望溪、李侍郎穆堂皆称之，予亦由二公以识君。君生平有所述作，最矜慎，不轻下笔，几几有含毫腐颖之风。予以为非场屋之材，而君果以奏赋至夜半，不及成诗而出。遂南归，兀兀著书。其论文足与二陈称敌手，其穷经则二陈有所不逮也。"（《鲒埼亭集》卷二〇）江藩《国朝汉学师承记》卷二："康熙雍正间，何学士焯以制义倡导学者，四方从游弟子著录者四百余人。弟子中惟陈季方、陈少章及彤最知名。季方工文词，少章精史学，彤独以穷经为事，核先儒之异同而求其是，为文章不贵词藻，抒心自得而已。""彤述作矜慎，不轻意下笔，所著如《尚书小疏》、《春秋左传小疏》，仅有数十则，以视近日士大夫急于成书，蹈卤莽灭裂之讥者，有霄壤之分矣。"李祖陶《国朝文录续编·果亭文录引》："沈果亭先生博通群籍，而好深湛之思。所著《周官禄田考》著录《四库全书》，而学海堂《皇清经解》亦收入，疑其为汉学一派。今读其文集，自谓少从何义门读书者五年，继从张清恪公游，继又质疑于方望溪宗伯。三公皆一代大儒，醇乎其醇者也。果亭皆亲承其音旨，上下其议论，则其学实远有渊源，非他考证家逐末而忘其本者之可比矣。其文虽波澜意度远逊前人，而清迥之思，苍秀之格，竟体无剩言剩字，亦复拔俗千寻。中间如《五沟异同说》推阐曲尽，固足释前人之疑；而《保甲论》一篇重在得贤人以分理，亦足为救时之药，与望溪诸札具见为学功夫；而论墓志铭与行述二书，亦足为载笔家典据；寻淮源而知《水经注》之非，登泰山而见天下之无障碍，身经目验，亦足压倒前人；至为潘稼堂、何义门两状，字字愙实，足为史家张本矣。李安溪论韩文，专取其简质明锐，果亭其庶几乎？特不能如其浑涵汪芒，无所不有耳。"《国朝文汇》乙集卷二录其《游包山记》、《都督洪公祖烈传》文两篇。《晚晴簃诗汇》卷七二录其诗六首。

马荣祖《力本文集》十三卷成书。据朱彭寿《清代人物大事纪年》。是书又名《石莲堂集》，本年刊行。据《贩书偶记》卷一五。

十一月

初十日，蒋知廉（1752—1791）**生**。知廉字用耻、修隅，号隅斋，铅山人，士铨长子。乾隆四十二年拔贡生。乡试屡不录，以誊录劳授州同知，发山东署临清州同知。年四十卒。著有《弗如室诗钞》。事迹见姚鼐《蒋君墓碣》（《惜抱轩文集》卷一一）。［按，生日据朱彭寿《清代人物大事纪年》］

陆培卒，年六十七。据张云锦《文林郎知东流县事南香陆君墓表》（《国朝文汇》乙集卷五五）。《国朝文汇》甲集卷五六录其《汪荆门文集序》文一篇。

十二月

十一日，孙玉庭（1753—1834）**生**。玉庭字佳树，号寄圃，济宁人。乾隆四十年进士，选庶吉士，授检讨。官至体仁阁大学士。著有《宝严堂诗集》四卷。事迹见其自订、子善宝等补订《寄圃老人自记年谱》、《清史列传》本传、《清史稿》本传。

黄叔琳序姚培谦《周甲录》。署"乾隆壬申腊月，北平黄叔琳题，时年八十有一"（《周甲录》卷首）。

冬

吴敬梓序李本宣《玉剑缘》传奇约在此时。据陈美林主编《儒林外史辞典·诗词篇》（南京大学出版社 1994 年）。序云："吾友蘧门所编《玉剑缘》，述杜生、李氏一笑之缘，其间多有间阻，复有铁汉之侠、鲍母之挚、云娘之放，尽态极妍。至《私盟》一出，几乎郑人之音矣。读其词者沁人心脾，不将疑作者为子衿佻达之风乎？然吾友二十年来勤治诸经，羽翼圣学，穿穴百家，方立言以垂于后，岂区区于此剧哉！子云：'悔其少作。'而吾友尚未即悔者，或以偶发于一时，感于一事，劳我精神，不忍散失。若以此想见李子之风流，则不然不然也。全椒吴敬梓敏轩氏书。"（《文木山房集外诗文》）庄一拂《古典戏曲存目汇考》卷一一：《玉剑缘》，"《今乐考证》著录。刻本。《曲考》、《曲海目》、《曲录》并见著录。凡二卷三十六出。见《北平图书馆戏曲展览会目录》"。

本年

张九镒转左庶子，晋少詹事，授河南南汝光道。据张家杙《陶园年谱》。

雷铉迁左副都御史，仍留督学。其冬复任浙江。据彭启丰《通奉大夫都察院左副都御史加二级雷公墓志铭》（《芝庭先生集》卷一三）

沈曰霖应乡试受挫，愤作六等曲，写不同等第秀才生活。曰霖（一作日霖）字骥展，吴江人。著有《小潇湘诗钞》、《纫芳词》、《粤西琐记》、《晋人麈》等。据张慧剑《明清江苏文人年表》。

周大枢以七古赠袁枚。袁枚《随园诗话》卷七："壬申岁，余起病至长安，元木再赠七古。起句云：'忆昔相见长安邸，志气如虹挂千里。狂飞大句风雨来，头没酒杯笑不已。'真乃替余少时写照。"

全祖望主端溪书院。董秉纯《全谢山先生年谱》："三月，东粤制府以端溪书院山长相邀，遂度岭。五月至端州。释奠礼成，祀白沙以下二十有一人，从前未有之典也。有《示诸生》诗。九月，故疾复动，然少间必与诸生讲说学统之流派。考订地望故迹，薄游光孝寺、宝月坛，登阅江楼、七星岩，皆有诗。又为诸生改定课艺百篇刻之。又取博陵尹公所刻《吕语集粹》序而梓之院中，以广其传。而朝夕不倦者则《水经注》，盖已七校矣。"

杭世骏主粤秀书院。《国朝诗人征略》初编卷二四引《听松庐诗话》："乾隆壬申，董浦先生来粤，主讲粤秀书院。甲戌乃北归。先生在粤，与何西池及先外祖耿湘门两先生最称莫逆。""先生在讲院，曾取杜诗全集温诵一过，并加圈点，此本余犹及见之。而先生《岭南集》遂为全集之冠，盖得力于少陵。即此可见天分极高，亦必有藉于学力矣。"袁枚《随园诗话》卷一四:"董浦先生诗,以《岭南集》为生平极盛之作。"录其《题陈元孝遗像》,谓"此种诗,悲凉雄壮,恐又非樊榭、宝意所能矣"。

　　储掌文自蜀归里。据储樵等《先府君云溪公行状》(《云溪文集》附录)。储掌文《自叙》:"比投檄归,则邑中著作手凋落殆尽,以予齿加长且藉草堂余荫也,戚友间不朽之托,諛诔滋多。予亦晚景萧聊,于不相知者时复卖文为活。"(《云溪文集》卷首)

　　沈祖惠登第后,为《四书讲义》,自负理学正宗,复不为时论所重。据严可均《沈屺望传》(《铁桥漫稿》卷七)。

　　戴震注《屈原赋》成。据段玉裁《戴东原先生年谱》。

　　胡季堂《培荫轩诗集》四卷存诗约自本年始。据《培荫轩诗集》卷末其子鏻识语。

　　曹雪芹《石头记》大体毕具,前四十回或已传抄问世。脂砚斋于本年或明年首次评阅,以后乾隆十九年重评,二十一年三评,二十五年四评,二十七年五评。参见周汝昌《红楼梦新证》第七章、第九章。

　　《宛雅》刊行。法式善《陶庐杂录》卷三:"《宛雅初编》,梅鼎祚辑。《二编》施闰章、蔡蓁春续辑。《三编》张汝霖、施念曾补辑。而刻于乾隆十七年,刘方蔼、梅毂成序之,并载梅鼎祚、施闰章、蔡蓁春、李士琪、陆寿名原序于前。初编诗十卷,六百四十六首,唐二人,宋九人,元五十九人,明洪武至正德二十一人。二编诗八卷,四百五十一首,明嘉靖十二人,隆、万四十三人,天、崇十八人。三编诗二十卷,一千四百一首,唐三人,五代一人,宋三人,元五人,明三十人,国朝二百十五人,闺阁四人,方外十七人,伎女一人。联句逸句一卷。诗话三卷。"

　　冯元正编《和声唱和诗》刊行。凡徐中道《江草集》、钱元昌《不虚斋诗》、徐观文《芸斋诗钞》、张霭《曙春诗草》、冯存《慕闲诗草》、朱韦益《金愚诗草》、陈绍观《其生诗草》、徐藻《鉴斋诗草》、吴越望《师范诗草》、徐兰《荪香诗草》、冯来霈《刘云诗草》、冯元正《牧余诗草》,各一卷。据《中国丛书综录》。

　　顾邦英编《海沱集》刊行。法式善《陶庐杂录》卷三:"《海沱集》无卷数,顾邦英选定,刻于乾隆十七年。前有陈士璠、李锴、喻世钦序及邦英自序。而汪松、顾邦英、甘运源、王麟书、甘运瀚五人之诗也,虽偶然乘兴为之,不足觇作者蕴蓄,然时见一斑矣。"

　　闵崋《澄秋阁初集》四卷、《二集》四卷、《三集》四卷刊行。据《贩书偶记》卷一五。闵崋字玉井,号廉风,江都人。《晚晴簃诗汇》卷七八:"廉风诗敩晚唐。沈南野称其佳句,如《孔北海祠》云:'要为鲁国奇才子,不比杨家最小儿。'《谢太傅祠》云:'且喜生儿能破敌,不妨长日但围棋。'则已骎骎入宋矣。"录其诗四首。

　　何梦瑶《菊芳园诗钞》八卷乐只堂刊行。据《贩书偶记续编》卷一五。

　　劳嶻《半庵诗稿》二卷怡怡堂刊行。又有五卷本本年怡怡堂刊行。据《贩书偶记续编》卷一五。四库提要卷一八三:《半庵诗稿》无卷数,"国朝劳嶻撰。嶻字贞著,阳信人。《山左诗钞》作劳砺,其字从石。然此本为其家刻,字皆从山,则《山左诗钞》误也。嶻年五十四为诗,故工候未深,多不入律。高适旷代之才,固不容于有二矣。"

　　徐德音(女)《绿净轩续集》一卷刊行。据《贩书偶记》卷一八。袁枚《随园诗

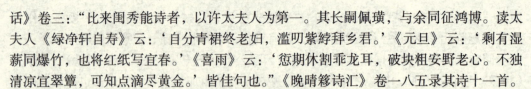

话》卷三："比来闺秀能诗者，以许太夫人为第一。其长嗣佩璜，与余同征鸿博。读太夫人《绿净轩自寿》云：'自分青裙终老妇，滥叨紫绶拜乡君。'《元旦》云：'剩有湿薪同爆竹，也将红纸写宜春。'《喜雨》云：'愆期休割乖龙耳，破块粗安野老心。不独清凉宜翠簟，可知点滴尽黄金。'皆佳句也。"《晚晴簃诗汇》卷一八五录其诗十一首。

徐岳《见闻录》四卷大德堂刊行。四库提要卷一四四：《见闻录》一卷，"国朝徐岳撰。岳字季方，嘉善人。是编皆记怪异之事，亦《夷坚》、《睽车》之流。"

吴震生《太平乐府》十二种刊行。十二种为：《换身荣》、《天降福》、《世外欢》、《秦州乐》、《成双谱》、《乐安春》、《生平足》、《万年希》、《闹华州》、《临壕喜》、《人难赛》、《三多全》。稍后，又补入康熙六十一年所作《地行仙》，仍称《太平乐府》，又称《玉勾十三种》，重刻行世。据邓长风《明清戏曲家考略·＜笠阁批评旧戏目＞的文献价值及其作者吴震生》。

孔广森（1752—1786）生。广森字众仲、㧑约，号㙰轩，曲阜人，孔子六十八代孙。乾隆三十三年举人。三十六年成进士，选庶吉士，散馆授检讨。告养归，不复出。著有《仪郑堂文集》二卷、《仪郑堂骈俪文》三卷等。事迹见阮元《孔广森传》（《碑传集》卷一三四）、汪喜孙《孔检讨广森家传》（《尚友记》卷二）、江藩《国朝汉学师承记》卷六、《清史列传》本传、《清史稿》本传。

王灼（1752—1819）生。灼字明甫、悔生，号滨麓、晴园，桐城人。少师刘大櫆。尝馆于歙，与金榜、程瑶田及张惠言诸人相友善。乾隆五十一年举人，选东流教谕，主祁门东山书院。著有《悔生文钞》八卷、《诗钞》六卷，辑有《枞阳诗选》二十卷、《今体诗选补》四卷。事迹见马其昶《刘海峰先生传》附（《广清碑传集》卷八）、《清史列传》刘大櫆传附、《清史稿》刘大櫆传附。

翟翚（1752—1792）生。翚字仪仲，泾县人。诸生。著有《声调谱拾遗》一卷。事迹见包世臣《翟秀才传》（《艺舟双楫》论文四）。

江德量（1752—1793）生。德量字成嘉、秋史，号量殊，仪征人。乾隆四十五年进士，授翰林院编修。改御史，历掌浙江、江西道。著有《古泉志》三十卷。事迹见江藩《国朝汉学师承记》卷七、《清史列传》汪中传附、《清史稿》汪中传附。

俞蛟（1752—1811 后）生。蛟字清源（一作青原），号梦厂居士，山阴人。足迹几遍天下，久为幕僚和佐杂小吏。尝官广东齐昌尉。工诗善画。著有《梦厂杂著》十卷。事迹见《梦厂杂著》自序、姚兴泉序、孙鉴序。〔按，俞蛟之生年，据孙鉴序署"嘉庆十六年辛未阳月"及序文中"今年皆六十"推知，当为本年。然据孙序"忆岁甲申，始识梦厂于里门"，"余与梦厂以四十年相知之雅，今年皆六十"云云，则作序时间当为嘉庆九年，俞蛟生年亦当为乾隆九年。姑定其生于本年〕

顾成天卒，年八十二。据张慧剑《明清江苏文人年表》。所著《离骚解》一卷、《楚辞九歌解》一卷、《读骚别论》一卷、《金管集》一卷、《花语山房诗文小钞》一卷附《三重赋》一卷《燕京赋》一卷，四库提要著录。《晚晴簃诗汇》卷五九录其诗五首。

张谦宜约卒于本年前后，年七十余。据谢巍《中国历代人物年谱考录》。四库提要卷一八四：《茧斋诗选》二卷，"国朝张谦宜撰。谦宜号稚松，胶州人。康熙丙戌进士。是集末有法辉祖跋，谓全稿三千余首，暮年自订，存诗四百余篇。自序凡千言，极述其苦吟之状。然其诗出入于香山、剑南之间，一吟一咏，亦足自娱。起而抗衡古人，则力尚不逮也。"［按，张谦宜为康熙壬辰进士，四库提要误作丙戌进士］《茧斋诗谈》八卷《论文》六卷附《茧斋诗选》二卷《补遗》一卷乾隆二十三年刊行，又名《家学堂遗书二种》。据《贩书偶记》卷二〇。《晚晴簃诗汇》卷五七录其诗七首。

公元 1753 年（乾隆十八年　癸酉）

正月

十七日，法式善（1753—1813）**生**。法式善原名运昌，字开文，号时帆、梧门，蒙古正黄旗人。乾隆四十四年举人。明年成进士，改庶吉士，授检讨。历官国子监司业、侍读学士、工部员外郎、国子监祭酒、侍讲学士。乞病归。居处乃明李东阳旧址。构诗龛及梧门书屋，得海内名流咏赠，即投诗龛中。主盟坛坫三十年，论者谓接迹西涯无愧色。著有《清秘述闻》、《陶庐杂录》、《槐厅载笔》、《存素堂集》。事迹见阮元《梧门先生年谱》、《清史列传》本传、《清史稿》本传。

韩锡胙《渔村记》传奇成书。托名河干妙有山人，有上元夜自序。时在禹城知县任上。据刘耀东《韩湘岩先生年谱》卷上。后乾隆三十二年，锡胙又为序云："《渔村记》传奇者，妙有山人游戏之笔也。其书传慕孝子庐墓思亲，感动神祇，遣淑女为配，教以黄白丹灶之术，卒能脱胎遐举。其事为寓言，未可知其意。以为天上无不忠不孝之神仙，故铺张扬厉，备陈天人感应之理，欲人知反本追远，无愧人子耳。然其大要指归，又若为摄生者扫陈言而轨于正，于进退刑德三致意焉。"署"乾隆三十二年小春朔，湘岩韩锡胙书于枫桥舟次"。庄一拂《古典戏曲存目汇考》卷一二：《渔村记》，"此戏未见著录。妙有山房刊本。凡十三出。演元孝子慕蒙事。前半似董永遇仙，后半似范希文义田，两相牵合而成。"

郑燮以请赈忤大吏，乞疾归。叶衍兰等《清代学者像传》第一集第二册："以岁饥，为民请赈，忤大吏，遂乞病归。去官日，百姓痛哭遮留，家家画像以祀。"郑燮《罢官作》二首："老困乌纱十二年，游鱼此日纵深渊。春风荡荡春城阔，闲逐儿童放纸鸢。""买山无力买船居，多载芳醪少载书。夜半酒醒江月上，美人纤手炙鲈鱼。"跋云："乾隆癸酉太簇之月，板桥郑燮罢官作二首。"（《郑板桥全集·板桥集外诗文》）《予告归里，画竹别潍县绅士民》："乌纱掷去不为官，囊橐萧萧两袖寒。写取一枝清瘦竹，秋风江上作渔竿。"归至扬州，有《初返扬州画竹第一幅》："二十年前载酒瓶，春风倚醉竹西亭。而今再种扬州竹，依旧淮南一片青。"（《郑板桥全集·板桥集》）

二月

十五日，杨凤苞（1753—1816）**生**。凤苞字傅九，号秋室、黄泲，归安人。诸生。阮元编《经籍纂诂》，凤苞与焉。熟明季事，尝为《南疆逸史跋》十二篇，传于时。晚馆郡城陈氏，其书室为郑元庆鱼计亭，人以为元庆复生云。著有《秋室集》十卷、《秋室遗文》一卷、《秋室诗录》二卷。事迹见许宗彦《三文学合传》（《鉴止水斋集》卷一七）、《清史列传》张鉴传附、《清史稿》张鉴传附。［按，生卒时间据朱彭寿《清代

人物大事纪年》]

春

卢见曾始辑《国朝山左诗钞》。《雅雨堂文集》卷四《征选山左诗启》署"乾隆癸酉春谨启"。

五月

初四日，谢振定（1753—1809）生。振定字一斋，号芍泉，湘乡人。乾隆四十二年举人，四十五年成进士，寻以丁忧归。五十二年授编修。历官江南道监察御史、兵科给事中。以毁和珅妾弟所乘违制之车罢职。嘉庆五年，起授礼部主事，后迁员外郎。著有《知耻斋文集》二卷、《诗集》六卷。事迹见秦瀛《礼部员外郎前监察御史谢君墓志铭》（《小岘山人续文集》卷二）、吴云《礼部员外郎江南道监察御史谢公墓表》、张士元《湘乡谢公述》（《碑传集》卷五七）、《清史列传》钱沣传附、《清史稿》曹锡宝传附。

十一日，刘廷楠（1753—1820）生。廷楠字让木，号云冈，献县人。乾隆五十二年进士。历官广东信宜、河源、揭阳、南海知县，嘉应、廉州知州。著有《偶一草》，身后散佚。今存者《景廉堂偶一草拾遗》二卷。事迹见曾国藩《广东嘉应州知州刘君事状》（《曾文正公文集》卷二）、徐青《景廉堂年谱》。

周长发、潘筠轩同饮随园。据袁枚《随园诗话》卷九。

戴震《毛诗补传》成书。自序见《戴震集》上编《文集》卷一〇。

郑方坤作《癸酉夏五之吉六女随婿南旋诗以送之》。见《蔗尾诗集》卷一四《诗话轩稿》。此为《蔗尾诗集》直接标明年份之最晚诗作。四库提要卷一八五：《蔗尾诗集》十五卷《文集》二卷，"国朝郑方坤撰。方坤有《经稗》，已著录。方坤天分既高，记诵尤广。故其诗下笔不休，有凌厉一切之意，尤力攻严羽《沧浪诗话》'诗不关学'之非。然于涩字险韵，恒数十迭，虽间见层出，波澜不穷，要亦不免于炫博。此又以学富失之，所谓矫枉者必过直也。其诗凡分十五集：曰《删余草》，曰《公车草》，曰《木石居草》，曰《公车后草》，曰《木石居后草》，曰《丁年小草》，曰《丛台稿》，曰《春明草》，曰《广川稿》，曰《酒市稿》，曰《一粟斋稿》，曰《瓶花斋稿》，曰《杞菊轩稿》，曰《诗话轩稿》，皆古今体诗；曰《青衫词》，则诗余附录者也。文集二卷，亦大抵俪体居多，盖其根柢在六朝也。"[按，《蔗尾诗集》各集当为随作随刊。卷首有乾隆元年张振义序、杭世骏序，十八年金德瑛序，十一年傅王露序、吴文焕序等] 法式善《梧门诗话》卷四："（方坤）议论雅正，诗境独开生面，不为'闽中十子'所囿。"《晚晴簃诗汇》卷六五录其诗三首。

六月

丁文彬逆词案发，九月止。据《清代文字狱档》。

陈兆崙擢太仆寺卿。据陈玉绳《陈句山先生年谱》。

七月

禁译《水浒》、《西厢记》。据《大清高宗纯皇帝实录》卷四四三。

朱筠以事至顺天府署，视元明诸碑，作《视顺天府署诸碑记》。据罗继祖《朱笥河先生年谱》。

全祖望自粤归。董秉纯《全谢山先生年谱》："病日甚，决意辞归。而大吏及诸生尚苦留不已。新会令张惕庵曰：'先生必不死，以生平所蕴尚未尽暴于世也。'于是复留数月。访肇庆故宫、天湖、庆云寺，登白沙冈，访桃榔亭，皆有诗。又过□川访海月先生故居，至江门谒陈文恭公祠，访其服玩遗器，各赋诗一首。至七月乃归家养疴。犹以《水经注》未卒业，时时检阅。而刻于粤中之诗曰《度岭集》。"

袁枚作《随园后记》。见《小仓山房文集》卷一二。

沈德潜编《七子诗选》成，本年刊行。凡王鸣盛《耕养斋集》、吴泰来《砚山堂集》、王昶《履二斋集》、黄文莲《听雨楼集》、赵文哲《媜雅堂集》、钱大昕《辛楣吟稿》、曹仁虎《宛委山房集》，各二卷。据《中国丛书综录》、朱彭寿《清代人物大事纪年》。江藩《国朝汉学师承记》卷四："流传日本大学，头默真迦见而心折，附番舶上书于沈德潜，又每人各寄《相忆诗》一首，一时传为艺林盛事。"朱庭珍《筱园诗话》卷二："归愚所定吴门七子，惟曹来殷、王兰泉二人后有进境。赵损之笔颇健，惜早死。余俱平平无奇矣。"杨锺羲《雪桥诗话三集》卷七："王西沚谓吴中七子，当以损之为第一。企晋逊其遒，琴德逊其雄，来殷逊其清快。而洪北江极不谓然。"

九月

初二日，孙星衍（1753—1818）生。星衍字伯渊，号渊如，阳湖人。乾隆五十二年一甲进士，授编修。改刑部主事，出为山东兖沂曹济道。嘉庆四年，丁母忧归，浙抚阮元聘主诂经精舍。服阕入都，仍发山东。十年，补督粮道。十二年，权布政使。十六年，引疾归。主扬州安定书院、绍兴戢山书院。著有《孙渊如诗文集》等。事迹见阮元《山东粮道渊如孙君传》（《揅经室二集》卷三）、汪喜孙《孙粮储星衍家传》（《尚友记》卷一）、张绍南《孙渊如先生年谱》、《清史列传》本传、《清史稿》本传。

初八日，唐仲冕（1753—1827）生。仲冕字六枳，号陶山，善化人。乾隆五十八年进士。官至陕西布政使，权巡抚。著有《陶山文录》十卷、《露蝉吟词钞》一卷、《续钞》一卷、《红梨花馆词》二卷。事迹见英和《诰授通奉大夫护理陕西巡抚陕西布政使司布政使唐公神道碑铭》（《续碑传集》卷二一）、陶澍《护理陕西巡抚陕西布政使司布政使陶山唐公墓志铭》（《陶文毅公全集》卷四五）、《国朝诗人征略》二编卷四八。

十六日，朱彬（1753—1834）生。彬字武曹、郁甫，宝应人。乾隆六十年举人。官至内阁学士兼礼部侍郎。著有《经传考证》八卷、《礼记训纂》四十九卷、《游道堂诗文集》四卷。事迹见朱为弼《赠吏部尚书郁甫朱公墓志铭》（《碑传集补》卷三九）、

《清史列传》本传、《清史稿》刘台拱传附。

十九日，王采薇（1753—1776）**生**。采薇字玉瑛，武进人，孙星衍室。著有《长离阁集》一卷。事迹见王光燮《亡女采薇小传》、孙星衍《诰赠夫人亡妻王氏事状》、袁枚《孙薇隐妻王孺人墓志铭》（《长离阁集》卷首）。

陈兆崙充《续文献通考》馆总裁。据陈玉绳《陈句山先生年谱》。

秋

乡试。是科各省考官有孙嘉淦、梦麟、王太岳、董邦达、戈涛、裘曰修、刘星炜、林明伦、金甡、张映辰、图辚布、刘墉、谢溶生等。据法式善《清秘述闻》卷六。所取举人有朱筠（孙星衍《朱先生筠行状》）、康基田（《茂园自撰年谱》）、王嘉曾（许巽行《诰授奉政大夫文渊阁校理翰林院编修加五级王公墓志铭》）、沈业富（阮元《翰林编修河东盐运使司沈公既堂墓志铭》）、朱休度（钱仪吉《朱休度事状》）、王昶（严荣《述庵先生年谱》）、毕沅（史善长《弇山毕公年谱》）、翟灏（梁同书《翟晴江先生传》）、卢镐（《湖海诗传》卷一五）、夏秉衡（乾隆《蒲城县志》卷六）、纪淑曾（《晚晴簃诗汇》卷八四）等。

王昶乡试前馆于朱昂疏雨楼。在金陵与陶湘、严长明、程晋芳定交。据严荣《述庵先生年谱》。

十月

刘震宇《治平新策》案发，十二月止。据《清代文字狱档》。

沈德潜选刻紫阳书院课艺告成，弟子潘森千刻其《杜诗偶评》亦成。据《沈归愚自订年谱》。

十一月

王昶由镇江、扬州至如皋，游水绘园，吊冒辟疆遗迹。据严荣《述庵先生年谱》。

董潮自序《东皋杂钞》三卷。序云："槐花黄后，故我依然。日坐小窗下，觉茶香帘影，致有一段幽寂趣。读书偶得，随事记录，并及耳目所见闻者，久而成帙，因取古人临东皋以舒啸意，名曰《东皋杂钞》。非敢云穷愁著书，聊借笔墨舒写已耳。至于备一朝之典故，擅数语之剪裁，则诚有愧昔人云。癸酉冬十一月望后书，东亭潮序。"（《东皋杂钞》卷首）

李百川就医扬州，旅邸无聊，始作《绿野仙踪》，成三十回。据《绿野仙踪》钞本（百回本）自序。

如莲居士自序《异说反唐演义传》。署"乾隆癸酉仲冬之月，如莲居士题于似山居中"。孙楷第《中国通俗小说书目》卷二：《异说反唐演义传》（一名《武则天改唐演义》。嘉庆丙子本改题《异说南唐演义》。后来坊本又有题《大唐中兴演义传》者），"存。瑞文堂刊大字本。板心上题《反唐全传》。一百四十回。嘉庆丙子重刊本，十卷一百回，系节本。……清无名氏撰。题'姑苏如莲居士编辑'。首乾隆癸酉（十八年）如莲居士序。演薛刚、薛强事，以睿宗复辟结。"

十二月

初六日，孙嘉淦卒，年七十一。据彭绍升《故光禄大夫吏部尚书协办大学士孙文定公事状》（《二林居集》卷一七）。李祖陶《国朝文录·孙文定公文录引》："朱文端公集有杂文无奏疏，孙文定公集有奏疏无杂文，予读之皆不能满意。然文端之杂文醇，说《礼》皆可为典据；文定之奏疏畅，论事尤大有风裁。《三习一弊疏》为从古名臣讲格心之学者之所未到，当为我朝第一篇大文。其他请开酒禁，为经生家之所不知；请定大学规模，为八股先生之所莫辨；以及论耗羡归公之须防流弊，论旗圈民房之不可增租，论赎八旗公产之不可画为一法，皆烛之如镜，理之如梳。曾子固谓明足以周万事之理，道足以适天下之用，智足以知难言之意，文足以发难显之情者，文定公实不愧焉。"《国朝文汇》甲集卷四七录其《袁袁山未优轩遗诗序》、《南游记》文两篇。

初十日，杨椿卒，年七十八。据齐召南《日讲官起居注翰林院侍讲学士杨公墓志铭》（《宝纶堂文钞》卷八）。《墓志铭》云："生平无他嗜好，惟以经术、史才为文章自娱。临川李公穆堂、桐城方公望溪于人罕推服，独推服公。一云文惟其是，似韩子；一云得太史公之神，似欧阳。士林奉为定论。"《孟邻堂文钞》十六卷嘉庆二十四年杨鲁生刊行。张舜徽《清人文集别录》卷四"《孟邻堂文钞》十六卷"："（召南）又称其自删订《孟邻堂集》为二十六卷、别集六卷，则今本十六卷，由其曾孙鲁生所校刊，而题曰《文钞》者，盖由选辑而成，非全帙也。"朱珪《孟邻堂文钞序》："珪乃得尽读先生之文，见其与馆阁诸公辩论史志，侃侃不阿；与齐次风先生论《周礼》，贯串精核；及经考史论数十篇，皆卓然蜂涌正出，非本原深厚，乌能亹亹泪泪沛乎若决江河而东注也；《惠帝论》言宦寺之既，《易储论》辨忠愍之不谏，尤具知人论世之识，可为作史者法；其他旌淑阐幽之作，皆征实可传。然则先生之学，其不愧古之立言者欤？岂徒以鞶帨虫篆之词，为世禅雕龙者夸其焜耀哉！"（《知足斋文集》卷一）赵怀玉《孟邻堂文钞序》："吾郡之以古文名者，自唐襄文后，如邵子湘、董文友诸君，继起不乏。而近时耳熟而心仪，尤在农先先生与蒋东委先生。""邵、董规仿古人，或未尽离窠臼；先生则空所依傍，辞必己出。蒋氏虽治《孟子》，但取其法度周密；先生治经，则必究其是非得失，岂不卓然为吾郡之文之冠哉！"（《国朝文汇》乙集卷四七）李慈铭《越缦堂读书记·孟邻堂文钞》："前有朱石君太傅、赵味辛郡丞两序，凡十六卷。学士颇以古文史学名，其文平正而乏剪裁，论明史事殊有深识。卷五至卷十序说，考辨书论，皆言经义，如《说卦考》、《伏书孔书篇数考》、《盘庚考》、《武成考》、《伏书非口授辨》、《汉儒不见古文尚书辨》、《郑声淫说》等作皆有卓见。其时汉学诸儒未出，即百诗阎氏之书亦似未见，而所说多与阎、惠、江、王诸家暗合。其论九族，虽异先儒，亦为近理。其论服制、丧主诸书，皆有可取。惟以《孝经》为汉、晋诸儒所缀辑，条驳其谬；以《周礼》为文种、吴起、李悝、申不害之徒所增窜，有与齐次风书十二首，皆各举一事推论其非；以《仪礼》为鲁臣臧文仲、季文子等所为；以《诗》

为无风雅、正变之分；以《关雎》、《鹊巢》、《采蘋》为皆求贤人之诗：则皆不根之言矣。"《国朝文汇》甲集卷四九录其《明惠帝论》等文三篇。

十八日，杨芳灿（1754—1816）**生。**芳灿字才叔、香叔，号蓉裳，金匮人。乾隆四十二年拔贡生。廷试得知县，补甘肃之伏羌。值回民田五起事，平之。擢知灵州。顾不乐外史，入赀为户部员外郎。旋丁母忧，贫甚，鬻书以归。著有《芙蓉山馆全集》二十卷附录一卷、《罗襦记》传奇。事迹见其自订、余一鳌补订《杨蓉裳先生年谱》、《无锡金匮县宦望志传》本传、陈文述《皇清诰授奉直大夫户部广东司员外郎充会典馆总纂修官蓉裳杨公传》、姚椿《诰授奉直大夫户部广东司员外郎杨公墓表》（《年谱》卷首）、陈用光《杨蓉裳墓志铭》（《太乙舟文集》卷八）、赵怀玉《户部广东司员外郎前甘肃灵州知州杨君墓志铭》（《亦有生斋集》文卷一八）、《清史列传》本传、《清史稿》邵齐焘传附。

下浣，董榕序唐英《佣中人》杂剧。署"时乾隆癸酉嘉平下浣，渔山董榕题于清晖楼"。序云："余尝观甲申殉难中，有菜佣其人。为之肃然起敬，怆然流涕，念其人与范吴桥以下诸公一同殉节而更见其难。盖吴桥诸公，大人也；菜佣，小人也。以小人而立大人之节，斯乃不愧为人。每思歌之咏之，播之管弦，奏之邦国乡社，以告世人。而自惭拙陋，词不达意。今读古柏先生《佣中人》传奇，乃为之拍案叫绝，畅然而无遗憾也。其文笔之玅，抑扬顿挫，炕忾激昂，愈跌愈醒，愈宕愈快，使明季顶弁拖绅、累累若若之辈无地可容。诚足以诛奸腴于既死，发潜德之幽光，与六一居士《冯道传》后举一嫠妇以愧之者正同。文如太史公叙高渐离事，如闻悲哀击筑之音。夫高渐离固为人佣保者，今此佣得此文，堪与击筑者并传不朽矣。佣之姓名，篇中从谷氏《纪事本末》作汤之琼，而横云山人《史稿》则载汤文琼事，未知为一人否？要如左氏称介子推，龙门则称子推。其人之奇，与文之奇，固皆同也。"（《中国古典戏曲序跋汇编》补遗）庄一拂《古典戏曲存目汇考》卷八：《佣中人》，"此戏未见著录。《古柏堂五种》刊本。一折。"

王昶至江阴谒学政梦麟。梦麟出《午塘集》嘱序，且询吴下诸文士。昶以吴泰来、赵文哲、张熙纯、严长明告焉。又访翁照，照时年七十余。据严荣《述庵先生年谱》。

冬

傅王露序沈德潜《矢音集》四卷。署"乾隆癸酉冬月，玉笥傅王露题"。是书为沈德潜恭和诗，本年刊行。据《中国丛书综录》。

卢见曾复任两淮盐运使。据卢文弨《故两淮都转盐运使雅雨卢公墓志铭》（《碑传集补》卷一七）、钱陈群《诰授文林郎翰林院编修迪甫蒋君墓志铭》（《香树斋文集》卷二五）。袁枚《随园诗话》卷六："卢抱孙先生转运扬州，名流毕集，极东南坛坫之盛。"

蒋恭棐应卢见曾聘，主扬州安定书院。据钱陈群《诰授文林郎翰林院编修迪甫蒋君墓志铭》（《香树斋文集》卷二五）。［按，此事或在明年年初］

王昶刻《郑学斋集》。据严荣《述庵先生年谱》。

本年

洪亮吉在外家塾从恽铭受《孟子》，时年八岁。据吕培等《洪北江先生年谱》。

胡天游赴河间修《河间县志》。十一月赴山西蒲州周公署。据胡元琢《先考稚威府君年谱纪略》。

邵齐焘自翰林院罢归，时年三十六岁。据郑虎文《敕授儒林郎翰林院编修加一级邵公墓志铭》（《玉芝堂文集》卷首）。

本年或去年，吴敬梓作《金陵景物图诗》。见《吴敬梓诗文集·文木山房集外诗文》）。

何晫得读帅念祖官陕西时自编《树人堂诗》七卷，遂序之。据《树人堂诗》卷首何晫序。四库提要卷一八五：《树人堂诗》七卷，"国朝帅念祖撰。念祖字宗德，号兰皋，奉新人。雍正癸卯进士。官至陕西布政使，缘事谪戍军台，没于塞外。是集前有何序，称念祖塞上所作，有《多博吟》，今未见。此七卷则念祖官陕西时所自编也。念祖以时文鸣一时，务以幽渺之思，摆脱陈因。其诗亦清刻不俗。但平生精力尽于八比，徒以余力为之，未能自成一队耳。"〔按，序实为何晫所作，四库提要误作何焯。又，光绪奉新帅氏绿窗刻帅氏清芬集本《树人堂诗》七卷、《多博吟》一卷、《搜遗》一卷，卷末帅之宪跋亦误以原序为"何君义门"所作〕

符曾《春凫小稿》十二卷编年起乾隆七年讫本年。据《贩书偶记》卷一四。全祖望《春凫集序》："吾友钱唐符君药林，浙中诗人所称七子者也。其《西湖纪事诗》久行于世，至是次其宦游以后诸作，题之曰《春凫小稿》，而问序于予。""乃药林之言诗，则与予同，其生平嗜好寝食于白石，而惜其所作之不尽传。今观药林集中诗，当其至处，几几欲登白石之堂而夺其席也。药林初以大廷尉休宁汪公之荐，观政户部，沈滞数年，乃有监仓之任，得以廪粮所余，迎养两尊人于京邸，未期年而遭丁内艰，贫不能扶榇以归，可谓穷矣。而其诗之春容驷宏，超然自得，绝不为境所束，是岂可以近世诗人目之欤？"（《鲒埼亭集外编》卷二六）

永恩《敬谨斋初稿》六卷成书。《钦定八旗通志》卷一二〇：《友竹轩遗稿》一卷、《敬谨斋初稿》六卷、《兰亭诗余》一卷、《鹤唳长吟》一卷，"是编惟友竹轩诗文六首为康修亲王崇安遗稿，其余八卷则皆其子礼亲王永恩所撰也。""书成于乾隆十八年。"

曹锡黼所作各杂剧已有成稿。施润《桃花吟序》："忆癸酉、甲戌间，同居日下。余二人赏奇析疑，意极相得。……故所撰述，余见什之九。《桃花吟》、《四色石》，亦曾属余为周郎之顾，而余谢不敏者。呜呼！今菽圃墓草宿矣。难弟北枢循南，率令子匡来辈，孝友之思，不忘手泽，将辑其诗、古文、说部、杂识以行世。余方幸菽圃怀才好学，不能天假之年者，将藉翰墨以垂不朽名。而不意此词余二种，已先镌之枣梨，并且演之傀儡也。兹余久客倦归，得逢妙舞清歌，为移情者久，乃取原稿一再吟讽，见《桃花吟》一折，与玉茗堂《四梦》同工；而《四色石》慷慨淋漓，各尽其致，则徐文长之《四声猿》可以颉颃。由此鼓吹词林，流传艺苑，洵亦慧业中不朽者。"署"乾隆戊寅初冬，秋水施润题"。叶承《桃花吟序》："则若门罗雀网，戏场即在名场；

面映桃花，薄命可能续命。春怜三月雨，犹羡双鸳合镜之缘；神助一帆风，徒惊孤鹜落霞之句。歌传同谷，悲拾橡之少陵；会记兰亭，仰流觞之内史。名犹不幸之幸，事皆无奇之奇。呜呼！大造愚人，化工侮世。凡波逝者，雪真见睨而消；苟有情人，剑且倚天而叩。此菽圃曹太常《桃花吟》、《四色石》传奇所由作也。"署"乾隆景子鞠月朔日，芝泾弟叶承子敬拜题"。叶凤毛《桃花吟序》："曹太常诞文多文才艺，生平所著诗文俱流播人间。尝于酒酣谈笑之倾，辄为传奇曰《桃花吟》、《四色石》，虽短篇小构，亦足见其才气之奔逸，辞采之渊茂，寄兴之微远，殆老手专家无以过之。其词既工，其声既谐。有为付之管弦，傅粉墨，登氍毹，当必能动人，而尽优人之技者矣。何疑于不传乎？"署"清敫道人叶凤毛陇亩氏题"。（《中国古典戏曲序跋汇编》卷八）：《四色石》（《雀罗庭》、《曲水宴》、《滕王阁》、《同谷歌》）和《桃花吟》有乾隆戊寅颐情阁原刊本、《清人杂剧初集》本。据庄一拂《古典戏曲存目汇考》卷八。

唐英《虞兮梦》有成稿。据张慧剑《明清江苏文人年表》。庄一拂《古典戏曲存目汇考》卷八：《虞兮梦》，"《今乐考证》著录。《古柏堂传奇》刊本。《曲录》亦著录，列入传奇，误。剧计四折。"

金德瑛选、沈澜编《西江风雅》十二卷刊行。据《贩书偶记续编》卷一九。法式善《陶庐杂录》卷三："《西江风雅》十二卷，乌程沈澜编。澜号柏村，以骚坛耆宿自期许。官江右时辑此书。仁和金侍郎德瑛视学江右，称之。刻于乾隆十八年。前有华亭王兴吾、仁和汤聘二序。采录起雍正癸卯迄乾隆癸酉二十年之诗。虽未该备，而于乾隆初年西江名作，网罗殆尽，去取颇有别裁。"［按，沈澜，雍正十一年进士。袁枚《随园诗话》卷一三："湖州进士沈澜，字惟涓，诗近皮、陆，人多轻之。然典雅处，不可磨灭。"］

程之鵕《练江诗钞》八卷刊行。据《贩书偶记》卷一五。之鵕字羽宸、采山，歙县人。贡生。《晚晴簃诗汇》卷八六录其诗三首。

田榕《碧山堂诗钞》十六卷、《黔苗竹枝词》一卷刊行。据《贩书偶记》卷一五。

郭起元自序诗文集。《介石堂诗集》十卷、《介石堂古文》十卷卷首自序皆署"乾隆丙寅晋安郭起元自序"。起元字复堂，闽县人。历官盱眙知县、泗州知州、宿虹同知。事迹见《清史列传》本传。袁枚《随园诗话》卷一二："郭明府起元，字复堂，闽中孝廉，受业于蔡闻之宗伯。蔡为理学名儒，而郭以任侠闻。蔡有家难，郭为证佐，至受官刑，交臂历指，口无二辞。后宰盱眙，与余同官。有《客中秋思》一绝云：'销魂何处盼仙槎？客鬓逢秋白更加。遥指断桥垂柳岸，前年曾宿那人家。'《赠方南堂》云：'一瓢自可轻千乘，三径还堪抵十洲。'《比舍》云：'薰衣香出红窗外，斗草声喧绿树边。'"《国朝文汇》甲集卷六〇录其《东汉论》等文七篇。

李继圣《寻古斋文集》四卷、《诗集》二卷乾隆十八年刊行。

施安《旧雨斋诗集》八卷刊行。据《贩书偶记》卷一五。

戴祖启《师华山房文集》四卷附存一卷末一卷刊行。又，《师华山房文集》五卷末一卷嘉庆十年冬刊行。据《贩书偶记续编》卷一五。

黄子云《长吟阁诗集》刊行。据《贩书偶记》卷一五。徐传诗《星湄诗话》卷下："《长吟阁集》五言律名句最多，如：'水阔能明夜，山空欲变秋。''天远云低树，庭虚月过楼。''树头数点雨，岭半一声钟。''一江波浪里，百代是非间。''峰盘三百级，身入万重云。'……此类正多，真得少陵句法。"

夏纶《新曲六种》世光堂刊行。此为乾隆十五年所刊之《惺斋五种》与乾隆十七年所作之《花萼吟》合刊。梁廷楠《曲话》卷三："惺斋作曲，皆意主惩劝，常举忠、孝、节、义，各撰一种。以《无瑕璧》言君臣，教忠也；以《杏花村》言父子，教孝也；以《瑞筲图》言夫妇，教节也；以《广寒梯》言师友，教义也；以《花萼吟》言兄弟，教弟也。事切情真，可歌可泣，妇人孺子，触目惊心，洵有功世道之文哉！"姚燮《今乐考证》著录九《国朝院本》："徐梦元云：'夏惺斋先生以名诸生八试棘闱，侥得复失。值西陲用兵，罄所有，循例得授邑宰。旋阻于压班，浮沈里门者几二十年。自作传奇五种：曰《无瑕璧》，所以表忠也；曰《杏花村》，所以教孝也；曰《瑞筲图》，曰《广寒梯》，所以劝节、劝义也；至《南阳乐》一编，颠倒两大，游戏三昧，为千古仁人志士补厥缺陷，固忠孝节义之赅而有者也。命意之佳，孰有如先生者！'龚洪云：'先生六种剧，明大伦，补大恨，经经纬史，绝非荒诞传奇可比。'"

陈鳣（1753—1817）生。鳣字仲鱼，号简庄、河庄，海宁人。嘉庆元年，举孝廉方正。三年中式举人。计偕入都，从钱大昕、翁方纲、段玉裁游。后客吴门，与黄丕烈定交。精校勘之学。著有《续唐书》七十卷、《简庄文钞》六卷、《续编》二卷、《河庄诗钞》一卷。事迹见钱泰吉《陈鳣传》（《碑传集补》卷四八）、《清史列传》本传、《清史稿》邵远平传附。

吕星垣（1753—1821）生。星垣字叔诺（一作叔讷），号应尾、映薇、湘皋，武进人。诸生。历官新阳县训导、邯郸、赞皇、河间知县。著有《白云草堂集诗钞》三卷、《文钞》七卷、《康衢乐府》。事迹见《清史稿》赵翼传附。

李尧栋（1753—1821）生。尧栋字东采、松云，山阴人。乾隆三十七年进士。官至湖南巡抚、云贵总督。著有《写十四经堂诗集》十二卷、乐府一卷、词一卷、奏疏二十卷。事迹见陈用光《资政大夫前湖南巡抚李公神道碑铭并序》（《太乙舟文集》卷八）。

张燮（1753—1808）生。燮字子和，号尧友，昭文人。乾隆五十八年进士。历官户部主事、员外郎、郎中、浙江宁绍台道。著有《味经书屋集》。事迹见孙原湘《诰授奉政大夫浙江宁绍台海防兵备道张君墓志铭》（《天真阁集》卷四七）。

李赓芸（1753—1817）生。赓芸字生甫，号书田、生轩、许斋，嘉定人。少从钱大昕学。乾隆五十五年进士，以知县用，分发浙江。官至福建布政使。著有《稻香吟馆诗文集》七卷、《炳烛编》四卷。事迹见阮元《福建布政使良吏李君传》（《揅经室二集》卷四）、秦瀛《福建布政使许斋李君墓志铭》（《小岘山人续文集》补编）、《清史列传》本传、《清史稿》本传。

万承风（1753—1814）生。承风字卜东，号和圃，宁州人。乾隆四十六年进士，改庶吉士，授检讨。官至兵部左侍郎。谥文恪。著有《思不辱斋文集》四卷、《诗集》四卷。事迹见陆继辂《荣禄大夫兵部左侍郎加一级万公神道碑铭（代吴少司农作）》（《崇百药斋文集》卷一八）、《清史列传》本传。

刘大观（1753—？）生。据朱彭寿《清代人物大事纪年》。大观字松岚，邱县人。

乾隆四十二年拔贡生。历官广西知县、奉天宁州知州。著有《玉磐山房文集》四卷、《诗集》六卷。事迹见《湖海诗传》卷三八。洪亮吉《北江诗话》卷一："刘刺史大观诗，如极边春色，仍带荒寒。"王昶《蒲褐山房诗话》："松岚始仕辽阳，仁声懋著，方且洊登牧守，奋迹仕途。乃其诗萧闲刻峭，卓然自立于尘埃之表。正如梁伯鸾灭灶更炊，不因人热。推其源，似出于《瀛奎律髓》，足与四灵三拜，分手抗行，不仅为五言长城已也。"（《湖海诗传》卷三八）《晚晴簃诗汇》卷一〇三录其诗三首。

李符清（1753—？）生。据朱彭寿《清代人物大事纪年》。符清字仲节，号载园，合浦人。乾隆四十八年举人。历官满城知县、天津知府、获鹿知府、开封知府。著有《海门诗钞》二卷《文钞》一卷。事迹见《国朝诗人征略》初编卷四八、《清史列传》冯敏昌传附。《国朝文汇》乙集卷五〇录其《诛马腾论》等文三篇。《晚晴簃诗汇》卷一〇四录其诗五首。

汪仲钤卒，年三十。据朱彭寿《清代人物大事纪年》。《晚晴簃诗汇》卷八〇："丰玉曾祖晋贤先生，读书好友，建裘杼楼贮图书，筑华及堂延宾客，故子孙皆嗜学能文。丰玉少时即肆力于诗，酷爱山谷、半山二家，而缜密深秀，语必翻新，无江西生硬粗鄙之习。惜年不及三十遽卒。"录其诗十五首。

蒋汾功卒，年八十二。据朱彭寿《清代人物大事纪年》。《读孟居文集》六卷嘉庆庚辰十二砚斋刊行。据《贩书偶记》卷一六。《国朝文汇》甲集卷五五录其《读孟子》等文五篇。

鲁曾煜卒。据江庆柏《清代人物生卒年表》。《国朝诗别裁集》卷二四录其《商妇篇记汝阳事》诗一首。《国朝文汇》甲集卷五二录其《忠质文论》等文六篇。

公元1754年（乾隆十九年　甲戌）

正月

十一日，**伊秉绶**（1754—1815）生。秉绶字组似，号墨卿，宁化人。乾隆五十四年进士，授刑部主事。历官员外郎、惠州知府、扬州知府。以父忧去，家居八年。著有《留春草堂诗钞》七卷。事迹见赵怀玉《朝议大夫晋授资政大夫扬州知府伊君墓表》（《亦有生斋集》文卷一六）、《清史列传》本传、《清史稿》本传。

董榕为唐英《清忠谱正案》杂剧题词。署"乾隆十九年岁在甲戌孟春月，题于古江州之庾楼，庚溪董榕"（《中国古典戏曲序跋汇编》补遗）。庄一拂《古典戏曲存目汇考》卷八：《清忠谱正案》，"《曲录》著录。《古柏堂传奇》刊本。一折。《曲录》只作简名，与李玉同目。"

二月

王昶北上抵京师。时秦蕙田主持《五礼通考》，嘱昶修《吉礼》。据严荣《述庵先生年谱》。

彭端淑由吏部郎中出任广东肇罗道，六月抵任。据李朝正、徐敦忠《彭端淑诗文注》附录《年谱》。

袁枚与尹庆兰相见于袁浦署中，一见倾心。据袁枚《尹似村公子诗集序》（《小仓山房外集》卷三）。

沈德潜序梦麟《大谷山堂集》。 署"乾隆甲戌仲春，年家同学弟长洲沈德潜题"。序云："谢山梦先生穷诗之源而不沿其流者也。先生具轶伦之才，贯穿百家，其胸次足以包罗众有，其笔力足以摧挫古今，而能前矩是趋，志高格正。乐府胚胎汉人；五言咀含选体，即降格亦近王、韦；七言驰骤豪荡宗太白，沉郁顿挫宗少陵，离奇瑰伟宗昌黎；近体亦不肯落大历以下。奔湍急峡，百怪溷漾。大波为澜，小波为沦，惟发源昆仑，故能经络九州而混混不竭也。先生之诗岂得以氿泉邃涧目之乎哉？"（《大谷山堂集》卷首）

三月

会试。 考官：内阁大学士陈世倌、礼部侍郎介福、内阁学士钱维城。题"唐棣之华思也"，"博厚配地"三节，"且夫枉尺以利"。据法式善《清秘述闻》卷六。姚鼐报罢，留京师。据郑福照《姚惜抱先生年谱》。蒋士铨报罢。蒋士铨自编《清容居士行年录》："会试受知王介子先生（太岳，定兴人，壬戌翰林）。出闱以文稿正于陈句山先生，先生激赏之。然卒被放。"又，蒋士铨与赵翼相识于是科会试。据蒋士铨《瓯北集序》（《瓯北诗钞》卷首）

岳钟琪卒，年六十九。 据袁枚《威信公岳大将军传》（《小仓山房文集》卷六）、朱彭寿《清代人物大事纪年》。袁枚《传》云："好吟诗，有《姜园》、《蛮吟》二集行世。"周正《四川提督威信公岳公传》："余读公《蛮吟》、《姜园》诸集，一饭不忘君国，惓惓乎其言之。"（《国朝文汇》乙集卷二二）《晚晴簃诗汇》卷六九录其诗七首。

春

郑燮游杭州、湖州。五月返里。据郑燮《与墨弟书》（《郑板桥全集·板桥集外诗文》）。

袁枚初见蒋士铨诗。《随园诗话》卷一："余甲戌春往扬州，过宏济寺，见题壁云：'随着钟声入梵宫，凭谁一喝耳双聋？杪杪不解无言旨，孤负拈花一笑中。''山水争留文字缘，脚跟犹带九州烟。现身莫问三生事，我到人间廿四年。'末无姓名，但著'苕生'二字。余录其诗，归访年余。熊涤斋先生告以苕生姓蒋，名士铨，江西才子也，且为通其意。苕生乃寄余诗云：'鸿爪春泥迹偶存，三生文字系精魂。神交岂但同倾盖，知己从来胜感恩。'已而入丁丑翰林，假归，乔寓金陵，与余交好。"[按，袁枚《蒋心余藏园诗序》（《小仓山房续文集》卷二八）、《篁村题壁记》（《小仓山房文集》卷一二）记初见寺壁苕生诗在癸酉年，即去年]

沈大成游武林，与傅王露、金志章、张坚相过从。 时张坚《怀沙记》已成。沈大成《怀沙记序》云："甲戌春，薄游武林，假馆吴山之天开图画阁。傅玉笈、金江声两先生过访，为道漱石亦寓兹院之北邻。乘夜叩其扉，执手欢若生平，坐达旦。自是，昕夕风雨无间，题襟倒筈，都忘逆旅。""及读《怀沙记》，淋漓凄婉，则三闾千载英灵，复生楮叶。此宇宙至文，岂直词曲小令耶?"序署"乾隆戊寅日长至，云间同学愚弟沈大成学子甫书于红桥客馆"。又，傅王露为《怀沙记》题辞《玉宇琼楼（依第一出＜述原＞元韵)》署"甲戌初夏，武林玉筇山人傅王露，拜题时年七十有九"。[按，傅王露本年当为七十七岁] 张坚自序云："余幼喜读《骚》。后出游，携之客笥，或雨窗月夜，挑灯读之，辄唏嘘泣下。每叹千古才人之文，莫奇于屈子；而蒙冤被抑，亦莫悲于屈子。若宋玉、王褒、东方、刘向之徒，哀其志，为拟骚以吊之。兹余变《九哀》、《七谏》之章，为引商刻羽之句，成《怀沙记》填词一种。"（《中国古典戏曲序跋汇编》卷一二）李调元《雨村曲话》卷下："张漱石有《玉燕堂四种》：《梦中缘》、《梅花簪》、《怀沙记》、《玉狮坠》也。《怀沙》撮合《国策》而成，堪称曲史。"梁廷楠《曲话》卷三："金陵张漱石《怀沙记》，依《史记·屈原列传》而作，文词光怪。全部《楚词》，隐括言下。《著骚》、《大指》、《天问》、《山鬼》、《沉渊》、《魂游》等折，皆穿贯本书而成，洵曲海中巨观也。"庄一拂《古典戏曲存目汇考》卷一一："《怀沙记》，《今乐考证》著录。《玉燕堂四种》乾隆刊本。《曲考》、《曲海目》、《曲录》并见著录。凡上下卷各十六出。演屈原事。题目作'欺敌国张仪游说，惑君王靳尚馋言；会武关怀王陷房，赋《怀沙》屈子沉江'。"

四月

赵翼会试中明通榜，又考取内阁中书。 据佚名《瓯北先生年谱》。

康基田会试中明通榜，以教谕用。 据《茂园自撰年谱》。

蒋士铨以举人考取内阁中书。 据蒋士铨自编《清容居士行年录》。

王昶与钱载定交。 王昶《蒲褐山房诗话》："乾隆甲戌初夏，从金桧门总宪一经斋，与余订交，遂成雅契。"（《湖海诗传》卷一四）

闰四月

初一日，高宗御太和殿，传胪。 赐一甲庄培因、王鸣盛、倪承宽进士及第，二甲纪昀、叶佩荪、王昶、平圣台、顾镇、范家相、朱筠、沈业富、周春、钱大昕、李敦和（即茹敦和）等进士出身，三甲王又曾、翟灏、陈梦元、曹学闵等同进士出身。据《历科进士题名录》、《清通鉴》。

初二日，卢见曾序李葂诗。 署"乾隆甲戌闰四月上浣二日，德州卢见曾撰"（《扬州八怪诗文集·啸村近体诗选》卷首）。

五月

王昶赴济南，馆运使吴士功署。 又，时沈起元为泺源书院山长，见昶如夙契也。据严荣《述庵先生年谱》。

沈德潜始评选《国朝诗别裁集》。 乾隆二十二年冬完毕。《沈归愚自订年谱》。

六月

初四日，蒋恭棐卒，年六十五。据钱陈群《诰授文林郎翰林院编修迪甫蒋君墓志铭》（《香树斋文集》卷二五）。《墓志铭》云："君湛深经学，诗文无专师，于唐宗少陵、义山，于宋爱庐陵、临川。"《国朝诗别裁集》卷二四录其《景州董子故里》诗一首。《国朝文汇》甲集卷五二录其《兰雪堂遗稿序》等文四篇。

七月

十三日，董榕为唐英《女弹词》杂剧题辞。署"乾隆十九年岁次甲戌中元前二日，渔山董榕题于浔阳郡署紫烟楼下"。（《中国古典戏曲序跋汇编》补遗）庄一拂《古典戏曲存目汇考》卷八：《女弹词》，"《曲录》著录。《古柏堂传奇》刊本。一折。以天宝宫人卖唱，唱出太真故事。仿《长生殿》李龟年《弹词》故名。"

赵翼回乡省亲。据佚名《瓯北先生年谱》。

八月

初四日，郭浚甫序和睦州《一江风》传奇。署"乾隆十九年岁次甲戌秋八月四日，长沙郭浚甫氏题于成均学署"。又，陈鹏程序署"乾隆丙子冬十一月，京江友人陈鹏程扶青氏题"，宋弼序署"乾隆壬午夏五月望日蒙泉宋弼题"。据《古本戏曲剧目提要》。庄一拂《古典戏曲存目汇考》卷一二：《一江风》，"此戏未见著录。乾隆稿本，见《北京图书馆善本书目乙编续目》。凡二卷三十六出。演郑梓、高静女事。"［按，和睦州即和邦额。］

九月

董榕为唐英《天缘债》传奇题辞。署"乾隆十九年岁在阏逢阉茂重阳前一日，丰台董榕题"。是剧凡二十出，演张骨董重义得报事。又，董榕为唐英《巧换缘》传奇题词，署"乾隆岁在阏逢阉茂大庆之月，庚溪董榕题于江州舒啸台次"。（《中国古典戏曲序跋汇编》补遗）是剧凡十二出，演常州书生洪遇买妻奇遇。又，唐英所作传奇计五种，《转天心》、《天缘债》、《巧换缘》外尚有《双钉案》二十六出、《梁上眼》八出，皆存。

下浣，韩骐卒，年六十一。据钱大昕《赠儒林郎刑部云南司小京官加一级补瓢韩先生墓志铭》（《潜研堂文集》卷四四）。《墓志铭》云："淡于荣利，耻为俗学。好吟咏，恬淡真率，一以陶、谢为师。春秋佳日，招朋旧赋诗饮酒，户外之屦恒满。晚岁学益纯邃，尝制《补瓢歌》云：'志士勤补拙，学人善补过。老夫志短学亦荒，但补山瓢惜瓢破。'亦近于有道之言矣。"《国朝诗别裁集》卷二九录其《赵忠毅公铁如意歌》等诗三首。《补瓢存稿》六卷乾隆二十三年南荫书屋刊行。据《贩书偶记》卷一五。

秋

王昶与沈起元、周永年会于济南。王昶《蒲褐山房诗话》："甲戌秋，予在济南，先生主泺源讲席，把臂甚欢，出所著《周易孔义集说》、《敬亭诗文集》见示，因得其学问之详。历城周君书昌永年，时年弱冠，在书院中能读徐氏《通志堂经解》，先生誉之，令予相见。"（《湖海诗传》卷二）

十月

初七日，程晋芳自扬返淮，吴敬梓送行。程晋芳《文木先生传》："岁甲戌，与余遇于扬州，知余益贫，执余手以泣曰：'子亦到我地位，此境不易处也，奈何！'余返淮，将解缆，先生登船言别，指新月谓余曰：'与子别后，会不可期。即景恨恨，欲构句相赠，而涩于思，当俟异日耳。'时十月七日也。"（《勉行堂文集》卷六）

二十八日，吴敬梓卒于扬州，年五十四。程晋芳《文木先生传》："先数日，哀囊中余钱，召友朋酣饮。醉辄颂樊川'人生只合扬州死'之句，而竟如所言，异哉！先是，先生子烺已官内阁中书舍人，其同年王又曾毂原适客扬州，告转运使卢公，殓而归其殡于江宁。盖享年五十有四。""其学尤精《文选》，诗赋援笔立成，凤构者莫之为胜。""生平见才士，汲引如不及。独嫉时文士如仇。其尤工者，则尤嫉之。余恒以为过，然莫之能禁。缘此，所遇益穷。与余族祖绵庄为至契。绵庄好治经，先生晚年亦好治经，曰：'此人生立命处也。'"（《勉行堂文集》卷六）《寄怀严东有》三首其二："敏轩生近世，而抱六代情。风雅慕建安，斋栗怀昭明。"（《勉行堂诗集》卷五）章学诚《丙辰札记》："吴杉亭舍人乃父文木先生著《诗说》七卷，不偏主汉宋门户，亦蒋叙云。"

王昶自山东归里省亲。以母卒，遂居忧。据严荣《述庵先生年谱》。

蒋士铨告假归。据蒋士铨自编《清容居士行年录》。

蒋士铨作《空谷香》传奇。自序云："海宁姚氏为南昌令尹顾君瓒园贤姬，事令尹十有四载。乾隆庚午冬诞一子，甫及晬而姬死，时年二十有九。予往吊之，令尹瘠而怆，同人窃有笑之者。令尹独留予饮穗帐侧，语姬生平事最详，凡三易烛，而令尹色沮声咽，予亦泫然不能去。""甲戌乞假还，寒舟孑然，行回飙涸渚中，历碌如旋床。疏棂四闭，一榻自欹。乃度事势，揣声容，谱为《空谷香》传奇，凡三十篇。日有所得，即就隙光中纵笔书之。脱稿后，击唾壶而歌，声情飒飒，与风涛相荡激，此身若有所凭者。回视同舟之客，皆唏嘘泣数行下。噫嘻！姬之贞魂，烈性感人，遂至如此。"署"小雪日，济宁舟次，铅山倦客自序"。又，张三礼序云："今观三十首，菀结缠绵，淋漓透豁，意则草蛇灰线，文则叠矩重规，语则白日青天，声则晨钟暮鼓。吾不知出于仙佛之炎炎皇皇耶，出于儿女子之唔唔于于、凄凄楚楚耶？抑出于苍生之谆谆恳恳、借存提命耶？问之苍生，不知也。苍生曰：'吾甫搦管时，若有不能遏抑者，洋洋浩浩，奔注笔端，乃一决而出焉。吾固不知孰为仙佛，孰为儿女子，而遂成吾《空谷香》之三十首矣。'予曰：'此有关风教之文也。亟授梓氏，使读其曲者，共思其人云。'"署"辛卯二月，燕台张三礼椿山氏书"。（《藏园九种曲》）庄一拂《古典戏曲存目汇考》卷一一：“《空谷香》，《今乐考证》著录。《藏园九种曲》刊本。《曲考》、《曲海目》、《曲录》并见著录。全剧三十出。述其知友顾瓒园妾姚梦兰生前薄命事迹。结构关目甚佳，恻恻动人。”

蒋士铨舟泊吴门，友人张墌约游虎丘。据蒋士铨自编《清容居士行年录》。

秋冬之间，章学诚购得朱崇沐《韩文考异》，爱好之，不忍释手。时年十七岁。据胡适《章实斋年谱》。

十一月

二十一日，陈廷庆（1755—1813）生。廷庆字兆同，号古华、桂堂，奉贤人。乾隆四十六年进士，改庶吉士，授编修。出为辰州知府。嘉庆九年，讲学绍兴。著有《谦受堂全集》三十卷。事迹见《湖海诗传》卷三七、张慧剑《明清江苏文人年表》。[按，生卒年据江庆柏《清代人物生卒年表》]

陈兆崙擢顺天府尹。据陈玉绳《陈句山先生年谱》。

康基田选授代州繁峙县教谕。据《茂园自撰年谱》。

十二月

顾琮卒，年七十。据钱保塘《历代名人生卒录》。法式善《梧门诗话》卷八：“顾用方制府琮屡任封疆，阅历艰巨。究心濂洛之学，诗无意求工，自饶天趣。”《八旗诗话》一一七：“制府治河有绩，而究心闽、洛。学诗亦以拙直胜。桐城方灵皋辑其诗，镂板吴中。何中丞煟称其不矜追琢，不假绳削，随意写情，而蕴蓄弥深，得委曲缠绵、一饭不忘忠爱之旨。”

本年

禁《水浒传》。魏晋锡纂修《学政全书》卷七《书坊禁例》：“乾隆十九年议准，《水浒传》一书，应饬直省督抚学政，行令地方官，一体严禁。”（王利器《元明清三代禁毁小说戏曲史料》第一编）

曹仁虎馆朱昂蘋花水阁。时江苏学政梦麟闻仁虎才，爱之。岁试诗赋、时文皆第一，补廪生。据王鸿逵《曹学士年谱》。

御试内阁中书，邵齐熊入选，所赋“红药当阶翻”诗传诵都下。据钱大昕《内阁中书舍人邵君松阿墓志铭》（《潜研堂文集》卷四四）。

林明伦授授衢州太守。据朱筠《衢州府知府穆庵林君行状》（《笥河文集》卷九）。

商盘擢梧州太守。据蒋士铨《宝意先生传》（《忠雅堂文集》卷三）。

符曾升户部陕西司郎中。据赵一清《符药林先生传》（《东潜文稿》卷上）。

翁方纲散馆授编修。据张维屏《翁覃溪先生年谱稿》（《碑传集三编》卷三六）。

范泰恒外用崇义知县。据范泰恒《燕川集》卷首杨锡绂序。

宁楷在泾县任县学教谕，此际作《登九华山歌》。据张慧剑《明清江苏文人年表》。

盛锦寓紫阳书院，与顾宗泰定交。据张慧剑《明清江苏文人年表》。

张九镒衔恤归，以诗文授弟九铖选定。据张家杜《陶园年谱》。［按，《晚晴簃诗汇》卷七四录张九镒诗二首］

陈端生约于本年随母入京，时年四岁。据郭沫若《陈端生年谱》。

黄慎、李御、汪之珩、黄振等在扬州平山堂会，慎为振作《手砚图》。据张慧剑《明清江苏文人年表》。

洪亮吉在外家塾从黄朝俊受《孟子》及《毛诗·国风》，时年九岁。据吕培等《洪北江先生年谱》。

胡天游在蒲州修《蒲州府志》，十月回京。据胡元琢《先考稚威府君年谱纪略》。

严长明以梦麟荐，馆扬州，得读马曰琯家所藏书。据钱大昕《内阁侍读严道甫传》（《潜研堂文集》卷三七）、张慧剑《明清江苏文人年表》。

李中简客扬州，识释湛性。据李中简《药根上人小传》（《双树轩诗钞》卷首）。

全祖望居扬州。董秉纯《全谢山先生年谱》："正月，病渐痊，春尽。维扬故人以书招往养疴，且云有善医者，乃赴之，仍居奋经堂。病亦未有所增减也。仍治《水经》，兼补《学案》。十一月乃归。是年戒不作诗，其得之药裹之余者，寥寥数十首，未删定，不成集也。"

夏之蓉在通州修志。据《半舫斋编年诗》卷一六注。

袁枚编诗十卷。据方濬师《随园先生年谱》。

王昶本年诗编为《履二斋集》。据严荣《述庵先生年谱》。

毕沅作《五湖载酒集》上下卷。据史善长《弇山毕公年谱》。

金农有《冬心先生甲戌近诗》一卷。《冬心先生甲戌近诗》卷末贝墉识语云："此冬心先生书近作于小册，赠杭堇浦太史者"。

戴瀚自定所著《编年诗剩》十二卷。据张慧剑《明清江苏文人年表》。

金志章编定烬余诗稿及追忆旧作所得，成《江声草堂诗集》八卷付梓。据《江声草堂诗集》卷首金志章自序。《国朝诗别裁集》卷二七："乾隆壬申，不戒于火，诗俱灰烬，友朋搜罗散佚荟萃贻之，只十之二三也。然豪情盛气，勃勃纸墨，可以想其生平。"录其《因树亭观唐明皇磨崖碑》等诗七首。四库提要一八五：《江声草堂诗集》八卷，"国朝金志章撰。志章字绘卣，仁和人。雍正癸卯举人。官至口北道。是编分七集：曰《敞帚》，曰《梅东》，曰《始游》，曰《镜中》，曰《瞻云》，曰《谷云》，曰《渔浦归耕》。其诗五言古体多近苏轼，七言古体多近温庭筠，近体多近陆游、范成大。"袁枚《随园诗话》卷一〇："金江声观察，名志章，在吾乡与杭、厉齐名。"录其《壬子月夜登虎丘》、《过冷水铺》、《宿灵隐》诗句。《晚晴簃诗汇》卷六六："绘卣性耽撰述，好游览，《尊闻录》谓为烟霞水石间客。与梁蔎林、杭堇浦、全谢山诸名流往来唱和，绘卣之诗独高华流丽，骧步一时，颇与青丘相近。"录其诗十五首。

朱稻孙《六峰阁手稿》一卷为乾隆己巳至本年之作。胡玉缙《四库未收书目提要续编》卷四：《六峰阁手稿》一卷，"秀水朱稻孙撰。稻孙字稼翁，一字芋陂，自号娱村老农，为昆田次子。举博学鸿词，官州判。此集只乾隆（乙）［己］巳、庚午、辛未、壬申至甲戌所作，为钱塘丁氏所藏手稿本。其诗不及乃父，而得乃祖彝尊之教，终为学有根柢，非捃扯者可比。中如《客马氏小玲珑山馆》诸诗及《谢卢见曾雕刻经义考》之作，犹想见骑鹤上扬州，极一时文采风流之盛也。其所作当不止此。李富孙《鹤征后录》称其'诗格遒上，楷法在褚、欧间，尤工分隶'，然则稻孙盖以能书名矣。"

储国钧作词集《倚楼笛谱》二卷。据张慧剑《明清江苏文人年表》。

孟瑢自序《半暇笔谈》一卷。孟瑢字樾籁，号闲乐叟，长洲人。雍正七年北闱举人，官内阁中书。是书记明末以来怪异奇闻。未见著录，《中国丛书综录》列于小说家类。今惟见《屑玉丛谭》二集本。据《中国古代小说总目》文言卷。

脂砚斋重评《石头记》。孙楷第《中国通俗小说书目》卷四：《乾隆甲戌本脂砚斋重评石头记》，"存。旧钞本。目二十八回，残存只十六回。半叶十二行，行十八字。有眉评，夹评，总评。此为今日所见最旧之《红楼梦》钞本。评者与曹雪芹甚近，脂砚斋为其别署。"甲戌本凡例："《红楼梦》旨义。是书题名极多：《红楼梦》是总其全部之名也；又曰《风月宝鉴》，是戒妄动风月之情；又曰《石头记》，是自譬石头所记之事也。此三名，皆书中曾已点（晴）[睛]矣。如宝玉作梦，梦中有曲，名曰《红楼梦》十二支，此则《红楼梦》之点（晴）[睛]。又如贾瑞病，跛道人持一镜来，上面即錾'风月宝鉴'四字，此则《风月宝鉴》之点（晴）[睛]。又如道人亲眼见石上大书一篇故事，则系石头所记之往来，此则《石头记》之点（晴）[睛]处。然此书又名曰《金陵十二钗》，审其名则必系金陵十二女子也。然通部细搜检去，上中下女子岂止十二人哉？若云其中自有十二个，则又未尝指明白系某某，（极）[及]至《红楼梦》一回中，亦曾翻出金陵十二钗之簿籍，又有十二支曲可考。书中凡写长安，在文人笔墨之间，则从古之称；凡愚夫妇儿女子家常口角，则曰'中京'，是不欲着迹于方向也。盖天子之邦，亦当以中为尊，特避其'东南西北'四字样也。此书只是着意于闺中，故叙闺中之事切，略涉于外事者则简，不得谓其不均也。此书不敢干涉朝廷，凡有不得不用朝政者只略用一笔带出，盖实不敢以写儿女之笔墨唐突朝廷之上也。又不得谓其不备。此书开卷第一回也，作者自云：因曾历过一番梦幻之后，故将真事隐去，而撰此《石头记》一书也，故曰'甄士隐梦幻识通灵'。但书中所记何事，又因何而撰是书哉？自云：今风尘碌碌，一事无成，忽念及当日所有之女子，一一细推了去，觉其行止见识，皆出于我之上。何堂堂之须眉，诚不若彼一干裙钗？实愧则有余、悔则无益之大无可奈何之日也。当此时则自欲将已往所赖，上赖天恩、下承祖德，锦衣纨绔之时、饫甘餍美之日，背父母教育之恩、负师兄规训之德，已致今日一事无成、半生潦倒之罪，编述一记，以告普天下人。虽我之罪固不能免，然闺阁中本自历历有人，万不可因我不肖，则一并使其泯灭也。虽今日之茅椽蓬牖，瓦灶绳床，其风晨月夕，阶柳庭花，亦未有伤于我之襟怀笔墨者。何为不用假语村言，敷演出一段故事来，以悦人之耳目哉？故曰'风尘怀闺秀'乃是第一回题纲正义也。开卷即云'风尘怀闺秀'，则知作者本意原为记述当日闺友闺情，并非怨世骂时之书矣。虽一时有涉于世态，然亦不得不叙者，但非其本旨耳，阅者切记之。诗曰：浮生着甚苦奔忙，盛席华筵终散场。悲喜千般同幻渺，古今一梦尽荒唐。谩言红袖啼痕重，更有情痴抱恨长。字字看来皆是血，十年辛苦不寻常。"

方楘如《集虚斋古文》十卷附《离骚经解略》佩古斋刊行。据《贩书偶记》卷一五。四库提要卷一八四：《集虚斋学古文》十二卷，"国朝方楘如撰。楘如有《离骚经解》，已著录。其制义最有时名，而散体之文亦颇奥劲有笔力。然喜雕琢新句，襞积古辞，遂流为别派。盖其制义亦喜以新颖为工，天性然也。"李祖陶《国朝文录续编·集虚斋文录引》："淳安方文辀先生以时文名天下久矣。论者以配储中子、张晓楼，以其锐思深入，可与张之大、储之坚并称也。顾先生诣力所至，雅不欲以时文自画。""先生少从毛西河先生读书，说经皆遵古注，而义理则折衷朱子，亦不效毛氏之排摈。长与何义门、储六雅、方望溪诸先生游。诸先生皆娴于文律，不容一语出入者。而先生则锐思深入，以其为时文之精力，复崱崱从事于古，而滥焉癖焉，加之以奇恣，故每拈一题，皆言人所未尝言。开章一篇言道必与文俱，即足压宋元以后之能言者而使之下。其他微言大义可为典要者极多。而用笔则巉巉岩岩，力矫庸熟，蹊径捷出，皆古人屐齿之所未经。且剪剥浮芜，行墨间无一冗字。使大士见之，当恨其不幸早生，未与切磋矣。其《与王立甫书》也，谓'韩曰文无难易惟其是，李曰文无难易极于工'，先生盖从事于难，而兼有其是且工者。但好用杂书笑讥骂侮，不尽雅驯，又好以古人语言改易寻常字句，有似宋人之虬户篆驺，殆宋子京之流，学韩而流为孙樵、刘蜕者也。然而得此于今日，实拔戟自成一队矣。"李慈铭《越缦堂读书记·集虚斋学古文》："阅淳安方楘如文辀《集虚斋学古文》。凡十二卷：首杂著两卷，为考辨题跋纪事之文；次书札两卷；次序四卷；次碑记一卷；次墓志墓表两卷；次志传一卷；附以《离骚经解略》。文辀仕而即废，以时文盛名教授浙东西，著录至数百人，杭大宗、孙虚船、梁文庄、任承武等皆其高第弟子，故盛名益著。其古文颇自矜重，喜锋刻为工，而学浅语俍，多近小说。叙事尤无义法，惟议论间有可取。"

沈起元《敬亭文稿》四卷、《诗草》八卷刊行。据《贩书偶记》卷一五。

沈廷芳《隐拙斋文钞》六卷、《词科试卷》一卷刊行。据《贩书偶记续编》卷一五。

宋廷魁《竹溪诗集》三卷、《文集》二卷刊行。又名《竹溪诗文钞》。据《贩书偶记续编》卷一五。

瞿源洙《笠州文集》十卷刊行。据《贩书偶记续编》卷一五。源洙字时夏，宜兴人。《国朝文汇》乙集卷一六录其《封建论》等文二十六篇。廖鸿章《笠州草堂文集序》："其〔俊按，指储大文〕门弟子相依最久，而能知其深者，则惟其甥瞿君时夏。君少孤，育于舅氏。既长，随先生出游，故侍先生最久。耳濡目染，学焉而得其性之所近，不蕲法而法，不蕲才而才。其奇气轶出，崛劲自喜，则又颇相类也。君所为文，先生业以'飙发泉涌，独雄艺苑'许之。""君既老无所遇，其才迄不得施，其心不能无介然者，时时见之于文。若序任王谷文、《与史启明书》、《南岳志别》等作，其尤著者也。"（《国朝文汇》乙集卷七）

王士禛撰、郑方坤补《五代诗话》十卷杞菊轩刊行。据《贩书偶记》卷二〇。

郑方坤编《全闽诗话》十二卷诗话轩刊行。据蒋寅《清诗话考》下编二。

恂庄主人编《异说征西演义全传》鸿宝堂刊行。题"中都逸叟原本"，"吴门恂庄主人编次"。首乾隆十八年恂庄主人序。乾隆间英德堂刊本、福文堂刊本，首乾隆五十年恂庄主人《重刻征西传叙》。又有道光十年宝华楼重刊本、文秀堂重刊本，道光三十年宝兴堂刊本，以及聚文堂刊本、经元堂重刊本、文光堂刊本等。是书又经删节改题《混唐后传》九卷三十七回。据《中国古代小说总目》白话卷。孙楷第《中国通俗小说书目》卷二：《异说征西演义全传》六卷四十回，"自褚人获书六十八回抄起，省略马宾王、萧后事，凭空捏出薛仁贵征西一事。第十一回以下全袭褚书第七十回以下文。"

袁栋合所著《陶朱公》、《姚平仲》、《郑虎臣》、《鹅笼书生》、《白玉楼》、《桃花缘》等杂剧为《玉田乐府》刊行。据张慧剑《明清江苏文人年表》。

周镐（1754—1823）生。镐字怀西、犊山，无锡人。乾隆四十四年举人，七试礼部不第。大挑以知县发浙江，历景宁、平阳、瑞安、鄞、余姚诸县，官至福建漳州知府。著有《犊山文稿》六卷、《犊山诗稿》四卷。事迹见钱振锽《周犊山传》（《碑传集三编》卷二五）、姚莹《朝议大夫福建漳州府知府周公墓志铭》（《东溟文集》卷六）。

姚令仪（1754—1809）生。令仪字心嘉、一如，娄县人。乾隆四十二年拔贡生，明年朝考一等，引见以知县用。发云南，摄禄丰县事。旋入福康安、鄂辉幕，入川、藏。擢雅州知府，调成都知府。又入福康安、勒保幕。后官四川盐茶道、按察使、布政使。事迹见姚鼐《通奉大夫四川布政使姚公墓志铭并序》（《惜抱轩文后集》卷八）。

李宪乔（1754—1796）生。宪乔字子乔、义堂，号少鹤，高密人。乾隆四十一年召试举人。官岑溪知县、归顺知州。著有《少鹤内集》十卷、《鹤再南飞集》一卷、《龙城集》一卷、《宾山续集》一卷。事迹见《国朝诗人征略》初编卷四四、《清史列传》李怀民传附。

陈祖范卒，年七十九。据钱大昕《陈先生祖范传》（《潜研堂文集》卷三八）。《传》云："先生于学务求心得，不喜驰骋其说与古人争胜，尤耻剿袭成言以为己有，盖合于《论语》之君子儒焉。"顾镇《陈司业全集序》："先生著述之大旨，要于见道明而信道笃，则镇夙昔所服膺，而自谓无失言者也。《经咫》、《掌录》，诸先生言之备矣，不复论。论其文之继熙甫而起者，实有道趣以流溢其间，而非世所尚之徒文也。"（《国朝文汇》乙集卷二六）四库提要卷一八五：《司业文集》四卷，"其为文不规规于摹古，而学有根柢，畅所欲言，亦自合古人法度。其中如《方孝孺死节论》、《读礼记述》、《史述》、《敛用丧服议》、《陈贞女合葬议》、《王罕皆文稿序》、《汪西京文稿序》、《王次山诗序》、《乐府解》，皆有可观。而如《记昌黎集后》，务为新论。别号舍文，忽作俳体。《松筠堂宴集诗序》杂以俪词。又多收一切应俗之作。盖编录时务盈卷帙，一概登载，未免失于刊除。使简汰精华，十存三四，岂不翘然作者哉！"四库提要卷一八五：《司业诗集》四卷，"前有自序，题乾隆壬申。而第四卷乃题自乙丑至甲戌诗，盖又有所续入，如古人《后集》、《别集》例也。其诗直抒胸臆，不烦绳削。于古人中去白居易为近，敖陶孙所谓'事事言言皆著实'者也。自序有曰：'诗之作出于无心，则其情真；又必各有所为，则其义实。故一国之事系一人之本，而匹夫匹妇之歌吟可以察治忽也。'其论洞悉本原，非明以来雕章刻句之流所能见及。又云：'后之诗人既以诗自命，人亦以诗相属。于是外物为主而诗役焉，诗为主而心役焉，于是无真性情、真比兴。然而情实弥隐，词采弥工，义理弥消，波澜弥富，而又格律以绳之，派别以严之，时代以区分之，回视诗教之本来，其然乎？其不然乎？'其论亦切中流弊。刘勰所谓'古之诗人为情而造文，今之诗人为文而造情'者，祖范所言，殆庶几焉。然文以载道，理不可移。而宋儒诸语录，言言诚敬，字字性天，卒不能与韩、柳、欧、苏争文坛尺寸之地，则文质相宜，亦必有道矣。观祖范之序，而其诗所长所短，盖可以想见也。"《国朝诗别裁集》卷二七："见复捷春官，未殿试归，著书友教，垂三十年。大臣以经学荐，授少司成。居家受官，生平以天爵自重者也。诗无意求工，自余道气，不得以词人之诗目之。"录其《恒雨》等诗八首。袁枚《随园诗话》卷五："常熟陈见复先生为海内经师，而诗极风韵。"录其《悼亡》诗。《国朝文汇》甲集卷五四录其《明太祖待解缙、方孝孺论》等文六篇。《晚晴簃诗汇》卷六五录其诗十三首。《陈司业集》乾隆二十九年日华堂刊行，凡《经咫》一卷、《掌录》二卷、《文集》四卷、《诗集》四卷。据《中国丛书综录》。又，《陈亦韩杂著》无卷数附《雀跃集诗》一卷，传钞本。据《贩书偶记》卷一五。

曹锡黼卒，年二十九。据邓长风《明清戏曲家考略三编·十三位清代戏曲家的生平材料》。施润《桃花吟序》："曹员外菽圃，生仅二十九年，而著作已富。诗、古文及说部、杂识，卷帙盈尺，各有根柢存乎其间。至按律吕为南北曲，固才人能事之余，而士林亦深赏之。"（《中国古典戏曲序跋汇编》卷八）《晚晴簃诗汇》卷一〇三录其诗一首。

杨垕卒，年三十二。据邓长风《明清戏曲家考略三编·〈忠雅堂集校笺〉订补》。袁枚《随园诗话》卷八："杨子载名垕，才最高，与蒋心余相抗。其先本云南土司，改籍江西。五言云：'山鬼常联臂，溪虹倏现身。''早霞随日上，败叶拥潮行。''有客嫌庭仄，无书觉昼长。'七言云：'寒星欲灭见渔火，小雨无声添落花。''栏边花草牛羊路，寺里人家杵臼声。''客少长留不鸣雁，睡酣翻喜失晨鸡。'"《晚晴簃诗汇》卷八四录其诗十首。

黄子云卒，年六十四。据张慧剑《明清江苏文人年表》。《国朝诗别裁集》卷三〇："黄子云字士龙，江南昆山人。布衣。著有《野鸿诗稿》。野鸿天赋俊才，少岁诗无一语平庸，无一字轻浮，真堪压倒元、白。中年后成《诗的》上、下卷，龙标、太白、昌黎、东坡概为挥斥，以下更不足言。而已诗颓放，前后如出二手矣。兹所录者，皆旧稿中作，予珍重之，又复惋惜之。"录其《舟行望南韶诸山》等诗十一首。袁枚《随园诗话》卷三："苏州黄子云，号野鸿，布衣能诗。有某中丞欲见之，黄不可，题一联云：'空谷衣冠非易觌，野人门巷不轻开。'《郊外》云：'村角鸟呼红杏雨，陌头人拜白杨烟。'《上王虚舟先生》云：'两晋而还谁翰墨？九州之内独声名。'皆佳句也。"徐传诗《星湄诗话》卷下："国朝来，先伯祖太史公畏垒讳昂发以诗名鹊起，领袖星溪诗社。同宗若云拂筇、芳来杏辅并刻苦吟诗，湛深古学。黄处士野鸿先生子云继之，健笔凌云，力追正始。所著《长吟阁集》，直欲仰跻少陵，自是而星溪风雅几可度越前贤，卓然为一邑之冠矣。""野鸿为黄贞定先生济季子，世居真义。野鸿数岁即解作韵语，学于先伯祖畏垒公，畏垒奇爱之。后又学于金太史潮，标新领异，出入钱、刘间。既而北达燕、蓟，南历楚、粤，泛沧海，游中山，胸眼并扩，笔下纵横，排奡不可以一格拘矣。壬子岁移家灵岩山，筑长吟阁。所为诗专以少陵为宗，雄浑沉着，所谓'老去渐于诗律细'，真可不愧斯言。""沈归愚先生《国朝诗别裁集》，黄野鸿七律只选《太白楼》一章。其实野鸿七律，追步少陵，其杰出之作正多。"《晚晴簃诗汇》卷七〇录其诗七首。

林其茂卒，年三十九。四库提要卷一八五：《山阴集》一卷《归田遗草》一卷，"国朝林其茂撰。……此二集一为官山阴时作，一为罢官后作。其茂没后，其妇弟郑天锦所编，冠以鲁曾煜所作家传。又有沈廷芳序，惜其遭疾早世，未克竟其所长。盖其茂没时，年仅三十有九云。"四库提要卷一九四：《长林四世弓冶集》五卷，"国朝林其茂编。其茂有《山阴集》，已著录。是集哀其家四世之诗：《后乐堂集》一卷、《双峰吟》一卷，皆其茂曾祖逸作；《贻桂轩集》一卷，其茂祖秉中作；《吟台诗草》一卷，其茂父赞龙作；《觳音集》一卷，则其茂自作也。"

陈景元卒，年五十九。据郭成、郭伟《清代"辽东三老"之一陈景元生卒年考》（《辽宁大学学报》哲社版 2001 年第 1 期）。四库提要卷一八五：《石闾诗》一卷，"国朝陈景元撰。景元号石闾，镶红旗汉军。生平作字效晋，作诗效汉，务欲自拔于流俗之上。是集乃其手书拟古诗六十余首以贻雷鋐者。前有短札，亦其手书。鋐并钩摹笔迹刻之，纸版颇为精好。景元诗虽以汉为宗，而性既孤僻，思复刻峭，结习所近，乃在孟郊、贾岛之间。如米摹晋帖，矩度不失二王，而波勒钩剔，乃时时露其本法。于汉人不雕不琢之意，未能全似也。此本以篇页较少，不能成帙，旧附于李锴《睫巢集》以行。然二人同时唱和，名亦相齐，未可列诸附缀，故仍各著于录焉。"《国朝诗别裁集》卷三〇："石闾甘老布衣，耻言名利，交与惟李夅青几辈，不妄交也。雷副宪贯一视学浙中，成《怀五布衣》诗，石闾居一，即石闾可知矣。诗亦清矫不凡。"录其《咏怀》等诗四首。法式善《八旗诗话》一四六："诗与李铁君类，字画亦酷肖。骤览之，觉豪气未除；熟读细玩，知其自骚迄唐，枕籍之功深矣。沈挚近曲江，超忽近太白，而妙不袭其皮貌。有议其过求显豁者，然诗之为教，觉世牖民，与浅近人语不得不尔。增一分隐约，便减一分性情矣。"杨锺羲《雪桥诗话》卷五："陈石闾善书画，尤工古隶。诗宗汉、魏，命意豪上，其孤僻刻峭亦时近郊、岛。""近体如《崇兆寺》云：'铃声吟殿角，洞影落松枝。'《严陵钓台》云：'一片桐江月，千秋出世心。'《三山口号》云：'海飏连天走，雷光并日悬。'《冷月》云：'冷月无佳色，寒风带苦声。'七言如《兰皋》云：'疏窗听雨三更梦，匹马冲风六月寒。'《得书》云：'远戍寒浆秋饮马，穷边野火夜飞狐。'《初秋》云：'远树流光深戍火，悬崖凿壁野人家。'亦皆天然秀拔，不事雕饰。其《寓清苑作》云：'投人颜色中怀沮，独守清贫位置尊。'倜傥尚气，具依隐玩世之概，宜与腐青名相埒也。张南山以声貌少之，未免轻于立论。"《晚晴簃诗汇》卷七八录其诗九首。

王辅铭卒，年八十三。据朱彭寿《清代人物大事纪年》。

严遂成当卒于此后。据程晋芳《严海珊小传》（《勉行堂文集》卷六）"三十年中沈沦仕宦"等语推知。《小传》云："独声律一道，直入三唐之室，同辈中自钱唐厉樊榭而外，弗多让也。而尤长于七言律诗，虽樊榭亦自谓弗及。"袁枚《随园诗话》卷二："（读史诗）尤隽者，严海珊咏《张魏公》云：'传中功过如何序？为有南轩下笔

411

难．' 冷峭蕴藉，恐朱子在九原，亦当干笑。海珊自负咏古为第一，余读之果然。"法式善《梧门诗话》卷三："严海珊诗，盐城徐南冈铎谓其无一字无来历，笔头勾得数十斤起。信然。"阮元《定香亭笔谈》卷四："严海珊遂成司马诗具两种笔意。如：'骨堆石勒洒麻岭，血浴高欢避署宫。卢龙已买防秋塞，上谷虚传突骑名。弓悬屋角秋防虎，旗闪城头夜举烽。雕盘大漠寒无影，冰裂长河夜有声．'造句雄奇。咏桃花云：'怪他去后花如许，记得来时路有无．'《莲花庄》云：'无数垂杨遮不住，好风吹出读书声．'则又言情旖旎矣。"林昌彝《射鹰楼诗话》卷一二："《海珊诗钞》，乌程严崧瞻刺史遂成著（雍正二年进士）。刺史诗结响沈雄，炼格高壮，咏史诸作，尤为擅场。其名句可诵者，如'池深鱼气静，树密鸟声欢'，'舻声离岸小，山气压城寒'，'雨方得气能医草，风自生香不借花'，'无数夕阳遮不住，好风吹出读书声'，皆警句也。"《晚晴簃诗汇》卷六六录其诗七首。《海珊诗钞》十一卷《补遗》二卷附《明史杂咏》四卷乾隆间刊行。据《贩书偶记》卷一五。又，其侄兆元注《明史杂咏笺注》四卷道光七年顺德何氏刊行。据《贩书偶记》卷一八。

公元1755年（乾隆二十年　乙亥）

正月

初四日，温汝适（1755—1821）生。汝适字步容、水南，号筼坡、景莱、慵讷居士，顺德人。乾隆四十九年进士，选庶吉士，授编修。官至兵部右侍郎。著有《携雪斋诗钞》六卷、《文钞》二卷、《咫闻录》二卷、《韵学纪闻》二卷、《日下纪游略》二卷。事迹见《广东通志》本传、《顺德龙山乡志》本传（《碑传集三编》卷四）、《国朝诗人征略》初编卷四八。[生日据朱彭寿《清代人物大事纪年》]

全祖望手定文稿，删其十七，得五十卷。命董秉纯、张炳、卢镐、全藻、蒋学镛抄录。五月录成。据董秉纯《全谢山先生年谱》。

徐以升《南陔堂诗集》十二卷编年讫本月。见卷一二《闲闲集》。四库提要卷一八五：《南陔堂诗集》十二卷，"国朝徐以升撰。以升字阶五，号恕斋，雍正癸卯进士。官至广东按察使。是编为其孙天柱、天骥所刊，分年编次。曰《学步集》、《雪泥集》、《湘滩集》、《秋帆集》、《梦华集》、《忽至草》、《黄楼草》、《崛嵂草》、《南还集》、《黔游草》、《烟江叠嶂集》、《闲闲集》，凡十二种。"是书乾隆二十六年刊行。

二月

胡中藻《坚磨生诗钞》案发，十月止。据《清代文字狱档》。昭梿《啸亭杂录》卷一《不喜朋党》："上之初年，鄂、张二相国秉政，嗜好不齐，门下士互相推奉，渐至分朋引类，阴为角斗。上习知其弊，故屡降明谕，引宪皇《朋党论》戒之。胡阁学中藻为西林得意士，性多狂悖，以张党为寇仇，语多讥刺。上正其罪诛之，盖深恶党援，非以语言文字责也。故所引用者，急功近名之士，其迂缓愚诞，皆置诸闲曹冷局，终身不迁其官。虽时局为之一变，然多获奇伟之士，有济于实用也。"佚名《康雍乾间文字之狱·胡中藻之狱》："康熙间屡次文字狱，虽文网深密，然因天下未定，其所对付者，亦半属实意为难之人。霸者为自卫计，尚非得已也。至如乾隆间胡中藻一案，观其成谳之词，真可以'莫须有'三字尽之矣。且在彼时，何必更作如是手段？而竟作如是手段者，则高宗与圣祖世宗才略之高下，亦可见耳。"

三月

初九日，高斌卒，年六十三。据朱彭寿《清代人物大事纪年》。《钦定八旗通志》卷一二〇：《固哉草诗集》四卷《文集》二卷，"诗文皆不分体，以编年为次。诗始于康熙壬午，讫于乾隆甲戌。文始于雍正庚戌，讫于乾隆甲戌。大旨皆根据理义，务切实用之言，不以词华争胜也。"《国朝诗别裁集》卷三〇："东轩相公研穷《易》理，居己廉静，待人以诚，与之交者，必使之得其意而去，所谓休休有容者也。诗多说理而不腐，别于白沙、定山一派。"录其《次韵奉和西林先生》诗一首。法式善《八旗诗话》一一九："所为诗远宗《击壤》，近仿白沙。"《晚晴簃诗汇》卷六二录其诗二首。

二十日，张廷玉卒，年八十四。据汪由敦《桐城张公墓志铭》（《张廷玉年谱》附录）。《墓志铭》云："公典领机要，朝廷大制作，多出公手。修三朝实录、玉牒、会典、《明史》诸书，皆为总裁。"杨际昌《国朝诗话》卷一："砚斋相公廷玉诗体相肖〔俊按，指与张英相肖〕，如《春日侍直畅春园即事》五言律句'绿芜酣宿雨，红杏破轻烟'，'在藻鱼吹浪，衔芝鹿近人'，'柳阴春水曲，花外暮山多'，'松影团成幄，花光散作雲'，不斤斤规橅燕、许，自非郊、岛气象。他如《田园杂兴》：'每趁斜阳晒网，好乘春雨扶犁。供客但将鲈鲙，祈年只用豚蹄。''课读不妨春作，御寒自织冬衣。门外儿童散塾，窗间少妇鸣机。''烟生茅屋云白，雨过菱塘水新。今岁秋田大稔，稻苗高过行人。''小桥流水村近，疏柳长堤路斜。车马不闻叩户，鸡豚自识还家。'太平风俗，描写熙然。"《国朝诗别裁集》卷一八录其《杂兴》等诗五首。《晚晴簃诗汇》卷五五录其诗八首。《国朝文汇》甲集卷四一录其《廿一史文钞序》等文四篇。

全祖望绝笔。董秉纯《全谢山先生年谱》："至三月而嗣子昭德病十日竟殒，先生为之一恸，遂不可支，成《哭子诗》十首、《埋铭》一首，遂绝笔。而删定诗稿自辛酉以前尽去之，辛酉以后收其十之六，得十卷。"

本月或稍后，翁照卒，年七十九。据沈德潜《翁霁堂传》（《归愚文钞》卷一七）。《国朝诗别裁集》卷三〇："翁照字朗夫，江南江阴人。太学生。著有《赐书堂诗文集》。朗夫小心敬慎，虽仆隶下人，不衣冠不见也。事上接下，以诚以礼。稽、高二相国先后以鸿博、经学荐，皆不遇。与予相约为耦耕伴侣，结庐有日矣。乃倏焉殂谢，友生为位以哭，多失声者。少年诗专工佳句，后渐臻老境，识力俱高，有虞伯生老吏断狱之目。"录其《咏史》等诗十三首。袁枚《随园诗话》卷五录其《春柳》诗。王昶《蒲褐山房诗话》："霁堂少时曾奉教于毛西河太史，西河序其诗，盛为推挹。尝咏蓑衣，有'风雨一身秋'之句，从此得名。后在浙幕中。诗亡失大半，今所刊《赐书堂集》，十之三四尔。其为时传讽者，则有'一抹夕阳连汉苑，二分春色在芜城'，'小楼夜半朦胧月，深院秋千淡宕风'，'春拂河桥风乍转，绿昏江店雨初来'……沈椒园臬使云：'先生年高，藤杖方袍，须眉朗映，其诗风致盎然，而神韵潇洒。'"（《湖海诗传》卷六）《晚晴簃诗汇》卷七三："诗堂宇未闳而裁量精密，多亲切有味之语。流传佳句甚夥。如《与友人寻山》云：'友如作画须求澹，山似论文不喜平。'《赠沈椒园侍御》云：'午夜疏灯焚谏草，春风小驿见棠花。'风味不减放翁。"录其诗七首。《清史列传》本传："时吴中诗人最著者潘高、许廷鑅、李果、盛锦，照与之埒。""尤工章奏，往来江、淮、燕、豫间，大吏争延至幕。"《贩书偶记》卷一五："《赐书堂文稿》六卷、《诗稿》四卷，海阳翁照撰。乾隆间精刊。"

五月

初九日，陶必铨（1755—1805）生。必铨字士升，号萸江，安化人。诸生。著有《萸江文存》。事迹见谢振定《萸江陶公必铨墓表》（《碑传集》卷末上）、秦瀛《例赠儒林郎翰林院编修萸江陶君墓志铭》（《小岘山人续文集》补编）。

刘裕后《大江滂》书案发，六月止。据《清代文字狱档》。

张九钺游金陵。八月至京口，九月客杭州，冬归里。著《吴越集》。据张家栻《陶园年谱》。

六月

二十一日，马曰琯卒，年六十八。据杭世骏《朝议大夫候补主事加二级马君墓志铭》（《道古堂文集》卷四三）。杭世骏《嶰谷马君传》："君天骨英异，弱不胜衣，而遇事飙发，动中机会，虽毅夫介士不能及。退居一室，如枯僧静衲，夷犹澹远。以奇文秘册为师资，以法书古鼎为食饮，以长松怪石为游处，摆脱爱染，陶冶性灵，非多生有净业者不能到也。北固三山、中吴洞庭林屋之胜，足迹几遍。诗笔淋漓，与樵歌梵唱相应答，望之若神仙中人。一篇甫出，大江南北，朝传夕遍。"（《林屋唱酬录》附录）。沈德潜等《国朝诗别裁集》卷三〇："马曰琯字秋玉，江南江都人。著有《嶰谷集》。维扬，肥腻地也。嶰谷嗜好殊俗，富藏书，有希见者，不惜千金购之。玲珑山馆中四部略备，与天一阁、传是楼诸家若相等也。喜宾客，四方有文行者，每加礼焉。结诗文社，《韩江雅集》诸刻，可绍王新城红桥修禊风。嶰谷没，风流渐消歇矣。过其地者，每想见其为人。"录其《冬夜宿南庄》等诗三首。袁枚《随园诗话》卷三："马氏玲珑山馆，一时名士如厉太鸿、陈授衣、汪玉枢、闵莲峰诸人，争为诗会，分咏一题，袤然成集。""至今末三十年，诸诗人零落殆尽；而商人亦无能知风雅者。"《晚晴簃诗汇》卷七二录其诗五首。冯金伯《词苑萃编》卷八《马嶰谷词》引陈授衣云："马嶰谷曰琯，性好交游，四方名士过邗上者，必造庐相访。近结邗江吟社，以倚声与宾朋酬倡，与昔时圭塘玉山相埒。其词清新刻削，能自名一家。"张德瀛《词征》卷六《二马词》："马半槎南斋词，马秋玉嶰谷词，平易近人，非精粹之诣。二子与樊榭交谊最笃，酬唱亦最盛，故其词有类于樊榭者。"

赵翼补授内阁中书。每三日一入直，与同年邵齐熊、贺五瑞、李汪度等颇极友朋酬唱之乐。据佚名《瓯北先生年谱》。

夏

永恩称赞姚鼐之诗。昭梿《啸亭续录》卷三《姚姬传先生》："先恭王善持衡天下士。乙亥夏，朱子颖南游，携姚姬传诗至邸，先恭王曰：'此文房、冬郎之笔，异日诗坛宿秀也。'"

七月

初二日，全祖望卒，年五十一。据董秉纯《全谢山先生年谱》。阮元《全谢山先生经史问答序》："经学、史才、词科三者得一足以传，而鄞县全谢山先生兼之。"（《揅经室二集》卷七）李祖陶《国朝文录·鲒埼堂文录引》："先生深入经窟，于汉学、宋学皆能讲其是而去其非，但板行者惟《答问》，他皆未有专书。而文则作不徒作，皆以补史且不惟补之而已，又可为他日史家张本。盖先生生长浙东，实承南雷黄氏文献之传，于江上之师、海滨之守皆能通知其本末；而又承平既久，遗书渐出，山岩屋壁，搜采无遗，异见异闻，严审确核。故其所作碑志表传皆网罗放失，阐发幽光，能使百余年海畔孤臣、江头志士，其姓名落狐狸之口，事迹归无何有之乡者，皆凛凛然面目如生，不惟补《明史》之遗，兼能纠梨洲之谬。呜呼，何其伟也！至于在朝在野，运际熙隆，师事友事诸公，皆一时魁垒鸿骏之士，得所藉手极力发挥，或纪旗常之绩，或志文学之英，或为循良之碑，或作文苑之传，皆据实直书，行以史法，无所阿狥于其间，是又他日金匮石室之所必收，纪传编年之所必录者矣。"李慈铭《越缦堂读书记·鲒埼亭集》："谢山最精史学，于南宋、残明尤为贯串。阀阅之世次、学问之源流，往往于湮没幽翳中搜寻宗绪，极力表章，真不愧闵谱之目。""先生诗为余事，而当日与杭堇浦、厉樊榭、赵谷林、意林、马嶰谷等唱和极多，颇以此得名，亦颇以此自负。其诗学山谷而不甚工，古诗音节未谐，尤多趁韵，然直抒胸臆，语皆有物。其题目小注多关掌故，于南宋、残明事搜寻幽佚，尤足以广见闻。五七律颇有老成之作，暇当最录，以见其凡。""全氏服膺宋儒，而覃精考据文献之学，盖承其乡厚斋王氏嫡传，于汉注唐疏揅穴极深。""余辑《国朝儒林小志》，惟载汉学名家，虽姚惜抱、程绵庄、程鱼门、翁覃溪诸公自名古学者，皆不列入，而独取先生，固不仅以《经史问答》一书也。""予最喜国朝朱、毛、全、钱四家文集，所学综博，纂讨不穷。谢山尤关乡邦文献，其文多言忠义，读之激发。自十八九岁时即观之忘倦，平生坎坷，一无树立，惟风节二字差不颓靡，诚得力于《后汉书》及《刘蕺山集》、谢山此集耳。其疾恶过严，避俗过甚，则于诸书受病亦不小也。""此书终身阅之，探索不尽。然其经学自不逮史学也。"《国朝文汇》乙集卷五录其《平原君论》等文三十三篇。《晚晴簃诗汇》卷七四录其诗十一首。《贩书偶记》卷一五："《鲒埼亭集》三十八卷、《年谱》一卷、《世谱》一卷、《经史问答》十卷，鄞全祖望撰。嘉庆甲子姚江借树山房刊。此年谱其高弟蒋学镛、董秉纯同撰。"又，"《鲒埼亭集外编》五十卷，鄞全祖望撰。嘉庆辛未七月刊。"又，"《鲒埼亭诗集》十卷，甬上全祖望撰。道光十四年笺经阁刊，光绪间童氏大鄮山馆重刊。"

八月

十二日，李重华卒，年七十四。 据刘大櫆《翰林院编修李公墓志铭》（《海峰先生文》卷七）。沈德潜《李玉洲太史诗序》："玉洲李先生，今之才人也。少岁出语即能越俗。既与张匠门先生游，匠门故以才自豪，即以才接引人者。两才相遭，引而愈出，故玉洲之诗因得肆其才，于陶冶万类、笼挫一切之余，水银硃砂入其垆鞲皆成丹也，幺弦杂韵经其和调皆成乐也，鲜如时花，婧如美女，而怪奇兀臬，飘忽出没，比之绛蜺天际，神山海上，而不可端倪。前人所云旷世逸才、惊才风逸者，不是过焉已。"（《国朝文录续编·归愚文录》卷一）。《国朝诗别裁集》卷二七："玉洲天赋才俊，复得匠门指授，生平游历，入巴蜀，客山左，留秦关，经三楚，登临凭吊，发而为诗，嶔崎历落，俱得江山之助，宜足继匠门而兴起也。《诗话》二卷，或引而不发，或金针度人，可希昌毅《谈艺录》。"录其《拟魏武帝纪行》等诗十一首。王昶《蒲褐山房诗话》："吴江诗家，百余年来，苦无杰作。先生笔力崚然，滔滔自运，其宗法盖在杜、韩间。时吴县蒋恭棐编修工古文，而先生以诗名，两者莫能轩轾也。"（《湖海诗传》卷三）林昌彝《射鹰楼诗话》卷六："《贞一斋集》四卷，嘉兴李玉洲太史重华著（雍正甲辰进士）。太史诗学萧《选》，坚苍凝炼，与驰骋才华者迥别。""袁君质中谓其'入蜀诸篇，骨格开张，词气雄杰，从老杜得来，在集中为上乘。'余尤喜其《剑阁》、《骊山》、《汤泉》五七言古诸篇，颇称雄杰。"录其《益门镇》一首。《晚晴簃诗汇》卷六六录其诗十五首。

九月

初十日，吴鼒（1755—1821）**生。** 鼒字山尊、及之，号抑庵，全椒人。嘉庆四年进士，选庶吉士，授编修。官至侍讲学士。以母老告归，主讲扬州书院。著有《吴学士诗集》五卷、《文集》四卷，编有《国朝八家四六文钞》。事迹见金天翮《吴鼒传》（《广清碑传集》卷一○）、《清史列传》吴锡麒传附、《清史稿》邵齐焘传附。[按，江庆柏《清代人物生卒年表》谓其生卒年为1756—1821年，此据朱彭寿《清代人物大事纪年》]

程蛰《秋水诗钞》案发，十一月止。 据《清代文字狱档》。

沈心作《广九秋诗》。 小序云："康熙丙戌，先君子客都门，作《九秋诗》，及后作、续作，凡二十七章，和者甚众，为吟场盛事。迄今忽忽已五十年矣。近读父书，风流宛在，感慨系之。因亦拈九题，触物成咏，名曰《广九秋诗》。"（《孤石山房诗集》卷五）

蒋德序张世进诗。 署"乾隆乙亥秋九月，秀水同学弟蒋德拜撰"。（《著老书堂集》卷首）

王宗炎（1755—1826）**生。** 宗炎（一作琰）字以除，号毂塍，萧山人。乾隆四十五年进士，截取知县。既通籍，遂杜门不出，筑十万卷楼，以文史自娱。著有《晚闻居士遗集》九卷。事迹见《清史列传》余集传附。[按，生卒时间据朱彭寿《清代人物大事纪年》]

秋

袁枚初识严长明。《随园诗话》卷五："乙亥秋，余吊于绵庄家。绵庄指一少年告我曰：'此严冬友秀才也。年未弱冠，前日学使问《笙诗》有声无辞，生条举十六家之说，以辨其非。'余心敬之。已而见过，以《秀容小草》相示。"录其《晚眺》、《舟次仇湖》诗。

戴震有与王鸣盛、姚鼐、方希原书。据段玉裁《戴东原先生年谱》。三书分别见《戴震集》上编《文集》卷三、卷九。

十月

十六日，曹振镛（1755—1835）生。振镛字俪笙，歙县人，文埴子。乾隆四十六年进士，选庶吉士，授编修。官至体仁阁大学士、武英殿大学士。谥文正。著有《纶阁延晖诗文集》、《话云轩咏史诗》。事迹见金天翮《曹文埴曹振镛传》（《广清碑传集》卷九）、《清史列传》本传、《清史稿》本传。［按，生日据朱彭寿《清代人物大事纪年》］

十二月

初三日，刘青芝卒，年八十一。据张庚《江村先生传》（《强恕斋文钞》卷二）。《国朝诗别裁集》卷二七录其《寄李侍御》诗一首。《晚晴簃诗汇》卷六六录其诗二首。

杨淮震投献《霹雳神策》案发，乾隆二十一年一月止。据《清代文字狱档》。

本年

江浙荒欠。《沈归愚自订年谱》："四月中连绵阴雨至六月，晴霁日稀。中下田俱在水中，高仰者犹可望有收也。七月下旬虫灾，到处蟊贼螟螣，朋类纠结，所过俱成屋茅。又加以风灾，继以霜灾，间有刈获，朽腐不堪，虽鹅鸭亦不食也。"

毕沅补授内阁中书，入直军机处。据史善长《弇山毕公年谱》。

黄慎、仲鹤庆、王国栋、黄振等在汪之珩文园会。据张慧剑《明清江苏文人年表》。

姚鼐居京师。据郑福照《姚惜抱先生年谱》。

朱稻孙游扬州。王昶《蒲褐山房诗话》："乙亥、丙子间，年近七十，游扬州，为卢雅雨运使上客。因出其祖所撰《经义考》后半未刻者，雅雨为刻其全。"（《湖海诗传》卷六）

江昱奉母至其弟常宁官署。据《潇湘听雨录》卷首江昱自识。

江声师事惠栋。据江藩《国朝汉学师承记》卷二。

王昶居忧。梦麟约往校文，卢见曾邀往扬州，皆不赴。据严荣《述庵先生年谱》。

洪亮吉在外家塾从黄朝俊受《毛诗》毕。据吕培等《洪北江先生年谱》。

郭元灏补博士弟子员，时年二十二岁。据郭麐《先君子行略》（《灵芬馆杂著》卷一）。

敦诚宗学岁试，以优等记名。据敦敏《敬亭小传》（《四松堂集》卷首）。

戴震避仇入都。段玉裁《戴东原先生年谱》："纪文达公《考工记图序》曰：'乾隆乙亥夏，余初识戴君，奇其书。'盖先生是年讼其族子豪者侵占祖坟，族豪倚财结交县令，令欲文致先生罪，乃脱身挟策入都，行李衣服无有也。寄旅于歙县会馆，饘粥或不继，而歌声出金石。是时纪太史昀、王太史鸣盛、钱太史大昕、王中翰昶、朱太史筠，俱甲戌进士，以学问名一时，耳先生名，往访之。叩其学，听其言，观其书，莫不击节叹赏，于是声重京师，名公卿争相交焉。金匮秦文恭公闻其善步算，即日命驾，延主其邸，朝夕讲论《五礼通考》中'观象授时'一门，以为闻所未闻也。文恭全载先生《句股割圜记》三篇，为古今算法大全之范，其全书往往采先生说。"〔按，据严荣《述庵先生年谱》，王昶去岁成进士后未授职，旋出都。乾隆二十三年始至都。则戴震与王昶交当在二十三年后〕

胡天游三月赴蒲州。秋赴阳城修志。据胡元琢《先考稚威府君年谱纪略》。

夏之蓉主南京钟山书院。据《半舫斋编年诗》卷一六《寓秦淮河即日等诗》。

蒋士铨以假闲居南昌，于破寺壁间见何在田诗，读之惊喜欲绝。迹而访之，与定交焉。据蒋士铨《何鹤年遗集序》（《忠雅堂文集》卷一）。

史震林在淮安任教授九年，本年解职。据张慧剑《明清江苏文人年表》。

袁枚移家入随园。据《小仓山房诗集》卷一一《移家入随园》。

袁枚自编诗集十卷。据《小仓山房诗集》卷一一《编得》。

邓汝功、邓汝敏为其父邓锺岳编诗集。四库提要卷一八四：《寒香阁诗集》四卷，"国朝邓锺岳撰。锺岳有《知非录》，已著录。是集为乾隆乙亥其子汝功、汝敏所编，凡古今体诗一百九十二首。其诗颇温厚和平，无血脉偾张之状。而材地稍弱，尚未能颉颃古人。"〔按，邓锺岳字东长，号悔庐，聊城人。康熙辛丑状元。官至礼部左侍郎。《晚晴簃诗汇》卷六一录其诗三首〕

傅汝大辑、陈士镳录《鬼窟》二卷成书。是书今有钞本一种，藏中山大学图书馆。据《中国古代小说总目》文言卷。

和邦额《学步集》一卷刊行。据《贩书偶记续编》卷一五。

汪应铨《容安斋诗集》四卷受业卢见曾刊行。据《贩书偶记续编》卷一五。时应铨已殁。应铨字杜林，常熟人。康熙戊戌状元。官翰林院修撰。雍正间罢官家居，教授湖湘间。法式善《梧门诗话》卷五："诗特高朗谐畅。"《国朝诗别裁集》卷二四录其《题读书楼》等诗三首。《国朝文汇》甲集卷四八录其《竹香书屋记》等文五篇。

朱昂《绿阴槐夏阁词》四卷刊行。据《贩书偶记续编》卷二〇。

沈德潜等编《西湖志纂》十五卷首一卷刊行。据《贩书偶记续编》卷七。

《今古奇观别本》十二集二十一篇泉州尚志堂刊行。其二十一篇分别选自《今古奇观》、《拍案惊奇》、《人中画》三书。据《中国古代小说总目》白话卷。

张士元（1755—1825）生。士元字翰宣，号鲈江，震泽人。乾隆五十三年举人，七试礼部不第。需次当为教谕，以耳聩谢不就。乃家居，以著述自娱。学者称鲈江先生。尝应阮元之邀，主讲诸暨书院。著有《嘉树山房集》二十卷、《外集》二卷、《续集》二卷。事迹见钱仪吉《鲈江张先生传》、姚文田《张鲈江墓志铭》（《续碑传集》卷七六）、《清史列传》本传、《清史稿》本传。

吴卓信（1755—1823）**生**。卓信字瑸儒，昭文人。诸生。少从冯伟学，邵齐熊、吴蔚光等皆折节与交。尝游康基田幕，已而游淮徐，历齐鲁，走京师。尝一至关中，尽拓汉唐金石以归。著有《汉书地理志补注》一百三卷、《澹成居文钞》四卷。事迹见孙原湘《吴卓信传》（《天真阁集》卷四九）、《重修常昭合志》本传（《广清碑传集》卷一〇）、《清史列传》严长明传附。

茹棻（1755—1821）**生**。棻字稚葵，号古香，会稽人，敦和子。乾隆四十九年状元，授修撰。历充山东、山西、江南、顺天乡试考官，官山西、湖北、奉天学政，卒于兵部尚书任。以宦游所至编所作为《使兖》、《使晋》、《使楚》、《使南》、《使沈》诸集。事迹见沈元泰《茹棻传》（《碑传集补》卷三）。［按，生卒年据朱彭寿《清代人物大事纪年》］

汪如洋（1755—1794）**生**。如洋字润民，号云壑，秀水人，孟铜子。乾隆四十五年状元。历官翰林院修撰、云南学政。著有《葆冲书屋集》。事迹见程恩泽《翰林院修撰汪先生墓志铭》（《程侍郎遗集》卷八）。

王芑孙（1755—1818）**生**。芑孙字念丰，号惕甫、铁夫、楞伽山人，长洲人。乾隆五十三年召试举人。由咸安宫教习除授华亭县学教谕。丁忧罢官归，主仪征乐仪书院。著有《渊雅堂全集》五十六卷。事迹见秦瀛《王惕甫墓志铭》（《小岘山人续文集》补编）、王瓘《族兄惕甫先生传》（《碑传集补》卷四七）、《清史列传》本传。

李骥元（1755—1799）**生**。骥元字凫塘，号云栈，绵州人。乾隆四十九年进士，改庶吉士，散馆授编修。官至左中允。与兄鼎元、从兄调元称"绵州三李"。著有《云栈诗稿》。事迹见《清史列传》李调元传附。［按，江庆柏《清代人物生卒年表》谓其生卒年为1756—1798 年，此据朱彭寿《清代人物大事纪年》］

祖之望（1755—1814）**生**。之望字载璜、子久，号舫斋，浦城人。乾隆四十二年选拔贡生，举乡试。明年成进士，选庶吉士。散馆，改刑部主事。累官至刑部尚书。著有《皆山堂诗文钞》等。事迹见陈寿祺《诰授光禄大夫刑部尚书祖公之望墓志铭》（《碑传集》卷三九）、《清史稿》本传。

庄宇逵（1755—1813）**生**。宇逵字达甫，武进人。诸生。著有《春觉轩诗钞》十卷、《春觉轩随笔》十卷，辑有《无名氏诗》一卷。事迹见张慧剑《明清江苏文人年表》。

郑士超（1755—1808 或 1756—1809）**约本年生**。士超字卓仁，号贯亭，阳山人。乾隆四十八年举人，六十年进士。历官工部主事、员外郎、郎中，浙江道监察御史，转广西道，又转河南道。年五十四，卒于官。事迹见曾钊《郑士超传》、吴应逵《监察御史郑公传》（《碑传集》卷五七）、《国朝诗人征略》初编卷五二。

李锴卒，年七十。据朱彭寿《清代人物大事纪年》。陈梓《李眉山生圹志》："先生方颐修髯，庄凝如画。工诗古文草书，旁及术数。"（《国朝文汇》乙集卷七）方苞

《二山人传》"豸青之诗不丐于古，而必求与之并。"（《方苞集》卷八）沈德潜等《国朝诗别裁集》卷三〇："豸青系勋臣后，当得大官，乃偕其配隐于盘山。有武攸绪风。既老，岁至京师，然一二日即归，人罕见其面。诗古奥峭削，自辟门径，高者胎源杜陵，次亦近孟东野。"录其《江南》等诗五首。袁枚《随园诗话》卷三称其有《蟭螟斋集》行世，录其《梅花》、《咏月》二诗。法式善《八旗诗话》一四五："其诗意思萧散，琢句峭拔，非博学多识、著作等身者不能。"《清史列传》本传："其诗古奥峭削，自辟门径，高者可比杜甫，次亦不愧孟郊。"《晚晴簃诗汇》卷七二录其诗十三首。

程梦星卒，年七十七。据《疑年录汇编》卷一〇。《国朝诗别裁集》卷二三："太史好友朋，喜著述。注李义山诗，成《平山堂志》。名流过维扬者，每定缟纻交。"录其《读史》等诗四首。袁枚《随园诗话》卷一二："淮南程氏虽业禺荚甚富，而前后有四诗人：一风衣，名嗣立；一蒉州，名崟；一午桥，名梦星；一鱼门，名晋芳。四人俱与余交，而风衣、蒉州，求其诗不得。鱼门虽呼午桥为伯父，意颇轻之。余曰：'午桥先生古风力弱，近体风华，不可没也。'如《看花不果》云：'蜡屐也思新草色，病醒偏负晓莺声。'《赠僧》云：'楼前常设留宾榻，岩下多栽献佛花。'《桐庐》云：'百里烟深因近水，一年秋早为多山。'皆佳句也。"王昶《蒲褐山房诗话》："先生淡于荣利，自丁内艰归，终身不出。筑筱园并漪南别业，读书偃仰其中。竹西故南北冲途，往来进谒者，文酒流连。主诗坛几数十年。诗兼法唐、宋，而雅好在玉溪生，以雪滩曳注未精，重为笺注。其集中句如：'碧流似带环双峡，青嶂如屏抱一村'；'十里烟深因近水，一年秋早为多山'……皆清丽可诵。予少客竹西，暇日过从，门庭萧寂，斗茶说饼，仰其风貌，不啻孤云野鹤也。"（《湖海诗传》卷一）《晚晴簃诗汇》卷五八录其诗五首。

戴瀚卒，年七十。据张慧剑《明清江苏文人年表》。

公元 1756 年（乾隆二十一年　丙子）

正月

初七日，黄叔琳卒，年八十五。据顾镇《黄侍郎公年谱》。所著《砚北易钞》十二卷、《诗统说》三十二卷、《周礼节训》六卷、《夏小正注》一卷、《宋元春秋解提要》无卷数、《史通训故补》二十卷、《砚北杂录》无卷数、《砚北丛录》无卷数、《文心雕龙辑注》十卷，四库提要著录。沈德潜等《国朝诗别裁集》卷一七："昆圃先生爱才如渴，闻人一长，必称扬之，使之成名，盖宰相心事也。年十九登第，后庚午、辛未诸举人、进士两诣其第，称后同年宴会，诚熙朝盛事云。"录其《柏林寺观李晋王画像歌》、《送孙文博之云南省觐》诗二首。袁枚《随园诗话》卷四："宛平黄昆圃先生，康熙辛未词林。予告后，在长安主持风雅。人有一技一长，必为揄扬，无须识面。"钱大昕《黄昆圃先生文集序》："今距公没十五六年，承公之言论风采者渐少，而思慕叹美如出一口。盖公之文，行如元气，入人肝脾，久而不能忘也。""本朝开国以来，以文章致位通显者多矣。至于主持骚雅，宏长风流，为海内所共推者，则前有新城，后有北平。"（《潜研堂文集》卷二六）《国朝文汇》甲集卷三七录其《周意庭墓表》文一篇。《晚晴簃诗汇》卷四九录其诗一首。

二十三日，阿克敦卒，年七十二。据《德荫堂集》卷首年谱。法式善《八旗诗话》六四："体国教家，俱有法度，丰功伟略，载在旂常，诗特其绪余耳。气局开展，笔力浑融，实有笼罩百家、包含万象之概。"《晚晴簃诗汇》卷五七录其诗七首。

朱思藻吊时案发。据《清代文字狱档》。

徐以升至湖上访齐召南。以升当卒于此后不久。据《南陔堂诗集》卷首齐召南序。《国朝诗别裁集》卷二七录其诗二首。《晚晴簃诗汇》卷六五录其诗一首。

二月

初三日，郑燮、程廷祚、黄慎、王文治、金兆燕等九人聚饮于扬州竹西亭。《板桥题画》："乾隆二十一年二月三日，予作一桌会，八人同席，各携百钱以为永日欢。座中三老人、五少年：白门程绵庄、七闽黄瘿瓢与燮为三老人；丹徒李御萝村、王文治梦楼、燕京于文濬石乡、全椒金兆燕棕亭、杭州张宾鹤仲谋为五少年。午后，济南朱文震青雷又至，遂为九人会。因画九畹兰花以纪其盛。诗曰：天上文星与酒星，一时欢聚竹西亭。何劳芍药夸金带，自是千秋九畹青。座上以绵庄为最长，故奉上程先生携去。"（《郑板桥全集·板桥集》）

三月

本月或下月，周準卒。据《沈归愚自订年谱》。《国朝诗别裁集》卷三〇："周準字钦莱，浙江钱塘人，长洲籍。诸生。著有《迂村漫稿》。迂村以迂自信，亦以迂自安。年二十余，裹粮携筇屐游武昌、沔、汉等处，兴尽而返，不谒一人。后闻佳山水必往游。既老，之京师，一如游南汉时。昔有人问高僧曰：'京师许多人？'僧曰：'只两个人，一为名，一为利。'迂村超然名利外，是京师有三个人也。与余同辑本朝诗，皆盖棺论定者。临终，含笑谓所亲曰：'我幸甚，我诗可入《别裁集》中矣。'诗宗法唐代以前，五言古、七言绝尤善。"录其《宿灵隐寺梵香阁晓起眺望》等诗十五首。王昶《蒲褐山房诗话》："沈文悫门下承其指授者，以盛青嵝、周迂村、顾禄百、陈经邦为最，其后则王凤喈、钱晓征、曹来殷、褚左峨、赵损之、张策时及予。后有考诗学源流为接武羽翼之说者，不可不知。若企晋虽曾亲风旨要，未尝有瓣香之奉也。"（《湖海诗传》卷一一）《晚晴簃诗汇》卷七八录其诗四首。《国朝文汇》乙集卷九录其《鲁仲连论》等文七篇。

本月或下月，盛锦卒。据《沈归愚自订年谱》。《国朝诗别裁集》卷三〇："盛锦字庭坚，江南吴县人。诸生。著有《青嵝诗钞》。青嵝诗从大历下入手，后层累而上，风格渐高。至《入蜀诗》得江山之助，沈雄顿挫，直欲上摩王渔洋之垒，以仰窥少陵。盖渔洋诗以《蜀道集》为最胜也。游京师，王公以下多折节下之，不耐冗杂归。丙子岁殁。是岁周子迂村、朱子木鸢、汪子山樵相次殁，吴下诗坛黯然无色矣。予归田后，时与青嵝商榷，尤深人琴之感云。"录其《履霜操》等诗十八首。王昶《蒲褐山房诗话》："青嵝诗以入蜀为第一。世人辄以杜少陵、王新城为比，然不知少陵由秦阶经桔柏渡而至剑关，新城乃从凤翔、宝鸡经汉中以至宁羌，陆路不同。若青嵝取道归州，穿夔、巫入成都，即吴汉伐公孙述之路，亦即放翁入蜀、新城出蜀之路，其地虽皆属天彭井络，而山川形势迥殊。放翁虽有'铁马西风大散关'之语，其后封爵渭南，而南北栈实未按辔及之。故诸公摹写山水，各传其胜，论诗者乃并为一谈，正如屈蛣之虫，方隅之眼，宜见笑于通人也。"（《湖海诗传》卷一一）《晚晴簃诗汇》卷七八录其诗五首。《青嵝遗稿》二卷（沈德潜评）乾隆二十六年刊行。据《沈归愚自订年谱》、《贩书偶记》卷一五。

五月

脂砚斋三评《石头记》。庚辰本第七十五回前记云："乾隆二十一年五月初七日对清。"

郑燮作《李约社诗集序》。有云："康熙间，吾邑有三诗人：徐公白斋、陆公种园、李公约社。徐诗颖秀，陆诗疏瀍，李诗沈著。三君子相友善，又互为磋磨琢切，以底于成。徐则诗之外兼攻制艺，陆又以诗余擅场，惟约社先生专治诗，呕心吐肺，抉胆搜髓，不尽不休。"（《郑板桥全集·板桥集外诗文》）

六月

曹庭栋己巳五月至本月诗为《产鹤亭诗四稿》。据《产鹤亭诗四稿》卷首标识。

桑调元序黄任《秋江集》。署"乾隆丙子季夏桑调元"。又，许廷鑅序署"乾隆甲戌秋七月，东吴学弟许廷鑅"，陈兆崙序署"钱塘学弟陈兆崙撰"。（《秋江集》卷首）[按，《秋江集》卷六有《八十生日漫成长句十首自感自嘲不知工拙也》，其九自注："今年壬午秋闱揭晓日，诸当轴延予修重宴鹿鸣之盛典，予滋愧耳"。又《喜晤吴郑公太史再到闽中袖出傅玉笥宫赞缄扎成诗二首并寄玉笥》有"八十六旬话眠食，致书八十一旬人"云云。则《秋江集》结集当在此后]四库提要卷一八四：《秋江诗集》六卷，"国朝黄任撰。任字莘田，永福人。康熙壬午举人。官至四会县知县。杭世骏《榕城诗话》称其工书法，好宾客，诙谐谈笑，一座尽倾。罢官归里，压装惟端溪石数枚，诗束两牛腰而已。其诗源出温、李，往往刻露清新，别深怀抱。如《杨花》绝句云：'到底不知离别苦，后身还去作浮萍。'《春日杂思》云：'夕阳大是无情物，又送墙东一日春。'所为缘情绮靡，殆于近之。而低徊宛转，亦或阑入小词。大致古体不如今体，大篇又不如小诗，故《榕城诗话》独称其七绝。盖才分各有所长云。"王元麟注《秋江集注》六卷道光癸卯东山家塾刊行。据《贩书偶记》卷一五。

王曾祥卒于本月或稍前。雷鋐《两王生小传》："丙子夏，余以母老告归侍养，六月间闻王瞿死。"（《静便斋集》卷首）[按，袁行云《清人诗集叙录》卷二六谓其生卒年为1699—1756年]查为仁《莲坡诗话》："王瞿曾祥工书，以诗古文鸣东南。中年弃举子业，绝意仕进。《寄西影》诗云：'洛下谁营安乐窝？江乡风景更无过。强禁白发惟闲可，欲附青云奈拙何！小醉花村兼草市，大欢社舞及田歌。缄诗为报同门友，胜事狂夫占已多。'跌宕自喜，可以想其襟抱。"四库提要卷一八四：《静便斋集》十卷，

"国朝王曾祥撰。曾祥字麈征，仁和人。康熙末诸生。与厉鹗、金农诸人相唱和。是集前五卷为诗，后五卷皆杂文。静便斋者，馆于义桥陈氏时所葺，取谢灵运'还得静者便'句名之，有所为记见于集中。前有雷鋐所撰《两王生小传》，一谓曾祥，一谓江都王世球也。"是书有乾隆二十八年刻本。袁枚《随园诗话》卷一三："吾乡王麟征秀才，名曾祥，工古文，不甚作诗，五言独工。如：'星芒林际大，雪滴晚来疏。'《慰某落第》云：'曾说捐金能市马，俄闻买椟竟还珠。'"《国朝文汇》乙集卷一四录其《送厉太鸿杭大宗应词科序》等文十二篇。

夏

赵翼选入军机处行走。时西陲用兵，凡汉字谕旨及议奏军需事件，悉翼具草。据佚名《瓯北先生年谱》。

七月

二十七日，赵殿成卒，年七十四。据杭世骏《松谷赵君墓志铭》（《道古堂文集》卷四四）。

九月

二十二日，张元卒，年八十五。据宋弼《墓表》（《绿筠轩诗》卷首）。四库提要卷一八五：《绿筠轩诗》四卷，"国朝张元撰。元字殿传，淄川人。雍正丙午举人。官鱼台县教谕。元为昆仑山人笃庆从子，故诗法本王士禛之论，以神韵为宗。晚乃渐归朴老，而终未忘其故辙。是集凡七百余首，其孙庭寀所刻也。"是书乾隆四十二年刊行。据《贩书偶记续编》附录。《晚晴簃诗汇》卷六六录其诗四首。

二十六日，魏成宪（1756—1831）生。成宪字宝臣，号春松，又自号仁庵，钱塘人。乾隆四十九年进士。官至御史。著有《清爱堂集》二十三卷。事迹见其自订、子谦晋等补订《仁庵自记年谱》。

卢见曾为辑刻李葂诗三卷，时葂已卒。秦大士序云："啸村不为古诗，而近体娟秀宜人，刻镂工巧，盖实费苦心焉，非比夫才豪气猛、间杂蝼蚓者。"署"乾隆丙子秋杪，白下秦大士拜书"（《扬州八怪诗文集·啸村近体诗选》卷首）。《国朝诗别裁集》卷三〇："李葂字啸村，江南怀宁人。诸生。"录其《上巳忆白下》等诗三首。袁枚《随园诗话》卷一〇："安庆诗人，以'二村'为最。一李啸村葂，一鲁星村瑸。""啸村工七绝，其七律亦多佳句。如：'马齿坐叼人第一，蛾眉窗对月初三。''卖花市散香沿路，踏月人归影过桥。''春服未成翻爱冷，家书空寄不妨迟。'皆独写性灵，自然清绝。腐儒以雕巧轻之，岂知钝根人，正当饮此圣药耶？"卷一三："李啸村最长绝句，人有薄其尖新者。不知温子升云：'文章易作，逋峭难为。'若啸村者，不愧逋峭矣！"录其《泰州舟次》、《夜泛红桥》、《废园》、《青溪》、《却人写真》诗，且云："此是啸村最佳诗；而归愚《别裁集》只选《上巳忆白门》一首，云：'杨柳晚风深巷酒，桃花春水隔帘人。'不过排凑好看字面，最为下乘。舍性灵而讲风格者，往往舍彼取此。"《晚晴簃诗汇》卷八六录其诗二首。

闰九月

初六日，陈士璠卒，年六十七。据杭世骏《中宪大夫瑞州府知府陈君墓表》（《道古堂文集》卷四五）。《晚晴簃诗汇》卷七一："鲁斋廉而狷，工医。官户曹时，贵有以医召者，谢不往，坐是淹滞十年始得调。诗初拟三唐，晚乃出入白、苏、黄、陆，直抒胸臆，而自具风格。"录其诗二首。

秋

乡试。是科各省考官有刘统勋、蔡新、冯浩、金德瑛、庄因培、德保、吴鸿、郑虎文、李中简、梁国治、刘墉、戈涛等。据法式善《清秘述闻》卷六。所取举人有盛百二（《清史列传》范家相传附）、袁文典（《清史列传》师范传附）、何在田（蒋士铨《何鹤年遗集序》）、郑际熙（姚鼐《郑大纯墓表》）、常纪（张洲《诰赠中宪大夫恩恤道历官四川崇庆州知州常君殉节行状》（《碑传集》卷一二一））、朱云骏（《湖海诗传》卷二〇）、蒋业晋（《湖海诗传》卷二〇）、董潮（《阳湖县志》本传）等。

襜襹道人自序《妆钿铲传》。署"乾隆岁次丙子秋月，襜襹道人书于铜山之迎门宫"。是书四卷二十四回，有本年稿本，题"昆仑襜襹道人著"、"松月道士批点"。首东皋野史序，次襜襹道人自序，次松月道士序。文前有小引，书后有小赞和跋。据《中国古代小说总目》白话卷。

十一月

二十五日，宋湘（1757—1826）生。湘字焕襄，号芷湾，嘉应人。乾隆五十七年举乡试第一。嘉庆四年成进士，选庶吉士。以编修典试四川、贵州，出知曲靖、广南、永昌。官至湖北督粮道。著有《不易居斋集》、《丰湖漫草》、《丰湖续草》等，后人编为《红杏山房诗钞》、《红杏山房遗稿》。事迹见《国朝诗人征略》初编卷五四、《清史列传》本传、《清史稿》冯敏昌传附。［生日据江庆柏《清代人物生卒年表》］

陈兆崙官太常寺卿。据陈玉绳《陈句山先生年谱》。

桑调元自序《五岳集》二十卷。署"乾隆丙子十一月月几望，五岳诗人桑调元自序"。自序云："自辛未发轫嵩山，时年五十七。中间一年不游，华、泰、衡、恒，几六年而遍，于今六十有二矣。"（《五岳集》卷首）

十二月

十四日，张问安（1757—1815）生。问安字亥白，遂宁人，问陶兄。乾隆五十三年举人。前后凡六应乡试、七应会试。晚主蜀中华阳、温江书院。著有《亥白诗草》八卷。事迹见蔡坤编辑、蔡璐参校《张船山先生年谱》，胡传淮《张问陶年谱》。

冬

王昶以将释服，乃赴卢见曾之招，为其子孙授业。据严荣《述庵先生年谱》。

本年

江浙荒歉，民生艰难。《沈归愚自订年谱》："荒歉以后，民食榆皮，兼掘山粉，因之疹疫大行，死人载路。予有句云：'无方谋粒食，到处弃童儿。'又云：'故鬼连新鬼，招魂不返魂。'纪实语也。"

黎简十岁，能诗文。据黄丹书《明经二樵黎君行状》（《碑传集三编》卷三十七）。

王文治随全魁、周煌奉使琉球，诗风一变。姚鼐《食旧堂集序》："丹徒王禹卿先生，少则以诗称于丹徒，长入京师则称于京师。负气好奇，欲尽取天下异境以成其文。乾隆二十一年，翰林侍读全魁使琉球，邀先生同渡海，即欣然往。故人相聚涕泣留先生，不听。入海覆其舟，幸得救不死，乃益自喜曰：'此天所以成吾诗也。'为之益多且奇，今集中名《海天游草》者是也。"（《惜抱轩文集》卷四）王昶《蒲褐山房诗话》："时全侍讲魁、周编修煌奉使琉球，挟以俱往。故其诗一变，颇以雄伟见称。"（《湖海诗传》卷二二）

洪亮吉归兴隆里旧宅，从旁舍塾师受《尚书》。据吕培等《洪北江先生年谱》。

戴震馆于高邮王安国第，公子王念孙从学。据段玉裁《戴东原先生年谱》。

史震林留淮安，馆柳衣园程氏。据张慧剑《明清江苏文人年表》。

韩锡胙与许朝定交，为选定《红桥诗集》。据张慧剑《明清江苏文人年表》。许朝此后事迹未详。袁枚《随园诗话》卷一三："同年许朝字光庭，常熟人。诗似放翁。殁后，家无继起者。录其佳句云：'泉碍石流无意曲，草经霜隈不须芟。''倚床爱就肱边枕，揽镜贪看背后山。''得月便佳还值望，是山都好不须名。''预思煮雪炉先办，不会裁花谱借抄。'五言如《病骥》云：'眠沙深有印，啮草懒无声。'《山村》云：'峰乱向人涌，泉分界石流。'又，'舟隔堤撑半露篷'七字亦佳。"《补遗》卷七录其《柳州舟次》等诗句。

韩锡胙任德州书院山长。据刘耀东《韩湘岩先生年谱》卷上。

翟灏官衢州府学教授。越六年，丁忧归。据梁同书《翟晴江先生传》（《频罗庵遗集》卷九）。

冯廷丞由荫生授光禄寺署正。据汪中《大清诰授通议大夫湖北提刑按察使司按察使兼管驿传冯君碑铭》（《述学外编》）。

蒋士铨假满入京师。据蒋士铨《何鹤年遗集序》（《忠雅堂文集》卷一）。

雷铉自浙致仕归。据彭启丰《通奉大夫都察院左副都御史加二级雷公墓志铭》（《芝庭先生集》卷一三）

张坚访随园。袁枚《随园诗话》卷六："后岁丙子，（张坚）同杨洪序来随园，年七十余。喜所居不远，月下时时过从。别三十年，杳无音耗。"

毕沅作《青琐吟香集》三卷。据史善长《弇山毕公年谱》。

查祥作《云在自叙》。有云："丙午、丁未间罢官家居，一病几殆，家人辈焚毁残废卷帙，误入灰烬中，五十岁以前所作遂无一存者。""越三十年，笥箧存留又与前帙相等。"（《云在诗钞》卷首）

李百川居辽州，续成《绿野仙踪》二十一回。据《绿野仙踪》钞本（百回本）自序。

李海观五十岁，《歧路灯》约前八十回已成。此后因舟车海内，辍笔几二十年，至乾隆四十年前后始续作。据李海观《歧路灯自序》（栾星《李绿园诗文辑佚》卷三）。

曹锡宝《古雪斋诗》八卷刊行。据《贩书偶记》卷一五。

乔光烈《最乐堂文集》六卷刊行。据《贩书偶记续编》卷一五。

张四科《响山词》四卷刊行。据《清词别集知见目录汇编》。[按，《贩书偶记》卷二〇著录是书去年刊行]冯金伯《词苑萃编》卷八《张渔川词》引厉樊榭云："张渔川词，删削靡曼，归于骚、雅。其研词炼意，以乐笑翁为法。读《响山》一编，觉白云未远也。"

邵志纯（1756—1799）生。志纯字怀粹，号右庵，仁和人。诸生。嘉庆元年举孝廉方正。著有《右庵诗文集》四卷。事迹见王昶《湖海诗传》卷四一。

石韫玉（1756—1837）生。韫玉字执如，号琢堂、花韵庵主人、独学老人，吴县人。乾隆五十五年状元，授翰林院修撰。历官湖南学政、重庆知府兼护川东道、陕西潼商道、山东按察使。晚主苏州紫阳书院。著有《独学庐初稿》、《二稿》、《三稿》、《四稿》、《五稿》、《余稿》、《花间九奏》杂剧。事迹见陶澍《恩赏翰林院编修前山东按察使司按察使琢堂石公墓志铭》（《陶文毅公全集》卷四五）、《清史列传》本传。

李懿曾（1756—1807）生。懿曾字渔衫，通州人。乾隆四十八年副贡生。平生三中副贡。考授州判，改教职。嘉庆十二年授铜陵教谕，道经苏州卒。著有《天海楼集》八卷、《紫琅山馆诗钞》四卷、《扶海楼诗集》十二卷、《扶海楼文续集》五卷、《乡乐府》一卷。事迹见张慧剑《明清江苏文人年表》。

吴芳培（1756—1822）生。芳培字霄菲，号云樵，泾县人。乾隆四十九年进士，选庶常，授编修。官至兵部侍郎、左都御史。著有《云樵集》。事迹见《安徽通志》本传（《续碑传集》卷八）。[生卒年据江庆柏《清代人物生卒年表》]

余鹏翀（1756—1783）生。鹏翀字少云，怀宁人。监生。著有《息六斋遗稿》。事迹见武亿《余少云哀词》（《授堂文钞》卷五）、汪启淑《余鹏翀传》（《续印人传》卷五）。

徐涛（1756—1790）生。涛字听松，号江庵，吴江人。著有《话雨楼诗》。事迹见郭麐《亡友徐江庵墓志铭》（《灵芬馆杂著》卷一）。[按，《墓志铭》谓其卒于壬子年十一月，误。又谓得年三十有□。此据张慧剑《明清江苏文人年表》]

徐文靖卒，年九十。据姜亮夫《历代名人年里碑传总表》。袁枚《随园诗话》卷八录其《湖居》诗，称"典雅可诵"。《清史稿》本传："文靖务古学，无所不窥。著述甚富，皆援据经史。"《徐位山六种》有雍正乾隆间志宁堂刊本、光绪二年刊本。据《中国丛书综录》。

谢济世卒，年六十八。此前家居十二年。据谢庭瑜《诰授奉政大夫掌山东道监察御史湖南盐驿长宝道按察司副使谢公济世小传》（《碑传集》卷八三）、朱彭寿《清代人物大事纪年》、张惟骧编《疑年录汇编》卷一〇。[按，《清通鉴》谓其去年四月卒]李祖陶《国朝文录续编·梅庄文录引》："其学奥博。说经不遵朱子，所著《大学注》、《中庸疏》，鄂、朱两相国皆不然其说。《匪医十经注》，己亦自悔其言之过。而行文则上至奏疏，下至序记杂文，皆熔炼精警，无一怯句冗字。而忠鲠之性，出口便如揭肺肝。诗亦铿锵。其《纂言》内、外篇，精凿自成一子。《西北域记》斑驳陆离，如《尔雅》，如《方言》，如《考工记》，不独足以广见闻也。相其生平，固台中一正人，亦可称岭外一学者矣。"袁枚《随园诗话》卷八录其《次东坡狱中寄子由韵寄从弟佩苍》、《题金山郭璞墓》诗。《晚晴簃诗汇》卷五八录其诗五首。《国朝文汇》甲集卷四六录其《牛李是非辨》等文四篇。

史承谦卒，年五十。 据严迪昌《清词史》第三编第二章。冯金伯《词苑萃编》卷八《史位存词》引储长源云："史位存承谦，以熏香摘艳之才，为滴粉搓酥之用，优游渐积，久而益专。其于南渡诸家，不屑屑句摩篇仿，而一种幽情逸韵，流于笔墨之外，盖能自出杼轴而又得体裁之正者。"吴衡照《莲子居词话》卷三《史承谦词》："宜兴史位存承谦与弟衎存承豫，并有才名，位存尤工词，滴粉搓酥，多言情之作。""近日任澧塘安上、周藕塘迦诸先生辈都宗之。"谢章铤《赌棋山庄词话续编》卷三《史承谦小眠斋词选》："《小眠斋词选》四卷，宜兴史位存承谦撰。储长源国钧曰：'自《花间》、《草堂》之集盛行，而词之弊已极，明三百年直谓之无词可也。我朝诸前辈起而振兴之，真面目始出。顾或者恐后生复蹈故辙，于是标白石为第一，以刻削峭洁为贵。不善学之，竟为涩体，务安难字，卒之抄撮堆砌，其音节顿挫之妙，荡然欲洗。草草陋习，反堕浙西成派。彼浙西之词，不过一人唱之，三四人和之，以浸淫遍及大江南北。人守其说，固结于中而不可解，谓非矫枉之过欤。位存自定其稿存如干首，起衰有人，固可以无恨。'又位存之弟衎存承豫曰：'吾邑溪山明秀，夙称人文渊薮，而自唐迄今，覈其著作，真堪不朽者，惟南宋之竹山蒋氏，本朝之迦陵陈氏两家词集而已。今得吾兄，如鼎三足。'按长源之说，与余素论最合。其时厉派方张，一唱百和，位存以穷老诸生，独能于时风众势之所趋，卓然不惑而不枉其才，卒之百年论定，虽异己者不能没其所长，则长源之所推许宁为过欤。其词选入《国朝词综》将三十首，然亦取其近于浙派者，佳篇固不止此，予复简一二录之，人之赏心，何必尽同。"陈廷焯《白雨斋词话》卷四："史位存词，寓纤秾于闲雅之中，流逸韵于楮墨之外，才力不逮陈、朱，而雅丽纤徐，亦陈、朱所不及，真陈、朱劲敌也。""其年词最雄丽，竹垞则清丽，樊榭则幽丽，璞函则秾丽，位存则雅丽，皆一代艳才。位存稍得其正，而才气微减。"卷六："位存词规模较隘，而全篇精粹，亦能拔帜于陈、朱之外。"《词坛丛话·位存词兼有众美》："位存词，兼有众美，纯粹以精。其才力不逮其年、竹垞、太鸿三家，而情词之妙，是亦我朝之张子野也。"又《位存词纯雅》："位存词，实乃风气一大转移。嗣后作者虽多，而气魄终小。其一二才气发皇之士，大率蹈扬湖海，又生雅正之旨，实自位存始也。然不得为位存咎。位存固凝神炼句，归于纯雅。后人非无此才，无此气度耳。"

周振采卒，年六十九。 据张慧剑《明清江苏文人年表》。[按，段朝端《周白民先生年谱》（谢巍《中国历代人物年谱考录》著录）谓其本年卒，年七十］齐召南《周振采小传》："海内言时文者，无不知有山阳周白民先生。""困踬棘闱者数十年，竟以选贡老。然淮海言经学、品性仿佛古人者，必曰先生。""自幼至老，寝食书卷中，研究覃思，自标清醇一格。于前明章、罗、陈、艾外，凡数百篇，方公望溪称之至不容口。方朴山先生曰：'白民经学不必尽逮古人，而能到古人之所不到。其于史，不喜观大意，而心解处出人意表，乃适得人意中。'士林以为确论。"（《碑传集》卷一四〇）史震林《三民合记》："白民博学强记，文义深酷，以六经为根柢。有摹其稿者，试必冠军，多掇高魁，而白民老而不第，须发苍白，双瞳紫光，筑书为城，煮字为粮，壮心未降，人为太息。乾隆丙辰举鸿博固辞，辛未举明经则又辞。"（《华阳散稿》卷下）《国朝诗别裁集》卷二八："白民制义比于天半朱霞、云中白鹤。典江南试者，每以不得白民为愧，然终于不遇，天也。诗不多作，亦矫矫拔俗。"录其《晚甘园芍药盛开纯江招饮》、《老将》诗二首。《国朝诗人征略》初编卷二三引《词科掌录》："诗宗《选》体，时有远致。"

唐英卒，年七十五。据张慧剑《明清江苏文人年表》。袁枚《随园诗话补遗》卷一录其《归舟即景》、《环翠亭纳凉》诗，谓"读之，想见盛世升平、官领闲曹之乐"。法式善《梧门诗话》卷一〇："唐蜗寄榷使英性嗜风雅，诗多适性。"《晚晴簃诗汇》卷六二录其诗二首。杨恩寿《词余丛话》卷二："唐隽公先生别号蜗寄居士，督权九江垂二十年，宏奖风流，爱才如命。在琵琶亭置笔砚，游客投以诗，无不接见。投辖殷殷，必得其欢心而去。康熙时风雅宗师也。著有《虞（弓）［兮］梦》、《转天心》诸传奇。余小时曾见钞本，词曲虽尽忘之，科白排场似近《笠翁十种》。先生自题云：'酒畔排场，莫认作案上文章。'亦自嘲也。"

公元 1757 年（乾隆二十二年　丁丑）

正月

初八日，**王安国卒，年六十四。**据汪由敦《光禄大夫经筵讲官吏部尚书谥文肃王公安国墓志铭》（《碑传集》卷二九）。《贩书偶记》卷一五："《王文肃公遗文》一卷，高邮王安国撰，其孙敬之编。咸丰丙辰刊。"

高宗第二次南巡，五月回京。据《钦定南巡盛典》。

王昶在卢见曾署。时程梦星、马曰琯、马曰璐、江昱、江昉、汪棣、张四科等为地主，酒座诗场，于斯为胜。据严荣《述庵先生年谱》。

二月

初一日，**恽敬**（1757—1817）生。敬字子居，号简堂，阳湖人。乾隆四十八年举人。历官浙江富阳，贵州江山，江西新喻、瑞金知县，南昌府吴城同知。著有《大云山房文稿》、《大云山房诗集》、《红楼梦论文》、《子居决事》。事迹见吴德旋《恽子居先生行状》（《初月楼文钞》卷八）、陆继辂《瑞金知县恽君墓志铭》（《崇百药斋文集》卷一七）、《清史列传》本传、《清史稿》本传。

敦诚随父司榷山海。敦敏《敬亭小传》："丁丑二月，随先大人司榷山海，住喜峰口，有《松亭纪游》一卷。"（《四松堂集》卷首）

　　汪由敦序赵翼《瓯北初集》。署"乾隆二十二年丁丑二月，通家生休宁汪由敦撰"。（《瓯北诗钞》卷首）

三月

　　会试。考官：刑部尚书刘统勋、礼部侍郎介福、礼部侍郎金德瑛。奉旨乡、会试易表判为诗，永著为例。题"臧文仲其"一句，"在上位不"二句，"一箪食一 加焉"。赋得"循名责实"得"田"字。据法式善《清秘述闻》卷六。姚鼐（郑福照《姚惜抱先生年谱》）、赵翼（佚名《瓯北先生年谱》）、何在田（蒋士铨《何鹤年遗集序》）报罢。

　　卢见曾修禊红桥，作七言律诗四首。和者七千余人，编次得三百余卷。据李斗《扬州画舫录》卷一〇。郑燮有《和雅雨山人红桥修禊》四首、《再和卢雅雨》四首，见《郑板桥全集·板桥集》。王昶《蒲褐山房诗话》："乾隆丁丑，余在广陵时，卢运使见曾大会吴、越名士于红桥，凡六十三人，篁村与焉。有诗云：'谁识二分明月好，一分应独照红桥。'为时称诵。"（《湖海诗传》卷一八）

　　王昶等应召试，授内阁中书。曹仁虎、韦谦恒、吴省钦、褚廷璋等赐举人，授内阁中书。据《钦定南巡盛典》卷七四。

　　赵文哲、吴泰来同集随园。袁枚《随园诗话》卷一〇："丁丑召试，（损之）与吴竹屿同集随园，爱诵余'无情何必生斯世，有好都能累此身'一联。"

　　袁枚作《随园三记》。见《小仓山房文集》卷一二。

四月

　　王昶归里。据严荣《述庵先生年谱》。

五月

　　十五日，高宗御太和殿，传胪。赐一甲蔡以台、梅立本、邹奕孝进士及第，二甲曹锡宝、彭元瑞、蒋士铨、韩梦周等进士出身，三甲钱塘周嘉猷、康基田、阮芝生、程大中、常纪、张洲等同进士出身。据《历科进士题名录》、《清通鉴》。

　　朱仕玠自序《溪音》十卷。署"乾隆丁丑夏五，筠园野人朱仕玠撰"。又，卷首有本月李中简序、明年孟秋朱仕琇序、乾隆二十四年初冬沈德潜序。《贩书偶记续编》卷一五著录是书乾隆二十四年松谷刊行。

六月

　　王昶往江宁，寓袁枚随园。见尹继善。与程廷祚论学。据严荣《述庵先生年谱》。

夏

张庚自序《强恕斋文钞》。署"乾隆丁丑夏，弥伽居士张庚题"。（《强恕斋文钞》卷首）四库提要卷一八五：《强恕斋文钞》五卷，"国朝张庚撰。庚有《通鉴纲目释地纠缪》，已著录。庚少孤贫，卖画养母，以余力为古文。是集乃其七十三岁所自编。中传志之文居十之七，多述忠孝节义之事。"

七月

初六日，郝懿行（1757—1825）**生。**懿行字恂九、寻韭，号兰皋，栖霞人。嘉庆四年进士，授户部主事。二十五年，补江南司主事。著有《晒书堂集》十七卷。事迹见胡培翚《郝兰皋先生墓表》（《续碑传集》卷七二）、江藩《国朝汉学师承记》卷六、《清史列传》本传、《清史稿》本传。［按，生卒时间据许维遹《郝兰皋夫妇年谱》（谢巍《中国历代人物年谱考录》著录）］

汤斯祚编定《亦庐诗集》。自序署"甿乾隆丁丑秋七月朔，南丰亦庐超遥子自识"。（《亦庐诗集》卷首）［按，乾隆间刊三十卷本《亦庐诗集》收诗讫庚辰年冬。］四库提要卷一八五：《亦庐诗集》二十八卷，"国朝汤斯祚撰。斯祚字衍之，号亦庐，南丰人。雍正中以岁贡生官江西新昌县训导。是集以编年为次：其居家则有《超遥书堂草》、《茗柯山房草》；游楚则为《匡庐山草》、《沔阳草》；泊归而复出，则有《茗柯山房后草》、《崇真禅院草》、《沅湘草》；充贡以后，则有《北征》、《燕山》、《南辕》诸草；为学官以后，则为《宜丰草》、《俸满草》、《回任草》、《宜丰后草》。其诗笔力颇爽健，惟功候未深耳。"［按，据《亦庐诗集》卷首汤斯祚自序，其官新昌训导在乾隆十年。四库提要作雍正中，误］

八月

二十日，凌廷堪（1757—1809）**生。**廷堪字次仲、仲子，歙县人。乾隆五十四年乡试中式，明年会试中式，五十八年补殿试，赐同进士出身。官宁国府学教授。晚主宣城敬亭书院、歙县紫阳书院。著有《校礼堂文集》三十六卷、《诗集》十四卷、《梅边吹笛谱》二卷。事迹见阮元《次仲凌君传》（《揅经室二集》卷四）、张其锦《凌次仲先生年谱》、戴大昌《凌次仲先生事略状》（《年谱》卷首）、江藩《国朝汉学师承记》卷七、《清史列传》本传、《清史稿》本传。

王昶赴钱塘谒梁诗正。时齐召南方为敷文书院山长，杭世骏亦家居，昶往见之。据严荣《述庵先生年谱》。王昶《蒲褐山房诗话》："乾隆丁丑秋，予至西泠相见［俊按，指与杭世骏相见］，共论古今文章流别，谓予曰：子无轻视放翁诗文，至此亦足名家。其冲怀乐善，迥异乎世之放言高论者矣。"（《湖海诗传》卷五）

秋

敦诚有《寄怀曹雪芹霑》诗，时在喜峰口松亭关为税官。诗云："少陵昔赠曹将军，曾曰魏武之子孙。君又无乃将军后，于今环堵蓬蒿屯。扬州旧梦久已觉（雪芹曾随其先祖寅织造之任），且著临邛犊鼻裈。爱君诗笔有奇气，直追昌谷破篱樊。当时虎门数晨夕，西窗剪烛风雨昏。接䍦倒着容君傲，高谈雄辩虱手扪。感时思君不相见，蓟门落日松亭樽（时余在喜峰口）。劝君莫弹食客铗，劝君莫扣富儿门。残杯冷炙有德色，不如著书黄叶村。"（《四松堂集》卷一）

王应奎自序《柳南续笔》四卷。 署"乾隆丁丑立秋日，柳南七十四翁王应奎题"。又，乾隆二十八年七月十四日邵齐焘序云："卷中所载，略同前编，或语传流俗，不道于搢绅；或论涉诗文，有资于风雅。"（《柳南续笔》卷首）胡玉缙《许庼经籍题跋》卷三："《柳南随笔》六卷、《续笔》四卷，常熟王应奎撰。应奎字东溆，诸生。是书记述琐闻，如严讷父子、孙艾、顾耿光、钱籍诸人事，往往不见于他说，谈论文艺，亦间有考证，在说部中尚为善本。中如以'落凤坡'出《三国演义》，议王士禛吊庞士元诗不当著之题；又以'雨丝风片'出《牡丹亭》曲，议士禛不当用之于诗。其持论颇正。应奎尝记士禛不为人作诗以寿明珠，固非不满于士禛者，而张维屏《听松庐文钞》跋是书，乃谓'土人既以落凤坡名其地，以之著题为从实，"雨丝风片"用于秦淮绝句，亦未为病'，此殆以士禛诗负重名，为之曲护，未免疑误后人。然维屏又云'其谓小说词曲不可入诗文则诚笃论，如"生瑜生亮"之语亦出《演义》，人多习而不察'云云，则固以应奎说为是，且为之充其类也。方桀如序称其'远希老学，近埒新城'，虽友朋推挹之辞，要亦近似。惟瞿式耜自号愧林，既谓取内典'惭愧林'之义，乃以殉节桂林，又谓'愧'与'桂'同音，自号实为之谶，未免附会。康熙间洪昇等以《长生殿传奇》获罪，盖演于查楼，赵执信自叙言之甚明，今谓演于生公园，又传闻之失耳。"是书有本年刊本、嘉庆《借月山房汇钞》本等。

十月

十五日，**林明伦卒，年三十五。** 据朱筠《衢州府知府穆庵林君行状》（《笥河文集》卷九）。朱珪《衢州府知府林君墓志铭》："君之于文，几于道，不悖于古。"（《知足斋文集》卷三）《国朝诗别裁集》卷二九录其《吊五人墓》诗一首。《国朝文汇》乙集卷一七录其《思无邪论》等文五篇。《穆庵遗文》一卷（朱仕琇评）乾隆四十二年刊行。据《贩书偶记》卷一五。

二十六日，**陈庚焕（1757—1820）生。** 庚焕字道南、道由、道献，号惕园、惕斋、易堂，长乐人。岁贡生。著有《惕园文稿》十六卷、《诗稿》四卷、《遗稿》十卷。事迹见陈宗英《惕园岁记》、《清史列传》谢金銮传附。

十一月

陈安兆著书案发，十二月止。 据《清代文字狱档》。

汪廷珍（1757—1827）生。 廷珍字玉粲，号瑟庵，山阳人。乾隆五十一年举人，五十四年榜眼，授编修。官至史礼部尚书、协办大学士。谥文端。著有《实事求是斋遗稿》四卷《续集》一卷。事迹见李元度《汪文端公事略》、《淮安府志》本传（《续碑传集》卷三）、江藩《国朝汉学师承记》卷六、《清史列传》本传、《清史稿》本传。
［按，江庆柏《清代人物生卒年表》谓其生卒年为1754—1828年，此据朱彭寿《清代
人物大事纪年》］

十二月

王昶以北上入都，在扬州度岁。卢见曾嘱撰《红桥小志》。据严荣《述庵先生年
谱》。

范泰恒作《燕川集书后》。署"丁丑除日，阻风丰城，燕川居士书"。（《燕川集》
卷首）四库提要卷一八五：《燕川集》六卷，"此集皆其所为古文。后附其祖父墓表、
祖母寿序，皆他人作，而末又缀以泰恒代文六篇。编次不伦，疑墓表、寿序即泰恒自
作，嫁名于人，后仍收之集中耳。然究非体例也。"是书乾隆间刊行。《贩书偶记续编》
卷一五著录《燕川集》十四卷，嘉庆己巳愿起庐重刊。

冬

边连宝以诗集嘱戈涛订定。据《随园诗草》卷首戈涛序。《随园诗草》八卷《禅
家公案颂》一卷有乾隆四十年任丘边氏家刻本。四库提要卷一八五：《随园诗集》十卷
《附录》一卷，"国朝边连宝撰。连宝字赵珍，今刊本作肇畛，乃戏以同音书之。如申
涵光本字符孟，而每书凫盟，非其本字也。任丘人。雍正乙卯拔贡生。乾隆丙辰荐举
博学鸿词，辛未又荐举经学。是集前有乾隆丁丑戈涛序。而第四卷以下题曰《病余草》
者，乃皆戊寅以后诗，盖续编而仍冠以原序也。《附录》一卷，曰《禅家公案颂》，则
其晚耽禅悦，读指月录所作云。"

本年

定以五言八韵应试。徐珂《清稗类钞·文学类·试帖诗之遗闻》："五言八韵唐律
一首，初惟行于进士朝考、翰林散馆等试。洎乾隆朝，御史张霁奏请乡会科场及岁科
两试，一律通行（岁试六韵，科试八韵）。丁丑，遂颁为定例。初设之始，盖因科场表
判，每多雷同剿窃陋习，是以改试排律，使士子各出心裁。自后研究日精，专心造极。
纪文达公撰《我法集》，神明规矩，开示学者法门。吴毅人祭酒以沈博绝丽之才，与王
铁夫诸人结社唱和，于是九家诗出焉。峨眉张熙宇又有七家诗之选，七家者：王廷绍
之《澹香斋》也，那清安之《修竹斋》也，刘嗣绾之《尚綗堂》也，路德之《柽花
馆》也，杨庚之《桐云阁》也，李惺之《西沤》也，陈沆之《简学斋》也。各具典
型，一归庄雅，根柢于唐人之五言，惨澹经营，以臻其妙。名为试帖，实具唐音，故
学者宗尚焉。其余诸刻，则等诸自桧以下矣。"《晚晴簃诗汇》卷九六"吴锡麒"诗
话："旧制惟朝考、御试、馆课用诗，乾隆二十二年丁丑，易判表为五言八韵律诗，士
之习帖括者靡不研求声病。金雨叔侍郎《今雨堂诗墨》、纪文达《馆课存稿》、《我法
集》尤有名。文达又作《唐人试律说》，选注《庚辰集》，以程法开示学者。其后京师

有《九家诗》之刻，曰钱塘吴锡麒縠人《有正味斋》，曰长乐梁上国九三《芝音阁》，曰蒙古法式善时帆《存素堂》，曰长洲王芑孙惕甫《芳草堂》，曰南丰雷维霈筠轩《知不足斋》，曰灵石何元烺砚农《方雪斋》，曰江阴王苏侪峤桑《寄生斋》，曰大庾李如筠介夫《蛾术斋》，曰灵石何道生兰士《双藤书屋》。惕甫各为之序，目为试帖诗课合存。又云选赋得诗，有广备题目，近乎类书；有专讲作法，近乎时文。法庶子刻《同馆试律》，无二者之弊，而其书为掌故设，今删取三百篇别为《翰林赋得诗钞》。道光壬辰，峨眉张熙宇玉田辑《七家诗》，曰大兴王廷韶楷堂《澹香斋》，曰叶河那清安慎修《修竹斋》，曰阳湖刘嗣绾醇甫《尚絅堂》，曰盩厔路德润生《柽花馆》，曰江安杨庚少白《桐云阁》，曰垫江李惺伯子《西沤》，曰蕲水陈沆秋舫《简学斋》。复有辑《后九家诗》者，《桐云》、《简学》、《尚絅》、《柽花》、《澹香》五家外，钱塘郑城念桥《贻经堂》、朱阶吉绛《槎晨葩书屋》、姚伊宪古芬《环云阁》、丁钰式甫《砥碧山房》，皆集同时名辈所作。"

陈毅、陈制锦、陶湘、周榘、途逢豫、葛祖亮、王篯舆、汪思回、袁枚等集岳梦渊竹轩。梦渊作《竹轩诗社即事》诗。据张慧剑《明清江苏文人年表》。

黄景仁应学使者试。毛庆善、季锡畴《黄仲则先生年谱》："《印人传》云：九岁应学使者试，寓江阴小楼，临期犹蒙被卧，同试者趣之起，曰：'顷得"江头一夜雨，楼上五更寒"句，欲足成之，毋相扰也。'是先生时已学诗矣。洪《状》云丙戌以前未尝学为诗，言前此未专攻耳，集中诗始癸未年，非始丙戌年也。"

汪中十四五岁，贫无所依，鬻书于肆。日与书贾借阅群经，喜蓄金石文字。其父生前友人张文、郭能济见而异之，授以举子业。据汪喜孙《容甫先生年谱》。

钱沣从王瑾（字素怀）学。补博士弟子员。方树梅《钱南园先生年谱》："先生一生刚正之学，端本于此。"

洪亮吉从周线里、岳介锡受《礼记》。据吕培等《洪北江先生年谱》。

郑燮游高邮。有《由兴化迂曲至高邮七截句》，见《郑板桥全集·板桥集》。

章学诚购得吴注《庾开府集》。胡适《章实斋年谱》："购得吴注《庾开府集》。有'春水望桃花'句，吴注引《月令章句》云：'三月，桃花水下。'先生之父抹去其注，而评于下曰：'望桃花于春水之中，神思何其绵邈！'实斋彼时便觉有会。回视吴注，意味索然矣。自后观书，遂能别出意见，不为训诂牢笼。虽时有卤莽之弊，而古人大体乃实有所窥。（《家书》三）""先生自言：'二十岁以前，性绝驽滞。读书日不过三二百言，犹不能久识。为文字，虚字多不当理。廿一二岁，骎骎向长。纵览群书，于经训未见领会，而史部之书乍接于目，便似夙所攻习然者。其中利病得失，随口能举，举而辄当。……乃知吾之廿岁后与廿岁前，不类出于一人，自是吾所独异。'（《家书》六）"

戴震出都。在扬州，识惠栋于卢雅雨署内，与沈大成定交。《戴震集》上编《文集》卷一一《题惠定宇先生授经图》："前九年，震自京师南还，始觌先生于扬之都转盐运使司署内。"《沈学子文集序》："强梧赤奋若之岁，余始得交于华亭沈沃田先生。"

韩锡胙自山左还里，有《归青田》四首。据刘耀东《韩湘岩先生年谱》卷上。

胡天游主河中书院讲席。据胡元琢《先考稚威府君年谱纪略》。

徐以泰官阳曲县知县。四库提要卷一八五：《绿杉野屋集》四卷，"国朝徐以泰撰。以泰字陶尊，德清人。国子监生。乾隆二十二年官阳曲县知县。其诗皆早年之作，故骨格未就，而时有隽句。如《咏鹰翎扇》'附人终在手，断翩尚生风'一联，亦颇工点染也。"是书乾隆间刊行。据《贩书偶记续编》附录。

卢文弨由左春坊左中允升翰林院侍读学士。据段玉裁《翰林院侍读学士卢公墓志铭》（《抱经堂文集》卷首）。

沈德潜加尚书衔。据《沈归愚自订年谱》。

朱珪晋日讲起居注官。据罗继祖《朱笥河先生年谱》。

王显绪自波罗河屯监准噶尔俘槛车诣京。据《晚晴簃诗汇》卷七四。

周宣猷《雪舫诗钞》编年起乾隆辛未讫本年。四库提要卷一八五：《雪舫诗钞》八卷，"国朝周宣猷撰。其诗自乾隆辛未迄丁丑，分年编次。前七卷名《卷葹小草》，后一卷则南巡纪盛、皇太后万寿诗各三十首。"

王士禛撰、惠栋注《精华录训纂》十卷刊行。据《贩书偶记》卷一四。四库提要卷一七三：《精华录训纂》十卷，"王士禛撰，惠栋注。……士禛晚年仿宋黄庭坚《精华录》例，自定其诗为此本。栋祖周惕为士禛门人，故栋亦仿任渊、史季温例注之。以引证浩繁，每卷各分为上、下。其凡例称所采书共数百余种，悉从本书中出，不敢一字拾人牙后慧。然亦大概言之耳。……又栋邃于经学，于词赋所涉颇浅。所引或不得原本，于显然共见者，或有遗漏。……至于每条既各自标目，则其文不相连属。乃于数条共引一书者，不另标名。……其体例亦间有未善。是书先有金荣笺注盛行于时，栋书出而荣书遂为所轧，要亦胜于金注耳。至于元元本本，则不及其诂经之书多矣。人各有能有不能，不必以注而轻栋，亦不必以栋而并重此注也。"

郑王臣《兰陔诗集》三卷刊行。即《香艸草》、《药兰唱和诗》、《燕中怀古诗》等三种。据《贩书偶记》卷一五。

张梁《澹吟楼诗钞》十六卷刊行。据《贩书偶记续编》卷一四。

赵文哲《媕雅堂词集》四卷刊行。据《贩书偶记》卷二○。

胡慎容（女）《红鹤山庄诗》二卷、《二集》一卷、《红鹤词》一卷（蒋士铨、王金英同评）刊行。据《贩书偶记》卷一八。

许鸿磐（1757—1837）生。鸿磐字渐逵，号云峤，别号雪帆、六观楼主人，济宁人。乾隆四十六年进士。历官江苏安东知县、西城兵马司指挥、安徽颍州同知、泗洲直隶州知州。缘事落职。嘉庆二十一年，捐复知州，补河南禹州。著有《六观楼遗文》二卷、《雪帆杂著》一卷、《六观楼北曲》六种。事迹见江藩《国朝汉学师承记》卷六、道光《济宁直隶州志》卷八（《方志著录元明清曲家传略》）、《清史列传》祁韵士传附。[按，生卒年据邓长风《明清戏曲家考略·十位清代戏曲家生平考略》。]

吴垍（1757—1821）生。垍字次升，武进人。年十八，独身走京师。为王昶所赏，留馆邸最久。又受知于朱笥、陆耀。后投效南河大工，叙劳分发山东试用。累官至曹州知府。著有《礼石山房集》五卷、《金乡纪事》四卷及戏曲《皖江云》、《人天诰》、《护花幡》。事迹见陆继辂《山东曹州知府吴君垍墓志铭》（《碑传集》卷一一○）。

陈鹤（1757—1811）生。鹤字鹤龄、馥初，号稽亭、桂门、鸣九，世称懿长先生，元和人。嘉庆元年进士，以主事分工部。与牟昌裕、郑士超有"工部三君子"之目。熟于明代事，辑《明纪》六十卷。未成，卒。后八卷其孙克家续成之。又有《桂门自订初稿》、《续稿》。事迹见秦瀛《工部主事陈稽亭墓志铭》（《小岘山人续文集》卷二）、姚椿《陈稽亭工部家传》（《晚学斋文集》卷六）、《清史列传》本传、《清史稿》周济传附。

颜检（1757—1833）生。检字惺甫，号岱云，连平人。乾隆四十二年拔贡。历官江西吉安知府、云南盐法道、江西按察使、河南、直隶布政使、河南巡抚、直隶总督、漕运总督。以降级休致。著有《衍庆堂诗稿》十一卷。事迹见《畿辅通志·颜检传》（《续碑传集》卷二一）、《清史列传》本传、《清史稿》本传。［按，生年据江庆柏《清代人物生卒年表》，卒年据朱彭寿《清代人物大事纪年》］

黄丹书（1757—1808）生。丹书字廷授，号虚舟，顺德人。乾隆六十年举人。晚官教谕，兼工书画。著有《鸿雪斋诗钞》八卷、《文钞》一卷。事迹见《清史列传》黎简传附、《清史稿》黎简传附。［按，生卒年据江庆柏《清代人物生卒年表》］

叶继雯（1757—1832）生。继雯字云素，号桐封，汉阳人。乾隆五十五年进士。历官内阁中书、户部郎中、山东道监察御史、刑部给事中。著有《㠃林馆诗集》。事迹见《清史列传》本传。［按，生卒年据江庆柏《清代人物生卒年表》］

范驹（1757—1789）生。驹字昂千，号霍田，如皋人。诸生。乾隆四十九年应召试，列二等。五十四年膺拔萃科，旋卒。著有《霍田集》十三卷附《送穷剧》一折。事迹见邓长风《明清戏曲家考略·九位明清江苏、上海戏曲家生平考略》引嘉庆《如皋县志》卷一七。

鲍之蕙（女，1757—1810）生。之蕙字仲如，号茞香，丹徒人，皋女。适同邑张翊和，合刻《清娱阁集》，袁枚为之序，拟以古之秦嘉、徐淑。著有《清娱阁诗钞》六卷。事迹见袁枚《随园诗话补遗》卷三、施淑仪《清代闺阁诗人征略》卷六。

王应奎卒，年七十四。据张慧剑《明清江苏文人年表》。《柳南文钞》六卷《诗钞》十卷约乾隆间刊行。据《贩书偶记》卷一五。《国朝诗别裁集》卷二八录其《箬包船纪事》诗一首。《国朝文汇》乙集卷二一录其《青山庄记》等文四篇。

杨度汪卒，年五十六。据张慧剑《明清江苏文人年表》。《云豆楼集》二卷乾隆三十二年容与堂刊行。据《贩书偶记》卷一五。《晚晴簃诗汇》卷七〇录其诗一首。

朱樟卒，年八十一。据江庆柏《清代人物生卒年表》。四库提要卷一八四：《观树堂诗集》十四卷，"国朝朱樟撰。樟字鹿田，钱塘人。由举人官至泽州府知府。其诗为《叱驭集》一卷，入蜀时作也。《问绢集》一卷、《白舫集》二卷、《古厅集》四卷，皆令江油时作也。《冬秀亭集》四卷，官泽州时作也。《剡曲集》一卷，则天台纪游诗也。《一半勾留集》一卷，则忧归居杭诗也。"《晚晴簃诗汇》卷五五录其诗十一首。

查祥卒，年八十一。据江庆柏《清代人物生卒年表》。四库提要卷一八四：《云在诗钞》九卷，"国朝查祥撰。祥字星南，海宁人。康熙辛丑进士。官翰林院编修。祥早岁尝举博学鸿词，晚乃登第，年至八十余而殁。诗集未经刊行，此流传写本也。"［按，查祥为康熙戊戌进士，四库提要误作辛丑。又，查祥为乾隆丙辰科征士，则其举博学鸿词在登第之后。又，是书有乾隆间刻本］

公元 1758 年（乾隆二十三年　戊寅）

正月

　　初二日，胡天游卒，年六十三。据胡元琢《先考稚威府君年谱纪略》。〔按，朱仕琇《方天游传》（《先考稚威府君年谱纪略》卷首）谓其卒于本月十二日〕朱仕琇《传》云："天游于文工四六偶俪，得唐燕、许二公之遗。诗亦雄健有气。其古文自言学韩愈，涩险处时似唐刘蜕、元元明善，非其至也，然自喜特甚。时桐城方苞为古文，有重名，天游力诋之。前人如王士禛、朱彝尊诗文，遍摭其疵疣无完者。士大夫皆重其才而忌其口。""湖北万御史年茂目为浙江一人。""天游气刚好奇似唐员半千，自高其才似萧颖士，尝自比管、乐。诋诃诗文，摘人所行阙失，不避卿相。其沦落不遇，非尽由数之奇也。然使天游惩穷而易所守，岂足以见天游邪？"《石笥山房集》卷首杨以增序云："先生于书无不读，文则导源子云，归墟绍述，又移文法以入诗歌，境与昌黎为近，好奇之士以为绍述后身。繄彼骈文，正声绝于徐、庾，唐贤蜂起，高者伤繁芜，下者苦纤靡，天故发绍述以复词必已出旧观，一洗剽贼陋习。及宋四六盛行，搓挪助字，幺细弥甚，先生之挺出也，未必非天发之以振数百年之荼靡。"包世臣序云："征君之长篇巨制，属词比事，以多为贵，援引繁富，今古杂陈，如长江大河，砂石并下，顷刻不能得分合之源，归虚之委。细绎机栝，在乎换成言，择字义相类者，更代以明新，于骈语习见者颠倒以示奇。其小文短章则字棘句钩，急切不能了指归。其要领在乎节助字。盖多借助字，意与词适，以熟易滑，节之则词生意窈，赖咀味求之，前哲间以此为济胜之具，至征君乃为专家。然集内杂著一卷，多有关人心世道之言，是知征君非仅以字句耸观听者也。诗具众体，气格略与文同。"齐召南《胡稚威集序》："稚威乡人动谓稚威才遇与前明徐文长适合，余独不然。文长值王、李执耳词坛，负才不羁，名初不出于越。身后得袁中郎表扬之，名始著。其困也，生非其时也。稚威生太平极盛、道一风同之世，圣天子稽古右文，求贤若渴，士有片善足录，靡不搜罗。而稚威操行清严，不但以词章显。""以稚威之才遇时而又不获尽其才，此则稚威之命为之也。"（《宝纶堂文钞》卷五）袁枚《胡稚威骈体文序》："吾谓稚威之文虽偶实奇。何也？本朝无偶之者也。迦陵、绮园非其偶也。今人不足取，于古人偶之者，玉溪生而止耳。再偶，则唐四家与徐、庾、燕、许也。吾将偶之，而恐未逮，乃先为之序。"（《小仓山房文集》卷一一）《随园诗话》卷七："稚威骈体文直掩徐、庾，散行耻言宋代，一以唐人为归。诗学韩、孟，过于涩拗。"林昌彝《射鹰楼诗话》卷一二："天游于文工四六，得唐燕、许二公之遗，诗亦雄健有气。""天游五古如《（烈）女李三行》，七古如《唐浯溪中兴颂》、《石鼓文》、《画桃源行》、《汉杜陵五铜凤行》、《灯槃歌》，长篇巨作，为时传诵。五言如'天随秋在野，风与日争明'，'人将秋共瘦，诗更瘦于人'，七言如'无数行人无数柳，一分秋色一分波'（《灞桥》），'蛙为官鸣时傍路，蝶忘春谢尚寻花'，皆浑脱可诵。"李慈铭《越缦堂读书记·石笥山房文集》："阅胡稚威文集，造句炼字，独出奇秀，惟散文终嫌有骈俪蹊径。然吾乡究推独出一头地，未肯与文妖以下人并论也。其持论极服樊宗师而诋欧阳以下人，即所作可见。稚威文工于刻画，而纪事之法甚疏。故碑志诸作体例乖谬，不胜指驳。如《赠太仆卿松江府知府周中鉷墓志铭》，竟不言其为山阴人；《句容县知县周应宿墓表》言君特以其文，四方士无识不识率皆字谓君，而不著其葆山之字。其他大率类此。"《清史稿》本传："自言古文学韩愈，然往往涩险似刘蜕，非其至也。"《国朝文汇》乙集卷三录其《士相见议》等文十六篇。《晚晴簃诗汇》卷七二录其诗三十四首。《石笥山房文集》六卷、《诗集》四卷嘉庆戊午刊行，《石笥山房文集》六卷、《诗集》十二卷道光丙午刊行，《石笥山房文集》六卷、《补遗》一卷、《诗集》十一卷、《诗余》一卷、《补遗》二卷、《续补遗》二卷、《年谱》一卷咸丰二年刊行。据《贩书偶记》卷一六。

二十二日，牛运震卒，年五十三。据孙星衍《清故赐进士出身荐举博学宏词平番县知县牛君墓表》（《岱南阁集》卷二）。《国朝文汇》甲集卷六〇录其《郭氏族谱序》等文五篇。《晚晴簃诗汇》卷六八录其诗二首。《空山堂文集》十二卷《诗集》六卷嘉庆八年刊行。据《贩书偶记》卷一五。《空山堂全集》嘉庆二十三年空山堂刊行，诗文集外，凡《诗志》八卷、《周易解》九卷、《春秋传》十二卷（嘉庆四年刊）、《论语随笔》二十卷（原缺卷十、卷十八、卷二十，嘉庆六年序刊）、《孟子论文》七卷、《空山堂史记评注》十二卷（乾隆五十八年刊）、《读史纠谬》十五卷。据《中国丛书综录》。

二十二日，汪由敦卒，年六十七。据钱陈群《诰封光禄大夫太子太傅吏部尚书赠太子太师谥文端汪公墓志铭》（《香树斋文集》卷二五）。钱维城《加赠太子太师吏部尚书谥文端汪由敦传》："由敦学问淹贯，于书无所不窥，为文章典重有体，词约而旨深。少负重望，自以诸生直史馆，当时即以公辅期之。及官翰林，朝廷大制作必属之，一时奉为矜式。其它碑版序纪及古今体诗，俱为时所传诵。"（《茶山文钞》卷一一）四库提要卷一七三：《松泉文集》二十卷、《诗集》二十六卷，"国朝汪由敦撰。由敦字师茗，安徽休宁人。以商籍补浙江学生，故又为钱塘籍。雍正甲辰进士。由编修官至吏部尚书。赠太子太师，谥文端。由敦记诵淹博，文章典重有体。自为诸生即以才学著声。及登第以后，策名词馆，橐笔讲帏，荷蒙皇上特达之知，洊加拔擢，入直禁廷。每应制赓吟，奉敕撰述，无不仰承圣训，指示涂辙。艺林溯本，学海知源，所业日以益进。晚年遗稿颇夥，未及编次。其子工部右侍郎臣汪承霈谨加排次，都为二集。文集分二十三门，诗集自戊子迄丁丑凡五十年之作，共成四十六卷，缮本进呈。复蒙特赉宸章，曲加评骘。嘉诗篇之雅正，许文律之清醇。御藻亲摛，光垂不朽。此固由敦之绩学能文，荣膺稽古，而人臣私集得以上邀天奖，题词弁首，实千古未有之殊施。尤海内承学之士所为敬诵奎文，交相感颂者尔。"赵翼《檐曝杂记》卷二《汪文端公》："汪文端公诗、古文之学最深，当时馆阁后进群奉为韩、欧，上亦深识其老于文学。殁后，上以诗哭公，有云：'赞治尝资理，论文每契神。'公之所以结主知者可想已。"《国朝文汇》甲集卷五六录其《让溪说》等文六篇。《晚晴簃诗汇》卷六六录其诗七首。

顾栋高来扬州，以所注《尚书》嘱王昶考定。据严荣《述庵先生年谱》。

汪师韩将就任保定莲花池书院堂长，以所编诗集嘱桂元复序。据《上湖纪岁诗编》卷首桂元复《旧序》。序云："董浦每曰：诗之道熟易而涩难。韩门诗有涩味，所以可传。"

二月

蒋知让（1758—1809）生。知让字师退，铅山人，士铨子。乾隆四十五年召试举人。官唐县知县。著有《妙吉祥室集》。事迹见吴嵩梁《妙吉祥室诗钞序》（《国朝文汇》乙集卷六一）、《晚晴簃诗汇》卷九六。（出生时间据蒋士铨自编《清容居士行年录》。）

三月

沈德潜重游西洞庭。据《沈归愚自订年谱》。

张九钺经杭州、吴门，本月至京师。本年著《再蚕集》。据张家杻《陶园年谱》。

四月

十五日，陈世倌卒，年七十九。据史贻直《予告光禄大夫太子太保特进太子太傅文渊阁大学士兼工部尚书兼管礼部事务加二级文勤陈公世倌墓志铭》（《碑传集》卷二六）。

梁文濂卒，年八十七。据杭世骏《封光禄大夫经筵讲官太子少师协办大学士吏部尚书加一级岁进士授诸暨县儒学训导梁公墓志铭（代）》（《道古堂文集》卷四○）。

五月

二十二日，惠栋卒，年六十二。据王昶《惠定宇先生墓志铭》（《春融堂集》卷五五）。钱大昕《惠先生栋传》："宋、元以来，说经之书盈屋充栋。高者蔑弃古训，自夸心得；下者剿袭人言，以为己有。儒林之名，徒为空疏藏拙之地。独惠氏世守古学，而先生所得尤深。拟诸汉儒，当在何邵公、服子慎之间，马融、赵岐辈不能及也。先生少时已好撰述，有《王文简公精华录训纂》二十四卷盛行于世，论者以为过于任渊之注山谷，李壁之注荆公焉。有《太上感应篇注》二卷，证其为魏晋人所作，亦经好事刊刻。又有《后汉书补注》十五卷、《九曜斋笔记》二卷、《松厓笔记》二卷，予皆见之。其《周易本义辨证》五卷、《松厓文钞》二卷及《诸史会最》、《竹南漫录》，则未之见也。"（《潜研堂文集》卷三九）王昶《蒲褐山房诗话》："惠氏四世传经，至学士而大，至征君而精。论经述必宗汉、魏，六朝次之。其于史、子诸书，亦必取自唐以前。六书从《说文》，辅以《玉篇》、《广韵》。所著书凡十余种。先是，东南文士疏于经谊百有余年，至征君出而古学大昌。"（《湖海诗传》卷一四）江藩《国朝汉学师承记》卷二："受业弟子最知名者，余古农、同宗良庭两先生。如王光禄鸣盛、钱少詹大昕、戴编修震、王侍郎兰泉先生，皆执经问难，以师礼事之。"梁章钜《退庵随笔·学诗二》："本朝经学世家，以元和惠氏为第一，至定宇征君而益精，所著书凡十余种，皆著录四库中。征君祖父，瓣香渔洋，兼精吟咏。而征君则不复作诗，其撰《精华录训纂》，亦以笺疏之学行之，极为赅博。然为吴企晋舍人《研山堂序》，谓'诗之道，有根柢，有兴会。根柢原于学问，兴会发于性情，二者兼之，始足称大家'。则亦深于六义者矣。"

王昶抵京师，寓椿树胡同。在京与梁同书交甚密。据严荣《述庵先生年谱》。又，入都途径临清时，与沈廷芳相遇，同行者经月。据王昶《蒲褐山房诗话》（《湖海诗传》卷六）。

允禧卒，年四十八。据朱彭寿《清代人物大事纪年》。《钦定八旗通志》卷一二〇：《花间堂诗钞》一卷、《紫琼岩诗钞》三卷、《续刻》一卷，"初集名《花间堂诗钞》，王自编自序，合古今体诗二百六十六首。花间堂者，王所居西园十二景之一。其题咏俱见集中。次集曰《紫琼岩诗钞》，则其幕客顾元揆所定。元揆复承王命书而刻之，盖比于王士禛门人书《精华录》之例也。""先是王尝得端溪岩石宝，爱特甚，镌之曰紫琼岩，既自号紫琼，遂以名是集。前有果亲王及皇四子序，后有顾元揆跋。其诗多与《花间堂》复出者，盖元揆合已刻、未刻统行登选，原非以接续前钞也。王既薨，无子，上命皇六子质郡王为王后。乾隆四十八年，质郡王又哀其余稿，加以选择，为《紫琼岩诗钞续刻》，实得诗一百七十二首。而序云百六十九，目录又称百七十者，盖数之偶有未审云。"《国朝诗别裁集》卷三〇："王勤政之暇，礼贤下士。画宗元人，诗宗唐人，品近河间、东平，而多能游艺，又间、平所未闻也。"录其《灌花》等诗八首。法式善《八旗诗话》三："王禀秀星潢，比隆邢晋，爱与寒素，俱好贤下士，海内宗仰。"《晚晴簃诗汇》卷五录其诗二十首。《贩书偶记》卷一四："《花间堂诗钞》一卷，慎郡王允禧撰。无刻书年月，约康熙间精刊。"又，"《紫琼岩诗钞》三卷、《续刻》一卷，慎郡王允禧撰。乾隆二十三年刊。"

六月

康基田补江苏新阳县知县。据《茂园自撰年谱》。

夏

阎循观读书程符山之修正观，极山水之乐。据阎循观《游程符山西涧记》、《友石记》（《国朝文汇》乙集卷三七）。

七月

二十六日，姚文田（1758—1827）**生。**文田字秋农，浙江归安人。乾隆五十四年举人，五十九年应召试，授内阁中书。嘉庆四年状元，授修撰。累官至礼部尚书。谥文僖。著有《邃雅堂全书》。事迹见刘鸿翔《礼部尚书姚文僖公墓志铭》（《续碑传集》卷八）、《清史列传》本传、《清史稿》本传。

齐召南序胡浚《绿萝山庄全集》。署"乾隆戊寅孟秋之吉，天台息园齐召南书于万松冈"。序云："会稽竹岩先生，学博才雄，久以诗古文名天下。旧刻《绿萝山庄四六文集》二十四卷，临川穆堂李公、同邑秋塍鲁公序之。今刻诗集三十二卷，并前编，属余为序。"（《绿萝山庄全集》卷首）四库提要卷一八四：《绿萝山房文集》二十四卷、《诗集》三十三卷，"国朝胡浚撰。浚字希张，号竹岩，会稽人。康熙庚子举人。是编文皆骈体，浚自为之注。前有鲁曾煜序，称仿《韩非子》有经有传例。然《韩非子》经传各自为条，其著书句下自注者始班固《汉书·艺文志》，作文句下自注者始谢灵运《山居赋》，浚盖用灵运例也。"

八月

朔日，陈章序张世进词。署"戊寅八月朔，书于畬经堂，钱唐同学弟陈章"。序云："啸斋工于诗，五十以外始学为词"。（《著老书堂集》附词卷首）

沈德潜拒收日本弟子。《沈归愚自订年谱》："八月，日本臣高彝海外寄书千有余言，溯诗学之源流，诋諆钱牧斋持论不公，而以予为中正。又赠诗四章，愿附弟子之列，并欲乞奖借一言。意非不诚，然外夷不宜以文字通往还也，因不答以拒之。"

卢见曾编《国朝山左诗钞》六十卷成书。据朱彭寿《清代人物大事纪年》。法式善《陶庐杂录》卷三："《山左诗钞》五十六卷，家集一卷，闺秀一卷，流寓一卷，方外、青衣、仙鬼合一卷，共六十卷。德州雅雨山人卢见曾纂。得人六百二十余家，诗五千九百有奇，又附见诗一百十九首。成于乾隆二十三年。每人各系以小序，颇称详备。其自序云用以上继遗山，殆是集之微意欤。"是书本年雅雨堂刊行。据《贩书偶记》卷一九。

戴亨自序《庆芝堂诗集》。署"乾隆戊寅八月，辽左六十九岁老人戴亨书于昭文官署"。（《庆芝堂诗集》卷首）是书本年刊行。据《贩书偶记》卷一五。法式善《梧门诗话》卷三："晚年刻《庆芝堂集》，伤于繁富，其佳处人不可及。"

梦麟卒，年三十一。据王昶《户部侍郎署翰林院掌院学士梦公神道碑》（《春融堂集》卷五二）。《梦喜堂诗集》六卷乾隆间近文斋刊行，《大谷山堂集》六卷（门人严长明编）乾隆间刊行。据《贩书偶记》卷一五。沈德潜等《国朝诗别裁集》卷二九："乐府宗汉人，五古宗三谢，七古宗杜、韩，虽不能至，心向往之，不必议其不醇也。近日台阁中，无逾作者。倘天假以年，乌容量其所到。"录其《稚朝飞》等诗七首。王昶《蒲褐山房诗话》："先生乐府力追汉、魏，五言古诗取则盛唐，兼宗工部，七言古诗于李、杜、韩、苏无不有仿，无所不工。风驰电掣，海立云垂，正如项王救赵，呼声动地，又如昆阳夜战，雷电交惊。虽系才多，实由天纵。归愚宗伯序之，谓：'胸次足以包罗众有，笔力足以摧挫古今。'盖知言也。先生尝云：'五言必从悟入，而七言古诗忽起忽落，信手拈来，纵横如意，亦非妙悟不能。'尤属前贤所未发。生平宏奖风流，惟恐不及。"（《湖海诗传》卷一〇）林昌彝《射鹰楼诗话》卷五："王兰泉先生所选《湖海诗传》至五百余家，不为不多，皆平平无奇，凡诸家集中佳篇可采，概不选入，岂见地有未到，眼界有未明耶？乌足以示天下！集中所选诸家，惟满洲梦文子麟及粤东黎二樵简二家诗，如天风浪浪，银镵屈曲，在诸家中，可称压卷矣。"卷二一："蒙古正白旗梦午塘侍郎麟（字文子，乾隆十年进士）著有《大谷山堂集》。《听松庐诗话》云：'午塘先生未弱冠而入词垣，未三十而跻八座，且屡掌文衡，进参枢务。而其为诗，五言则萧寥澄旷，七言多激楚苍凉，方处春华之时，已造秋实之境，盖得于天分，非人力所能与也。'又云：'梦文子乐府诗有云："远忆送者，此时到家。"凡行人初别家时，胸中皆有此意，却被道出。'今按：侍郎诗五古如《朝往香山》、《鸡鸣寺》、《将赴梁溪道间作》，七古如《今年别》、《苏武牧羝图》、《中元旧县驿夜歌三首》、《舆人哭》、《河决行》、《晾甲石歌》多萧疏逸迈，凄越悲壮，其名篇之脍炙人口者，如：'澹蔼蒙青岑，孤篷冒疏雨。层波生浅凉，独坐闻柔舻。'句如'林隙辨归人，时见一回顾'，'荷动触虚籁，竹深流暗萤'，'帐钩花影外，人梦月明中'，'山连熊耳关云白，天入鸿沟朔气黄'。"杨锺羲《雪桥诗话》卷六："自少即以能诗名。初有《行余堂诗》，入词馆有《红梨斋集》，在吴删为《梦喜堂集》，重订为《大谷山堂集》六卷。尝谓五言必从悟入。而七言古诗忽起忽落，信手拈来，纵横如意，亦非妙悟不能。"《晚晴簃诗汇》卷七九录其诗十六首。

九月

十五日，梁启心卒，年六十四。据陈兆崙《赠奉直大夫翰林院侍 讲梁君瑴林墓志铭》（《紫竹山房文集》卷一七）。杭世骏《梁瑴林传》："吾杭文体日趋骫骳，左塾之师、虞庠之彦，以甘辞软调邀取时誉。而君独知问学，覃思闭户，默而沈湛，循历曲折，时时蹻曾、王之闳奥。文品峻洁，如白云在空，孤鹤警露。同时接迹而起者，严在昌之清奥，任应烈之精切，孙灏之窈窕密栗，陈兆崙之伟丽雄奇，皆能开设坛坫，推倒一世，而心每慑君为畏友、少师。"（《道古堂文集》卷三四）。《南香草堂集》四卷明年刊行。据《贩书偶记》卷一五。《晚晴簃诗汇》卷七五录其诗九首。

秋

姚鼐游扬州，旋归里。由潜山、宿松、黄梅、九江至南昌，十月归。据郑福照《姚惜抱先生年谱》。

十月

方楘如序沈德潜《归愚诗钞余集》。署"乾隆著雍摄提格之岁阳月既望，还淳方楘如顿首谨述"。（《归愚诗钞余集》卷首）方楘如此后事迹未详。又，桐城方氏《述本堂诗集》卷首方楘如序署"乾隆二十年三月既望，还淳八十四岁老人楘如识"，则方楘如本年八十七岁。《晚晴簃诗汇》卷五七："朴山博闻强记，尤长《三礼》。""世争传其制举文。诗用宋法，组织致工，风韵远出，亦足名家。"录其诗三首。《国朝文汇》甲集卷四三录其《读史记游侠列传》等文五篇。

十一月

王昶补授中书。据严荣《述庵先生年谱》。

陆建序袁树诗。署"戊寅仲冬，甥陆建湄君氏题于彭城郡斋"。（袁树著、袁枚编《红豆村人诗稿》卷首）

十二月

十六日，卢存心卒，年六十九。据彭绍升《卢太公墓志铭》（《二林居集》卷一一）。四库提要卷一八五：《白云诗集》七卷《别集》一卷，"国朝卢存心撰。存心原名琨，字玉严，别字敬甫，钱塘人。恩贡生。乾隆元年尝荐举博学鸿词。是集首以《文庙从祀弟子赞》八十首，殿以《咏梅》七言律诗八十五首。前有桑调元序，称为总角交。其才气亦调元之亚也。"是书有乾隆数闲草堂刻本。

曹庭栋丙子八月至本月诗为《产鹤亭诗五稿》。据《产鹤亭诗五稿》卷首标识。

冬

金兆燕与程廷祚同客卢见曾幕，廷祚向兆燕述《莲花岛》传奇大略。金兆燕《程绵庄先生莲花岛传奇序》："戊寅冬，与先生同客两淮都转之幕。先生居上客右，操椠著书；而兆燕不自知耻，为新声，作诨剧，依阿俳谐，以适主人意。主人意所不可，虽缪宫商，佥拍度以顺之不恤。甚则主人奋笔涂抹，自为创语，亦委曲迁就。盖是时老亲在堂，瓶无储粟，非是则无以为生，故澳涩含垢，强为人欢。""是时先生曾为余言《桃花岛》之大略，而行笥无稿本。越七年，乃以全部寄示。"（《棕亭古文钞》卷六）

本年

朱仕琇知夏津县第七年，以河决，改福宁府学教授。据鲁仕骥《朱先生仕琇行状》（《碑传集》卷一一二）。

朱珪迁侍读学士。据罗继祖《朱笥河先生年谱》。

张九镒补四川川东道。据张家栻《陶园年谱》。

大考翰詹，王鸣盛擢侍读学士，充日讲起居注官；钱大昕三擢右赞善。据江藩《国朝汉学师承记》卷三。

赵翼为同事中诸忌者造蜚语中伤，遂出军机处，仍直内阁。据佚名《瓯北先生年谱》。

洪亮吉仍就外家。从表兄肇新受《礼记》及《周易》。塾课毕，始学作诗。尝作《中秋即景》诗，有"月出百尺楼，花香三重门"之句。十月因肇新奔丧西上，转从陈宝（己卯举人）读书。陈课徒之暇喜录唐宋诗余，于是亮吉亦学作小令。据吕培等《洪北江先生年谱》。

侯坤补博士弟子员。据英和《侯先生墓志铭》（《碑传集补》卷二八）。

杨于果作《白鹤辞》，时年十四岁。见者惊为奇奥。时牛运震宰秦安，独许于果为国器，于果亦独得空山先生之说。据陈预《湖北荆州府通判杨先生于果墓志铭》（《碑传集》卷一○九）。

戴震客扬州。吴思孝为其序刻《句股割圜记》成。据段玉裁《戴东原先生年谱》。

刘星炜及其弟子王文治、金兆燕、鲍之钟、严长明诸人与袁枚会饮于扬州。袁枚《随园诗话》卷五："乾隆戊寅，卢雅雨转运扬州，一时名士，趋之如云。其时刘映榆侍讲掌教书院，生徒则王梦楼、金棕亭、鲍雅堂、王少陵、严冬友诸人，俱极东南之选。闻余到，各捐饩廪，延饮于小仓园。"［按，卢见曾复任两淮盐运使在乾隆癸酉冬，至本年已在任数年矣］

郑燮与袁枚相晤于卢见曾席上。据袁枚《小仓山房诗集》卷一四《投郑板桥明府》。又，《随园诗话》卷九："兴化郑板桥作宰山东，与余从未识面。有误传余死者，板桥大哭，以足踢地。余闻而感焉。后廿年，与余相见于卢雅雨席间。板桥言：'天下虽大，人才屈指不过数人。'余故赠诗云：'闻死误抛千点泪，论才不觉九州宽。'"［按，吴泽顺编《郑板桥集》（岳麓书社 2002 年）附录《年谱》谓此事在乾隆二十八年］

陈章与陶元藻相遇于邗江。章当卒于此后数年。陶元藻辑《全浙诗话》卷四九："章字授衣，号竹町。钱塘布衣。著有《孟晋斋集》。按诗以清深淡远为上，雄健豪迈次之，妍丽雕镂为下。余向持此论，自樊榭、竹田以外，罕有知者。乾隆戊寅，客邗江，得遇授衣，欣然有针芥之投。维时秀水蒋秋泾亦痛辟铅华，力追古淡。授衣馆马氏玲珑山房，秋泾主张渔川家。余遂与郑板桥、金寿门、张铁青、闵莲峰、陈对鸥暨授衣、秋泾，每月联吟数次，以渔川为东道主，极觞咏流连之乐。数年后，授衣、秋泾相继云逝，诸君亦凋谢殆尽，不胜旧雨星辰之戚。授衣曾有句云：'古澹无华始是诗。'其好尚可知矣。"（《郑板桥全集》附录）王昶《蒲褐山房诗话》："扬州鹾商所萃，喜招名士以自重，而马氏秋玉、佩兮小玲珑山馆，尤为席帽所归。时卢雅雨任运使，又能奔走寒畯，于是四方辐辏，而浙人尤多，如全谢山祖望、陈楞山撰、厉太鸿鹗、金寿门农、陶篁村元操及授衣弟江皋，尤以领袖称。授衣诗上规王、韦，下则钱、郎，非戴石屏等江湖小集所可并论也。"（《湖海诗传》卷六）

杨际昌《国朝诗话》二卷成书。《例言四则》："国家百数十年来，声教覃敷，风雅之盛，远轶前代，坛坫巨公，又无明人水火相射之习，诚太和元气也。不揣谫劣，常思遍搜博采，汇选成集。而身处乡曲，无力网罗，姑取案头所有，参以管见，庸妄无所逃罪矣。秀水朱竹垞太史《明诗综》，多录国初遗民。以鄙意论之，鼎革后，明之士大夫，或抗王师而死，或捐躯而死，周顽殷义，自当属明。其余无论登仕版与否，践土食毛，孰非臣子？故易其例，概收入卷内。是役也，始于丙子，下帷韩兄星若之贮碧轩，迄今戊寅，缮写甫得二卷。同人以予四十贱辰，亟请捐赀付刊。嗣后尚将陆续采辑，倘大雅见之，不鄙其琐琐，惠示名章，深所望云。卷内不拘人之穷达，名之微显，惟其人尚在者，诗虽佩服，姑存以有待，恐涉依附之私，不敢不避嫌也。蓬莱居士杨际昌识。"（《国朝诗话》卷首）

王昶去年和今年诗为《述庵集》。据严荣《述庵先生年谱》。

阮葵生客彭城，以二十截评论元二十家诗。据张慧剑《明清江苏文人年表》。

杭世骏编《禁林集》八卷刊行。据《贩书偶记》卷一九。

马曰琯《沙河逸老小稿》六卷、《嶰谷词》一卷刊行。沈德潜《沙河逸老小稿序》署"乾隆戊寅九月，长洲弟沈德潜题于葑水之清旷楼"。陈章序署"乾隆丁丑三月望后一日，钱唐同学弟陈章顿首拜书"。（《沙河逸老小稿》卷首）胡玉缙《许庼经籍题跋》卷四：《沙河逸老小稿》六卷、《嶰谷词》一卷，"是集乃曰琯殁后，曰璐汇刻，盖用编年之例，首列《游吴氏园林诗》。以曰璐《南斋集》考之，其时为辛亥；而《街南书屋十二咏》，彼集在辛酉，此在乙卯前，疑失其叙次。彼集又有《乞归愚先生删定先兄遗稿诗》，今稿中颇有不尽完善之作，疑沈德潜并未甄别也。德潜序称其格韵并高，陈章称其出入唐、宋间，均近阿好之语。粤雅堂本伍崇曜跋拟之以贺知章、陆龟蒙、陶岘，亦属不类。要之发乎性情，屏绝世俗剽贼之陋，观《游山》、《感逝》诸作，亦可想见其为人矣。"

黄任《香草斋诗钞》六卷刊行。据《贩书偶记》卷一五。朱庭珍《筱园诗话》卷二："黄莘田《香草斋》诗，以尖新见长，专学晚唐，乃小家伎俩，在闽诗中，亦只充偏裨之列。袁枚以性近而尊之，尤乖公论。"陆以湉《冷庐杂识》卷一《黄莘田诗》："国朝闽诗人，以永福黄莘田大令任为首。所著《香草斋诗》，风华韶秀，戛戛生新。七绝尤胜。"陈衍《石遗室诗话》卷二六："吾乡永福黄莘田先生，雍乾间甚有诗名，所著初为《十研轩》，既而有《秋江集》，最后曰《香草斋》。《香草斋》六卷，计九百六十余首，而七言绝句居六百余首，为古今所希有。盖专学义山、牧之、飞卿、东坡俊逸处。故杭董浦以为最工绝句，袁简斋以为唐代诗原中晚佳也。然先生人品高洁，五言古实有近王、孟与常建、刘昚虚者。或传先生《西湖杂诗》有云：'只今耆旧无新语，风月□□四百年。'浙人恨之。于时董浦《道古堂集》中有《与黄莘田论诗书》，刺摘莘田诗疵累殆尽，以为报复。而《香草斋集》首有会稽傅（玉）[王]露、钱塘陈兆（仑）[崙]、桑调元诸人序，称美莘田不遗余力，则又何耶？傅拟莘田诗于陶靖节，又谓集中《吊虞卿》、《过乐毅墓歌》、《李阳冰般若台篆书》及《三君咏篇》，直欲跻韩碑晋石而上之。陈称其《越王台诗》磊磊块块，如山镇纸。桑与许廷鑅称其《筑基》、《赈粥》诸篇，仿佛元道州《舂陵》之作、白香山《秦中》之吟。实则莘田绝句有突过渔洋者，如《杨花》云：'行人莫（拆）[折]柳青青，看取杨花可暂停。到底不知离别苦，后身还去作浮萍。'时以此得名，称'黄杨花'。""他如《西湖》、《虎丘》诸绝句，皆风神绝世，《彭城》绝句七首亦足以方驾阮亭彭城之作。古体则《筑基行》、《赈粥行》二篇，实服膺元道州，施愚山不得专美于前矣。""先生绝句可供吟讽者，美不胜收，另编有《香草笺》一集二卷，凡《香草斋》中香奁之作皆在其中，几欲追微之、冬郎而及之，王次回不足道也。"陈应魁注《香草斋诗注》六卷嘉庆甲戌刊行。据《贩书偶记》卷一五。

王世琛《橘巢小稿》四卷静致斋刊行。据《贩书偶记续编》卷一四。

廖景文《遗真记》至迟在本年即已上演。据邓长风《明清戏曲家考略·廖景文和他的＜清绮集＞》。是剧一名《桃花影》，凡六出，演小青事。乾隆间惬心堂刊行。据《古本戏曲剧目提要》、《古典戏曲存目汇考》卷八。

沈清瑞（1758—1791）生。清瑞初名南沅，字吉人，号芷生，别署太瘦生，长洲人，起凤弟。乾隆五十二年进士。著有《群峰集》五卷、《韩诗故》二卷、《樱桃花下银箫谱》一卷。事迹见张慧剑《明清江苏文人年表》。

李銮宣（1758—1817）生。銮宣字伯宣、凤书，号石农，静乐人。乾隆四十四年举人。五十五年成进士，授刑部主事。官至四川布政使。擢云南巡抚，未赴任而卒。著有《坚白石斋诗集》。事迹见秦瀛《云南巡抚四川布政使石农李公神道碑》（《小岘山人续文集》补编）、《国朝诗人征略》初编卷五一。

徐鏮庆（1758—1802）生。鏮庆初名嵩，字朗斋，金匮人。乾隆五十一年举人。历官湖北武昌通判，黄梅、崇阳知县，蕲州知州。著有《玉山阁古文选》四卷、《诗选》八卷。事迹见王芑孙《署湖北蕲州知州徐君墓志铭》（《愓甫未定稿》卷一三）、《清史列传》杨芳灿传附。

陈鸿墀（1758—1834 后）生。鸿墀字范川，嘉善人。嘉庆十年进士，改庶吉士，授编修。以事罢职，后起为内阁中书。著有《报箫山道人遗稿》二卷、《全唐文纪事》一二三卷。事迹见《晚晴簃诗汇》卷一一七。［按，生年据江庆柏《清代人物生卒年表》］

宋永岳（约1758—?）约本年生。永岳字静斋，自号青城子，慈利人。以楚军兴增广生援例官香山、新安太平巡检、三水县丞。善吏治，失职后以著书自娱。著有《志异续编》八卷。事迹见姚莹《沈宋二君传》（《东溟文集》卷六）。

梁启心卒，年六十四。据杭世骏《梁馥林传》（《道古堂文集》卷三四）。《传》云："吾杭文体日趋乩敝，左塾之师、虞庠之彦，以甘辞软调邀取时誉。而君独知问学，覃思闭户，默而沈湛，循历曲折，时时蹑曾、王之阃奥。文品峻洁，如白云在空，孤鹤警露。同时接迹而起者，严在昌之清奥，任应烈之精切，孙灏之窈宨密栗，陈兆崙之伟丽雄奇，皆能开设坛坫，推倒一世，而心每慑君为畏友、少师。"《南香草堂集》四卷明年刊行。据《贩书偶记》卷一五。《晚晴簃诗汇》卷七五录其诗九首。

胡浚卒，年七十。据朱彭寿《清代人物大事纪年》。［按，江庆柏《清代人物生卒年表》谓其生于康熙二十六年（1687），卒年未详］

陈撰卒，年近八十。据张慧剑《明清江苏文人年表》。王昶《蒲褐山房诗话》："嗜吟咏，今所传《吟卷》，盖一鳞半爪，佳者或不尽是也。然句如：'二分明月楼头影，十里平山槛外云'；'两时茶板伊蒲馔，一树梅花贝叶书'；'诗卷白头悲旧雨，烛花红泪滴秋堂'；'焚香自写图中影，把卷何须弦上声'，饶有晚唐人风韵。"（《湖海诗传》卷六）法式善《梧门诗话》卷一〇："客游仪征，长年不归，意思潇澹，屏绝人事。诗歌冲逸。"杨锺羲《雪桥诗话》卷六："鄞县陈撰楞山性孤洁，诗笔清削，尤善绘事。"《晚晴簃诗汇》卷七三录其诗三首。

王箴舆卒，年六十六。据张慧剑《明清江苏文人年表》。《孟亭编年诗》十卷嘉庆元年刊行。据《贩书偶记》卷一六。《晚晴簃诗汇》卷五八："诗有道州、鲁山遗意。"录其诗七首。

黄图珌尚在世。黄图珌之生卒年，张慧剑《明清江苏文人年表》作 1700—1759 年后；《中国大百科全书》作 1700 年至乾隆中；周妙中《江南访曲录要》作 1699—1758 年；邓长风《明清戏曲家考略三编·十三位清代戏曲家的生平材料》作生于 1698 或 1699 年，1757 或 1758 年尚在世。

公元1759年年（乾隆二十四年　己卯）

正月

望日，顾诒禄序沈德潜《归愚文钞》二十卷。署"乾隆己卯春正月望日，小侄顾诒禄拜手谨序"。序云："归愚沈先生，今之熙甫也。先生之文，其理纯，其气盛，其辞达。不彫缋而新，不恢诡而奇，不襞积故实而卷轴之气油然不可遏抑。如布帛之可以御寒，无庸诧火浣之贵也；如菽粟之可以疗饥，无庸羡八珍之美也。殆所云因文见道者耶？且夫先生之所以致此者，其立之也有本，其达之也有用。敦笃者伦常，推行者强恕，心厚而物无不容，气和而物无不煦，此文章之本也。绝耳目玩好之欲，穷晦明寒暑之功，钻研圣籍，撷其英华，钩贯诸家，提其要领，此文章之用也。"（《归愚文钞》卷首）是书本年刊行。据《中国丛书综录》。

二十八日，钱泳（1759—1844）生。泳初名鹤，字立群，号梅溪，金匮人。诸生。游幕二十余年，足迹遍天下。著有《梅花溪诗草》、《履园丛话》。事迹见胡源、褚逢春《梅溪先生年谱》。

二月

梁诗正招王昶馆于邸第，校勘《续文献通考》。据严荣《述庵先生年谱》。

沈德潜序周春《辽诗话》。见卷首。是书《清诗话》本为一卷。另有两卷本，有周春自序两篇，一在乾隆丁丑，一在乾隆壬午。

春

蒋业鼎在长洲桃花坞大会名流，沈德潜等二十余人与会，作图者为林屋山人王愫。据王昶《蒲褐山房诗话》（《湖海诗传》卷三〇）。《蒋升枚墓表》："先是，康熙己卯，树存先生集群贤于交翠堂，作送春之会。尤西堂侍讲齿最尊，而归愚宗伯以后进与焉。阅六十年，君复与于斯会，以宗伯主盟吴中，传为盛事。"（《春融堂集》卷六〇）

六月

二十八日，邢澍（1759—1819）生。澍字雨民，号佺山，阶州人。乾隆五十五年进士。官至南安知府。著有《守雅堂稿》。事迹见《清史稿》张澍传附。［按，生日据朱彭寿《清代人物大事纪年》］

张四科自识《宝闲堂集》。署"乾隆己卯季夏，清河张四科自识"。自识云："暇日排纂成帙，断自辛未以后，得古今体诗四百一十有九，梓诸家塾。呜呼，五十之年，忽焉已至。"（《宝闲堂集》卷首）杨锺羲《雪桥诗话》卷六："张喆士员外四科，临潼贡生，侨寓维扬，有《宝闲集》及《响山词》。与楼于湘、马佩兮、秋玉、闵莲峰、陈竹町、厉太鸿、余研南、吴章五多所唱和。秦川公子，筑缶歌呼，端居多暇，时有乡关之思。"《晚晴簃诗汇》卷七八："渔川诗格甚正，意境不凡。虽才力未尽变化，要是雅音。"录其诗十首。陈廷焯《白雨斋词话》卷四："张喆士当时颇以诗词名，然其于诗太浅太薄，直似门外汉。词则规模乐笑翁，间有合处。板桥诗胜于词，四科则词胜于诗，各取其长可也。"

夏

凌树屏编定《瓠息斋前集》二十四卷刊行。自序署"乾隆己卯长至后一日，乌程凌树屏自序"。（《瓠息斋前集》卷首）四库提要卷一八五：《瓠息斋前集》二十四卷，"是集赋一卷，诗二十三卷，分十二集，大抵才情奔放之作。"《晚晴簃诗汇》卷七五录其诗五首。《国朝文汇》乙集卷一〇录其《明思宗论》、《闵孝廉传》文两篇。

七月

纪昀自序《唐人试律说》。自序略云："今岁夏，枣强李生清彦、宁津侯生希班、延庆郭生埔及余姊子马葆善，从余读书阅微草堂。偶取其案上唐试律，粗为别白，举其大凡。诸子不鄙余言，集而录之，积为一册。因略为点勘而告之曰：余于此事，亦所谓揣骨听声者也。然窃闻师友之绪论曰：为试律者，先辨体……次贵审题……次命意，次布格，次琢句，而终之以炼气炼神。……大抵始于有法，而终于以无法为法；始于用巧，而终于以不巧为巧。……是书也，体例略仿《瀛奎律髓》。为诗不及七八十首，采诸说不过三两家，借以论诗，不求备也。诗无伦次，随说随录，不更编也。其词质而不文，烦而不杀，取示初学，非著书也。持论颇刻核，欲初学知所别择，非与古人为难也。管窥之见，不过如此。如欲考据故实，则有诸家之书在。乾隆己卯秋七月，河间纪昀书。"又，明年九月，纪昀复阅此书刊本，重为点勘，再付剞劂，有跋。（《纪晓岚文集》第三册卷二）

汪缙水行至金陵，有文记所历京口北固山、龙潭华山诸胜。据《游江上诸山记》（《国朝文汇》乙集卷三四）。

八月

二十四日，严如熤（1759—1826）生。如熤字炳文，号乐园，溆浦人。拔贡生。历官汤阴知县、定远同知、汉中知府、贵州按察使、陕西按察使。著有《乐园文钞》八卷、《诗稿》六卷。事迹见陶澍《陕西按察使司按察使晋赠通奉大夫布政使衔乐园严公墓志铭》（《陶文毅公全集》卷四五）、魏源《陕西按察使赠布政使严公神道碑铭》（《广清碑传集》卷一〇）、《清史列传》本传、《清史稿》本传。

李文藻与邓汝功以论诗定交于历下之亭。据李文藻《午厓初稿序》（《密娱斋诗稿》卷首）。

九月

初八日，汪绂卒，年六十八。据余元遴《汪双池先生行状》（余龙光《双池先生年谱》卷四《年谱附录》）。朱筠《婺源县学生汪先生墓表》："先生自二十以后，著书十余万言，旁览百氏九流之书，三十后尽烧之。资敏强记，过目在心，自是凡有述作，息神庄作，振笔直书，博极两汉、六代诸儒疏义，元元本本，而一以宋五子之学为归。六经皆有成书，下逮乐律、天文、地舆、阵法、术数，无所不究畅，卓然传于后。"（《笥河文集》卷一一）夏炘《汪双池先生年谱序》："昭代真能为朱子之学者，大儒三人焉。一为桐乡杨园张先生，一为平湖陆清献公，其一则婺源双池汪先生也。"《清史稿》本传："绂之论学，谓学不可不知要。然所以得要，正须从学得多后，乃能拣择出紧要处。""当时大兴朱筠读其书，称其信乎以人任己，而颉颃古人。其后善化唐鉴亦称其功夫体勘精密，由不欺以至诚明。"《中国丛书综录》："《汪双池先生丛书》，（清）汪绂撰。清道光至光绪间刊，光绪二十三年（1897）长安赵舒翘等汇印本。"

王昶协办内阁侍读。据严荣《述庵先生年谱》。

沈德潜等编《国朝诗别裁集》刻成。《沈归愚自订年谱》："九月，蒋生子宣刻国朝诗告成。"［按，是书始创于乾隆十年，去年告成付刻，至此刻成，为三十六卷本］

戴震为王昶作《郑学斋记》。见《戴震集》上编《文集》卷一一。

秋

乡试。是科各省考官有梁诗正、裘曰修、钱琦、钱维城、翁方纲、王鸣盛、朱珪、钱大昕、纪昀、周於礼等。据法式善《清秘述闻》卷六。所取举人有孟超然（《清秘述闻》卷六）、李调元（嘉庆《罗江县志》卷七）、李文藻（钱大昕《李南涧墓志铭》）、彭光斗（《国朝文汇》乙集卷二九）、张远览（《晚晴簃诗汇》卷八八）、吴璥（严荣《述庵先生年谱》）、张九镡（张家栻《陶园年谱》）、苏去疾（姚鼐《苏献之墓志铭并序》）、伊朝栋（姚鼐《资政大夫光禄寺卿加二级宁化伊公墓志铭并序》）、胡赓善（姚鼐《歙胡孝廉墓志铭并序》）等。戴震应试，相传考官欲令出门下，而以不知避忌置之。据段玉裁《戴东原先生年谱》。

曹雪芹赴尹继善招，入两江总督幕，重至江宁。陆厚信绘雪芹小照题记："雪芹先生洪才河泻，逸藻云翔，尹公望山时督两江，以通家之谊，罗至幕府；案牍之暇，诗酒赓和，铿锵隽永。余私忱钦慕，爰作小照，绘其风流儒雅之致，以志雪鸿之迹云尔。"（周汝昌《红楼梦新证》第七章）

袁枚观演《桃花扇》。《小仓山房诗集》卷三二《赠扬州洪建侯秀才》诗注："己卯秋令祖魏笏先生招看《桃花扇》。"

十月

康基田调任昭文知县。据《茂园自撰年谱》。

十一月

十三日，袁机（女）卒，年四十。据方溶师《随园先生年谱》。袁枚《随园诗话》卷一〇："余三妹皆能诗，不愧孝绰门风；而皆多坎坷，少福泽。余已刻《三妹合稿》

行世矣，兹又抄三人佳句，以广流传。三妹名机，字素文。……遇人不淑，卒于随园。”录其《秋夜》、《闲情》等诗。《国朝诗别裁集》卷三一录其《有凤》、《闻雁》诗二首。《晚晴簃诗汇》卷一八六录其诗十三首。

［按，袁枚四妹袁杼，字静宜、绮文，嫁韩某。著有《楼居小草》一卷，收入袁枚编《袁家三妹合稿》。《随园诗话》卷一〇录其《游鸡鸣寺》、《秋园踏月》、《课女》、《挽葛姬》等诗句。《晚晴簃诗汇》卷一八六录其诗三首］

王昶直军机房。本月诏修《通鉴辑览》，以昶为纂修官。据严荣《述庵先生年谱》。

十二月

王应奎编《海虞诗苑》十八卷古处堂刊行。据《贩书偶记》卷一九。法式善《陶庐杂录》卷三：“《海虞诗苑》十八卷，国朝昭文一邑之诗，王应奎编辑。应奎字东溆，号柳南。尝著《随笔》六卷、《续笔》四卷。遗闻轶事，颇赖以传。《诗苑》前有陈祖范序。刻版于乾隆初年。雅擅别裁，不同泛常挦扯。”

范家相自序《韵学考原》二卷。据《贩书偶记续编》卷四。家相字左南，号蘅洲，会稽人。乾隆十九年进士。历官刑部主事、郎中、柳州知府。事迹见《清史列传》本传。杨锺羲《雪桥诗话》卷七：“会稽范蘅洲太守家相说经铿铿，其《三家诗拾遗》就深宁王氏《诗考》搜补删正，虽不及后来左海陈氏父子之书，较《九经古义》、《古经解》，钩沈采掇已为赅备。又著《诗渖》二十卷，则斟酌于小序、朱传之间，而断以己意者也。有《环渌轩诗草》。《维扬》云：‘绿杨城郭暑初销，十里秋云覆画桥。何事人间最惆怅，月明风细听吹箫。’蘅洲初官比部，钱竹汀诗：‘历下弇山词客尽，风流重见白云司。’谓蘅洲与王縠原也。”

冬

沈德潜选刻紫阳书院课艺二集。至乾隆二十六年六月渐次告成。据《沈归愚自订年谱》。

脂砚斋始四评《石头记》。周汝昌《红楼梦新证》第七章：“庚辰本脂批标明‘己卯冬’者共二十四条，此即第四次评阅之开始。至明年秋写定，是为庚辰本。每册册首有‘脂砚斋凡四阅评过’字样。”

本年

谕正文体，举蔡世远之文为标准。据四库提要卷一七三。

王鸣盛擢内阁学士兼礼部侍郎。据钱大昕《西沚先生墓志铭》（《潜研堂文集》卷四八）。

顾光旭授浙江道监察御史。据王昶《甘肃凉庄道署四川按察使司顾君墓志铭》（《春融堂集》卷五四）。

张九钺补正红旗官学教习。著《三树轩集》。据张家栻《陶园年谱》。

邵晋涵补县学生，时年十七岁。据王昶《翰林院侍讲学士充国史馆提调官邵君墓表》（《春融堂集》卷六〇）。

汪中始学为诗，时年十六岁。汪喜孙《容甫先生年谱》："早岁溯源汉、晋，下逮唐人，于杜工部、韩昌黎用力尤邃。既乃专以气韵含蓄为宗，自以少作依傍门户，不欲存稿。刘先生台拱序先君诗云：早岁喜为诗，三十以后绝不复作，并稿亦散矣。"

洪亮吉在鹿苑庵从董舒受《春秋左传》，并学作制举文半篇。同学十数人，与杨毓舒交最密，暇即唱酬往还。是岁作诗数十首及《斥释氏文》一篇。据吕培等《洪北江先生年谱》。

刘台拱作《颜子赞》，父兄长老皆惮惊，台拱时年九岁。据朱彬《刘学士台拱行状》（《碑传集》卷一三五）。

卢文弨在江阴暨阳书院讲学。据张慧剑《明清江苏文人年表》。

袁枚作《诸知己诗》。为王兰生、帅念祖、孙嘉淦、史贻直、李重华、王峻、李名世等，凡十三人。见《小仓山房诗集》卷一五。

卢见曾序金兆燕《旗亭记》传奇。署"乾隆己卯山东伧父书于扬州之官梅亭"。序云："全椒兰皋生，矜尚风雅，假馆真州，问诗于余。分韵之余，论及唐《集异记》旗亭画壁一事，谓：'古今来贞奇侠烈，逸于正史而收之说部者，不一而足，类皆谱入传奇。双鬟、信可儿，能令吾党生色，被之管弦，当不失雅奏。而惜乎元、明以来，词人均未之及也。'兰皋唯唯去。经年，复游于扬，出所为《旗亭记》全本于箧中。余爱其词之清隽，而病其头绪之繁，按以宫商，亦有未尽协者。乃款之于西园，与共商略。又引梨园老教师，为点版排场，稍变易其机杼，俾兼宜于俗雅。间出醉笔，挥洒胸臆，虽素不谙工尺，而意到笔随，自然合拍，亦有不自解其故者。记成，沈长洲先生适□，为奏终曲。先生嘉赏之曰：'是导淫、述怪两家对症之良药也。'题六绝句于册，而劝授梓焉。"（《中国古典戏曲序跋汇编》卷一三）李调元《雨村曲话》卷下："全椒兰皋所撰《旗亭记》，为诗人争声价。词虽欠老，亦乐府中之一大楔子也。"姚燮《今乐考证》著录十《国朝院本》："梁子章云：'《旗亭记》作王之涣状元及第，语虽荒唐，亦快人心论也。沈归愚尚书题词云：特为才人吐奇气，雏鹩卑伏忽飞骞。科名一准方干例，地下何妨中状元。'"庄一拂《古典戏曲存目汇考》卷一二：《旗亭记》，"《今乐考证》著录。乾隆间写刊本。《曲考》、《曲海目》、《曲录》并见著录。署卢见曾作，误。凡二卷三十六出。演旗亭画壁故事。题目作'王之涣听歌吐气，谢双鬟怜才得婿；除国贼女子奇功，宴旗亭才人胜会'。"

[按，《旗亭记》成后曾经朱夰披阅订正，卢见曾闻之，具礼延致。入卢见曾幕后，朱夰作有《玉尺楼》传奇。据邓长风《明清戏曲家考略三编·二十九位清代戏曲家的生平材料》。庄一拂《古典戏曲存目汇考》卷一一：《玉尺楼》，"《今乐考证》著录。乾隆间刊本。《曲考》、《曲海目》、《曲录》并见著录。俱署德州卢见曾作，误。凡二卷四十出。演沈韵与韩艳雪、马停云二女，俱以《白燕诗》得成佳偶。以艳雪诗达御览，授女学士，赐居玉尺楼，故名。其事本秀水张匀《平山冷燕》小说，而姓名关目，又系捏造，并捎去平如衡一人，以两女同配沈生。沈起凤云：朱荑稗于卢观察幕中，制《平山冷燕》传奇。按《平山冷燕》传奇，即此剧也。当时卢氏删改或有之。弹词

有《玉尺楼》钞本，见前中央研究院历史语言研究所藏"。朱齐又有《鲛绡帐》、《宝母珠》传奇，已佚]

杨际昌《澹宁斋集》刊行。凡《国朝诗话》二卷、《在渊草》一卷、《傲嬉草》一卷、《醉月草》一卷、《碧梧草》一卷、《北海草》一卷、《梦魇草》一卷、《兰室丛谈》一卷。据《中国丛书综录》。

阮芝生《听潮集》二卷刊行。据《贩书偶记续编》卷一五。袁枚《随园诗话》卷一六："余过于忠肃公墓，题诗甚多；惟山阳阮中翰紫坪五排最佳。"《晚晴簃诗汇》卷八八录其诗二首。

玉保（1759—1798）**生**。玉保字德符，号阆峰，满洲正黄旗人。乾隆四十六年进士。入翰林，有才名。高宗亲试八旗翰詹，与兄铁保并被擢，时比以郊、祁，轼、辙。官至兵部侍郎，究心兵家言。川、楚白莲教起事，尝愿自效行间，会上欲用为巡抚，为和珅所阻，郁郁卒，年甫四十。事迹见法式善《八旗诗话》二一六、《清史稿》铁保传附。

仲振履（1759—1822）**生**。振履字临侯，号云江，别署柘庵、群玉山农、木石老人，泰县人。嘉庆十三年进士，历知广东恩平、兴宁、东莞、南海等县。著有《咬得菜根堂诗文稿》、《弃余稿》及《双鸳祠》、《冰绡帕》传奇。事迹见道光《恩平县志》卷一二、民国《东莞县志》卷五一（《方志著录元明清曲家传略》）。[生卒年据庄一拂《古典戏曲存目汇考》卷一二]

顾栋高卒，年八十一。据钱保塘《历代名人生卒录》。《国朝文汇》甲集卷五二录其《刑论》等文十篇。《清史稿》本传："所学合宋、元、明诸儒门径而一之，援新安以合金溪，为调停之说。著《大儒粹语》二十八卷，又著《春秋大事表》百三十一篇，条理详明，议论精覈，多发前人所未发。《毛诗类释》二十一卷、《续编》三卷，采录旧说，发明经义，颇为谨严。其《尚书质疑》二卷，多据臆断，不足以言心得。大抵栋高穷经之功，《春秋》为最，而《书》则用力少也。"

汪士慎卒，年七十四。据温肇桐《汪士慎年谱》（谢巍《中国历代人物年谱考录》著录）。金楷《巢林集跋》："富溪汪巢林先生侨居韩江，不慕荣利，琴尊自娱，书画篆刻之外，尤耽韵语。其诗如寒梅著花，绝无尘埃。同时与厉太鸿、高西唐、陈玉几诸名辈酬倡于马氏玲珑山馆，极一时人文之盛。先生善画梅，嗜苦茗。暮年左目失明，曾镌小印曰：'尚留一目著花梢。'继而双瞽，犹能以意运腕，时作狂草，自号心观道人。可谓沉湎翰墨、笃志风雅者矣。故冬心先生谓其盲于目而不盲于心也。"（《扬州八怪诗文集·巢林集》卷末）《晚晴簃诗汇》卷七八录其诗一首。

祝洤卒，年五十八。据钱馥《祝人斋先生小传》（《国朝文汇》乙集卷四一）。《国朝文汇》乙集卷六录其《书宋李忠定公集后》等文三篇。《晚晴簃诗汇》卷七四录其诗一首。

蒋业鼎卒，年二十九。据王昶《蒋升枚墓表》（《春融堂集》卷六〇）。《晚晴簃诗汇》卷八六录其诗二首。

陈梓卒，年七十七。据丁子复《杨园先生年谱》附录《陈梓传》（《碑传集》卷一二七）。《陈一斋全集》嘉庆二十年胡敬义堂刊行，又名《客星山人所著书》。据《中国丛书综录》。《国朝文汇》乙集卷七录其《朱翁子论》等文十篇。《晚晴簃诗汇》卷七〇录其诗十一首。

方世举卒，年八十五。 据萧穆《方息翁先生传》（《碑传集补》卷四五）。《传》云："生平所阅古今载籍均有评订，或屡加涂改，上下朱墨交错，其议论考据多有前人所未及者。少年好为诗歌，卷轴甚富。晚年多所芟削，所订诗集断自甲辰南归以后。尝见友人顾嗣立侠君笺注韩诗，于韩公身世多有不合，乃钩稽群籍，发明旨趣，为《韩昌黎诗集编年笺注》十二卷。遂嗜韩诗，长篇瑰谲，亦往往似之。"袁枚《随园诗话》卷一三："桐城二诗人，方扶南与方南塘齐名。""扶南苦学玉溪、少陵两家，反为所累，夭阏性灵。"杨锺羲《雪桥诗话续集》卷四："扶南一字息翁，博学工诗，有《春及堂集》。《周公瑾墓》云：'谁令乌鹊月明中？千里旌旗一夜风。大帝君臣同骨肉，小乔夫婿是英雄。行间老将醇偏醉，座上清歌曲未终。何事不如张子布？墓前飞过白头翁。'《石印山》云：'天险长江日夜流，谁知木枥下巴丘？井中得玺开三国，石上成文误九州。荆楚黄旗空授甲，洛阳青盖竟封侯。前贤枉使英雄叹，那便生儿尽仲谋。'俱见精采。"《春及堂初集》一卷、《二集》一卷、《三集》一卷、《四集》一卷、附《兰丛诗话》一卷乾隆间刊行。据《贩书偶记》卷一五。

戴亨卒于本年或稍后。 金兆燕《戴遂堂先生传》："年七十，客扬州。病痁卒。"（《棕亭古文钞》卷二）《清史稿》李锴传附："其诗宗杜少陵，上溯汉、魏，卓然名家。"王昶《蒲褐山房诗话》："遂堂襟情超迈，诗笔坚刚。"（《湖海诗传》卷二）《晚晴簃诗汇》卷六一录其诗十二首。

公元 1760 年（乾隆二十五年　庚辰）

正月

初四日，**杨揆**（1760—1804）**生**。揆字荔裳、同叔，金匮人。少与兄芳灿有二难之目。乾隆四十五年召试举人，授内阁中书。官至四川布政使。著有《藤花吟馆诗文集》、《卫藏纪闻》。事迹见赵怀玉《通奉大夫四川布政使司布政使赠太常寺卿杨公墓志铭》（《亦有生斋集》文卷一八）、秦瀛《赠太常寺卿四川布政使荔裳杨君墓志铭》（《小岘山人文集》卷五）、《清史列传》杨芳灿传附、《清史稿》邵齐焘传附。

十七日，**冒春荣卒，年五十九。** 据江大键《冒葚原传》（《葚原诗说》附录）。《晚晴簃诗汇》卷九九："葚原与鲍海门、李啸村称诗邗上，雅洁明秀，是姚武功、严沧浪一辈人。"录其诗二首。

张宗楠为王士禛纂集《带经堂诗话》。 卷首张宗楠《序》署"乾隆二十五年岁在上章执徐孟春，海盐后学张宗楠谨书"。张宗楠《后序》："余兄含广纂渔洋山人诗话，凡为门八，为类六十有四，总卅一卷，分别部次，条理秩如。犹复口诵心维，若有不甚惬者。盖三易稿而后卒业。"（《带经堂诗话》卷末）是书乾隆二十七年刊行。据《贩书偶记》卷二〇。李慈铭《越缦堂读书记·带经堂诗话》："国朝诗家，渔洋最得正法眼藏，商榷正伪，辨别淄渑，往往彻密味之中边，析芥子之毫发。至乎论古或歉读书，而语必平情，解多特识，虽取严生之悟，迥殊欧九之疏，大雅不群，庶几无愧。张君备为搜集，心力颇勤，亦可谓有功艺苑者矣。惟门类太多，或嫌琐杂；重文并录，又近赘疣，是其病也。"

二月

沈德潜演剧请坟。《沈归愚自订年谱》："二月，树华表于祖墓，演剧请坟。邻八十余家，远近欢悦。"

三月

会试。考官：内阁大学士蒋溥、刑部尚书秦蕙田、礼部侍郎介福、副都御史张泰开。题"既而曰鄙 已矣"，"愚而好自"三句，"诗云忧心 王也"。赋得"王道荡荡"得"同"字。据法式善《清秘述闻》卷六。姚鼐（郑福照《姚惜抱先生年谱》）、赵翼（佚名《瓯北先生年谱》）、何在田（蒋士铨《何鹤年遗集序》）报罢。

四月

二十七日，董榕卒，年五十。据桑调元《观察虔南定岩董君墓志铭》（《弢甫集》卷一八）。《晚晴簃诗汇》卷六八录其诗一首。

五月

初十日，高宗御太和殿，传胪。赐一甲毕沅、诸重光、王文治进士及第，二甲曹文埴、金士松、孟超然、宋铣、陈奉兹、吴泰来、许宝善等进士出身，三甲折遇兰、姜锡嘏、吴璜等同进士出身。据《历科进士题名录》、《清通鉴》。

六月

二十三日，曾燠（1760—1831）生。燠字庶蕃，号宾谷，南城人。乾隆四十五年举人。明年成进士，改庶吉士，散馆授户部主事。历官户部员外郎、两淮盐运使、湖南按察使、湖北按察使、广东布政使、贵州巡抚、两淮盐政。召还以五品京堂候补，卒于京。著有《赏雨茅屋诗集》二十二卷、《外集》一卷、《骈体文》二卷、《续金山志》十二卷，辑有《江右八家诗》八卷、《朋旧遗诗》十八卷、《江西诗征》一百二十卷、《国朝骈体正宗》十二卷。事迹见包世臣《曾抚部别传》（《艺舟双楫》附录一下）、《番禺县续志·宦绩传》本传（《碑传集三编》卷一三）、《国朝诗人征略》二编卷四一、《清史列传》本传。[包世臣《传》谓其生卒年为1759—1830年，此据朱彭寿《清代人物大事纪年》]

曹庭栋去年三月至本月诗为《产鹤亭诗六稿》。据《产鹤亭诗六稿》卷首标识。

夏

戴震序沈大成《戴笠图题咏》。见《戴震集》上编《文集》卷一一。

八月

初四日，陈道卒，年五十四。据陈守诚等《皇清赐进士候选知县例赠中宪大夫显考凝斋府君行述》（《凝斋先生遗集》附录）。恽敬《赠光禄大夫陈公神道碑铭》："江西自邹东廓、聂双江诸先正主阳明之学，末流放失，罗念菴起而正救之，为功于王门者甚巨。公始学于广昌黄静山永年，静山力主念菴；而公之友如雷翠庭鋐、祝人斋洤，皆主朱子。故公之学，自阳明入朱子，力行以几于成。"（《大云山房文稿二集》卷四）四库提要卷一八五：《凝斋遗集》八卷，"国朝陈道撰。道字绍洙，号凝斋，江西新城人。乾隆戊辰进士。是集为其子守诚等所刊。凡文六卷，诗二卷，中颇多讲学之作。"《国朝文汇》乙集卷一七录其《罗文恭公逸稿序》等文四篇。《晚晴簃诗汇》卷七九录其诗三首。

曹庭栋自夏初至秋中，作《续魏塘纪胜》六十二首。后编为《产鹤亭诗七稿》。据《产鹤亭诗七稿》卷首《续魏塘纪胜例说》。四库提要卷一八五：《产鹤亭诗集》七卷，"凡分七稿，每稿各为小序。其书斋中有产鹤亭，因以名集。故集中咏鹤诗最多。其第二稿别题曰《魏塘纪胜》，第七稿亦别题曰《续魏塘纪胜》，盖嘉善旧隶嘉兴路，为魏塘镇，亦名武塘，明宣德五年始析为县。庭栋先咏其名迹为一百首，又续成五十首也。"《晚晴簃诗汇》卷七八："（庭栋）诗有《魏塘纪胜》、《续纪胜》绝句百六十余篇，标举乡里名胜，以风雅存文献，用小长芦钓师《鸳鸯湖棹歌》例也。"

蒋德序马曰璐《南斋集》。序云："马君佩兮与其兄秋玉皆以诗名东南。家有别业，极林泉之胜，二十年来，文酒之会无虚日。或宾客不时至，对床风雨，联吟不辍，人以是知君兄弟之笃好为诗也。已而秋玉殁，君绝笔不为诗，至今终年键户，若初不能诗者。人以为君之为诗，特以其兄故，而或非其真好也。余独以为不然。……呜呼！诗缘情而作者也。吾于君今日之不为诗，而益知君之深于诗也，此诗之本也。至君诗浏然以清，窈然以深，世之工诗者，皆能识之，余故弗论也。乾隆庚戌八月，秀水同学弟蒋德拜书。"（《南斋集》卷首）

九月

十一日，张庚卒，年七十六。据盛百二《布衣张征君庚墓志铭》（《柚堂文存》卷四）。所著《通鉴纲目释地纠缪》六卷《补注》六卷、《国朝画征录》三卷《续录》二卷、《强恕斋文钞》五卷，四库提要著录。盛百二《墓志铭》云："君为文简老质实，有至性。学使雷公翠庭云：'有裨世教者也。'诗稿不下万余首，痛自删削，尚存数千首。秀水鲁明府克恭叙之云：'五古原于三谢，流衍于曹、陆、左、鲍、三张；七古则远宗浣花、近祢北地；五律多以古运；七律纯以气行，不轨一家也。'山水入董、巨、倪、黄之室，又自成一家，时罕及者。"王昶《蒲褐山房诗话》："浦山工于山水，世多以翰墨称之，不知学问淹博，如《通鉴纲目释记》，纠缪补注，极为精审。古文简朴，五七言古体诗颇见古人堂奥。"（《湖海诗传》卷六）《晚晴簃诗汇》卷七三："浙西张氏多以诗名世。浦山以布衣遨游天下，足迹几遍。平生善书，喜为诗，而画尤气韵秀逸，颇近宋、元，时贤称为三绝。尝自谓诗与画相表里，书为画之原，故三者兼之。安州陈密山、钱塘杭堇浦、桑弢甫皆称其诗之工。诗多古体。五言专学《选》体，然不免斧凿之痕；七言则天骨开张，有落纸云烟之概；七律清气往来，天才流亮；五律亦不失唐人格调。"录其诗九首。《国朝文汇》乙集卷一一一录其《观虎说》等文十一篇。《贩书偶记》卷一五："《强恕斋文钞》五卷、《诗钞》四卷，秀水张庚撰。乾隆二十一年至二十二丁丑刊。四库存目阙《诗钞》。"

秋

恩科乡试。是科各省考官有刘纶、钱汝诚、沈业富、周煌、图赖布、德保、周於礼等。据法式善《清秘述闻》卷六。所取举人有陈朗（《清秘述闻》卷六）、祝喆（《清史稿》王又曾传附）、薛起凤（彭绍升《薛家三述》）、孔继涵（翁方纲《皇清诰授朝议大夫户部河南司主事孔君墓志铭》）、段玉裁（《清史稿》本传）、冯应榴（秦瀛《鸿胪寺卿星实冯君墓表》）、王宸（《清史稿》王时敏传附）等。张九钺中顺天乡试副榜。据张家杖《陶园年谱》。芮熊占中副榜。据《晚晴簃诗汇》卷八九。章学诚应顺天乡试报罢，寓从兄允功家。据胡适《章实斋年谱》。

曹雪芹弃江南幕归京。据周汝昌《红楼梦新证》第七章。敦敏作《芹圃曹君霑别来已一载余矣。偶过明君琳养石轩，隔院闻高谈声，疑是曹君，急就相访，惊喜意外，因呼酒话旧事，感成长句》，又有《题芹圃画石》，见《懋斋诗钞》。

脂砚斋四评《石头记》告竣。孙楷第《中国通俗小说书目》卷四：《乾隆庚辰本脂砚斋重评石头记》八十回，"存。北京大学图书馆藏旧钞本。题庚辰秋凡四阅评过。每半叶十行，行三十字。原缺第六十四、六十七二回。第二十一回末有缺文。第十七、十八二回不分。此亦为过录原稿本，其所据稿本之时代后于甲戌本，而在戚蓼生序本之前。"

十月

二十五日，雷铉卒，年六十四。据朱仕琇《通奉大夫都察院左副都御史雷公墓志铭》（《国朝文录续编·梅崖文集》卷一）。《墓志铭》云："公之学以躬行为主。其生平出处，张弛言默，按之无一不合于道者，至小事亦皆可法。为文章简要冲夷，有古作者风。所著《经笥堂集》、《自耻录》、《读书偶录》、《校士偶存》、《闻见录》等书，凡若干卷。"《读书偶记》三卷四库全书著录。《经笥堂文钞》二卷嘉庆十六年伊秉绶刻于广州。据张舜徽《清人文集别录》卷五。《国朝文汇》甲集卷五九录其《寇准论》、《屯田说》文两篇。《晚晴簃诗汇》卷六八录其诗四首。

尹继善与钱陈群、袁枚在苏州唱和。袁枚《随园诗话》卷一："尹文端公好和韵，尤好叠韵。每与人角胜，多多益善。庚辰十月，为勾当公事，与嘉兴钱香树尚书相遇苏州，和诗至十余次。一时材官僚从，为送两家诗，至于马疲人倦。尚书还嘉禾，而尹公又追寄一首，挑之于吴江。尚书覆札云：'岁事匆匆，实不能再和矣。愿公遍告同人，说香树老子，战败于吴江道上。何如？'适枚过苏，见此札，遂献七律一章，第

五、六云：'秋容老圃无衰色，诗律吴江有败兵。'公喜。从此又与枚叠和不休。"蒋士铨《尹文端公诗集后序》："乾隆庚辰十月，尝与嘉兴钱尚书香树先生和诗至十余叠。"（《忠雅堂文集》卷一）

王昶迁寓教子胡同赵吉士寄园故址。昶署其室曰蒲褐山房、闻思精舍。先后与赵翼、翁方纲、王宸为邻。据严荣《述庵先生年谱》。

周书自序《鱼水缘》传奇。署"庚辰阳月，澹庐居士记"。自序云："昼长人静，兀坐无聊，阅安阳酒民所著《情梦柝》，选词构局，差可人意。遂节取其事，参以鄙见，作传奇三十二剧，逾月告竣。以胡、沈之缘，实于宝鱼之换晶珮，始易其名曰《鱼水缘》。付伶伦歌之，颇合节。"（《中国古典戏曲序跋汇编》卷一三）平步青《霞外捃屑》卷九《鱼水缘》："《鱼水缘》传奇二卷三十二出，不署作者姓名。演鹿邑胡楚卿玮、沈若素事。越中有《双鱼坠》戏剧，关目略同，惟以'喜新'为'新喜'。又婢先配合，无嫁吴生事，殆即本此而芟去枝叶耳。曲文流逸可玩，如'只为他俊庞儿忒煞娇，非是我馋眼儿容易饱。''送便应该，卖字听来韵不谐。''但愿因缘将来似你，首和尾没点差池。''抱愁几度把愁祛，只愁未审愁来处。我一向聪明到此愚。'皆白描入神，不减东嘉也。"庄一拂《古典戏曲存目汇考》卷一一：《鱼水缘》，"《今乐考证》著录。乾隆间博文堂刊本，知稼堂刊本。《曲考》、《曲海目》、《曲录》并见著录。列入无名氏。凡二卷三十二出。据小说《情梦柝》演胡玮、沈若素、秦惠卿事。情节略有变换，原作秦惠卿与易装之沈若素相遇，许以终身，嗣乃同归于胡。剧节删此段，使胡、沈成为一夫一妻，减省头绪。"

十一月

十一日，孙原湘（1760—1829）生。原湘字子潇、长真，晚号心青，别署姑射仙人侍者，昭文人，原籍歙县。乾隆六十年举人。嘉庆十年进士，选庶吉士，充武英殿协修官。以疾归。历主昆山玉峰、旌德毓文、通州紫琅、本邑游文书院。与同时舒位、王昙齐名。著有《天真阁集》五十四卷《外集》六卷。事迹见赵允怀《翰林院庶吉士兼武英殿协修孙先生行状》（《续碑传集》卷七六）、李兆洛《翰林院庶吉士孙君墓志铭》（《养一斋文集》卷一二）、《清史列传》舒位传附、《清史稿》法式善传附。〔按，生日据朱彭寿《清代人物大事纪年》。〕

王昶兼充《同文志》纂修官。时钱陈群以祝厘入都，造访寓斋，谭艺竟日。据严荣《述庵先生年谱》。

沈德潜等编《国朝诗别裁集》修订本（三十二卷本）付刻，明年二月刻成。沈德潜自序云："予辑国朝诗，共得九百九十六人，诗三千九百五十二首。较之钱牧斋《列朝诗选》、朱竹垞《明诗综》，只及十之二三，于数为少。及观唐殷璠《河岳英灵集》云：自贞观及开元，共得二十二人，诗二百三十四首。高仲武《中兴间气集》云：自至德元年至大历末年，作者数千，选者二十六人。以予所辑较之，又于数为多。然而不嫌其少者，以牧斋、竹垞所选，备一代之掌故，而予惟取诗品之高也。不嫌其多者，以殷璠、高仲武只操一律以绳众人，而予唯祈合乎温柔敦厚之旨，不拘一格也。自问学殖疏浅，见闻狭隘，中间略作小传，远逊牧斋之详；略存诗话，远逊竹垞之雅。唯殷璠所云权压梁、窦终无所取者，敢窃比焉；高仲武所云苟悦权右取媚薄俗者，庶几免焉。书成，凡三十二卷，付诸剞劂，播诸艺林，或以为是而褒之，或以为非而斥之，或以为不烦褒斥而置之，一听乎当世之词人，予不得而知之矣。乾隆二十五年仲冬日，沈德潜自题。时年八十有八。""此系增减第一次本也。初番刻本，校对欠精，错误良多，甚有评语移入他篇者，兹既一一改正。又，当代名流，搜罗未广，兹复增入诸家，以补从前阙略。稍加芟夷，不留平近，总求无戾乎风雅之旨也。重付开雕，质之艺苑。至南粤、西江翻刻，比初次刻本错字尤多，识者自能鉴诸。德潜又识。"《凡例》云："诗之为道，不外孔子教小子教伯鱼数言，而其立言，一归于温柔敦厚，无古今一也。自陆士衡有缘情绮靡之语，后人奉以为宗，波流滔滔，去而日远矣。选中体制各殊，要惟恐失温柔敦厚之旨。""是选以诗存人，不以人存诗。盖建竖功业者重功业，昌明理学者重理学，诗特其余事也。故有功业、理学可传，而兼工韵语者，急采之。否则人已不朽，不复登其绪余矣。观者谅之。""是集创始于乾隆乙丑，至戊寅岁告成镂刻。今岁庚辰，又复增删镂版，共经十六寒暑矣。然鲜见寡闻，虽殚苦心，只抽孤绪，恐无当于大雅之林也。四方学者，有谅予之愚，蒙启未逮，所深望焉。"（《清诗别裁集》卷首）

十二月

除夕，朱稻孙卒，年七十九。据盛百二《娱村朱先生行状》（《柚堂文存》卷四）。王昶《蒲褐山房诗话》："余与其孙伯承为乡试同年，又在扬州同寓梅花亭数月，故得见其诗，张匠门序所云：'始则气猛而格上，后则境触而情遥。'殆不虚也。"（《湖海诗传》卷六）《国朝文汇》乙集卷一一录其《郯城先生墓志铭》文一篇。

迮云龙卒，年七十。据江庆柏《清代人物生卒年表》。《晚晴簃诗汇》卷六八录其诗四首。

冬

戴震有《与卢侍讲召弓书》，论校《大戴礼》事。见《戴震集》上编《文集》卷三。又有《与任孝廉幼植书》，见《文集》卷九。段玉裁《戴东原先生年谱》："（任大椿）与先生书论礼，先生以此箴之。《礼经》所谓兄弟与昆弟，立文大不同，至先生而其义始著。"又，《屈原赋注》刻成。《文集》卷三《再与卢侍讲书》："去冬刻就《屈原赋注》，属舍弟印送。"段玉裁《戴东原先生年谱》："按《屈原赋注》，卢学士为之序，《注》七卷，《通释》二卷，《音义》三卷，凡十二卷。"

韩锡胙任金匮县知县。据刘耀东《韩湘岩先生年谱》卷上。

本年

朱珪授福建粮驿分巡道。罗继祖《朱笥河先生年谱》。

　　王鸣盛左迁光禄寺卿。据钱大昕《西沚先生墓志铭》（《潜研堂文集》卷四八）。

　　蒋士铨散馆授编修。据蒋士铨自编《清容居士行年录》。

　　张九镒署四川布政使司。据张家杖《陶园年谱》。

　　吴镇大挑二等，以教职用。据杨芳灿《诰授朝议大夫湖南沅州府知府吴松厓先生墓碑》（《芙蓉山馆文钞》卷七）。

　　洪亮吉在西庙沟谢氏塾从唐为垣受《左传》、《史记》、《汉书》等。同学四人中，与谢榕最契。始作制举文全篇。集中诗文始于本年。据吕培等《洪北江先生年谱》。又，时已识里中三诗人。《钱大令维乔诗序》："余幼耽吟咏，未成童日即识里中诗人三：曰陈粲宾，曰汤遵路，曰钱季木。时三人者，诗名已噪，余甫学唫，未敢遽定其优劣也。三十后，交道渐广，学识亦粗进，因悉取三人者之诗而合观之：粲宾能颂习古人矣，顾自为诗，反不能学古人；遵路能学古人矣，而未能尽化古人之蹊径也；独季木才最高，五言法魏、晋、六朝，歌行则自初唐以迄北宋诸家无不涉历，近体则尤近大历十子。虽心摩古人，而于古人之外，别有一种幽奇灵秀之气，耐人寻味，余尤心折之。"（《更生斋文甲集》卷一）

　　戴震客扬州。据段玉裁《戴东原先生年谱》。

　　陈黄中在里为人构陷，下县狱。旋出狱，走济南视沈廷芳。据张慧剑《明清江苏文人年表》。

　　严长明游泰山，作《金阙攀松集》一卷。据张慧剑《明清江苏文人年表》。

　　曹仁虎本年以前诗有自订《咏典堂诗钞》初集、二集。据王鸿逵《曹学士年谱》。

　　郑燮作《板桥后序》和《刘柳村册子》，述己之生平志趣颇详。见《郑板桥全集·板桥集外诗文》。

　　张坚作《玉狮坠》传奇。据张慧剑《明清江苏文人年表》。自序云："故事蓝本《情史·玉马坠》而稍变易之。尝考《月下闲谈》所载黄损诗，云为其妻裴玉娥见夺于吕用而有作。唐人《本事诗》则谓刘禹锡妓为李逢吉所悦，作此诗投献。或又以为李益事。余不敢重诬古人，故仍其姓氏而不拘其时代，以仙易佛，变马为狮，灵异虽同，情文各别。要皆涉笔成趣，为氍毹场上渲染生动，非有深意也。"张龙辅序云："辛未孟冬，余游浙，与吾宗漱石先生同寓湖上，交甚欢。""及读《玉狮坠》，又叹黄生落魄穷途，囊空如洗。玉娥一误落风尘弱女子耳，独能不污流俗，委身寒儒，具一双俊眼，矢一片冰心。""黄生、玉娥之名，虽见于唐人诗中，然当时记载，已传疑而不一其说。凤洲《情史》为撰《玉马坠记》，亦未详著其时代。后人因演为《天马缘》传奇。考之《唐书》，则不见其轶事。"（《中国古典戏曲序跋汇编》卷一二）庄一拂《古典戏曲存目汇考》卷一一："按：《情史》，题詹詹外史（实即冯梦龙）编。凤洲《情史》，疑误。《天马缘》疑即《天马媒》，清初刘方所撰，与明王元寿《玉马坠》，路术淳《玉马珮》，同一演黄损、裴玉娥故事。"梁廷楠《曲话》卷三："漱石又有《玉狮坠》，设想甚奇。其《毁夐》一折，如蚁穿九曲，愈折愈深。如云：'你要我无瑕体自比玉洁，便河东吼不迭？岂真有竹杖为龙，那便捷似鸢成兔，没些差别，负的我腾空飞越，管笼禽脱离羁绁？怕终做不分玉石焚身烈，提掇向楼前坠也！'一玉狮耳，想出如许情绪，第一猜教其守贞，二猜可以因而脱稿，三猜默示以徇身，鲁公书笔，力透纸背矣。"庄一拂《古典戏曲存目汇考》卷一一：《玉狮坠》，"《今乐考证》著录。《玉燕堂四种》乾隆刊本。《曲考》、《曲海目》、《曲录》并见著录。凡三十出。题目作'黄益斋闻筝求凤侣，裴玉娥题句誓鸳俦；汉钟离伏狮云梦泽，龙王女授坠岳阳楼'。"

朱琰编《明人诗钞》十四卷、《续集》十四卷樊桐山房刊行。据《贩书偶记》卷一九。

彭沃编《三泷诗选》十卷刊行。法式善《陶庐杂录》卷三："《三泷诗选》十卷，罗定彭沃选其一州人之诗，而以己诗与其子诗附焉。罗定建于前明，万历文教始兴。能以声律相砥厉，亦可尚也。前有何梦瑶、陈华封二序。刻于乾隆二十五年。"[按，《贩书偶记》卷一九著录是书，署陈华封编，本年思燕阁刊行]

陈朗《青柯馆集》三卷刊行。据《贩书偶记续编》卷一五。朗字泰晖（一作太晖），号梦欧、青柯，平湖人。乾隆三十四年进士。官抚州知府。王昶《蒲褐山房诗话》："君性沈默，且嗜酒，不善于同事，至上官相待亦疏。久之，循例出为太守，非其志也。年近五十而卒。尝有句云：'尘缘良已了，幻想此何论。'又云：'养生托庄老，齐物任彭殇。'则其于去来间，故已视如露电。"（《湖海诗传》卷三一）《晚晴簃诗汇》卷九三录其诗二首。《国朝文汇》乙集卷一一录其《陆梅谷梦影词叙》文一篇。谢章铤《赌棋山庄词话续编》卷四《陈朗六铢词》："《六铢词》二卷，平湖陈太晖朗撰。集句为词，始于小长芦，然所集乃诗句。近且有集词句者，且有专集本人之句者，若太晖则集唐以前句。余谓六朝歌曲，语多古艳，若能运用入词，吐属自异，苟强联成篇，反觉生硬。虽自谓仙衣无缝，而天吴紫凤，已不胜其颠倒矣，姑留以备一体可也。"

朱崇勋《桐荫书屋诗》二卷、朱崇道《湖上草堂诗》一卷刊行。据《贩书偶记续编》附录。四库提要卷一八五：《桐隐书屋集》二卷，"国朝朱崇勋撰。崇勋字彝存，号怡园，历城人。其诗沿新城末派，清脱有余而深厚不足。"《湖上草堂诗》一卷，"国朝朱崇道撰。崇道字带存，崇勋弟也。其诗如'寒烟依树澹，余雪傍山明'、'樵声通涧底，人影上芦花'，颇有思致。然寥寥数篇，不成卷帙。"

陶元藻《珠江集》一卷刊行。据《贩书偶记》卷一五。

罗天尺《瘿晕山房诗删》十三卷、《续编》一卷石湖刊行。据《贩书偶记》卷一五。何梦瑶《罗履先瘿晕山房诗序》："石湖天禀粹美，其学一出于正，口不道非礼之言，所为诗有精粗，无纯杂也。""《瘿晕》诸刻久矣风行海内，当代名流获其尺蹏寸纸，珍同拱璧，亦可安矣。而石湖曾不少安，视精粗之分，竟若有珉玉之别，芟薙曾不少惜，不益征其学之进哉！"（《国朝文汇》甲集卷五八）

钮树玉（1760—1827）生。树玉字非石，号蓝田，吴县人。家布衣。精研文字声音训诂。著有《说文新附考》六卷《续考》一卷、《说文解字校录》三十卷、《段氏说文注订》八卷。事迹见梁章钜《钮山人墓志铭》（《碑传集补》卷四〇）、江藩《国朝汉学师承记》卷四、《清史列传》段玉裁传附、《清史稿》段玉裁传附。

秦恩复（1760—1843）生。恩复字近光，号敦夫，晚号狷翁，江都人。乾隆四十八年举人。五十二年成进士，改庶吉士，授编修。嗣丁内艰服阕，将入都，以疾作，家居几十载。嘉庆十一年入都供职，逾年归。明年游浙，阮元延主诂经精舍。十四年，两淮盐政延主乐仪书院。二十年，复聘校刊《全唐文》。二十三年入都，阅四年，仍乞假归。著有《石函小稿》、《石研斋集》、《享帚词》三卷。事迹见《扬州府志》本传（《碑传集补》卷八）、《清史列传》鲍廷博传附、张慧剑《明清江苏文人年表》。

金捧阊（1760—1810）生。捧阊字玠堂，江阴人。贡生。以游幕为生。著有《客窗偶笔》四卷、《二笔》一卷、《山水清音词》、《韵字辨重》十八卷。事迹见恽汇昌《金捧阊传》（《中华大典·明清文学分典》）。

洪坤煊（1760—1792）生。坤煊字载厚，号地斋，临海人。乾隆末，以拔贡生举乡试，题名后十余日卒。事迹见戚学标《孝廉地斋洪君墓碣》（《鹤泉文钞续选》卷七）、洪颐煊《昆季别传》（《筠轩文钞》卷八）、《清史列传》洪颐煊传附、《清史稿》洪颐煊传附。

王昙（1760—1817）生。昙又名良士，字仲瞿，号瓶山，秀水人。乾隆五十九年举人，屡试礼部不第。卒年五十八。好游侠，通兵家言，善弓矢。恃才负气，世目为狂。著有《烟霞万古楼诗文集》。据龚自珍《王仲瞿墓志铭》（《定盦续集》卷四）、陈文述《王仲瞿墓志》（《碑传集补》卷四七）、李元度《王仲瞿事略》（《碑传集三编》卷三七）、《清史列传》舒位传附。

钱楷（1760—1812）生。楷字宗范，号裴山，嘉兴人。乾隆五十四年进士，选庶吉士，散馆改户部主事，充军机章京。官至安徽巡抚。著有《绿天书屋存草》六卷。事迹见阮元《安徽巡抚裴山钱公传》（《揅经室二集》卷二）、《清史稿》本传。

凌扬藻（1760—1845）生。扬藻字誉钊，号药洲，番禺人。诸生。著有《海雅堂全集》，辑有《国朝岭海诗钞》二十四卷。事迹见《国朝诗人征略》二编卷五六、《清史列传》谢兰生传附。

庄逵吉（1760—1813）生。逵吉字伯鸿，武进人，炘子。学于舅氏钱维城，才名甚盛。甫弱冠，即纵使游侠结客。与吴堦、崔景俨、祝百五、庄曾仪、丁履恒、陆耀遹、陆继辂为友。尝以词章受知于毕沅、王昶，又与钱坫、洪亮吉、孙星衍为考据训诂之学，在关中名特盛。屡试不第，入赀为知县，发陕西，署咸阳，再署大荔，补蓝田，调咸宁，擢潼关同知，有政声。所著《吹香阁诗》为水所浸，不可识别，惟《秣陵秋》、《江上缘》乐府二种稿本尚存。事迹见陆继辂《潼关同知庄君墓志铭》（《崇百药斋文集》卷一七）。

钱枚（1760—1802）生。枚字枚叔，号谢庵，仁和人，琦子。嘉庆四年进士。官吏部主事。著有《斋心草堂诗钞》四卷、《微波词》一卷。事迹见龚自珍《钱吏部遗集叙》（《定盦续集》卷三）。［按，生卒年据朱彭寿《清代人物大事纪年》］

谢兰生（1760—1831）生。兰生字佩士，号澧浦、里甫，别号理道人，南海人。乾隆五十七年举人。嘉庆七年成进士，选庶吉士，以父年迈告归。父殁，不复出。掌教于越秀、越华、端溪、羊城等书院。著有《常惺惺斋文集》四卷、《诗集》四卷、《北游纪略》二卷等。事迹见《番禺县续志·寓贤传》本传（《碑传集三编》卷三七）、《国朝诗人征略》二编卷五五、《清史列传》本传。［生卒年据谢念因《里甫府君年谱》（谢巍《中国历代人物年谱考录》著录）］

侯芝（女，1760—1829）生。芝字香叶，自号香叶阁主人，江宁人。进士侯学诗女，举人梅冲室，梅曾亮母。尤擅弹词，手订《玉钏缘》、《金闺杰》、《再造天》、《锦上花》四种。其《金闺杰》一种，即陈端生《再生缘》之删本。事迹见胡士莹《弹词女作家侯芝小传》（《广清碑传集》卷一〇）。

陈履中卒，年六十八。据蒋士铨《宁夏道雁桥陈公墓志铭（代）》（《忠雅堂文集》卷六）。

何在田再下第。贫不能去，因蒋士铨之介，往天津为子弟师。此后不久病卒。据蒋士铨《何鹤年遗集序》。《序》云：“鹤年诗鞭辟刻削，不袭古人一字，凡世俗诗人肺腑中物，无锱铢犯其笔端。廉悍隽杰，生面独开，杂之唐宋人集中，虽智者莫辨，非作者亦不知君诗之迥异乎时人所为也。”（《忠雅堂文集》卷一）《晚晴簃诗汇》卷八四录其诗七首。

胡慎容（女）卒。据蒋士铨《石兰诗传》（《忠雅堂文集》卷五）。慎容字观止，号卧云、玉亭女史，山阴人。胡天游女弟子，冯坦室。著有《红鹤山庄集》。事迹见《清代闺阁诗人征略》卷四。袁枚《随园诗话》卷二：“蒋苕生太史序玉亭女史之诗曰：‘离象文明，而备位乎中。女子之有文章，盖自天定之。玉亭名慎容，姓胡，山阴人，嫁冯氏。所天非解此者，遂一旦焚弃之。然其韵语已流播人间，有《红鹤山庄诗》行世。其女兄弟采齐、景素，亦皆能诗，俱不得志。玉亭尤郁郁，未四旬，殁矣。’”录其《病中》、《窥采齐晓妆》、《女郎词》、《残梅》等。《晚晴簃诗汇》卷一八五录其诗七首。

公元 1761 年（乾隆二十六年　辛巳）

正月

江昱作《辛巳正月德坚生日感怀》。有云：“为客湖南已七年。”（《松泉诗集》卷六。）《松泉诗集》六卷本年小东轩刊行。四库提要卷一八五：《松泉诗集》六卷，“国朝江昱撰。昱有《尚书私学》，已著录。其平生喜为韵语，与编修程梦星等相唱和，游迹多在衡湘间。是集即刻于湖南者也。”

二月

初三日，王又朴自序《介山自订年谱》。见《年谱》卷首。又朴时年八十一岁，当卒于此后不久。《国朝文汇》甲集卷五五录其《汉高帝论》等文五篇。

沈德潜等编《国朝诗别裁集》修订本（三十二卷本）刻成。据《沈归愚自订年谱》。昭梿《啸亭续录》卷三《国朝诗别裁集》：“沈归愚宗伯选《国朝诗别裁集》进呈御览，纯皇帝以其去取纰缪，令内廷词臣更为删定行世。然其中犹有未及改者，如闺秀毕著《纪事诗》，乃崇德癸未饶余亲王伐明，自蓟州入边，其父战死，故诗有蓟丘语，非死流寇难也。当其时，海宇未一，不妨属词愤激，归愚选入，已为失于检阅。而内廷诸公仍其纰缪，此与商辂《续纲目》滁州之战，书明太祖为贼兵同一笑柄。又黄子云诗以舒穆禄少宰阿尔稗为元人。盖野鸿未登朝籍，故引证或有所错误，而词臣辈亦沿其失，何其舛也。”

461

三月

月初，洪亮吉应童子试不售，时年十六岁。本年从缪谦受唐宋杂文及制举义。据吕培等《洪北江先生年谱》。

二十二日，江藩（1761—1831）生。藩字子屏，号郑堂，别号竹西词客，晚号节甫，甘泉人。监生。少受业于惠栋、余萧客及江声。性好游，足迹半天下。尝应阮元之聘，主淮安丽正书院。著有《国朝汉学师承记》八卷、《国朝宋学渊源记》二卷、《扁舟载酒词》一卷、《炳烛室杂文》一卷。事迹见闵尔昌《江子屏先生年谱》、《续碑传集》卷七四《江藩传》、《清史列传》本传。

恩科会试。考官：吏部尚书刘统勋、兵部侍郎观保、户部侍郎于敏中。题"红紫不以"二句，"旅酬下为"四句，"大夫曰何"一句。赋得"贤不家食"得"同"字。据法式善《清秘述闻》卷六。

托庸任安徽巡抚。据《钦定八旗通志》卷三四〇。

四月

初二日，张釜（1761—1829）生。釜字宝岩，号夕庵、且翁，晚号城东蛰叟、观白居士，丹徒人。工篆隶行草，善画，好为诗。著有《逃禅阁诗集》八卷、《外集》四卷、《文集》十卷。事迹见鲍鼎《张夕庵先生年谱》。

二十五日，高宗御太和殿，传胪。赐一甲王杰、胡高望、赵翼进士及第，二甲孙士毅、李文藻、彭绍升、谢启昆、冯应榴、储秘书、曹仁虎、陆锡熊等进士出身，三甲蔡上翔、余廷灿、吴玉纶、檀萃等同进士出身。据《历科进士题名录》、《清通鉴》。李文藻系去年会试中式，本年补应殿试成进士。据钱大昕《李南涧墓志铭》。赵翼殿试进呈一甲第一，王杰居第三。高宗谓自国朝以来陕西未有以第一人举者，遂易王杰为第一。据姚鼐《贵西兵备道赵先生翼家传》（《碑传集》卷八六）。

五月

林志功捏造诸葛碑文案发。据《清代文字狱档》。

阎大镛《俣俣集》案发，八月止。据《清代文字狱档》。

夏

戴震有《再与卢侍讲书》，论校《大戴礼》事。见《戴震集》上编《文集》卷三。段玉裁《戴东原先生年谱》："《大戴礼》一书，讹舛积久，殆于不可读。先生取雅雨堂刻一再雠校，然后学者始能从事。至癸巳，召入四库馆充纂修官，取旧说及新知悉心核订，其书上于先生既殁后一月。自后曲阜孔广森太史因之作《补注》。"

曹学诗《香雪诗钞》二卷刊行，又名《宦游集》。据《贩书偶记续编》卷一五。

夏末秋初，敦敏、敦诚访曹雪芹于西郊，雪芹留饮，敏、诚各有赠诗。敦敏《赠芹圃》诗云："碧水青山曲径遐，薜萝门巷足烟霞。寻诗人去留僧舍，卖画钱来付酒家。燕市哭歌悲遇合，秦淮风月忆繁华。新愁旧恨知多少，一醉酕醄白眼斜。"（《懋斋诗钞》）敦诚《赠曹芹圃》诗云："满径蓬蒿老不华，举家食粥酒常赊。衡门僻巷愁今雨，废馆颓楼梦旧家。司业青钱留客醉，步兵白眼向人斜。阿谁买与猪肝食，日望西山餐暮霞。"（周汝昌《红楼梦新证》第七章）又，其时复有张宜泉与雪芹过从唱和。张氏《春柳堂诗稿》有《和曹雪芹西郊信步憩废寺原韵》诸诗。

七月

初七日，袁栋卒，年六十五。据朱彭寿《清代人物大事纪年》。

八月

十五日，罗天尺自序《五山志林》八卷。自序云："要皆叙述旧闻，组缉名论，窃比钞胥。间有论著，亦明向往，非敢有所予夺于其间。总以志吾病间之岁月已耳。乾隆辛巳中秋日书于石湖之鸡肶轩，时年七十有六，百药居士罗天尺撰。"伍崇曜跋云："其卷目曰述典、识今、谈艺、传疑、阐幽、纪胜、辨物、志怪，类多小说家言，备识乡邦轶事。"署"庚戌小暑后，后学伍崇曜谨跋。"（《五山志林》卷首）

下浣，王昇跋崔应阶《情中幻》杂剧。署"乾隆辛巳桂月下浣，属吏异城王昇谨跋"。又，砚林居士署"乾隆辛巳赤炜日，砚林居士序于花南小阁"。又，午桥居士序云："其事固奇而可传，而其句语香艳，字法清新，若玉茗、石巢则无论矣。宾白科介，则似云亭山人，而湖上笠翁又不足道矣。是其义可以观感而适情，幻而真，真而逸，淘人间之妙部，不独为案上之奇观，直可上溯乐府而旁及诗词之微妙矣。且闻之主人每一出成，辄付之月下牙萧、花前檀板，故词甫填而歌已演，惟句句斟酌，斯字字铿锵，不数日间而云鬟子弟脆管繁弦，早已登之场面。"小须弥山头陀和南题词云："今读《情中幻》填词，花烂映发，簇簇皆新，几令六郎诸人三毫添颊。至黎山指点，皈我觉途，何异太真宫里雪衣诵佛，幸脱危机，知其拈管按牙之下，直欲以大慈悲施大解脱矣。虽然，有情皆幻，色色空空，兔角无形，龟毛不实，此又六如境界，呈露当场，即以为普天下有情人当头一棒可耳。"（《中国古典戏曲序跋汇编》卷一三）庄一拂《古典戏曲存目汇考》卷八：《情中幻》，"《今乐考证》著录。乾隆间刊本。《曲海目》、《曲录》并见著录。与《考证》俱列入传奇，误。计四折，演幻娘事，本事出唐人小说沈既济之《任氏传》，即郑六遇妖狐事。明、清阙名有传奇同目。"

余腾蛟诗词案发，十一月止。据《清代文字狱档》。

九月

李雍和潜递呈词案发，十二月止。据《清代文字狱档》。

十月

初十日，纪昀自序《庚辰集》五卷。自序云："余于庚辰七月闭户养疴，惟以读书课儿辈。时科举方增律诗，既点定《唐试律说》粗明程式，复即近人选本日取数首讲授之。阅半岁余，又得诗二三百首。儿辈以作者登科先后排纂成书，适起康熙庚辰至今乾隆庚辰止，因名之曰《庚辰集》。国家稽古右文，风雅日盛，六十年内佳篇讵止于此？此据坊刻之所录，未备征也。坊刻所录，佳篇亦不止于此；此余讲授之所及，非操选也。其初但有评点，既而儿辈考询字义，呹呹然不胜其烦。因与及门李子文藻、吴子钟侨、张子天植、孟子生惠等，检阅诸书为之注。学殖荒落，深愧疏芜，然较之坊贾所刊，差为不苟矣。辛巳十月十日，河间纪昀书。"又，明年闰五月二十四日刊刻既竣，纪昀再为序一篇。（《纪晓岚文集》第三册卷三）

王寂元投词案发，十二月止。据《清代文字狱档》。

彭端淑自广东肇罗道任致仕抵里。旋掌教锦江书院。据李朝正、徐敦忠《彭端淑诗文注》附录《年谱》。

十一月

马荣祖卒，年七十六。据杭世骏《马石莲传》（《道古堂文集》卷三四）。《传》云："江淮之间多治诗，而君独治古文，尝为文颂九十二章以自道。其利钝得失之故，海内之健于斯事者，山阴胡征君稚威、丹徒张观察圌东、仁和沈廉使萩林、钱唐桑水部弢甫，皆申至契；江左之以轻艳相扇者，则犹冰炭之相置矣。"《国朝文汇》甲集卷五九《张南华宫詹诗序》等文十篇。

十二月

高宗论《国朝诗别裁集》。《沈归愚自订年谱》："（上）论《国朝诗选》不应以钱谦益冠籍，又钱名世诗不应入选，慎郡王诗不应称名，今已命南书房诸臣删改重付镌刻。外人自不议论，汝也体恤教诲。父师不过如此矣。"

冬

敦敏访曹雪芹未遇。敦敏《访曹雪芹不值》诗云："野浦冻云深，柴扉晚烟薄。山村不见人，夕阳寒欲落。"（《懋斋诗钞》）

本年

彭绍升成进士，例选知县，不就。据江藩《国朝宋学渊源记·附记》。

阮葵生会试取中正榜，授内阁中书。据阮元《刑部侍郎唐山阮公传》（《揅经室二集》卷三）。

苏去疾官内阁中书。据姚鼐《苏献之墓志铭并序》（《惜抱轩文后集》卷七）。

李调元官内阁中书，补国子监学录。据嘉庆《罗江县志》卷七（《方志著录元明清曲家传略》）。

纪昀京察一等，以道府记名。据朱珪《经筵讲官太子少保协办大学士礼部尚书管国子监事谥文达纪公墓志铭》（《知足斋文集》卷五）。

卢见曾再以赃罪黜。据张慧剑《明清江苏文人年表》。

钱沣入五华书院肄业。据方树梅《钱南园先生年谱》。

姚鼐授经同里马氏。据郑福照《姚惜抱先生年谱》。

章学诚二十四岁。其《家书》六（非本年作）有云："廿三四时所笔记者，今虽亡矣，然论诸史于纪、表、志、传之外，更当立图；列传于儒林、文苑之外，更当立史官传：此皆当日之旧论也。"（胡适《章实斋年谱》）

茹纶常《容斋诗集》存诗始于本年。据《容斋诗集》卷一《一笑山房初稿》小序。

张九钺选本朝试帖《依永集》八卷，日本、朝鲜争购归，镂铜版转售中国。据张家栻《陶园年谱》。

李百川有梁州之役，途次又续成《绿野仙踪》数回。据《绿野仙踪》钞本（百回本）自序。

马曰璐《南斋集》刊行。杭世骏序云："吾友马君半查，志洁行芳，秕糠一切，太史所谓皭然泥而不滓者也。诗不立异，亦不苟同，酝酿群籍，抒写性真。""半查抱桓山折翼之痛，过时而悲，颓然就老，余亟劝其自定一集以遗后嗣。故特标'洁'之一字，如子厚之所以品题太史者也，而以目吾半查，且愿天下之深于诗者共论之。至或议吾为阿私之好，岂暇屑屑辨哉？乾隆龙集辛巳长至前一日，湖壖老友杭世骏撰。"（《南斋集》卷首）胡玉缙《许庼经籍题跋》卷四："《南斋集》六卷词二卷，祁门马曰璐撰。曰璐字佩兮，一字半查，乾隆丙辰与兄曰琯同荐举博学鸿词。全祖望《鲒埼亭集·蓑书楼记》云：'予从馆中得见《永乐大典》万册，惊喜，贻书告之，半查即来问写生当得多少，其值若干，从臾予甚锐。'是曰璐嗜书之笃、魄力之大，殆过于乃兄，故曰琯诗词多清婉，而此尤清刚。曰琯殁后，曰璐令原抱痛，屡形楮墨，蒋德序称其绝笔不为诗，殊失事实。杭世骏序有'亟劝其自定一集以遗后嗣'语，此本亦用编年之例，而首尾完善，或即出于手定。粤雅堂本伍崇曜跋谓'觅之累年，始获钞本重梓'，然则当时传本甚希，今伍刻又毁，印本将日少一日，抑何曰璐之多不幸欤！"

刘凤诰（1761—1830）生。凤诰字承牧（一作丞牧），号金门，萍乡人。乾隆五十四年进士，授编修。历官侍读学士、吏部侍郎、浙江学政。以监临舞弊褫职，戍黑龙江。旋复编修。著有《存悔斋集》二十八卷、《外集》四卷，又与彭元瑞同撰《新五代史注》七十四卷。事迹见石韫玉《故宫保刘公墓志铭有序》（《独学庐五稿》文卷三）、《清史列传》本传。

张惠言（1761—1802）生。惠言初名一鸣，字皋文，武进人。乾隆五十一年举人。嘉庆四年成进士，改庶吉士，充实录馆纂修官、武英殿协修官。散馆，改部属，朱珪复特奏授翰林院编修。著有《茗柯文》九卷、《茗柯词》一卷，编有《词选》二卷、《七十家赋钞》六卷。事迹见恽敬《张皋文墓志铭》（《大云山房文稿初集》卷四）、汪喜孙《张编修惠言家传》（《尚友记》卷二）、吴德旋《张皋文先生述》（《初月楼文钞》卷八）、江藩《国朝汉学师承记》卷四、《清史列传》本传、《清史稿》本传。

李凯卒，年六十九。据李钧《寒香亭跋》（《中国古典戏曲序跋汇编》卷一二）"忆岁壬戌，先君子年五十"，"讵意辛巳，先君子病且革。弥留之夕"等语推知。

郑际熙卒，年三十六。据姚鼐《郑大纯墓表》（乾隆三十九年撰）"君自是三值会试"、"今吾兄没十四年矣"、"君殁八年大章登进士"等语推知。四库提要卷一八五：
《浩波遗集》三卷，"国朝郑际熙撰。际熙字大纯，侯官人，乾隆丙子举人。年三十六
而卒。是集为其弟际唐等所刊。凡诗二卷，文一卷。文中有《杜律篇法序》一篇，称
'能诗者未尝先言法而自中法，且神而明之，变化以自成其法。未有案一定之科条而谱
之，舍其性情才力，俯首以从法也'。其论亦足破拘挛之说，其书则未之见也。"

　　王世琛卒，年八十一。 据江庆柏《清代人物生卒年表》。《国朝诗别裁集》卷二三
录其诗四首。《晚晴簃诗汇》卷五八录其诗五首。

　　席鏊卒，年六十三。 据江庆柏《清代人物生卒年表》。卒后，杭世骏等为其厘定诗
集四卷刊行。据《竹香诗集》卷末席雯跋。四库提要卷一八五：《竹香诗集》四卷，
"国朝席鏊撰。鏊字景溪，常熟人。雍正己酉举人。官内阁中书。鏊为吴伟业外孙，于
诗法颇有端绪。此集凡诗三百余首，乃其友杭世骏所删存也。"

　　周长发卒，年六十六。 据袁行云《清人诗集叙录》卷二五。《晚晴簃诗汇》卷七一
录其诗六首。

　　马曰璐卒，年六十一。 据江庆柏《清代人物生卒年表》。[按，张慧剑《明清江苏
文人年表》谓其生于1695年，卒年未详]《晚晴簃诗汇》卷七二录其诗二首。

　　华嵒卒，年八十。 据温肇桐《华新罗年表》（谢巍《中国历代人物年谱考录》著
录）。[按，《中国历代人物年谱考录》：华嵒生年或作康熙二十二年（1683）、康熙二
十三年（1684）；卒年或作乾隆二十一年（1756）。又，郭味渠《宋元明清书画家年
表》谓其乾隆二十七年尚在世，年八十一。]《晚晴簃诗汇》卷五一："《离垢》一集，
神致修远，惜古体过于刻意。后来惟松壶堪与抗手。而七言歌行尤工，约举三家，庶
为兼美。拟诸纵逸一流，固静躁之不同已。"录其诗十二首。

　　储国钧卒，年六十二。 据江庆柏《清代人物生卒年表》。《抱碧斋诗》四卷词一卷
乾隆三十七年刊行。据《贩书偶记》卷一五。袁枚《随园诗话》卷四："宜兴储氏多
古文经义之学，少吟诗者。吾近今得二人焉：一名润书，字玉琴。""其一名国钧，字
长源。"录国钧《梁溪》、《即目》、《六十自寿》等诗。《晚晴簃诗汇》卷七〇："石亭
诗在诸储中最为秀出，而落拓不遇，以布衣终。所传佳句，五言如'多情寒夜烛，有
味去年书'，'雪晴春有态，山活翠难名'，七言如'春衣乍暖飞蝴蝶，绿酒初香荐蛤
蜊'，风味皆足。"录其诗六首。

　　毗陵徐昆卒，年七十一。 据来新夏《清人笔记随录·逊斋偶笔二卷》。[按，此徐
昆与著《柳崖外编》、《雨花台传奇》、《碧天霞传奇》之徐昆非同一人]

　　浦起龙尚在世，时年八十三岁。 据《疑年录汇编》卷一〇。所著《史通通释》二十卷四库
全书著录，《读杜心解》六卷四库存目著录。《酿蜜集》四卷光绪二十七年静寄东轩刊行。据
《贩书偶记》卷一五。《不是集》不分卷1936年刊行。据张舜徽《清人文集别录》卷五。

公元 1762 年（乾隆二十七年　壬午）

正月

　　十一日，金德瑛卒，年六十二。据蒋士铨《左都御史桧门金公行状》（《忠雅堂文

集》卷七)。《行状》云："公未第时于帖括文最为攻苦，有明以来各家派别举之如观指纹，故掌文衡者垂三十年，所得皆根柢之士，不为剽袭者所溷。唯于古文不多作，间出一二篇，皆有法度，深于此道者辄加推详。年四十余始肆力于诗，博观约取，冥搜妙悟，久之，心有所得，离脱窠臼，寓目即书，理解天机，直抒胸臆。尝戏谓二三素心曰：'使韩、杜、苏、黄复生，吾当在弟子之列，外人不足语此也。'著《桧门诗疑》若干卷。"又，《金桧门先生遗诗后序》："先生诗自赓飏赠答以及体物言情诸什，无不扫除窠臼，结构性真，顿挫淋漓，直达所见，出入韩、杜、苏、黄间。譬诸名将用兵，旌旗壁垒，自立一军，而纪律森严，皆暗合乎孙、吴、卫、霍之法。世有知者定当心折也。"（《忠雅堂文集》卷一）王昶《蒲褐山房诗话》："总宪酷嗜涪翁，故论诗以清新刻削、酸寒瘦涩为能。于同乡最爱钱君坤一。"（《湖海诗传》卷五）《晚晴簃诗汇》卷七四录其诗九首。《桧门诗存》四卷《观剧绝句》一卷如心堂乾隆三十三年刊行。据《贩书偶记》卷一五。

高宗第三次南巡，五月回京。据《钦定南巡盛典》。顾宗泰应召试于秦淮。据《逾淮集》小序（《月满楼诗集》卷四）。

二月

冯敏昌随父之肇庆，读书于端溪书院。据冯士镳《先君子太史公年谱》。

三月

十三日，江永卒，年八十二。据刘大櫆《江先生传》（《海峰先生文》卷五）、钱大昕《江先生永传》（《潜研堂文集》卷三九）。戴震《江慎修先生事略状》："先生之学，自汉经师康成后罕其俦匹。"（《戴震集》上编《文集》卷一二）江藩《国朝汉学师承记》卷五："考永学行，乃一代通儒。戴君为作行状，称其学自汉经师康成后罕其俦匹，非溢美之辞。然所著《乡党图考》、《四书典林》，帖括之士窃其唾余，取高第掇巍科者数百人，而永以明经终老于家，岂传所谓'志与天地拟者其人不祥'欤！"《清史稿》本传："弟子甚众，而戴震、程瑶田、金榜尤得其传。"

高宗召试江南士子。孙士毅、汪孟钢、吴泰来、陆锡熊等授内阁中书。沈初、程晋芳、赵文哲、严长明等赐举人，授内阁中书。李旦华等列二等。据《钦定南巡盛典》卷七四。钱大昕《内阁侍读严道甫传》："同岁召试得官者，歙程晋芳鱼门、上海赵文哲损之、长洲吴泰来企晋、上海陆锡熊健男，彬彬尔雅，皆述作之选，盛矣哉。"（《潜研堂文集》卷三七）

闰五月

王溥序阮葵生《七录斋诗钞》。署"时乾隆壬午闰五月望日，年愚弟王溥书于宣南坊邸之竹影泉音书屋"。（《七录斋诗钞》卷首）

六月

十四日，袁廷梼（1762—1809）**生。**廷梼字又恺、寿阶，吴县人。明六俊之后，为吴下望族。筑小园于枫江，与汪墨庄、胡量、钮树玉、顾广圻、戈宙襄等为文酒之会。时钱大昕主紫阳书院讲席，王鸣盛、段玉裁亦时相过从，袁枚、王昶往来吴下，皆主其家。性好读书，不治生产，坐是中落，乃奔走江浙间，岁无虚日。后江振鸿延之杭州康山宾馆，未几卒。著有《红蕙山房吟稿》。事迹见江藩《国朝汉学师承记》卷四。[按，生卒时间据邓长风《明清戏曲家考略续编·袁于令、袁廷梼与〈吴门袁氏家谱〉》]

十五日，昇寅（1762—1834）**生。**昇寅姓马佳氏，字宾旭，号晋斋，满洲镶黄旗人。拔贡，考授礼部七品小京官。嘉庆五年乡试中式。官至礼部尚书。谥勤直。著有《晋斋诗存》二卷。事迹见其子宝琳、宝珣《昇勤直公年谱》、《清史稿》本传。

夏

诸锦《绛跗阁诗稿》刊行。据卷首标识。四库提要卷一八五：《绛跗阁诗稿》十一卷，"国朝诸锦撰。锦有《毛诗说》，已著录。是编古今体诗分三十一集。自康熙甲申至乾隆壬午五十九年之作，共一千五百余篇。"

七月

十一日，赵文楷（1762—?）**生。**文楷字逸书，号介山，太湖人。嘉庆元年状元，授修撰。五年充册封琉球使者。出为山西雁平道。任事四年，卒于官。著有《石柏山房诗存》八卷首一卷、《菊花新梦稿》杂剧。事迹见《石柏山房诗存》卷五汤金钊跋。[按，其生卒年，《古本戏曲剧目提要》作 1760—1808 年，《清代人物生卒年表》作1761—1808 年，此据朱彭寿《清代人物大事纪年》]

二十三日，徐熊飞（1762—1835）**生。**熊飞字子宣、谓阳，号雪庐，别号白鹤山人，武康人。嘉庆九年举人。署翰林院典籍衔。阮元聘为诂经精舍讲席。著有《白鹄山房诗初集》三卷、《白鹄山房诗选》四卷、《骈体文钞》二卷。事迹见《清史列传》黄安涛传附。[按，生日据朱彭寿《清代人物大事纪年》]

八月

二十六日，陈黄中卒，年五十九。据沈廷芳《陈征士墓志铭》（《隐拙斋集》卷四八）。《墓志铭》云："为文清劲雄深，其气疏以达，恂旷代才也。"《清史稿》何焯传附："父子皆长史学，而黄中尤以才略自负。""胡天游傲睨群士，独推服黄中。示以文，每发其瑕颣，未尝有忤也。"《国朝文汇》乙集卷一三录其《边防议》等文八篇。《晚晴簃诗汇》卷七二录其诗二首。《东庄遗集》四卷乾隆三十二年大树斋刊行。据《贩书偶记》卷一五。

袁鉴序袁树诗。署"乾隆壬午中秋兄鉴序"。（袁树著、袁枚编《红豆村人诗稿》

卷首）

九月

沈德潜雨中游栖霞，成古诗十二章。据《沈归愚自订年谱》。[按，《沈归愚自订年谱》止于本年]

秋

乡试。是科各省考官有梁诗正、梁国治、彭启丰、秦大士、翁方纲、钱大昕、王杰、沈业富、蒋和宁等。据法式善《清秘述闻》卷七。所取举人有崔述（陈履和《敕授文林郎福建罗源县知县崔东壁先生行略》）、朱孝纯（法式善《八旗诗话》一八七）、张熙纯（王昶《内阁中书舍人张君墓志铭》）、张九钺（张家栻《陶园年谱》）、袁毂芳（《国朝文汇》乙集卷三二）、余集（《秋室居士自撰志铭》）、戴震（段玉裁《戴东原先生年谱》）、戴祖启（钱大昕《国子监学正戴先生墓志铭》）、任大椿（江藩《国朝汉学师承记》卷六）、金学诗（《国朝文汇》乙集卷三三）、邹方锷（《国朝文汇》乙集卷三三）、吴省兰（吴省钦《吴白华自订年谱》）、钱维乔（乾隆《阳湖县志》卷七）、袁树（方濬师《随园先生年谱》）、屠绅（沈燮元《屠绅年谱》）、戚蓼生（周汝昌《红楼梦新证》）等。钱沣（方树梅《钱南园先生年谱》）、赵怀玉（《收庵居士自叙年谱略》卷上）报罢。

曹雪芹访敦敏于槐园。次日晨，敦诚亦至。据周汝昌《红楼梦新证》第七章。敦诚有《佩刀质酒歌》，自注云："秋晓，遇雪芹于槐园，风雨淋涔，朝寒袭袂。时主人未出，雪芹酒渴如狂。余因解佩刀沽酒而饮之，雪芹欢甚，作长歌以谢余，余亦作此答之。"（《四松堂集》卷一）

十月

初七日，赵慎畛（1762—1826）生。慎畛字遵路，号笛楼，晚号蓼生，武陵人。嘉庆元年进士，选庶吉士，散馆授编修。官至云贵总督。谥文恪。著有《从政录》八卷、《载笔录》四卷、《榆巢杂识》二卷、奏疏八卷、杂文三卷、诗三卷。事迹见杨彝珍《云贵总督赵公慎畛传》（《续碑传集》卷二二）、姚莹《太子太保兵部尚书都察院右都御史云贵总督谥文恪武陵赵公行状》（《东溟文后集》卷一二）、《清史列传》本传、《清史稿》本传。

十一月

下浣，崔燕山序临汾徐昆《雨花台》传奇。署"乾隆二十七年岁次壬午仲冬下浣一日，蒲坂世弟崔桂林燕山拜撰"。序云："徐君后山，至情人也。其胸中有包纳万有之才，笔底有牢笼万物之态。与余朝夕居，时道卢子清宜之为人。无何，清宜呕血。殆徐君哭尽，哀情未尽，复借优孟衣冠，补清宜素志，按曲协调，作为是剧。每一折出，先示余。余把玩数四，有时泣数行下，有时笑不自持，盖惟从至情流出，故感人如此其深耳。於戏！清宜从此复生矣。清宜之福泽禄位，亦复绵延龙益矣。孔公绪嘘枯吹生，非谬誉也。至其词调之精工，章法之细密，神情之宛肖，科白之攸宜，如景星卿云，千人皆见。又如橄榄佳味，纫咀方出。愿与有情者把酒潜心而观之。"又，杨维栋序署"乾隆二十八年冬至后五日，山夫杨维栋撰"。杨序云："嗟哉！卢生才而竟夭其天年，徐子情无可诉，作《雨花台》传奇，以当大招。"（《中国古典戏曲序跋汇编》卷一三）是剧凡二卷三十二出，明年贮书楼刊行。据《贩书偶记》卷二〇。

三十日，李文耕（1763—1838）**生。**文耕字心田，号复斋，昆阳人。嘉庆七年进士。以知县用，分发山东。累官至山东、贵州按察使。著有《愤悱初稿》、《续稿》、《课孙偶记》、《喜闻过斋文集》等。事迹见王赠芳《通议大夫原任贵州按察使昆阳李公行状》（《续碑传集》卷三四）、《清史列传》本传。

十二月

初五日，黄廷鉴（1763—1840）**生。**廷鉴字琴六，常熟人。诸生。著有《琴川三志补记》十卷《续》八卷、《第六弦溪诗钞》二卷《文钞》四卷、《字母辨》一卷。事迹见张慧剑《明清江苏文人年表》。［按，生日据江庆柏《清代人物生卒年表》，卒年据朱彭寿《清代人物大事纪年》］

晦日，徐映玉卒，年三十六。据沈大成《徐媛传》（《学福斋集》卷一九）。袁枚《随园诗话》卷二："沈学子有女弟子徐瑛玉，字若冰，昆山人，嫁孔氏，能诗，早亡。与王兰泉夫人许云清及吾乡方宜照之女芷斋，唱和甚多。"录其《送春》、《病起》、《七夕》诗。《南楼吟稿》二卷乾隆三十年有华书塾刊行。据《贩书偶记》卷一八。

一说曹雪芹卒于本年除夕。据甲戌本第一回批语："壬午除夕，书未成，芹为泪尽而逝。"然此证据与明年三月敦诚邀雪芹赏春一事相左。

本年

禁五城寺观僧尼开场演剧。又，禁旗人、需次人员出入戏园。据光绪延煦等纂《台规》卷二五（王利器《元明清三代禁毁小说戏曲史料》第一编引）。《北京梨园掌故长编·晓谕戏馆》："乾隆二十七年奏准：前门外戏园、酒馆倍多于前，八旗当差人等前往游宴者亦复不少。嗣后交八旗大臣、步队统领衙门不时稽察，遇有此等违禁之人，一经拿获，官员参处，兵丁责革。仍令都察院、五城顺天府各衙门出示晓谕，实贴各戏园、酒馆，禁止旗人出入。""又奏准：在京如有需次人员出入戏园、酒馆，不自爱惜名器者，交步军统领、顺天府及五城御史严行稽察，指名纠参，以示惩儆。"（《清代燕都梨园史料》）

纪昀视学福建。据朱珪《经筵讲官太子少保协办大学士礼部尚书管国子监事谥文达纪公墓志铭》（《知足斋文集》卷五）

蒋士铨充《续文献通考》馆纂修官。据蒋士铨自编《清容居士行年录》。

罗有高以优行贡入太学，至京师。与彭绍升友善，始以性命之学相劘切。据王昶

《罗台山墓志》（《春融堂集》卷五八）。

黄达任淮安府教授。据张慧剑《明清江苏文人年表》。

沈廷芳致仕。据沈廷芳《隐拙斋集》卷二八《蒙恩以原品休致恭纪二首》。

钱沣家贫，就馆会泽。据方树梅《钱南园先生年谱》。

张九钺应束鹿令李文耀聘，往修《束鹿志》。据张家杖《陶园年谱》。

洪亮吉在百花楼巷庄氏塾从荆汝翼受《公羊》、《穀梁》及制举义。始学作古文，有《祭花神文》等。初与唐鹏定交，间有唱和。据吕培等《洪北江先生年谱》。

章学诚还会稽。旋又北上应顺天乡试。冬，始肄业于国子监内舍。胡适《章实斋年谱》："冬，始肄业于国子监内舍。意气落落，不可一世，不知人世之艰。试其艺于学官，辄置下等。每大比科集，试至三四百人，所斥落者仅五七，而实斋每在五七人中。祭酒以下不实斋齿，同舍诸生视实斋若无物。每课出榜，实斋往觇甲乙，皂隶必旁睨笑曰：'是公亦来问甲乙邪？'而以实斋意视祭酒以下，亦茫茫不知为何许人也。"

脂砚斋五评《石头记》。庚辰本内脂批署"壬午"者四十二条。据周汝昌《红楼梦新证》第七章。

曹雪芹为敦诚《琵琶行》传奇题诗或在本年。敦诚《鹪鹩庵杂志》："余昔为白香山《琵琶行》一（拆）［折］，诸君题跋，不下诸十家。曹雪芹诗末云：'白傅诗灵应喜甚，定教蛮素鬼排场。'亦新奇可诵。曹平生为诗，大类如此，竟坎坷以终。余挽诗有'牛鬼遗文悲李贺，鹿车荷锸葬刘伶'之句，亦驴鸣吊之意也。"（周汝昌《红楼梦新证》第七章）

邹方锷著《大雅堂初稿》八卷。据张慧剑《明清江苏文人年表》。

李百川《绿野仙踪》一百回成书。钞本（百回本）自序云："余家居时，最爱谈鬼，每于灯清夜永际，必约同诸友，共话新奇，助酒阵诗坛之乐。后缘生计日蹙，移居乡塾，殊歉，嫌固陋寡闻，随广觅稗官野史，为稍迁岁月计。奈薰莸杂糅，俱堪喷饭。后读《情史》、《说郛》、《艳异》等类数十余部，较前所寓目者，似耐咀嚼。然印板衣折，究非荡心骇目之文。继得《江海通幽》、《九天法箓》诸传，始信大界中真有奇书。余彼时亦欲破空捣虚，做一《百鬼记》。因思一鬼定须一事，若事事相连，鬼鬼相异，描神画吻，较施耐庵《水浒》更费经营。且拆袜之才，自知线短，如心头触胶盆，学犬之牢牢，鸡之角角，徒为观者姗笑无味也。旋因同志怂恿，余亦心动久之。未几，叠遭变故，遂无暇及此。丙寅，又代人借四千余金，累岁破产，弥缝仅偿其半。癸酉，携家存旧物，远货（杨）［扬］州，冀可璧归赵氏，做一潇洒贫儿。无如洪崖作祟，致令古董涅槃。若非余谷家叔宦游盐城，恃以居停糊口，余宁仅漂泊陌路耶！居盐两月，即为竖所苦，百药罔救。家叔知余聚散萦怀，于是岁秋七月，奉委入都之前二日，再四嘱余著书自娱。余意著书非周流典坟、博瞻词章者，未易轻下笔，勉强效颦，是无翼而学飞也。转思人过三十，何事不有，逝者如斯，惟生者徒戚耳。苟不寻一少延残喘之路，与兴噎废食者何殊？况嶒峦绝巘，积石可成；飞流悬瀑，积水可成。诗赋古作，固不可冒昧结撰。如小说二字，千手雷同，尚可捕风捉影，攒簇渲染而成也。又虑灰线草蛇，莫非衅窦，以穷愁潦倒之人，握一寸毛锥，特辟幽踪，则弥衡之骂，势必笔代三挝，不惟取怨于人，亦且损德于己。每作此想，兴即冰释。然余书中，若男若妇，已无时无刻不目有所见，不耳有所闻，于饮食魂梦间矣。冬十一月，就医（杨）〔扬〕州，旅邸萧瑟，颇愁长夜，于是草创三十回，名曰《绿野仙踪》，付同寓读之，多谬邀许可。丙子，余同祖弟说严授直隶辽州牧，专役相迓。至彼九越月，仅赠益二十一回。戊寅，舍弟丁母艰，余羞回故里，从此风尘南北，日与朱门作牛马，劳劳数年，于余书未遑及也。辛（拏）〔巳〕，有梁州之役，途次又勉成数回。壬午，抵豫，始得苟且告完。污纸秽墨，亦自觉鲜良极矣。总缘蓬行异域，无可遣愁，乃作此呕吐生活耳。昔更生述松子奇踪，抱朴著壶公逸事，余于《列仙传》内添一额外神仙，为修道之士悬拟指南，未尝非吕纯阳欲渡尽众生之志也。至于章法、句法、字法有无工拙，一任世人唾之骂之已尔。夫竹头木屑，尚同杞梓之收；马勃牛溲，并佐参苓之用。余一百回中，或有一二可解观者之颐，不至视为目丁喉刺，余荣幸宁有极哉！"（《绿野仙踪》百回本卷首）是书初以百回钞本流传，至道光十年始付刻印行，刻本为八十回。又，钞本书前有虞大人总评，每回内有其少量夹评，虞大人未详何人。

江浩然《北田集》刊行。凡《北田文略》一卷、《丛残小语》一卷、《北田诗臆》一卷、《江湖客词》一卷。据《中国丛书综录》。

黄达《一楼集》二十卷刊行。据《贩书偶记》卷一五。《国朝文汇》乙集卷二二录其《王陵论》等文六篇。

许廷镐《竹素园诗钞》八卷刊行。据张慧剑《明清江苏文人年表》。查为仁《莲坡诗话》："长洲许子逊孝廉，善学少陵。""许子逊《送春》八绝，风流淡荡，一洗陈辞。"沈德潜等《国朝诗别裁集》卷二四："子逊少英敏，长弓刀马槊，遍历四方，友海内知名士，居官有善政。去官后，人歌思之。诗严于唐、宋之限，五律近李翰林，七绝近杜樊川，诸体中二体为尤工也。高文良公章之对客每吟子逊佳句，而文良有作，子逊每与商略，艺林两贤之。"录其《湘帆图》等诗十四首。王昶《蒲褐山房诗话》："竹素先生诗才绮丽，始学杜牧之、王仲初，继而规模何大复、徐昌谷，志和而节雅。七言绝句，尤为人所传诵。然性豪放，上论古今史事，慷慨激发。一官闽海，憔悴数年，非其好也。既归长洲，居郭外二十里之陈墓河，水云千顷，花药数椽，犹作诗以自遣。时时入城，与沈归愚、蒋蟠漪两公来往，故予常得接其议论。"（《湖海诗传》卷一）《晚晴簃诗汇》卷六〇录其诗十首。

钱林（1762—1828）生。林初名福林，字叔雅、东生、志枚，号金粟，仁和人。嘉庆十三年进士，选庶吉士，散馆授编修。官至侍读学士，左迁庶子。著有《文献征存录》十卷、《玉山草堂集》十二卷《续集》五卷。事迹见汪喜孙《钱学士墓表》（《碑传集补》卷八）、《清史列传》本传、《清史稿》宋大樽传附。

王家相（1762—1838）生。家相字艺斋，常熟人。嘉庆十四年进士，官编修，迁御史。后以户科给事中授河南南汝光道，屡署按察使事。著有《茗香堂集》十六卷、《清秘述闻续》十六卷。事迹见梅曾亮《王艺斋家传》（《柏枧山房文集》卷九）。〔生卒年据朱彭寿《清代人物大事纪年》〕

程含章（1762—1832）生。含章字象坤，号月川，景东人。乾隆五十七年举人。嘉庆六年大挑分发广东，署封川县事。累官至浙江、山东巡抚。以事降补刑部员外郎，旋授福建布政使。道光十年告归。著有《程月川先生遗集》十五卷。事迹见《国朝诗人征略》二编卷四七、《清史列传》本传、《清史稿》本传。

顾凤毛（1762—1788）生。凤毛字超宗、小谢，兴化人，九苞子。乾隆五十三年副榜贡生，旋卒。著有《楚辞韵考》、《毛诗集解》等。事迹见焦循《顾小谢传》（《碑传集补》卷四〇）。

刘嗣绾（1762—1820）生。嗣绾字醇甫、简之，号芙初、扶初，阳湖人。初以名孝廉困顿场屋，嘉庆十三年始成进士，改庶吉士，授编修。著有《尚絅堂文集》二卷《诗》五十二卷。事迹见《清史列传》吴锡麒传附。（江庆柏《清代人物生卒年表》谓其生卒年为 1762—1821 年，此据朱彭寿《清代人物大事纪年》。）

严可均（1762—1843）生。可均字景文，号铁桥，乌程人。嘉庆五年举人。道光二年官建德县教谕，十五年引疾归。尝受姚文田、孙星衍校书之聘。又尝与姚文田同治《说文》，与丁溶同治唐《石经》。尤有功于辑佚，辑有《全上古三代秦汉三国六朝文》、《四录堂类集》。著有《铁桥漫稿》十三卷。事迹见杨岘《书严先生逸事》（《续碑传集》卷七二）、《乌程县志·严可均传》（《碑传集补》卷二七）、《铁桥漫稿》卷首严章福识语、《清史列传》本传、《清史稿》本传。

曹贞秀（女，1762—1822 后）生。贞秀字墨琴，号秀贞，休宁人，侨寓吴门。王芑孙室。工诗，能书，善画梅。著有《写韵轩小稿》二卷。事迹见《清代闺阁诗人征略》卷六、郭味渠《宋元明清书画家年表》。

王又曾卒，年五十七。据吴荣光《中国古代名人生卒·历史大事年谱》。［按，一说卒于去年。武亿《偃师县知县王君行实辑略》：“乾隆二十六年辛巳，刑部弃世。”（《授堂文钞》卷八）杨锺羲《雪桥诗话》卷七：“受铭以乾隆辛巳卒。”］吴泰来《丁辛老屋集序》：“今集中篇什，大率皆登山临水，怀人感旧之作。造物者殆啬其遇以昌其诗也，穷而后工，其信然欤！”（《国朝文汇》乙集卷三〇）袁枚《随园诗话》卷一〇：“（又曾）诗工游览。”录其《同人看白莲》、《游陶然亭》诗，谓“皆传诵一时”。王昶《蒲褐山房诗话》：“作诗专仿宋人，信手拈来，自多生趣。”（《湖海诗传》卷一六）《晚晴簃诗汇》卷八三：“毕秋帆曰：‘君才本大而约之，以归于切实；气最盛而敛之，以底于和平。削肤廓而见性情，汰尘腐而存警策。于汉、魏、六朝及唐、宋诸家外，能融会变化，自成一家。而世之貌为李、杜、韩、苏者卒莫能及焉。至于取材于众所不经见，用意于前人所未及发，此又君之所独到，而亦吾党所共推者也。’”“縠原与钱箨石侍郎同里称诗，博大沈静，各成家数。尝语侍郎子百泉编修曰：‘我诗适兴而已，诗家精深华妙、森严密栗之境未能到也，然天真烂漫，随手拈得，颓唐中见风致，古人佳处往往在是。’其自道如此。今集为其子复所刻，即出侍郎选定。观其诗境，所谓‘精深华妙、森严密栗’，实已无愧古人。若‘颓唐中见风致’，不过其一体，未可执此谓尽其妙也。《梧门诗话》举其佳句云：‘画桥脱板低新涨，酒旆悬风恋旧题。’‘啼遍鹧鸪烟翠合，唱来欸乃月波昏。’‘桥外伤箫寒食路，柳边蠡殻酒船窗。’皆为时传诵。今多不见集中，足见侍郎持择之严矣。”录其诗二十八首。《清史稿》本传：“同县钱载论诗宗黄庭坚，务縋深凿险，不堕臼科。又曾与朱沛然、陈向中、祝维诰和之，号‘南郭五子’。又有万光泰、汪孟锅、仲鈜皆与同时相镞砺，力求捐弃尘埃，毋一语相袭取。为诗不异指趣，亦不同体格。时目为秀水派，而又曾与维诰、光泰尤工。""又曾卒，其子复乞载定其诗，号《丁辛老屋集》。毕沅为之序，谓于汉、魏、六朝及唐、宋诸家外，能融会变化自成一家，取材于众所不经见，用意于前人所未发，尤又曾所独到云。"《贩书偶记》卷一五："《丁辛老屋集》十二卷，秀水王又曾撰。乾隆丁未刊。卷首至卷十诗，卷十一、十二词。"又，"《丁辛老屋集》二十卷，秀水王又曾撰。乾隆四十年新安曹氏刊。卷首至卷十七诗，卷十八至二十词。"

杨绳武卒于此前。《文章鼻祖》卷首沈起元序有"岁壬午，先生已卒"云云。《文章鼻祖》六卷明年刊行。四库提要卷一九四：《文章鼻祖》六卷，"国朝杨绳武编。绳武字文叔，长洲人。康熙乙未进士。官翰林院编修。是编录六代以前诗文凡十四篇，各为评注。一《尧典》，二《禹贡》，三《洪范》，四《国语·桓公自莒反》一篇，五《左传·城濮之战》，六《邲之战》，七《鄢陵之战》，八《史记·项羽本纪》，九《高祖本纪》，十《封禅书》，十一《平准书》，十二《汉书·霍光金日磾传》，十三《古诗为焦仲卿妻作》，十四庾信《哀江南赋》，皆鸿笔也。然以为千古文章尽从此出，则绳武一家之说矣。"［按，杨绳武为康熙癸巳进士，四库提要误作乙未］《国朝诗别裁集》卷二三："太史为忠文公孙，秉志节，通经术，不以诗人鸣也。"录其《孝陵》诗二首。袁枚《随园诗话》卷二亦录此二诗。《国朝文汇》甲集卷四七录其《两汉论》等文八篇。

公元1763年（乾隆二十八年 癸未）

二月

初三日，焦循（1763—1820）生。循字里堂（一作理堂），甘泉人。既壮，雅尚经术，与阮元齐名。元督学山东、浙江，俱招循往游。嘉庆六年乡试中式。十年，有劝赴礼部试者，辞以母病，不复北行。构雕菰楼，读书著述其中，不入城市者十余年。著有《雕菰集》二十四卷、《雕菰楼词话》一卷、《北湖小志》五卷、《剧说》六卷、《花部农谭》一卷。事迹见汪喜孙《焦里堂循家传》（《尚友记》卷一）、阮元《通儒扬州焦君传》（《揅经室二集》卷四）、江藩《国朝汉学师承记》卷七、闵尔昌《焦理堂先生年谱》、《清史列传》本传、《清史稿》本传。

会试。考官：刑部尚书秦蕙田、礼部侍郎德保、兵部侍郎王际华。题"子曰宁武"二句，"子曰无忧"一句，"淳于髡曰 去之"。赋得"从善如登"得"难"字。据法式善《清秘述闻》卷七。戴震报罢后，居新安会馆。段玉裁、汪元亮、胡士震辈，皆从问学。夏，出都。据段玉裁《戴东原先生年谱》。

章学诚始识曾慎（麓亭），并因以识甄松年（青圃），皆相知契。据胡适《章实斋年谱》。

吴鸿卒。据《国朝杭郡诗辑》卷一九。梁章钜《制义丛话》卷一一："檀吉甫曰：'乾隆初，三状元稿盛行，惟吴颉云鸿有河溯少年风流自赏之概，沾匄于艺林者甚深。'"

三月

敦敏邀曹雪芹赏春。敦敏《小诗代简寄雪芹》云："东风吹杏雨，又早落花辰。好枉故人驾，来看小院春。诗才忆曹植，酒盏愧陈遵。上巳前三日，相劳醉碧茵。"（《懋斋诗钞》）又，雪芹以贫病事牵，竟未能赴。据周汝昌《红楼梦新证》第七章。

春

傅王露游摄山，与袁枚交谈。据袁枚《随园诗话》卷八。傅王露时年八十六岁，此后事迹未详。《晚晴簃诗汇》卷五九录其诗一首。

蘅塘退士（孙洙）编《唐诗三百首》成书。据卷首自序。

四月

二十五日，高宗御太和殿，传胪。赐一甲秦大成、沈初、韦谦恒进士及第，二甲祝德麟、褚廷樟（即褚廷璋）、李调元、董潮、齐翀、戴璐、苏去疾、施朝幹、吴省钦、姚鼐等进士出身，三甲李集、屠绅、张世法、潘相、李荣陛、汤大奎、袁树等同进士出身。据《历科进士题名录》、《清通鉴》。

程梦湘与袁枚同游焦山。袁枚《随园诗话》卷一三："癸未四月，京口程君梦湘同游焦山，一路论诗。渠最心折于吾乡樊榭先生，心摹手追，几可抗手。有绝句云：'昨宵忘记下帘钩，吹得梅花满竹楼。五夜兰衾清似水，梦凉酒醒雪盈头。'《在随园赏海棠》云：'隔着紫玻璃一片，夕阳红得可怜生。'又曰：'朦胧月色温馨酒，错认钗钿列两行。'呜呼！有才如此。宰湘阴未二年，以事罢官。《口号》云：'舌在犹生路，诗多即宦囊。'甫四十岁而死，惜哉！然《松寥山房集》四卷，颇足不朽。君字荆南，天资绝高，好吟诗，畏作时文。"梦湘字荆南，号衡帆，丹徒人。拔贡生。王昶《蒲褐山房诗话》："《松寥集》资清以化，乘气以霏，如瑶台琼岛间，被仙霞而饮甘露，所谓水仙数尊，冰梅半树，未足喻其芳洁也。萧真幽淡，直匹王、韦。后试令湖南，尽览潇湘山水之胜。寓书于予，以此自夸，然未尝见其篇什。中年殂谢，不竟其才。世之欲洗俗尘而蠲宿垢者，五言古诗必染指于此。"（《湖海诗传》卷三四）《晚晴簃诗汇》卷八五录其诗四首。

郑燮作《怀潍县二首送郭伦昇归里》诗。跋云："怀潍县二首，即送伦昇年兄归里。时乾隆二十八年，岁在癸未夏四月，板桥郑燮去官十载，寿七十又一。"（《郑板桥全集·板桥集外诗文》）

刘绍攽自序所编《二南遗音》四卷。署"乾隆二十八年夏四月，三原刘绍攽序"。（《二南遗音》卷首）四库提要卷一九四：《二南遗音》四卷，"国朝刘绍攽编。绍攽有《周易详说》，已著录。是编所录皆国朝关中人诗。自孙枝蔚以下共一百四十人，每人俱载履贯于前。其曰'二南遗音'者，以周时岐丰建国而言。其实周、召二南之地不止关中也。"

五月

十一日，黄丕烈（1763—1825）生。丕烈字绍武、尧圃，号复翁，长洲人。乾隆五十三年举人,数应礼部试不售。大挑一等,以知县用发直隶。在京纳赀得官主事。藏书甚富。著有《士礼居诗钞》二卷。事迹见江标《黄荛圃先生年谱》、石韫玉《秋清居士家传》(《独学庐四稿》文卷五)、《清史列传》鲍廷博传附。

大考翰林,钱大昕擢侍讲学士,寻充日讲起居注官。据钱大昕自编、钱庆曾校注《竹汀居士年谱》。

夏

敦敏自编《东皋集》。自序云:"癸未夏,长日如年。偶检箧衍,数年得诗若干首,大约烟波渔艇之作居多。"(《懋斋诗钞》)

七月

上浣,陈鼎序黄慎《蛟湖诗钞》。署"时乾隆二十八年癸未新秋上浣,海昌陈鼎撰"。(《扬州八怪诗文集·蛟湖诗钞》)《蛟湖诗钞》四卷本年刊行。

二十八日,周孝埙(1763—1833)生。孝埙初名兰颖,字愚初,号逋梅,吴县人。逾冠补县学生,次年食廪饩。时钱大昕主紫阳书院,孝埙以诗文见称。乡试屡不售,入赀为主事,分刑部。以养母乞归。著有《性理析疑》四卷、《韵学参考》二卷、《春晖堂文集》六卷、《还读庐诗钞》二十卷。事迹见朱绶《刑部主事周君墓志铭》(《续碑传集》卷二〇)。

八月

桑调元编定文三十卷。自序署"乾隆二十八年癸未中秋日,桑调元自序"。(《弢甫集》文卷首)

九月

初八日,沈起元卒,年七十九。据沈起元《敬亭公自订年谱》卷末沈宗约补纂。王昶《蒲褐山房诗话》:"生平清操自励,进退超然,与武林虚船通政相似,而诗学尤醇。归愚先生谓:'高者模杜陵,次者近白傅。'信也。"(《湖海诗传》卷二)《国朝文汇》甲集卷五二录其《去刘河七浦新闸议》等文七篇。《晚晴簃诗汇》卷六一录其诗四首。

十五日,金农卒,年七十七。据郑秉珊《金农年谱》(谢巍《中国历代人物年谱考录》著录)。[按,金农卒年说法多歧,沈大成《学福斋集》卷六《金寿门遗集十种序》谓卒于甲申年(1764)九月,吴荣光《中国古代名人生卒·历史大事年谱》谓卒于庚辰年(1760)九月十九日,朱彭寿《清代人物大事纪年》谓卒于庚辰年九月十五日]杨锺羲《雪桥诗话》卷五:"冬心与丁龙泓敬、吴西林颖芳称'浙西三高'。善为古诗及铭赞杂文,晚益力于书画。画款尝称'苏伐罗',又称'二十六郎'。乾隆甲申九月卒。诗如'秋涧曲流喧枕上,槐花一寸积门前','刚得天凉三日雨,秋光如水草虫啼'，皆有萧寥遗世之致。"林昌彝《射鹰楼诗话》卷一二："'只字也须辛苦得，恒河沙里觅钩金'，此钱塘金寿门布衣农句也。布衣著有《冬心集》，诗格高简，不落时下纤佻率易之习。其《咏苔》云：'多雨偏三月，无人又一年。'亦超脱无痕。句如'他乡乐亦苦，泪滴酒杯间'，亦入情之语。"陈衍《石遗室诗话》卷二三："冬心先生诗工者亦不多。《午亭山村》云：'溪上青山接太行，午亭便是午桥庄。能消裴令生前恨，绣尾鱼今尺二长。'此种诗偶作亦有趣。裴令临终，恨绣尾鱼未长，见《云仙杂记》。浙派诗喜用新僻小典，妆点极工致，其贻讥饾饤即在此，樊榭亦然，冬心尤以此自喜。此杭州南屏诗社一派也，嘉兴、宁波又不尽然。冬心名句如'消受白莲花世界，风来四面卧当中'，'水明于月宜同梦，树老如人又十年'，'孤竹瘦于尊者相，野云白似道人衣'，'佛烟聚处疑成塔，林雨吹来半杂花'，都从林和靖先生'春水净于僧眼碧，晚山浓似佛头青'等句来也。若'故人笑比庭中树，一日秋风一日疏'，《晋阳遇同乡李叟》云：'明朝残树残山外，一吊离宫贺六浑'，《春苔》云：'多雨偏三月，无人又一年'，则较觉浑成矣。"《晚晴簃诗汇》卷七三录其诗十首。《国朝文汇》乙集卷一四录其《冬心集自序》文一篇。

二十九日，王照圆（女，1763—1851）生。照园字婉佺、瑞玉，福山人，郝懿行室。博涉经史。当时著书家，有"高邮王父子，栖霞郝夫妇"之目。著有《诗说》二卷、《列女传补注》八卷附《叙录》一卷《校正》一卷、《梦书》一卷、《闺中文存》一卷、《婉佺诗草》。事迹见《清代闺阁诗人征略》卷七、《清史稿》本传及郝懿行传附。[按，生卒时间据许维遹《郝兰皋夫妇年谱》（谢巍《中国历代人物年谱考录》著录）]

章学诚辑《壬癸尺牍》一卷。游陕西。胡适《章实斋年谱》："壬午、癸未两年中，先生与同志往反论文，函稿'烂然盈篗笥'。九月朔，辑为一卷，曰《壬癸尺牍》。（题《壬癸尺牍》。此书不存。《与甄秀才论修志》二书、《论文选》二书，当是这里面的残存者。）""九月，游陕西。（同上）《遗书》卷十九《碑洞》、《杨太尉墓》、《望西岳》等诗，当是此行所作。《祭汉太尉杨伯起先生文》则自题癸未九月。此行目的不详，似旋即返湖北。"

十月

张九钺以教习期满拣发江西知县。据张家栻《陶园年谱》。
曹庭栋庚辰十月至本月诗为《产鹤亭诗八稿》。据《产鹤亭诗八稿》卷首标识。

十一月

十四日，梁诗正卒，年六十七。据王昶《太子太保东阁大学士梁文庄公行状》（《春融堂集》卷六一）。《晚晴簃诗汇》卷六七："文庄应制诸作，庄雅雍容，自然和节。情文相生之妙，专家苦吟，不过如是。张南华宫詹和诗，伫立而成，最称敏捷；公则以稳惬胜。枚速马工，各擅能事。"录其诗八首。

十五日，莫与俦（1763—1841）生。与俦字犹人、杰夫，号寿民，独山人。嘉庆四年进士，选庶吉士。散馆，令盐源县。举治行卓异，以父忧去。母老，遂请终养。久之，被吏部檄复起，自请改教授，选遵义。以文字训诂之学课士，黔人始知汉学。所著诗文杂稿散佚，子友芝辑为《贞定先生遗集》四卷。又有《二南近说》四卷、《仁本事韵》二卷。友芝又记其言行为《过庭碎录》十二卷。事迹见曾国藩《翰林院庶吉士遵义府学教授莫君墓表》（《曾文正公文集》卷三）、万大章《独山莫贞定先生年谱》、《清史列传》本传、《清史稿》本传。

十七日，张映辰卒，年五十二。据朱彭寿《清代人物大事纪年》。《晚晴簃诗汇》卷六八录其诗二首。

二十二日，沈复（1763—1825 后）生。复字三白，号梅逸，长洲人。长期游幕，短期经商。嘉庆间随齐鲲出使琉球。著有《浮生六记》六卷，为《闺房记乐》、《闲情记趣》、《坎坷记愁》、《浪游记快》、《中山记历》、《养生记道》，今存前四卷。事迹见《浮生六记》。

十二月

一说曹雪芹卒于本年除夕。据敦诚《挽曹雪芹》诗署"甲申"。挽诗云："四十年华付杳冥，哀旌一片阿谁铭？孤儿渺漠魂应逐（前数月，伊子殇，因感伤成疾），新妇飘零目岂瞑？牛鬼遗文悲李贺，鹿车荷锸葬刘伶。故人惟有青衫泪，絮酒生刍上旧坰。"（周汝昌《红楼梦新证》第七章）

冬

江昱《潇湘听雨录》八卷成书。自序署"乾隆二十八年癸未岁冬至，舟泊岳阳，广陵江昱识"。（《潇湘听雨录》卷首）四库提要卷一二九：《潇湘听雨录》八卷，"是编乃其弟官常宁知县时，昱奉母就养，因撷见闻，考订故实，著为一编。曰《听雨》者，取苏轼兄弟对床语也。""其辨衡山《岣嵝碑》一篇，考究详明，知确出近时伪撰，尤足祛千古之惑。惟谰言琐语，颇伤泛滥，不免失之贪多耳。"

本年

袁树出宰正阳。据方濬师《随园先生年谱》。

纪昀升侍读。据朱珪《经筵讲官太子少保协办大学士礼部尚书管国子监事谥文达纪公墓志铭》（《知足斋文集》卷五）

朱珪擢授福建按察司使。据罗继祖《朱笥河先生年谱》。

曹仁虎散馆授编修。据王鸿逵《曹学士年谱》。

夏秉衡官蒲城知县。据乾隆《蒲城县志》卷六（《方志著录元明清曲家传略》）。

彭端淑任锦江书院山长。据李朝正、徐敦忠《彭端淑诗文注》附录《年谱》。

冯敏昌入粤秀书院肄业。明年二月还家。据冯士镳《先君子太史公年谱》。

王鸣盛丁忧归。旋卜居苏州阊门外，不复出。据钱大昕《西沚先生墓志铭》（《潜研堂文集》卷四八）。

袁景辂、顾我鲁、顾汝敬、王元文、陈毓升等在里结竹溪社。据张慧剑《明清江苏文人年表》。

赵文哲、王昶、程晋芳、董潮、沈初、阮葵生、陆锡熊、曹仁虎、吴省钦、吴省兰等在京为联句之会。据《吴白华自订年谱》。

汪中补诸生，时年二十岁。时侍郎李因培督学江苏，汪中试《射雁赋》，出列扬州府属第一，入江都县学为附生。据汪喜孙《容甫先生年谱》。

洪亮吉在城北四十里邮村邹元士家塾，仍从唐为垣习制举义。秋，仍居外家，与表兄馨、从表兄定安尤契。《郭北篇》中《井乡歌》诸诗皆本年作。据吕培等《洪北江先生年谱》。

黄景仁集中诗始于本年，景仁时年十五岁。据毛庆善、季锡畴《黄仲则先生年谱》。

戴震论韵之文《书玉篇卷末声论反纽图后》、《书刘鉴切韵指南后》、《顾氏音论跋》、《书卢侍讲所藏宋本广韵后》皆成于本年。据段玉裁《戴东原先生年谱》，文见《戴震集》上编《文集》卷四。

刘绍放序吴镇《松花庵诗草》。署"乾隆癸未梅月，年家同学弟三原刘绍放书于皋兰书院"。有云："近世称西州骚坛执牛耳者二人，其一为秦安胡子静庵，其一则洮阳吴子信辰，或以仆老胜，或以隽雅胜，异曲同工也。"（《松花庵诗草》卷首）

吴爝文编定近十六年所作诗，成四卷。据《朴庭诗稿》卷首吴爝文自识。四库提要卷一八五：《朴庭诗稿》十卷，"国朝吴爝文撰。爝文字璞存，一字朴庭，会稽籍，山阴人。雍正中国子监生，屡举不第。生平游历，一寄诸吟咏。前四卷其友人严遂成所选，后六卷则晚年所自订也。"

董丰垣《识小编》二卷成书。据张舜徽《清人文集别录》卷六。四库提要卷一一九：《识小编》二卷，"国朝董丰垣撰。丰垣字菊町，乌程人。乾隆辛未进士。官东流县知县。是书凡二十四篇，议礼者十之九。"

张锡爵《吾友于斋诗钞》二十卷刊行。据《贩书偶记续编》卷一五。钱大昕《钝闲诗老张先生墓志铭》："年踰七十，视听不衰。取平生所作诗，手自删定，为《吾友于斋诗钞》廿卷，论说、序记、杂文又得八十余篇，皆有益于世道者。"（《潜研堂文集》卷四八）

朱令昭《冰壑集》六卷诗余一卷刊行。据《贩书偶记续编》卷一五。四库提要卷一八五：《冰壑诗钞》六卷，"国朝朱令昭撰。令昭字次公，历城人。少与淄川张元、胶州高凤翰等结柳庄诗社。绘画、篆刻，皆能留意。其诗与凤翰相伯仲，而少逊其雄杰。"

顾日新（1763—1823）生。日新号剑峰，吴江人。诸生。屡试辄抑于有司，遂客游公卿间。阮元、曾燠以为上客，陈沆目为国士。尝主曙城书院。著有《存心楼诗文集》。事迹见朱春生《顾剑峰墓志铭》（《国朝文汇》乙集卷七〇）。

祝百十（1763—1827）生。百十字筱山、子常，江阴人。年十九，补常州府学生。屡应乡试不售，遂息意进取。道光元年保举孝廉方正，以衰疾不赴廷对，奉旨给六品冠带。著有《草堂诗钞》二十卷。事迹见陆继辂《江阴顺三坊祝君年六十五行状》

（《养一斋文集》卷一四）。

王苏（1763—1816）生。苏字侪峤，江阴人。乾隆五十五年进士，改庶吉士，散馆授编修。后官御史，出为河南卫辉知府。引疾归。著有《试畯堂诗集》十二卷、《赋钞》四卷。事迹见《晚晴簃诗汇》卷一〇七、张慧剑《明清江苏文人年表》。

温承恭（1763—1820）生。承恭字靖闻，号庄亭，德庆人。贡生。中岁入蜀游军幕。以应试往返于蜀粤，终无所遇。晚乃教授生徒。著有《庄亭诗文集》、《补迂集》、《随得录》。事迹见《国朝诗人征略》初编卷五六、《清史列传》宋湘传附。

陈钟麟（1763—1841后）生。钟麟字肇嘉，号厚甫，元和人。少从钱大昕学。嘉庆元年入翰林院，四年成进士。历官户部主事、浙江杭嘉湖道。道光初，掌教粤秀书院。晚年寓杭州，亦掌书院事。著有《自在轩吟稿》、《红楼梦传奇》八卷。事迹见《番禺县续志稿·寓贤传》本传（《碑传集三编》卷三七）、张慧剑《明清江苏文人年表》。

李汝珍（约1763—约1830）约本年生。汝珍字松石，号松石道人，大兴人。诸生。长期寓居海州，师事凌廷堪。尝官河南。尤长声韵之学。著有《李氏音鉴》六卷、《镜花缘》一百回。事迹见胡适《镜花缘的引论》、孙佳讯《镜花缘公案辨疑》。

张坚卒，年八十三。据郭英德《明清传奇史》第四编第十八章。袁枚《随园诗话》卷六："丙午二月，过洪武街，遇老人，乃其子也。方知先生八十三岁，委化陕中，为黯然者久之。次日，其子抱先生全集，属为点定。《偶成》云：'细雨潇潇欲晓天，半床花影伴书眠。朦胧正作思乡梦，隔院棋声落枕边。'鄂文端公为苏藩司，选《南邦黎献集》，擢君第三。"杨恩寿《词余丛话》卷二："张漱石以诗文受知鄂文端公，列入《南邦黎献集》，进呈御览，卒无所遇，以诸生终。尝作《江南秀才歌》自嘲。谱《玉燕堂传奇》四种，结尾自题云：'遣愁肠宫商暗排，添一种新声可爱。问知音来也不来？只落得教雪儿歌出沿门卖！'先生之志虽荒，其遇亦可悲矣。四种中，《梅花簪》、《玉狮坠》俱少余味；《怀沙记》衍屈大夫故事，组织《离骚》，颇费匠心，稍嫌近理；惟《梦中缘》排场变幻，词旨精致，洵足为昉思之后劲，开藏园之先声，湖上笠翁不足数也。"

汪祚约本年卒，年八十九。据庄一拂《古典戏曲存目汇考》卷一一。《晚晴簃诗汇》卷七三录其诗一首。

徐述夔卒于本年或去年，年六十二或六十三。据江苏古籍出版社中国话本大系《五色石（等两种）》前言。民国《泰县志稿》："清雍正某科乡试中式，以触忌磨勘，罚停会试十科。爰构一柱楼以居，赋诗寄慨。其《咏鼠》云：'毁我衣冠皆汝辈，堕其巢穴在明朝。'《紫牡丹》云：'夺朱非正色，异族竟称王。'《饮酒》云：'举杯方见明天子，且把壶儿搁半边。'《曝书》云：'清风不识字，胡乃乱翻书。'语含讥刺，明显可见。"（《广清碑传集》卷八）

公元 1764 年（乾隆二十九年　甲申）

正月

元日，童钰统计所作专咏梅花诗，得三千三百一十三首。据《国朝诗人征略》初编卷三三引《梧门诗话》。

二十日，阮元（1764—1849）**生。**元字伯元，号芸台（一作云台），仪征人。乾隆五十四年进士，选庶吉士，散馆授编修。历官少詹事，山东、浙江学政，兵、礼、户部侍郎，浙江、江西巡抚，湖广、两广、云贵总督，体仁阁大学士。谥文达。著有《揅经室集》，编有《广陵诗事》、《淮海英灵集》、《两浙𫐐轩录》、《经籍纂诂》。事迹见张鉴《雷塘庵主弟子记》、江藩《国朝汉学师承记》卷七、《清史列传》本传、《清史稿》本传。

二月

十七日，翁方纲、钱载、钱大昕、博明等春游。据《复初斋集外诗》卷一《二月十七日，同钱择石庶子、辛楣学士、博晰斋洗马、周稚圭侍讲自西苑归，沿长河一带游万寿寺、昌运宫、双林寺、大正觉寺，凡四首》。

王昶补授刑部山东司主事。据严荣《述庵先生年谱》。

张九钺至江西，署南丰县事。据张家枞《陶园年谱》。

沈德潜序钱陈群《香树斋文集》。署"乾隆甲申春仲，长洲后学沈德潜谨题，时年九十有二"。（《香树斋文集》卷首）《香树斋诗集》十八卷《续集》三十六卷《文集》二十八卷《续集》五卷，乾隆十六年至本年刊行。据《贩书偶记》卷一五。

陶家鹤序李百川《绿野仙踪》。序云："其前十回中，多诗赋并仕途冠冕语，只可供绣谈通阔士之赏识；使明昧相半人读之，嚼蜡而已。十回后虽雅俗并用，然皆因其人其事，斟酌身分下笔，究非仆隶舆台，略识几字者所能尽解也。至言行文之妙，真是百法俱备，必留神省察，验其通部旨归。试观其起伏也，如天际神龙；其交割也，如警弦脱兔；其紧溜也，如鼓声瀑豆；其散大也，如长空风雨；其艳丽也，如美女簪花；其冷淡也，如狐猿啸月；其收结也，如群玉归笥；其插串也，如千珠贯线。而立局命意、遣字措词，无不曲尽情理，又非破空导虚辈所能比拟万一。使余竟日夜把玩，目荡心怡，不由不叹赏为说部中极大山水也。世之读说部者，动曰：谎耳！谎耳！彼所谓谎者固谎矣，彼所谓真者果能尽书而读之否？左丘明即千秋谎祖也。而世之读左丘明文字，方且童而习之，至齿摇发秃而不已者，为其文字谎到家也。夫文至于谎到家，虽谎亦不可不读矣。愿善读说部者，宜急取《水浒》、《金瓶梅》、《绿野仙踪》三书读之，彼皆谎到家之文字也。谓之为大山水、大奇书，不亦宜乎！乾隆二十九年春二月，山阴弟陶家鹤谨识。"（《绿野仙踪》卷首）

三月

史震林自淮赴扬，寓徐墨耕、琴庄之南郭草堂。据史震林《华阳散稿》卷下《记倪紫文》。

赵一清卒，年五十六。据李宗侗《赵东潜先生年谱》（谢巍《中国历代人物年谱考录》著录）。《东潜文稿》二卷乾隆五十九年小山堂刊行。据《贩书偶记》卷一五。《国朝文汇》乙集卷一五录其《吴蜀兵势论》等文十篇。《晚晴簃诗汇》卷七八录其诗一首。

春

姚鼐随世父姚范自天津归里。三月游扬州，五月杪旋里。冬如京师。据郑福照《姚惜抱先生年谱》。在扬州与侍朝、郑沄会。据《惜抱轩诗集》卷一《与侍潞川、郑枫人集不其山房分韵得希字》、《惜抱轩文集》卷一六《祭侍潞川文》。

五月

二十七日，张问陶（1764—1814）生。问陶字仲冶，号船山，遂宁人。乾隆五十五年进士，改庶吉士，散馆授检讨。历官御史、吏部郎中、莱州知府。忤上官意，遂乞病。游吴、越，未几，卒于苏州。著有《船山诗草》二十卷《补遗》六卷。事迹见蔡坤编辑、蔡璐参校《张船山先生年谱》，王世芬《张船山先生年谱》，胡传淮《张问陶年谱》，《清史列传》本传，《清史稿》袁枚传附。

七月

初五日，鲍桂星（1764—1826）生。桂星字双五，号觉生、双湖、琴舫，歙县人。嘉庆四年进士，选庶吉士，授编修。官至詹事。著有《觉生诗钞》十卷《续钞》四卷、《咏物诗钞》四卷、《咏史诗钞》三卷、《感旧诗钞》二卷。事迹见《觉生自订年谱》、陈用光《詹事鲍觉生先生墓志铭》（《太乙舟文集》卷八）、《清史列传》本传、《清史稿》本传。

八月

初九日，李富孙（1764—1844）生。富孙字既汸、芗沚，晚号校经叟，嘉兴人。嘉庆六年拔贡生。少与伯兄超孙、从弟遇孙有"后三李"之目。长游四方，就正于卢文弨、钱大昕、王昶、孙星衍。阮元抚浙，富孙肄业于诂经精舍。著有《易解剩义》、《七经异文释》、《说文辨字正俗》、《汉魏六朝墓铭纂例》、《鹤征录》、《鹤征后录》、《校经顾文稿》。事迹见《校经叟自订年谱》、《清史列传》本传、《清史稿》本传。

蒋士铨乞假归。蒋士铨自编《清容居士行年录》："裘师颖荐予入景山为内伶填词，或可受上知，予力拒之。八月，遂乞假去。画《归舟安稳图》。"袁枚《随园诗话》卷八："乙酉岁，心余奉母出都，画《归舟安稳图》，一时名公卿题满卷中。尹文端公谓余曰：'此卷中无佳作，惟太夫人自题七章、陆健男太史四首，足传也。'"［按，《随园诗话》记年有误，当为甲申。又，蒋士铨母即钟令嘉］

［按，蒋士铨与顾光旭、曹锡宝诗词唱和当在此前数年。秦朝钎《消寒诗话》："江西蒋翰林士铨诗笔奇秀，语必惊人。在京与顾侍御光旭为邻，诗词唱和，一韵至十数往复，僮奴递送，晨夕疲于奔命。曹庶常锡宝室宇相对，亦与焉。未几，蒋请急奉母归，而侍御出守宁夏。胜事不常，然其一时笔墨挥洒，颖竖飙发，可称佳话。"］

纪昀丁父忧归里。据朱珪《经筵讲官太子少保协办大学士礼部尚书管国子监事谥文达纪公墓志铭》（《知足斋文集》卷五）。

鲍皋序尹嘉铨《偶然吟》。署"乾隆二十九年八月初吉，南徐同学弟鲍皋题"。（《偶然吟》卷首）《偶然吟》四卷六有斋本年刊行。

九月

初七日，王孝咏自序《后海书堂杂录》一卷。署"乾隆甲申重九前二日，十七五老叟王孝咏"。（《后海书堂杂录》卷首）〔按，"十七五"当为"七十五"之讹〕四库提要卷一二九：《后海堂杂录》二卷，"国朝王孝咏撰。是书成于乾隆甲申，年已七十五矣。多评论古人，亦间及近事。其学多本毛奇龄，故欲以奇龄配孔子庙，未免偏私。其'文人相轻'一条，载王士禛奖拔赵执信惟恐不及，而执信薄行负心，于其死后作《谈龙录》云云。案执信为士禛之甥婿，其相失结衅在士禛生前。故《居易录》中论二冯拟《才调集》有铸金呼佛之诮。《谈龙录》序亦有年月可稽。孝咏以为士禛没后始著书，非其实也。"又，四库提要卷一八五：《后海书堂遗文》二卷，"国朝王孝咏撰。……是集上卷为杂文，下卷皆金石题跋。文颇质实，而少觉其朴。惟题跋则品题不苟，可取者多。"

初九日，秦蕙田卒，年六十三。据钱大昕《文恭公墓志铭》（《潜研堂文集》卷四二）。《墓志铭》云："尝言儒者舍经以谈道，非道也；离经以求学，非学也。故以穷经为主，而不居讲学之名。生平所为文号《味经窝类稿》者凡若干卷，而说经之文居其大半。"王昶《蒲褐山房诗话》："生平覃心经术，尤熟礼经，因仿徐健庵尚书《读礼通考》，广为《五礼通考》二百余卷，汇自来诸儒聚讼之说，为之疏通解驳，又附以历朝史志，使后来者折衷损益，可以坐言而起行，其有功于经义，良不鲜也。"（《湖海诗传》卷五）《晚晴簃诗汇》卷七四录其诗四首。《国朝文汇》乙集卷二录其《唐府兵论》等文三篇。

二十一日，翁方纲抵广东学政任。据《复初斋集外诗》卷一《到广州任有述》。至乾隆辛卯秋视学役竣，凡三任八年。据张维屏《翁覃溪先生年谱稿》（《碑传集三编》卷三六）。

邹方锷游灵隐寺、飞来峰诸胜，获交寺僧寂善。据邹方锷《灵隐游记》、《月夜飞来峰游记》（《国朝文汇》乙集卷三三）。

刘大櫆、程瑶田等游黄山。刘大櫆《游黄山记》："乾隆二十九年岁在甲申九月上弦，余与歙县友人程易田、方晞原、吴韩封、吴蕙川及蕙川之弟箕浦共游黄山，六日而返。"（《海峰先生文》卷九）

董潮卒，年三十六。赵怀玉《收庵居士自叙年谱略》卷上："自阳湖分县，未有专志。是岁当事始葺两邑志乘，延金坛虞考功鸣球、同里董吉士潮总纂，以吾家微泉阁为志馆。九月，吉士卒于馆中。吉士与予为同门，才藻过人，颇有忘年之契，以诗哭之。"《阳湖县志》本传："诗得六朝气体，尤工骈俪之文。"（《碑传集补》卷八）王昶《蒲褐山房诗话》："东亭绮岁能诗，与沈文恪初有十子之刻，金春玉应，为世所称。既而赘婿兰陵，兼以饥驱奔走，故其词句凄锵。如《感事》云：'已悲阅世同刘峻，莫更逢人说项斯。'《芙蓉池》云：'豆泣釜中知有恨，蒲生塘下更堪悲。'《姑苏怀古》云：'歌残白苧春方醉，采得黄丝夏已销。'《料敌塔》云：'成卷寒沙腾枥马，城荒晚角下韝鹰。'《中山杂感》：'郡控三关雄巨鹿，峰连千里走飞狐。'《刘去华词》云：'青史几人高谏议，白麻当日哭延英。'皆名句也。一入词垣，即登鬼录，玉树生埋，殊堪霣涕。"（《湖海诗传》卷二八）林昌彝《射鹰楼诗话》卷二三："海盐董晓沧庶常潮（乾隆二十八年进士）著有《东亭诗草》。《两浙𬨎轩录》云：'东亭性至孝，读书慷慨负志节，工诗文，兼善六法，尝赋《红豆树歌》，传诵遍都下，时称为红豆诗人。'今读集中《唐花词》七古一首，不愧作手。句如'已悲阅世同刘峻，莫更逢人说项斯'，'半春孤客忘寒食，一夜东风又杏花'，'断云将雁随烟没，野水如天带月流'，'由来恩怨终亡国，未有英雄肯忌才'（《廉蔺祠》），'郡控三关雄巨鹿，峰连千里走飞狐'（《中山》）。"杨锺羲《雪桥诗话三集》卷七："其诗瓣香新城。李申耆称其言必称情，藻必当物。"《晚晴簃诗汇》卷九一录其诗五首。丁绍仪《听秋声馆词话》卷四《董潮词》："少受业于赵瓯北观察，而诗体独宗温、李，以赋红豆诗得名，人以红豆诗人目之。所著《漱花词》，虽止数十阕，然如《谒金门》云：'东风早。吹绿一庭芳草。寒拥香篝深阁悄。梦如烟缥缈。昨夜雨声催晓。试问乱红多少。二十四番花信了。蝶痴莺易老。'《相见欢》云：'灯残夜雨重门。近黄昏。拨尽沈檀金鸭，火难温。东风紧。梨花冷。总销魂。依旧一川烟草，怨王孙。'《踏莎行》云：'桂影侵帘，蕉阴成幕。黄花零落如残箨。西风又共旧时愁，重来同赴清秋约。闷饮清于，慵拈紫脚。《南华》半部医愁药。晚来登眺独潸然，栖鸦归尽寒烟薄。'凄清遒逸，迥殊凡响。"

秋

王鸣盛编《江左十子诗钞》二十卷幽兰巷寓居刊行。凡顾宗泰、刘潢、施朝幹、范云鹏、徐芛坡、任大椿、叶抱崧、诸廷槐、王鸣韶、王元勋十家。据《贩书偶记续编》卷一九。

十月

王昶充方略馆收掌官。据严荣《述庵先生年谱》。

十一月

商盘授云南知府，王昶集同人饯于毕沅疏雨楼。据严荣《述庵先生年谱》。

十二月

十三日，翁树培（1765—1811）生。树培字宜泉，大兴人，方纲次子。过继为同年钱载子，更名申锡，字申之。乾隆五十一年举顺天乡试，明年成进士。选庶吉士，散馆授编修。历官翰林院检讨、刑部主事、贵州司郎中。著有《翁比部诗钞》一卷。

事迹见翁方纲《次儿树培小传》（《翁比部诗钞》附录）。［按，卒年据朱彭寿《清代人物大事纪年》］

十四日，张琦（1765—1833）**生。**琦初名翊，字翰风、翰墨，号宛邻，阳湖人。嘉庆十八年举人，以誊录议叙知县。道光三年，发山东，署邹平县。后权章丘。五年，补馆陶，在任八年。著有《立山词》一卷，与兄惠言合编《词选》二卷。事迹见事迹见李兆洛《张翰风传》（《养一斋文集》卷一六）、梅曾亮《馆陶县知县张君墓表》（《柏枧山房文集》卷一四）、包世臣《山东馆陶县知县张君墓表》（《国朝文汇》乙集卷六四）、《清史稿》本传。

章学诚作《修志十议》。《文史通义》外篇三《修志十议》自跋云："甲申冬杪，天门胡明府议修县志，因作此篇，以附商榷。其论笔削义例大意，与旧答甄秀才前后两书相出入。"

蒋士铨初晤袁枚。据《忠雅堂诗集》卷一三《喜晤袁简斋前辈即次见怀旧韵》。又，尹继善招袁枚、蒋士铨、秦大士小集。据《忠雅堂诗集》卷一三《尹望山督相招饮同袁简斋、秦涧泉两前辈席上作》、《小仓山房诗集》卷一八《腊月五日相国招同秦学士大士、蒋编修士铨小集西园，各赋四诗》。

顾奎光卒，年四十六。据朱彭寿《清代人物大事纪年》、张慧剑《明清江苏文人年表》。《晚晴簃诗汇》卷七九："双溪著有《然疑录》、《春秋随笔》，采入四库全书，唐镜海所辑《学案》谓其所论多能得笔削之旨。陈榕门尝曰：顾泸溪，今之元道州。年十八，高章之举应博学鸿词科，辞不就。其集前有南城陶挥五序，谓其诗清远无凡语，五言高于七言，古体胜于近体。"录其诗十首。

冬

赵怀玉至江阴应试。与张梦喈、顾宗泰、朱日望、徐艿坡、叶抱崧、王鼎、范伟鹏、程炎、杨鹗定交。归后鲍之钟来访。据赵怀玉《收庵居士自叙年谱略》卷上。

本年

禁止五城戏园夜唱。据《北京梨园掌故长编·晓谕戏馆》（《清代燕都梨园史料》）。

黄景仁应郡县试第一。《两当轩集》卷一九《贺新凉》词序云："甲申岁，常州知府潘峨溪先生试童子，拔予第一。"

王文治外任云南临安知府。据张慧剑《明清江苏文人年表》。姚鼐《食旧堂集序》："其后先生自海外归，以第三人登第，进至侍读，出为云南临安府知府。赴任过扬州，时鼐在扬州，赋诗别去。鼐旋仕京师，而子颖亦入蜀，皆不得见。时有人自西南来者，传两人滇、蜀间诗，雄杰瑰异，如不可测，盖称其山川云。"（《惜抱轩文集》卷四）

钱沣授徒嵩明之邵甸。据方树梅《钱南园先生年谱》。

顾敏恒自楚南归里，与表弟杨芳灿共习举子业。据杨芳灿自订、余一鳌补订《杨蓉裳先生年谱》。

　　孙鉴识俞蛟于里门。据俞蛟《梦厂杂著》孙鉴序。

　　曾衍东随父任至福建汀州，黄慎常来寓作画。曾衍东《七如题画小品》："宁化黄慭夫瘿瓢，诗画绝伦，与竹庄、上官周齐名。乾隆甲申，随侍先君子蔵事闽汀，慭夫每来寓作画。年七十余，皤然一叟，笔墨不倦。"（《小豆棚》附录）又，《七如题画小品》又云："余十三岁时随先君子蔵事闽汀。"则曾衍东至福建或在去年。

　　近两年各宫殿门对联多系曹仁虎所撰。王昶《蒲褐山房诗话》："乾隆癸未、甲申间，多系来殷恭撰。"录其十数联，谓"例此数百言，置之盛唐诗内，皆绝妙好词也。升平故事，自古罕传，足为词林程式，故摘录于此"。（《湖海诗传》卷二三）又，本年至丙戌，曹仁虎在京师与同乡、同年诸公作联句诸诗，著有《刻烛集》。据王鸿逵《曹学士年谱》。

　　洪亮吉从余丰受唐宋古文及制举义。有《云溪春》词、《独酌谣》诸诗。始学为骈体文。据吕培等《洪北江先生年谱》。

　　纪昀有《题从侄虞惇试帖》诗。自注云："试帖多尚典赡，余始变为意格运题，馆阁诸公每呼此体为纪家诗。"（《纪晓岚文集》第一册诗卷一〇《三十六亭诗》）

　　恽敬学为诗，时年八岁。据恽敬《大云山房文稿初集序录》（《初集》卷首）。

　　张九钺著《豫章二集》。据张家杙《陶园年谱》。

　　毕沅作《听雨楼存稿》四卷。据史善长《弇山毕公年谱》。

　　王昶自乾隆二十四年至本年诗编为《蒲褐山房集》。据严荣《述庵先生年谱》。

　　韩锡胙作《砭真记》传奇。据张慧剑《明清江苏文人年表》。韩震东序云："吾族祖湘岩公尝游少微山，爱其山川幽旷，自号为少微山人。《砭真记》乃吾公游戏之笔尔。"（《中国古典戏曲序跋汇编》卷一三）庄一拂《古典戏曲存目汇考》卷一二：《砭真记》，"此戏未见著录。有正书局排印本，署妙有山人。又有铅印本，署少微山人。凡六出。演勘元稹《会真记》事。作者不徒翻《西厢》旧案，自谓有关名教之作。剧以张生实元稹，文昌、阎罗会勘，拘与莺莺对案，罚转人世，为崔氏讼冤。"

　　郑文炳编《明伦续集》五卷刊行。据四库提要卷一九四。

　　吴铭道《复古文》五卷、《复古诗》十四卷刊行。铭道，应箕之孙。据《贩书偶记》卷一五。

　　朱景英《畬经堂文集》八卷、《诗集》六卷、《诗续集》四卷刊行。据《贩书偶记》卷一五。景英字幼芝、梅冶，武陵人。乾隆十五年解元。官至台湾理番同知。《国朝文汇》乙集卷二〇录其《李白流夜郎辨》等文四篇。《晚晴簃诗汇》卷八〇录其诗十首。

　　薛雪陆续刊行所著《一瓢斋诗存》六卷、《抱珠轩诗存》六卷、《吾以吾鸣集》一卷。据张慧剑《明清江苏文人年表》。

　　王廷魁撰、王鸣盛编《小停云诗集》四卷三槐堂刊行。据《贩书偶记续编》卷一五。廷魁字冈龄，号盘溪，吴县人。诸生。《晚晴簃诗汇》卷八六录其诗二首。

　　杨潮观《吟凤阁杂剧》刊行。此为乾隆甲申恰好处原刊本，凡二卷二十八折剧，为《新丰店马周独酌》、《大江西小姑送风》、《李卫公替龙行雨》、《黄石婆授计逃关》、《快活山樵歌九转》、《穷阮籍醉骂财神》、《温太真晋阳分别》、《邯郸郡错嫁才人》、

《贺兰山谪仙赠带》、《开金榜朱衣点头》、《夜香台持斋训子》、《汲长孺矫诏发仓》、《鲁仲连单鞭蹈海》、《荷花荡将种逃生》、《动文昌状元配瞽》、《感天后神女露筋》、《华表杜延陵挂剑》、《东莱郡暮夜却金》、《下江南曹彬誓众》、《韩文公雪拥蓝关》、《偷桃捉住东方朔》、《换扇巧逢春梦婆》、《西塞山渔翁拜封》、《诸葛亮夜祭泸江》、《凝碧池忠魂再表》、《大葱岭只履西归》、《寇莱公思亲罢宴》、《翠微亭卸甲闲游》。乾隆己丑恰好处重刊本增加《灌口二郎初显圣》、《魏征破笏再朝天》两折剧，合成三十折剧，分为四卷。乾隆甲午恰好处重刊本又增加《荀灌娘围城救父》、《信陵君义葬金钗》两折剧，合成三十二折剧，仍为四卷。此外又有嘉庆庚辰屋外山房重刊本、1913年上海六艺书局据吴氏写韵楼钞本排印本、今人胡士莹校注本等。袁枚《邛州知州杨君笠湖传》："（笠湖）性无嗜好，惟耽音律，爱花竹。在邛州，得卓文君妆楼旧址，构吟风阁数椽，吏民上寿者，令各种花木一株，取古今可观感事制乐府数十剧付梨园歌舞以落其成。"（《小仓山房续文集》卷三四）姚燮《今乐考证》著录四《国朝杂剧》："汤曾辂大奎云：'无锡杨笠湖少以诗笔著名，中年丝竹陶写，寄情声律，尝著《吟风阁》杂剧，深得元人三昧。昔人论制曲须是巨才，与诗词另是一副笔墨，既宜传演，又耐吟讽，摹神缋影，中人性情，斯为能事。东塘、昉思而后，笠湖其嗣响矣。'王述庵昶云：'杨潮观字笠湖，金匮人，乾隆元年举人，官至泸州知州。性情偲傥，工画竹，诗亦多杰句。尤工度曲，所著《吟风阁》传奇，如《诸葛公夜渡泸江》、《寇莱公思亲罢宴》诸剧，声情磊落，思致缠绵，虽高则诚、王实甫无以过也。'案：笠湖此剧，每折各自制解题于首，意盖援古事以铎世耳。"

那彦成（1764—1833）生。那彦成字韶九，号绎堂，章佳氏，满洲正白旗人，阿桂孙。乾隆五十四年进士，选庶吉士，授编修。官至直隶总督。以事褫职。谥文毅。著有《那文毅奏议》八十卷。事迹见徐士芬《那彦成传》（《续碑传集》卷九）、《清史列传》本传、《清史稿》本传。[生年据江庆柏《清代人物生卒年表》]

钱杜（1764—1845）生。杜初名榆，字种庭，更字叔美，号松壶，仁和人。屈沉下僚，曾官云南经历，足迹逾万里。以画名，兼擅诗名。著有《松壶画赘》二卷、《画忆》二卷。事迹见《晚晴簃诗汇》卷一一〇、《清史稿》华嵒传附。

孙云凤（女，1764—1814）生。云凤字碧梧，仁和人。孙嘉乐女，程懋庭室，袁枚女弟子。著有《湘筠馆诗》、《湘筠馆词》。事迹见袁枚《随园诗话》卷一〇、施淑仪《清代闺阁诗人征略》卷六。

江珠（女，1764—1804）生。珠字碧岑，号小维摩，甘泉人。江藩妹，诸生吾学海室。工词赋，尤长骈体文。著有《青藜阁》、《小维摩》二集。事迹见《清代闺阁诗人征略》卷六。

何梦瑶卒，年七十二。据江庆柏《清代人物生卒年表》。《国朝诗人征略》初编卷二六引《听松庐诗话》："西池先生以博雅著，凡天文、术数、乐律、算法、医学无不究心。为督学元和惠公所爱重。晚年与杭堇浦、耿湘门两先生交契，朋樽谈宴，酬唱极欢。其生平论诗，谓青莲独擅千古，子美未应齐名，则近于翻新好奇矣。"《国朝文汇》甲集卷五八录其《罗履先瘿晕山房诗序》文一篇。

符曾卒于本年或去年。赵一清《符药林先生传》："二十五年正月暴得风疾，绵淹四载，遽患下痢卒。"（《东潜文稿》卷上）。［按，其生卒年，朱彭寿《清代人物大事纪年》作 1688—1760 年，江庆柏《清代人物生卒年表》作 1688—1764 年。］赵《传》云："己身历名场者五十年。一时才俊之彦或雄拔自张，或华赡见许，或博综群籍，或搜罗秘册。而先生为诗，气清旨微，超然物表，刻烛拈题，瞬息而就。皆敛衽避席曰：'符君诗在唐则摩诘、苏州、天随子，在宋则和靖、白石，元、明以来不具论矣。'间出豪横，脱手浑成，圆彻如琉璃含月，则又直入髯苏之室。所著甚夥，有《赏雨茆屋小稿》，少作也。《于役河干集》、《雪泥鸿稿》、《半春唱和集》、《玩易吟》，大都兴会所至，与人酬应之作。晚删定为《春凫小稿》若干卷，精书善校，付之剞劂，学人争购之以为模楷。""知交满天下，同辈如吴东壁、周穆门、吴绣谷、金江声、杭堇浦、全谢山、吴云持，稍后如张南漪、王茨檐、汪槐堂，皆同社研席交也。扬州则友马秋峪、半查，天津则友查莲坡，余指不胜屈。就中最亲密者，惟陈玉几及先君子。"查为仁《莲坡诗话》："钱唐符药林曾有《春凫小稿》、《赏雨茅屋》、《雪泥鸿爪》等集，流传南北。其《归自横塘》云：'浮石环溪水半篙，绿鳞鳞动散鱼苗。归来满地夕阳影，知了一声鸣柳梢。'神韵不减姜尧章。"袁枚《随园诗话》卷五称其诗"主高淡"，录其《斋宫》等诗。王昶《蒲褐山房诗话》："诗亦清绝，不免窘于边幅，而翛然物外之致，可想见其风韵焉。"（《湖海诗传》卷六）陈廷焯《白雨斋词话》卷三："符曾词，如《好事近·秦淮灯船》云：'五十五船旧事，听白头人语。'《高阳台·过拂水山庄感事》云：'一笛东风，斜阳淡压荒烟。'《踏莎行·金陵》云：'游人休吊六朝春，百年中有伤心处。'胜国之感，妙于淡处描写，情味最永。"《清史稿》厉鹗传附："鄞县陈撰最推服其诗。"《晚晴簃诗汇》卷七三录其诗十首。

彭遵泗当卒于此前。据《彭端淑诗文注·读舍弟磐泉遗集》（此诗本年作）。《清史列传》彭端淑传附："（遵泗）诗由小杜追踪少陵。"《晚晴簃诗汇》卷七四录其诗一首。《国朝文汇》乙集卷八录其《蜀碧自叙》等文四篇。

公元 1765 年（乾隆三十年　乙酉）

正月

高宗第四次南巡，四月回京。据《钦定南巡盛典》。顾宗泰献赋行在。据《北征集》小序（《月满楼诗集》卷六）。

冯敏昌应科试，为翁方纲所赏。五月之省会，复拔贡第一。据冯士镳《先君子太史公年谱》。

二月

毕沅升授詹事府右春坊右中允。据史善长《弇山毕公年谱》。

闰二月

高宗召试江南士子。冯应榴、郑沄、张熙纯授内阁中书。鲍之钟、金榜、洪朴等赐举人，授内阁中书。据《钦定南巡盛典》卷七四。江藩《国朝汉学师承记》卷六："乾隆乙酉选拔，（洪榜）与兄朴同应召试。梁国治时为安徽学使，评其赋曰：'词霏玉屑，则弟胜于兄；文抱风云，则伯优于仲。'朴授中书而榜未获隽，然以文章见知于梁国治，乃从游至晋。"

三月

乔光烈卒。据朱彭寿《清代人物大事纪年》。光烈字敬亭，号润斋，上海人。乾隆二年进士。官至贵州、湖南巡抚。著有《最乐堂文集》六卷、《诗集》一卷。事迹见《清史列传》本传。《国朝文汇》乙集卷七录其《登华山记》等文五篇。《晚晴簃诗汇》卷七四录其诗四首。

六月

王昶充方略馆提调官。据严荣《述庵先生年谱》。

张九钺调峡江知县。据张家杖《陶园年谱》。

七月

二十四日，顾莼（1765—1832）生。莼字吴羹、希翰，号南雅、息庐，吴县人。嘉庆七年进士，改庶吉士，散馆授编修。官至通政副使。著有《思无邪室遗集》六卷、《诗集》二卷。事迹见汪喜孙《大清中议大夫通政使司通政副使顾公行状》（《汪孟慈集》卷四）、程恩泽《通政司副使顾公墓志铭》（《程侍郎遗集》卷八）、《清史列传》本传、《清史稿》本传。

陆建卒于本月或稍前，年三十五。据袁枚《湄君小传》（《湄君诗集》卷首）。《小传》云："性好吟诗，持论与舅氏合。不屑屑界唐、宋，而内写幽懆，外婵群雅，结采必鲜，运思必邃，其声清扬而远闻。得若干首，或嫌近体差胜。湄君笑曰：'近体近《风》，宜少年；古体近《雅》，《颂》，宜晚年：吾其有待耶！'余亦无以难也。"

八月

二十七日，张宗楠卒，年六十二。据朱彭寿《清代人物大事纪年》。

夏之蓉辞钟山书院讲席归里。据《半舫斋编年诗》卷二〇《八月辞钟山旋里，见半舫斋内盆兰一枝盛开》。

戴震定《水经》一卷。据《戴震集》上编《文集》卷六《书水经注后》。

九月

初四日，舒位（1765—1816）生。位字立人，号铁云，大兴人。乾隆五十三年举人，屡试礼部不第。入王朝梧幕，又为勒保治文书。旋以母老辞归。家贫，常为负米游。闻母丧，自真州星夜奔归，以哀毁卒。著有《瓶水斋诗集》十七卷、《别集》二卷、《诗话》一卷及杂剧《瓶笙馆修箫谱》、《琵琶赚》（佚）、《桃花人面》（佚）等。事迹见陈裴之《乾隆戊申恩科举人拣选知县舒君行状》（《瓶水斋诗集》附录）、陈文述《舒铁云传》（《国朝文汇》乙集卷六〇）、石韫玉《铁云山人传》（《独学庐三稿》文卷五）、光绪《顺天府志》本传（《碑传集三编》卷三七）、《清史列传》本传。

秋

乡试。是科各省考官有彭启丰、钱载、德保、曹秀先、钱大昕、谢墉、陆锡熊、杨述曾、卢文弨、孟超然等。据法式善《清秘述闻》卷七。所取举人有许如兰（庄一拂《古典戏曲存目汇考》卷一一）、邵晋涵（王昶《翰林院侍讲学士充国史馆提调官邵君墓表》）、吴锡麟（《晚晴簃诗汇》卷九二）、王友亮（姚鼐《中议大夫通政司副使婺源王君墓志铭并序》）、张埙（朱彭寿《清代人物大事纪年》）、罗有高（彭绍升《罗台山述》）等。钱沣（方树梅《钱南园先生年谱》）、冯敏昌（冯士镳《先君子太史公年谱》）报罢。

章学诚应顺天乡试。是科沈业富为房官，荐于主司，不录。沈大惋惜，馆实斋于其家。据胡适《章实斋年谱》。

赵怀玉应顺天乡试。寓姑父刘星炜第。每有所作，为程晋芳、童凤三诸人所赏。榜发，未中，与叶树藩等结伴同归。据赵怀玉《收庵居士自叙年谱略》卷上。

彭光斗官福建永定知县。据严荣《述庵先生年谱》。彭光斗字赍园，号退庵，溧阳人。乾隆二十四年举人。所著《云溪草堂文钞》十四卷乾隆间刊行。据《贩书偶记》卷一五。《国朝文汇》乙集卷二九录其《六国论》等文四篇。袁枚《随园诗话补遗》卷二："溧阳彭赍园先生，素无一面，寄《云溪诗集》见示。有笔有书，亦唐亦宋，不愧作者。佳句如《雨阻淮上》云：'春气勒堤柳，水光团野烟。'《舟中》云：'长河欹枕过，片月贴帆飞。'《剑津》云：'早知神物终当化，何似丰城便永埋？'《无题》云：'月展璧轮宜唤姊，风吹池水最干卿。'皆妙。又，《接家书》云：'有客来故乡，贻我乡里札。心怪书来迟，反复看年月。'只此二十字，写尽家书迟接之苦。先生名光斗，出仕闽中。"

十一月

李文藻序邓汝功《午厓初稿》一卷。署"乙酉十一月，同学弟益都李文藻书"。（《密娱斋诗稿》卷首）是书又名《午厓初草》、《密娱斋诗稿》。四库提要卷一八五：《密娱斋诗稿》一卷，"国朝邓汝功撰。……是集乃其友桂林府同知李文藻所刊。文藻序称其古体出于韩、苏，近体似钱、郎，皆非止境。盖其天分颇高，而得年不永，功候则尚未成就云。"

余集序《聊斋志异》。署"乾隆三十年岁次乙酉十一月，仁和余集撰"。序云："乙酉三月，山左赵公奉命守睦州，余假馆于郡斋。太守公出淄川蒲柳泉先生《聊斋志异》，请余审定而付之梓。""按县志称先生少负异才，以气节自矜，落落不偶，卒困于经生以终。平生奇气,无所宣渫,悉寄之于书。故所载多涉谲诡荒忽不经之事,至于惊世骇俗,而卒不顾。""呜呼! 先生之志荒,而先生之心苦矣!"(《聊斋志异会校会注会评本》卷首)

十二月

十二日,郑燮卒,年七十三。据吴泽顺编《郑板桥集》附录《年表》。郑方坤《本朝名家诗钞小传·板桥诗钞小传》:"诗取道性情,务如其意之所欲出。""所刻寄弟书数纸,皆老成忠厚之言,大有光禄《庭诰》、《颜氏家训》遗意。"袁枚《随园诗话》卷九:"板桥深于时文,工画,诗非所长。"张维屏《国朝诗人征略》初编卷二八引《松轩随笔》:"板桥大令有三绝:曰画,曰诗,曰书。三绝之中有三真:曰真气,曰真意,曰真趣。""其生平词胜于诗,吊古摅怀,激昂慷慨,与集中家书数篇,皆世间不可磨灭文字。余尝谓蒋心余、郑板桥之词,皆词中之大文,不得以小技目之。"叶衍兰等《清代学者像传》第一集第二册:"诗近香山、放翁,吊古诸篇,激昂慷慨。词亦不肯作熟语。""集后附刻家书数篇,情真语挚,悱恻动人。"(《郑板桥全集》附录)《晚晴簃诗汇》卷七四录其诗十五首。谢章铤《赌棋山庄词话》卷九《郑燮词》:"诗文琐亵不入格,词独胜。"陈廷焯《白雨斋词话》卷四:"板桥词颇多握拳透爪之处,然却有魄力,惜乎其未纯也。若再加以浩瀚之气,便可亚于迦陵。""板桥诗境颇高,间有与杜陵暗合处,词则已落下乘矣。然毕竟尚有气魄,尚可支持。"卷五:"激昂慷慨,原非正声,然果能精神团聚,辟易万夫,亦非强有力者,未易臻此。国朝为此调者,迦陵尚矣。后来之俊,必不得已,仍推板桥。若蒋心余、黄仲则辈,丑态百出矣。"卷六:"板桥论诗,以沈著痛快为第一,论词取刘、蒋,亦是此意。然彼所谓沈著痛快者,以奇警为沈著,以豁露为痛快耳。吾所谓沈著痛快者,必先能沈郁顿挫,而后可以沈著痛快。"《词坛丛话·板桥词别创一格》:"板桥词,远祖稼轩,近师其年,别创一格,不与稼轩、其年沿袭,真有独往独来之概。"《板桥奇才》:"板桥词,淋漓酣畅,色舞眉飞。每一字下,如生铁铸成,不可移易,真一代奇才。"《板桥词少含蓄》:"板桥词,无一字不直截痛快。佳处在此,可议处亦在此,以其少含蓄之神也。"

二十一日,鲍皋卒,年五十八。据刘大櫆《海门鲍君墓志铭》(《海峰先生文》卷八)。《墓志铭》云:"君之天才鸿丽,山崤泉涌,放恣飘飘,极驰骛之能,不劳纪律部伍而自中于法度,近代称诗罕有及之者。"法式善《梧门诗话》卷二:"鲍海门山人皋诗,浑成一气,不可以字句求。"昭梿《啸亭杂录》卷九《鲍海门》:"其诗苍劲,音节铿然,有北地、信阳之风,而丰致过之,故名重一时。"《晚晴簃诗汇》卷七三:"海门称诗江淮间。时樊榭客扬州,论诗用宋法,而海门一以盛唐诸大家为职志。刘海峰《历朝诗约选》持择甚谨,同时人惟取海门。"录其诗十三首。

纪昀作《岁暮怀人各成一咏》五律八首。怀宋弼、李中简、边连宝等八友人。见《纪晓岚文集》第一册卷九。

冬

沈业富补安徽太平知府,在任十六年。据阮元《翰林编修河东盐运使司沈公既堂墓志铭》（《揅经室二集》卷五）。

本年

黄景仁补博士弟子员，读书宜兴氿里。据左辅《黄县丞状》、毛庆善、季锡畴《黄仲则先生年谱》。

武亿县试第一，明年入学。据朱珪《前博山县知县诏起引见武君墓志铭》（《知足斋文集》卷五）。

朱黼拔贡。据《晚晴簃诗汇》卷九二。

洪亮吉在外家授表弟兆崎经。岁得修脯钱二千八百。时与表兄馨、从表兄定安往还无间，有《春园唱和集》。又与里中诸名士结社定交。有《题阿房宫图》诸诗，填词四十余首。据吕培等《洪北江先生年谱》。

蒋士铨暂居江宁十庙前，贫甚。据蒋士铨自编《清容居士行年录》。

章学诚始见刘知几《史通》。据《家书》六。《家书》二："吾于史学，盖有天授。自信发凡起例，多为后世开山。而人乃拟吾于刘知几，不知刘言史法，吾言史意；刘议馆局纂修，吾议一家著述，截然分途，不相入也。"又，本年始学文章于朱筠。《跋甲乙剩稿》："甲申、乙酉，……沈先生始荐其文，而朱先生始言于众，京师渐有知名者。彼时立志甚奇，而学识未充，文笔未能如意之所向。"（胡适《章实斋年谱》）

戴震入都过苏，有《题惠定宇先生授经图》。见《戴震集》上编《文集》卷一一。

诸廷槐作《重修邑侯陆公祠记》。见《国朝文汇》乙集卷二五。廷槐字燮堂，嘉定人，岁贡生。著有《啸雪斋集》。《国朝文汇》乙集卷二五录其《范增论》等文三篇。《晚晴簃诗汇》卷九九录其诗三首。

沈廷芳《隐拙斋集》五十卷讫本年。据《隐拙斋续集》沈世炜跋。[按，沈廷芳殁后，门人辑其丙戌以后所作为《续集》五卷，刊于乾隆四十四年。]四库提要卷一八五：《隐拙斋集》五十卷，"国朝沈廷芳撰。廷芳有《十三经注疏正字》，已著录。是集为廷芳所自编。凡诗赋三十二卷，散体文十八卷。其诗学出于查慎行，古文之学出于方苞。故所作虽无巨丽之观，而皆有法度。"

袁枚《子不语》大约已成书。《小仓山房尺牍》卷二《与裘叔度少宰》："比来山中述作，侈侈隆富。手编骈、散文及韵语、杂著，无虑数十卷，高可隐人。有《子不语》一种，专纪新鬼，将来录一副墨，寄呈阁下，依然《灯下丛谈》，定当欣畅。"[按，《与裘叔度少宰》约作于本年，据"己卯秋闱，蒙公过访，扶病作别，垂六七年"推知。又，《子不语》乾隆五十三年刊行]

畸笏叟一批《石头记》。据周汝昌《红楼梦新证》第七章。

张云锦《兰玉堂文集》二十卷、《诗集》十二卷、《诗续集》十一卷刊行。据《贩书偶记》卷一五。厉鹗《红兰阁词序》："近日言词者，推浙西六家。独柘水沈岸登善学白石老仙，为朱检讨所称。张君龙威，于岸登为后辈，其词清婉深秀，摈去凡近。如咏宋故宫芙蓉石云：'指一抹墙角残阳，不照蓬莱旧城阙。'咏秋柳云：'莫再问灵和，剩秃髮氍氍如此。'咏芦花云：'有谁能画出，楚天秋晚'等句，直与白石争胜于毫厘。求词于柘水，前有《黑蝶》，后有《红兰》，质之乡曲诸公，当无不以予言为然也。"（《樊榭山房文集》卷四）陈廷焯《白雨斋词话》卷四："张龙威亦以词名，然有枝而不物之弊，不及任淡存、朱遂俟也。"《晚晴簃诗汇》卷八七录其诗一首。《国朝文汇》乙集卷五五录其《文林郎知东流县事南香陆君墓表》文一篇。

王鸣盛《西庄始存稿》三十卷附一卷刊行。又，《西庄始存稿》四十卷附一卷明年刊行。据《贩书偶记》卷一五。

吴烺、江昉、吴镗、程名世等编《学宋斋词韵》一卷刊行。据《贩书偶记》卷二〇。

龚炜《巢林笔谈》六卷、《续编》二卷蓼怀阁刊行。据《贩书偶记》卷一一。

洪颐煊（1765—1837）生。颐煊字旌贤，号筠轩，临海人。嘉庆六年拔贡生。入赀为州判，权知新兴县事。适阮元督粤，知颐煊学优非吏才，延入幕府。后卒于家。性喜聚书，广购岭南旧本至三万余卷，碑版彝器多世所罕觏。著有《礼经宫室答问》、《孔子三朝记》、《管子义证》、《汉志水道疏证》、《读书丛录》、《台州札记》、《筠轩文钞》。事迹见《清史列传》本传、《清史稿》本传。〔按，生卒年据朱彭寿《清代人物大事纪年》〕

李遇孙（1765—1834 后）生。遇孙字庆伯，号金澜，嘉兴人。嘉庆六年优贡生。官处州府训导。著有《尚书隶古定释文》八卷、《芝省斋碑录》八卷、《金石学录》四卷、《括苍金石志》八卷、《日知录补正》一卷《校正》一卷、《古文苑拾遗》十卷、《天香录》八卷、《随笔》六卷、《诗文集》十八卷。事迹见《清史列传》李富孙传附、《清史稿》李富孙传附。〔按，生卒年据朱彭寿《清代人物大事纪年》〕

戈宙襄（1765—1827）生。宙襄字小莲，元和人。著有《半树斋文》。事迹见顾广圻《清故孝子戈君之铭》（《思适斋集》卷一八）。

吴修（1765—1827）生。修字子修，号思亭，海盐人。寓居嘉兴。侯铨州同知。与钱大昕、翁方纲为金石友。同时如梁同书、王文治、孙星衍、吴锡麒、伊秉绶，咸愿缔交。著有《续疑年录》、《居易居文集》、《居易居小草》、《思亭近稿》、《湖山吟啸集》。事迹见冯登府《吴君思亭墓志铭》（《碑传集补》卷四七）、蒋宝龄《墨林今话》卷九。〔按，生卒年据郭味渠《宋元明清书画家年表》〕

丁敬卒，年七十一。据朱彭寿《清代人物大事纪年》。〔按，汪启淑《续印人传》卷二《丁敬传》谓其卒年六十四，未言具体生卒年〕杭世骏《隐君丁敬传》："诗学其所专长。布衣金农相距一鸡飞之舍，与之齐名。美辞秀异，敬或不及；铺陈终始，豪放不可羁绁，农不能逮也。"（《道古堂文集》卷三三）《晚晴簃诗汇》卷七三："敬身少未读书，及冠酷好金石文字，等丁性命，著《武林金石录》。书工大小篆，笔如屈铁，精刻印章，然非其人不能得一字。刻苦为诗，语能遒峭。"录其诗四首。

张梁卒，年八十三。据王昶《湖海诗传》卷一、江庆柏《清代人物生卒年表》。《国朝诗别裁集》卷二三："张氏门风鼎盛，声华赫奕，而澹吟不乐仕进，户庭萧寂，如游方外人。喜鼓琴，兴到时，弄一二曲。晚迁居青浦之珠溪，无疾而逝，人谓同禅家之解脱者。"录其《弹琴》等诗四首。王昶《蒲褐山房诗话》："张梁字奕山，号幻花，娄县人。""晚岁专修净土，至八十三而终。其诗宗法王、孟、韦、柳，间效山谷、诚斋，以见新异云。"（《湖海诗传》卷一）《晚晴簃诗汇》卷五九录其诗十首。

公元 1766 年（乾隆三十一年　丙戌）

三月

十一日，王引之（1766—1834）**生**。引之字伯申，号曼卿，高邮人，念孙子。乾隆六十年举人。嘉庆四年一甲进士，授编修。官至礼、工、吏部尚书，武英殿总裁。谥文简。著有《经义述闻》十五卷、《经传释辞》十卷、《周秦古字解诂》二卷、《王文简公文集》四卷。事迹见汪喜孙《光禄大夫工部尚书王文简公行状》（《汪孟慈集》卷四）、龚自珍《工部尚书高邮王文简公墓表铭》（《定盦续集》卷四）、闵尔昌《王伯申先生年谱》、江藩《国朝汉学师承记》卷五、《清史列传》本传、《清史稿》王念孙传附。

二十五日，吴嵩梁（1766—1834）**生**。嵩梁字子山、兰雪，号石溪老渔，东乡人。嘉庆五年举人。官内阁中书、黔西知州。诗名远播海外，朝鲜金鲁敬奉之为诗佛，日本贾人斥四金购其诗扇。著有《香苏山馆诗集》三十六卷。事迹见姚莹《香苏山馆诗集后序》（《香苏山馆诗集》卷首）、《江西通志·吴嵩梁传》（《续碑传集》卷七七）、《清史列传》黄景仁传附、《清史稿》蒋士铨传附。

会试。考官：内阁大学士尹继善、吏部侍郎裘曰修、兵部侍郎陆宗楷。题"君子周急 九百"，"诗云相在 而敬"，"诐辞知其"四句。赋得"三复白圭"得"寒"字。据法式善《清秘述闻》卷七。

毕沅充会试同考官，升授翰林院侍讲。钦命教习庶吉士兼一统志方略馆纂修官。据史善长《弇山毕公年谱》。

戴震报罢后居新安会馆，后馆裘曰修邸。段玉裁《戴东原先生年谱》："入都会试不第，居新安会馆。始，玉裁癸未请业于先生，既先生南归，玉裁以札问安，遂自称弟子。先生是年至京面辞之，复于札内辞之。又有一札云：'上年承赐札，弟收藏俟缴致，离舍时匆匆检寻不出。在吾兄实出于好学之盛心，弟亦非谦退不敢也。古人所谓友，原有相师之义，我辈但还古之友道可耳，今将来札奉缴。'观于姬传及玉裁之事，可以见先生之用心矣。直至己丑相谒，先生乃勉从之。朱文正公尝曰：'汝二人竟如古之师弟子，得孔门汉代之家法也。'""是年不第后，馆于裘文达公邸第，文达公命子孙师之，故直隶总督名行简，其徒也。"

罗有高下第归，过彭绍升家，相与闭关七旬，静中瞥然识得学问头脑。据彭绍升《罗台山述》（《二林居集》卷二二）。

袁枚作《随园四记》。见《小仓山房文集》卷一二。

四月

初五日，严有禧卒，年七十三。据劭齐焘《湖南按察使严公墓志铭》（《玉芝堂文集》卷六）。

二十五日，高宗御太和殿，传胪。赐一甲张书勋、姚颐、刘跃云进士及第，二甲韩朝衡、王嘉曾、王汝璧、尹壮图、孙志祖、余集、朱琰、汪孟铜、王学浩、阎循观等进士出身，三甲金兆燕等同进士出身。据《历科进士题名录》、《清通鉴》。

冯敏昌至京应廷试，以二等候选。七月归。据冯士镰《先君子太史公年谱》。

春夏之交，章学诚初晤戴震。章学诚《答邵二云书》："丙戌春夏之交，仆因郑诚斋太史之言，往见戴氏休宁馆舍，询其所学，戴为粗言崖略，仆即疑郑太史言不足以尽戴君。时在朱先生门，得见一时通人，虽大扩生平闻见，而求能深识古人大体，进窥天地之纯，惟戴可与几此。而当时中朝荐绅负重望者，大兴朱氏，嘉定钱氏实为一时巨擘。其推重戴氏，亦但云训诂名物，六书九数，用功深细而已。及见《原善》诸篇，则群惜其有用精神耗于无用之地。仆当时力争朱先生前，以谓此说似买椟而还珠，而人微言轻，不足以动诸公之听。足下彼时，周旋嘉定、大兴之间，亦未闻有所抉择，折二公言，许为乾隆学者第一人也。惟仆知戴最深，故勘戴隐情亦最微中，其学问心术，实有瑕瑜不容掩者。"（转引自余英时《论戴震与章学诚》内篇二）

王昶升刑部浙江司员外郎。据严荣《述庵先生年谱》。

五月

《聊斋志异》青柯亭本成书，是为现存《聊斋志异》最早刻本。赵起杲《弁言》："丙寅冬，吾友周子季和自济南解馆归，以手录淄川蒲留仙先生《聊斋志异》二册相贻。深以卷帙繁多，不能全抄为憾。予读而喜之。每藏之行笥中，欲访其全，数年不可得。丁丑春，携至都门，为王子闰轩攫去。后予宦闽中，晤郑荔芗先生令嗣。因忆先生昔年曾宦吾乡，性喜储书，或有藏本。果丐得之。命侍史录正副二本，披阅之下，似与季和本稍异。后三年，再至都门，闰轩出原钞本细加校对，又从吴君颖思假钞本勘定，各有异同，始知荔芗当年得于其家者，实原稿也。癸未官武林，友人鲍以文屡怂恿予付梓，因循未果。后借抄者众，藏本不能遍应，遂勉成以公同好。他日见闰轩，出以相赠，其欣赏为何如！独恨吾季和已赴九原，不获与之商榷定论已。此书之成，出资勷事者，鲍子以文；校雠更正者，则余君蓉裳、郁君佩先暨予弟皋亭也。乾隆丙戌端阳前二日，莱阳后学赵起杲书于睦州官舍。"《刻聊斋志异例言》："一，先生是书，盖仿干宝《搜神》、任昉《述异》之例而作。其事则鬼、狐、仙、怪，其文则庄、列、马、班，而其义则窃取《春秋》微显志晦之旨、笔削予夺之权。可谓有功名教，无忝著述。以意逆志，乃不谬于作者，是所望于知人论世之君子。一，是编初稿名《鬼狐传》。后先生入棘闱，狐鬼群集，挥之不去。以意揣之，盖耻禹鼎之曲传，惧轩辕之毕照也。归乃增益他条，名之曰《志异》。有名《聊斋志异》者，乃张此亭臆改，且多删汰，非原书矣。兹刻一仍其旧。一，先生毕殚精力，始成是书。初就正于渔洋，渔洋欲以百千市其稿。先生坚不与，因加评骘而还之。今刻以问世，并附渔洋评语。先生有知，可无仲翔没世之恨矣。一，是编向无刊本，诸家传抄，各有点窜。其间字斟句酌，词旨简严者有之。然求其浩汗疏宕，有一种粗服乱头之致，往往不逮原本。兹刻悉仍原稿，庶几独得庐山之真。一，编中所述鬼狐最夥，层见叠出，变化不穷。水佩风裳，剪裁入妙；冰花雪蕊，结撰维新。缘其才大于海，笔妙如环。一，编中所载事迹，有不尽无征者，如《姊姐易嫁》、《金和尚》诸篇是已。然传闻异辞，难成信史。

渔洋谈异，多所采撷，亦相径庭。至《大力将军》一则，亦与《觚剩·雪遘》差别。因并录之，以见大略。一，是书传抄既屡，别风淮雨，触处都有，今悉加校正。其中文理不顺者，间为更定一二字。至其编次前后，各本不同，兹刻只就多寡酌分卷帙，实无从考其原目也。一，原本凡十六卷，初但选其尤雅者厘为十二卷；刊既竣，再阅其余，复爱莫能舍，遂续刻之，卷目一如其旧云。一，卷中有单章双句，意味平浅者删之，计四十八条。从张本补入者凡二条。佳句已尽入锦囊，明珠实无遗铁网矣。一，闻之张君西圃云：济南朱氏家藏《志异》数十卷。行将访求。倘嗜奇之士，尚有别本，幸不吝见遗，当续刻之，以成艺林快事。莱阳赵起杲清曛谨志。"（《聊斋志异汇校会注会评本》卷首）

汪之珩卒，年五十。 据《东皋诗存》卷末王国栋跋、《东皋诗余》卷末黄振跋、张慧剑《明清江苏文人年表》。所编《东皋诗存》四十八卷、《诗余》四卷本年文园刊行。法式善《陶庐杂录》卷三："《东皋诗存》四十八卷，汪之珩征辑。之珩字楚白，如皋人。是集选其邑人诗，自宋胡瑗迄之珩自作。详略不能悉当。乾隆三十一年刻行。前有袁简斋序，盖其时之珩已没矣。"

六月

洪亮吉再应童子试不售。 据吕培等《洪北江先生年谱》。

张九钺调南昌知县。 据张家柷《陶园年谱》。

夏

姚鼐散馆改主事，分兵部。 据郑福照《姚惜抱先生年谱》。

临汾徐昆《碧天霞》传奇成书。 王棚鳌序云："徐君后山向作《雨花台传奇》，未付剞劂，时已争相传诵，优人求之，几如唐教坊之购太白、昌龄诗。丙戌夏，《碧天霞》又续出，余吟哦数过，其波折之奇、关目之巧、科白曲调之高雅，靡不各臻其善，又俱新裁别出，不拾曲家唾余。"署"瓠邱弟王棚鳌伯英甫拜题"。又，常庚辛序云："丙戌夏，徐子后山侨寓历下，因《锦书亭》小说，作《碧天霞》传奇。其词藻如春雪，其脉络如贯珠。其义例之森严，如缕金而刻玉；其波澜之宏阔，如悬河而倒海。托诸吟咏，可歌可泣；被诸弦管，谐律同音。"署"乾隆丙戌嘉平月中浣七日，蒲坂世弟常庚辛俭西氏拜题"。（《中国古典戏曲序跋汇编》卷一三）是剧凡二卷四十出，本年刊行。

七月

梁国治序沈德潜《归愚诗钞余集》十卷。 署"乾隆丙戌秋七月，会稽门生梁国治拜题"。序云："其长篇大幅，包络宇宙，灭没变化，出奇无穷，老杜之'欲掣鲸鱼碧海中'也。其近体律绝，工整开阖，浑成一气，语近情遥，老杜之'老去渐于声律细'也。而其中忠爱圣主，寝寐萦怀，比于老杜之'每饭不忘君，终身荷圣情'若同一轨。"（《归愚诗钞余集》卷首）是书本年刊行。据《中国丛书综录》。

八月

顾广圻（1766—1835）生。广圻字千里，号涧薲，元和人。诸生。著有《思适斋集》十八卷。事迹见李兆洛《顾君墓志铭》（《养一斋文集》续编卷四）、赵诒琛《顾千里先生年谱》、江藩《国朝汉学师承记》卷二、《清史列传》江声传附、《清史稿》卢文弨传附。[按，有关顾广圻生卒年之争议，参见陈其弟《顾广圻生卒年考》（《文教资料》1995 年第 3 期）、曹培根《〈顾广圻生卒年考〉补正》（《文教资料》1996 年第 2 期）]

十月

史震林自扬至淮，再馆柳衣园。据史震林《华阳散稿》卷下《程升白传略》。

姚学塽（1766—1826）生。学塽字晋堂、镜堂，归安人。嘉庆元年进士，官内阁中书。以耻向和珅执弟子礼罢归。和珅伏诛，始入都任职。官至职方司郎中。著有《竹素斋遗稿》十卷。事迹见汪喜孙《姚镜塘学塽家传》（《尚友记》卷二）、魏源《归安姚先生传》、汤纪尚《姚职方传》、张履《诰授奉政大夫兵部职方司郎中镜塘姚先生行状》（《续碑传集》卷七一）、《清史列传》本传、《清史稿》本传。

十一月

初四日，程晋芳、冯廷丞过朱筠椒花吟舫，朱筠因设酒与及门蒋嘉树、章学诚、蔡子嘉偕饮。朱筠《椒花吟舫小集序》："乾隆丙戌子月之四日，程中书鱼门、冯评事君弼过余椒花吟舫，因设酒与及门蒋编修秦树、章生实斋、蔡生子嘉偕饮，中夕纵谈，罢去。越日，君弼为序序其事，其意大略言贤豪相知之难得，而此会之可乐为不易也。余谓人生虽百年耳，其间朋友相与酒食为征逐者岁岁而有，而君弼独殷殷于此会而见之于文辞，徒以之数人者不喜为世间声气之附合，而慨然有似于古人，相与聚处、劝勉、箴规以为乐，故序之以识夫月日，而异时亦可以考见而追忆焉。"（《笥河文集》卷五）又，章学诚《蒋君墓志铭书后》："是时朱先生未除丧，屏绝人事。学诚下榻先生邸舍，时时相过从。若程舍人晋芳、吴舍人烺、冯大理廷丞及君为燕谈之会。晏岁风雪中，高斋欢聚，脱落形骸，若不知有人世。"（胡适《章实斋年谱》）

赵翼由翰林院编修授广西镇安知府，明年七月抵任。据姚鼐《贵西兵备道赵先生翼家传》（《碑传集》卷八六）、佚名《瓯北先生年谱》。

十二月

望日，汪师韩自序《上湖纪岁诗编》。署"乾隆三十一年岁在柔兆阉茂月在塞涂辛亥望，钱塘汪师韩自序"。自序云："诗贵三有，而才与学不与焉。匪谓诗不必有才学也，负绝世之才，穷毕生之学，而无是三者则无以存诗道。三者何？有感焉，则性情之发是矣；有义焉，则风雅之体是矣；有我焉，则荣悴之境是矣。是古之人所尝言，非一己之私言也。且夫习俗所尚曰轻，曰脆，曰新，曰巧，而余之意则在不轻而重，不脆而坚，不新而旧，不巧而浑，盖时时矫其失而犹病未能。"《上湖纪岁诗编》四卷收诗自雍正癸丑（二十七岁）至本年（六十岁）。又《续编》一卷收诗自乾隆丁亥（六十一岁）至乾隆甲午（六十八岁）。

本年

谢启昆授编修。 据姚鼐《广西巡抚谢公墓志铭并序》（《惜抱轩文后集》卷七）。

张九键授隆平知县。 据张家栻《陶园年谱》。九键字天门，号石园，湘潭人。乾隆三年举人。历官麻阳、泸溪教谕、隆平知县。事迹见《清史列传》张九钺传附。《国朝文汇》乙集卷四录其《与吾先生论文》等文三篇。《晚晴簃诗汇》卷七五录其诗一首。

周春官广西岑溪县知县。在岑溪二年，丁忧归。 据秦瀛《周松霭诗序》（《小岘山人文集》卷三）。

韩梦周官来安知县。 据徐侃《韩理堂先生传》（《国朝文汇》乙集卷四五）。

商盘移守沅江。 据蒋士铨《宝意先生传》（《忠雅堂文集》卷三）。

卢文弨提督湖南学政。 据翁方纲《皇清诰授朝议大夫前日讲起居注官翰林院侍读学士抱经先生卢公墓志铭》（《复初斋文集》卷一四）。

黄文莲在歙县任教职，交刘大櫆。 据张慧剑《明清江苏文人年表》。

浙抚熊学鹏延蒋士铨主绍兴蕺山书院。在任凡五年。 据蒋士铨自编《清容居士行年录》。

杭世骏主扬州安定书院。 龚自珍《杭大宗逸事状》："大宗自丙戌迄庚寅，主讲扬州安定书院，课诸生肄四通：杜氏《通典》、马氏《文献通考》、郑氏《通志》，世称三通，大宗加司马光《通鉴》云。"（《定盦文集补编》卷四）

黄景仁与洪亮吉定交，始专攻诗。冬游扬州。 洪亮吉《候选县丞附监生黄君行状》："岁丙戌，亮吉亦就童子试，至江阴，遇君于逆旅中。亮吉携母孺人所授汉、魏乐府锓本，暇辄朱墨其上，间有拟作，君见而嗜之，约共效其体，日数篇。逾月，君所诣出亮吉上，遂订交焉。"（《卷施阁文甲集》卷一〇）毛庆善、季锡畴《黄仲则先生年谱》："按先生《春日独居寄闵季心诗》，云'当年对酒邗上城'，则是冬偕季心往扬州也。"

刘台拱为邑庠生，时年十六岁。 据朱彬《刘学士台拱行状》、江藩《国朝汉学师承记》卷七。

金德舆十七岁，居桐华馆。塾师为李集。 舅氏朱方蔼及方薰时往来馆中，以风雅相尚。据赵怀玉《收庵居士自叙年谱略》卷上。[按，赵怀玉本年就婚桐乡金氏，妇为德舆之姊]

法式善游万寿山，有纪游五古诗。 据阮元《梧门先生年谱》。

章学诚作《与族孙汝楠论学书》。 胡适《章实斋年谱》称此为其"早年第一篇重要文字"。

敦诚因前优等记名，补宗人府笔帖式，旋授太庙献爵之职。据敦敏《敬亭小传》（《四松堂集》卷首）。

洪亮吉仍在外家授徒。从学者表弟兆峋等三人，岁得修脯钱七千。是岁诗社，亮吉试列第一。又赋中秋《减字木兰花》词十首，同辈传抄殆遍。刘宸赠诗云："才子清眠起夜分，新词字字镂香云。何当共握琉璃管，写尽羊欣白练裙。"据吕培等《洪北江先生年谱》。

戴震《声韵考》四卷成书，又作"讲理学一书"，又注《诗·周南》、《召南》，名曰《杲溪诗经补注》。据段玉裁《戴东原先生年谱》。《年谱》又云："是年，玉裁入都会试，见先生云'近日做得讲理学一书'，谓《孟子字义疏证》也，玉裁未能遽请读。先生没后，孔户部付刻，乃得见，近日始窥其阃奥。盖先生《原善》三篇、《论性》二篇既成，又以宋儒言性、言理、言道、言才、言诚、言明、言权、言仁义礼智、言智仁勇，皆非《六经》、孔、孟之言，而以异学之言糅之。故就《孟子》字义开示，使人知'人欲净尽，天理流行'之语病。所谓理者，必求诸人情之无憾，而后即安，不得谓性为理。"〔按，《孟子字义疏证》三卷为戴震"生平著述最大者"，其自序作于乾隆四十一年丙申。本年段玉裁所闻并非此书，实为《原善》三篇之扩大本。据钱穆《中国近三百年学术史》上册〕

陈毅编《所知集》，本年成初编十二卷。袁枚、蒋士铨序行之。据法式善《陶庐杂录》卷三。

王鸣盛编《江浙十二家诗选》成书。法式善《陶庐杂录》卷三："《江浙十二家诗选》。十二家者，李绳勉百、汪棣韡怀、姜宸熙笠堂、蔡忠立企闾、王廷魁冈龄、张梦喈凤于、顾鸿志学逊、高景光同春、廖景文琴学、薛龙光少文、吴璃赤玉、赵晓荣陟庭也。人各二卷。王西庄鸣盛采录，书成于乾隆三十一年。选刻俱不及宋商丘本。"

商盘编《越风》三十卷刊行。法式善《陶庐杂录》卷三："《越风》三十卷，会稽一郡之诗，商盘选。盘字苍雨，号宝意，雍正八年庶吉士，授编修改镇江司马，出守云南，卒于官。书成于乾隆三十一年。刻版于三十四年，前有蒋士铨序。"又，《贩书偶记》卷一九著录是书乾隆三十七年刊行。

邵圯、屠德修编《国朝四大家诗钞》有本年序刊本。是书收清初四家诗，人各一编。凡宋琬二卷，施闰章八卷，王士禛八卷，朱彝尊六卷。据《中国丛书综录》。

何忠相《二山说诗》四卷刊行。据《贩书偶记续编》卷二〇。忠相字二山，崇明人，侨居常熟。《国朝文汇》乙集卷一九录其《苏商弼传》等文四篇。

何道生（1766—1806）生。道生字立之，号兰士、菊人，灵石人。乾隆五十一年举人，明年成进士。历官工部主事、员外郎、郎中、山东道监察御史、江西九江知府、甘肃宁夏知府。事迹见法式善《朝议大夫宁夏知府何君墓表》（《碑传集补》卷二二）、秦瀛《宁夏府知府兰士何君墓志铭》（《小岘山人续文集》卷二）、《清史列传》本传。

乐钧（1766—1816）生。钧初名宫谱，字元淑，号莲裳，临川人。嘉庆六年举人，屡试礼部不第。以游幕为生。与吴嵩梁同受业于翁方纲门下。著有《青芝山馆集》二十七卷、《耳食录》二十卷。事迹见《国朝诗人征略》二编卷五三、《清史列传》吴锡麒传附、《清史稿》蒋士铨传附。

姚培谦卒，年七十四。据王嘉曾《姚平山先生传》（《闻音室诗集》遗文附刻）。《晚晴簃诗汇》卷七〇录其诗四首。

公元 1767 年（乾隆三十二年　丁亥）

正月

二十日，郭麐（1767—1831）生。麐字祥伯，号频伽、蘧庵、复翁，吴江人，元灏子。诸生。少应省试，及一应京兆试，辄不遇。三十后遂绝意举业，专意于诗古文词。著有《灵芬馆集》。事迹见冯登府《频伽郭君墓志铭》（《碑传集补》卷四七）、《国朝诗人征略》二编卷五六、《清史列传》彭兆荪传附、《清史稿》法式善传附。〔按，生日据朱彭寿《清代人物大事纪年》〕

沈德潜自序《归愚文钞余集》八卷。署“乾隆丁亥正月，沈德潜自序，时年九十有五”。（《归愚文钞余集》卷首）是书本年刊行。据《中国丛书综录》。

二月

二十六日，戴永植卒，年六十三。据戴熙《家农南公行状》（《碑传集补》卷二一）。《行状》云：“少耽吟咏，有‘一匝孤城半夕阳’、‘一匹鹭鸶渔夕阳’之句，世称‘戴夕阳’者即公。晚订《汀风阁集》十卷，长洲沈尚书德潜比之少陵，钱塘袁翰林枚为之序。”法式善《梧门诗话》卷五：“诗清坚峭拔，不为靡靡之音。”《晚晴簃诗汇》卷六八录其诗三首。

朱珪授湖北按察司使。据罗继祖《朱笥河先生年谱》。

三月

二十二日，程廷祚卒，年七十七。据袁枚《征士程绵庄先生墓志铭》（《小仓山房文集》卷四）。袁枚《随园诗话》卷五：“诗甚绵丽，不作经生语。”录其《海淀园林》、《京中忆女》、《武林怀古》诗。《晚晴簃诗汇》卷七二录其诗二首。李慈铭《越缦堂读书记·青溪文集》：“阅程绵庄廷祚《青溪文集》，嘉庆间其从曾孙国仪所刻。前有姚姬传、汪瑟庵两序。凡论三卷，辨一卷，说议考一卷，序一卷，杂著一卷，书后及碑记一卷，书三卷，尺牍及行状、志铭、墓表一卷，共为十二卷。绵庄为经，专考据之学，识趣豪迈，欲一空依傍，锐然独出于世。其学虽不专汉、宋，然与程、朱时致异同，而称其远绍圣门，功不可及。于汉儒则多诋諆，谓其未尝闻道。盖自以所讨论者皆得圣人之精，固非汉儒所及见，而亦不同宋儒之空说，自负可谓至矣。然其文往往陈义甚高，而不切于世用。其论《易》、论《书》、论《诗》、论《周官》及论六书，辨《禹贡》南江，辨《古文尚书》，辨堂庭庙寝，辨五宗六祀，辨姜嫄庙，辨圣庙从祀，辨石鼓文，抨击康成、叔重以下诸儒，不遗余力。实皆臆决景撰，又颇添改古书，以成曲说，不足为据。其《与程鱼门论万充宗＜仪＞、＜周＞二礼说书》云：‘大抵浙儒多特识而喜自用，往往失之于粗，非独西河为然。’然绵庄之自用而失粗，实较充宗尤甚。集中与鱼门及袁简斋论古文书甚夥，而三人之文俱未窥古文门径。简斋尝病绵庄之好考据，鱼门尝病绵庄之攻朱子，以为身后无子是其显报。然绵庄固未能为考据，亦未显背朱说，是适成为枚与晋芳之见而已。"胡玉缙《许庼经籍题跋》卷四："廷祚之学，不专汉、宋，大致以宋为归，故其文高自持论，而不免于诞妄。"《清史列传》李塨传附："廷祚深于经学，能确然言其所言，无所依附。尝曰：'墨守宋学已非，墨守汉学尤非。'""惟学宗颜、李，好非议程、朱。后桐城姚鼐见所著书，称廷祚好学深思，博闻强识，而持论稍偏，与休宁戴震颇相似云。"《国朝文汇》乙集卷七录其《书凤阳纪事后》等文三篇。《晚晴簃诗汇》卷七二录其诗二首。

汪轫卒，年五十八。据邓长风《明清戏曲家考略三编·＜忠雅堂集校笺＞订补》。蒋士铨《汪鱼亭学博传》："丁亥，予浮家会稽，闻君得官。旋闻君竟死。""著《鱼亭诗钞》凡二千余首，《藻香馆词》并手录子史十余卷。"（《忠雅堂文集》卷四）袁枚《随园诗话》卷八："汪辇云名轫，少孤贫，为人执炊。有句云：'积晦云疑斗，新晴草欲焚。'"《晚晴簃诗汇》卷八五："辇云诗名甚噪，拟古有古意，近体多清越之音。早与蒋心余、杨子载齐名。其才不特非心余之匹，视子载亦较弱，韵致固自不减。"录其诗七首。

春

纪昀服阕，携家至京师。补翰林院侍读，充日讲起居注官，晋左庶子。据纪昀《阅微草堂笔记》卷三《滦阳消夏录三》、朱珪《经筵讲官太子少保协办大学士礼部尚书管国子监事谥文达纪公墓志铭》（《知足斋文集》卷五）。

王昶升授刑部江西司郎中。据严荣《述庵先生年谱》。

黄景仁游铜官山。据毛庆善、季锡畴《黄仲则先生年谱》。

张世进《著老书堂集》编年起乾隆七年讫本年春。见《著老书堂集》卷一、卷八。

崔应阶、吴恒宪合撰《双仙记》传奇。崔应阶自序云："余闲尝阅稗官野史，每爱邢春娘之守旧盟、郑六郎之遇贞狐，及无双、古押衙之节义。邢春娘、郑六郎之事，予已谱之声律矣。而无双、古押衙之奇人奇事，虽有《明珠记》传演，究之未畅其情。……因于退食之暇，欲增其事以公天下之同好。用错综其同异，敷演三十六出，已填六出，而政务倥偬，遂束高阁。荏苒四十余年，原目与填词俱已等之烟云矣，而胸中时徘徊而不能去。丁亥春，邂逅来句吴子，知其长于音律，余与之商榷，来句随拟三十六出之目，适与前题吻合而更周密焉。遂烦其捉笔，余亦以余暇分填数阕，不逾月而稿成。虽音律词藻未敢与前人分道扬镳，然付之梨园，亦未见有聱牙佶屈之累。"署"乾隆岁次丁亥荷月，鄂渚研露楼主人题于香雪山房"。（《中国古典戏曲序跋汇编》卷一三）庄一拂《古典戏曲存目汇考》卷一二：《双仙记》，"《今乐考证》著录。乾隆《研露楼三种曲》刊本。《曲考》、《曲海目》、《曲录》并见著录。俱题研露老人。全剧二卷三十六出。演无双、古押衙事。"

韩锡胙以事自金匮知县削职。据刘耀东《韩湘岩先生年谱》卷上。

五月

蔡显《闲渔闲闲录》案发，六月止。据《清代文字狱档》。

毕沅迁右春坊右庶子，掌坊事，仍兼侍讲。据史善长《弇山毕公年谱》。

陈兆崙复授太仆寺卿。据陈玉绳《陈句山先生年谱》。

桑调元编定《弢甫续集》二十卷。自序署"乾隆丁亥重午，桑调元自序"。（《弢甫续集》卷首）

沈德潜序吴兰庭诗。署"乾隆三十二年夏五月，归愚沈德潜书，时年九十有六"。（《胥石诗存》卷首）

六月

三十日，商盘卒，年六十七。据蒋士铨《宝意先生传》（《忠雅堂文集》卷三）。[按，王昶《云南沅江府知府商君墓志铭》（《春融堂集》卷五六）谓其卒于乾隆三十一年四月二十七日，年五十六]蒋《传》云："公游心典籍，树骨《风》、《骚》，驰骋百家，弋猎四库，著《质园诗》几及万篇。宦迹所历，方幅殆遍。凡冠裳礼让、戎马战争之区，风月莺花、般乐嬉游之地，以及蛮乡瘴海、鬼国神皋、奇诡荒怪之境，莫不遐瞩旷览，倾液漱润，一发于诗。盖取卷轴精华璀璨，洋溢于呼吸吐纳中，遂并古人诸长，使灵源汇心，锦机纳手，故能清新无穷，垂老不竭，为一代有数作者。""公诗初效樊南，既而出入杜、韩、元、白、苏、陆间，乐府歌行尤瑰丽纵恣，跌宕自喜。交友遍海内，最善者严遂成、袁枚、王又曾、万光泰、程晋芳、戚友吴燫文。"查为仁《莲坡诗话》："（盘）精音律。升庵琵琶，对山腰鼓，兼其风致。"四库提要卷一八五：《质园诗集》三十二卷，"盘与钱塘厉鹗名价相埒，才情富赡，生平篇什甚多。此集乃删汰之余，尚三千首云。"洪亮吉《北江诗话》卷二："商太守盘《秋霞曲》、杨户部芳灿《凤龄曲》，皆能叙小儿女情事，宛转关生。然淋漓尽致中，下语复极有分寸，则商为过之。""商太守盘诗似胜于袁大令枚，以新警而不佻也。"王昶《蒲褐山房诗话》："宝意胸罗玉笥，笔有锦机，本以词林，乞为郡佐，久居白下，饶有闲情。""时人吟讽，以为元稹、杜牧之比。不知其才情横厉，出入于元、白、苏、陆诸家，足以雄视一世也。"（《湖海诗传》卷四）郭麟《灵芬馆诗话》卷四："商宝意太史最工言情之作。""余谓太史诗近体胜古体，七言又胜五言。"林昌彝《射鹰楼诗话》卷一二："'明知爱惜终须改，但得流传不在多'，此会稽商宝意太守盘句也（雍正八年进士）。太守著有《质园诗集》。《春融堂集》谓太守诗上迫四杰，下仿元、白。余谓太守诗有极似太白者，其五古《友人索观近咏》、七古《八蛮进贡图》，尤称奇作，为集中之冠云。"《晚晴簃诗汇》卷六七录其诗十八首。

洪亮吉三应童子试不售，时年二十二岁。此前曾专门在张王庙西潘氏塾从时元福受作文法。据吕培等《洪北江先生年谱》。

夏

陆烜、顾竹庄访陈朗。陈朗《陆梅谷梦影词跋》："陆子梅谷，诗人也，未尝知其能倚声。丁亥夏，偕顾子竹庄访余于棘庐。时方索处，久芜声韵之学，感故人之远至，相与上下其议论者竟日。最后偶及宋人长短句，梅谷专主情致，为本色当行；余则以清空为宗，而蔽以一言曰雅。梅谷颔余言而去，意若有不释然者。居无何，梅谷书至，重理前说，以为小有不合，且以所作《梦影词》一卷质余。余读其词，大抵取材于《花间》、《草堂》，而出之以新。纤丽绵密，不在小（宴）［晏］、秦郎之下。"（《国朝文汇》乙集卷一一）

闰七月

初七日，袁景辂卒，年四十四。据朱彭寿《清代人物大事纪年》。《晚晴簃诗汇》卷八六："质中学诗于归愚，与王北溪元文、顾蔚云汝龙诸子皆竹溪诗社。搜集国朝诗家，为《松陵诗征》二十卷，甫卒业而殁，年仅四十四。归愚序其诗，称许甚至，近于溢美。但能谨守唐人矩矱，清婉处自不可及。"录其诗八首。

二十一日，杨述曾卒，年七十。据朱彭寿《清代人物大事纪年》。《晚晴簃诗汇》卷七七："企山为农先阁学子。农先深于史学，与修《明史》及《明鉴纲目》，其《孟邻堂文集》中集史例及明事至为允当。企山复与修《通鉴纲目辑览》，亦号精审。传诗不多，颇见排算。未第时与从兄吾三同举大科，当时艳称。"录其诗一首。

八月

查礼补四川宁远府知府。据《铜鼓书堂遗稿》查淳《后序》。

九月

初二日，吴翌凤自序《无双乐府》。署"乾隆丁亥秋九月二日，寓雍熙寺南蒋氏紫薇山馆书"。见《与稽斋丛稿》卷三。

重九后，史震林自序《华阳散稿》。署"乾隆丁亥重九后，瓠冈史震林书于淮阴珠湖之柳衣园"。（《华阳散稿》卷首）

二十五日，张熙纯卒，年四十三。据王昶《内阁中书舍人张君墓志铭》（《春融堂集》卷五六）。王昶《蒲褐山房诗话》："策时英姿壮气，与升之同学齐名。而胸襟轩爽，照人若雪。两人成名后，臭味稍有差池。策时中年殁于京邸，未历江山兵燹之奇，故所作未免稍逊一筹。五言如'人家藏远树，渔火入寒流'；'澄涧分岩翠，虚亭受月明'；'洗钵永花雨，翻经和海潮'；'竹阴连别院，花雨静禅扃'；'香台孤磬发，碧殿一灯深'，七言如'丘中久已驯龙性，陇上何须赴鹤书'；'连江暮色孤帆卸，万树秋声一雁飞'；'笛床风细催三弄，酒座香浓试一浮'；'疏雨一旗山店酒，春风双辔马蹄花'；'诗就涪翁分一瓣，酒同坡老斗三蕉'；'红牙曲罢千花暝，青翰舟回一水香'，亦数十年来吾乡握椠怀铅之士所当脍炙。"（《湖海诗传》卷二七）《晚晴簃诗汇》卷九二录其诗一首。

烟霞主人《幻中游》成书。本衙藏版本四卷十八回，正文卷首署"步月主人编次"，内封署"烟霞主人编述"。书末题"大清乾隆三十二年菊月新编"。叙明末石茂兰事。

夏秉衡自序《双翠圆》传奇。署"时乾隆丁亥季秋，云间夏秉衡谷香氏书于盩厔官舍之挹翠轩"。自序云："《虞初新志》载王翠翘遇徐海事甚奇，惜其传略而不详。丁亥秋，养疴官署之镜斋，偶阅稗史，知翠娘之适徐郎，乃境遇之一端耳。其间遇人不淑，狮吼河东，若锡籙之束生，亦如花之枝叶，水之波澜，作翠娘一生结束。惟金钗盟证，生死不渝，方其情之所钟，醉心刻骨，所谓千里来龙，结穴在此。因掇其本末，略为改窜，谱之词曲，播之管弦。然后小传之略、稗官之诬，或可补救万一，不至使艳心侠骨泯灭无闻。则千百载后，余又翠娘一知己也。"（《中国古典戏曲序跋汇编》卷一二）[按，序中所云"稗史"、"稗官"当为清初小说《金云翘传》]庄一拂《古典戏曲存目汇考》卷一一：《双翠圆》，"《今乐考证》著录。乾隆秋水堂刊本。《曲考》、《曲海目》、《曲录》并见著录，与《考证》俱列入无名氏，并重出《翠翘记》一本。凡二卷三十八出。演王翠翘事，一名《翠翘记》。"

十月

毕沅授甘肃巩秦阶道。史善长《弇山毕公年谱》："上以公才可大用，非词臣能尽其所蕴，冬十月特旨补授甘肃巩秦阶道。"戴震有《送右庶子毕君赴巩秦阶道序》，见《戴震集》上编《文集》卷一一。

钱大昕以病乞假归，冬至后抵家。据钱大昕自编、钱庆曾校注《竹汀居士年谱》。又，将南归时，抄存昔日所为诗。自序云："仆自成童时喜吟咏，而父师方课以举业，不得肆力于诗。年二十以后，颇有志经史之学，不欲专为诗人。然是时客吴门，与礼堂、兰泉、来殷诸君子日唱和，所得诗亦渐多。既而遂以有韵之文通籍。及成进士，承乏词垣十有余年，恭遇天子右文，制作明备。每大典礼，辄有经进之作。其间扈从属车者再，赓和之作往往盈帙。又尝奉命典试山东、楚南、浙西，轺车所至，纪天时，述土俗，山水之明秀，民物之繁庶，皆得寓之于诗。独恨才力绵弱，意有所及，笔不能至，又未尝不泚然汗下也。昔扬子云默而善著书，兼工作赋，盖才之大者，能兼众人之长。仆拙劣无侣，在京都退食之暇，惟以经史自娱，讨论异同，贯串古今，丹黄不去手。既专心于著书，故不常作诗。偶有所作，亦复不工。譬之吐丝之蚕，不能吟风，才力有限，从吾所好可矣。岁丁亥，将乞假南回，检橐中诗稿，得九百有七篇，其中称意之作什不得一。念其尝耗日力于此，乃钞而存之，以当敝帚遗簪之数，非欲出以示人也。"（《潜研堂诗集》卷首）

十一月

既望，陈浩序沈心《孤石山房诗集》。署"乾隆三十二年岁次丁亥十一月既望，同学弟陈浩书于大梁书院之岳影斋"。时沈心已卒。四库提要卷一八五：《孤石山房诗集》六卷，"国朝沈心撰。心字房仲，仁和人。雍正中诸生。早从查慎行游，其诗亦颇有查氏法。"《晚晴簃诗汇》卷七〇录其诗二首。

齐召南跋齐周华《天台山游记》案发，乾隆三十三年六月止。据《清代文字狱档》。

韩锡胙任宝山县知县。据刘耀东《韩湘岩先生年谱》卷上。

冬

朱筠授右赞善。据孙星衍《朱先生筠行状》（《碑传集》卷四九）、罗继祖《朱笥河先生年谱》。

本年

姚鼐试职兵部，补礼部仪制司主事。据郑福照《姚惜抱先生年谱》。

顾光旭擢工科给事中。据王昶《甘肃凉庄道署四川按察使司顾君墓志铭》（《春融堂集》卷五四）。

常纪选知四川西充县。据张洲《诰赠中宪大夫恩恤道历官四川崇庆州知州常君殉节行状》（《碑传集》卷一二一）。

王文治被劾罢归，过昆明晤朱孝纯，辑《归人集》。时朱孝纯有事昆明，冬还成都。据张慧剑《明清江苏文人年表》。姚鼐《食旧堂集序》："先生在临安三年，以吏议降职，遂返丹徒。来往于吴、越，多徜徉之辞。"（《惜抱轩文集》卷四）王昶《蒲褐山房诗话》："又二年，被劾东还，遂无意于仕进矣。其时钱塘袁子才壮年引退，以诗鸣江浙间。禹卿继其后，声华相上下。"（《湖海诗传》卷二二）

彭端淑卸锦江书院山长任。据李朝正、徐敦忠《彭端淑诗文注》附录《年谱》。

恽敬学为文，时年十一岁。据恽敬《大云山房文稿初集序录》（《初集》卷首）。

黄景仁、洪亮吉从邵齐焘学。毛庆善、季锡畴《黄仲则先生年谱》："又按洪稚存《伤知己赋》注云：'岁丁亥戊子，邵先生主龙城书院讲席，余偕黄君受业焉，先生尝谓之二俊。'又按邵先生《劝学》诗序云：'黄生汉镛，行年十九，籍甚黉宫，顾步轩昂，姿神秀迥，实廊庙之瑚琏，庭阶之芝兰者焉。家贫孤露，时复抱病，性本高迈，自伤卑贱，所作诗词，悲感悽怨。'"黄景仁《自叙》："岁丙戌，常熟邵先生齐焘主讲龙城书院，矜其苦吟无师，且未学，循循诱之。景仁亦感所知遇，遂守弗去。"（《两当轩集》卷首）

章学诚在朱筠幕。章学诚《任君大椿别传》："余自乾隆丁亥，旅困不能自成，依朱先生居，咤嗟无聊甚。然由是得见当世名流，及一时闻人之所习业。"（《碑传集》卷五六）

段玉裁景山万善殿教习期满。住于户部雯峻处。戴震在京，时相过访。四五月间，玉裁出京。据段玉裁《戴东原先生年谱》。

赵怀玉游杭州，所得诗颇多。然自十六岁至此，诗稿俱佚去。冬仍客甥馆，与方薰、金德舆寒窗联咏。据赵怀玉《收庵居士自叙年谱略》卷上。

姚鼐本年以后甚少填词。林昌彝《射鹰楼诗话》卷八："桐城姚姬传鼐先生自记其《惜抱轩填词》后云：'词学以浙中为盛，余少时尝效焉。一日，嘉定王凤喈语休宁戴东原曰："吾昔畏姬传，今不畏之矣。"东原曰："何耶?"凤喈曰："彼好多能，见人一长，辄思并之。夫专力则精，杂学则粗，故不足畏也。"东原以见告，余悚其言，多所舍弃，词其一也。既辍不为，旧稿人多持去，至无一阕。虬御甥今以此册相观，其词则丙戌、乙亥间多也。今已四十年，聊题归之，并记太常所见讥者，真后生龟鉴也。'"

毕沅作《萍心漫草》一卷。据史善长《弇山毕公年谱》。

王念孙有《丁亥诗钞》一卷。《丁亥诗钞》卷末王敬之跋云："先生观察少为考订、声音、文字、训诂之学，吟咏乃其余事。间为里党诗友涉笔，逮通籍后辍不复为。此册题曰《丁亥诗钞》，盖二十四岁时作也。"

蒋士铨为袁枚校定诗集。据《小仓山房诗集》卷二〇《谢苕生校定拙集》。

王昶自乾隆三十年至本年诗为《闻思精舍集》。据严荣《述庵先生年谱》。

袁枚作《续诗品》三十二首。据方濬师《随园先生年谱》。自序云："余爱司空表圣《诗品》，而惜其只标妙境，未写苦心；为若干卷续之。陆士龙云：虽随手之妙，良难以词谕。要所能言者，尽于是耳。"（《小仓山房诗集》卷二〇）杨复吉跋云："简斋先生之诗，梨枣久登，传布未广。今读《三十二品》而《小仓山房全集》可概见矣。鸳鸯绣出，甘苦自知，直足补表圣所未及，续云乎哉？丙午夏五月，鲍君以文舟中举手钞本见际，亟假归校录，用识欣赏。震泽杨复吉识。"尚镕《三家诗话·三家分论》："《续诗品》极佳，但'是新非纤'一语，便不能践。"

畸笏叟再批《石头记》。庚辰本第二十二回眉批："前批知者聊聊，今丁亥夏，只剩朽物一枚，宁不痛乎！"

刘执玉编《国朝六家诗钞》八卷诒燕楼刊行。是书选录宋琬、施闰章、王士禛、赵执信、朱彝尊、查慎行六家诗。王士禛、查慎行诗各二卷，余四人诗各一卷。又有光绪十三年汗青簃刊本。据《中国丛书综录》。

袁景辂编《国朝松陵诗征》二十卷爱吟斋刊行。据《贩书偶记》卷一九。法式善《陶庐杂录》卷三："《松陵诗征》十七卷、《寓贤》一卷、《方外》一卷、《闺秀》一卷，袁景辂编次吴江人诗也。一卷朱鹤龄起，十七卷杨兆麟止。十八卷王崇简起，王思岵止。十九卷炤影起，王彰止。二十卷沈倩君起，钱珂止。每人辑以小传，采诸家评语附焉。景辂间著诗话于后，铺叙典章文物，繁简得宜，仿佛《静志居》笔意，近人中所罕觏者，较周廷谔《诗粹》为尤精。"

王鸣盛编《苔芩集》刊行。法式善《陶庐杂录》卷三："《苔芩集》二卷附录二卷，王鸣盛编。鸣盛前有《十二家诗选》。兹于乾隆丁亥年服阕里居，复辑此集。专录现在之人，已往者不载，与诸选本不同。江南一时知名之士，尽入网罗。诗则仅及其所见者决择之，未必即其人杰构。以诗存人可也。"

蒋重光编《昭代词选》三十八卷经锄堂刊行。据《贩书偶记》卷二〇。

岳梦渊刻所著《海桐书屋诗钞》八卷。据张慧剑《明清江苏文人年表》。

沈德潜《归愚诗余》一卷刊行。据《中国丛书综录》。

沈德潜《沈归愚全集》乾隆十八年至本年教忠堂刊行。据《贩书偶记》卷一五。

王愫《朴庐遗稿》爱日堂刊行。凡《朴庐诗稿》一卷（附毛秀惠《毛孺人诗》一卷）、《林屋诗余》一卷、《题画诗钞》一卷、《论画正则》一卷。据《中国丛书综录》。

愫字存素，号林屋，太仓人。诸生。雍正十年应试报罢后，绝意仕进，以诗画自娱。卒年六十八。毛咏《王林屋先生传》："诗宗王、孟，高简驺岩，超然町畦之外。""画于诸大家临摹殆遍，瓣香尤在吴兴、富阳。"（《国朝文汇》乙集卷一九）王昶《蒲褐山房诗话》："画笔苍深雄秀，兼擅其长。诗法钱、刘，词宗姜、史，极为沈文悫公所赏。"（《湖海诗传》卷一二）

黄振《黄瘦石稿》十卷寄生草堂刊行。据《贩书偶记》卷一五。

吴德旋（1767—1840）生。德旋字仲伦，宜兴人。诸生。以古文鸣。与恽敬、吕璜以文相砥镞，诗亦高澹绝俗。著有《初月楼文钞》十卷、《续钞》八卷、《诗钞》四卷、《闻见录》十卷、《续闻见录》十卷。事迹见姚椿《吴仲伦先生墓志铭并序》（《晚学斋文集》卷八）、《清史列传》本传、《清史稿》姚鼐传附。［朱彭寿《清代人物大事纪年》谓其生卒年为1768—1841年，此据姚椿《墓志铭》］

欧阳辂（1767—1841）生。辂初名绍洛，字念祖，号硐东，新化人。乾隆五十九年举人，屡试礼部不第，遂周游天下，名重一时。与毛岳生、吴嵩梁等友善。著有《硐东诗钞》十卷。事迹见王先谦《欧阳辂传》（《续碑传集》卷七七）、《清史列传》本传。

崔旭（1767—1848）生。旭字晓林，号念堂，庆云人。嘉庆五年举人。官山西蒲县知县。著有《念堂诗草》、《念堂诗话》，又与梅成栋诗合刊为《燕南二俊诗钞》。事迹见《晚晴簃诗汇》卷一一四。［江庆柏《清代人物生卒年表》谓其生卒年为1767—1846年，此据蒋寅《清诗话考》下编三］

臧庸（1767—1811）生。庸初名镛堂，字在东、西成、拜经，武进人。与弟礼堂俱师事卢文弨。初以刘台拱获交阮元，其后馆元署中为多。著有《拜经堂文集》五卷、《月令杂说》一卷、《乐记二十三篇注》一卷、《孝经考异》一卷，《子夏易传》一卷、《诗考异》四卷、《韩诗遗说》二卷《订讹》一卷。事迹见阮元《臧拜经别传》（《揅经室二集》卷六）、《清史列传》本传、《清史稿》臧琳传附。

宋世荦（1767—?）生。据江庆柏《清代人物生卒年表》。世荦字卣勋，号确山，临海人。乾隆五十三年举人。以教习官陕西扶风知县。著有《周礼故书疏证》六卷、《仪礼古今文疏证》二卷。事迹见《清史列传》沈梦兰传附、《清史稿》吕飞鹏传附。又，宋世荦等撰《扶风县志》十八卷嘉庆二十三年戊寅至己卯春刊行，据《贩书偶记续编》卷七；宋世荦撰《红杏轩诗钞》十六卷《续》一卷《确山骈体文》四卷道光间刊行，据《贩书偶记》卷一七。

屈秉筠（女，1767—1810）生。秉筠字婉仙，常熟人，昭文诸生赵子梁室。夫妇闺中风雅，人比之赵明诚、李清照。所作《柳枝词》十五首，传诵一时。兼工书画。著有《蕴玉楼集》。事迹见《清代闺阁诗人征略》卷六。

程釜卒，年八十一。据张慧剑《明清江苏文人年表》。

沈祖惠卒，年六十八。据张慧剑《明清江苏文人年表》。严可均《沈屺望传》："其诗亦各体稳称，五律尤高浑峭拔，逼真唐音。""祖惠毕生无词章名，亦无理学名。及卒，平望贾人子有获其赋草者，先君子借观而善之，抄存一卷。其高弟子王元文搜辑遗诗，获《三秦游草》四卷、《洞庭游草》一卷、《拾存草》二卷、《经进草》一卷，谋付梓不果。越六十余年，落破书滩，余获之，合编为《虹舟集》九卷。"（《铁桥漫稿》卷七）林昌彝《射鹰楼诗话》卷六："嘉兴沈虹舟大令祖惠（乾隆壬申进士）著有《三秦游草》，其诗格律深细，词气雄厚，枕藉少陵，颇得其家法。五言如《峡口》、《雨过乌稍岭》、《过天生桥》等篇，七言古如《巨鱼行》、《榆林》等篇，真能以沉着为三昧，浑雄为枢机。句如'边沙磨朗月，山雪驻残阳'，'槛前翻鹭白，雨外接山青'，'风生多在竹，客到自开扉'，'计拙田园薄，家贫故旧疏'，'独鸟空山白，惊狐积雪边'，'千岩藏户细，独月照天高'，'关门深闭雨，江海迥含秋'，'天高河影断，梦觉晓霜飞'，'危舆云栈曲，细马乱峰高'，'姑藏山雪秋容老，泾水桃花春雨明'，'壮心客里双蓬鬓，归计天涯一钓丝'，'晚云初起忽成岭，夏雨欲来先作声'。"

苏珥卒，年六十九。据江庆柏《清代人物生卒年表》。《清史稿》何梦瑶传附："（珥）为文长于序记，诗有别趣，书法亦工。惠士奇称之曰'南海明珠'。"《国朝文汇》乙集卷八录其《重梓易谱序》等文三篇。

公元 1768 年（乾隆三十三年　戊子）

正月

初一日，许宗彦（1768—1818）**生**。宗彦初名庆宗，字积卿、固卿，号周生，德清人。嘉庆四年进士，授兵部主事，就官两月，以亲老遽引疾归。亲殁，卒不出。居杭州，杜门以读书为事。著有《鉴止水斋文集》十二卷、《诗集》八卷。事迹见陈寿祺《驾部许君墓志铭》（《左海文集》卷一○）、阮元《浙儒许君积卿传》（《揅经室二集》卷二）、叶德均《〈再生缘〉续作者许宗彦梁德绳夫妇年谱》（《戏曲小说丛考》卷下）、《清史列传》本传、《清史稿》本传。

柴世进投递词帖案发，二月止。据《清代文字狱档》。

史震林获旧稿《三民合记》，刻入《华阳散稿》中。三民者，山阳边寿民、陆立（竹民）、周振采（白民）。又，史震林本年离淮安南还。据《华阳散稿》卷下《三民合记》。

二月

纪昀补授贵州都匀知府。上以学问优，外任不能尽其所长，命加四品衔，留任左春坊左庶子。据朱珪《经筵讲官太子少保协办大学士礼部尚书管国子监事谥文达纪公墓志铭》（《知足斋文集》卷五）、江藩《国朝汉学师承记》卷六。

顾光旭授宁夏知府。据王昶《甘肃凉庄道署四川按察使司顾君墓志铭》（《春融堂集》卷五四）。

汪师韩自序《文选理学权舆》。署"乾隆三十三年岁在旃蒙作噩月在则如，钱塘九曜山人汪师韩自序。"（《文选理学权舆》卷首）

烟霞主人《跻云楼》成书。本衙藏版本十四回，正文卷首署"自得主人编次"，内封署"烟霞主人编述"。书末题"时乾隆三十三年二月新编"。

三月

李绂诗文案发，十月止。据《清代文字狱档》、方濬师《蕉轩随录》卷七《李穆堂文集》。

袁枚作《随园五记》。见《小仓山房文集》卷一二。

四月

初十日，刘元燮卒，年六十八。据陈兆崙《奉政大夫山西道监察御史翰林院编修湘潭刘君墓志铭》（《紫竹山房文集》卷一八）。四库提要卷一八五：《寒香草堂集》四卷，"国朝刘元燮撰。……所著有《耨学斋稿》、《梅垞吟》，篇什颇多。是编古今体诗仅二百余首，乃其晚年所自订也。"

二十四日，蒋重光卒，年六十一。据彭启丰《赠奉直大夫蒋君墓志铭》（《芝庭先生集》卷一六）。

毕沅抵甘肃。总督吴达善奏留综理新疆经费局务，遂驻兰州。据史善长《弇山毕公年谱》。

纪昀擢翰林院侍读学士。据朱珪《经筵讲官太子少保协办大学士礼部尚书管国子监事谥文达纪公墓志铭》（《知足斋文集》卷五）。

五月

二十三日，齐召南卒，年六十六。据秦瀛《墓表》（《宝纶堂诗文集》卷首）。《宝纶堂文钞》八卷、《诗钞》六卷嘉庆二年至十三年秦瀛、戴殿海校刊。据《贩书偶记》卷一五。袁枚《随园诗话》卷三："壬寅余过天台，齐侍郎召南亡久矣。其昆季延余小饮，捧侍郎全集，高尺许，乞作序。尽半日之暇，为之翻撷，见其鸿富，美不胜收。"阮元《宝纶堂诗钞序》："其发而为诗，皆沈博绝丽，宏伟秀彦，非山泽之癯可比。盖所积者厚，故其流者光，其取资于深造自得者不可谓不多矣。"秦瀛《宝纶堂文钞序》："先生之文，有本之文也。""苏氏有言曰，吾文如万斛泉源，不择地皆可出，无他，有本故也。先生之文亦自有所以文者已矣。"（《宝纶堂诗文钞》卷首）李慈铭《越缦堂读书记·宝纶堂集》："夜阅齐息园《宝纶堂集》，共八卷，皆杂文之属。虽未成家，然颇有气魄，浩浩落落，随笔涌出，与并时杭大宗相伯仲；其学术亦相同，道古较稍精密耳。"《国朝文汇》乙集卷六录其《明臣谥法考序》、《仙岩重修大忠祠碑》文两篇。《晚晴簃诗汇》卷七一录其诗十三首。

朱筠擢翰林院侍读学士，旋充日讲起居注官、顺天乡试同考官。据孙星衍《朱先生筠行状》（《碑传集》卷四九）、罗继祖《朱笥河先生年谱》。

六月

二十九日，阎循观卒，年四十五。据韩梦周《吏部考功司主事阎君循观墓志铭》（《碑传集》卷六〇）。《西涧草堂全集》乾隆三十八年树滋堂刊行，凡《西涧草堂文集》四卷、《诗集》四卷、《困勉斋私记》四卷、《尚书读记》一卷、《春秋一得》一卷。据《中国丛书综录》、《贩书偶记续编》附录。四库提要卷一八五：《西涧草堂集》四卷，"国朝阎循观撰。循观有《尚书续记》，已著录。是编其所著古文也。其文谨严，颇不苟作。循观没后，其同学韩梦周为搜辑编次，序而刊之，仅五十七篇。"林昌彝《射鹰楼诗话》卷二三："昌乐阎伊嵩水部循观著有《西涧草堂集》。其写山居情景，能得其似，如'茅茨意自足，小隐情何深。童稚知礼数，鸡犬含淳心'，可与唐人储太祝相伯仲。又句'湿烟断樵径，瀼云出林屋'，则又王摩诘之替人矣。"《晚晴簃诗汇》卷九三录其诗一首。《国朝文汇》乙集卷三七录其《文士诋程朱论》等文十篇。

夏

黄景仁游徽州。毛庆善、季锡畴《黄仲则先生年谱》："是年王大令祖肃升任徽州府同知，先生往访之。邵编修送行诗序云：'粤以首夏，忽乎将行。'"

顾镇《虞东学诗》十二卷、《诗说》一卷诵芬堂刊行。据《贩书偶记续编》附录。

七月

二十三日，张廷济（1768—1848）**生。**廷济字叔未、说舟，号竹田，嘉兴人。嘉庆三年，举乡试第一。应礼部试辄不售，遂归隐，以图书金石自娱。建清仪阁，藏彝古器，名被大江南北。著有《桂馨堂集》十三卷。事迹见《清史列传》瞿中溶传附、《清史稿》黄易传附。［按，生日据朱彭寿《清代人物大事纪年》］

二十四日，顾诒禄卒，年七十。据朱彭寿《清代人物大事纪年》。［按，蒋寅《清诗话考》下编二谓其生卒年为1674—1743年］袁枚《随园诗话》卷一○："苏州顾禄百，张匠门先生外孙也。晚年不遇，为归愚先生权记室。凡先生酬应之作，皆顾捉刀。"《吹万阁全集》明年刊行。据《清词别集知见目录汇编》。《国朝文汇》乙集卷二三录其《韩信论》等文四篇。

两淮盐运使卢见曾事发，纪昀以漏言获罪，革职戍乌鲁木齐。乾隆三十五年十二月放还，三十六年六月还至京师。据纪昀《阅微草堂笔记》卷七《如是我闻一》、朱珪《经筵讲官太子少保协办大学士礼部尚书管国子监事谥文达纪公墓志铭》（《知足斋文集》卷五）。

王昶与赵文哲以卢见曾事牵连得罪，旋从军。据阮元《诰授光禄大夫刑部右侍郎述庵王公神道碑》（《揅经室二集》卷三）、严荣《述庵先生年谱》。王昶《恤赠光禄寺少卿户部主事赵君墓志铭》："戊子秋，侍讲学士纪昀、中书舍人徐步云泄两淮盐运使卢见曾事，君与余牵连得罪。会兵部尚书阿公桂以定边右副将军总督云南、贵州，请以余两人掌书记，诏许之。"（《春融堂集》卷五三）张德瀛《词征》卷六《赵文哲词有所指》："乾隆三十三年，两淮运使提行事发生，王昶与赵文哲坐言语不密，罢职。赵词'江湖未改难驯性，肯负旧盟鸥鹭'，盖有所指。赵后游戏幕间，与江果毅公阿里衮温尚书福相得，代撰奏记，文字欹嵚磊落，遭师溃与于难。蒋铅山《后续怀人诗》：'从军草露布，兵溃中书死。诗卷存英风，灵爽昭忠祀。庸庸为令仆，斯人竟传矣'。

盖谓此也。"

张九钺以母艰卸南昌县事归里。据张家栻《陶园年谱》。

八月

十五日，吴璿自序《飞龙全传》。 署 "时乾隆三十三年岁在戊子仲秋之望，东隅吴璿题"。自序云："己巳岁，余肆业村居，暗修之外，概不纷心。适有友人挟一帙以遗余，名曰《飞龙传》。视其事，则虚妄无稽；阅其词，则浮泛而俚。余时攻举子业，无暇他涉，偶一寓目，即鄙而置之。无何，屡困场屋，终不得志。余自恨命蹇时乖，青云之想空误白头。不得已，弃名就利，时或与贾竖辈逐锱铢之利，屈指计之，盖已一十有九年矣。今戊子岁，复理故业，课习之暇，忆往无聊，不禁瞿然有感。以为既不得遂其初心，则稗官野史，亦可以寄郁结之思。所谓发愤之所作，余亦窃取其义焉。于是检向时所鄙之《飞龙传》，为之删其繁文，汰其俚句，布以雅驯之格，间以清隽之辞，传神写吻，尽态极妍，庶足令阅者惊奇拍案，目不暇给矣。"（《飞龙全传》卷首）孙楷第《中国通俗小说书目》卷二：《飞龙全传》六十回，"存。崇德书院刊大字本。……旧刊中型本。……清同治九年翠隐山房重刊小型本，分二十卷，不精。清光绪壬辰（十八年）上海书局石印八卷本，劣。清吴璿删定。崇德书院本题'东隅逸士编'。首乾隆戊子（三十三年）自序。同治九年本增嘉庆丁巳（二年）杭世骏序，载吴璿序亦作嘉庆丁巳。（按：清乾隆间清凉道人《听雨轩笔记》三《余纪》引评话有《飞龙》。）"

徐鼎试卷书有平缅表文案发。 据《清代文字狱档》。

方观承卒，年七十一。 据姚鼐《方恪敏公家传》（惜抱轩文后集）卷五）。四库提要卷一八五：《薇香集》一卷《燕香集》二卷《燕香二集》二卷，"国朝方观承撰。观承字遐谷，号问亭，又号宜田，桐城人。由监生荐授中书舍人，官至直隶总督。谥恪敏。观承遭遇圣朝，备蒙恩眷，封疆宣力，积有勤劳。而性嗜诗篇，政务之余，不废吟咏。旧所著有《东（园）[间]剩稿》、《入塞诗》、《怀南草》、《竖步吟》、《叩舷吟》、《宜田汇稿》、《看蚕词》、《松漠草》，共八种，皆编入《述本堂诗集》中，已别著录。是编三集，则其为直隶总督时所作，其子维甸编录别行者也。"袁枚《随园诗话》卷五："方敏恪［俊按，当为恪敏］公勋位隆赫，而诗情极佳。"录其未第时《途中看花》三绝。《晚晴簃诗汇》卷六九录其诗七首。

九月

二十八日，卢见曾卒，年七十九。 据卢文弨《故两淮都转盐运使雅雨卢公墓志铭》（《碑传集补》卷一七）。方濬师《随园先生年谱》："德州卢雅雨先生见曾家居八年，以两淮运使提引事下狱死。先生有《十月四日扬州吴鲁斋明府招同王梦楼、蒋春农、金棪亭游平山堂即席诗》，盖吊雅雨先生作也。雅雨孙相国文肃公每读此诗辄涕泣数日。"此案可参看方濬师《蕉轩随录》卷八《两淮提引案》。袁枚《随园诗话》卷一二："卢雅雨先生转运扬州，以渔洋山人自命，尝赋《红桥修禊》四章，一时和者千余人。余俱未见。而先生原唱，余亦不甚爱诵也。及其致仕，《留别扬州》诗竟成绝调：真所谓欢愉之词难工，感怆之言多妙耶?"林昌彝《射鹰楼诗话》卷一七："德州卢抱孙都转见曾《雅雨堂诗》及《出塞集》多风雅（康熙六十年进士），七律及绝句尤有神韵，绝似渔洋山人。"录其《和田砚思同学见怀原韵》、《将赴吴门口占棹歌奉别扬州诸故人》等诗。《雅雨堂诗集》二卷《文集》四卷道光二十年刊行。据《贩书偶记》卷一五。张舜徽《清人文集别录》卷五"《雅雨堂文集》四卷"："见曾一生好刻书，自校刊雅雨堂丛书外，所刻当代名家诗文集尤夥，而朱氏《经义考》亦赖之补刻以成完书。独其自所撰著，惟《出塞诗》一册早刊行世。有文集十余卷，诗集尤多，悉毁于火。其曾孙枢搜访遗篇，得诗二卷、文四卷，于道光中付刊，即此本也。"《国朝文汇》甲集卷五三录其《颍州重浚西湖记》文一篇。《晚晴簃诗汇》卷六一录其诗五首。

王道定《汗漫游草》案发，十二月止。据《清代文字狱档》。

李浩《结盟》、《安良》二图及《孔明碑记》图案发，十二月止。据《清代文字狱档》。

姚鼐转祠祭司员外郎。据郑福照《姚惜抱先生年谱》。

毕沅兼署按察使事。据史善长《弇山毕公年谱》。

俞蛟与许镛、言孝思游山阴岩里。据俞蛟《梦厂杂著》卷五《岩里记》。

陶元藻游清源山。据其《清源山记》（《泊鸥山房集》卷三）。

翁方纲《石洲诗话》成书。自序云："自乙酉春迄戊子夏，巡试诸郡，每与幕中二三同学，隔船窗论诗，有所剖析，随手札小条相付，积日既久，汇合遂得五百余条。秋间诸君皆散归，又届报满受代之时，坐小洲石畔，日与粤诸生申论诸家诸体，因取前所札记散见者，又补益之，得八百余条。令诸生各抄一本，以省口讲，而备遗忘，本非诗话也。时乾隆三十三年九月二十四日，覃溪。"又，此为五卷，其稿久失，后叶云素偶于都中书肆购得，请覃溪作跋，增刊为八卷。据嘉庆二十四年四月八日张维屏跋。（《石洲诗话》卷首、卷末）

秋

乡试。是科各省考官有刘星炜、陆锡熊、戈涛、李中简、姚鼐、孙士毅、吴省钦等。据法式善《清秘述闻》卷七。所取举人有张锦麟（李文藻《举人张君墓志铭》）、洪榜（江藩《国朝汉学师承记》卷六）、龚景瀚（《澹静斋文钞》卷首陈寿祺《传》）、沈赤然（《自编年谱》）、孔广森（江藩《国朝汉学师承记》卷六）、沈起凤（石韫玉《沈氏四种传奇序》）、瞿颉（《同治苏州府志》卷一〇三）、吴熊光（包世臣《故大臣昭文吴公墓碑》）、钱沣（袁文揆《御史钱先生沣别传》）等。章学诚中顺天乡试副榜。据胡适《章实斋年谱》。庄炘亦中副榜。据赵怀玉《清故奉政大夫陕西邠州直隶州知州庄君墓志铭》。

黄景仁应江宁乡试不售。《两当轩集》卷八《过全椒哭凯龙川先生》诗序："戊子乡试，公同考入闱。景仁受知于公，荐而未受。"

汪中报罢。汪喜孙《容甫先生年谱》："先君省试后以文就质于沈先生廷芳，先生叹赏不已。将出榜，使人候江口。寻被放，惘怅久之。是科主司点定其文已中式矣，不审何以被落。先生寻病怔忡，遂不就省试。"

冯敏昌报罢。据冯士锒《先君子太史公年谱》。

赵怀玉又应顺天乡试，以疾未入闱。在京以刘星炜之介，受业于李中简。归舟中作《舲窗随笔》。据赵怀玉《收庵居士自叙年谱略》卷上。

金昌世跋韩锡胙《南山法曲》杂剧。署"戊子九秋，山阴八十老人金昌世跋"。序云："乾隆己卯，全椒吴爱棠以刺史摄无锡篆，宽慈恺悌。每听讼，集两造阶前，温词絮语，群皆悦服，黄童白叟，靡不颂为仁人也。明年，青田韩湘岩补官金匮，与无锡同城。则侃直刚峻，遇事必辨是非，不少假借，人畏惮之。由是有'吴和韩冷'之称，谓二公不相能。今观韩为吴作寿序，且制《南山法曲》以侑觞，其倾倒于吴可谓至矣。"（《中国古典戏曲序跋汇编》卷八）是剧凡一折，未见著录，今存光绪丙子照水堂刊《渔村记》卷首。演南极寿星、韩湘子诸仙为吴爱棠祝寿事。

陈端生在北京，始作《再生缘》，成第一、第二两卷。时年十八岁。据郭沫若《陈端生年谱》。

十月

二十六日，李庆来（1768—1817）生。庆来字章有，号鹿籼，阳湖人。诸生。以书名。著有《李氏三忠事迹考证》一卷、《肯室古文稿》一卷、《北山吟草》二卷、《六止庵随笔》二卷。事迹见李兆洛《旧言集诗人小传·李鹿籼》（《养一斋文集》卷一六）、吴德旋《李鹿籼墓志铭》（《初月楼文钞》卷九）、郭麐《李鹿籼墓志铭并序》（《灵芬馆杂著》续编卷一）。

二十九日，宋弼卒，年六十六。据钱大昕《甘肃提刑按察使司按察使宋公神道碑》（《潜研堂文集》卷四一）。《神道碑》云："公之学博而醇，诗文皆有法度。"《晚晴簃诗汇》卷七九录其诗四首。《蒙泉学诗草》八卷约乾隆间刊行。据《贩书偶记》卷一五。

下浣，俞蛟应友人严巨川之邀，渡钱塘，僦居西湖畔。凡湖山胜处，游历殆遍。据俞蛟《梦厂杂著》卷五《灵隐寺》。

王昶自京师入滇。阮元《诰授光禄大夫刑部右侍郎述庵王公神道碑》："时缅甸未靖，阿文成公以定边右副将军总督云贵，请公佐军事。"（《揅经室二集》卷三）严荣《述庵先生年谱》："十月初十日发京师，十二月二十四日入滇境，二十七日始抵云南府。先生所历楚黔诸境，搜奇觅险，诗益富。取《韩诗外传》'饥者歌食，劳者歌事'之意，名曰《劳歌集》，迄于凯还而止。蒋舜游检讨鸣鹿序之，以为屈子之《骚》、《问》，杜陵之诗史，汇而成此。"王昶从此征战缅甸、金川等地凡九年。

钱维乔《碧落缘》传奇成于本月或稍前。据其《鹦鹉媒》自序"竹初居士既成《碧落缘》传奇之逾月"推知。庄一拂《古典戏曲存目汇考》卷一二：《碧落缘》，"此戏未见著录。见《武进阳湖合志》，二卷。所叙为《孔雀东南飞》庐江小吏焦仲卿妻故事。亦《竹初乐府三种》之一，未见传本。佚。"

十一月

托庸官兵部尚书。据《钦定八旗通志》卷三四〇。

钱维乔自序《鹦鹉媒》传奇。署"时戊子十一月，竹初居士识于如皋之露香草堂"。自序云："是故情之至也，可以生而死之，可以死而生之；可以人而物之，可以物而人之。此《鹦鹉媒》一剧所以捉管而续吟也。《鹦鹉媒》者，其事本诸般阳生《聊斋志异》，而益以渲染成之。或有疑其幻者，则夫蜀魄楚魂，至今不绝，又况千年化鹤，七日为虎，漆园蝶栩，槐安蚁封，天下境之属于幻者多矣，何不可作如是观耶？临川曰：'第云理之所必无，安知情之所必有？'信已。"（《中国古典戏曲序跋汇编》卷一三）庄一拂《古典戏曲存目汇考》卷一二：《鹦鹉媒》，"《今乐考证》著录。乾隆刊本。其他戏曲书簿未见记载。《考证》并于眉批重出一本。《竹初乐府三种》之一。凡二卷四十一出。有杨芳灿及作者兄维城序。"

十二月

初一日，杨锡绂卒，年六十八。据裘曰修《太子太保兵部尚书漕运总督杨勤悫公墓志铭》（《裘文达公文集》卷六）。《墓志铭》云："公于经济为长，然诗古文亦多出入唐宋大家，不苟为命笔。所著有《四书讲义》、《太和堂诗古文》、《太和堂时艺》、《唐诗蟋蟀官箴说》、《春草吟》、《筹运草》、《落叶诗》，皆可出而问世。"袁枚《随园诗话》卷一二："漕帅杨清悫公锡绂，德望冠时，而诗才清妙。"录其《夜行》、《杨村》、《泊北夏口》、《夕阳》诗。王昶《蒲褐山房诗话》："生平不以诗名，而所作清新疏秀。书法亦工。"（《湖海诗传》卷四）李祖陶《国朝文录续编·四知堂文录引》："予读其奏疏，尝件系其事，而为文述之，盖皆可为后世法程，与靳文襄公治河诸疏并读者也。顾文襄之疏，畅透淋漓，如江淮河济之不可遏抑；公疏则简严遒洁，如粟米豆麦之必取坚圆。一正一奇，各有其胜也。他文亦有风发泉流，不使人一览而尽。《书》曰：'词尚体要。'《礼》曰：'词欲巧。'勤悫公其兼之矣。"《国朝文汇》甲集卷五六录其《唐风蟋蟀官箴说》、《重修淮安府学记》文两篇。《晚晴簃诗汇》卷六六录其诗三首。

二十五日，屈轶（1769—1835）**生。**轶字侃存，号无佞，常熟人。诸生。官南汇训导、候补兵马司副指挥。著有《享帚山房集》八卷。事迹见李兆洛《候补兵马司副指挥屈君墓志铭》（《养一斋文集》卷一三）。

三十日，李化楠卒，年五十七。据李调元《诰封奉政大夫同知顺天府北路事石亭府君行述》（《童山文集》卷一八）。《晚晴簃诗汇》卷七七："让斋为雨村之父，平生以诗为性命，虽簿书期会，马足车尘之间，未尝废吟咏。诗以性灵为主。其《种田户》、《欠民粮》，皆学香山新乐府也。"录其诗九首。

本年

卢文弨以学政言事不当，例议左迁。据段玉裁《翰林院侍读学士卢公墓志铭》

（《抱经堂文集》卷首）。

赵翼在广西镇安知府任，以忤上官，被命从军入滇。据张慧剑《明清江苏文人年表》。

帅家相在浔阳知府任上。据《卓山诗集》卷末帅焕跋。家相当卒于此后数年。帅焕跋作于嘉庆二年，云："今下世二十余年矣。"四库提要卷一八五：《卓山诗集》十二卷，"国朝帅家相撰。……是集又名《三十乘书楼集》，中多改窜之处，盖犹其自订之原本也。"《卓山诗集》十六卷嘉庆二年赐书堂刊行。据《贩书偶记续编》卷一五。《晚晴簃诗汇》卷七四录其诗三首。

汪中迁居仪征花园巷。时乐仪书院山长沈廷芳极重汪中之学，自逊以为弗如。以汪中孤贫有母，勉周其不足。据汪喜孙《容甫先生年谱》。

洪亮吉馆汪氏宅，从学者甥汪楷。有《游虞山》、《寓兴》二十首及《东邻弃妇》等诗。《寓兴》诗后佚。据吕培等《洪北江先生年谱》。

桂馥以优行贡成均，得交翁方纲，所学益精。据蒋祥墀《桂君未谷传》（《晚学集》卷首）。

戴震应直隶总督方观承之聘，修《直隶河渠书》一百十一卷。未成，方观承卒。接任者前大学士杨廷璋，不能礼敬震，震辞之入都。据段玉裁《戴东原先生年谱》。

法式善选入咸安宫肄业。时教习为卢凤起，总理为观保，总裁为卢文弨、王大鹤。据阮元《梧门先生年谱》。

钱沣复入五华书院肄业。据方树梅《钱南园先生年谱》。

凌廷堪在海州，读书郑氏塾中，为程枚所知。据张其锦《凌次仲先生年谱》。

王筠《繁华梦》传奇定稿。十年后即乾隆四十三年刊行。据其父王元常后序（《明清妇女戏曲集·繁华梦》附录）。

毕沅作《陇头吟》一卷。据史善长《弇山毕公年谱》。

永忠作《因墨香得观红楼梦小说吊雪芹》三绝句。据周汝昌《红楼梦新证》第七章。诗云："传神文笔足千秋，不是情人不泪流。可恨同时不相识，几回掩卷哭曹侯。""颦颦宝玉两情痴，儿女闺房笑语私。三寸柔毫能写尽，欲呼才鬼一中之。""都来心底复心头，辛苦才人用意搜。混沌一时七窍凿，争教天不赋穷愁。"（朱一玄编《红楼梦资料汇编》）

潘相《琉球入学见闻录》四卷刊行。据《中国丛书综录》。

史承豫《苍雪斋诗》十二卷刊行。又，《苍雪斋俪体文》二卷、《古文》二卷约嘉庆间刊行。据《贩书偶记续编》卷一五。

汪彦博（1768—1824）生。彦博字潞勋、厚夫，号文轩，镇洋人，学金子。乾隆四十九年召试举人，授内阁中书。五十二年成进士，由内阁值军机，登词馆，改刑曹，擢御史，巡视东城。尝两使粤西，一典乡试，一任学政，官青州知府。著有《养泉斋集》。事迹见盛大士《汪青州家传》（《蕴素阁文集》卷四）。

陈鸿寿（1768—1822）生。鸿寿字子恭，号曼生，钱塘人。嘉庆六年拔贡，官江南海防河务同知、溧阳知县。著有《种榆仙馆诗钞》、《桑连理馆诗集》。事迹见《杭州府志·陈鸿寿传》（《碑传集补》卷四八）。

陈用光（1768—1835）生。用光字硕士、实思、硕辅，号石士、瘦石，新城人。嘉庆五年举人。六年成进士，改庶吉士。散馆授编修，官至礼部侍郎。著有《太乙舟文集》八卷、《诗集》十三卷、《明鉴》二十四卷。事迹见梅曾亮《资政大夫礼部侍郎陈公墓志铭》（《柏枧山房文集》卷一二）、吴德旋《皇清诰授资政大夫礼部左侍郎陈公神道碑铭》（《太乙舟文集》卷首）、《清史列传》本传、《清史稿》姚鼐传附。

蒋因培（1768—1838）生。因培字伯生，常熟人。十七岁以国子监生应顺天乡试，为法式善所激赏，由是知名。嘉庆二年援投效例得县丞，分发山东。历官费县巡检、阳谷县丞、泰安知县等。丁母忧归，服阕补齐河县。以事谪戍军台。后释还，历游豫、楚、闽、粤，归遂杜门不出。著有《乌目山房诗略》八卷。事迹见黄安涛《山东齐河县知县蒋君墓志铭》（《续碑传集》卷四〇）。

山阴史善长（1768—1830）生。善长字春林，山阴人。父为粤吏，遂居广东。生十月丧父，母抚孤成立。应童子试不售，纳资得知县，选江西余干县，有治才。以事戍乌鲁木齐，三年放归。恽敬称之曰"七十二同宦，诗人第一"。著有《春林诗钞》八卷、《杂文》一卷、《轮台杂纪》二卷、《东还纪略》一卷。事迹见陈澧《江西余干县知县史君传》（《碑传集三编》卷二五）。

丹徒王豫（1768—1826）生。豫字应和，号柳村，丹徒人（一作江都人）。布衣。道光初举孝廉方正，力辞不就。著有《种竹轩诗文集》八卷，辑有《江苏诗征》、《群雅集》、《群雅二集》、《京江耆旧集》。事迹见《扬州府志·王豫传》（《碑传集补》卷五一）、《清史列传》本传。［生卒年据张慧剑《明清江苏文人年表》］

吴琼仙（女，1768—1803）生。琼仙字子佩，号珊珊，吴江人，徐达源室。工诗善画。著有《写韵楼诗集》。事迹见洪亮吉《敕封承德郎翰林院待诏加三级徐君妻吴安人墓志铭》（《更生斋文甲集》卷三）、郭麐《吴珊珊夫人小传》（《灵芬馆杂著》卷一）。

周宣猷卒，年六十一。据陈兆崙《分司嘉松转运周君雪舫传》（《紫竹山房文集》卷三）、江庆柏《清代人物生卒年表》。四库提要卷一八五：《柯椽集》一卷，"国朝周宣猷撰。宣猷字辰远，长沙人。雍正癸丑进士。官至浙江盐运通判。是集凡杂文五十七篇，骈体及赋亦参错其间。前后亦无序跋，似乎未定之稿，其后人录之成帙也。末附陈兆崙所作《传》一篇，载宣猷所著尚有《史断》、《史记难字》、《南北史籥》、《眠云集》、《禾中杂韵》、《卷葹小草》诸编。集中又有《风铃余韵自序》一篇，亦所作诗集。今惟《卷葹小草》及此集存，余皆未见。"王昶《蒲褐山房诗话》："雪舫任浙中盐运判官数载，其配为万九沙经女，故与全谢山、厉樊榭诸君皆称投分。诗集四卷，得大历十才子之遗，惜偃蹇下僚，迄今无有知之者。"（《湖海诗传》卷五）《晚晴簃诗汇》卷六八录其诗二首。

戈涛卒，年五十二。据江庆柏《清代人物生卒年表》。李中简《芥舟先生小传》："古文疏宕有奇气，尤长传记，作族谱邑乘，以发其蕴积。而四方奇节伟行，耳目所及，又时时网罗登载。十余年来，远近慕学之人，欲托文字以有传者，类皆倾心相向。"（《国朝文汇》乙集卷一八）《晚晴簃诗汇》卷八〇："诗格律谨严，气势浩瀚，兼有高、岑、王、孟、苏、陆诸家胜概。"录其诗七首。《国朝文汇》乙集卷二〇录其

《明论》等文五篇。

　　黄慎卒，年八十二。据康健《黄慎年谱》（谢巍《中国历代人物年谱考录》著录）。[按，黄慎生卒年，《中国历代人物年谱考录》著录温肇桐《黄慎年表》作 1687—1766 年，江庆柏《清代人物生卒年表》据《福建历代名人传略》作 1687—1770 年]

　　释湛性卒。据李中简《药根上人小传》（《双树轩诗钞》卷首）。四库提要卷一八五：《双树轩诗钞》一卷，"国朝僧湛性撰。湛性一名湛汛，字药根，又曰药庵。本丹徒徐氏子，居扬州之祇园庵，故其诗卷亦自署为江都。初自刻所作为《药庵集》，没后其版散佚。此本乃乾隆壬辰所重刊也。其诗宗法王士禛，惟沿溯于士禛《唐诗十选》之中，故结体修洁，时有隽语。如所谓'春风拂禅衣，流莺啼树杪'、'二月青满林，百花开已早'者，亦颇近自然。然骨力未坚，兴象颇浅。十首以外，语意略同，盖聪明多而学问少，故流连光景，所就止于如斯耳。"

公元 1769 年（乾隆三十四年　己丑）

正月

　　汪中入太平沈业富幕。据汪喜孙《容甫先生年谱》。

　　汪辉祖赴礼部会试，始交罗有高、章学诚。据汪辉祖《病榻梦痕录》卷上。

　　蒋士铨为袁枚骈体文题词。署"乾隆己丑落灯夕，馆后学蒋士铨题"。见《小仓山房外集》卷首《题随园骈体文》。

二月

　　孙星衍随父之句容教谕任（其父于去冬选授句容教谕）。在句容学舍读书三年。据张绍南《孙渊如先生年谱》卷上。

三月

　　会试。考官：吏部尚书刘纶、吏部侍郎德保。题"子在陈曰 狂简"，"天地之道 尽也"，"孟子曰人 疢疾"。赋得"河海不择流"得"虚"字。法式善《清秘述闻》卷七。戴震三与会试不第。据段玉裁《戴东原先生年谱》。

　　汤聘卒于狱中。据朱彭寿《清代人物大事纪年》。聘字莘来，号稼堂，仁和人。乾隆元年进士。官至湖北巡抚。著有《稼堂漫存稿》。《国朝文汇》乙集卷四录其《建昌府志序》文一篇。《晚晴簃诗汇》卷七四录其诗一首。

春

　　俞蛟与严巨川游山阴柯山石佛寺。据俞蛟《梦厂杂著》卷五《柯山石佛记》。

四月

二十五日，高宗御太和殿，传胪。赐一甲陈初哲、徐天柱、陈嗣龙进士及第，二甲任大椿、鲍之钟等进士出身，三甲陈朗、戚蓼生、伊恒瓒（即伊朝栋）、罗国俊、潘奕隽等同进士出身。据《历科进士题名录》、《清通鉴》。

李超海《武生立品集》案发，五月止。据《清代文字狱档》。

程晋芳序李调元诗。序云："吾友李君雨村，生峨眉秀异处，卓荦自负，于书无所不读，发为诗歌，嵚崟磊落，肖其为人。弱冠中乙科，三十而成进士，授庶常，既而改官文选主事。君素不好吏事，独以翰林为易读书。既不得以此终，则又往往以诗自雄，虽悲诧不形，然其中郁折往复之致多矣。岁己丑，遭尊人石亭先生大故。先生为北路同知，摄密云事。其殁也，虽由疾病，亦有忧患迫之使然者。雨村力疾居丧，撝挡后事，艰难怛悼，半载之间，得诗二百余首，皆以写其悲哀靡诉之情。余三复其诗，泫然闵然，而告之曰：'合观全集，大矣美矣。而就其大指论之，改官后工于翰林时，近作则又工于改官时，非所谓逆则成文，非有无慘不平即不能出奇以惊世者耶？'雨村亦相视而笑，以余为知言。嗟乎！余之好为诗类雨村，而处境拂逆，视雨村尤甚。顾余诗多平易近情语，远不逮雨村。是则挠之掎之，蹙缩复叠，而不能成文，亦天性所限然也。余方将请假南归，雨村亦于秋杪归蜀，因为序其诗以志别。昔东坡答王定国寄诗，深美其艺之进，而云穷人之具，将以交割与公，余于雨村亦云然矣。己丑夏四月新安愚弟程晋芳序。"（《童山诗集》卷首）

五月

初九日，吴爌文卒，年六十四。据蒋士铨《朴庭先生传》（《忠雅堂文集》卷三）。《晚晴簃诗汇》卷八七录其诗五首。

十八日，瞿中溶（1769—1842）生。中溶字镜涛、安楋，号苌生、木夫，嘉定人，钱大昕婿。嘉庆十九年举人。官湖南布政司理问。著有《孔庙从祀弟子辨证》、《汉魏蜀石经考异辨正》、《说文地名考异》、《古泉山馆彝器图录》、《钱志补正集》、《古官印考证》、《古镜图录》、《续汉金石文编》、《奕载堂诗文集》。事迹见《瞿木夫先生自订年谱》、《清史列传》本传、《清史稿》黄易传附。

二十六日，钱大昕、王鸣盛、吴泰来等同诣虎丘访古。据钱大昕《虎丘山石观音殿题名》（《潜研堂文集》卷一八）。

李文藻以谒选至京师，十一月出京。李文藻《琉璃厂书肆记》："乾隆己丑五月二十三日，予以谒选至京师，寓百顺胡同。九月二十五日，签选广东之恩平县。十月初三日引见，二十三日领凭。十一月初七日出京。此次居京师五月余，无甚应酬，又性不喜观剧，茶围酒馆，足迹未尝至，惟日借书抄之。暇则步入琉璃厂观书，虽所买不多，而书肆之不到者寡矣。"（《南涧文集》卷上）李慈铭《越缦堂读书记·南涧文集》："阅李素伯文藻《南涧文集》。凡两卷，皆考跋序记为多，其文散漫无纪，考据亦无甚关系。惟有《琉璃厂书肆记》一首，颇足见当日文物之盛，亦将来考都门掌故者所当知也。"

洪亮吉四应童子试，补阳湖县学附生，时年二十四岁。据吕培等《洪北江先生年谱》。

二月至本月，陈端生在北京成《再生缘》第三至第八共六卷。据郭沫若《陈端生年谱》。

六月

安能敬试卷诗案发。据《清代文字狱档》。

毁钱谦益所著书。《清史列传》钱谦益传："乾隆三十四年六月，谕曰：'钱谦益本一有才无行之人，在前明时身跻贴仕，及本朝定鼎之初，率先投顺，泳陟列卿，大节有亏，实不足齿于人类。朕从前序沈德潜所选《国朝诗别裁集》，曾明斥钱谦益等之非，黜其诗不录，实为千古纲常名教之大关。彼时未经见其全集，尚以为其诗自在，听之可也。今阅其所著《初学集》、《有学集》，荒诞悖谬，其中诋谤本朝之处，不一而足。夫钱谦益果终为明朝守死不变，即以笔墨腾谤，尚在情理之中。而伊既为本朝臣仆，岂得复以从前狂吠之语列入集中。其意不过欲借此以掩其失节之羞，尤为可鄙可耻。钱谦益业已身死骨朽，姑免追究。但此等书籍，悖理犯义，岂可听其留传，必当早为销毁。其令各督抚将《初学》、《有学》集，于所属书肆及藏书之家，谕令缴出。至于村塾乡愚，僻处山陬荒谷，并广为晓谕，定限二年之内，尽行缴出，无使稍有存留。钱谦益籍隶江南，其书板必当尚存，且别省有翻刻印售者，俱令将全板一并送京，勿令留遗片简。朕此旨实为世道人心起见，止欲斥弃其书，并非欲查究其事，通谕中外知之。'"

章学诚举家迁至北京。据胡适《章实斋年谱》。

夏

戴震偕段玉裁访朱珪。震客珪署，与珪善。时朱珪为山西布政司使，段玉裁主讲寿阳书院。据段玉裁《戴东原先生年谱》。

七月

初八日，张汝霖卒，年六十一。据姚鼐《广州府澳门海防同知赠中宪大夫翰林院侍讲加一级张君墓志铭》（《惜抱轩文集》卷一三）。《墓志铭》云："君博学多闻，尤工骈体文及诗。"

洪亮吉、邵辰焕、屠绅、刘骏、庄宝书、赵怀玉等唱和诗词。吕培等《洪北江先生年谱》："七月，与诸同人访城西徐墅陈刺史明善于亦园，与无锡邵秀才辰焕、江阴屠进士绅、同里刘文学骏、中表庄上舍宝书、赵上舍怀玉，唱和诗极多。"

钱维城序钱维乔传奇二种。钱维城《鹦鹉媒序》："三弟学于儒，而好言神仙，余事复长于音律。兹以计偕来，出所著《碧落缘》、《鹦鹉媒》传奇二种示予。""于其归，书以勉之。时己丑初秋，兄惟诚识。"（《中国古典戏曲序跋汇编》卷一三）

　　董邦达卒，年七十一。据朱彭寿《清代人物大事纪年》。《晚晴簃诗汇》卷六八录其诗一首。

八月

　　初十日，常熟张大受卒，年七十一。据钱大昕《张蔚园墓志铭》（《潜研堂文集》卷四六）。《国朝文汇》乙集卷六录其文两篇。《晚晴簃诗汇》卷八六录其诗三首。

　　十九日，钱璟、庄宝书、刘骏、洪亮吉、屠绅于赵怀玉味辛斋赏月。据赵怀玉《亦有生斋集》诗卷一《八月十九日，钱八璟、庄四宝书、刘大骏、洪大莲、屠二绅集味辛斋桂树下》。

　　袁枚在江宁识陶元藻，方知十七年前于良乡所见题壁诗乃元藻所撰。据袁枚《篁村题壁记》（《小仓山房文集》卷一二）。

　　陈端生以父玉敦改官山东登州府同知，随父赴任。十月至十二月在登州成《再生缘》第九至第十二共四卷。据郭沫若《陈端生年谱》。

九月

　　初五日，吴震生卒，年七十五。据杭世骏《朝议大夫刑部贵州司主事吴君墓表》（《道古堂文集》卷四五）。《墓表》云："性耽吟咏，诗不下千百余篇。尤工金元乐府，熟谙南北宫调，分刊节度。凡古今可喜可愕之事，悉寓之倚声，竟入酸甜之室，行世者凡一十二种。"民国《海宁州志稿》卷三三："能诗歌，善山水，工古篆书法，精岐黄之术。与朱日观尔迈、查德尹嗣瑮、陈广陵元龙、许欲尔全可、许时庵汝霖、杨崇中讷诸耆宿相唱和。张待轩次仲尝叙其诗。著《南村遗集》。"（《方志著录元明清曲家传略》）

　　初七日，沈德潜卒，年九十七。据袁枚《太子太师礼部尚书沈文慤公神道碑》（《小仓山房文集》卷三）。查为仁《莲坡诗话》："其自为诗，有《竹啸轩》、《归愚》等集，专宗三唐，文质相丽。五言及乐府，尤为擅场。"袁枚《随园诗话》卷九："沈归愚尚书晚年受上知遇之隆，从古诗人所未有。作秀才时，《七夕悼亡》云：'但有生离无死别，果然天上胜人间。'《落第咏昭君》云：'无金赠延寿，妾自误平生。'深婉有味，皆集中最出色诗。"洪亮吉《北江诗话》卷四："王文简之学古人也，略得其神，而不能遗貌。沈文慤之学古人也，全师其貌，而先已遗神。"王昶《蒲褐山房诗话》："先生少从学于吴江叶星期燮，叶居横山，故阮亭尚书云：'横山门下，尚有诗人。'然先生独综今古，无藉而成，本源汉、魏，效法盛唐，先宗老杜，次及昌黎、义山、东坡、遗山，下至青丘、崆峒、大复、卧子、阮亭，皆能兼综条贯。尝自进其全集，御制叙言，以高、王为比，诚定论也。""或文有反唇而讥者，真少陵所谓'汝曹'、昌黎所谓'群儿'尔。"（《湖海诗传》卷八）尚镕《三家诗话·三家分论》："与子才同时而最先得名者，莫如沈归愚。归愚才力之薄，又在渔洋之下，且格调太入套，毋怪蒋、赵二公皆不数及也。"朱庭珍《筱园诗话》卷二："沈归愚先生持论极正，持法极严，便于初学。所为诗，平正而乏精警，有规格法度而少真气，袭盛唐之面目，绝无出奇生新，略加变化处，殊无谓也。""大雅不作，诗道沦芜。归愚自命起衰复古，未免力小任重，举鼎折胹。然宗旨、规格、法律，一出于正，未可深贬，特才气短，不能副其志耳。姚姬传谓其以帖括之余，攀附风雅，过矣。迹其生平，门户依傍渔洋，而于有明前后七子之徒及卧子、竹垞诸公遗言绪论，亦多撷拾。故《说诗晬语》所论，虽未入三昧悟，精深微妙之诣，得未曾有，然古今诗家源流正变之别，及各体句调章法规格，则言之娓娓，大旨略具，亦初学发轫之一助。从其言，可望入正路，不致误于歧途，引人入门，此叟功也。所选诸集，今并盛行，惟《古诗源》一集，矜慎平允，可云公当。盖生平得力所自，用心良苦。他如唐、明诗及国朝诗之选，徒夸别裁之鉴，未脱门户之私。罔象失珠，滥收鱼目；荆山遗玉，浪采砆砖。按图索骏，执相求禅，昧密昧之中边，眩宝器之饭色，岂非未得为得，未证为证，有以言白黑，无以知白黑乎？盖滞于有迹，未能空诸所有，悟无声无臭之最上乘，故不知诗家神功圣诣，自别具大而化之之妙谛也。夫操选政者，以识为要，识不精，则执格律如奉法吏矣。以貌取诗，所得几何！"李祖陶《国朝文录续编·归愚文录引》："其诗取法盛唐，务臻高格，近世论者颇有异同，要不可谓非正宗也。古文不甚著名，而规橅先正，亦大可观。盖其时文教昌明，体裁横出，朱梅崖倡言复古，仰企周秦；袁简斋独出心裁，荡无师法。先生独确守唐宋八家，评之点之，以此教人，即以此自律。故所作除谈经多陈言外，余文则高者俊伟光明，气舒神王，次亦文从字顺，不染嚣尘。"《晚晴簃诗汇》卷七六录其诗四十六首。《国朝文汇》乙集卷九录其《李逸民墓志铭》等文十篇。《沈归愚诗文全集》有乾隆中教忠堂刊本。据《中国丛书综录》。

二十四日，李兆洛（1769—1841）生。兆洛字申耆，阳湖人。嘉庆十年进士，选庶吉士。改令凤台，在任七年，以父忧去，遂不出。主讲江阴书院几二十年。辑有《骈体文钞》三十一卷，著有《养一斋文集》二十卷《补遗》一卷《续编》六卷、《养一斋诗集》八卷。事迹见薛子衡《养一李先生行状》（《养一斋文集》卷首）、蒋彤《武进李先生年谱》、包世臣《李凤台传》（《艺舟双楫》附录一下）、《清史列传》本传、《清史稿》本传。

韩锡胙自宝山知县卸任。据刘耀东《韩湘岩先生年谱》卷上。

秋

立秋后五日，俞蛟与徐竹楼、朱溯塘、王舜一、徐石庵等会饮于桂林刘仙岩之冷然阁。据俞蛟《梦厂杂著》卷五《刘仙岩》。又，俞蛟游七星岩、白龙洞亦当在此际。见《梦厂杂著》卷五《七星岩》、《白龙洞》。

钱大昕再入都。据钱大昕自编、钱庆曾校注《竹汀居士年谱》。

十月

初一日，朱琦（1769—1850）生。琦字兰坡、玉存，泾县人。嘉庆七年进士，选翰林院庶吉士，散馆授编修。官至右春坊右赞善。告归后历主钟山、正谊、紫阳书院，几三十年。著有《小万卷斋诗文集》七十卷，辑有《国朝古文汇钞》二百七十二卷。

事迹见李元度《右春坊右赞善前翰林院侍讲朱兰坡先生传》（《续碑传集》卷一八）、梅曾亮《朱兰坡先生墓志铭》（《柏枧山房文集》卷一五）、《清史列传》本传、《清史稿》胡承珙传附。［按，生日据朱彭寿《清代人物大事纪年》］

十八日，胡敬（1769—1845）**生。** 敬字以庄，号书农，仁和人。嘉庆十年进士，改庶吉士，授编修。官至侍讲学士。著有《崇雅堂文钞》二卷、《诗钞》十卷、《骈体文钞》四卷、《应制存稿》一卷、《删余诗》一卷。事迹见胡珵《诰授朝议大夫翰林院侍讲学士书农府君年谱》、《清史列传》本传。

禁官员蓄养歌童。 据《大清高宗纯皇帝实录》卷八四五。

十二月

二十一日，潘世恩（1770—1854）**生。** 世恩初名世辅，字槐堂，号芝轩，吴县人。乾隆五十八年状元，授修撰。官至武英殿大学士。谥文恭。著有《思补斋诗集》六卷、《有真意斋文集》二卷、《思补斋笔记》八卷。事迹见《思补老人自订年谱》、冯桂芬《太傅武英殿大学士文恭潘公墓志铭》（《续碑传集》卷三）、《清史列传》本传、《清史稿》本传。

冬

屠绅、洪亮吉、赵怀玉、黄景仁时相唱酬。 据赵怀玉《亦有生斋集》诗卷二《初雪，屠二绅、洪大莲过访，用聚星堂韵》。洪亮吉《玉尘集》卷上："腊后一日，寒甚，午后忽屠笏岩、赵味辛、黄仲则过访，余拉入酒肆痛饮，明日典衣偿之，作《典衣行》，三君皆和韵以赠。"

本年

黄钺补县学生，时年二十岁。 据黄富民《黄勤敏公年谱》。

顾光旭调平凉知府。 据王昶《甘肃凉庄道署四川按察使司顾君墓志铭》（《春融堂集》卷五四）。

任大椿授礼部主事。 据施朝幹《任幼植墓表》。（《碑传集》卷五六）

朱筠协办内阁学士批本事，再充会试同考官。 据孙星衍《朱先生筠行状》（《碑传集》卷四九）。

卢文弨以继母年高，遂请归养。 后主讲四方书院二十余年。据段玉裁《翰林院侍读学士卢公墓志铭》（《抱经堂文集》卷首）。

凌廷堪以家贫弃书学贾，时年十三岁。 据张其锦《凌次仲先生年谱》。

黄景仁始为浪游，凡三年。 毛庆善、季锡畴《黄仲则先生年谱》："二十一岁，春游杭州、徽州，夏游扬州，秋归里，冬谒湖南按察使王公太岳，客其幕中。按《自序》云：'自邵先生卒，益无有知之者，乃为浪游。由武林而四明，观海；溯钱塘，登黄山；复经豫章，泛湘水，登衡岳，观日出；浮洞庭，由大江以归。是游凡三年，积诗若干首。中渐于嘉兴郑先生虎文、定兴王先生太岳之教。'按先生之游，出而归，归复出，云三年者，综前后言之，非三年在外也。"

张惠言九岁，世父命就城中与堂兄学。自此依世父居，读书四年。据张惠言《茗柯文》二编卷下《先妣事略》。

杨芳灿与邑中有文望者秦朝釬、邹方锷、吴峻时相过从，为忘年交。据杨芳灿自订、余一鳌补订《杨蓉裳先生年谱》。

汪中与黄景仁定交。汪喜孙《容甫先生年谱》："《与秦丈西岩书》云：'武进黄景仁字仲则，昨以事客游于此。其人年二十有一，所作诗千有余篇，雄才逸气，与李太白、高青丘争胜豪厘，实非今世上所有。某虽负气，于诗自愧弗如也。'"

赵怀玉与同人结文社。时侍御蒋和宁罢官里居，好奖掖人次，赵怀玉、史次星、董思驹、洪亮吉俱有国士之目。据赵怀玉《收庵居士自叙年谱略》卷上。

汪师韩自订《上湖分类文编》十卷成。卷首自识云："余幼攻举业，即学为古文。自宦涂载颠，三十余年来，奔走衣食，多为人代作，非其本意。今已衰老，思力不任。爰集己丑年以前旧稿，捡去其酬应之文，剩存数十首。刊诗既毕，并以付梓。其代笔有关政治者，亦附存一二焉。"

毕沅作《峄峒山房集》二卷。据史善长《弇山毕公年谱》。

李集作《双忠录叙》。见《国朝文汇》乙集卷三六。

洪亮吉作《赠赵表弟》七言长歌等。据吕培等《洪北江先生年谱》。

陈梦元自序《朹稿》。署"己丑重午长沙桂丛寓馆自叙"。见《国朝文汇》乙集卷二四。

戴震序余萧客《古经解钩沈》。见《戴震集》上编《文集》卷一〇。又因汾州太守孙和相之聘，修成《汾州府志》三十四卷。据段玉裁《戴东原先生年谱》。

永恩自序《律吕元音》。胡玉缙《许庼经籍题跋》卷四："《律吕元音》二卷，题康亲王兰亭主人鉴订，盖永恩所编也。永恩为康修亲王崇安子，礼烈亲王代善裔孙，后复祖号曰礼亲王，嘉庆二年薨，谥曰恭。其书前有乾隆三十四年自序，称'暇日将古今音律、京房《律谱》、唐顺之《求元声法》，与夫诗歌词曲之渊源，及诸贤之论作，共为一书，以见诗歌之声律本不出乎乐'云云。为江南图书馆所藏精写稿本，有'康亲王'、'兰亭主人'两印。按，古乐亡而乐府兴，至唐而乐府之歌法不传，所歌者绝句；至宋而唐人歌诗之法亦不传，所歌者词；至元而宋人歌词之法又渐不传，于是曲调作焉。是编意在词曲而设，谓之《律吕元音》，殊嫌含混，采撷亦未备，而颇便省览。《丁氏藏书志》入之乐类，盖循其名，未核其实，今改隶于词曲类焉。"[按，永恩"嘉庆二年薨"，误]

顾宗泰辑同时交游诸人诗为《停云集》十二卷刊行。据张慧剑《明清江苏文人年表》。

项章编《国朝诗正声集》七卷怀斯堂刊行。据《贩书偶记续编》卷一九。又，法式善《陶庐杂录》卷三："《正声前集》八卷、《续集》八卷，桐城项章辑。《前集》随见随刻，无所选择。《续集》则采诸坊间选本者，亦乏卓识。但其间颇有不传之作，赖此以存，亦可珍也。刻于乾隆三十四年。"

吴授鲍编《敦素园七子诗钞》七卷刊行。又名《宝应七子诗钞》。凡乔方立《花雨香斋集》、汤应隆《借树轩集》、刘兆彭《拳石山房集》、汤襄隆《古槐草堂集》、刘玉麟《深竹间园集》、乔大鸿《槐阴楼集》、乔大钧《听雨草堂集》，各一卷。据《中国丛书综录》。

盛百二《柚堂笔谈》四卷刊行。据《中国丛书综录》。

李宗瀚（1769—1831）生。宗瀚字公博、春湖，临川人，秉礼子。乾隆五十八年进士，选庶吉士，散馆授编修。官至工部侍郎、浙江学政。以书名，亦能诗。著有《静虞室偶存稿》。事迹见邓显鹤《工部左侍郎临川李公行状》（《续碑传集》卷九）、陈用光《工部侍郎浙江学政李公墓志铭》（《太乙舟文集》卷八）、《清史稿》本传。

彭兆荪（1769—1821）生。兆荪字甘亭、湘涵，镇洋人。少有才名，久困无所遇。举道光元年孝廉方正。尝入江苏布政使胡克家幕，晚依曾燠两淮盐运使署。著有《小谟觞馆集》。事迹见姚椿《彭甘亭墓志铭》（《晚学斋文集》卷八）、缪朝荃《彭湘涵先生年谱》、《清史列传》本传、《清史稿》胡天游传附。[按，其生年，据《年谱》为本年，据《墓志铭》则为去年]

诸锦卒，年八十四。据《疑年录汇编》卷一〇。吴铭道《诸襄七诗集序》："襄七之诗，自吾论之，在退之、永叔之间。"（《国朝文汇》甲集卷五七）王昶《蒲褐山房诗话》："《绛跗阁集》，殁后门人删定。郑玑尺江以为'掐擢胃肾，抉摘杳微'，陆陆堂奎勋以为'言近旨远，根柢深而英华自茂'，皆定论也。""先生出临川李公穆堂门下，生平博闻强识，诗法山谷、后山，而志节皦然，甘寂寞，守耿介，权贵之门，征逐之地，未尝一至。盖古之闻人，而世之畸人也。"（《湖海诗传》卷五）《晚晴簃诗汇》卷七〇录其诗十六首。《国朝文汇》甲集卷五六录其《草亭先生文集序》文一篇。

邵齐焘卒，年五十二。据郑虎文《敕授儒林郎翰林院编修加一级邵公墓志铭》（《玉芝堂文集》卷首）。《墓志铭》云："今海内人士，所推能为东京、六朝、初唐之文者，无论识与不识，必首称吾友叔宀。叔宀与同岁举进士，名能为《史》、《汉》若昌黎、河东文者，则有定兴王君芥子。芥子初亦好为文如叔宀，及见叔宀文，叹为天授，遂辍不复作。""其学于古也，涵而揉之，去故遗迹，咀含浸淫，渗漉衍溢，乃大昌于辞。而惟自其己出，今古骈散，殊体诡制，道通为一。涉笔矢音，金石咳唾，造次以之，允蹈维则。班、范、潘、陆，斯文未坠，君于本朝，一人而已。"四库提要卷一八五：《玉芝堂集》九卷，"凡诗三卷，文六卷，乃其晚年所自定。诗文皆不分体，大抵骈偶之作为多。为四六之文者，陈维崧一派以博丽为宗，其弊也肤廓；吴绮一派以秀润为宗，其弊也甜熟；章藻功一派以工切细巧为宗，其弊也刻镂纤小。齐焘欲矫三家之失，故所作以气格排奡、色泽斑驳为宗，以自拔于蹊径，而斧痕则尚未浑化也。"袁枚《随园诗话》卷二："同年邵叔岩太史《玉芝堂四六》一编，直逼齐、梁，诗亦高雅。"吴翯《国朝八家四六文钞·玉芝堂文集题词》："昭文邵太史荀慈志行超远，意度夷旷，似魏晋间人。其文亦如之。太史序其兄宣承文云：'清新雅丽，必泽于古，非苟且牵率以娱一世耳目者。'答同年王芥子书云：'每观往制，于绮藻丰缛之中存简质清刚之制，皆词家无。'等等，呪亦自道得力也。郑先生炳也志其墓云：'君学于古，涵而揉之，去故遗迹，大昌于辞。'又称其散体文与古、近体诗云：'殊体诡制，道通为一．'未免溢美。太史规规前修，不失尺寸，而耻世士准量行墨、剽贼字句之陋。又其标格崖岸，有以自远，故所作如元人画法，一丘一壑，自然高妙。又如吾乡休、歙间，峰峦藏亏，树木深黝，巨石空中，琴筑杂奏，复乎所诣至于是矣。"《清史稿》本传："善为俪体文，气格排奡，意欲矫陈维崧、吴绮、章藻功三家之失。"《晚晴簃诗汇》卷七七录其诗十首。《国朝文汇》乙集卷一二录其《江谈庭诗序》等文六篇。

彭维新卒。据《中国文学家大辞典》清代卷。《晚晴簃诗汇》卷五七："彭维新字石原，茶陵人。康熙丙戌进士，改庶吉士，授检讨。累官协办大学士，管理户部。坐事免。起授左都御史。有《墨香阁集》。""茶陵自李怀麓以文章相业，蔚为有明一代正宗。数百年来无异词，州里后生迭相摹拟，至石原始以文采表见于世。论其名位固未能逮，规模亦稍狭隘，然具体而微，不失先正轨范。"录其诗十六首。

公元 1770 年（乾隆三十五年　庚寅）

正月

十五日，孔广林自序《璇玑锦》杂剧。署"乾隆三十五年上章摄提格元夕，幼髯自识"。自序云："往岁，有持元人画《璇玑回文卷》求售者，画极工且旧，吾父以索值太昂，弗之收也。其卷首画回文图，次记回文读法，后列织锦、寄锦、玩回文、迎苏氏四图，末附图说。谓窦滔为安南将军，携宠姬赵阳台赴襄阳，留苏氏长安，不相通问。既而得回文诗，始悔而迎之，完好如初。与晋载记不合。图盖据唐人小说绘之耳。新正卧病，忆及图卷，兴之所至，撰《璇玑锦》杂剧四折，以遣帘外天涯之恨。"（《中国古典戏曲序跋汇编》卷八）庄一拂《古典戏曲存目汇考》卷八：《璇玑锦》，"此戏未见著录。温经楼刊本，《清人杂剧二集》本。叙苏蕙《回文诗》事，本唐武后《窦滔妻苏氏织锦回文记》，节去捶辱滔宠姬赵阳台一事。元关汉卿有《苏氏进织锦回文》一剧。"

二月

毕沅作伤时诗。史善长《弇山毕公年谱》："甘肃连岁旱荒，各属官仓已空，方议拨运，公于春二月东行安会道中，感时述事寄兰省当事诸公。诗有云：'已绝全生望，犹为半死人。'又：'解渴争泥水，充饥尽草根。四年三遇旱，十室九关门。'……率沈痛不忍卒读。"又，毕沅见顾光旭《青岚山诗》"产破妻孥贱，肠枯草木甘"句，叹曰："一字一泪，十字千古矣。"据王昶《甘肃凉庄道署四川按察使司顾君墓志铭》（《春融堂集》卷五四）。

三月

赵翼调任广东广州知府。据佚名《瓯北先生年谱》。

正月至本月，陈端生在登州成《再生缘》第十三至第十六共四卷。据郭沫若《陈端生年谱》。

程大衡序钱德苍编《缀白裘》合集。署"乾隆庚寅春季，永嘉程大衡书"。序云："玩花主人向集《缀白裘》，钱子德苍搜采复增辑，一而二，二而三，今则广为十二。其中大排场，褒忠扬孝，宽勉人为善去恶，济世之良剂也；小结构，梆子秧腔，乃一味插科打诨，警愚之木铎也。雅艳豪雄，靡不悉备；南弦北板，各擅所长。撷翠寻芳，汇成金璧；既可怡情悦目，兼能善劝恶惩。虽梨园之小剧，若使西堂见之，亦必以此为一部《廿一史》也。"〔按，郭维瑄《缀白裘一集序》署"嘉庆十八年小阳月上浣，表侄郭维瑄顿首拜题"，李宸《缀白裘二集序》署"甲申季冬，松陵李宸序"，许仁绪《缀白裘三集序》署"时乾隆丙戌花朝日，元和许仁绪书"，陆伯焜《缀白裘四集序》署"丙戌仲秋，青浦陆伯焜并书"，沈瀛《缀白裘五集序》署"乾隆戊子仲夏，朗亭沈瀛书于绿荫草堂"，叶宗宝《缀白裘六集序》署"时乾隆岁次庚寅季春上浣，桃坞叶宗宝题并书"，朱禄建《缀白裘七集序》署"辛卯夏日，朱禄建序"，许永昌《缀白裘八集序》署"乾隆癸未年孟春，吴门许永昌序"，时元亮《缀白裘九集序》署"乾隆壬辰榴月上浣，时元亮书"，朱鸿钧《缀白裘十集序》署"乾隆壬辰中秋月，桐乡朱鸿钧书"，许道承《缀白裘十一集序》署"时乾隆甲午季春，金陵许道承渭森氏书"，葵圃居士《缀白裘十二集序》署"甲午长夏，葵圃居士漫题"〕

春

黄景仁仍客湖南王太岳幕，登衡岳，夏归里。据毛庆善、季锡畴《黄仲则先生年谱》。洪亮吉《候选县丞附监生黄君行状》："后复携邵先生书客湖南按察使王君太岳署中，是时君已揽九华，涉匡庐，泛彭蠡，历洞庭。每独游名山，经日不出。值大风雨，或瞑坐崖树下，牧竖见者，以为异人。自湖南归，诗益奇肆，见者以为谪仙人复出也。后始稍稍变其体，为王、李、高、岑，为宋元祐诸君子，又为杨诚斋，卒其所诣，与青莲最近。"（《卷施阁文甲集》卷一〇）

韩锡胙任安庆府知府。据刘耀东《韩湘岩先生年谱》卷上。

五月

康基田委署广东新宁县。据《茂园自撰年谱》。

袁枚作《随园六记》。见《小仓山房文集》卷一二。

钱大昕自订诗集十卷。自序云："予既以有韵之文受知圣明，然性不喜嘄名，检点箧中所作，亦无甚称意者，故从未敢刻以问世。而江南书肆选刊近人诗，往往滥收拙作，真赝相半。偶有一客过予，诵所见佳句，听之愕然，谢以非某作，句亦殊不佳。客怃然而退。予于诗虽非专门，而寸心得失之故，要自知之。固不欲掠它人之美，亦岂可以恶诗冒为己有？兹取前后所作，钞为一集，不敢自以为是，亦欲存庐山之真面云尔。庚寅岁五月丁丑朔，大昕书。"（《潜研堂诗集》卷首）

傅为詝卒，年七十。据蔡新《副都御史傅公为詝墓表》（《碑传集》卷三三）。〔按，朱彭寿《清代人物大事纪年》谓其四月初七日卒〕《晚晴簃诗汇》卷六八录其诗三首。

袁棠（女）卒，年三十八。据袁枚《女弟盈书阁遗稿序》（《小仓山房文集》卷一一）。《随园诗话》卷一〇录其《寄二兄香亭》、《于归扬州》等诗。《晚晴簃诗汇》卷一八六录其诗九首。

闰五月

二十二日，**孙尔準**（1770—1832）生。尔準字平叔、莱甫，金匮人。嘉庆十年进士，选庶吉士，授编修。官至兵部尚书、闽浙总督。谥文靖。著有《泰云堂集》二十五卷。事迹见其子慧惇等《平叔府君年谱》、陈寿祺《大清赠太子太师谥文靖太子少保兵部尚书闽浙总督金匮孙公墓志铭》（《左海文集》卷九）、《清史列传》本传、《清史稿》本传。

二十八日，**汪孟鋗卒，年五十**。据钱载《诰授奉直大夫吏部文选司主事晋赠朝议大夫康古汪君墓志铭》（《萚石斋文集》卷二二）。[按，卢文弨《墓志铭》（《抱经堂文集》卷三四）谓其五月二十八日卒]《晚晴簃诗汇》卷九三："王德甫曰：康古与都御史金公德瑛亲戚，得其指教者多。又与万孝廉光泰、王西曹又曾、钱少宗伯载相劘切，大抵丛书稗说，考核精详，翘然自异于众。""诗话：乾隆初秀水多诗人，诸家皆发源西江，入奥出新，不落畦町，而泽之以典籍，范之以格律，刊落槎枒，独标名隽。厚石在诸家中，如骖之靳，尤与柘坡居士为近。"录其诗十首。

张九钺省叔张坊于长沙，序坊《湘帆诗话》。据张家杖《陶园年谱》。

六月

甘肃大雨，**毕沅赋喜雨诗二十韵**。本月调补安肃道。据史善长《弇山毕公年谱》。

门人程受初为**储掌文刊《云溪随笔》**。储掌文《自叙》署"乾隆庚寅季夏，云溪储掌文越渔氏题于在陆草堂"。（《云溪文集》卷首）明年四月，储樵重刊之，名《云溪文集》。《云溪文集》卷首储樵识语："先君子文集五卷，系世讲受初程君请梓，因于潘、任两丈向所订定十卷中亲自抉择以付刊者也。"四库提要卷一八四：《云溪文集》五卷，"国朝储掌文撰。掌文字曰虞，一字越渔，宜兴人。康熙丁酉举人。官四川纳溪县知县。纳溪旧名云溪，故掌文以云溪自号，是集又名《云溪随笔》。自储欣以古文词有名，其家父子兄弟多以此相镞厉。掌文为欣之孙，得其指授为多。今世所传欣选《左》、《国》、《史》、《汉》及《唐宋十家》文，即其甄录以授掌文者也。"

七月

初五日，**储掌文卒，年八十四**。据储樵等《先府君云溪公行状》（《云溪文集》附录）。《国朝文汇》甲集卷四九录其《祭双忠祠记》等文三篇。

二十二日，**查揆**（1770—1834）生。揆又名初揆，字伯葵，号梅史，海宁人。嘉庆九年举人。官蓟州知州。著有《筼谷文钞》十二卷、《诗钞》二十卷、《桃花影》传奇。事迹见《清史列传》查慎行传附。[按，生日据朱彭寿《清代人物大事纪年》]

　　袁枚访徐大椿。袁枚《随园诗话》卷一二："余弱冠在都，即闻吴江布衣徐灵胎有权奇倜傥之名，终不得一见。庚寅七月，患臂痛，乃买舟访之，一见欢然。年将八十矣，犹谈论生风。留余小饮，赠以良药。门邻太湖，七十二峰，招之可到。"录其《刺时文》等。［按，《小仓山房续文集》卷三四《徐灵胎先生传》谓此事在丙戌秋］

　　张九钺游桂林、广州。明年二月归里。著有《粤游集》。据张家枝《陶园年谱》。

八月

　　毕沅出关，诗风有变。史善长《弇山毕公年谱》："八月，奉命随总督明公山出关经理屯田。自木垒河至吉木萨，往返数万里，有《秋月吟箫集》、《杏花亭吟草》各一卷，奇峭雄杰，诗格至是一变。"

秋

　　恩科乡试。是科各省考官有刘纶、曹秀先、褚廷璋、朱筠、李中简、冯应榴、孙士毅、姚鼐、谢启昆、曹锡宝、祝德麟、陆锡熊、吴省钦等。据法式善《清秘述闻》卷七。所取举人有张云璈（《公车自序》）、武亿（朱珪《前博山县知县诏起引见武君墓志铭》）、彭淑（恽敬《前临川县知县彭君墓志铭》）、顾宗泰（《月满楼诗集》卷一五《鹿苹集》小序）、潘有为（《国朝诗人征略》初编卷四○）、冯敏昌（吴兰修《户部主事冯公敏昌传》）、周有声（秦瀛《大定府知府希甫周君墓志铭》）、程瑶田（罗继祖《程易畴先生年谱》）、邵飘（《晚晴簃诗汇》卷九四）、汪学金（朱珪《日讲起居注官文渊阁校理教习庶吉士詹事府左春坊左庶子加二级汪君墓志铭》）、江濬源（姚鼐《朝议大夫临安府知府江君墓志铭》）、鳌图（《沧来自记年谱》）、杨于果（陈预《湖北荆州府通判杨先生于果墓志铭》）、温汝适（《广东通志》本传）、周昂（乾隆《支溪小志》卷三）等。

　　洪亮吉、黄景仁同应江宁乡试，皆不售。据吕培等《洪北江先生年谱》、毛庆善、季锡畴《黄仲则先生年谱》。

　　赵怀玉应江宁乡试，以疾未入闱。据赵怀玉《收庵居士自叙年谱略》卷上。

　　洪亮吉与袁枚在江宁相识。袁枚称亮吉诗有奇气，逢人辄诵之。据吕培等《洪北江先生年谱》。

十一月

　　康基田委署澳门同知。据《茂园自撰年谱》。

十二月

　　仪征盐船失火。汪中于后年即乾隆三十七年作《哀盐船文》。杭世骏序云："《哀盐船文》者，江都江中之所作也。中早学六义，又好深湛之思，故指事类情，申其雅志，采遗制于大招，激哀音于变徵，可谓惊心动魄，一字千金者矣。或疑中方学古之道，其言必期于有用，若此文，将何用邪？答曰：中目击异灾，迫于其所不忍，而饰之以文藻，当人心肃然震动之时，为之发其哀矜痛苦，而不忘天之降罚，且闵死者之无辜，而吁嗟噫欷，散其冤抑之气，使人无逢其灾害，是小雅之旨也。君子故有取焉。若夫污为故楮，识李华之精思；传之都下，写左思之赋本。文章遇合之事，又末而无足数也。仁和杭世骏序。"（《述学补遗》）

冬

茹纶常自编《容斋诗集》十卷刊行。据《容斋诗钞》卷首董柴序。

本年

焦循八岁。在阮赓尧家与宾客辨壁上"冯夷"字，曰："'冯'当如《楚辞》读皮冰切，不当读如'缝'。"阮奇之，妻以女。据闵尔昌《焦理堂先生年谱》。

汪中在太平沈业富幕。据汪喜孙《容甫先生年谱》。

洪亮吉仍馆汪氏。从学者甥汪楷等三人。与董思骙、左辅定交。据吕培等《洪北江先生年谱》。

吴恒宣在淮安，入崔应阶漕督幕。据张慧剑《明清江苏文人年表》。

彭端淑再任锦江书院山长。据李朝正、徐敦忠《彭端淑诗文注》附录《年谱》。

张九镡补内阁中书。据张家杙《陶园年谱》。

顾宗泰乡试中式后考取景山教习。据《鹿苹集》小序（《月满楼诗集》卷一五）。

段玉裁铨得贵州玉屏县。段玉裁《戴东原先生年谱》："是年夏，玉裁铨得贵州玉屏县，未尝拜别先生也。盖先生尚羁山右，闻铨得玉屏，寄书到京，言玉屏于地势为五岭自西而东之脉，又勖玉裁曰：'想风气未开，未必不可施政教也。'其札可当送行一序，藏弄日久而失之。"

韩梦周以蝗灾事罢来安令。后家居二十七年卒。据徐侃《韩理堂先生传》（《国朝文汇》乙集卷四五）。又，本年编次所作诗为《淮南集》。据张慧剑《明清江苏文人年表》。

杭世骏解扬州安定书院事南还。据龚自珍《杭大宗逸事状》（《定盦文集补编》卷四）。

杨芳灿以诗文寄世父杨潮观（时官蜀中），潮观大喜，作书寄。又，舅氏顾光旭时任四川观察，见芳灿诗，寄三绝句。彭光斗见芳灿诗，寄词二阕。据杨芳灿自订、余一鳌补订《杨蓉裳先生年谱》。[按，据王昶《甘肃凉庄道署四川按察使司顾君墓志铭》（《春融堂集》卷五四），顾光旭乾隆三十七年十二月任四川按察使。疑《杨蓉裳先生年谱》误记其官职]

冯敏昌以诗文请业于翁方纲。冯士镳《先君子太史公年谱》："暇日以诗文请业于翁太先生。先生手书云：'有此才气，则五岭、十郡、三州竟无其对。所谓粤之诗家，若南园前后五子，以及近日岭南三家，皆不足道也。风骨一年胜于一年，似此则竟要直追古大家而学之，断断不可落明李、何诸人窠臼'云云。"

　　黄景仁绘《蒲团看剑图》，自题诗。据毛庆善、季锡畴《黄仲则先生年谱》。

　　吴兰庭裒其乾隆十四年至二十九年之诗为四卷，名曰《南雪草堂诗集》。据严元照《南雪草堂诗集序》（《胥石诗存》卷首）。［按，《胥石诗存》初名《南雪草堂诗集》］

　　程晋芳编定《蕺园集》二十二卷。沈大成《程舍人蕺园集序》："吾友程鱼门舍人自选定其诗曰《蕺园集》者二十二卷，总为古今体二千首，盖自乾隆癸亥至今庚寅，二十有八年之作胥在焉。"（《学福斋集》卷四）

　　杭世骏序汪舸《嶰崿山人集》。四库提要卷一八五：《嶰崿山人集》八卷，"国朝汪舸撰。舸字可舟，婺源人。流寓扬州。性不谐物，偃蹇贫病以殁。是集为舸所自定，断自五十岁以后。乾隆庚寅，杭世骏为之序。并附录世骏《与沈沃田书》，盛称其《和丁隐君贝叶经歌》、《长春观老子像》绝句云。"袁枚《随园诗话》卷八："诗人少达而多穷。汪可舟舸，自称客吟先生，诗笔清绝；而在扬州，竟无知者。""其《听雨》诗云：'檐外几声才淅沥，胸中何事不分明？'又曰：'侧身已在江湖外，绕屋宁堪竹树多。但觉有声皆剑戟，不知何物是笙歌。'其纡郁可想。"［按，袁枚《客吟先生墓志铭》（《小仓山房外集》卷六）谓汪舸九月九日卒于武昌，年六十九，未明言具体年份。据文意推断，似为乾隆三十六年。然《墓志铭》谓其与袁枚最后会面在乾隆三十五年除夕，《随园诗话》卷八则谓在三十四年除夕，未知孰是。此事关系到汪舸卒年之确定］

　　史震林《华阳散稿》所记止于本年。王韬序云："《散稿》始于丙辰，而止于庚寅，时乾隆三十五年也。盖先生乙卯举于乡，丁巳恩科成进士，留京师者二年，归耕者五年，官淮安教授者数年，弃官作近游，往来于淮扬间者几二十年，此即《散稿》中先生所历之岁月也。而先生高尚之志，闲淡之趣，清介之操，与夫山水之缘，友朋之乐，皆于此可见矣。"署"光绪九年岁次癸未仲春下旬，弢园老民王韬序于香海天南遁窟"。（《华阳散稿》卷首）

　　顾森《回春梦》传奇约作于本年前后。据邓长风《明清戏曲家考略·九位明清江苏、上海戏曲家生平考略》。顾森自序云："《回春梦》何由而作也？伤余生平之命蹇也。""考余一生之遭际，不知者必以为短行险毒，故报应之若此也。然余自问平生，实无纤芥之恶，此无他，天也，命也。天命既定，既有盖世才、拔山力，奚能挽回？今老矣，髩毛如雪，齿牙摇落，心如槁木，无能为矣。然悒郁之气，犹耿胸次。因思天意既不可回，好梦或可得乎？梦者，意也。意之所及，即属梦矣。梦之所成，即为真矣。此《回春梦》之所由作也。藉此一消胸中之块垒，其工拙不及计也。又尝读诸家传奇，谈忠孝者必涉于迂阔，谈蕴藉者必涉放荡。文者无武，攻武者不能明吏治，余故兼而收之，以悦观者之目，非敢自矜也。阅者谅之。云庵老人自序。"又，杨坊跋云："每闲暇时，翻阅《回春梦》一书，读之觉其中裁云制霞，熏香摘艳，一种忠孝之词，悲壮淋漓，诚娓娓动人，潸然涕下也。"戴绂跋云："细读《回春梦》传奇，有奇文、妙文、快文、真文四种。《入梦》、《猎遇》，奇文也；《惊艳》、《闺戏》，妙文也；《奸败》、《功封》，快文也；《祭妇》、《入道》，真文也。令人读去，不觉大笑，不觉痛哭，不觉拔剑起舞，不觉欲尽吸西江之水而吐之于壁立万仞之峰。笔墨至此，可以夺化工矣。"（《中国古典戏曲序跋汇编》卷一三）庄一拂《古典戏曲存目汇考》卷一二：

《回春梦》，"此戏未见著录。道光三鳣堂刊本。凡二卷二十四出。剧中情节，完全模拟《邯郸》轮廓，以达成空想"。

沈起凤作《泥金带》传奇。沈起凤《谐铎》卷三《镜戏》："犹记庚寅岁，养疴红芍山房，戏制《泥金带》传奇，为天下悍妇惩妒。演诸宋观察堂中，登场一唱，座上男子无不变色却走。盖悍妇之妒未惩，而懦夫之胆先落矣。"〔按，据石韫玉《独学庐余稿·沈氏四种传奇序》，沈起凤所作剧不下三、四十种。今知名者八种：佚者四种为《泥金带》、《千金笑》、《桐桂缘》、《黄金屋》，存者四种合称《红心词客四种曲》，为《报恩缘》、《才人福》、《文星榜》、《伏虎韬》。姚燮《今乐考证》著录十《国朝院本》："自序云：《报恩缘》，戒负心也；《才人福》，慰穷士也；《文星榜》，惩隐慝也；《伏虎韬》，警恶俗也。"〕

何文焕编《历代诗话》十六册附《考索》一卷刊行。凡二十八种。据《贩书偶记》卷二〇。文焕字少眉，号也夫，嘉善人。诸生。著有《无补集》。《晚晴簃诗汇》卷九九："也夫尝辑《历代诗话》，精校汇刊，后附《考索》一卷，持论亦极精确。中有一则云：'我辈不可作俚杜文章。'盖谓鄙俚杜撰也。严沧浪云：'押韵不必有出处，用事不必有来历。'殆未免是耶？可知其致力之深。惟足迹不出里闬，人无知者。独此书尚有流传耳。"录其诗六首。

彭启丰编《八家诗钞》十六卷有耀斋刊行。据《贩书偶记》卷一九。

彭启丰《芝庭文稿》八卷、《诗稿》十四卷，乾隆三十三年至本年刊行。据《贩书偶记》卷一五。

邹一桂《诗钞》十一卷刊行。凡十一种：《度索轩诗》、《怀西集》、《金台录》、《粤游草》、《筑籁》、《琯吹集》、《凝华集》、《孚缶集》、《赓载集》、《鸣和集》、《修初集》。据《贩书偶记续编》卷一五。

孙洙编《排闷录》十二卷莆田书屋刊行。又，《异闻录》十二卷道光戊戌刊行。据《贩书偶记续编》卷一二。〔按，《排闷录》、《异闻录》实为一书二名〕

蔡奡改订《水浒后传》为十卷四十回刊行。孙楷第《中国通俗小说书目》卷六：《蔡奡评水浒后传》十卷四十回（每卷四回），"存。旧刊大字本。……覆本。题'古宋遗民雁宕山樵编辑'，'金陵憨客野云主人评定'。首乾隆三十五年蔡元放序及读法。此本经蔡奡改订，析为十卷。回目及文字，均非陈氏原本之旧。"

石琰《天灯记》、《忠烈传》传奇刊行。据张慧剑《明清江苏文人年表》。庄一拂《古典戏曲存目汇考》卷一一：《天灯记》，"《今乐考证》著录。乾隆清素堂刊本。《曲考》、《曲海目》、《曲录》并见著录。凡三卷共三十八出。本诸弹词《万花楼》后段，演杨钧拒色，文昌帝君赐以新科状元，并予天灯两盏，与封凤箫成姻事。一日凤箫夜侯夫妇，见有红灯两盏前导，心异之。后钧为周三官代书卖妻文契，冥中撤去天灯。凤箫询知其事，使钧设法毁券，周夫妇得完聚，天灯复见云"；《忠烈传》，"此戏未见著录。乾隆清素堂刊本。凡三卷共三十六出。演宋韩琦子忠彦与宁夏总兵女静娟缔姻，并得张淑娟事。中以西夏兵叛，死守孤城，而烹妾犒军，乃借用张巡故事"。

丁履恒（1770—1832）**生。**履恒自若士、道久，晚号东心，武进人。嘉庆六年拔贡生。十三年应召试，钦取二等，在文颖馆行走。期满，授赣榆县教谕。既而保升知

县，得山东肥城。卢文弨、段玉裁、李廷敬、庄述祖、张惠言、恽敬等皆其师友。著有《左氏通义》、《毛诗名物志》、《说文谐声类篇》、《思贤阁诗文稿》、《宛芳楼杂著》、《望云听雨山房札记》。事迹见吴育《山东肥城县知县丁君家传》、包世臣《山东肥城县知县丁君墓碑》（《续碑传集》卷七六）。

洪震煊（1770—1815）生。震煊字百里，号樵堂，临海人。精《选》学，诗才敏赡。阮元修《经籍纂诂》、《十三经校勘记》，震煊皆任其役。嘉庆十八年拔贡。既廷试，贫不克归，遂以客死。著有《夏小正疏义》四卷、《樵堂诗钞》一卷。事迹见洪颐煊《昆季别传》（《筠轩文钞》卷八）、《清史列传》洪颐煊传附、《清史稿》洪颐煊传附。

李黼平（1770—1833）生。黼平字绣子、贞甫，号贞子、花庵，嘉应州人。嘉庆十年进士，选庶吉士。假归，主讲越华书院。散馆，出为昭文县知县。公余即手一编，民间因有"李十五书生"之目。以亏挪落职系狱，数年乃得归。会粤督阮元开学海堂，聘阅课艺，遂留授诸子经。后主讲东莞宝安书院。著有《李绣子全书》。事迹见梁廷楠《昭文县知县李君墓志铭》（《续碑传集》卷七二）、《清史列传》曾钊传附、《清史稿》曾钊传附。

金逸（女，1770—1794）生。逸字纤纤，长洲人。诸生陈基室。著有《瘦吟楼诗稿》四卷。事迹见袁枚《金纤纤女士墓志铭》（《小仓山房续文集》卷三二）、施淑仪《清代闺阁诗人征略》卷六。

薛雪卒，年九十。据江庆柏《清代人物生卒年表》。袁枚《随园诗话》卷五称其诗"亦正不凡"，录其《夜别汪山樵》、《嘲陶令》等诗。何曰愈《退庵诗话》卷七《重门》诗，谓"清新淡逸"。《晚晴簃诗汇》卷七三："沈归愚曰：生白游横山叶先生之门，自少已工于诗，既长托于医，得食以养其二人。其诗绮丽者本飞卿，镂镶荒幻者本昌谷，平易者本乐天、东坡，而最上者则又闯入盛唐壶奥。是生白之生平，难一一端概者；生白之诗，亦难以一体尽之。""生白以医名，同时叶天士医名最著，生白颇与立异同，故署所居曰'扫叶山庄'。受诗法于叶横山，渊源甚正，而诗名为医所掩。如'山果落荒径，水禽鸣远村'，'遥知依返照，独立望归船'，真朴有味，皆不作唐以后语。"录其诗六首。

黄任卒，年八十八。据朱彭寿《清代人物大事纪年》。郑方坤《全闽诗话》卷九《黄任》："最工诗，菁葱韶蒨，务去陈言，又不堕涩体。与秀水朱昆田、高邮李百药同其标格。闽人户能为诗，彬彬风雅，顾习于晋安一派，磨礲沙荡，以声律圆稳为宗。守林膳部、高典籍之论若金科玉律，凛不敢犯，几于'团扇家家画放翁'矣。莘田逸出其间，聪明净冰雪，欲语羞雷同，可称豪杰之士。其艳体尤擅场，细腻温柔，感均顽艳。所传《秋江集》、《香草笺》诸作，傅阆林前辈谓其实有所指。拟诸玉溪之赋《锦瑟》、元九之忆双文、杜书记之作青楼薄幸、楚雨含情，殆诗家之赋而兴也。"袁枚《随园诗话》卷九："诗有音节清脆，如雪竹冰丝，非人间凡响；皆有天性使然，非关学问。在唐则青莲一人，而温飞卿继之。宋有杨诚斋，元有萨天锡，明有高青丘。本朝继之者，其惟黄莘田乎？"杨锺羲《雪桥诗话》卷四："其诗刻露清新，尤擅艳体。"《国朝诗别裁集》卷一九录其《暑雨后坐月》等诗五首。《晚晴簃诗汇》卷五五录其诗三十六首。

章恺卒，年五十二。据袁行云《清人诗集叙录》卷三一。《章北亭全集》八卷嘉庆五年刊行。据《贩书偶记》卷一六。《晚晴簃诗汇》卷七九："北亭诗才清俊。其集为钱香树、冯孟亭所订。孟亭序其诗，谓：'清如秋风，澄如止水'。香树云：'诗笔峭拔，步趋唐贤，窥见韦、柳门户。'诗外兼工倚声，有《蕉雨秋房》、《杏花春雨楼词》。"录其诗四首。

　　周大枢卒，年七十二。据江庆柏《清代人物生卒年表》。袁枚《随园诗话》卷七："元木诗最坚瘦，独咏《桃花》颇婉丽。其词云：'寂寂朱尘度岁华，又惊春色到桃花。五陵游客知何限？只有渔人最忆家。'"王昶《蒲褐山房诗话》："学博而才长，滔滔莽莽，动以数百言。盖其时浙中诗人如胡稚威、桑弢甫，皆斗奇骋异，故元木亦如之。然文从字顺，自较两家为优。"（《湖海诗传》卷一五）《晚晴簃诗汇》卷八一："园牧于诗琢抉爬搔，意欲参取诸家，自成一体。举大科未遇时，果毅公讷亲相裕陵柄政，招园牧为上客，日讲《通鉴》数则。园牧不屑攀援以他途进，年近六十始举京兆，充咸安宫官学教习，敝袍徒步。久之，得校官去。生平与胡稚威、万循初交最善，相与切劘。其诗豪迈似胡，高秀似万。随园称其《管仲墓》句曰：'浪说儒门羞五尺，至今江左几夷吾？'犹非其至者也。"录其诗六首。

公元 1771 年（乾隆三十六年　辛卯）

正月

　　初八日，姚范卒，年七十。据包世臣《清故翰林院编修崇祀乡贤姚君墓碑》（《艺舟双楫》论文四）。李兆洛《桐城姚氏薑坞惜抱两先生传》："先生本所闻于家庭师友间者，而益充以浩博无涘之学，养之以从容中道之气，遂以自成一家，为后进典型。病时俗舍程、朱而宗汉，以为枝之猎而去其根，细之搜而遗其巨，时时为学者重言之。故其修道据德，实允迪之；品诣敦峻，无纤毫颣，亦其文之所以粹美也。"（《养一斋文集》卷一五）《晚晴簃诗汇》卷七七："薑坞为惜抱世父，世称大姚先生。其诗善于俪事，导源义山，而别开蹊径，实与昆体不同，亦无宋人粗劲之习。包慎伯称其诗文必达其意，绝去依傍，自成体势。在翰林时，同馆袁子才欲其赠诗，竟不可得，可以知其异趣矣。惜抱恒言学所自出，方植之极重薑坞。评定古今人诗话，李申耆推为片语破惑，单义树鹄。盖有表章之者，而其名始著也。"录其诗五十首。《国朝文汇》乙集卷一二录其《扬雄不事王莽辨》等文四篇。

　　二十六日，陈兆崙卒，年七十二。据陈玉绳《陈句山先生年谱》。陈嵩庆《陈句山先生年谱序》："其文浩汗汪洋，云谲波诡，犹身在万石舟，目眩神夺而不能已，又一海外奇绝观也。古诗喜押强韵，类韩、孟体。酷爱五七言小诗，清旷有逸致，标格在皮、陆、苏、黄间。"（《年谱》卷首）李祖陶《国朝文录·紫竹山房文录引》："先生以诗文擅名，义法本之方朴山而面貌各别，大略沉思独往，浩气孤行。虽排偶而有单行之势，深入无际，亦旷然无垠，盖举前贤之樊篱而尽破之者；古文亦直抒胸臆，绝不依傍古人；应制文最患无真气，先生则别有杼柚，自在流行；叙、记飙发泉流，如剑气珠光，不可逼视；传、志则字字熔炼，笔笔飞腾，往往束十数层意于数十百字中，如江湖泛涨，哽咽不流，倒激横撞，仍复滔滔东下，视他家之一泓可鉴及一泄无余者，不可同年语也。盖先生天才亮拔，而思力复极沉雄。尝谓凡技诣乎其绝，必以全力赴之，宝陈编，耗日力，咀道妙，断世机，而后可得。故以古文为时文而时文称绝调，即以其所以为时文者为古文，而古文亦称大家，词科诸公殆蔑有先之者矣。"延君寿《老生常谈》："陈星斋制义，其精能处，如读心余、仲则两家诗，必传于后无疑。"《国朝诗人征略》初编卷二六引《松轩随笔》："先生生平，毕竟以时文为第一。"《晚晴簃诗汇》卷七一："星斋久奉属车，多矢音进御之作，尤详于塞上掌故。"录其诗十七首。《国朝文汇》乙集卷四录其《王砺斋榆关吟草序》等文四篇。

以祖父兆崙去世，陈端生随父回杭州。据郭沫若《陈端生年谱》。

毕沅补授陕西按察使。据史善长《弇山毕公年谱》。

王汝璧补吏部主事。据《国史列传》本传（《铜梁山人诗集》卷首）。

二月

十五日，王宽序汪柱《梦里缘》传奇。署"辛卯花朝，年家眷弟笠人王宽序"。序云："今春，震苍寄来手札，慰谕起居，并石坡所作《梦里缘》传奇一种，代为乞序。"（《中国古典戏曲序跋汇编》卷一四）［按，震苍为汪柱之父］汪柱字石坡、铁林，别署洞圆山客、洞圆主人。庄一拂《古典戏曲存目汇考》卷一二：《梦里缘》，"此戏未见著录。松月轩刊本。《砥石斋二种》之一。以杜甫诗'穿花蛱蝶，点水蜻蜓'为主脑。蛱蝶蜻蜓，配为夫妇，初经患难，终臻团圆云。"

尹继善卒，年七十七。据袁枚《文华殿大学士尹文端公神道碑》（《小仓山房文集》卷三）。［按，《清史列传》本传谓其卒于四月］《钦定八旗通志》卷一二〇：《尹文端诗集》十卷，"是集乃其子庆桂所编，凡古今体诗一千七百五十首。大抵沿溯中唐，而以剑南、石湖为圭臬，不为历下、太仓之伪体，亦不为公安、竟陵之侧调。婉约恬雅而切近事情，深有思致，可以位置于南施北宋之间。盖承籍旧荫，练习典章，早入词林，多与前辈胜流相倡和，故议论体格，具有渊源；又遭遇殊知，扬历中外数十年，时承圣训，得以明达政体，洞悉物情，故无寒儒蔬笋之词，亦无迂士拘墟之见。所谓和声以鸣国家之盛者，殆不愧焉。"袁枚《随园诗话》卷六："尹文端公于近体诗，推敲最细。"蒋士铨《尹文端公诗集后序》："而其所为诗专主性灵，兰荃满怀，冰雪在口，倚俪淡澹，切迭稽诣，不袭古人一字，而世俗诗人肺腑中物更无铢髪犯其笔端。好和韵，尤好叠韵，每一诗成，即随景叠和不已。而命意遣词，愈出愈新，且思通机口，王勃腹稿，仲宣凤构，无多让焉。"（《忠雅堂文集》卷一）王昶《蒲褐山房诗话》："文端公历任封疆，晚归台阁，扬历五十余载，承先启后，三代平章，史册所罕觏也。公在江南最久，慈祥岂悌，沾洽闾阎，而官吏格心敛手，无敢稍为干没。及去而漕弊渐滋，至今犹烦厘剔，故民间思而诵之。公入觐诗云：'九重廑念是江乡，部屋年来少盖藏。疾苦未全登奏草，帝心早已切如伤'；'多年积潦闵淮徐，元气于今尚未舒，四野螢鸿犹满眼，频谙景象近何如。'直以民隐具陈，寓规于颂，实有古大臣风范。性耽吟咏，诗等牛腰。薨后，毕中丞沅与严侍读长明选而刻之，仅什之三四尔。"

（《湖海诗传》卷二）《晚晴簃诗汇》卷六五录其诗十七首。

三月

朔日，纪昀自序《乌鲁木齐杂诗》一卷。署"辛卯三月朔日，河间旧史纪昀书"。序云："余谪乌鲁木齐凡二载，鞅掌簿书，未遑吟咏。庚寅十二月恩命赐环，辛卯二月治装东归。时雪消泥泞，必夜深地冻而后行。旅馆孤居，昼长多暇，乃追述风土，兼叙旧游。自巴里坤至哈密，得诗一百六十首。意到辄书，无复诠次，因命曰《乌鲁木齐杂诗》。"（《纪晓岚文集》第一册卷九）钱大昕《纪晓岚乌鲁木齐杂诗序》："同年纪学士晓岚自塞上还，予往候。握手叙契阔外，即出所作《乌鲁木齐杂诗》见示。读之，声调流美，出入三唐。而叙次风土人物，历历可见，无郁轖愁苦之音，而有春容浑脱之趣。"（《潜研堂文集》卷二六）

初三日，金鹗（1771—1819）生。鹗字风荐，号诚斋，临海人。优贡生。博闻强识，邃精《三礼》之学。著有《求古录礼说》十五卷《续》一卷《补遗》一卷、《乡党正义》一卷。事迹见郭协寅《金诚斋先生传》（《碑传集补》卷四〇）、《清史列传》陈奂传附、《清史稿》陈奂传附。

会试。考官：内阁大学士刘统勋、左都御史观保、内阁学士庄存与。题"子曰若臧"四句，"明乎郊社"二句，"今曰性善"二句。赋得"下车泣罪"得"惭"字。据法式善《清秘述闻》卷七。戴震又不第，时年四十九岁。后修《汾阳县志》。据段玉裁《戴东原先生年谱》。冯敏昌不第。据冯士镳《先君子太史公年谱》。

春

黄景仁至秀水，遂游皖，客太平知府沈业富署中。黄景仁《自叙》："家益贫，出为负米游，客太平知府沈既堂先生业富。"（《两当轩集》卷首）

洪亮吉仍馆汪氏。据吕培等《洪北江先生年谱》。

整图会试不第，拣选候补知县。据《沧来自记年谱》。

四月

初九日，邵大业卒，年六十二。据郑虎文《江南徐州守邵君家传》（《谦受堂集》卷首）。《谦受堂集》十五卷嘉庆二年刊行。据《贩书偶记》卷一六。《国朝文汇》甲集卷六〇录其《忠孝录序》等文四篇。《晚晴簃诗汇》卷六八录其诗二首。

十四日，英和（1771—1840）生。英和姓索绰络氏，字煦斋，号熙斋，满洲正白旗人，德保子。乾隆五十八年成进士，选庶吉士，授编修。官至户部尚书、协办大学士，兼翰林院掌院学士。坐督宝华峪工程不坚落职，戍黑龙江。后释回。著有《恩福堂诗钞》、《恩福堂笔记》。事迹见其自订《恩福堂年谱》、《清史稿》本传。

二十五日，高宗御太和殿，传胪。赐一甲黄轩、王增、范衷进士及第，二甲林树蕃、周兴岱、程晋芳、鲁仕骥（即鲁九皋）、邵晋涵、周永年、孔继涵、陈昌齐等进士出身，三甲洪朴、孔广森、钱沣、方昂、龚大万、龚景瀚、和宁（即和瑛）等同进士出身。据《历科进士题名录》、《清通鉴》。

赵翼擢贵州分巡贵西兵备道，十月抵贵阳。据佚名《瓯北先生年谱》。

彭端淑自编诗集。自序云："余一生尽力于制义。四十为古文，五载成集。近五十始为诗，今已二十五年矣。总计前后所作六百余篇。其所宗仰，俱于诗前言之。然才薄不逮，多浅陋不足观。今年夏，以病足偃卧在床，无以自遣。取所作中稍有得者，检存百二十篇。大约五字较胜，然终不敢问世。书示儿辈，以见余二十五年之苦心所得仅如此，盖诗道若斯之难也。乾隆辛卯四月，乐斋氏题于锦江书院，时年七十有三也。"（《彭端淑诗文注》诗卷首）

五月

二十八日，胡钺卒，年六十三。据杨鸾《胡静庵墓志铭》（《国朝文汇》乙集卷一○）。《墓志铭》云："闻人有异书，辄百计求之，昼夜雒诵，必精贯而后已。发为辞章，庞蔚炳朗，必穷极物态，而清新自得，不苟为藻绘。至制举之文，则源本先正，而以古文行之。"《国朝文汇》乙集卷二录其《牛公渠碑记》等文三篇。《晚晴簃诗汇》卷八五录其诗五首。

康基田署博罗县。据《茂园自撰年谱》。

洪亮吉偕表弟赵怀玉赴江阴。同寓赵敬业寓斋。亮吉科试一等四名，补增广生。据吕培等《洪北江先生年谱》。

蒋士铨作《桂林霜》传奇。自序云："若文毅半载空衙，四年土室，冻骸饿殍，纵横阶厄间。虎伥雉媒，蠚沙鱼饵，日陈左右，而屹然不动。卒至喋血常山，旋飙柴市，偕四十口薁葬尸陀。呜呼，可谓极其难者矣。长夏病瘧，百事俱废。瘧止，辄采其事填词一篇，积两旬成《桂林霜》院本。"署"乾隆辛卯仲夏，铅山蒋士铨书于蕺山之馆"。又，《书后》署"辛卯六月朔日，清容居士书"。张三礼序署"乾隆辛卯九秋，燕台张三礼书于越州郡斋"。（《藏园九种曲》）庄一拂《古典戏曲存目汇考》卷一一："《桂林霜》，《今乐考证》著录。《藏园九种曲》刊本。《曲考》、《曲海目》、《曲录》并见著录。一名《赐衣记》。全剧二十四出。演康熙初马雄镇合家殉广西之难。"

六月

初三日，陈弘谋卒，年七十六。据陈锺珂《先文恭公年谱》卷一二。李祖陶《国朝文录续编·陈文恭公培远堂文录引》："公生于广西之桂林府，以词林起家，历任封疆，官至大学士。方望溪集中有云，有'起荒陬至大僚'者，盖指公也。夫天地之气由北而南，当重熙累洽之代，虽云、贵亦处处出人矣。况公以中正和粹之姿，学术以朱子为宗，其所选刻之书大都有裨学术治术，序皆语长心重，口颊津津。至五种遗规之著，几欲胥天下之人而训正之，可称绝大胸襟矣。文存不多，大都布帛菽粟之谈，可暖可饱者。惜奏议不存一篇，其政事不可得见。然读其《南运河放淤说》及《自杨柳青至天津西岸不可筑堤说》，深识水性，可为后世法程，其经济亦大概可知矣。"《培远堂全集》有道光十七年培远堂刊本。据《中国丛书综录》。《国朝文汇》甲集卷五四录其《全滇义学汇记序》、《节妇传序》文两篇。《晚晴簃诗汇》卷六五录其诗一首。

十八日，恽珠（女，1771—1833）生。珠字珍浦，号星联，晚号蓉湖散人，阳湖人。归完颜廷镳，有三子，长麟庆，次麟昌，季麟书。工诗、画、刺绣。著有《红香馆诗草》二卷，辑有《兰闺实录》六卷、《国朝闺秀正始集》二十卷《续集》十卷。事迹见蔡之定《完颜母恽太夫人墓表铭》、潘世恩《恽太夫人传》（《中华大典·明清文学分典》）、施淑仪《清代闺阁诗人征略》卷七。

纪昀自乌鲁木齐还京师，授编修。据纪昀《阅微草堂笔记》卷七《如是我闻一》、朱珪《经筵讲官太子少保协办大学士礼部尚书管国子监事谥文达纪公墓志铭》（《知足斋文集》卷五）。

七月

康基田委署惠州府，兼署惠州府通判。据《茂园自撰年谱》。

廖景文《清绮集》八卷成书，又名《罨画楼诗话》。自序署"乾隆辛卯巧月，云间廖景文书于罨画楼中"（邓长风《明清戏曲家考略·廖景文和他的＜清绮集＞》引）。是书乾隆三十九年听吟轩刊行。

八月

初九日，汪宪卒，年五十一。据钱陈群《诰赠朝议大夫原任刑部陕西司员外郎鱼亭汪君传略》（《香树斋文集续钞》卷四）。《晚晴簃诗汇》卷七九录其诗一首。

二十七日，陈文述（1771—1845）生。文述初名文杰，字隽甫，号云伯，钱塘人。嘉庆五年举人，屡试礼部不第。历官全椒、繁昌、昭文、江都、崇明知县。少有诗名，与族兄鸿寿有"二陈"之目。嘉庆元年受业阮元门下，至十一年，随元宦游京浙间。居京师五载，与杨芳灿齐名，时称"杨陈"。十二年改官江南，凡十四年。著有《碧城仙馆诗钞》八卷、《西泠怀古集》十卷、《西泠仙咏》三卷、《西泠闺咏》十六卷、《秣陵集》六卷、《颐道堂文钞》十三卷、《诗选》三十卷、《外集》十三卷、《戒后诗存》十六卷、《补遗》六卷。事迹见《杭州府志》本传（《碑传集补》卷四八）、《国朝诗人征略》二编卷五二、《清史列传》本传。［按，生卒时间据朱彭寿《清代人物大事纪年》］

秋

乡试。是科各省考官有彭元瑞、王杰、曹仁虎、金士松、吴省钦、曹文埴等。据法式善《清秘述闻》卷七。所取举人有刘台拱（朱彬《刘学士台拱行状》）、蒋学镛（《清史稿》全祖望传附）、胡亦常（《清史列传》黎简传附）、伯麟（朱彭寿《清代人物大事纪年》）、汪端光（《湖海诗传》卷三二）等。贾朝琼中副榜。据《国朝文汇》乙集卷三八。洪亮吉、黄景仁、赵怀玉应江宁乡试，又不售。据吕培等《洪北江先生年谱》、毛庆善、季锡畴《黄仲则先生年谱》、赵怀玉《收庵居士自叙年谱略》卷上。

洪亮吉在江宁与汪中、顾九苞定交。据吕培等《洪北江先生年谱》。

俞蛟与杨念山北上，沿途游浯溪山、岳阳楼。据俞蛟《梦厂杂著》卷五《浯溪山记》、《岳阳楼记》。

十月

初五日，梁德绳（女，1771—1847）生。德绳字楚生，仁和人。诗正孙女，敦书女，许宗彦室。著有《古春轩诗钞》，又尝续补陈端生《再生缘》。事迹见阮元《梁恭人传》（《碑传集补》卷五九）、叶德均《＜再生缘＞续作者许宗彦梁德绳夫妇年谱》（《戏曲小说丛考》卷下）、《清代闺阁诗人征略》卷七。

十八日，朱筠赴安徽学政任。与章学诚、邵晋涵、张凤翔、徐瀚、莫与俦等，联车十二乘，离京。十一月二十八日，同抵太平使院。据胡适《章实斋年谱》。朱筠在安徽学政任凡二年。据罗继祖《朱笥河先生年谱》。

二十九日，沈大成卒，年七十二。据汪大经《沈先生大成行状》（《碑传集》卷一四一）。《学福斋诗集》三十七卷首一卷（即赋）《文集》二十卷本年至乾隆三十九年刊行。据《贩书偶记》卷一五。王昶《蒲褐山房诗话》："其诗初学黄中允之隽，后出入唐、宋，不名一体。董浦太史谓以学人而兼诗人者，信也。"（《湖海诗传》卷一八）林昌彝《射鹰楼诗话》卷二二："嘉善沈瘦客诸生大成，诗多人情之作。《灵芬馆诗话》云：'瘦客深于情，一往三复，诗如其人。'"杨锺羲《雪桥诗话》卷五："李越缦先生《论诗绝句》云：'学福清才自绝侪，经生吐属最风流。何当摘句图重绘，樊榭、渔洋一例收。'谓华亭沈沃田也。陈亦韩序其诗，谓才多而不杂，思敏而能密。"李祖陶《国朝文录续编·学福斋文录引》："其集序最多，论文、论诗、论词皆抒写心得，不袭陈言。而行文刊落粗犷，别有幽光，不同讲考据者之食而不化，亦可谓博学而兼能文者矣。记文别有远神，似欧公一派；碑文合格；传亦雅洁，与拖沓家迥殊。近代论古文，群推震川。然二百年来，得其神解者颇鲜。若先生此集，其殆庶几矣。"李慈铭《越缦堂读书记·学福斋集》："乾隆间吴中三布衣名最重，惠栋松崖、李果客山及先生而已。松崖经学自非先生所能及，然汪大经作先生行状，言其所校十三经、《史》、《汉》、诸子、《说文》以及梅氏历算诸书，无不精密。先生集中《释悲文》亦云手校书万卷，而与松崖、东原两君交。松崖为作集序，言生为古学，求一弹见治闻同志相赏者，四十年未睹一人，最后得吾友沈君，大喜过望。又云：'沈君与余不啻重规叠矩，其学邃于经史，又旁通九宫、纳甲、天文、乐律、九章诸术，故搜择融洽而无所不贯。'东原之序云：'先生之学，于汉经师授受欲绝未绝之传，知之独深。'又云：'先生于古人小学故训，研究靡遗。'则其学之大略已可知矣。其文清雅简秀，意味油然，而论经谨守汉儒，论文必本《说文》，论算术痛辟西法。释、道、岐黄，皆所综究，虽所传止是，而宏儒梗概固悉具也。""沃田文既冲夷，诗亦清婉，高者逼中唐，次亦不失宋人风格。其古诗亦有老成可取者。盖所为诗文皆未尝刻意求工，故于文之义法、诗之标格，俱有未逮，而纡徐曲畅，栖托清和，自是儒者之言，非专门名家比也。生平最相引重者，浙江布政使前广东巡抚重庆王楼山恕，福建巡抚常州潘敏惠思榘，常依其幕府。交游最挚者，惠、戴而外，则程绵庄、陈和叔、许竹素、黄荨田、程鱼门，次则吾乡傅玉笈及杭大宗、程易田、丁龙泓、王毂原、汪康古、王兰泉诸公，想见一时人材之盛。而资其游息者，则江橙里、鹤亭兄弟也。沃田少师黄厝堂，与秦树峰尚书、陈和叔有三俊之目，见其哭和叔诗中。""其文清和婉约，持论有本，不愧儒者之言。"《晚晴簃诗汇》卷七八录其诗八首。《国朝文汇》乙集卷二〇录其《汪是庵诗集序》等文十一篇。

毕沅补授布政使。据史善长《弇山毕公年谱》。

赵文哲复官中书舍人。据王昶《恤赠光禄寺少卿户部主事赵君墓志铭》（《春融堂集》卷五三）。

十一月

初五日，吴衡照（1771—1829）**生。**衡照字夏治，号子律，海宁人。嘉庆十六年进士，官金华府教授。著有《辛卯生诗》四卷、《诗余》一卷、《莲子居词话》四卷。事迹见《晚晴簃诗汇》卷一二五。[生卒时间据朱彭寿《清代人物大事纪年》]

十七日，黄承吉（1771—1842）**生。**承吉字谦牧，号春谷，江都人。嘉庆三年举乡试第一，十年成进士。官广西兴安、岑溪知县，后罢官归。著有《梦陔堂文集》十卷、《诗集》五十卷、《文说》一卷。事迹见阮元《江都春谷黄君墓志铭》（《碑传集补》卷四八）、江藩《国朝汉学师承记》卷七、《清史列传》江藩传附。

王汝璧升吏部员外郎。据《国史列传》本传（《铜梁山人诗集》卷首）。

康基田复委署博罗县。据《茂园自撰年谱》。

李文藻序宋弼编《山左明诗钞》。署"乾隆辛卯冬十一月，益都李文藻序"。（《山左明诗钞》卷首）四库提要卷一九四：《山左明诗钞》三十五卷，"国朝宋弼编。弼字仲良，德州人。乾隆乙丑进士，官至甘肃按察使。是集辑明代山东一省之诗，所录凡四百三十一人。其体例全仿朱彝尊之《明诗综》。其去取之间，则谨守王士禛之门径，纤毫不肯异同也。"法式善《陶庐杂录》卷三："《山左明诗钞》三十五卷，德州宋弼选，益都李文藻于乾隆辛卯年刻于广东新安县署中。李序是书选刻始末甚详。昔新城欲辑《海右五十家诗》而弗果，兹合路中允斯道、惠文学栋两家选本，又幸卢氏旧藏稿本失而复得。终获行于世，斯可宝也。"

十二月

初四日，徐大椿卒，年七十九。据宋大仁《徐灵胎先生年表》（谢巍《中国历代人物年谱考录》著录）。杨锺羲《雪桥诗话》卷七："平生覃思周易、道德、阴符家言，于医理尤邃。"《国朝文汇》乙集卷二录其《神农本草经百种录序》、《阴符经序》文两篇。《中国丛书综录》："《徐氏杂著》，（清）徐大椿撰。清光绪中著易堂书局排印本。《道德经注》二卷，《阴符经注》一卷，《乐府传声》一卷，《洄溪道情》一卷。"

十六日，方廷熹序刘翟《杨状元进谏谪滇南》（一名《议大礼》）**杂剧。**署"乾隆

岁次辛卯嘉平月望后一日，西塘方廷熹拜书于陈源山庄"。序云："剧为有明杨升庵先生作。""蔼堂先生才气闳放，既足与其人其事相副，又殚究于音律之学。尝见酒酣兴发，按拍长谣，句必动魄而惊心，韵则投袂而赴节。凡所点缀，皆属意到笔随，而施于当场，适如颊上添毫，使当日风流宛然可见，洵辞坛之极观而歌筵之快觏也。"又，刘罩自序云："余以三余之暇采缀成剧，非谓能传先生谔谔謇謇之大节，聊以见先生当日蒙难艰贞，其流风余韵付之优孟衣冠，或可为教孝教忠者劝。至于换羽移宫、谐声赴节，余既素非所长，且行笥萧然，乐府诸谱未经随携。惟就胸中记忆熟调，约略填词，谬误甚多，尚望当代周郎正其得失也。"署"梦华居士刘罩并书"。(《中国古典戏曲序跋汇编》卷八) 庄一拂《古典戏曲存目汇考》卷八：《杨状元进谏谪滇南》，"《今乐考证》著录。乾隆间刊本。简名《议大礼》。题目作'明世宗私亲议大礼'。剧凡四折，演杨慎谪滇南事。本《明史》本传敷演而成。沈自征有《杨升庵诗酒簪花髻》一剧。"

二十六日，朱筠与张凤翔、邵晋涵、章学诚、徐瀚、洪亮吉、黄景仁、莫与俦为采石之游。泛舟姑溪，登太白楼。据《笥河文集》卷七《游采石记》。

王采薇赘孙星衍于家，二人皆十九岁。据王光燮《亡女采薇小传》、孙星衍《诰赠夫人亡妻王氏事状》(《长离阁集》卷首)。

《清文鉴》三十二卷、《补编》四卷、《总纲》八卷、《补总纲》二卷成书。据朱彭寿《清代人物大事纪年》。

和邦额自序《霁园杂记》四卷。署"乾隆三十六年岁次重光单阏之涂月，叶河和邦额霁亭氏题"。《霁园杂记》系和邦额《夜谭随录》成书前稿本之传钞本或此传钞本之过录本。据萧相恺《和邦额文言小说霁园杂记考论》(《文学遗产》2004 年第 3 期)。

冬

黄景仁入安徽学政朱筠幕。黄景仁《自叙》："时大兴朱先生筠督学安庆，招入幕。"(《两当轩集》卷首)洪亮吉《候选县丞附监生黄君行状》："岁辛卯，大兴朱先生筠奉命督安徽学政，延亮吉及君于幕中。"(《卷施阁文甲集》卷一〇)毛庆善、季锡畴《黄仲则先生年谱》："按集中《秋兴》诗序云：'余年二十有三，临风揽鉴，已复种种，早凋如此，其何以堪。'是先生撄疾，早岁已然也。"

洪亮吉入朱筠幕。吕培等《洪北江先生年谱》："十一月，先生以馆谷不足养亲，买舟至安徽太平府谒朱学使筠。时学使尚未抵任，沈太守业富素重先生，留入府署。未匝月，适安徽道俞君成欲延书记，太守以先生应聘。已至芜湖，有留上朱学使书，学使得之，甚喜，以为文似汉魏，即专使相延入幕，以腊月八日复抵太平。黄君景仁已先在署。学使作书遍致同朝，谓甫到江南即得洪、黄二生，其才如龙泉、太阿，皆万人敌云。""及入学使署，又与邵进士晋涵、高孝廉文照、王孝廉念孙、章孝廉学诚、吴秀才兰庭交最密。由是识解益进，始从事诸经正义及《说文》玉篇。每夕至三鼓方就寝。是年所作诗文逾百篇。"

汪中谒郑虎文于秀水，与定交。据汪喜孙《容甫先生年谱》。

方成培自序《雷峰塔》传奇。署"乾隆辛卯冬月，新安方成培仰松甫识"。自序云："《雷峰塔》传奇从来已久，不知何人所撰。其事散见吴从先《小窗自纪》、《西湖志》等书，好事者从而摭拾之，下里巴人，无足道者。岁辛卯，朝廷逢璇闱之庆，普天同忭，淮商得以恭襄盛典。大学士大中丞高公语银台李公，令商人于祝嘏新剧外开演斯剧，祗候承应。余于观察徐环谷家屡经寓目。惜其按节氍毹之上，非不洋洋盈耳，而在知音翻阅，不免攒眉，辞鄙调伪，未暇更仆数也。因重为更定，遣词命意，颇极经营，务使有裨世道，以归于雅正。较原本曲改其十之九、宾白改十之七。《求草》、《炼塔》、《祭塔》等折，皆点窜终篇，仅存其目。中间芟去八出。《夜话》及首尾两折与集唐下场诗，悉予所增入者。时就商酌，则徐子有山将伯之力居多。"（《雷峰塔传奇》卷首）是剧今存乾隆三十七年水竹居刊本。方成培字仰松，号岫云词逸，歙县人。另有《双泉记》传奇，已佚。

本年

程晋芳授吏部主事。据翁方纲《皇清诰授奉政大夫翰林院编修加四级戢园程先生墓志铭》（《复初斋文集》卷一四）。

邵晋涵成进士，归班铨选。据王昶《翰林院侍讲学士充国史馆提调官邵君墓表》（《春融堂集》卷六〇）。

姚鼐擢刑部广东司郎中。据郑福照《姚惜抱先生年谱》。

曹仁虎升中允。据王鸿逵《曹学士年谱》。

张九钺服阕，拣发广东，明年正月至广州。据张家杜《陶园年谱》。

苏去疾去官，自号"园公"，不复出。时年四十四岁。据姚鼐《苏献之墓志铭并序》（《惜抱轩文后集》卷七）。

冯敏昌会试报罢后留京师，其诗为钱载所赏。又，翁方纲广东任竣还京，冯敏昌并得请业。据冯士镳《先君子太史公年谱》。

凌廷堪十五岁，能诗词。据张其锦《凌次仲先生年谱》。江藩《国朝汉学师承记》卷七："偶在友人家见《词综》、《唐诗别裁集》，携归就灯下读，遂能诗及长短句。"

汪中在朱筠幕。据汪喜孙《容甫先生年谱》。作《吊黄祖文》。据汪喜孙《先君年表》。［按，《中国历代著名文学家评传·汪中》谓此文作于乾隆四十八年］

薛起凤主沂州书院，凡三年。据彭绍升《薛家三述》（《二林居集》卷二二）。

王文治掌教杭州崇文书院。据张慧剑《明清江苏文人年表》。

法式善院试入学。据阮元《梧门先生年谱》。

赵绍祖受知于学使朱筠，入县学，旋补廪膳生。据陶澍《赵琴士征君墓志铭》（《陶文毅公全集》卷四五）。

杨芳灿补博士弟子员。据杨芳灿自订、余一鳌补订《杨蓉裳先生年谱》。

恽敬学六朝文、汉魏赋颂及宋元小词，时年十五岁。据恽敬《大云山房文稿初集序录》（《初集》卷首）。

黎简奉母自南宁归顺德，不复西行。据黄丹书《明经二樵黎君行状》（《碑传集三编》卷三七）。《五百四峰堂诗钞》存诗始于本年。据黎简《五百四峰堂诗钞自序》。

杨潮观入都经江宁，向袁枚介绍杨芳灿，芳灿遂与顾敏恒同受业于随园。杨芳灿自订、余一鳌补订《杨蓉裳先生年谱》："是年世父笠湖公运川木入都，道经江宁，为延誉于袁随园师。余因以诗卷为贽，师为署其卷尾曰：'昔元微之年十九，作《秋夕清都诗》，当时称为才子；作者亦年十九，而能摇笔万言，猎取百家，其才直在元相之上，所谓生有自来者也，吾爱之，重之。'因与立方同受业焉。余幼时作诗，喜学三谢及青莲，未免句摹字仿，师谓曰：'昔王朗欲学华子鱼，惟其似之太过，所以去之愈远。吾辈读书时，要与古人合；落笔时，要与古人离也。'余于是始悟作诗法。作文喜任、沈、徐、庾，师每曰：'立方学八家之文，蓉裳学六朝之文，吾门得此，可称双绝。'其赏爱如此。"

曹仁虎与馆阁诸公为消寒诗社，著有《炙砚集》。据王鸿逵《曹学士年谱》。

王芑孙《渊雅堂编年诗稿》存诗始于本年。见《渊雅堂编年诗稿》卷一。

毕沅作《青门集》一卷。据史善长《弇山毕公年谱》。

侯定超序李百川《绿野仙踪》。序云："持心之要，莫妙于冷，莫妙于冷于冰，此作者命名之意，至深至切。庄子曰：'形固可使如（稿）[槁]木，心固可使如死灰。'冷之谓也。张子曰：'聚亦吾体，散亦吾体'，冷于冰之谓也。乾隆三十六年，洞庭侯定超拜书。"（《绿野仙踪》卷首）

阮葵生《茶余客话》成书于本年以前。戴璐跋云："是书成于辛卯之前。"署"甲寅上元乌程戴璐跋"。（《茶余客话》卷末）

赵怀玉取常州八县自周至明之事，作《云溪乐府》。据赵怀玉《收庵居士自叙年谱略》卷上。

王筠《全福记》传奇定稿。是剧凡二卷二十八出，乾隆四十四年刊行。据朱珪序（《明清妇女戏曲集·繁华梦》附录）。

夏之蓉《半舫斋古文》八卷（戴祖启批点）、《半舫斋编年诗》二十卷刊行。据《贩书偶记》卷一五。

彭端淑《白鹤堂文稿》无卷数（胡天游等评）、《白鹤堂晚年自订诗稿》二卷刊行。据《贩书偶记》卷一五、《续编》卷一五。

吴文溥《霪林山人诗集》五卷研山堂刊行。原目作六卷，第六卷未刻。据《贩书偶记续编》卷一五。

许宝善《自怡轩词谱》六卷刊行。据《贩书偶记》卷二〇。

石琰《锦香亭》、《酒家俑》传奇刊行。石琰所著《石恂斋传奇四种》（即《天灯记》、《忠烈传》、《锦香亭》、《酒家俑》）外，又有《两度梅》传奇。据张慧剑《明清江苏文人年表》。庄一拂《古典戏曲存目汇考》卷一一：《锦香亭》，"《今乐考证》著录。乾隆清素堂刊本。《曲考》、《曲海目》、《曲录》并见著录。一名《香罗帕》。凡三卷共三十八出。剧演钟景期娶葛明霞、韦碧秋、雷天然三女事。戏文、杂剧有《孟月娘写恨锦香亭》，与之皆有渊源，小说弹词皆有《锦香亭》，题材亦同。钟、葛二人，以帕定情，故又名《香罗帕》。顾九韶有同名传奇"；《酒家俑》，"《今乐考证》著录。乾隆清素堂刊本。《曲考》、《曲海目》、《曲录》并见著录。一名《香鞋记》。凡三卷共三十九出。演李固为梁冀所陷，其子燮，变姓名为酒家佣以脱难。旧有陆无从、钦虹江二本，冯梦龙合而改之，亦名《酒家佣》。此本以燮避难赵伯英家，忽被搜查，乃匿于赵妹静娟香闺，因而窃得静娟之睡鞋，终以此而成偶，故一名《香鞋》"；《两度梅》，"《今乐考证》著录。旧钞本。《曲考》、《曲海目》、《曲录》并见著录。三卷，见《北平图书馆戏曲展览会目录》。本诸小说《二度梅》，演梅璧、陈杏元事"。

闽县陈寿祺（1771—1834）生。寿祺字恭甫、苇仁，号左海，晚号隐屏山人，闽县人。嘉庆四年成进士，选翰林院庶吉士，散馆授编修。十四年奔丧归，不复出。主泉州清源、鳌峰书院凡二十一年。著有《左海文集》十卷、《左海骈体文》二卷、《绛跗堂诗集》六卷、《东越儒林文苑后传》二卷。事迹见高澍然《奉政大夫翰林院编修记名御史陈先生寿祺行状》、阮元《隐屏山人陈编修传》（《碑传集》卷五一）、林昌彝《陈恭甫先生传》（《林昌彝诗文集》卷一四）、《清史列传》本传、《清史稿》本传。

陆耀遹（1771—1836）生。耀遹字绍闻，号劭文，阳湖人，继辂从子。县学生。工为诗，喜金石文字，与继辂齐名。先后客浙江学使阮元、陕西巡抚朱勋幕。道光初，举孝廉方正。以校官用，得淮安府学教授。适游粤，为当事强留，遂历十余载而归。选阜宁教谕，旋卒。著有《双白燕堂诗集》八卷、《双白燕堂文集》二卷《外集》八卷。事迹见李兆洛《阜宁县学教谕陆君传》（《养一斋文集》卷一六）、《清史列传》恽敬传附、《清史稿》陆继辂传附。

钱宝甫（1771—1827）生。宝甫初名昌龄，字子寿，号恬斋，秀水人，载孙。嘉庆四年进士，改庶吉士，授编修。官云南布政使。著有《恬斋遗稿》。事迹见《晚晴簃诗汇》卷一一三、朱彭寿《清代人物大事纪年》。

裕瑞（1771—1838）生。裕瑞字思元，豫通亲王多铎裔。封辅国公。历官镶白旗蒙古副都统、镶红旗满洲副都统、正白旗护军统领。嘉庆十八年因教党闯入禁城，防御不力革职，移居盛京。旋缘事永远圈禁。道光十八年闰四月卒，年六十八。工诗善画，通西蕃语。尝画鹦鹉地图，即西洋地球图。精佛学，尝校佛经。所居曰樊学斋，一时名士如杨蓉裳、吴兰雪辈，皆与之游。著有《思元斋集》、《妻香轩吟草》、《枣窗闲笔》。事迹见钱泳《履园谭诗·以人存诗》、《清史稿》文昭传附、孙楷第《中国通俗小说书目》卷四。

朱为弼（1771—1840）生。为弼字右甫，号茮堂，平湖人。嘉庆十年进士，授兵部主事。官至漕运总督。著有《蕉声馆诗文集》。事迹见杨岘《漕运总督朱公墓表》（《续碑传集》卷二二）、《清史稿》本传。

盛大士（1771—1838 或 1839）生。大士字子履，号逸云，兰簃外史，镇洋人。嘉庆五年举人。试礼部不第，官山阳教谕。著有《蕴素阁诗文集》、《竹间诗话》，辑有《粤东七子诗选》。事迹见蒋宝龄《墨林今话》卷一三。［生卒年据蒋寅《清诗话考》下编三］

桑调元卒，年七十七。据朱彭寿《清代人物大事纪年》。所著《论语说》二卷、《躬行实践录》十五卷、《桑弢甫集》八十四卷，四库提要著录。四库提要卷一八五：《桑弢甫集》八十四卷，"是集诗十四卷、续集二十卷、五岳诗二十卷、文三十卷。调元才锋踔厉，学问亦足以副之。故诗文纵横排奡，摆落蹊径，毅然自为一家。而恃其才学，不主故常，豪而失之怒张，博而失之曼衍者，亦时有之。所作《镇海楼》诗至七言长律二百韵，古人无是格也。其所以长即其所以短乎？"袁枚《随园诗话》卷一〇录其《留别袁石峰》、《过华山》、《嵩洛杂诗》，谓"非深于游山者不能言"。《清史列传》劳史传附："（调元）著有《论语说》二卷，所言皆阐《集注》未尽之义，颇为细密。又《躬行实践录》十五卷，言敬言仁，一宗程朱，持论亦极醇正。其时文纵横排奡，自成一家。"《国朝文汇》甲集卷六〇录其《送沈君之震泽序》等文五篇。《晚晴簃诗汇》卷六八录其诗十六首。

田榕卒，年八十五。据柯愈春《清人诗文集总目提要》。《晚晴簃诗汇》卷五八："陈松山曰：黔中诗人，渔璜而后，端云、南垞差堪步武。端云趋向渔洋，为注《精华录》。南垞赠诗云：'一卷《精华》王孟兼，每从法界想《华严》。功臣何处求毛郑，独有平溪田孝廉。'所注惜未传。诗名藉甚，为钱箨石、吴白华、张匠门所称。"录其诗十四首。

顾镇卒，年七十三。据江庆柏《清代人物生卒年表》。[按，《历代人物年里碑传综表》谓其生卒年为 1720—1792 年]《国朝文汇》乙集卷二六录其《白茆水利议》等文八篇。《晚晴簃诗汇》卷八四录其诗一首。

彭肇洙尚在世，年七十一。据《彭端淑诗文注·忆弟》（此诗本年作）。《晚晴簃诗汇》卷六八录其诗一首。

人名索引

G

图书在版编目（CIP）数据

中国文学编年史. 清前中期卷（上、下）/陈文新主编；鲁小俊（上）、鲁小俊　苗磊（下）分册主编. 一长沙：湖南人民出版社，2006.9
ISBN 7-5438-4535-0

Ⅰ.中... Ⅱ.①陈...②鲁...③苗... Ⅲ.①文学史—编年史—中国—清代
Ⅳ.I209

中国版本图书馆 CIP 数据核字（2006）第 117662 号

中国文学编年史·清前中期卷（上、下）

责任编辑：李建国　胡如虹　曹有鹏
　　　　　张志红　邓胜文　杨　纯　聂双武
主　　编：陈文新
书名题字：卢中南
装帧设计：陈　新
出　　版：湖南人民出版社
地　　址：长沙市营盘东路 3 号
市场营销：0731-2226732
网　　址：http://www.hnppp.com
邮　　编：410005
制　　作：湖南潇湘出版文化传播有限公司
电　　话：0731-2229693　2229692
印　　刷：中华商务联合印刷（广东）有限公司
经　　销：湖南省新华书店
版　　次：2006 年 9 月第 1 版第 1 次印刷
开　　本：787×1094　1/16
印　　张：73.75
字　　数：1,635,000
书　　号：ISBN 7-5438-4535-0/I·452
定　　价：548.00 元(上、下册)